기출문제 해설집

언어이해 | 해설편

메가로스쿨 언어논리연구소

LEET 메가로스쿨

2027

Contents

문제편

2027학년도 LEET 대비

메가로스쿨 기출문제 해설집

언어이해

해설편

Quick Answers

빠른답

2026학년도

문제편 | 29p

1	④	2	②	3	③	4	②	5	①	6	④	7	②	8	③	9	④	10	①	11	③	12	①	13	②	14	③	15	③
16	④	17	⑤	18	④	19	③	20	②	21	⑤	22	②	23	①	24	⑤	25	⑤	26	②	27	③	28	④	29	①	30	②

2025학년도

문제편 | 47p

1	②	2	②	3	⑤	4	④	5	④	6	③	7	②	8	③	9	②	10	③	11	③	12	②	13	①	14	⑤	15	④
16	①	17	①	18	②	19	④	20	①	21	②	22	⑤	23	④	24	⑤	25	①	26	⑤	27	④	28	③	29	④	30	③

2024학년도

문제편 | 65p

1	③	2	④	3	③	4	②	5	⑤	6	③	7	⑤	8	②	9	⑤	10	④	11	①	12	③	13	①	14	④	15	③
16	③	17	②	18	①	19	⑤	20	④	21	①	22	④	23	②	24	②	25	⑤	26	④	27	①	28	②	29	②	30	④

2023학년도

문제편 | 83p

1	③	2	①	3	⑤	4	②	5	④	6	③	7	⑤	8	⑤	9	③	10	④	11	①	12	②	13	②	14	⑤	15	④
16	①	17	①	18	⑤	19	①	20	③	21	①	22	②	23	②	24	④	25	③	26	⑤	27	③	28	⑤	29	⑤	30	③

2022학년도

문제편 | 101p

1	③	2	⑤	3	⑤	4	④	5	①	6	②	7	①	8	④	9	③	10	③	11	④	12	⑤	13	①	14	①	15	②
16	④	17	④	18	②	19	④	20	①	21	⑤	22	⑤	23	③	24	③	25	②	26	②	27	⑤	28	⑤	29	③	30	②

2021학년도

문제편 | 119p

1	①	2	④	3	⑤	4	⑤	5	⑤	6	③	7	④	8	①	9	④	10	①	11	②	12	⑤	13	③	14	②	15	④
16	⑤	17	⑤	18	①	19	④	20	①	21	①	22	③	23	②	24	②	25	④	26	⑤	27	③	28	②	29	②	30	③

2020학년도

문제편 | 137p

1	④	2	④	3	②	4	②	5	⑤	6	⑤	7	⑤	8	②	9	③	10	①	11	②	12	⑤	13	①	14	⑤	15	④
16	③	17	①	18	⑤	19	③	20	③	21	④	22	⑤	23	①	24	②	25	②	26	③	27	④	28	①	29	③	30	③

2019학년도

문제편 | 155p

1	①	2	①	3	③	4	④	5	⑤	6	①	7	⑤	8	②	9	④	10	②	11	②	12	④	13	②	14	②	15	①
16	⑤	17	③	18	②	19	③	20	②	21	④	22	④	23	③	24	②	25	⑤	26	④	27	⑤	28	②	29	①	30	③

2018학년도

문제편 | 173p

1	①	2	③	3	⑤	4	③	5	②	6	③	7	⑤	8	④	9	③	10	③	11	①	12	②	13	②	14	④	15	②
16	①	17	①	18	②	19	④	20	①	21	④	22	⑤	23	③	24	②	25	②	26	④	27	③	28	④	29	②	30	⑤
31	⑤	32	⑤	33	④	34	④	35	①																				

2017학년도

문제편 | 193p

1	①	2	④	3	③	4	②	5	⑤	6	⑤	7	③	8	③	9	①	10	①	11	⑤	12	③	13	①	14	⑤	15	⑤
16	⑤	17	②	18	②	19	②	20	③	21	②	22	③	23	④	24	⑤	25	④	26	④	27	②	28	③	29	④	30	④
31	④	32	②	33	①	34	①	35	②																				

2016학년도

문제편 | 213p

1	③	2	④	3	④	4	①	5	③	6	④	7	①	8	⑤	9	①	10	④	11	④	12	⑤	13	④	14	⑤	15	①
16	⑤	17	③	18	②	19	①	20	②	21	③	22	④	23	②	24	⑤	25	②	26	③	27	⑤	28	③	29	②	30	①
31	①	32	②	33	①	34	③	35	③																				

2015학년도

문제편 | 233p

1	①	2	⑤	3	③	4	⑤	5	②	6	②	7	③	8	③	9	③	10	⑤	11	④	12	⑤	13	②	14	⑤	15	②
16	②	17	②	18	③	19	①	20	④	21	①	22	①	23	④	24	①	25	④	26	②	27	③	28	④	29	④	30	②
31	①	32	①	33	④	34	②	35	⑤																				

2014학년도

문제편 | 253p

1	⑤	2	①	3	①	4	④	5	③	6	④	7	②	8	②	9	⑤	10	②	11	④	12	①	13	③	14	③	15	⑤
16	⑤	17	②	18	③	19	③	20	⑤	21	④	22	①	23	④	24	⑤	25	①	26	①	27	②	28	①	29	④	30	②
31	④	32	⑤	33	③	34	②	35	③																				

2013학년도

문제편 | 273p

4	①	5	⑤	6	③	7	①	8	⑤	9	②	10	①	11	④	12	④	13	④	14	②	15	④	16	①	17	②	18	⑤
19	②	20	④	21	③	22	⑤	23	⑤	24	①	25	④	26	⑤	27	②	28	③	29	③	30	①	31	⑤	32	⑤	33	①
34	①	35	②																										

2012학년도

문제편 | 293p

4	②	5	②	6	④	7	③	8	④	9	②	10	③	11	⑤	12	①	13	④	14	⑤	15	①	16	②	17	①	18	④
19	⑤	20	③	21	④	22	②	23	④	24	②	25	④	26	③	27	⑤	28	②	29	①	30	①	31	③	32	③	33	②
34	⑤	35	③																										

2011학년도

문제편 | 313p

4	③	5	④	6	②	7	①	8	⑤	9	③	10	②	11	④	12	④	13	④	14	⑤	15	⑤	16	④	17	①	18	③
19	①	20	②	21	⑤	22	②	23	⑤	24	⑤	25	③	26	③	27	②	28	①	29	③	30	④	31	⑤	32	③	33	③
34	⑤	35	②																										

2010학년도

문제편 | 333p

4	⑤	5	⑤	6	②	7	④	8	②	9	①	10	③	11	⑤	12	④	13	①	14	③	15	②	16	②	17	③	18	④
19	⑤	20	③	21	③	22	③	23	④	24	③	25	②	26	②	27	⑤	28	②	29	②	30	④	31	⑤	32	①	33	①
34	④	35	①																										

2009학년도

문제편 | 355p

5	③	6	①	7	②	8	③	9	⑤	10	②	11	⑤	12	④	13	③	14	②	15	③	16	④	17	②	18	③	19	④
20	④	21	②	22	③	23	④	24	⑤	25	④	26	①	27	④	28	⑤	29	①	30	①	31	③	32	②	33	③	34	①
35	④	36	④	37	⑤	38	⑤	39	③	40	①																		

예비시험

문제편 | 375p

5	②	6	②	7	①	8	①	9	③	10	⑤	11	④	12	③	13	⑤	14	⑤	15	①	16	④	17	⑤	18	④	19	②
20	①	21	②	22	①	23	②	24	③	25	③	26	⑤	27	②	28	②	29	④	30	②	31	③	32	④	33	④	34	⑤
35	②	36	①	37	③	38	①	39	⑤	40	②																		

예시문항

문제편 | 395p

3	④	4	⑤	5	④	6	③	7	④	8	②																		

※ 해설에 표기된 정답률(%)은 당해년도 메가로스쿨 합격예측 풀서비스 가채점 결과 기준 자료입니다.

2026학년도 [홀수형]

[1~3] 제재 | 지구법학과 지구권
난이도 | ★☆☆

1. 정답 ④ 난이도 ★★☆ | 정답률 75%
(내용영역) 규범 (문항 유형) 주제, 구조, 관점 파악

[정답 풀이]

④ 1문단 "지구법학은 생태계를 구성하는 모든 존재의 권리를 지구권으로 정립하려 한 급진적인 법사상이다."에 따르면, '지구권을 인정하는 입장'은 곧 지구법학이다. 그리고 2문단 "지구법학은 우주의 질서 안에 무언가가 존재한다는 사실 자체에서 그것이 권리를 가진다는 규범적 결론을 끌어낸다. …… 일정한 지리적 영역을 점하는 존재자인 무생물의 권리도 인정된다."에 따르면, 지구법학은 무언가가 존재한다는 사실로부터 그 존재자가 권리의 주체라는 결론을 도출하며, 그에 따라 일정한 지리적 영역을 점하는 존재자의 권리를 인정한다. 이때 지리적 영역을 점한다는 사실은 우주의 질서 안에 존재한다는 사실을 전제하는데, 존재자는 권리의 주체이므로 지리적 영역을 점하는 존재자 역시 권리의 주체라는 결론이 자연히 도출된다. 따라서 지구권을 인정하는 입장에서는 지리적 영역을 점한다는 사실에서 권리 주체성을 도출한다고 할 수 있다.

[오답 풀이]

① 자연의 권리 근거를 '존재함' 자체에서 구하는 것은 인간중심적 법규범이 아니라 지구법학이다.
1문단 "인격 아닌 모든 존재자는 행위의 객체인 물건으로 보는 법은 자연의 가치를 인간의 손익과 관련지어 평가할 뿐 존중하진 않았다."에 따르면, 인간중심적 법규범은 자연의 권리를 인정하지 않고 자연을 물건이자 권리의 객체로 여긴다. 반면 2문단 "지구법학은 우주의 질서 안에 무언가가 존재한다는 사실 자체에서 그것이 권리를 가진다는 규범적 결론을 끌어낸다."에 따르면, 지구법학은 존재한다는 사실 자체에서 권리의 근거를 구한다. 즉 자연의 권리를 인정하고 그 권리 근거를 '존재함'에서 구하는 것은 인간중심적 법규범이 아니라 지구법학이다. 따라서 인간중심적 법규범은 자연의 권리 근거를 '존재함' 자체에서 구한다고 할 수 없다.

② 지구법학은 각 개체의 권리가 저마다 다른 존재 양태를 가진다고 이해한다.
2문단 "강은 강의 권리를, 새는 새의 권리를, 인간은 인간의 권리를 가지며, 각 권리의 존재 양태는 저마다 다르다."에 따르면, 지구법학은 각 개체가 갖는 권리의 존재 양태는 개체마다 다르다고 본다. 따라서 지구법학은 모든 개체의 권리가 동일한 존재 양태를 가진다고 이해한다고 할 수 없다.

③ 보전주의적 관점에는 법적 권리 주체에 대한 근본적인 인식 전환이 전제되어 있지 않다.
1문단 "법적 인격만을 권리와 의무의 주체로 보고 인격 아닌 모든 존재자는 행위의 객체인 물건으로 보는 법은 …… 베리가 주창한 지구법학은 생태계를 구성하는 모든 존재의 권리를 지구권으로 정립하려 한 급진적인 법사상이다."에 따르면, 법적 권리 주체에 대한 근본적인 인식 전환이란 생태계를 구성하는 모든 존재를 법적 권리의 주체로 인식하는 것이다. 그런데 "최장 시간에 걸쳐 최대 다수에게 이익을 가져다주는 방식으로 자연자원을 향유하기 위해 보호해야 한다는 보전주의적 관점 역시 근본적으로 인간을 중심에 둔다."에 따르면, 보전주의적 관점은 자연 보호를 논하지만, 근본적으로 인간을 중심에 둔다는 점에서 인간만을 권리와 의무의 주체로 여김을 알 수 있다. 따라서 보전주의적 관점에는 법적 권리 주체에 대한 근본적인 인식 전환이 전제되어 있다고 할 수 없다.

⑤ 기존 법학은 인간과 비인간 존재의 감응 능력을 중시하지 않으며, 컬리넌은 기존 법학을 지구법학과 조율하려 하지 않았다.
1문단 "법학 전통에서 대체로 자연은 인간에게 유용한 것들의 총체이자 집단 혹은 개인의 자산으로 간주된다. …… 인간이 세계 전체 혹은 타자와 맺는 관계 양식이 인간중심의 법규범에 반영되어온 동시에 그러한 법규범에 의해 강화되어 왔음을 지적한다."에 따르면, 기존의 법학에서 인간과 자연, 즉 비인간 존재의 관계는 인간에게 유용한 것이자 인간의 자산이라는 관점에서 논의되었다. 그리고 2문단 "컬리넌은 …… 권리 주체에 대한 과감한 인식 전환을 촉구한다. 인류는 그간 법에서 억눌려 왔던 감성과 감각을 되살려 지구공동체의 춤에 참여하고……."에 따르면, 컬리넌은 인간과 비인간 존재의 감응 능력을 중시하면서 기존 법학에서의 권리 주체에 대한 과감한 인식 전환을 촉구하였다. 즉 기존 법학은 인간과 비인간 존재의 감응 능력을 중시하지 않았으며, 컬리넌이 기존 법학을 지구법학과 조율했다고 보기도 어렵다. 따라서 컬리넌은 인간과 비인간 존재의 감응 능력을 중시하는 기존 법학을 지구법학과 조율하려고 했다고 할 수 없다.

2. 정답 ② 난이도 ★☆☆ | 정답률 88%
(내용영역) 규범 (문항 유형) 정보의 확인과 재구성

[정답 풀이]

② <어머니 지구의 권리에 관한 법>과 <테 아와 투푸아법> 모두 자연의 권리 주체성을 인정한다.
마지막 문단 "볼리비아는 <어머니 지구의 권리에 관한 법>에서 자연의 고유한 권리를 인정하고……."와 "뉴질랜드는 전체로서의 자연의 권리를 보호하는 방식 대신 특정 생태계나 종의 권리를 개별적으로 보호하는 방식을 택한다. …… 황거누이강을 법적 인격체로 규정하고, 그 권리는 법이 정한 후견인이 강의 이름으로 강을 대리하여 집행할 것을 명시한 <테 아와 투푸아법>이 그 예이다."에 따르면, <어머니 지구의 권리에 관한 법>은 자연의 고유한 권리를 인정한다고 하였고, <테 아와 투푸아법>은 특정 생태계나 종을 법적 인격체로 규정함으로써 자연의 권리를 보호하는 방식을 취하였다. 즉 두 법 모두 자연의 권리 주체성을 인정한다. 따라서 <어머니 지구의 권리에 관한 법>과 달리, <테 아와 투푸아법>은 자연의 권리 주체성을 인정한다고 할 수 없다.

[오답 풀이]

① 마지막 문단 "에콰도르는 '생명의 순환과 진화 과정을 유지하고 재생을 존중받을 권리'와 '자연이 스스로를 원상회복할 권리'를 헌법에 규정한다."에 따르면, 에콰도르는 자연의 포괄적 권리를 법에 명시적으로 규정하였다. 그리고 "한편 뉴질랜드는 전체로서의 자연의 권리를 보호하는 방식 대신 특정 생태계나 종의 권리를 개별적으로 보호하는 방식을 택한다."에 따르면, 뉴질랜드는 자연의 권리를 사안별로 규정하고 있으며, 에콰도르는 뉴질랜드와 달리 자연의 권리를 포괄적으로 규정하여 보호하고 있음을 알 수 있다. 따라서 에콰도르는 자연의 권리를 포괄적으로 규정하는 데 비해 뉴질랜드는 사안별로 규정한다고 할 수 있다.

③ 마지막 문단 "에콰도르는 '생명의 순환과 진화 과정을 유지하고 재생을 존중받을 권리'와 …… 누구든 청원권을 행사하여 자연의 권리를 집행할 수 있음을 명시한다. 볼리비아는 …… 생태계가 본성 그대로 유지·회복하는 과정을 도울 국민의 의무를 규정한다."에 따르면, 두 나라 모두 지구공동체의 유지 · 재생 · 회복을 강조한다. 그리고 에콰도르는 자연의 권리 집행을 위한 청원권을 부여하는 방식으로, 볼리비아는 생태계가 본성 그대로 유지·회복하는 과정을 도울 국민의 의무를 규정하는 방식으로 지구공동체의 유지 및 재생을 도울 인간의 역할을 법에 명시하였다. 따라서 에콰도르와 볼리비아 모두 지구공동체의 유지 및 재생을 도울 인간의 역할에 관해 법에 명시한다고 할 수 있다.

④ 마지막 문단 "에콰도르는 …… 헌법에 규정한다. 또한, 누구든 청원권을 행사하여 자연의 권리를 집행할 수 있음을 명시한다."와 "황거누이강을 법적 인격체로 규정하고, 그 권리는 법이 정한 후견인이 강의 이름으로 강을 대리하여 집행할 것을 명시한 <테 아와 투푸아법>이 그 예이다."에 따르면, 에콰도르 헌법에서는 누구나 자연의 권리를 대신 집행할 수 있도록 한 반면, <테 아와 투푸아법>은 법적 인격체인 특정 생태계의 권리를 법이 정한 후견인이 그 생태계를 대리하여 집행할 것을 규정하였다. 즉 청원권을 통해 누구나 자연을 법적으로 대변할 수 있도록 규정한 에콰도르 헌법과 달리 <테 아와 투푸아법>에서는 특정인만이 특정 생태계를 법적으로 대변할 수 있도록 한 것이다. 따라서 에콰도르 헌법에서는 누구나 자연을 법적으로 대변할 수 있지만, <테 아와 투푸아법>에서는 특정인만이 특정 생태계를 법적으로 대변할 수 있다.

⑤ 마지막 문단 "헌법에 환경권을 명시한 국가들 대부분이 국민의 더 나은 삶과 인류의 지속가능성만 환경을 보전 · 관리할 목적이라 본 데 반해……"에 따르면, 일반적으로 헌법에 환경권을 명시하는 국가들은 환경을 보전 · 관리할 목적을 오로지 국민의 더 나은 삶과 인류의 지속가능성에 둔다. 즉 이때의 환경권은 인간을 위한, 침해된 자연에서 살아가는 '인간의 권리'인 것이다. 그런데 "에콰도르는 …… '자연이 스스로를 원상회복할 권리'를 헌법에 규정한다."와 "볼리비아는 <어머니 지구의 권리에 관한 법>에서 …… 생태계가 본성 그대로 유지 · 회복하는 과정을 도울 국민의 의무를 규정한다."에 따르면, 에콰도르 헌법과 <어머니 지구의 권리에 관한 법>은 침해된 자연에서 살아가는 인간의 권리만 고려하는 것이 아니라, 자연의 회복할 권리를 규정하고 있다. 따라서 에콰도르 헌법과 <어머니 지구의 권리에 관한 법>은 모두 침해된 자연에서 살아가는 인간의 권리와 별도로 자연도 회복할 권리를 갖는다고 본다고 할 수 있다.

3. 정답 ③ 난이도 ★★☆ | 정답률 77%

내용영역 **규범** 문항 유형 **정보의 평가와 적용**

[정답 풀이]

<보기>의 세 판결은 모두 비인간 존재자의 권리와 관계되는데, [A]는 강(무생물)의 권리를 부정하는 판결이고, [B]는 벼(식물)의, [C]는 오랑우탄(동물)의 권리를 인정하는 판결이다. 2문단 "레건은 살아있음을 넘어 스스로가 삶의 주체임을 경험할 수 있는 존재는 …… 논거로써 동물의 권리를 옹호한다. 모든 생명체는 자신의 선을 가지며 그 고유한 가치의 잠재성이 실현되어야 한다고 본 테일러는 식물을 포함한 생명체까지를 권리의 주체로 이해한다."에 따르면, 레건은 살아있으면서 스스로가 삶의 주체임을 경험할 수 있는 존재로서 동물의 권리를, 테일러는 식물을 포함한 생명체의 권리를 인정한다. 그리고 1문단 "베리가 주창한 지구법학은 생태계를 구성하는 모든 존재의 권리를 지구권으로 정립하려 한 급진적인 법사상이다."와 2문단 "지구법학은 우주의 질서 안에 무언가가 존재한다는 사실 자체에서 그것이 권리를 가진다는 규범적 결론을 끌어낸다. …… 지구법학의 지향을 '야생의 법'이라 표현한 컬리넌은……"에 따르면, 지구법학자인 베리와 컬리넌은 생태계를 구성하는 모든 존재자의 권리를 인정한다. 이를 바탕으로 각 판결에 대한 학자들의 견해를 다음과 같이 정리할 수 있다.

학자	[A] 무생물 권리 부정	[B] 식물 권리 인정	[C] 동물 권리 인정
베리	동의 ✕	동의	동의
레건	동의	동의 ✕	동의
테일러	동의	동의	동의
컬리넌	동의 ✕	동의	동의

③ [C]에 대해 베리와 테일러 모두 동의하겠군.
[C]는 동물의 권리를 인정하는 판결로, 모든 존재의 권리를 인정하는 베리와 식물을 포함한 생명체의 권리를 인정하는 테일러 모두 동물의 권리를 인정하여 [C]에 동의할 것이다. 따라서 [C]에 대해 베리는 동의하고 테일러는 동의하지 않을 것이라고 할 수 없다.

[오답 풀이]

① [A]는 무생물의 권리를 부정하는 판결로, 살아있음과 주체성에 대한 경험을 권리 인정의 근거로 삼는 레건은 무생물의 권리를 부정하여 [A]에 동의하고, 모든 존재의 권리를 인정하는 컬리넌은 [A]에 동의하지 않을 것이다.

② [B]는 식물의 권리를 인정하는 판결로, 모든 존재의 권리를 인정하는 베리는 [B]에 동의하고, 살아있음과 주체성에 대한 경험을 권리 인정의 근거로 삼는 레건은 식물의 권리를 부정하여 [B]에 동의하지 않을 것이다.

④ 테일러는 식물을 포함한 생명체까지의 권리를 인정한다는 점에서, 동식물이 아닌 무생물의 권리는 인정하지 않을 것이다. 따라서 테일러는 무생물의 권리를 부정하는 [A]와 식물의 권리를 인정하는 [B] 모두에 대해 동의할 것이다.

⑤ 컬리넌은 지구법학자로서 무생물을 포함하여 우주의 질서 안에 존재하는 모든 존재의 권리를 인정한다. 따라서 컬리넌은 식물의 권리를 인정하는 [B]와 동물의 권리를 인정하는 [C] 모두에 대해 동의할 것이다.

[4~6] 제재 | 모델링 표준 DMN
난이도 | ★★★

4. 정답 ② 난이도 ★★☆ | 정답률 54%

내용영역 과학기술 문항 유형 정보의 확인과 재구성

[정답 풀이]

② 2문단 "이 방식에서는 …… 로직이 복잡할수록 구현의 난도가 높아진다. 또한 경영 환경이 변하면 의사결정 로직도 신속하게 변경해야 하지만, 개발자가 코드를 수정해야 하므로 즉각적인 반영이 어렵다."에 따르면, 기존의 방식에서는 의사결정 로직이 복잡할수록 구현의 난도가 높아진다는 문제와 로직의 변경이 필요할 때 즉각적인 반영이 어렵다는 문제가 있었다. 그런데 "이 문제는 DMN을 사용하면 …… 명시적으로 모델링하여 해결할 수 있다. 이처럼 의사결정 로직을 애플리케이션에서 분리하여 모델링하면, 개발자에게 의존하지 않고 업무 담당자가 자신이 주관하는 업무 규칙을 빠르고 유연하게 변경할 수 있다."에 따르면, DMN은 의사결정을 명시적으로 모델링하는 방식이므로 로직이 복잡하지 않고, 업무 담당자가 업무 규칙을 빠르고 유연하게 변경할 수 있다. 즉 기존의 방식에서 지적되던 로직의 구현과 즉각적인 변경이 어렵다는 문제는 DMN을 사용하여 의사결정 로직을 애플리케이션과 따로 모델링하면 해결된다. 따라서 DMN을 사용하여 의사결정 로직을 애플리케이션과 따로 모델링하면 규칙의 구현, 유지보수가 쉽다고 할 수 있다.

[오답 풀이]

① 전략적 의사결정은 경영 성과 창출에 미치는 영향이 크므로 확정된 규칙에 따라 모델링하여 자동화하는 것은 부적절하다.
1문단 "DMN은 …… 정해진 절차와 규칙에 따라 수행되는 일상적인 운영 의사결정을 자동화하는 데 효과적이다."에 따르면, DMN은 일상적인 운영 의사결정을 자동화하는 데 주로 활용된다. 그런데 "전략적 의사결정은 의사결정 규칙이 불명확하고, 다양한 분석이 요구되므로 모델링하여 자동화하기는 매우 어렵다. 예를 들어 조직의 성패를 결정할 신제품 개발이나 기업의 인수합병과 같이 불확실성이 크고 위험을 수반하는 의사결정에 DMN을 적용하는 것은 부적절하다."에 따르면, 전략적 의사결정은 경영 성과 창출에 미치는 영향이 큰 의사결정으로 의사결정을 모델링하여 자동화하기 매우 어렵다. 그러므로 전략적 의사결정에 있어 일상적 의사결정을 자동화하는 DMN의 적용은 부적절하다고 여겨지는 것이다. 따라서 전략적 의사결정은 경영 성과 창출에 미치는 영향이 크므로 확정된 규칙에 따라 수행해야 한다고 할 수 없다.

③ 의사결정 테이블의 조건부에서 경곗값을 포함하지 않는 구간을 조건식으로 나타낼 수 있다.
마지막 문단 "입력 셀에는 FEEL로 조건식을 기술하는데 …… 숫자 구간 등의 다양한 조건식이 사용된다."에 따르면, 의사결정 테이블의 조건부에는 숫자 구간이 조건식으로 기술된다. 그런데 "'[$p..q$]'는 경곗값을 포함하는 숫자 구간을 나타낸다. 예를 들어 [2..5]는 2 이상 5 이하,]2..5[는 2 초과 5 미만의 구간을 의미한다."에 따르면, [2..5]는 2 이상 5 이하이므로 경곗값인 2와 5를 포함하는 숫자 구간이고,]2..5[는 2 초과 5 미만이므로 경곗값인 2와 5를 포함하지 않는 숫자 구간이다. 따라서 의사결정 테이블의 조건부에서 경곗값을 포함하지 않는 구간을 조건식으로 나타낼 수 없는 것은 아니다.

④ 운영 의사결정을 자동화하려면 BPMN 비즈니스 규칙 태스크로부터 호출되는 의사결정 테이블에 조건식을 작성해야 한다.
마지막 문단 "<그림 2>의 의사결정 테이블은 …… 입력 셀에는 FEEL로 조건식을 기술하는데……."에 따르면, 의사결정 테이블에는 조건식이 작성된다. 그런데 1문단 "BPMN 모델의 비즈니스 규칙 태스크에서 DMN 모델의 의사결정 테이블을 호출하는 방식으로 두 표준이 연동되어 활용된다."와 "DMN은 은행의 대출 승인 결정이나 보험회사의 보상금 결정과 같이 정해진 절차와 규칙에 따라 수행되는 일상적인 운영 의사결정을 자동화하는 데 효과적이다."에 따르면, 의사결정 테이블은 DMN 모델링에서 일상적인 운영 의사결정 자동화를 위해 사용되지만, 의사결정 테이블이 BPMN 비즈니스 규칙 태스크를 포함하는 것이 아니라 BPMN 비즈니스 규칙 태스크로부터 의사결정 테이블이 호출되는 것이다. 따라서 운영 의사결정을 자동화하려면 의사결정 테이블에 BPMN 비즈니스 규칙 태스크를 포함하여 조건식을 작성해야 한다고 할 수 없다.

⑤ 의사결정 로직이 단순한 경우 규칙의 변경이 요구될 때 업무 담당자가 FEEL로 의사결정 테이블을 쉽게 수정할 수 있다.
2문단 "이 문제는 DMN을 사용하면 …… 의사결정 로직을 애플리케이션에서 분리하여 모델링하면, 개발자에게 의존하지 않고 업무 담당자가 자신이 주관하는 업무 규칙을 빠르고 유연하게 변경할 수 있다."와 3문단 "각 노드의 의사결정 로직은 의사결정 테이블로 세부 규칙을 작성하는데, 이를 위해 간단하고 직관적인 문법을 제공하여 업무 담당자와 개발자가 모두 쉽게 활용할 수 있는 언어인 FEEL을 사용한다."에 따르면, FEEL은 DMN을 사용하여 의사결정 로직을 애플리케이션에서 분리하여 모델링하는 경우에 활용하는 언어로, 의사결정 테이블로 세부 규칙을 작성할 때 활용된다. 즉 FEEL은 애플리케이션 코드를 작성하거나 수정할 때 활용되는 언어가 아니다. 따라서 의사결정 로직이 단순한 경우 규칙의 변경이 요구될 때 업무 담당자가 FEEL로 애플리케이션 코드를 쉽게 수정할 수 있다고 할 수 없다.

5. 정답 ①

난이도 ★★★ | 정답률 24%

내용영역 과학기술 문항 유형 정보의 추론과 해석

[정답 풀이]

① 마지막 문단 "의사결정 테이블의 상단에는 여러 규칙이 동시에 만족될 때 이를 어떻게 처리할지를 설정하기 위한 적중 정책을 표기한다. 오버랩을 허용하지 않고 동시에 하나의 규칙만 만족되도록 규칙을 관리하는 방식인 '유일' 정책이 기본값이다. 한 번에 여러 규칙이 적용 가능한 경우에는……"에 따르면, DMN 모델링(㉠)에서 적중 정책을 기본값으로 설정한다는 것은 '유일' 정책을 적중 정책으로 지정함을 의미한다. 그런데 '유일' 정책에서는 여러 규칙이 동시에 만족될 때 오버랩을 허용하지 않고 동시에 하나의 규칙만 만족되도록 규칙을 관리하며, 한 번에 여러 규칙이 적용 가능한 경우에는 '유일' 정책이 아닌 다른 적중 정책을 지정한다고 하였다. 즉 적중 정책을 기본값으로 설정한다면, 같은 입력값으로 여러 규칙이 동시에 만족될 수 있는 경우가 발생하지 않도록 규칙을 관리하고자 할 것이며, 여러 규칙이 동시에 만족될 수 있는 오버랩을 허용한 경우라면 그 경우의 적중 정책은 기본값이 아니어야 할 것이다. 따라서 DMN 모델링(㉠)에서는 같은 입력값으로 여러 규칙이 동시에 만족될 수 있는 경우 적중 정책을 기본값으로 설정할 수 없다.

[오답 풀이]

② 의사결정 테이블의 입력이 여러 개일 경우, 어떤 규칙의 조건식이 모두 참이어야 그 규칙은 만족된다.
3문단 "의사결정 테이블에서는 각 규칙을 행으로 나열하고 규칙의 조건과 결과를 구분하여 열로 정의한다. 규칙의 조건 열에는 의사결정의 입력을 표기하며, 조건 열이 여럿인 경우 각 조건을 AND로 해서 논릿값을 계산한다. 각 규칙은 자신의 조건이 참일 경우 테이블에 규정된 출력을 결과 열에 산출한다."에 따르면, DMN 모델링(㉠)에서 의사결정 테이블의 입력이 여러 개라는 것은 규칙의 조건이 여러 개임을 의미한다. 그리고 각 조건을 AND로 해서 논릿값을 계산한다는 것은 여러 조건을 모두 만족했는지 아닌지를 기준으로 조건의 참/거짓 여부를 결정한다는 것임을 알 수 있다. 즉 의사결정 테이블의 조건 열이 여러 개일 때는 규칙의 조건식이 모두 참이어야 그 규칙이 만족되어 테이블에 규정된 출력이 결과로 산출될 것이다. 따라서 DMN 모델링(㉠)에서 의사결정 테이블의 입력이 여러 개일 경우, 어떤 규칙의 조건식 중 어느 하나가 참이면 그 규칙은 만족된다고 할 수 없다.

③ 어떤 의사결정 로직의 입력으로 사용되는 데이터는 다른 의사결정 로직의 입력으로 활용될 수 있다.
3문단 "<그림 1>과 같이 맨 하위에 ⬭로 표시된 입력 데이터와 그 상위에 □로 표시된 의사결정 노드 간 연결선으로 의사결정의 전체 구조를 표현한다. 입력 데이터는 의사결정 노드의 입력으로 제공되며……"에 따르면, <그림 1>에서 '신청 금액'은 ⬭로 표시된 입력 데이터로, □로 표시된 '수익성 결정'과 '리스크 결정' 의사결정 노드의 입력으로 제공된다. 즉 신청 금액은 수익성을 결정하는 의사결정 로직의 입력으로도 사용되고, 리스크를 결정하는 의사결정 로직의 입력으로도 사용되는 것이다. 따라서 DMN 모델링(㉠)에서 어떤 의사결정 로직의 입력으로 사용되는 데이터는 다른 의사결정 로직의 입력으로 활용될 수 없는 것은 아니다.

④ 최상위의 의사결정 노드에 직접 연결되지 않은 최하위의 입력 데이터는 최상위의 의사결정에 영향을 미칠 수 있다.
3문단 "입력 데이터는 의사결정 노드의 입력으로 제공되며, 하위 의사결정 노드의 결과로 생성된 데이터는 상위 노드의 입력으로 전달된다."에 따르면, <그림 1>에서 '이자율'은 '수익성 결정' 의사결정 노드의 입력으로 제공된다. 그리고 수익성 결정 의사결정 노드의 결과로 생성된 데이터는 최상위의 의사결정인 '대출 승인 결정'의 입력으로 제공된다. 즉 이자율은 수익성 결정에 영향을 미치는데, 그 수익성이 대출 승인 결정에 영향을 미친다는 점에서 결과적으로 이자율이 대출 승인 결정에도 영향을 미친다고 할 수 있다. 따라서 DMN 모델링(㉠)에서 최상위의 의사결정 노드에 직접 연결되지 않은 최하위의 입력 데이터가 최상위의 의사결정에 영향을 미치지 않는 것은 아니다.

⑤ 의사결정 노드가 여러 계층으로 구성될 경우, 상위 의사결정 노드의 출력을 하위 의사결정 노드에서 사용할 수 없다.
3문단 "의사결정 노드 간 연결선으로 의사결정의 전체 구조를 표현한다. 입력 데이터는 의사결정 노드의 입력으로 제공되며, 하위 의사결정 노드의 결과로 생성된 데이터는 상위 노드의 입력으로 전달된다."에 따르면, <그림 1>에서 '수익성 결정'과 '리스크 결정'은 하위 의사결정 노드이고, '대출 승인 결정'은 상위 의사결정 노드이다. 그런데 이때 상위 의사결정 노드의 출력을 하위 의사결정 노드에서 사용할 수 있다는 것은 대출 승인 결정에 대한 출력을 수익성과 리스크 결정에 사용한다는 것과 같다. 즉 의사결정 노드가 여러 계층으로 구성될 경우, 하위 의사결정 노드의 출력이 상위 의사결정 노드에서 사용될 수는 있겠지만, 그 반대는 불가능하다. 따라서 DMN 모델링(㉠)에서 의사결정 노드가 여러 계층으로 구성될 경우, 상위 의사결정 노드의 출력을 하위 의사결정 노드에서 사용할 수 있다고 할 수 없다.

6. 정답 ④

난이도 ★★★ | 정답률 31%

내용영역 과학기술 문항 유형 정보의 평가와 적용

[정답 풀이]

3문단 "맨 하위에 ⬭로 표시된 입력 데이터와 그 상위에 □로 표시된 의사결정 노드 간 연결선으로 의사결정의 전체 구조를 표현한다.", 마지막 문단 "'<'와 '>='는 값의 크기를 비교하는 연산자이며, '[p..q]'는 경곗값을 포함하는 숫자 구간을 나타낸다. …… 입력 셀에 '−'라고 표기된 경우 해당 조건은 항상 참으로 간주한다."와 <그림 1>, <그림 2>의 정보를 바탕으로, <보기>의 의사결정 모델링에 대한 의사결정 요구 다이어그램(DRD)과 의사결정 로직을 다음과 같이 작성할 수 있다.

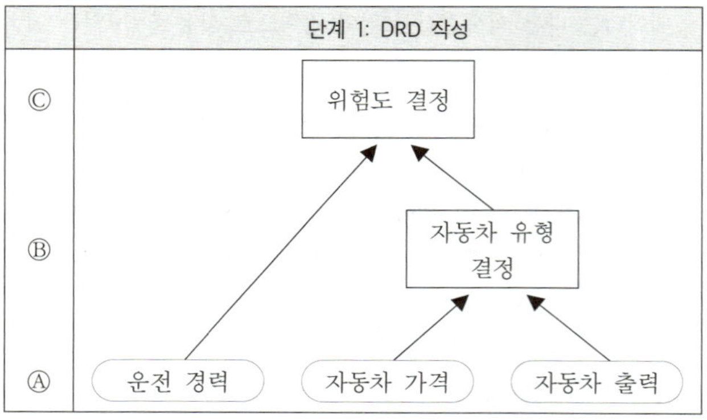

단계 2: 자동차 유형 의사결정			
	자동차 가격(원) 숫자형	자동차 출력(HP) 숫자형	자동차 유형 "스크랩카", "패밀리카", "스포츠카", "럭셔리카"
Ⓐ	>2억	-	럭셔리카
Ⓑ	<5백만	-	스크랩카
Ⓒ	[5백만..2억]	>120	스포츠카
	[5백만..2억]	<=120	패밀리카

단계 3: 위험도 의사결정			적중 정책: 유일
	자동차 유형 "스크랩카", "패밀리카", "스포츠카", "럭셔리카"	운전 경력(년) 숫자형	위험도 숫자형
Ⓐ	-	<=3	5
	럭셔리카	-	5
Ⓑ	패밀리카	>3	2
Ⓒ	스포츠카	>5	2
	스포츠카	]3..5]	3
Ⓓ	스크랩카	-	1

④ 단계 2의 Ⓒ가 요구하는 자동차 출력 조건식과 단계 3의 Ⓑ가 요구하는 운전 경력 조건식에서 모두 값의 크기를 비교하는 연산자가 사용된다.

마지막 문단 "'<'와 '>='는 값의 크기를 비교하는 연산자이며, '[*p*..*q*]'는 경곗값을 포함하는 숫자 구간을 나타낸다."에 따르면, 숫자 구간은 '2 이상 5 이하', '2 초과 5 미만' 등 두 숫자를 특정 경곗값으로 갖는 구간을 의미한다. 그런데 <보기>에 따르면, 단계 2의 Ⓒ가 요구하는 자동차 출력 조건식은 '120 HP 초과'와 '120 HP 이하'이고, 단계 3의 Ⓑ가 요구하는 운전 경력 조건식은 '3년 초과'로, 모두 숫자 구간이 아니라 하나의 값의 크기를 비교하는 연산자가 활용된다. 따라서 단계 2의 Ⓒ가 요구하는 자동차 출력 조건식과 단계 3의 Ⓑ가 요구하는 운전 경력 조건식에서 모두 숫자 구간이 사용된다고 할 수 없다.

[오답 풀이]

① 3문단 "입력 데이터는 의사결정 노드의 입력으로 제공되며……."와 <보기>에 따르면, 단계 1에서 작성한 DRD에 포함된 2개의 의사결정 노드는 '자동차 유형'과 '위험도'이다. 그리고 단계 2와 단계 3에서 각각 자동차 유형 의사결정 로직과 위험도 의사결정 로직이 작성되었다. 따라서 단계 1에서 작성한 DRD에 포함된 2개의 의사결정 노드는 단계 2와 단계 3을 통해 구체화된다고 할 수 있다.

② 3문단 "의사결정 테이블에서는 각 규칙을 행으로 나열하고 규칙의 조건과 결과를 구분하여 열로 정의한다. 규칙의 조건 열에는 의사결정의 입력을 표기하며 …… 테이블에 규정된 출력을 결과 열에 산출한다."와 <그림 2>에 따르면, 이자율과 신청 금액에 따라 수익성이 결정되는 의사결정 로직을 보여 주는 의사결정 테이블은 규칙의 조건 열에 입력으로 이자율과 신청 금액을, 결과 열에 수익성을 표기한다. 이를 <보기>에 적용하면, 단계 2의 자동차 유형 의사결정 로직을 정의하는 의사결정 테이블은 자동차 가격과 출력을 입력으로, 자동차 유형을 결과로 가질 것이고, 단계 3의 위험도 의사결정 로직을 정의하는 의사결정 테이블은 운전 경력과 자동차 유형을 입력으로, 위험도를 결과로 가질 것이다. 이때 입력과 결과는 테이블의 열로 정의된다. 따라서 단계 2와 단계 3에서 작성하는 각 의사결정 테이블은 입력으로 2개의 열을, 결과로 1개의 열을 포함한다고 할 수 있다.

③ 3문단 "의사결정 테이블에서는 각 규칙을 행으로 나열하고……."와 <그림 2>에 따르면, 의사결정 테이블에서 개별 규칙은 행으로 나열된다. 이를 바탕으로 <보기>에 따르면, 단계 3의 Ⓒ는 자동차 유형이 스포츠카인 경우에 대하여 운전 경력 '5년 초과', '3년 초과 5년 이하'라는 2개의 규칙을 제시하고 있다. 그러므로 두 경우 각각에 대한 2개의 행을 의사결정 테이블에 나열해야 한다. 따라서 단계 2의 결과가 스포츠카로 결정되는 경우 단계 3의 Ⓒ가 요구하는 규칙을 작성하려면, 의사결정 테이블에 2개의 행이 요구된다고 할 수 있다.

⑤ 마지막 문단 "의사결정 테이블의 상단에는 여러 규칙이 동시에 만족될 때 이를 어떻게 처리할지를 설정하기 위한 적중 정책을 표기한다. 오버랩을 허용하지 않고 동시에 하나의 규칙만 만족되도록 규칙을 관리하는 방식인 '유일' 정책이 기본값이다."에 따르면, 적중 정책이 '유일'일 때 여러 규칙이 동시에 만족되는 상황이 생기면 하나의 규칙만 만족되도록 규칙을 수정해야 한다. <보기>에 따르면, Ⓐ는 3년 이하의 운전 경력이거나 럭셔리카인 경우이고, Ⓓ는 스크랩카이기만 하면 운전 경력을 고려하지 않는 경우여서 3년 이하의 운전 경력이면서 스크랩카인 경우 단계 3의 Ⓐ와 Ⓓ가 요구하는 규칙이 동시에 만족된다. 즉 유일 정책에 따라 Ⓓ를 고려하여 Ⓐ의 규칙을 작성한다면, Ⓐ에 '3년 이하의 운전 경력이면서 패밀리카', '3년 이하의 운전 경력이면서 스포츠카' 등 운전 경력이 3년 이하인 동시에 스크랩카가 아닌 경우에 대한 규칙을 작성하여, 스크랩카인 경우라면 운전 경력과 무관하게 Ⓓ로만 분류되도록 해야 한다. 따라서 적중 정책이 '유일'일 때 단계 3에서 Ⓓ를 고려하여 Ⓐ가 요구하는 규칙을 완성하려면, 운전 경력 조건식과 자동차 유형 조건식이 포함된 규칙을 작성해야 할 것이다.

[7~9] 제재 | 집권자의 조작과 민주주의 퇴행
난이도 | ★☆☆

7. 정답 ② 난이도 ★☆☆ | 정답률 96%

내용영역 사회 문항 유형 정보의 확인과 재구성

[정답 풀이]

② 1문단 "조작이란 명백한 위법행위가 아니라, 선거권이나 피선거권 규정의 개정이나 미디어 규제를 통한 여론 개입, 국가기구에 대한 당파적 영향력 증대 등과 같이 불법성이 명확하지 않지만 정치 과정을 불공정하게 만들어 집권 가능성을 높이려는 행위들을 일컫는다. 집권자의 조작과 유권자의 대응이 결합하여 민주주의가 퇴행하는 것을 설명하는 두 가지 모델을 살펴보자."에 따르면, 집권자는 집권 가능성을 높이기 위해 조작을 행하고, 유권자는 그에 대응하는 양상이 '스볼릭 모델'과 '루오와 쉐보르스키 모델'에서 확인된다. 두 가지 모델에 따르면, 집권자는 예상 득표나 집권자 프리미엄을 고려하여 조작 수준을 결정하고, 유권자는 조작, 정책이념, 매력 등을 고려하여 누구에게 투표할지 결정한다. 이를 종합하면, 집권자의 조작과 그에 대한 유권자의 대응 및 의사결정은 전략적 선택에 해당한다. 따라서 유권자와 집권자는 모두 선거에서 전략적 선택이 필요한 상황에 직면할 수 있다.

[오답 풀이]

① 민주주의 퇴행을 설명하는 모든 모델에서 유권자들이 민주주의 자체에 내재적 가치를 부여하는 것은 아니다.
2문단 "유권자는 민주주의 가치에 대해서도 내재적으로 선호한다고 가정된다."에 따르면, 스볼릭 모델은 유권자들이 민주주의 자체에 내재적 가치를 부여한다고 본다. 하지만 4문단 "이처럼 시민들이 민주주의 자체에 내재적인 가치를 부여하지 않는 경우라도……."에 따르면, 루오와 쉐보르스키 모델은 유권자들이 민주주의 자체에 내재적 가치를 부여하지는 않는다고 본다. 즉 민주주의 퇴행을 설명하는 모델 중에서는 유권자들이 민주주의 자체에 내재적 가치를 부여하지 않는다고 설명하는 모델도 있다. 따라서 민주주의 퇴행을 설명하는 모델들에서는 유권자들이 민주주의 자체에 내재적 가치를 부여한다고 할 수 없다.

③ 스볼릭 모델에 따르면 중도 성향의 유권자는 자신의 정책이념을 투표 선택에 반영한다.
2문단 "우선, 스볼릭 모델에서 유권자는 후보자의 정책이념과 자신의 정책이념 사이의 거리와 반비례하는 효용의 크기에 따라 지지 후보를 선택하는데, 후보자 가운데 집권자를 판단할 때는 그가 행한 조작의 정도에 비례하여 생기는 효용의 감소를 계산에 넣는다."에 따르면, 스볼릭 모델은 유권자라면 지지 후보를 선택하고 집권자를 판단할 때 자신의 정책이념을 반영한다고 설명한다. 따라서 중도 성향의 유권자는 자신의 정책이념을 투표 선택에 반영하지 않는다고 할 수 없다.

④ '지지 속의 퇴행'은 집권 정부의 매력이 매우 높을 때 일어난다.
마지막 문단 "집권자의 매력이 높아서 시민들이 집권자에 매우 만족하고 도전자가 더 매력적일 가능성이 작을 때, 집권자는 조작에 거리낌을 갖지 않는데 이를 '지지 속의 퇴행'이라 한다."에 따르면, 지지 속의 퇴행은 집권 정부의 매력이 높을 때 일어난다. 따라서 '지지 속의 퇴행'은 집권 정부의 매력이 매우 낮을 때 일어난다고 할 수 없다.

⑤ '집권자 프리미엄'은 0에서 시작하여 게임이 반복됨에 따라 커질 수 있다.
5문단 "더욱 매력적인 도전자가 등장하면 시민들은 집권자의 교체를 원할 것이기 때문에 권위주의 성향의 지도자들은 집권기에 조작을 택하고, 그 결과 시민들의 반대에도 불구하고 권력을 유지할 가능성, 즉 집권자 프리미엄이 커지게 된다. 프리미엄이 0인 상태에서 시작하여 지도자와 유권자 사이에 게임이 반복되는 상황을 상정……."에 따르면, 집권자 프리미엄은 0으로 수렴하는 것이 아니라 0에서 시작하는 것이며, 집권자가 조작을 행함에 따라 커진다는 점에서 지도자와 유권자 사이의 게임이 반복됨에 따라 점점 더 커질 수 있을 것이다. 따라서 '집권자 프리미엄'은 게임이 반복됨에 따라 0에 수렴한다고 할 수 없다.

8. 정답 ③ 난이도 ★★☆ | 정답률 60%

내용영역 사회 문항 유형 정보의 확인과 재구성

[정답 풀이]

③ 4문단 "선거에 당면하여 유권자들은 현재 선택되는 후보자의 매력, 즉 선거로 들어설 정부의 질로부터 얻는 효용과 미래의 민주주의 역량, 즉 시민들이 미래에 더 나은 도전자가 등장할 때 언제든지 선거로 집권당을 교체할 수 있는 능력으로부터 얻는 효용 사이의 트레이드오프에 직면한다."에 따르면, 루오와 쉐보르스키 모델(㉡)에서 유권자들은 현재 선거로 들어설 새 정부의 매력과 미래의 민주주의 역량 중 어느 것에 더 큰 효용을 느끼는지에 따라 투표 선택을 달리한다. 즉 유권자가 직면하는 트레이드오프란 효용 비교에 따라 어느 가치를 더 우선할지 선택해야 하는 상황을 지칭한다고 볼 수 있다. 이를 바탕으로 3문단 "온건 우파 유권자는 민주주의 훼손에서 생기는 효용의 감소가 좌파 도전자의 집권으로 생기는 이념 관련 효용의 감소보다 커서 집권자를 지지하지 않을 가능성이 크다. 반면 극단적인 우파 유권자는……."에 따르면, 스볼릭 모델(㉠)에서도 유권자는 민주주의 훼손에 따른 효용 감소와 다른 정책이념을 가진 도전자의 집권에 따른 효용 감소를 비교하여 정책이념과 민주주의 가치 중 무엇을 우선할 것인지 선택한다. 즉 스볼릭 모델(㉠)에서도 유권자는 정책이념과 민주주의 가치 사이의 트레이드오프에 직면할 수 있다. 따라서 스볼릭 모델(㉠)에서 유권자는 정책이념과 민주주의 가치 사이의 트레이드오프에, 루오와 쉐보르스키 모델(㉡)에서 유권자는 새 정부의 매력과 미래 민주주의 역량 사이의 트레이드오프에 직면할 수 있다.

[오답 풀이]

① ㉠과 달리 ㉡에서는 미래에 등장할 잠재적 도전자의 집권 가능성이 유권자가 고려할 대상에서 제외되지 않는다.
2문단 "우선, 스볼릭 모델에서 유권자는 후보자의 정책이념과 자신의 정책이념 사이의 거리와 반비례하는 효용의 크기에 따라 지지 후보를 선택하는데, 후보자 가운데 집권자를 판단할 때는 그가 행한 조작의 정도에 비례하여 생기는 효용의 감소를 계산에

넣는다."에 따르면, 스볼릭 모델(㉠)에서는 유권자가 이미 제시된 후보자 가운데서 지지 후보를 선택하고 집권자를 판단할 때의 행동을 설명할 뿐, 잠재적 도전자의 집권 가능성은 고려되지 않는다. 그런데 4문단 "시민들이 미래에 더 나은 도전자가 등장할 때 언제든지 선거로 집권당을 교체할 수 있는 능력으로부터 얻는 효용 사이의 트레이드오프에 직면한다."에 따르면, 루오와 쉐보르스키 모델(㉡)에서 유권자는 잠재적 도전자의 집권 가능성을 고려한다. 따라서 스볼릭 모델(㉠)과 루오와 쉐보르스키 모델(㉡)에서 모두 미래에 등장할 잠재적 도전자의 집권 가능성은 유권자가 고려할 대상에서 제외된다고 할 수 없다.

② ㉡에서는 집권자와 도전자의 매력도가 다를 때 민주주의의 퇴행이 심해질 가능성이 높다.

2문단 "스볼릭 모델에서 유권자는 후보자의 정책이념과 자신의 정책이념 사이의 거리와 반비례하는 효용의 크기에 따라 지지 후보를 선택하는데……."에 따르면, 스볼릭 모델(㉠)에서는 집권자와 도전자의 이념성향 차이와 민주주의 퇴행 간 관계를 설명하고 있지 않으며, 효용에 있어서 유권자와 후보자의 이념성향 간 차이가 고려된다. 그리고 5문단 "잠재적 도전자가 가질 매력의 기댓값에 비해 집권자의 매력이 매우 높거나 매우 낮은 경우에 민주주의가 위협받게 된다."에 따르면, 루오와 쉐보르스키 모델(㉡)에서는 집권자와 도전자의 매력도가 비슷할 때가 아니라 매력도의 차이가 클 때 민주주의의 퇴행이 심해질 가능성이 높다고 지적한다. 따라서 스볼릭 모델(㉠)에서는 집권자와 도전자의 이념성향이 비슷할 때, 루오와 쉐보르스키 모델(㉡)에서는 집권자와 도전자의 매력도가 비슷할 때 민주주의의 퇴행이 심해질 가능성이 높다고 할 수 없다.

④ 집권자가 조작의 정도를 결정할 때, ㉠에서는 조작에 따라 기대되는 득표와 감표의 차이를 따지지만, ㉡에서 기존에 축적된 프리미엄과 앞으로 형성될 프리미엄 간의 차이를 따지지는 않는다.

3문단 "결국 집권자는 득실을 비교하여 선거에서 가장 많이 득표할 수준에서 조작의 정도를 결정하게 된다."에 따르면, 스볼릭 모델(㉠)에서는 집권자가 득표와 감표의 차이를 비교하여 조작의 정도를 결정한다. 반면 마지막 문단 "집권자의 매력이 높아서 …… 집권자는 조작에 거리낌을 갖지 않는데 이를 '지지 속의 퇴행'이라 한다. 반면 집권자의 매력이 낮은 경우에는 …… 프리미엄을 더욱 높이고자 가능한 모든 조작을 취하는 것을 '반대 속의 퇴행'이라 한다."에 따르면, 루오와 쉐보르스키 모델(㉡)에서는 집권자가 조작의 정도를 결정할 때 집권자 자신 또는 도전자의 매력을 따질 뿐, 기존에 축적된 프리미엄에 대해서는 고려하지 않는다. 따라서 집권자가 조작의 정도를 결정할 때, 스볼릭 모델(㉠)에서는 조작에 따라 기대되는 득표와 감표의 차이를, 루오와 쉐보르스키 모델(㉡)에서는 기존에 축적된 프리미엄과 앞으로 형성될 프리미엄 간의 차이를 따질 것이라고 할 수 없다.

⑤ ㉠에서는 집권자와의 이념적 친밀도 때문에, ㉡에서는 집권자의 높은 매력도 때문에, 시민이 조작을 용인한 결과로 권력 교체가 불가능해져 민주주의 퇴행이 나타날 수 있다.

3문단 "반면 극단적인 우파 유권자는 좌파 도전자의 집권이라는 최악의 상황을 피하려고 민주주의 훼손을 감수하고라도 집권자에게 투표할 가능성이 훨씬 크다."에 따르면, 스볼릭 모델(㉠)에서는 유권자가 자신과 정책이념의 거리가 먼 도전자의 집권을 피하고자, 즉 집권자와의 이념적 친밀도 때문에 민주주의 훼손을 감수하면서 조작을 용인하는 경우가 있다. 그리고 마지막 문단 "집권자의 매력이 높아서 시민들이 집권자에 매우 만족하고 도전자가 더 매력적일 가능성이 작을 때, 집권자는 조작에 거리낌을 갖지 않는데 이를 '지지 속의 퇴행'이라 한다."에 따르면, 루오와 쉐보르스키 모델(㉡)에서는 도전자의 높은 매력도 때문이 아니라 집권자의 높은 매력도 때문에 시민이 조작을 용인한 결과로 권력 교체가 불가능해져 민주주의의 퇴행이 나타날 수 있다. 따라서 스볼릭 모델(㉠)에서는 후보자와의 이념적 친밀도 때문에, 루오와 쉐보르스키 모델(㉡)에서는 도전자의 높은 매력도 때문에, 시민이 조작을 용인한 결과로 권력 교체가 불가능해져 민주주의의 퇴행이 나타날 수 있다고 할 수 없다.

9. 정답 ④ | 난이도 ★★☆ | 정답률 71%

내용영역 **사회** | 문항 유형 **정보의 평가와 적용**

[정답 풀이]

④ <그림 1>의 L 후보가 <그림 2>의 2026년 선거에서 승리하면, 이는 민주주의의 훼손 정도를 감내하더라도 정책 관련 효용의 증가가 크다고 여긴 유권자가 증가한 결과일 것이다.

3문단 "반면 극단적인 우파 유권자는 좌파 도전자의 집권이라는 최악의 상황을 피하려고 민주주의 훼손을 감수하고라도 집권자에게 투표할 가능성이 훨씬 크다."와 <보기> "2026년 선거를 앞둔 X국에서 좌파 성향의 집권당 L 후보는 최근 관권선거를 주도했다는 비판을 받고 있다. 온건 우파 성향의 도전자 R 후보는……."에 따르면, 스볼릭 모델(㉠)의 관점에서 X국의 좌파 유권자는 우파 도전자의 집권을 피하려고 민주주의 훼손을 감수하고 L 후보에게 투표할 가능성이 클 것이다. 그리고 <보기> <그림 2>에 따르면, 2015년과 비교할 때 2026년 좌파 유권자는 5%에서 20%로 증가하였다. 즉 민주주의 훼손을 감내하더라도 정책이념 관련 효용 증가를 고려하여 L 후보를 지지할 가능성이 큰 유권자가 증가한 것이다. 따라서 <그림 1>의 L 후보가 <그림 2>의 2026년 선거에서 승리하면, 이는 민주주의의 훼손 정도를 감내하더라도 정책 관련 효용의 증가가 크다고 여긴 유권자가 감소한 결과일 것이라고 할 수 없다.

[오답 풀이]

① 2문단 "스볼릭 모델에서 유권자는 후보자의 정책이념과 자신의 정책이념 사이의 거리와 반비례하는 효용의 크기에 따라 지지 후보를 선택하는데……."에 따르면, 스볼릭 모델(㉠)에서 유권자는 정책이념 간 거리에 따른 효용을 바탕으로 지지 후보를 선택한다. <보기> <그림 1>에 따르면, V2와 R 후보 사이의 정책이념 간 거리가 V3과 R 후보 사이의 정책이념 간 거리보다 가깝다. 즉 R 후보에 대하여 정책이념 간 거리에 따른 효용은 V2가 더 높을 것이다. 따라서 <그림 1>에서, V2가 R 후보를 지지할 가능성은 V3가 R 후보를 지지할 가능성보다 클 것이다.

② 2문단 "스볼릭 모델에서 유권자는 후보자의 정책이념과 자신의 정책이념 사이의 거리와 반비례하는 효용의 크기에 따라 지지

후보를 선택하는데, 후보자 가운데 집권자를 판단할 때는 그가 행한 조작의 정도에 비례하여 생기는 효용의 감소를 계산에 넣는다."에 따르면, 스볼릭 모델(㉠)에서 유권자는 정책이념 간 거리에 따른 효용과 민주주의 가치에 따른 신념을 함께 고려한다. <보기> <그림 1>에 따르면, V4의 정책이념(가로축), 민주주의 신념도(세로축) 모두 L 후보보다 R 후보와 가깝다. 즉 V4는 정책이념에 대한 효용과 민주주의 가치에 대한 효용 중 어느 것을 고려하든 L 후보가 아닌 R 후보를 지지할 것이다. 따라서 <그림 1>의 V4는 정책 효용과 민주주의 효용을 동시에 고려하여 L 후보의 재집권을 허용하려 하지 않을 것이다.

③ 3문단 "예를 들어, 어떤 나라에서 우파 집권자가 조작을 행한 경우 …… 이때 득표 감소는 주로 중도 혹은 중도우파 유권자 집단에서 발생한다."에 따르면, 스볼릭 모델(㉠)에서는 한 집권자가 조작을 행했을 때 중도 혹은 온건 성향의 기존 지지자로부터 얻는 득표가 감소할 것임을 추론할 수 있다. <보기> <그림 2>에 따르면, 기존 집권당은 좌파 성향이므로 집권자의 조작으로 인한 득표 감소는 주로 중도 혹은 중도좌파 유권자 집단에서 발생할 것인데, 2015년에 비해서 2026년에 중도좌파 유권자 분포는 변동이 없고, 중도 유권자만 48%에서 10%로 감소하였다. 즉 조작이 행해질 때 득표 감소를 유발할 가능성이 큰 유권자가 감소한 것이다. 따라서 <그림 2>에서 동일한 수준의 조작 때문에 생기는 집권자의 손실은 2015년의 경우보다 2026년의 경우가 작을 것이다.

⑤ <보기> <그림 1>과 <그림 2>에 따르면, V1에 해당하는 유권자인 중도 유권자는 2015년에 비해서 2026년에 48%에서 10%로 감소하였다. 그리고 3문단 "한편 자신의 재집권을 위해 조작을 행한 집권자는 조작으로 득표가 늘어나는 대신 조작에 따른 민주주의 훼손으로 인해 득표가 감소하는 상황에 직면한다. 이때 득표 감소는 주로 중도 혹은 중도우파 유권자 집단에서 발생한다. 결국 집권자는 득실을 비교하여 선거에서 가장 많이 득표할 수준에서 조작의 정도를 결정하게 된다."에 따르면, 중도 유권자 집단의 감소는 조작에 따른 민주주의 훼손으로 인한 득표 감소가 줄어들 것임을 의미한다. 그렇다면 집권자는 조작으로 인해 발생하는 손실이 줄어들었으므로 조작의 정도를 높여 조작으로 늘어나는 득표를 얻고자 할 것이다. 따라서 <그림 2>에서, <그림 1>의 V1에 해당하는 유권자의 비율 변화는 L 후보가 조작하는 정도를 높이려는 요인이 될 것이다.

[10~12] 제재 | 중종 대 과거제와 천거제
난이도 | ★☆☆

10. 정답 ① 난이도 ★★☆ | 정답률 43%

내용영역 인문 / 문항 유형 정보의 확인과 재구성

[정답 풀이]

① 1문단 "태평한 통치를 바라여 …… 어진 교화를 도울 수 있도록 할 방법을 의논하라."와 "유학적 소양을 선발 기준으로 하는 과거는 성리학을 표방한 국가에 매우 적합한 제도였다."에 따르면, 과거제는 성리학적 소양을 갖춘 인재 등용을 통한 태평한 통치와 어진 교화를 목적으로 한다. 그리고 2문단 "진정한 교화를 실현하기 위한 보완으로서 과거제도에 천거제인 현량과를 도입하기를 청하였다."에 따르면, 사림 세력은 진정한 교화를 실현하기 위한 과거제의 보완으로서 현량과를 도입하고자 하였다. 즉 현량과 역시 교화의 실현을 위한 성리학적 소양을 갖춘 인재 등용이라는 과거제의 목적을 따르고 있다. 따라서 현량과는 성리학적 소양을 갖춘 인재를 등용하여 통치를 돕는다는 과거제의 목적을 표방하였다고 할 수 있다.

[오답 풀이]

② 어렵게 성사된 현량과의 실시로 품계를 받아 관직에 진출한 다수는 서울 지역 거주자였다.
2문단 "덧붙여 현행 제도는 권세가의 자녀가 합격하기에 유리하여 초야에 숨은 인재들을 발굴하는 데 한계가 있다는 지적도 하였다."와 마지막 문단 "우여곡절 끝에 1519년 현량과가 시행 …… 다수가 서울 지역 거주자였다."에 따르면, 현량과는 초야에 숨은 인재를 발굴하는 것을 목표하는 듯하였지만, 실제로 현량과 실시를 통해 관직에 진출한 인원의 다수는 서울 지역 거주자였다. 따라서 어렵게 성사된 현량과의 실시로 초야에 묻힌 지방 선비들이 대거 품계를 받아 관직에 진출하게 되었다고 할 수 없다.

③ 생원과 진사는 문과에 응시할 자격만 주어지는 것이어서 실제로 벼슬할 자격을 얻으려면 문과에 합격해야 했다.
2문단 "또한, 과거의 최종 합격은 벼슬할 자격만 주어지는 것이라서……."와 3문단 "원칙적으로 생원이나 진사라야 문과에 응시할 수 있다. 문과에서도 경전, 작문, 논술로 초시 3단계, 복시 3단계를 거쳐 최종 33명이 뽑힌다. 이들이 다시 치르는 전시는…."에 따르면, 조선 시대의 과거제는 생원시나 진사시의 초시·복시를 합격하면 문과에 응시할 자격을 얻고, 문과의 초시 3단계·복시 3단계를 거친 후 전시까지 치러야 품계를 받고 벼슬할 자격이 주어지는 구조였다. 즉 생원시나 진사시에 합격하여 생원, 진사가 되더라도 벼슬할 자격이 주어지는 것이 아니라 문과에 응시할 자격만 주어지는 것이다. 따라서 생원과 진사는 관직을 받을 자격만 주어지는 것이어서 실제로 벼슬을 하려면 문과의 초시와 복시를 거쳐야 했다고 할 수 없다.

④ 과거는 경전의 암기와 해석뿐 아니라 작문과 논술의 능력까지 평가하는 시험이었다.
1문단 "하지만 시험만을 위한 경전 암기와 모범 답안 위주의 학습이 …… 품행과 덕성을 키우지 못한다고도 하였다."에 따르면, 과거는 암기 위주의 평가로 되어 있어 덕성을 평가하지 못하는 한계가 있음이 지적되었다. 하지만 3문단 "문과는 경전의 암기와 해석뿐 아니라 작문과 논술의 능력까지 평가한다는 점……."에 따르면, 과거가 논리적으로 서술하는 시험이 아니었다는 서술은 옳지 않다. 즉 과거가 암기 위주의 평가로 되어 있어 덕성을 평가하지 못한다는 한계가 지적되기는 했지만, 과거는 작문과 논술의 능력까지 평가한다는 점에서 논리적으로 서술하는 시험이 아니었다고는 할 수 없다. 따라서 과거는 논리적으로 서술하는 시험이 아니라 암기 위주의 평가로 되어 있어 덕성을 평가하지 못하는 한계가 있었다고 할 수 없다.

⑤ 노비가 아니라면 누구든지 과거에 응시할 수 있었지만 실제로 일반인이 합격하여 고위관료로 성장하기는 쉽지 않았다.
2문단 "과거제도는 실력 위주의 인재 등용 방식이었고, 노비가 아니라면 백성은 누구든지 응시할 수 있는 …… 급제한 뒤에 실직을 받아 관료로 성장하려면 어느 정도의 후원과 인맥이 필요했다."에 따르면, 실제로 일반인이 과거에 합격하여 고위관료로 성장하기는 쉽지 않았던 것은 맞지만, 노비는 과거에 응시할 수 없었으므로 누구든지 과거에 응시할 수 있었던 것은 아니다. 따라서 조선에 사는 이라면 누구든지 과거에 응시할 수 있었지만 실제로 일반인이 합격하여 고위관료로 성장하기는 쉽지 않았다고 할 수 없다.

11. 정답 ③

난이도 ★☆☆ | 정답률 93%

내용영역 인문 | 문항 유형 정보의 추론과 해석

[정답 풀이]

③ 현량과의 시험은 품계를 받을 총원을 정했다는 점에서 전시를 치른 것과는 달랐다.
3문단 "그런데 현량과는 덕망과 행실로 각처에서 천거된 이들로 한 번의 논술 시험을 치러 합격자를 선발하는 방식인 것이다."에 따르면, 현량과는 논술 시험을 통해 천거된 이들 중에서 합격자를 선발한다는 점에서, 현량과의 시험을 통해 품계를 받을 총원이 정해진다는 것을 알 수 있다. 그런데 "문과에서도 경전, 작문, 논술로 초시 3단계, 복시 3단계를 거쳐 최종 33명이 뽑힌다. 이들이 다시 치르는 전시는 품계를 내리기 위해 등수를 정하는 논술 필기고사로서 임금이 주관한다."에 따르면, 문과에서 품계를 받을 총원은 전시 이전에 정해지며 전시에서는 품계를 내리기 위해 등수만을 정한다. 따라서 현량과의 시험은 품계를 받을 총원을 정했다는 점에서 전시를 치른 것과 마찬가지였다고 할 수 없다.

[오답 풀이]

① 3문단 "이들이 다시 치르는 전시는 품계를 내리기 위해 등수를 정하는 논술 필기고사로서 임금이 주관한다. 성적에 따라 …… 등급 때문에 다시 과거를 보기도 했다."에 따르면, 더 높은 등급의 품계를 받기 위해서 이미 과거에 합격한 사람이 다시 과거를 보는 경우가 있었다. 이러한 경우가 있었던 것은 다시 과거에 합격하여 더 높은 품계를 받는 것이 가능하기 때문이었을 것이다. 따라서 과거를 치른 경험이 있는 관료가 다시 과거에 응시하여 더 높은 품계를 받을 수 있었다고 할 수 있다.

② 2문단 "덧붙여 현행 제도는 권세가의 자녀가 합격하기에 유리하여 …… 현실적으로 과거 응시를 위한 학업에 경제적 뒷받침은 필수적이었다. …… 급제한 뒤에 실직을 받아 관료로 성장하려면 어느 정도의 후원과 인맥이 필요했다. 시간이 지나면서 과거시험은 지배계층의 지위를 유지하는 기능도 갖게 된 것이다."에 따르면, 현행 과거제도에서 실제로 과거를 통해 관료로 성장하려면 재력, 후원, 인맥 등이 필요했다. 이러한 것들이 필요했음은, 이를 활용하여 관료로 성장하여 지배계층의 지위를 유지하는 것이 가능했음을 의미한다. 따라서 양반 지배층은 정보와 인맥, 재력을 활용하여 과거를 통한 출세 기회를 높일 수 있었다고 할 수 있다.

④ 마지막 문단 "장원은 조광조와 친분이 두터운 김식이었고, 사림파의 후원자로 알려진 안당은 세 아들이 모두 합격하였다. 자파 세력 키우기라는 정적들의 비난은 피할 수 없었다. 그리하여 훈구파를 견제하는 데 사림을 이용하려 했던 중종도 지나친 당파 형성이라는 의심을 하게 되었다."에 따르면, 추천제 관료 선발인 현량과의 결과로 사림 세력이 다수 합격하였고, 정적들과 중종은 이를 비판하였다. 따라서 추천제 관료 선발의 도입은 사림 세력을 일거에 등용하려 한 의도였다고 비판을 받았다고 할 수 있다.

⑤ 마지막 문단 "이런 천거제에 대하여 훈구 세력의 반발은 컸다. 시험 없이 쉽게 관리가 되는 것은 공정성의 원칙을 무너뜨리는 것이고, 추천으로 선발하는 것이 오히려 부당한 특혜로 작용한다는 비판을 제기하였다."에 따르면, 훈구 세력은 추천을 통한 관리 선발이 부당한 특혜로 작용할 것임을 비판하면서, 시험을 통하지 않는 관리 선발 방식이 공정성의 원칙을 무너뜨린다고 지적하였다. 즉 시험을 통해 관리를 선발하는 과거제가 천거제에 비해 더 공정하다는 것이다. 따라서 훈구파는 관리 등용이 편파적일 가능성을 우려하면서 실력 위주의 과거제를 옹호하였다고 할 수 있다.

12. 정답 ①

난이도 ★★☆ | 정답률 54%

내용영역 인문 | 문항 유형 정보의 평가와 적용

[정답 풀이]

① 1문단 "1518년 6월 중종은 "많은 현능한 이들이 추천되어 어진 교화를 도울 수 있도록 할 방법을 의논하라." 하고 명하였다."에 따르면, 중종은 추천제 방식의 도입을 지시한 바 있다. 그리고 <보기> "선왕의 등용 제도는 항구적이나 별도로 시험하는 법도 있는 것이니 방안을 제시할 것이며, 추천에서는 명과 실이 어긋날 염려가 있음을 명심하라."에 따르면, 중종은 또한 추천된 사람의 평판이 재주, 행실 등 실제 역량과 들어맞지 않는 등 추천제 도입으로 발생할 수 있는 문제에 대한 우려를 내비치고 있다. 이를 종합하면, 중종은 추천제 방식의 도입을 지시하면서도 천거로 말미암을 폐단에 대한 인식과 경계를 드러낸다고 할 수 있다.

[오답 풀이]

② 조광조는 정광필, 남곤의 반대에도 현량과의 도입을 관철하고자 고군분투한다.
2문단 "조광조가 주도하는 사림 세력은 …… 과거제도에 천거제인 현량과를 도입하기를 청하였다."와 <보기> "덕행까지 감안하여 뽑는 천거제가 이상적입니다."에 따르면, 조광조는 강력하게 현량과의 도입을 관철하고자 하였다. 그리고 정광필과 남곤은 각각 "선왕대부터 내려오는 아름다운 법제를 경솔히 고칠 수는 없습니다.", "현행 과거는 이미 현량과를 시행한 한나라에서의 실패를 거친 끝에 정착한 제도입니다."라고 하면서 현량과에 반대한다. 그런데 "사소한 폐단에 얽매여 나아가지 않는다면 진정한 교화는 언제 이룰 수 있겠습니까?"에 따르면, 김정은 현량과 도입에서 발생할 수 있는 폐단에 얽매이지 말고 진정한 교화를 이루고자 나아가야 한다고 주장한다. 즉 김정은 현량과에 반대하는 입장이 아니다. 따라서 조광조는 정광필, 남곤, 김정의 반대에도 현량과의 도입을 관철하고자 고군분투한다고 할 수 없다.

③ 정광필은 과거제도의 보완으로 천거제를 도입하려는 조광조의 주장에 대해 어느 것이나 폐단이 있기는 매한가지라는 입장이다.
〈보기〉 "재주와 행실을 모두 갖추지 못하는 문제가 천거에서는 생기지 않겠습니까?"에 따르면, 정광필은 천거제 도입에 대하여 어느 것이나 폐단이 있기는 매한가지라는 입장이다. 그런데 2문단 "조광조가 주도하는 사림 세력은 …… 진정한 교화를 실현하기 위한 보완으로서 과거제도에 천거제인 현량과를 도입하기를 청하였다."에 따르면, 조광조는 과거제의 보완으로 천거제를 도입하고자 하였지, 관리 선발의 시험제도를 천거제로 대체하자고 주장하지 않았다. 따라서 정광필은 관리 선발의 시험제도를 천거제로 대체하려는 조광조의 주장에 대해 어느 것이나 폐단이 있기는 매한가지라는 입장이라고 할 수 없다.

④ 남곤은 역사적 경험을 고려하여 현량과 시행에 반대하였다.
〈보기〉 "현행 과거는 이미 현량과를 시행한 한나라에서의 실패를 거친 끝에 정착한 제도입니다."에 따르면, 남곤은 현행 과거제가 한나라에서 현량과가 실패했던 역사적 경험을 고려하여 정착한 제도임을 지적하면서 현량과 도입에 반대한다. 즉 현량과에 역사적 경험을 고려한 개선이 필요하다는 의견을 제시한 것이 아니라, 역사적 경험을 고려하여 현량과 시행에 반대한 것이다. 따라서 남곤은 현량과 시행에는 찬성하지만 역사적 경험을 고려한 개선이 필요하다는 의견을 제시한다고 할 수 없다.

⑤ 김정은 천거제에서 발생할 수 있는 폐단에 크게 구애받지 말라고 주문한다.
1문단 "하지만 시험만을 위한 경전 암기와 모범 답안 위주의 학습이 진정한 학문은 아니라는 비판이 일었다."에 따르면, 현행 과거제는 경전의 학습에만 치우친다는 비판을 받았다. 하지만 〈보기〉 "사소한 폐단에 얽매여 나아가지 않는다면 진정한 교화는 언제 이룰 수 있겠습니까?"에 따르면, 김정은 현량과 반대 의견에 대하여 사소한 폐단에 얽매여 나아가지 않는다면 진정한 교화를 이루기 어렵다는 의견을 제시한다. 즉 김정은 경전의 학습에만 치우치는 과거제의 폐단에 구애받지 말라고 한 것이 아니라, 현량과의 사소한 폐단에 구애받지 말 것을 주장한 것이다. 따라서 김정은 경전의 학습에만 치우치는 폐단에 크게 구애받지 말라고 주문한다고 할 수 없다.

[13~15] 제재 | 수의주의와 불수의주의
난이도 | ★★☆

13. 정답 ② 난이도 ★★☆ | 정답률 74%

내용영역 인문 문항 유형 정보의 확인과 재구성

[정답 풀이]

② 1문단 "그렇게 상상하거나 또는 그렇게 믿는 듯이 행동하는 것은 원하기만 하면 할 수 있다. 하지만 무엇을 믿는다는 것은 그것이 참이라고 믿는 것인데, 원한다고 해서 "해는 서쪽에서 뜬다."라는 명제가 참이라고 실제로 믿을 수 있을까?"와 2문단 "이 원칙을 믿음에 적용하면, 우리는 오직 자신의 믿음을 뜻대로 선택할 능력이 있는 경우에만 믿음에 대한 의무나 책임을 질 수 있다."에 따르면, 원하는 대로 상상하는 것은 원하기만 하면 가능하지만, 원하는 대로 믿는 것은 자신의 믿음을 뜻대로 선택할 능력을 요구한다. 즉 원하는 대로 상상하는 것보다 원하는 대로 믿는 것에 더 많은 능력이 요구된다. 따라서 원하는 대로 상상하는 것보다 원하는 대로 믿는 것이 어렵다고 할 수 있다.

[오답 풀이]

① 자기 뜻대로 즉각적으로 변화시킨 믿음은 수의적이다.
1문단 "최소한 어떤 믿음은 인간이 수의적으로 즉, 자기 뜻대로 즉각적으로 믿을 수 있다는 입장을 인식적 수의주의라 하고 ……."에 따르면, 수의적 믿음이라면 오래 걸려서는 안 되고 즉각적으로 자기 뜻대로 믿을 수 있어야 한다. 따라서 오래 걸리더라도 자기 뜻대로 변화시킨 믿음은 수의적이라고 할 수 없다.

③ 믿음이 평가의 대상이 될 수 있다는 데에는 학문적 다툼이 있다.
제시문에 따르면, 수의주의와 불수의주의 중 무엇이 옳은지에 대해서는 학문적 다툼이 있다. 그런데 2문단 "수의주의가 옳으냐는 질문은 우리가 자신의 믿음에 대해 의무나 책임을 질 수 있느냐는 질문과 연관된다. 사람들은 종종 판단이나 믿음을 평가하고 심지어 비난하기도 한다. …… 불수의주의가 옳다면 우리는 각자가 가진 믿음에 대해 의무나 책임을 질 수 없다."에 따르면, 수의주의가 옳다면 우리는 자신의 믿음에 책임을 질 수 있지만, 불수의주의가 옳다면 그렇지 않다. 즉 수의주의가 옳다면 믿음이 평가의 대상이 될 수 있지만, 불수의주의가 옳다면 믿음은 평가의 대상이 될 수 없다. 즉 수의주의와 불수의주의 간에 학문적 다툼이 있으므로, 믿음이 평가의 대상이 될 수 있다는 데에도 학문적 다툼이 있을 것이다. 따라서 믿음이 평가의 대상이 될 수 있다는 데에는 학문적 다툼이 없지 않다.

④ 모든 불수의주의자가 심리적 근거에 기반해 수의주의에 반대하지는 않는다.
3문단 "올스턴은 인간 심리에 근거해 수의주의에 반대한다."와 4문단 "믿음의 개념 분석에 기반한 불수의주의도 있다."에 따르면, 불수의주의자 중에서 올스턴은 심리적 근거에 기반해 수의주의에 반대하지만, 윌리엄스와 히로니미는 심리적 근거가 아니라 개념 분석에 기반하여 수의주의에 반대한다. 따라서 모든 불수의주의자는 심리적 근거에 기반해 수의주의에 반대한다고 할 수 없다.

⑤ 칸트에 따르면 날지 못한다는 이유로 어떤 인간을 비난할 수 없다.
2문단 "사람들은 종종 판단이나 믿음을 평가하고 심지어 비난하기도 한다. …… 그런데 "당위는 능력을 함축한다."라는 칸트의 원칙에 따르면, 우리는 어떤 행위를 할지 안 할지 선택할 능력을 지닌 경우에만 그 행위에 대한 의무나 책임을 질 수 있다."에 따르면, 사람이 어떤 행위를 할지 안 할지 선택할 능력이 있는 경우에만 그 행위에 대한 책임을 지거나 그 행위에 대하여 비난받을 수 있다. 그런데 인간은 날 수 없으므로, 칸트의 원칙에 의할 때 사람은 날지 못하는 것에 책임이 없다. 따라서 칸트에 따르면 날지 못한다는 이유로 어떤 인간을 비난할 수 없다.

14. 정답 ③ 난이도 ★★☆ | 정답률 80%

내용영역 인문 문항 유형 주제, 구조, 관점 파악

[정답 풀이]

③ ㉠은 어떤 믿음이 수의적이라고, ㉡은 모든 믿음이 불수의적이라고 주장한다.

1문단 "최소한 어떤 믿음은 인간이 수의적으로 즉, 자기 뜻대로 즉각적으로 믿을 수 있다는 입장을 인식적 수의주의라 하고 그런 믿음은 없다는 입장을 인식적 불수의주의라 한다."에 따르면, 인식적 불수의주의(㉡)는 수의적인 믿음이 없다고 하면서 모든 믿음이 불수의적이라고 주장하지만, 인식적 수의주의(㉠)는 최소한 어떤 믿음은 수의적으로 믿을 수 있다고 하면서 모든 믿음이 수의적이라고 주장하지는 않는다. 따라서 인식적 수의주의(㉠)는 모든 믿음이 수의적이라고, 인식적 불수의주의(㉡)는 모든 믿음이 불수의적이라고 주장한다고 할 수 없다.

[오답 풀이]

① 2문단 "사람들은 종종 판단이나 믿음을 평가하고 심지어 비난하기도 한다. …… 그런데 "당위는 능력을 함축한다."라는 칸트의 원칙에 따르면 …… 우리는 오직 자신의 믿음을 뜻대로 선택할 능력이 있는 경우에만 믿음에 대한 의무나 책임을 질 수 있다. 따라서 불수의주의가 옳다면 우리는 각자가 가진 믿음에 대해 의무나 책임을 질 수 없다."에 따르면, 불수의주의에 반대하는 입장, 즉 인식적 수의주의(㉠)는 사람들이 믿음을 평가하고 비난한다는 사실과 칸트의 원칙을 연결 짓는다. 그로부터 우리는 믿음을 뜻대로 선택할 능력이 있다는 점을 도출하고 이를 근거로 수의주의가 옳다고 주장한다. 따라서 인식적 수의주의(㉠)는 "당위는 능력을 함축한다."라는 원칙을 믿음에도 적용한다고 할 수 있다.

② 1문단 "해가 서쪽에서 뜬다고 믿고 싶다고 맘대로 그렇게 믿을 수 있을까? …… 그런 믿음은 없다는 입장을 인식적 불수의주의라 한다."에 따르면, 해가 서쪽에서 뜬다고 뜻대로 믿는 것은 수의적 믿음이고, 인식적 불수의주의(㉡)는 수의적으로 형성되는 믿음은 없다는 입장이다. 즉 인식적 불수의주의(㉡)에서는 수의적 믿음을 가질 수 있다고 말하는 사람에게 그 믿음은 수의적으로 형성된 것이 아니라고 할 것이다. 따라서 인식적 불수의주의(㉡)에 따르면, 해가 서쪽에서 뜬다고 뜻대로 믿을 수 있다고 말하는 사람은 수의적으로 그 믿음을 형성한 것이 아니라고 할 수 있다.

④ 1문단 "하지만 무엇을 믿는다는 것은 그것이 참이라고 믿는 것인데……", 4문단 "믿음의 개념상 p를 믿는다는 것은 곧 p가 참이라고 믿는 것이기 때문이다.", 마지막 문단 "p라고 믿는다는 것은 "p가 참인가?"라는 의문을 해결함으로써 갖게 되는 태도……"에 따르면, 무엇을 믿는다는 것이 믿는 내용이 참이라고 생각함을 의미한다는 것은 수의주의에 대한 입장과는 별개로 믿음의 개념상 기본 전제이다. 즉 이 전제에 대해서는 인식적 수의주의(㉠)와 인식적 불수의주의(㉡) 모두 동의할 것이다. 따라서 인식적 수의주의(㉠)와 인식적 불수의주의(㉡) 모두, 무엇인가를 믿는다는 것은 믿는 내용이 참이라고 생각함을 전제한다고 할 수 있다.

⑤ 2문단 "사람들은 종종 판단이나 믿음을 평가하고 심지어 비난하기도 한다. "너는 그렇게 쉽게 결론을 내리지 말아야 해.", "그런 인종차별적 믿음은 버려야 해." 등이 그 예이다. 그런데 "당위는 능력을 함축한다."……"에 따르면, 인식적 수의주의(㉠)는 사람들이 믿음을 평가하고 비난하기도 하는 것은 우리가 자신의 믿음을 뜻대로 선택할 능력이 있고 그러므로 믿음에 대한 의무나 책임을 질 수 있다는 점에서 기인한다고 설명한다. 즉 사람들의 믿음을 비난하는 우리의 언어 관행은 인식적 수의주의(㉠)와 관계되며, 인식적 불수의주의(㉡)는 이에 대한 설명을 제공하지 않는다. 따라서 인식적 수의주의(㉠)는 인식적 불수의주의(㉡)에 비해, 사람들의 믿음을 비난하는 우리의 언어 관행에 대해 더 직관적인 설명을 제공한다고 할 수 있다.

15. 정답 ③ 난이도 ★★★ | 정답률 26%

내용영역 인문 문항 유형 정보의 평가와 적용

[정답 풀이]

③ 히로니미는, 갑의 믿음은 참을 목표로 하고 있다고 주장하지 않을 것이다.

마지막 문단 "p라고 믿는다는 것은 "p가 참인가?"라는 의문을 해결함으로써 갖게 되는 태도라는 의미에서 참을 목표로 하는 태도이다. …… 전자는 믿음의 내용, 즉 "p가 참인가?"라는 질문에 대답하는 이유이며, 이는 곧 믿음이 참임을 보여주는 증거이다."에 따르면, 히로니미는 참을 목표로 하는 태도는 그것이 참인지에 대한 의문을 해결함으로써 갖게 되는 태도이며, 믿음이 참임을 보여주는 증거에 따라 지지될 것이라고 주장한다. 그런데 <보기> "갑은 자신의 성격상 합격한다고 믿으면 덜 긴장해 실제로 합격할 것이라 생각했다. 갑은 자신이 합격할 것이라는 믿음을 가지기로 했고……"에 따르면, 갑의 자신이 합격할 것이라는 믿음(Ⓐ)은 자신이 합격할 것이라는 믿음(Ⓐ)의 참 · 거짓에 대한 의문을 해결하기 위한 것이라거나 특정 증거에 의해 지지되는 믿음이 아니다. 따라서 히로니미는, 갑이 자신이 합격할 것이라는 믿음(Ⓐ)을 참으로 만들려고 한다는 점에서 갑의 믿음은 참을 목표로 하고 있다고 주장하지 않을 것이다.

[오답 풀이]

① <보기> "자신이 합격할 것이라고 믿을 근거와 불합격할 것이라고 믿을 근거는 대등해 보였다. …… 갑은 자신이 합격할 것이라는 믿음을 가지기로 했고……"에 따르면, 갑은 자신이 합격할 것이라는 믿음(Ⓐ)의 참 · 거짓에 대한 근거가 대등한 상황에서 결국 믿음을 갖기로 했다. 그리고 3문단 "명제 p를 지지하는 증거와 반대하는 증거가 증거력이 비슷해서 참 · 거짓 여부가 분명하지 않은 경우 …… p를 정말로 믿게 되었다면, 이는 그 순간 p가 조금이나마 더 그럴듯해 보였기 때문에 믿음이 생겨난 것이다."에 따르면, 올스턴은 자신이 합격할 것이라는 믿음(Ⓐ)이 진정한 믿음으로서 형성되었다면 그 순간 자신이 불합격할 것이라는 믿음보다 자신이 합격할 것이라는 믿음(Ⓐ)이 더 그럴듯해 보였기 때문이라고, 즉 참이라는 근거의 증거력이 더 높기 때문이라고 주장할 것이다. 따라서 올스턴은, 만약 자신이 합격할 것이라는

믿음(Ⓐ)이 진정한 믿음으로서 형성되었다면 근거 간 증거력 차이가 조금이라도 있었기 때문이라고 판단할 것이다.

② 4문단 “윌리엄스에 따르면, 명제 p를 수의적으로 믿는다는 것은 p가 참인지와 무관하게 p를 믿을 능력을 필요로 한다. …… 믿음의 개념상 p를 믿는다는 것은 곧 p가 참이라고 믿는 것이기 때문이다. 따라서 우리 자신이 명제의 참·거짓 여부와 무관하게 명제를 믿을 능력이 있다고 우리가 알게 되는 경우는 있을 수 없고 결국 어떤 믿음을 수의적으로 가진다는 것은 불가능하다.”에 따르면, 윌리엄스는 우리는 명제 p가 참인지와 무관하게 p를 믿을 능력, 즉 수의적 믿음을 갖기 위해 요구되는 능력을 갖는 것은 불가능하다는 점을 근거로 불수의주의를 주장한다. 이를 <보기> “갑은 자신이 합격할 것이라는 믿음을 가지기로 했고…….”에 적용하면, 윌리엄스는 갑이 자신이 합격할 것이라는 믿음(Ⓐ)을 참·거짓과 무관하게, 즉 수의적으로 갖는 것은 불가능하다고 볼 것이다. 따라서 윌리엄스는, 만약 갑이 참·거짓과 무관하게 자신이 합격할 것이라는 믿음(Ⓐ)을 갖는다고 한다면 갑이 있을 수 없는 능력을 갖는 셈이라고 비판할 것이다.

④ 마지막 문단 “그는 믿음을 지지할 수 있는 이유를 내용 관련 이유와 태도 관련 이유로 구별한다. …… 후자는 “p라는 믿음을 갖는 것이 좋은가?”라는 질문에 대답하는 이유이고 내용의 참·거짓을 보이는 것과 무관하다는 의미에서 외부적 이유이다.”에 따르면, 히로니미는 내용의 참·거짓과 무관하게 그 믿음을 갖는 것이 좋기 때문에 믿음을 지지한다면 그것은 태도 관련 이유에 의한 것이라고 본다. <보기> “갑은 자신의 성격상 합격한다고 믿으면 덜 긴장해 실제로 합격할 것이라 생각했다. 갑은 자신이 합격할 것이라는 믿음을 가지기로 했고 …….”에 따르면, 갑이 자신이 합격할 것이라는 믿음(Ⓐ)을 가진 것은 자신이 합격할 것이라는 믿음(Ⓐ)이 실제로 합격에 유리할 것이라고 생각했기 때문이었다. 이는 히로니미가 주장하는 믿음의 태도 관련 이유에 부합한다. 따라서 히로니미는, 자신이 합격할 것이라는 믿음(Ⓐ)을 가지면 실제로 좋은 결과가 있을 것이라는 갑의 생각은 믿음의 태도 관련 이유에 해당한다고 볼 것이다.

⑤ 4문단 “믿음의 개념 분석에 기반한 불수의주의도 있다. 윌리엄스에 따르면 …… 믿음의 개념상 p를 믿는다는 것은 곧 p가 참이라고 믿는 것이기 때문이다. …… 결국 어떤 믿음을 수의적으로 가진다는 것은 불가능하다.”와 마지막 문단 “히로니미 역시 ‘수의성’과 ‘믿음’의 정의에 기반해 수의주의에 반대한다. …… 우리에게 이런 능력은 있을 수 없으므로 수의적 믿음은 불가능하다.”에 따르면, 윌리엄스와 히로니미는 믿음의 개념 분석에 기반한 불수의주의자로, 믿음, 수의성 등의 개념에 따를 때 인간이 수의적으로 믿을 능력을 갖게 되는 경우는 있을 수 없다고 본다. 그러므로 갑이 어떤 존재이든 무관하게, 자신이 합격할 것이라는 믿음(Ⓐ)을 수의적으로 갖는 것이 불가능하다고 볼 것이다. 따라서 윌리엄스와 히로니미는, 갑이 설사 초인적인 존재라고 해도 자신이 합격할 것이라는 믿음(Ⓐ)을 수의적으로 형성한 것은 아니라고 생각할 것이다.

[16~18] 제재 | 제도와 성장 사이의 인과관계
난이도 | ★★☆

16. 정답 ④

난이도 ★★☆ | 정답률 51%

내용영역 사회 | 문항 유형 정보의 확인과 재구성

[정답 풀이]

④ 두 변수의 표본으로부터 추정한 기울기가 0이 아니더라도 둘 사이에 인과관계가 있다고 추론하는 것이 타당하지 않을 수 있다. 3문단 “x가 y에 영향을 주지만 y도 x에 영향을 미치거나, …… 추정한 기울기가 x의 변화에 따른 y의 변화를 제대로 반영하지 못한다.”와 “다시 말해 거꾸로 된 인과관계나 제3의 요인의 영향, 측정오차 등에 영향을 받는, …… 그것이 0이 아니라는 신뢰할 만한 추론을 할 수 있어야 한다.”에 따르면, x와 y라는 두 변수의 표본으로부터 추정한 기울기가 0이 아니라는 것만으로는 거꾸로 된 인과관계나 제3의 요인의 영향, 측정오차 등에 영향을 받을 수 있으므로 x의 변화에 따른 y의 변화를 제대로 반영하지 못한다. 이는 x와 y라는 두 변수 사이에 인과관계를 명확히 하지 못함을 의미한다. 따라서 두 변수의 표본으로부터 추정한 기울기가 0이 아니더라도 곧바로 둘 사이에 인과관계가 있다고 추론하기 어렵다.

[오답 풀이]

① 3문단 “아제모을루 등은 제도가 성장의 원인이라는 주장의 증거를 찾기 위해 근대 이후에 유럽의 식민지를 경험한 지역들에 주목했다.”와 “유럽인들이 상대적으로 발전된 문명을 만난 지역에서는 광물과 농작물을 빼앗아 가기 위해 착취적 제도를 세웠고, 발전되지 못하고 인구가 희박한 지역에서는 대규모 정착을 선택하여 유럽인 이민을 불러들이기 위해 포용적 제도를 발전시켰던 것이 번영의 역전을 낳았다는 것이다.”에 따르면, 포용적 제도를 발전시킨 지역이 착취적 제도를 세운 지역보다 더 나은 경제성장을 이루었다. 아제모을루 등이 제도와 성장 사이의 인과관계를 명확하게 하고자 하였음을 고려할 때, 이 같은 제도의 역전의 결과는 더 발전된 제도가 더 높은 경제성장을 이룬다는 것을 증명한다. 따라서 포용적 제도가 착취적 제도보다 발전 수준이 더 높은 제도이다.

② 3문단 “식민지가 되기 전에 부유했던 지역은 오늘날 가난하고, 가난했던 지역은 오늘날 부유한 경향이 있음을 확인한 이들은, 이러한 번영의 역전이 제도적 역전의 결과라고 보았다.”에 따르면, 번영의 역전은 과거와 오늘날의 부유함과 가난함이 반비례함을 의미한다. 그리고 “각 지역의 제도 발전 수준과 1인당 소득 수준 사이의 선형관계에서 양의 기울기를 보이는 것”에 따르면, 제도가 발전한 곳일수록 1인당 소득 수준이 높다. 이는 부유한 지역은 1인당 소득 수준이 높고 가난한 지역은 1인당 소득 수준이 낮음을 의미한다. 따라서 번영의 역전은 과거와 오늘날의 1인당 소득 수준이 반비례한다는 것을 말한다.

③ 3문단 “식민지가 되기 전에 부유했던 지역은 오늘날 가난하고, …… 포용적 제도를 발전시켰던 것이 번영의 역전을 낳았다는 것이다.”에 따르면, 상대적으로 발전한 문명을 만난 지역에는 착취적 제도를 세웠고, 발전되지 못한 지역에는 포용적 제도를

발전시켜 제도적 역전이 일어났다. 따라서 제도적 역전은 부유했던 지역에 비해 가난했던 지역에서 후에 제도가 더 발전했다는 것을 말한다.

⑤ 2문단 "x와 y 모두와 상관관계가 있는데 미처 고려하지 못한 제3의 요인이 존재하거나, 혹은 x의 관측값이 정확하게 측정되지 않은 값일 경우에는, 추정한 기울기가 x의 변화에 따른 y의 변화를 제대로 반영하지 못한다."에 따르면, x와 y 모두와 상관관계가 있는 제3의 요인이 존재하는 경우에도 추정한 기울기가 x의 변화에 따른 y의 변화를 제대로 반영하지 못할 수 있기 때문에 곧바로 인과관계를 단정지을 수 없다. 따라서 x와 y 모두와 상관관계가 있는 제3의 요인이 존재하는 경우, x와 y 사이의 상관관계가 인과관계를 의미하지는 않는다.

17. 정답 ⑤

난이도 ★★★ | 정답률 31%

내용영역 사회 | 문항 유형 정보의 추론과 해석

[정답 풀이]

⑤ 1문단 "아제모을루 등은 도구변수를 사용하여 제도와 성장 사이의 인과관계를 명확하게 하였다."와 3문단 "아제모을루 등은 제도가 성장의 원인이라는 주장의 증거를 찾기 위해 근대 이후에 유럽의 식민지를 경험한 지역들에 주목했다."에 따르면, 아제모을루 등은 경제성장의 원인을 제도에서 찾는다. 이때 사망률이 제도를 제외한 다른 경로를 통해 경제성장에 영향을 미치지 않는다고 보기 때문에 초기 정착민의 사망률이 낮거나 높은 지역 모두 기술 진보와 같은 다른 요인의 영향은 중요하게 고려되지 않는다. 따라서 아제모을루와 두 동료(㉠)는 초기 정착민의 사망률이 낮은 지역의 경우 유럽인의 대규모 이주로 발전된 기술이 도입되어 기술이 진보했을 가능성을 중요하게 보지 않을 것이다.

[오답 풀이]

① 오늘날 각 지역의 사망률과 1인당 소득 수준 사이에 상관관계가 있을 수 있다고 볼 것이다.
마지막 문단 "아제모을루 등은 과거 유럽인 사망률이 제도를 통한 영향을 제외하면 …… 당시 원주민 사망률이나 오늘날 사망률이 아니므로 문제가 없다고 주장한다."에 따르면, 아제모을루 등은 식민지 초기 유럽인 사망률이 좋은 도구변수라는 주장을 반박하는 비판에 대해 오늘날 사망률이 아니므로 문제가 없다고 주장한다. 이는 오늘날의 사망률이 경제성장에 영향을 줄 수 있는 다른 요인들과 상관관계가 있을 수는 있으나 도구변수는 아니기에 문제가 없다는 의미이다. 따라서 아제모을루와 두 동료(㉠)는 오늘날 사망률을 도구변수로 인정하지 않을 뿐 오늘날 각 지역의 사망률과 1인당 소득 수준 사이에 상관관계가 있을 가능성에 대해서는 인정할 것이다.

② 식민지 초기 원주민 사망률과 정착 유럽인 사망률에 차이가 있다고 볼 것이다.
3문단 "아제모을루 등은 식민지 초기 유럽인 정착민들의 사망률을 도구변수로 사용해 추정한 오늘날 제도적 발전 수준의 예측값과 오늘날 소득 수준의 관측값 사이의 높은 상관관계를 인과관계의 증거로 제시했다."와 마지막 문단 "예컨대 이 사망률도 오늘날의 경제 활동에 영향을 주는 기후나 지리적 환경과 상관관계가 있다는 비판에 대해 당시 원주민 사망률이나 오늘날 사망률이 아니므로 문제가 없다고 주장한다."에 따르면, 아제모을루 등은 식민지 초기 유럽인 사망률을 도구변수로 한정하고, 원주민 사망률이나 오늘날 사망률은 도구변수로 생각하지 않는다. 이때 식민지 초기 유럽인 사망률은 정착 유럽인 사망률을 의미한다. 즉 정착 유럽인 사망률은 도구변수로 유의미한 반면, 식민지 초기 원주민 사망률은 도구변수로 무의미하다. 따라서 아제모을루와 두 동료(㉠)는 식민지 초기 원주민 사망률은 도구변수로 무의미한 반면, 정착 유럽인 사망률은 도구변수로 유의미하다는 점에서 차이가 있다고 볼 것이다.

③ 오늘날 각 지역에서 관측되는 제도 발달 수준은 식민지 정책에 의해 이미 결정되었다고 보지 않을 것이다.
마지막 문단 "아제모을루 등은 식민지 초기 유럽인들의 사망률이 영향을 받아 …… 오늘날의 제도 발달 수준과 높은 상관관계를 가질 정도로 지속성이 있었다고 반박한다."에 따르면, 아제모을루 등은 과거에 포용적 정책이나 착취적 제도와 같이 식민지 전략을 반영하여 과거에 형성된 제도들이 오늘날 제도 발달 수준에 영향을 미친 점을 인정한다. 그러나 이 같은 식민지 정책에 의해 오늘날 각 지역의 제도 발달 수준이 곧바로 결정된 것이라고 본 것은 아니며, 많은 변화가 있었다는 점 역시 인정하였다. 따라서 아제모을루와 두 동료(㉠)는 오늘날 각 지역에서 관측되는 제도 발달 수준과 식민지 정책의 높은 상관관계를 인정하는 것이지, 식민지 정책에 의해 이미 결정되었다고 보지 않을 것이다.

④ 과거 유럽인의 사망률을 이용하여, 현재의 제도 발달 수준을 관측한 값에서 경제성장으로부터 영향받은 부분을 제거할 수 있다고 볼 것이다.
3문단 "거꾸로 된 인과관계나 제3의 요인의 영향, 측정오차 등에 영향을 받는, …… $\hat{x}$에 따른 y의 기울기를 추정하여 그것이 0이 아니라는 신뢰할 만한 추론을 할 수 있어야 한다."에 따르면, 아제모을루 등은 경제성장이 제도를 개선하는 거꾸로 된 인과관계의 문제를 해결하기 위해서 과거 식민지 초기 정착 유럽인의 사망률을 도구변수로 활용하였다. 이는 현재의 제도 발달 수준을 관측한 값에서 경제성장으로부터 영향받은 부분, 즉 제도가 받는 경제성장의 영향이라는 거꾸로 된 인과관계를 제거하기 위함이었다. 따라서 아제모을루와 두 동료(㉠)는 과거 유럽인의 사망률을 이용하여, 현재의 제도 발달 수준을 관측한 값에서 경제성장으로부터 영향받은 부분을 제거할 수 있다고 볼 것이다.

18. 정답 ④

난이도 ★★☆ | 정답률 61%

내용영역 사회 | 문항 유형 정보의 평가와 적용

[정답 풀이]

<보기>에서 '각 도시의 당시 폭동 수준'이 x, '오늘날의 소득 수준'이 y, 1968년 4월 강우량이 도구변수에 해당한다.

④ 흑인들의 당시 소득 수준과 오늘날 소득 수준 사이에 양의 상관관계가 높을 가능성이 크다고 보는군.
<보기> "각 도시의 당시 폭동 수준에 따른 오늘날 흑인들의

소득 수준의 기울기가 음(-)인 선형관계를 관찰하였다. 이에 당시 흑인들의 소득 수준이 낮은 도시일수록 폭동이 더 심각함에 따라 발생하는 인과관계상의 추론 문제"에 따르면, 당시 흑인들의 소득 수준이 낮은 도시일수록 폭동이 더 심각하게 발생하였고, 당시 폭동이 더 심각할수록 오늘날 흑인들의 소득 수준이 낮게 관찰되었다. 이는 당시 흑인들의 소득 수준과 오늘날 흑인들의 소득 수준 사이에 양의 상관관계가 있음을 의미한다. 따라서 경제학자 A는 흑인들의 당시 소득 수준과 오늘날 소득 수준 사이에 음의 상관관계가 아니라 양의 상관관계가 높을 가능성이 크다고 볼 것이다.

[오답 풀이]

① 2문단 "x와 상관관계가 크지만 x와의 관계를 제외하면 y와 연관되지 않는 도구변수로부터 추정한 $\hat{x}$에 따른 y의 기울기를 추정하여 그것이 0이 아니라는 신뢰할 만한 추론을 할 수 있어야 한다."에 따르면, 도구변수는 x와 상관관계가 크다. <보기>에서 1968년 4월의 강우량이 도구변수, 당시 폭동 수준이 x에 해당한다. 따라서 경제학자 A는 도구변수인 1968년 4월의 강우량이 변수 x인 당시 폭동 수준과 상관관계가 높다고 보았을 것이다.

② <보기> "당시 흑인들의 소득 수준이 낮은 도시일수록 폭동이 더 심각함에 따라 발생하는 인과관계상의 추론 문제"에 따르면, 당시 흑인들의 소득 수준이 낮은 도시일수록 폭동이 더 심각하게 발생하였다. 이는 당시 흑인들의 소득 수준과 당시 폭동 수준 사이에 음의 상관관계가 있음을 의미한다. 따라서 경제학자 A는 오늘날 흑인들의 소득 수준이 낮은 도시에서 당시 폭동 수준이 높았을 가능성이 크다고 볼 것이다.

③ 2문단 "이런 경우에는 x와 상관관계가 크지만 x 외에 y에 영향을 주는 다른 어떤 요인과도 상관관계가 없는 도구변수 z를 찾아서……."에 따르면, 도구변수는 x와 상관관계가 크지만 x 외에 y에 영향을 주는 다른 어떤 요인과도 상관관계가 없어야 한다. <보기>에서 경제학자 A는 1968년 4월의 강우량을 도구변수로 사용하였으므로 1968년 4월의 강우량이 당시 폭동 수준(x)과 상관관계가 크지만 당시 폭동 수준 외에 오늘날의 소득 수준(y)에 영향을 주는 다른 어떤 요인과도 상관관계가 없다고 보았을 것이다. 따라서 경제학자 A는 1968년 4월의 강우량은 당시 폭동 수준을 통해서만 오늘날 흑인들의 소득 수준과 연관된다고 볼 것이다.

⑤ 1문단 "제도의 발전과 경제의 번영 사이에 높은 상관관계가 있음을 확인하는 것만으로는 …… 아제모을루 등은 도구변수를 사용하여 제도와 성장 사이의 인과관계를 명확하게 하였다."와 2문단 "x와의 관계를 제외하면 y와 연관되지 않는 도구변수로부터 추정한 $\hat{x}$에 따른 y의 기울기를 추정하여……."에 따르면, 도구변수로 추정한 $\hat{x}$과 y 사이에 상관관계가 높아야 둘 사이의 인과관계를 인정할 수 있다. 이를 <보기>에 적용하면, 1968년 4월 강우량(도구변수)로 추정한 폭동 수준($\hat{x}$)과 오늘날 흑인들의 소득 수준(y) 사이에 상관관계가 높아야 둘 사이의 인과관계를 인정할 수 있다. 따라서 경제학자 A는 1968년 4월 강우량으로 추정한 폭동 수준과 오늘날 흑인들의 소득 수준 사이에 상관관계가 높아야 둘 사이의 인과관계를 인정할 수 있다고 볼 것이다.

[19~21] 제재 | 최인훈 「크리스마스 캐럴 Ⅳ」
난이도 | ★☆☆

19. 정답 ③

난이도 ★★☆ | 정답률 74%

내용영역 인문 | 문항 유형 정보의 확인과 재구성

[정답 풀이]

③ [C] 부분은 '그'가 받은 H의 편지 내용이므로 H가 '그'에게 전하는 말이다. 그리고 "나는 이 큰 죄를 고백하지 않고는 견딜 수 없다. 주여, 이 죄인을 용서하소서 - 이렇게 말했다는 거야."에 따르면, H 역시 노파의 임종에 관해 누군가로부터 전해들었음을 알 수 있다. 따라서 H는 노파의 임종에 관해 전해 들은 말을 전하였다고 할 수 있다.

[오답 풀이]

① 노파는 고양이와 함께 시간을 보내지 않는다.
[A] 부분 "수호성녀'(그들은 노파를 그렇게 불렀다.)의 저 성경책은 합리적으로 분석하거나 논증하기 위한 것이 아니고 애완하는 고양이처럼, 살아있는 물건이 아닌가?"에 따르면, 노파는 애완하는 고양이처럼 성경책을 가까이하는 것이지, 실제 고양이를 기르는 것이 아니다. 따라서 노파는 고양이와 함께 시간을 보내는 것이 아니라 성경책을 항상 가지고 다니는 것이다.

② '그'는 H와 같은 전공이 아니다.
[A] 부분 "H는 공과계통의 학생답게……."와 "'겸손한 이방인'은 그것은 수학이나 물리학을 하는 사람에게는 그렇게 쉽사리 말할 수 있을지 모르나 자기로서는 여전히 이르는 곳마다 육중한 벽을 보며……."에 따르면, H는 공과계통의 학생으로 수학이나 물리학을 하는 사람이다. 반면 '겸손한 이방인'인 '그'는 수학이나 물리학을 하는 사람이 아니므로 H와 다르게 말한다고 반박하고 있다. 이를 통해 '그'가 어떤 전공인지는 알 수 없으나 H와 다른 전공이라는 사실은 알 수 있다. 따라서 '그'는 H와 적어도 같은 전공이라고는 할 수 없다.

④ 노파는 애인이 죽은 슬픔을 신앙을 통해 극복하려 하지 않았다.
[C] 부분 "나는 성경에 아무 관심도 없었다. 이 성경(그 순간에도 그녀는 성경을 가슴에 품고 있었다고 하네) - 이 성경을 포장한 이 가죽을 지키기 위하여 나는 성경을 이용했을 뿐이다."에 따르면, 노파가 성경에 관심이 없고 다만 이용했을 뿐이라는 사실을 통해 노파가 신앙에 관심이 없었음을 알 수 있다. 따라서 노파는 애인이 죽은 슬픔을 신앙을 통해 극복하려 한 것이 아니다.

⑤ '그'와 H의 교류는 노파의 행동에 대한 논쟁을 계기로 시작되지 않았다.
[A] 부분 "그의 생각은 H의 것과 달랐지만 그 다른 점을 설명하자면 미상불 많은 시간을 들여야 하리라고 생각하고 그는 입을 다물었던 것이다."에 따르면, '그'가 H와 처음 만났을 때 '그'의 생각은 H의 생각과 달랐지만 '그'가 입을 다물었기에 논쟁이 벌어지지 않았을 것임을 알 수 있다. 따라서 '그'와 H의 첫 교류에서 논쟁은 벌어지지 않았으므로 노파의 행동에 대한 논쟁을 계기로 시작되었다고 할 수 없다.

20. 정답 ② 난이도 ★☆☆ | 정답률 93%

내용영역 인문 문항 유형 주제, 구조, 관점 파악

[정답 풀이]

② [A] 부분 "책이면 읽어야 할 텐데 읽는 것보다 그저 부둥켜안고 있는 거지."와 "성녀(聖女)는 여전히 꼼짝도 않고 햇볕 속에서 고행을 계속하고 있었다."에 따르면, 노파는 성경책에 대해 비정상적인 애착을 보이는 태도를 지니고 있다. 그리고 [B] 부분 "장승처럼 서 있던 여자가 그가 책을 내미는 순간 퍼뜩 정신이 든 듯이 젊은 여학생처럼 거칠게 계단을 뛰어내려오더니 그의 손에서 책을 홱 나꿔챘다. …… 크게 뜬 회색 눈과 씰룩거리는 입언저리는 두려움과 미움을 한껏 나타내 보이고 있었다."에 따르면, 노파는 극도로 예민한 태도를 보이고 있다. 이러한 태도를 보인 이유가 [C]에서 성경책이 아닌 가죽 때문이라는 것이 드러난다. 즉 [A]와 [B]에서 노파의 태도가 [C]에서 해명되는 복선 역할을 한 것이다. 따라서 [A]와 [B]에서 제시된 노파의 태도는 [C]의 복선으로 기능한다고 설명할 수 있다.

[오답 풀이]

① [A]에 제시된 인물들의 성격은 [B]의 경험을 통해 변화하지 않는다.
[A] 부분 "그의 생각은 H의 것과 달랐지만 그 다른 점을 설명하자면 미상불 많은 시간을 들여야 하리라고 생각하고 그는 입을 다물었던 것이다."와 "성녀(聖女)는 여전히 꼼짝도 않고 햇볕 속에서 고행을 계속하고 있었다.", "그러면 '겸손한 이방인'은 …… 성경책을 고양이처럼 애완하는 그 노파가 바로 그 예라고 반박한다."에 따르면, '그'는 생각을 바로 드러내지 않는 신중한 성격과 노파를 관찰 대상으로 삼아 분석적 성격을 보이고, 노파는 고립적이고 집착적인 성격임이 암시된다. [B] 부분 "그의 눈에 비친 늙은 여자의 표정, 계단 중간에 멈춰선 채 이쪽을 보고 있는 여자의 표정은 흔히 있는 표정이 아니었다. …… 장승처럼 서 있던 여자가 그가 책을 내미는 순간 퍼뜩 정신이 든 듯이 젊은 여학생처럼 거칠게 계단을 뛰어내려오더니 그의 손에서 책을 홱 나꿔챘다. …… 크게 뜬 회색 눈과 씰룩거리는 입언저리는 두려움과 미움을 한껏 나타내 보이고 있었다."에 따르면, '그'는 여전히 노파를 관찰하는 분석적 성격을 보이고, 노파 역시 집착적인 성격임이 유지되고 있다. 따라서 [A]에 제시된 인물들의 성격은 [B]에서도 유지되고 있으므로 변화한다고 설명할 수 없다.

③ [A]의 노파의 행동에 대한 H의 의문은 [C]의 고백을 통해 해소된다.
[A] 부분 "보통 성녀는 선행이 본업 아닌가? 그런데 그녀는 사람 만나기를 싫어해. 늘 저렇게 성경만 부둥켜안고 있지."에 따르면, H는 노파가 사람을 만나지 않고 성경만 안고 있는 데에 의문을 가진다. 그리고 [C] 부분 "그녀의 일생에 걸친 그 집요한 행위는 기독교와는 아무 관계도 없는 것이었단 말일세. 그것은 사랑이라는 가장 인간적인 동기에서 나오고 그것으로 지탱된 것이었어."에 따르면, H는 노파의 임종 전 고백을 통해 노파의 행동이 사랑이라는 동기에서 나온 행위였음을 알게 되었다. 따라서 [A]의 노파에 행동에 대한 H의 의문은 [C]에서 노파의 고백을 통해 해소되었으므로 심화된다고 설명할 수 없다.

④ [B]에 제시된 사건은 [C]에서 다른 서술자의 관점을 통해 재진술되지 않는다.
[B]에서 제시된 사건은 성경책을 떨어뜨린 노파가 그것을 줍는 '그'에게 격렬히 반응하다 돌연 사과한 사건이다. 그리고 [C]에서는 노파의 임종 시 고백한 사건을 H가 전해듣고 그걸 다시 '그'에게 편지로 전해주고 있다. 이때 [B]에서 제시된 성경책을 떨어뜨린 노파가 그것을 줍는 '그'에게 격렬히 반응하다 돌연 사과한 사건은 언급되고 있지 않다. 따라서 [B]에 제시된 사건은 [C]에서 다른 서술자의 관점을 통해 재진술된다고 설명할 수 없다.

⑤ [B]에서 형성된 인물 사이의 갈등은 [C]에 제시된 사건을 통해 심화되지 않는다.
[B]에서 형성된 인물 사이의 갈등은 곧 '그'가 성경책이 떨어진 것을 보고 주워서 건넨 무의도적인 행동이 노파에게 위협으로 받아들여져 두려움과 미움을 드러내면서 생긴 일시적 갈등이라고 할 수 있다. 그리고 [C]에서는 노파가 죽음을 앞두고 과거 자신의 행위에 대한 이유를 고백하고 사죄함으로써 '그'의 오해가 해소되었다. 이는 간접적으로 [B]에서 형성된 인물 사이의 갈등이 해소된 것이다. 따라서 [B]에서 형성된 인물 사이의 갈등은 [C]에 제시된 사건을 통해 해소되었으므로 심화된다고 설명할 수 없다.

21. 정답 ⑤ 난이도 ★★☆ | 정답률 62%

내용영역 인문 문항 유형 정보의 평가와 적용

[정답 풀이]

⑤ 성경에 대한 노파의 애착이 실제로는 '사랑' 때문이었다는 전언에서, 서구적 기원으로 환원되지 않는 인간적 보편성을 탐색하려는 주제 의식을 읽어낼 수 있군.
[C] 부분 "자네는 늘 그 노파를 유럽인의, …… 그것은 사랑이라는 가장 인간적인 동기에서 나오고 그것으로 지탱된 것이었어."에 따르면, '그'에게 있어 유럽인의 상징과 같았던 노파의 행위는 사실 기독교와는 아무 관계가 없었다. 이는 <보기> "서구적 기원으로 환원되지 않는 인간적 보편성을 탐색하려는 주제 의식을 표출하고 있다."라는 설명에 해당하는 것으로, '인간적 보편성을 서구의 특수한 문화적 전통에 불과한 것으로 상대화하려는' 것과는 상반된다. 따라서 성경에 대한 노파의 애착이 실제로는 '사랑' 때문이었다는 전언에서, 인간적 보편성을 서구의 특수한 문화적 전통에 불과한 것으로 상대화하려는 주제 의식을 읽어낼 수 없다.

[오답 풀이]

① [A] 부분 "'겸손한 이방인'은 그것은 수학이나 물리학을 하는 사람에게는 그렇게 쉽사리 말할 수 있을지 모르나 자기로서는 여전히 이르는 곳마다 육중한 벽을 보며, 성경책을 고양이처럼 애완하는 그 노파가 바로 그 예라고 반박한다."에 따르면, '그'는 노파가 성경책을 애완 고양이처럼 끌어안는 모습에 주목하여 그것을 상징화된 문화 개체로 보며, 이때 '겸손한 이방인'은 자기 전통을 통해 보편성을 찾지 못하는 동양인을 자조적으로 표현한 말이다. 이는 <보기> "서구의 지식과 문화를 그 토대가 결여된 채 받아들였던 한국적 근대의 부박함에 대한 인식과, 우리는 결코 보편적인 것에 닿지 못할 것이라는 주변부 지식인의 절망감

으로 이어진다."라는 설명에 해당한다. 따라서 노파가 '성경'을 '살아있는 물건'처럼 여긴다고 보는 '그'의 시선은, 한국에 근대 문화의 뿌리가 없다는 '겸손한 이방인'의 비판적 인식으로 연결되고 있다고 이해할 수 있다.

② [A] 부분 "'겸손한 이방인'은 그것은 수학이나 물리학을 하는 사람에게는 그렇게 쉽사리 말할 수 있을지 모르나 자기로서는 여전히 이르는 곳마다 육중한 벽을 보며……."에 따르면, '그'는 문화적 벽을 실감하고 있다. 즉 서구와 동양 사이의 문화적 단절과 보편성에 닿을 수 없음을 상징적으로 드러내는 것이다. 이는 <보기> "우리는 결코 보편적인 것에 닿지 못할 것이라는 주변부 지식인의 절망감으로 이어진다."라는 설명에 해당한다. 따라서 마주치는 모든 것에 대해 '육중한 벽'을 느낀다는 '그'의 진술에서, 서구와의 문화적 차이 때문에 보편성에의 접근에 어려움을 겪고 있는 '그'의 좌절감을 떠올릴 수 있다고 이해할 수 있다.

③ [A]에서 '그'가 사용한 문화차별론자라는 말은 서구 문화에 접근하는 입장에서 상대적 박탈감과 불균형을 인정하고 있는 표현이다. 이는 <보기> "이 발견은 서구의 지식과 문화를 그 토대가 결여된 채 받아들였던 한국적 근대의 부박함에 대한 인식과……."라는 설명에 해당한다. 즉 한국적 근대에는 보편적 관념에 대한 토대가 결여되어 있다고 본 것이다. 따라서 자신을 '문화차별론자'라고 자조하는 '그'의 말에서, 서구와 달리 보편적 관념에 대응되는 전통이 부재한다고 느끼는 동양인 유학생의 자괴감을 엿볼 수 있다고 이해할 수 있다.

④ [B] 부분 "얼굴, 크게 뜬 회색 눈과 씰룩거리는 입언저리는 두려움과 미움을 한껏 나타내 보이고 있었다."에 따르면, 노파는 성경책을 지키려는 행동과 함께 '그'를 바라보며 두려움과 미움의 표정을 짓는다. 즉 '그'가 아무런 해를 끼치지 않았음에도 시선으로 하여금 '그'가 주변부 타자로서 소외감을 느끼는 장면이다. 이는 <보기> "그가 유학 중 겪은 소외를 통해 이 절망감을 드러내면서도……."라는 설명에 해당한다. 따라서 노파의 '얼굴' 표정에서 '그'가 '두려움과 미움'을 떠올리는 것에서, 주변부 지식인으로서 서구 문화로부터 배제되고 있다는 느낌을 받는 '그'의 고뇌를 엿볼 수 있다고 이해할 수 있다.

[22~24] 제재 | 행위와 무위의 도덕적 책임
난이도 | ★☆☆

22. 정답 ② 난이도 ★☆☆ | 정답률 85%

내용영역 규범 문항 유형 정보의 확인과 재구성

[정답 풀이]

② 3문단 "'프랭크퍼트 스타일 사례'라고 불리는 <사례 1>의 경우, 대안 가능성이 없어도 도덕적 책임을 부여하는 것이 우리의 직관이다."와 "아이를 구하지 않기로 결심한 것은 나에게 책임이 있고 그래서 나쁜 사람이라고 비난받을 수는 있지만……."에 따르면, 프랭크퍼트 스타일 사례는 대안 가능성이 없어도 도덕적 책임을 부여하는 사례이며, 도덕적 책임이 있다면 비난받을 수 있다. 그리고 4문단 "이렇게 행위는 그 결과가 실제와 다를 수 없는 경우에도 행위자가 그 행위에 책임이 있을 수 있지만……."에 따르면, 행위는 달리 행동할 수 없는 경우에도 행위자가 그 행위에 책임이 있을 수 있다. 이를 종합하면, 행위는 대안 가능성이 없어도 도덕적 책임이 있을 수 있고, 도덕적 책임이 있다면 비난받을 수 있다. 따라서 달리 행동할 수 없는 행위인데도 도덕적으로 비난받는 사례가 있다.

[오답 풀이]

① 무위는 행위와 마찬가지로 도덕적으로 비난받을 수 있다.
1문단 "어떤 상황에서 요구되는 행위를 하지 않는 '무위'는 '행위'보다 도덕적으로 덜 비난받는다."에 따르면 , '무위'는 '행위'보다 도덕적으로 '덜' 비난받는 것이지, 도덕적으로 비난받지 않는 것은 아니다. 따라서 무위는 행위와 마찬가지로 도덕적으로 비난받을 수 있지만 그 정도는 덜하다.

③ 행위와 무위의 비대칭성 논제에서 무위와 행위 모두 대안 가능성이 없다.
4문단 "이렇게 행위는 그 결과가 실제와 다를 수 없는 경우에도 행위자가 그 행위에 책임이 있을 수 있지만, 무위는 그 결과가 실제와 다를 수 없는 경우 무위자는 무위에 책임이 있을 수 없다. 이런 주장을 '행위와 무위의 비대칭성 논제'라 한다."에 따르면, 행위와 무위의 비대칭성 논제는 대안 가능성이 없어도 도덕적 책임이 있는지 없는지에 대한 논제이다. 이 논제는 행위와 무위 모두 대안 가능성이 없는 상태를 전제하고 있다. 따라서 행위와 무위의 비대칭성 논제에서 행위와 마찬가지로 무위도 대안 가능성이 없다.

④ 프랭크퍼트 스타일 사례는 애초에 대안 가능성이 없더라도 행위에 도덕적 책임이 있을 수 있음을 보여주기 위한 것이다.
3문단 "'프랭크퍼트 스타일 사례'라고 불리는 <사례 1>의 경우, 대안 가능성이 없어도 도덕적 책임을 부여하는 것이 우리의 직관이다."와 4문단 "이렇게 행위는 그 결과가 실제와 다를 수 없는 경우에도 행위자가 그 행위에 책임이 있을 수 있지만……."에 따르면, '프랭크퍼트 스타일 사례'는 애초에 대안 가능성이 없는 행위에 대해 도덕적 책임이 있음을 보여주는 사례일 뿐, 무위에 대해서는 고려하지 않는다. 따라서 프랭크퍼트 스타일 사례는 애초에 대안 가능성이 없더라도 행위에 도덕적 책임이 있을 수 있음을 보여주기 위한 사례이므로 행위와 무위가 대칭적임을 보여 주기 위한 것이 아니다.

⑤ 대안 가능성의 원칙과 마찬가지로 행위와 무위의 비대칭성 논제도 상식적으로 받아들여진다.
1문단 "행위자가 달리 행동할 수 있었을 경우에만 행위에 책임이 있다는 '대안 가능성의 원칙'도 상식적으로 받아들여진다."에 따르면, 대안 가능성의 원칙은 상식적으로 받아들여진다. 그리고 4문단 "이런 주장을 '행위와 무위의 비대칭성 논제'라 한다. 이 논제는 행위와 무위가 구분된다는 직관을 더 잘 받아들이게 한다."에 따르면, 행위와 무위의 비대칭성 논제도 직관적으로 잘 받아들여진다. 이는 행위와 무위의 비대칭성 논제 역시 상식적으로 받아들여진다는 의미이다. 따라서 대안 가능성의 원칙과 행위와 무위의 비대칭성 논제 모두 상식적으로 받아들여진다.

23. 정답 ①　　　　난이도 ★★☆ | 정답률 57%

내용영역 규범　　　　문항 유형 정보의 추론과 해석

[정답 풀이]

① <사례 1>에서는 책임을 묻고 <사례 2>에서는 묻지 않는 것은 행위와 무위의 비대칭성 때문이다.
3문단 "'프랭크퍼트 스타일 사례'라고 불리는 <사례 1>의 경우, …… 나는 죽이기로 자유의사로 결심했고 그에 따라 자유롭게 행동했기 때문이다."에 따르면, <사례 1>에서 대안 가능성이 없어도 도덕적 책임을 묻는 것은 자유의사로 결심을 했기 때문이다. 반면 "대안 가능성이 없기에 나는 아이의 죽음에 책임이 없다. 아이를 구하지 않기로 결심한 것은 …… 나는 아이의 죽음에는 책임이 없다."에 따르면, <사례 2>에서 대안 가능성이 없어서 책임을 묻지 않는 것은 아이의 죽음에 '나'의 자유의사가 개입하지 않았기 때문이다. 다시 말해, <사례 2>도 대안 가능성이 없는 사례이지만 아이를 죽이기로 결심한 것이 아니기 때문에 도덕적 책임이 없다. 따라서 <사례 1>에서는 책임을 묻고 <사례 2>에서는 묻지 않는 것은 대안 가능성 여부 때문이 아니다.

[오답 풀이]

② 4문단 "이렇게 행위는 그 결과가 실제와 다를 수 없는 경우에도 행위자가 그 행위에 책임이 있을 수 있지만, 무위는 그 결과가 실제와 다를 수 없는 경우 무위자는 무위에 책임이 있을 수 없다."에 따르면, <사례 1>은 행위에 도덕적 책임이 있을 수 있음을 보여주는 사례이다. 그리고 5문단 "<사례 3>에서는 내가 애초에 그렇게 결심했다면 아이를 구하려고 할 수 있었을 것이다. …… 나는 내 결심에 책임이 있으므로 나는 아이의 죽음에 책임이 있다는 결론이 나온다."에 따르면, <사례 3>은 무위에 도덕적 책임이 있을 수 있음을 보여주는 사례이다. 따라서 <사례 1>은 행위에, <사례 3>은 무위에 책임을 묻기 위한 것이라고 이해할 수 있다.

③ 3문단 "<사례 1>의 경우, 대안 가능성이 없어도 도덕적 책임을 부여하는 것이 우리의 직관이다. 나는 죽이기로 자유의사로 결심했고 그에 따라 자유롭게 행동했기 때문이다."에 따르면, <사례 1>은 신경과학자가 내가 아이를 죽이기로 한 마음을 흔들었다면 방해했을 것이지만 실제로 '나'는 자유의사로 죽이기로 결심했으므로 신경과학자가 실제로 개입할 필요가 없었다. 그리고 5문단 "<사례 3>에서는 내가 애초에 그렇게 결심했다면 아이를 구하려고 할 수 있었을 것이다. 신경과학자의 방해가 뒤따르겠지만, 그럼에도 결심했다면 아이를 구하려고 할 수 있었다."에 따르면, <사례 3>의 경우 역시 신경과학자의 방해에 아이를 구하지 않으려는 내 마음이 흔들렸다면 개입할 필요가 있었겠지만, 실제로는 아이를 구하지 않으려는 마음이 흔들리지 않았고 실제로 아이를 구하지 않으려고 결심했으므로 신경과학자가 실제로 개입할 필요가 없었음을 보여준다. 따라서 <사례 1>과 <사례 3> 모두에서 실제로는 신경과학자가 개입할 필요가 없었다고 이해할 수 있다.

④ 3문단 "<사례 2>에서는 대안 가능성이 없기에 나는 아이의 죽음에 책임이 없다. 아이를 구하지 않기로 결심한 것은 …… 나는 아이의 죽음에는 책임이 없다."에 따르면, <사례 2>는 아이의 죽음이 나의 결심에 달려 있지 않음을 보인다. 반면 5문단 "<사례 3>에서는 내가 애초에 그렇게 결심했다면 아이를 구하려고 할 수 있었을 것이다. …… 나는 내 결심에 책임이 있으므로 나는 아이의 죽음에 책임이 있다는 결론이 나온다."에 따르면, 아이의 죽음이 나의 결심에 달려 있음을 보인다. 따라서 <사례 3>은 <사례 2>와 달리, 아이의 죽음이 나의 결심에 달려 있음을 보이려는 것이라고 이해할 수 있다.

⑤ 3문단 "<사례 1>의 경우, …… 나는 죽이기로 자유의사로 결심했고 그에 따라 자유롭게 행동했기 때문이다."와 "<사례 2>에서는 …… 아이를 구하지 않기로 결심한 것은 …… 나는 아이의 죽음에는 책임이 없다."에 따르면, <사례 1>도 자유의사로 아이를 죽이기로 결심한 행위이고, <사례 2>도 아이를 구하지 않기로 스스로 결심한 무위이다. 또한 5문단 "<사례 3>에서는 내가 애초에 그렇게 결심했다면 아이를 구하려고 할 수 있었을 것이다. …… 나는 내 결심에 책임이 있으므로 나는 아이의 죽음에 책임이 있다는 결론이 나온다."에 따르면, <사례 3>에서 가정하는 '아이를 구하지 않으려는 결심' 역시 스스로 결정한 것이다. 따라서 <사례 1>, <사례 2>, <사례 3> 모두 행위나 무위는 나의 자유로운 결심에 의한 것이라고 이해할 수 있다.

24. 정답 ⑤　　　　난이도 ★★☆ | 정답률 63%

내용영역 규범　　　　문항 유형 정보의 평가와 적용

[정답 풀이]

ㄷ. 마지막 문단 "아이가 죽은 원인은 내가 구하지 않기로 결심해서가 아니라 구하겠다고 결심하지 않아서인데, 둘은 전혀 다른 심적 상태이다."에 따르면, 사토리오는 아이를 구하지 않기로 결심한 것을 심적 행위로, 아이를 구하겠다고 결심하지 않은 것을 심적 무위로 보고 두 가지가 다르다고 주장한다. 그런데 '결과가 달라질 것을 알면서도 무엇가를 하겠다고 결심하지 않은 것은, 무엇인가를 하지 않겠다고 결심한 것이 단초가 되었기 때문에 일어날 수 있는 일이다'라는 것은 곧 심적 행위가 심적 무위의 원인이 될 수 있음을 지적한 것으로, 사토리오의 심적 무위와 심적 행위가 다르다는 주장에 반박하는 내용이다. 따라서 사토리오에 대한 반론으로 옳다.

ㄹ. 마지막 문단 "내가 아이를 구하지 않기로 결심한 것은 심적 행위이지만 내가 아이를 구하겠다고 결심하지 않은 것은 심적 무위인데, …… 그것을 증명 없이 가정할 수 없기 때문이다."에 따르면, 사토리오는 심적 행위인 구하지 않기로 결심한 것과 심적 무위인 구하겠다고 결심하지 않은 것을 구분하고, 이 둘이 다르기 때문에 심적 무위에 책임이 있는지 증명이 필요하다고 주장한다. 그런데 무엇인가를 하겠다고 결심하지 않은 것이 곧 무엇인가를 하지 않겠다고 결심하는 것과 동일하다고 평가될 때가 있다는 것은, 결심하지 않음이 하지 않겠다는 결심과 동일하게 간주되어 무위와 행위의 실질적 구분이 항상 성립하는 것은 아니라는 것을 의미한다. 즉 이 사례는 특정 의무가 있는 상황에서는 무위에 대해서도 책임을 물을 수 있음을 보여준다. 따라서 사토리오에 대한 반론으로 옳다.

[오답 풀이]

ㄱ. 무엇인가를 하겠다고 결심하지 않은 것이 어떤 사건의 원인이더라도, 무엇인가를 하겠다고 결심하지 않은 것에 책임이 있다.
마지막 문단 "내가 아이를 구하겠다고 결심하지 않은 것은 심적 무위인데, 행위와 달리 무위에 책임이 있느냐는 증명이 필요한 논란거리로서 그것을 증명 없이 가정할 수 없기 때문이다."에 따르면, 사토리오는 무위에 책임이 없다고 단정하지는 않지만 무위에 대한 도덕적 책임은 논란의 여지가 있다고 주장한다. 즉 무위에 대한 도덕적 책임이 있다고 증명되지 않은 한 책임이 없다고 보는 것이다. 그런데 '무엇인가를 하겠다고 결심하지 않은 것이 어떤 사건의 원인이더라도, 무엇인가를 하겠다고 결심하지 않은 것에 책임이 없다'는 내용은 무위가 어떤 사건의 원인이더라도 무위에 책임이 없다는 것으로, 사토리오의 견해와 유사하다. 따라서 사토리오에 대한 반론으로 옳지 않다.

ㄴ. 아이의 죽음이 초래되는 것은 아이를 구하지 않기로 한 나의 결심에서 예측 가능하고, 내가 아이를 구하겠다고 결심하지 않은 것도 예측 가능하다.
마지막 문단 "<사례 3>에서 아이를 구하지 않기로 한 나의 결심에서 아이의 죽음이 초래된다는 것은 충분히 예측 가능하다. 사토리오는 전제 (2)가 틀렸다고 주장한다."와 "그러면 프랭크퍼트 스타일의 사례를 통해 비대칭성에 반대하는 사람들은 전제 (2)를 내가 아이를 구하겠다고 결심하지 않은 것이 아이가 죽은 원인이라는 전제로 바꿀 것이다. 이 전제는 참이다."에 따르면, 프랭크퍼트 스타일의 사례를 통해 비대칭성에 반대하는 사람들은 아이를 구하겠다고 결심하지 않은 것도 예측 가능하다고 보고, 사토리오 역시 이 전제를 참으로 봄으로써 예측 가능성을 암묵적으로 인정하고 있다. 따라서 '아이의 죽음이 초래되는 것은 아이를 구하지 않기로 한 나의 결심에서는 예측 가능하지만, 내가 아이를 구하겠다고 결심하지 않은 것에서는 예측 불가능하다'는 내용은 사토리오에 대한 반론으로 옳지 않다.

[25~27] 제재 | 혼합물에서 분몰 부피 변화
난이도 | ★★★

25. 정답 ⑤ 난이도 ★★☆ | 정답률 69%

내용영역 과학기술 문항 유형 정보의 확인과 재구성

[정답 풀이]

⑤ 이종 분자 간 반발력이 작용하는 혼합물의 분몰 부피는 구성 성분의 비율에 영향을 받는다.
3문단 "물과 에탄올의 혼합물과는 달리 혼합 시에 이종 분자 간에 반발력이 작용한다면, 첨가한 부피보다 혼합물의 부피가 더 증가한다. 이때에도 혼합물 부피의 증가 정도는 혼합물 구성 성분의 비율에 따라 달라진다."에 따르면, 이종 분자 간 반발력이 작용하는 혼합물의 경우에도 부피의 증가 정도는 혼합물 구성 성분의 비율에 따라 달라진다. 이는 분몰 부피가 구성 성분의 비율에 영향을 받는다는 것을 의미한다. 따라서 이종 분자 간 반발력이 작용하는 혼합물의 분몰 부피는 구성 성분의 비율에 영향을 받지 않는다고 할 수 없다.

[오답 풀이]

① 3문단 "순수한 물에서는 물 분자들을 특정 거리로 유지해 주던 수소 결합 네트워크가 여기서는 깨진다."에 따르면, 순수한 물에서는 물 분자들 사이에 수소 결합 네트워크가 존재한다. 따라서 물이 순수한 물질일 때 물 분자 간에는 수소 결합이 존재한다고 할 수 있다.

② 2문단 "어떤 반응이 자발적이면 그 역반응은 비자발적이다."에 따르면, 어떤 반응에 대한 역반응은 자발적으로 일어나지 않는다. 따라서 어떤 반응이 자발적이면 그 역반응은 자발적으로 일어나지 않는다.

③ 2문단 "특정 온도에서 어떤 순수한 물질 1몰의 부피는 물질마다 고유하다."에 따르면, 순수한 물질 1몰의 부피는 물질마다 다르다. 예컨대 순수한 물 1몰과 순수한 에탄올 1몰의 부피는 서로 다르다는 것이다. 따라서 순수한 물 1몰의 부피는 순수한 에탄올 1몰의 부피와 다른 값을 갖는다고 할 수 있다.

④ 4문단 "2가지 성분의 혼합물 계에서 한 물질의 분몰 부피는 다른 물질의 분몰 부피와 관계를 갖는데, 이를 설명하는 식이 깁스-뒤엠 식으로……"에 따르면, 깁스-뒤엠 식은 2가지 성분의 혼합물 계에서 한 물질의 분몰 부피가 다른 물질의 분몰 부피와의 관계를 설명하는 수학식이다. 따라서 깁스-뒤엠 식은 서로 다른 성분의 분몰 부피 사이의 관계를 수학식으로 나타낸 것이라고 할 수 있다.

26. 정답 ② 난이도 ★★★ | 정답률 30%

내용영역 과학기술 문항 유형 정보의 추론과 해석

[정답 풀이]

② 3문단 "순수한 물 1몰의 부피는 18.1 cm^3/mol이며 …… 그런데 큰 부피의 순수한 에탄올에 물 1몰을 넣으면 총부피는 약 14 cm^3만 증가한다. …… 물과 에탄올의 혼합물과는 달리 혼합 시에 이종 분자 간에 반발력이 작용한다면, 첨가한 부피보다 혼합물의 부피가 더 증가한다."에 따르면, 물과 에탄올의 혼합물은 첨가한 부피보다 혼합물의 부피가 덜 증가한다. 즉 많은 양의 물에 에탄올 극소량을 혼합하면 혼합물의 부피는 혼합 전 이종 물질의 부피 합보다 작다는 것이다. 그리고 마지막 문단 "순수한 물에 황산마그네슘($MgSO_4$)을 극소량 첨가했을 때 황산마그네슘의 분몰 부피는 -1.4 cm^3/mol이고, 이는 많은 양의 물에 황산마그네슘 1몰을 넣으면 부피가 1.4 cm^3 감소한다는 것을 의미한다."에 따르면, 많은 양의 물에 황산마그네슘 극소량을 넣으면 혼합물의 부피가 줄어든다. 즉 많은 양의 물에 황산마그네슘 극소량을 혼합하면 혼합물의 부피는 혼합 전 이종 물질의 부피 합보다 작다. 따라서 동일한 몰수의 황산마그네슘과 에탄올 극소량을 각각 많은 양의 물에 혼합하면, 두 경우 모두 혼합물의 부피는 혼합 전 이종 물질의 부피 합보다 작다고 추론할 수 있다.

[오답 풀이]

① 질량을 부피로 나눈 값인 밀도가 다른 두 종류의 순물질을 서로 같은 부피로 섞어 균질한 혼합물을 만들더라도 혼합물의 밀도는 두 순물질 밀도의 평균값을 갖지 않는다.
3문단 "한편 혼합 후의 전체 부피는 화학식이 서로 다른 물질로 이루어진 어떤 혼합물이든 혼합 전 부피의 산술적 합이 아니다."에 따르면, 어떤 혼합물이든 혼합 후의 전체 부피는 혼합 전 부피의 산술적 합이 아니다. 밀도가 다른 두 종류의 순물질을 서로 같은 부피로 섞어 균질한 혼합물을 만들더라도 혼합물의 부피는 혼합 전 부피의 산술적 합이 아니다. 밀도는 질량을 부피로 나눈 값이므로 혼합물의 부피가 혼합 전 두 물질의 부피의 산술적 합이 아니기 때문에 혼합물의 밀도 역시 두 순물질 밀도의 평균값이 아니다. 따라서 질량을 부피로 나눈 값인 밀도가 다른 두 종류의 순물질은 서로 같은 부피로 섞어 균질한 혼합물을 만들더라도 부피가 줄어들므로 혼합물의 밀도는 두 순물질 밀도의 평균값을 갖는다고 추론할 수 없다.

③ 분몰 부피가 음수가 되는 혼합의 경우도 분몰 부피가 양수인 경우와 마찬가지로 혼합 후에 엔트로피가 증가한다.
2문단 "한 순물질이 다른 순물질과 혼합물을 이루면 계의 엔트로피, 즉 무질서도가 증가한다."에 따르면, 한 순물질이 다른 순물질과 혼합물을 이루면 혼합 후에 엔트로피가 증가한다. 이는 무질서도는 분몰 부피가 음수이거나 양수인 경우 모두 혼합물이면 증가한다는 의미이다. 따라서 분몰 부피가 음수가 되는 혼합의 경우는 분몰 부피가 양수인 경우와 달리, 혼합 후에 엔트로피가 증가한다고 추론할 수 없다.

④ 순수한 물에서 분자들 간 거리의 평균보다 물과 에탄올 혼합물에서 분자들 간 거리의 평균이 작다.
3문단 "순수한 물에서는 물 분자들을 특정 거리로 유지해 주던 수소 결합 네트워크가 여기서는 깨진다. 이는 수소 결합에 기인한 물 분자들 간의 인력보다 물과 에탄올 분자의 인력이 더 크기 때문이며, 깨어진 수소 결합 네트워크로 인해 전체 부피 증가가 덜하다."에 따르면, 물 분자들 간의 인력보다 물과 에탄올 분자의 인력이 더 크기 때문에 수소 결합 네트워크가 깨져 물 분자 간의 일정 거리가 유지되지 못한다. 이는 물과 에탄올 분자 간의 인력이 더 커 두 분자 간의 거리가 줄어들기 때문이다. 따라서 순수한 물에서 분자들 간 거리의 평균보다 물과 에탄올 혼합물에서 분자들 간 거리의 평균이 크다고 추론할 수 없다.

⑤ 엔트로피의 단위에 절대 온도의 단위를 곱하면 깁스 에너지의 단위와 동일한 단위가 된다.
1문단 "계(system)에서의 혼합 시에 깁스 에너지 변화는 엔트로피 변화에 절대 온도를 곱한 값을 혼합열에서 뺀 값이다."에 따르면, 깁스 에너지 변화=혼합열−(엔트로피 변화×절대 온도)이다. 이때 깁스 에너지 변화와 혼합열은 모두 에너지의 한 형태이므로 단위가 같을 것이다. 그런데 이 등식이 성립하기 위해서는 등식의 모든 항의 단위가 동일해야 한다. 즉 엔트로피 변화에 절대 온도를 곱한 항의 단위 또한 깁스 에너지 변화의 단위와 같아야 하므로 (절대 온도 단위)×(엔트로피 단위)=깁스 에너지 단위가 된다. 따라서 깁스 에너지의 단위에 절대 온도의 단위를 곱하는 것이 아니라, 엔트로피의 단위에 절대 온도의 단위를 곱하면 깁스 에너지의 단위와 같아진다.

27. 정답 ③

난이도 ★★☆ | 정답률 42%

내용영역 과학기술 | 문항 유형 정보의 평가와 적용

[정답 풀이]

<보기>의 그래프에서 X축은 R의 양을, Y축은 혼합액의 전체 부피를 나타내고 있다. 이때 그래프의 접선의 기울기는 R의 분몰 부피이다. 왼쪽 구간에서는 R이 10^{-3}몰 이하로 극소량임을, 오른쪽 구간에서는 R이 매우 많아져 S가 희석되었음을 알 수 있다.

③ a에서 b로 R의 양이 늘어 가면서 R의 분몰 부피 변화의 급격한 정도는 S의 분몰 부피 변화의 급격한 정도와 같지 않겠군.
4문단 "2가지 성분의 혼합물 계에서 한 물질의 분몰 부피는 다른 물질의 분몰 부피와 관계를 갖는데, 이를 설명하는 식이 깁스-뒤엠 식으로, $n_i d\overline{V_i} + n_j d\overline{V_j} = 0$이다. …… 한편 한 성분이 희석된 상태에서의 다른 성분의 분몰 부피 변화의 관계도 알 수 있다."에 따르면, 깁스-뒤엠 식은 $n_i d\overline{V_i} + n_j d\overline{V_j} = 0$이다. <보기>의 그래프에 이 식을 적용하면 $n_S d\overline{V_S} + n_R d\overline{V_R} = 0$이고, 이 식을 변형한 식인 $d\overline{V_S} = -\frac{n_R}{n_S} d\overline{V_R}$은 $\overline{V_S}$의 변화량과 $\overline{V_R}$의 변화량이 $-\frac{n_R}{n_S}$라는 비율 인자에 의해 관계를 맺고 있음을 의미한다. 다시 말해 R의 양과 S의 양이 다르므로 두 분몰 부피 변화의 급격한 정도, 즉 변화율은 같을 수 없다. 따라서 a에서 b로 R의 양이 늘어가면서 R의 분몰 부피 변화의 급격한 정도는 S의 분몰 부피 변화의 급격한 정도와 다를 것이다.

[오답 풀이]

① 3문단 "어떤 성분 i의 분몰 부피($\overline{V_i}$)는 …… 이는 성분 i의 몰수에 따른 혼합물의 부피 그래프에서 접선의 기울기를 의미한다."에 따르면, 어떤 성분의 몰수가 변화할 때 다른 성분의 몰수가 일정하면 그래프의 기울기를 통해 어떤 성분의 분몰 부피의 증감 정도를 알 수 있다. <보기>의 그래프에서 접선의 기울기는 R의 분몰 부피($\overline{V_R}$)를 의미한다. 그리고 b 지점의 기울기가 a 지점의 기울기보다 더 크므로 b에서의 분몰 부피가 더 크다고 할 수 있다. 따라서 b에서의 R의 분몰 부피가 a에서의 분몰 부피보다 더 클 것이다.

② 4문단 "이 관계식에 의하면 두 성분의 분몰 부피는 비율이 변함에 따라 독립적으로 변할 수 없으며 증감의 방향은 서로 반대이다."에 따르면, 깁스-뒤엠 식에 의할 때 혼합물에서 한 물질의 분몰 부피는 비율이 변함에 따라 한 성분의 분몰 부피가 증가하면 다른 성분의 분몰 부피는 감소한다. <보기>의 그래프에서 a와 b 사이의 구간에서 그래프의 기울기, 즉 R의 분몰 부피는 점점 증가한다. 깁스-뒤엠 식에 따를 때, 이 구간에서 R의 분몰 부피가 점점 증가함에 따라 S의 분몰 부피는 감소해야 한다. 따라서 a와 b 사이의 구간에서 S의 분몰 부피는 감소할 것이다.

④ 3문단과 4문단 "이 식은 성분 i의 분몰 부피가 온도(T), 압력(P), 다른 성분 j의 몰수가 일정할 때, 혼합물의 부피(V)를 성분 i의 몰수 n_i로 미분한 값이라는 뜻이다. …… 깁스-뒤엠 식으로, $n_i d\overline{V_i} + n_j d\overline{V_j} = 0$이다."에 따르면, 분몰 부피는 혼합물의

부피를 변화하는 성분의 몰수로 미분한 값으로, 접선의 기울기가 0이라면 분몰 부피는 0이 된다. <보기>의 그래프에서 b와 c 사이의 구간은 단절되어 있지만, 이어지는 곡선의 기울기를 고려할 때 기울기가 0인 지점이 존재할 것임을 알 수 있다. 따라서 b와 c 사이의 구간에는 R을 소량 첨가했을 때 혼합물의 전체 부피가 변하지 않는 지점이 있을 것이다.

⑤ 3문단 "어떤 성분 i의 분몰 부피($\overline{V_i}$)는 …… 이는 성분 i의 몰수에 따른 혼합물의 부피 그래프에서 접선의 기울기를 의미한다."에 따르면, 어떤 성분의 몰수가 변화할 때 다른 성분의 몰수가 일정하면 그래프의 기울기를 통해 어떤 성분의 분몰 부피의 증감 정도를 알 수 있다. <보기>의 그래프에서 c와 d 구간에서 그래프의 기울기는 음수이므로 R의 양이 늘어나면 부피는 줄어든다. 이때 줄어드는 정도는 기울기의 절댓값에 비례한다. 즉 d 지점의 기울기가 c 지점의 기울기보다 완만하므로 부피가 줄어드는 정도가 더 작을 것이다. 따라서 c와 d에서 동일한 극소량의 R이 R과 S의 혼합물에 첨가될 때, 혼합물의 부피가 줄어드는 정도는 c보다 d에서 더 작을 것이다.

[28~30] 제재 | 대한제국기 지식인의 군주제와 공화정 제도 논의
난이도 | ★☆☆

28. 정답 ④ 난이도 ★★☆ | 정답률 81%

내용영역 규범 / 문항 유형 정보의 확인과 재구성

[정답 풀이]

④ 신한혁명당은 신해혁명의 이중 혁명의 내용을 제도적으로 실현하려 하지 않았다.

5문단 "신한혁명당이 독립에 유리하다는 이유로 군주제를 지지했다는 것은 …… 그런데 이 시기에 일어난 신해혁명은 만주족의 지배에 저항하는 혁명인 동시에 군주정체를 전복하는 혁명이었다. 이는 독립운동가들이 '반일 및 공화 혁명'이라는 이중 혁명을 지향하는 데에 영향을 주었다."에 따르면, 신한혁명당은 군주제를 지지한 반면, 신해혁명은 군주정체를 전복하는 혁명이었다. 따라서 신한혁명당은 신해혁명의 이중 혁명의 내용인 반일 및 공화 혁명을 제도적으로 실현하려 했다고 할 수 없다.

[오답 풀이]

① 마지막 문단 "대동단결선언도 국민주권론을 기초로 헌법을 제정하고 공화제 정부를 건설하자는 주장을 체계적으로 제시했다."에 따르면, 대동단결선언에서는 국민주권론과 헌법을 바탕으로 하는 공화제 정부를 지향함을 선포하였다. 따라서 대동단결선언에서는 국민주권주의와 입헌공화제를 선포하였다고 할 수 있다.

② 2문단 "그럼에도 이상설은 군주제 부정을 주장하지는 않았는데, 그에게는 입헌군주제가 유일한 선택지였다."에 따르면, 이상설은 군주제 유지가 필요하다고 보았다. 그리고 3문단 "유인석은 임금의 절대적 권위를 인정하고 서양의 입헌정치에는 반대했다."에 따르면, 유인석 역시 군주제 유지가 필요하다는 입장이었다. 따라서 군주제 유지가 필요하다는 데에 이상설과 유인석은 같은 의견이었다고 할 수 있다.

③ 3문단 "13도의군의 도총재 유인석은 이상설과 함께 1910년 7월 고종에게 연해주로 가서 망명정부를 세우고 독립운동을 영도해 줄 것을 청했다."에 따르면, 대한제국 시기에 망명정부 수립을 추진한 세력은 유인석과 이상설이다. 그런데 2문단 "그럼에도 이상설은 군주제 부정을 주장하지는 않았는데, 그에게는 입헌군주제가 유일한 선택지였다."와 3문단 "유인석은 임금의 절대적 권위를 인정하고 서양의 입헌정치에는 반대했다."에 따르면, 이상설과 유인석 모두 군주제 유지가 필요하다고 보았다. 따라서 대한제국 시기에 망명정부 수립을 추진한 세력은 군주제를 선호하였다고 할 수 있다.

⑤ 1문단 "대한제국기 지식인은 대체로 군민공치(君民共治) 체제를 주장했다. 이들은 유교를 기반으로 서구 학문을 받아들였기에 급격한 체제 변화를 경계했다. …… 민주공화제를 채택하기에는 일반 국민의 정치적 능력이 불완전하다는 인식도 컸기 때문이다."에 따르면, 대한제국 시기에 유교적 전통의 지식인들은 입헌군주제를 주장하고 민주공화제에 대해서는 부정적이었다. 따라서 대한제국 시기에 유교적 전통의 지식인들은 대체로 공화제에는 부정적인 입장이었다고 할 수 있다.

29. 정답 ① 난이도 ★☆☆ | 정답률 83%

내용영역 규범 / 문항 유형 정보의 추론과 해석

[정답 풀이]

① 마지막 문단 "대동단결선언도 국민주권론을 기초로 헌법을 제정하고 공화제 정부를 건설하자는 주장을 체계적으로 제시했다. 황제가 주권을 포기한 날은 곧 우리가 주권을 계승한 날이라는 것이다."에 따르면, 대동단결선언에서는 황제가 주권을 포기함으로써 국민에게 주권이 계승되었으므로 국민주권주의의 입헌공화제를 건설하자고 주장했다. 따라서 대동단결선언에서는 황실에서 국민으로 주권이 이양된 셈이라는 취지가 나타난다고 추론할 수 있다.

[오답 풀이]

② 대한제국 시기의 입헌주의자 중 이상설은 국민주권론을 옹호하였다.

1문단 "대한제국기 지식인은 대체로 군민공치(君民共治) 체제를 주장했다. 이들은 유교를 기반으로 서구 학문을 받아들였기에 급격한 체제 변화를 경계했다."에 따르면, 대한제국기 시기의 지식인들은 대체로 급격한 변화를 경계하여 국민주권을 부정하고 입헌군주제를 주장했다. 하지만 2문단 "일반 국민의 각성과 능력 배양을 통해 국권을 회복해야 한다는 자각이 일면서 국민주권론이 등장했다. …… 유교적 세계관을 지닌 관료 출신 이상설은 유럽을 순방하며 파악한 서구 정치체제를 소개했다. …… 그럼에도 이상설은 군주제 부정을 주장하지는 않았는데, 그에게는 입헌군주제가 유일한 선택지였다."에 따르면, 이상설은 대한제국 시기의 입헌주의자이면서도 국민주권론자를 외치던 인물이다. 따라서 당시의 모든 입헌주의자들이 국민주권을 부정한 것은 아니므로 대한제국 시기의 입헌주의자들은 급격한 변화를 경계하여 국민주권을 부정하였다고 추론할 수 없다.

③ 군민공치론에서는 군주제, 입헌주의, 국민주권주의의 사상적 혼용을 보인다.

1문단 "대한제국기 지식인은 대체로 군민공치(君民共治) 체제를 주장했다. …… 입헌군주국인 일본을 통해 헌정질서에 대한 서구 지식을 수용한 점, 전제군주국에서 군주제 부정이 정치적 반역이라는 점도 있었으나……."에 따르면, 군민공치론은 입헌군주제를 지향한다. 입헌군주제는 군주제와 입헌주의의 사상적 혼용이 보이는 체제이다. 그리고 2문단 "1909년 이상설의 신한민보 논설은 이런 인식 변화를 잘 드러낸다. …… 그럼에도 이상설은 군주제 부정을 주장하지는 않았는데, 그에게는 입헌군주제가 유일한 선택지였다."에 따르면, 입헌군주제를 주장한 이상설은 국민주권론자이기도 했다. 하지만 5문단 "신한혁명당이 독립에 유리하다는 이유로 군주제를 지지했다는 것은 독립운동가들에게는 아직 군주제와 공화정이 선택 가능한 제도로 논의되고 있었음을 보여준다."에 따르면, 군주제와 공화정은 혼용될 수 없는 사상이다. 따라서 군민공치론에서는 군주제, 입헌주의, 국민주권주의, 공화주의의 사상적 혼용을 보인다고 추론할 수 없다.

④ 유인석이 고종의 망명을 청한 것은 국권 회복을 하기 위해서였다.

3문단 "대한제국 정부의 기능이 마비되어가자 국권 회복을 위해 망명정부 수립이 유력한 방법으로 대두되었다. …… 13도의군의 도총재 유인석은 이상설과 함께 1910년 7월 고종에게 연해주로 가서 망명정부를 세우고 독립운동을 영도해 줄 것을 청했다."에 따르면, 망명정부 수립은 국권 회복을 위해서였으며 이를 위해 유인석은 고종에게 망명정부를 세울 것을 요청한 것이었다. 따라서 유인석이 고종의 망명을 청한 것은 국민주권론 세력을 견제할 필요가 있었기 때문이라고 추론할 수 없다.

⑤ 이상설은 인민의 주권 의식 부재를 망국의 주된 원인으로 삼았다.

2문단 "임금은 인민의 사무를 위한 공복일 뿐이니 그 직책을 다하지 못하면 상전인 인민의 책망을 면할 수 없다. …… 우리 인민은 나라가 망해도 임금에게 복종하는 것만 생각하고 주권이 없어져도 임금이 있다고 믿는다. 인민의 이런 인식 때문에 임금만 굴복시키면 인민은 자연 복종할 것으로 일제가 생각한 것이다."에 따르면, 이상설은 인민이 국왕의 사무를 제대로 보좌하지 못한 것이 아니라 국왕이 인민의 사무를 보좌하지 못한 것을 지적하면서 인민이 스스로 주권 의식을 가지고 있지 않음을 망국의 원인으로 보았다. 따라서 이상설은 인민이 국왕의 사무를 제대로 보좌하지 못한 것을 망국의 주된 원인으로 삼았다고 추론할 수 없다.

30. 정답 ②

난이도 ★★☆ | 정답률 70%

내용영역 규범 | 문항 유형 주제, 구조, 관점 파악

[정답 풀이]

② 마지막 문단 "대한광복회가 전제군주제를 폐지하고 민주공화의 독립국 건설을 목표로 한 것은 체포된 회원의 재판기록에 나타나는데, 이들은 광복회의 목적이 국권 회복과 공화정 수립에 있다는 것, 나라에 왕이 없으므로 민국을 세운 것이라 진술했다."에 따르면, 대한광복회(㉡)는 나라에 왕이 없다는 점을 내세워 기존의 군주제가 아닌 공화정 수립을 목적으로 하였다. 이는 새로운 정부체제로서 입헌군주제가 아닌 공화정 수립을 지향했음을 의미한다. 따라서 대한광복회(㉡)는 새로운 정부 체제로서 공화제를 지향함으로써 입헌군주제와는 분명히 선을 그었다고 할 수 있다.

[오답 풀이]

① 신한혁명당(㉠)은 독립에 유리하다는 점에서, 이상설은 유일한 선택지가 입헌군주제이기 때문이라는 점에서 군주제를 부정하지 않았다.

4문단 "신한혁명당은 …… 독립전쟁에서 두 나라의 지지를 얻으려면 제정(帝政)을 표방하는 것이 유리하다고 보았다. 이런 이유로 신한혁명당은 고종을 당수이자 미래 정부의 원수로 추대했다."와 5문단 "신한혁명당이 독립에 유리하다는 이유로 군주제를 지지했다는 것은……."에 따르면, 신한혁명당(㉠)이 군주제를 지지한 이유는 독립전쟁에서 제정국인 독일과 중국의 지지를 받는 것이 독립에 유리하다고 보았기 때문이다. 그리고 2문단 "임금을 위해 나라를 세운 것이 아니라 나라를 위해 임금을 둔 것이며, …… 그럼에도 이상설은 군주제 부정을 주장하지는 않았는데, 그에게는 입헌군주제가 유일한 선택지였다."에 따르면, 이상설은 주권이 국민에게 있다고 보면서도 입헌군주제가 유일한 선택지라고 생각하였다. 즉 신한혁명당(㉠)과 이상설 모두 주권이 황제에게 있다고 보았기 때문에 군주제를 지지한 것이 아니다. 따라서 신한혁명당(㉠)은 주권이 황제에 있다고 보아 군주제를 부정하지 않았다는 점에서 이상설과 입장을 같이 한다고 할 수 없다.

③ 신한혁명당(㉠)은 대한광복회(㉡)와 달리, 제정을 지지하였다.

4문단 "신한혁명당은 …… 독립전쟁에서 두 나라의 지지를 얻으려면 제정(帝政)을 표방하는 것이 유리하다고 보았다. 이런 이유로 신한혁명당은 고종을 당수이자 미래 정부의 원수로 추대했다."에 따르면, 신한혁명당(㉠)은 제정을 표방하였다. 반면 마지막 문단 "대한광복회가 전제군주제를 폐지하고 민주공화의 독립국 건설을 목표로 한 것은 …… 이들은 광복회의 목적이 국권 회복과 공화정 수립에 있다는 것, 나라에 왕이 없으므로 민국을 세운 것이라 진술했다."에 따르면, 대한광복회(㉡)는 제정을 부정하였다. 따라서 ㉠은 ㉡과 마찬가지로 제정을 부정한다고 할 수 없다.

④ 대한광복회(㉡)는 신한혁명당(㉠)과 마찬가지로 독립을 위해 무력 투쟁까지 준비하고 있었다.

4문단 "1915년 3월 상하이에서 결성된 신한혁명당은 국내외를 연결한 독립전쟁을 위해 군비를 정비하면서 중국과 군사원조동맹을 체결하려고 했는데……."에 따르면, 신한혁명당(㉠)은 독립을 위해 무력 투쟁을 준비하였다. 그리고 마지막 문단 "대한광복회는 독립군 양성을 위한 군자금 모집과 …… 국내외 기지를 건설하고 독립군을 양성한 후 일본의 국제적 고립을 기다렸다가 일시에 혁명을 일으켜 독립을 쟁취한다는 계획을 추진했다."에 따르면, 대한광복회(㉡) 역시 독립을 위해 무력 투쟁을 준비하였다. 따라서 대한광복회(㉡)는 신한혁명당(㉠)과 달리, 독립을 위해 무력 투쟁까지 준비하고 있었다고 할 수 없다.

⑤ 대한광복회(㉡)는 신한혁명당(㉠)과 마찬가지로 일본의 국제적 고립을 이용하여 독립을 쟁취하고자 하였다.

4문단 "독립운동진영은 제1차 세계대전의 발발로 동양에서 중일 전쟁과 독·일전쟁이 벌어질 것을 예견하고 이를 독립의 기회로 삼으려 했다. 1915년 3월 상하이에서 결성된 신한혁명당은 …… 독립전쟁에서 두 나라의 지지를 얻으려면 제정(帝政)을 표방하는 것이 유리하다고 보았다."에 따르면, 신한혁명당(㉠)은 중·일전쟁과 독·일전쟁이 벌어질 것을 예견하고 두 국가의 지지를 받아 일본을 국제적으로 고립시킴으로써 독립을 하고자 했다. 그리고 마지막 문단 "이들은 국내외 기지를 건설하고 독립군을 양성한 후 일본의 국제적 고립을 기다렸다가 일시에 혁명을 일으켜 독립을 쟁취한다는 계획을 추진했다."에 따르면, 대한광복회(㉡) 역시 일본의 국제적 고립을 기다렸다가 혁명을 통해 독립을 쟁취하려는 계획을 세웠다. 따라서 신한혁명당(㉠)과 대한광복회(㉡) 모두 일본의 국제적 고립을 이용하여 독립을 쟁취하고자 하였다.

2025학년도 [홀수형]

[1~3] 제재 | 범죄소설에서 법과 문학의 상호작용
난이도 | ★☆☆

1. 정답 ②

난이도 ★☆☆ | 정답률 91%

내용영역 규범　　문항 유형 정보의 확인과 재구성

[정답 풀이]

② 뉴게이트 소설은 당대의 지배적 범죄 담론에 대한 대항 담론을 선전·유포하였다.

1문단 "그것은 동시에 당대의 지배적 범죄 담론에 대한 대항 담론을 선전·유포하여 형법 개혁의 원동력이 되기도 했다."에 따르면, 뉴게이트 소설은 당대의 범죄 담론을 강화한 것이 아니라 당대의 범죄 담론에 대한 대항 담론을 선전·유포하여 형법 개혁의 원동력이 되었음을 알 수 있다.

[오답 풀이]

① 1문단 "1830년대 영국에서 유행한 범죄소설 …… '뉴게이트 소설'이라 불린 이 시기 범죄문학 장르는 재판 관행 및 행형 실태 개선을 촉구하는 캠페인의 산물이었다. 그것은 동시에 당대의 지배적 범죄 담론에 대한 대항 담론을 선전·유포하여 형법 개혁의 원동력이 되기도 했다."에 따르면, 당시 유행한 범죄소설 장르인 뉴게이트 소설은 재판 관행 및 행형 실태 개선을 촉구하는 캠페인의 산물이자, 형법 개혁의 원동력이었다. 즉 형법 개혁을 위한 캠페인을 계기로 뉴게이트 소설이 나타났고, 또 뉴게이트 소설로 인해 형법 개혁이 일어난 것이다. 따라서 형법 개혁 운동은 범죄소설 열풍의 계기이자 성과였다고 할 수 있다.

③ 4문단 "새커리는 범죄성이 개인의 병증이나 타고난 악함에 의한 것임을 밝혀 독자의 공감을 차단하려 했다. …… 하지만 작가의 손을 떠난 작품은 독자에 의해 매 순간 새롭게 읽히기 마련이다. …… 사랑하는 사람과 결합하고자 살인을 조력한 주인공의 욕망은 독자에게 뜻밖의 호소력이 있었다. 범죄에 대한 구토를 유발하고 사회의 건강을 회복시킬 약물을 투입하겠다는 작가의 기획은 온전한 성공을 거두진 못했다."에 따르면, 『캐서린』의 독자들은 작가 새커리의 의도와는 달리 사랑을 위해 살인을 조력한 주인공의 욕망에 공감하였다. 따라서 『캐서린』에 대한 독자들의 반응은 작품이 항상 작가의 의도대로 읽히는 것은 아님을 보여 준다고 할 수 있다.

④ 3문단 "……지배계급은 이런 전복적 설정에 대해서는 교수대에 낭비된 감수성이라 격렬히 비난했다. 소설이 연극으로 만들어져 중산계급에서 노동계급으로 수용층이 넓어지자 불온한 열광에 대한 우려는 증폭되었다."에 따르면, 당시의 지배계급은 뉴게이트 소설의 전복적 설정을 비난하는 한편, 뉴게이트 소설의 수용층이 넓어지는 것을 우려하였다. 이를 통해 기득권층은 뉴게이트 소설의 대중적 전파력 확대가 기존 사회 체제의 안정을 저해할 것이라 여겼음을 알 수 있다.

⑤ 2문단 "클리퍼드는 소매치기 누명으로 체포되어 수감 생활을 거듭한다. 법정에 선 그는 죄 없는 소년으로 감옥에 갔던 자신이 법을 깨뜨릴 준비가 된 남자로 그곳을 나왔다며……."에 따르면, 『폴 클리퍼드』는 개인의 선택과 의지력과는 무관한 클리퍼드의 처지를 강조한다. 반면 마지막 문단 "올리버는 …… 탁월한 통제력으로 범죄 유혹을 물리쳤고 마침내 사회로부터 보상받는다."에 따르면, 『올리버 트위스트』에서는 범죄 유혹을 물리친 올리버의 행위에 주목하면서 『폴 클리퍼드』와 달리 범행 착수의 기로에 선 개인의 선택과 의지력을 강조했음을 알 수 있다.

2. 정답 ② 난이도 ★★☆ | 정답률 73%

내용영역 규범 | 문항 유형 정보의 추론과 해석

[정답 풀이]

② ㉡은 생존을 위하여 불가피하게 택한 범죄 행위를 가리킨다.
2문단 "생존의 막다른 골목에 놓인 빈민을 ㉡ 자연의 제일법칙에 입각한 선택지만 남은 상황으로 내몬 다음 그 선택지를 집었다는 이유로 교수형에 처하는 것이 과연 정의일 수 있는지 소설은 질문한다."에 따르면, 자연의 제일법칙에 입각한 선택지(㉡)는 곧 생존을 위한 범죄 행위이다. 범죄 행위를 두고 주어진 계급적 위치와 역할에 순응한 것이라고 할 수는 없을 것이다. 따라서 자연의 제일법칙에 입각한 선택지(㉡)는 살아남기 위해 주어진 계급적 위치와 역할에 순응해야 하는 운명을 가리킨다고 할 수 없다.

[오답 풀이]

① 2문단 "그 서두에서 작가는 소설 집필의 동기가 영국 형법의 두 가지 근본적 야만성, 즉 수감자를 교화하기보단 타락하게 만드는 행형, 그리고 단순 절도범마저 공동체로 복귀할 기회를 박탈하는 ㉠ 피에 굶주린 형법전에 대한 교정임을 밝혔다."에 따르면, 불워-리턴은 피에 굶주린 형법전(㉠)을 통해 절도 등 무겁지 않은 범죄에도 생명, 자유 등을 박탈하는 영국 형법의 야만성을 지적하고 있음을 알 수 있다. 따라서 피에 굶주린 형법전(㉠)은 죄에 비해 과한 형을 구형하거나 사형 선고를 남발하는 현상을 가리킨다고 할 수 있다.

③ 3문단 "불워-리턴의 후속작 『유진 아람』엔 주인공의 범행 사실을 밝혀낸 자가 도리어 공동체의 지탄을 받고 주인공의 용서를 청하는 장면이 나온다. 대중적 인기를 끌었던 에인즈워스의 『룩우드』 또한 영웅의 일대기처럼 범죄 서사를 구성하고 노상강도의 삶을 낭만적으로 묘사한다."에 따르면, 『유진 아람』에서는 범죄를 저지른 주인공이 용서하는 자의 위치에 서고, 『룩우드』에서는 범죄 서사가 영웅의 일대기와 같이 다루어진다. 그리고 "지배계급은 이런 전복적 설정에 대해서는 ㉢ 교수대에 낭비된 감수성이라 격렬히 비난했다."에 따르면, 지배계급은 이러한 전복적 설정이 범죄자와 유대감을 형성하고 범법과 준법의 경계를 허문다고 생각했을 것이다. 따라서 교수대에 낭비된 감수성(㉢)은 범죄자와 유대감을 형성하여 범법과 준법의 경계를 허물려는 감수성을 가리킨다고 할 수 있다.

④ 4문단 "작가는 ㉣ 문학적 공범자가 되어선 안 되며 무뢰한의 타락상을 정확히 보여 줘야 한다고 주장한 새커리는 …… 범죄성이 개인의 병증이나 타고난 악함에 의한 것임을 밝혀 독자의 공감을 차단하려 했다."에 따르면, 문학적 공범자(㉣)란 무뢰한, 즉 범죄자의 타락상을 정확히 드러내지 않고 독자가 범죄자에 공감하도록 하는 작가를 의미할 것이다. 따라서 문학적 공범자(㉣)는 대중의 기대에 따라 범죄자를 이상화하는 방식으로 그려내는 작가를 가리킨다고 할 수 있다.

⑤ 4문단 "새커리는 …… 독자의 공감을 차단하려 했다. 주인공의 처형 장면은 기사 인용 형태로 건조하게 기술되었다. 처벌은 악인의 참회와 독자의 눈물을 위한 최소한의 유예를 허락하지 않은 채 가해짐으로써 ㉤ 봉쇄된 정의를 실현했다."에 따르면, 새커리는 『캐서린』의 처형 장면을 통해 악인의 참회, 독자의 눈물을 위한 유예를 허락하지 않고자 했다. 따라서 봉쇄된 정의(㉤)는 범죄자에 대한 독자의 감정이입을 차단한 상태에서 구현되는 정의를 가리킨다고 할 수 있다.

3. 정답 ⑤ 난이도 ★☆☆ | 정답률 91%

내용영역 규범 | 문항 유형 주제, 구조, 관점 파악

[정답 풀이]

⑤ 2문단 "그 서두에서 작가는 소설 집필의 동기가 영국 형법의 두 가지 근본적 야만성 …… 교정임을 밝혔다."와 "법정에 선 그는 …… 독자의 공감을 유발한다."에 따르면, 불워-리턴은 『폴 클리퍼드』를 통해 영국 형법의 야만성을 지적하는 한편, 클리퍼드의 항변을 통해 독자의 공감을 유발하고자 하였다. 반면 4문단 "새커리는 범죄성이 개인의 병증이나 타고난 악함에 의한 것임을 밝혀 독자의 공감을 차단하려 했다."에 따르면, 새커리는 범죄자의 타락상을 정확히 밝히고자 하면서 독자의 공감을 차단하려 했다. 따라서 불워-리턴은 새커리와 달리 범죄자에 대한 독자의 공감을 유발하면서 범죄자와 독자 대중의 심정적 거리를 좁히고자 했음을 알 수 있다.

[오답 풀이]

① 디킨스는 법의 부조리에 대한 비판과 범죄의 해악에 대한 훈계를 한 작품에서 동시에 수행할 수 있다고 보았을 것이다.
마지막 문단 "……이 소설이 꾸준히 읽힌 데엔 법의 부정의를 고발하되 해학과 권선징악이라는 안전장치를 두어 법질서 자체를 교란하지는 않았던 작가적 선택이 한몫했을지도 모른다."에 따르면, 디킨스는 『올리버 트위스트』를 통해 법의 부정의를 고발하여 법의 부조리를 비판하는 동시에, 권선징악이라는 안전장치를 두어 범죄의 해악에 대한 훈계를 수행하고 있다. 따라서 디킨스는 법의 부조리에 대한 비판과 범죄의 해악에 대한 훈계를 한 작품에서 동시에 수행할 수 있다고 보았을 것이다.

② 불워-리턴은 디킨스와 달리 뉴게이트 소설의 작법에 따라 범죄자에게 자기 정당화의 기회를 많이 주었을 것이다.
2문단 "그 서두에서 작가는 소설 집필의 동기가 영국 형법의 두 가지 근본적 야만성 …… 교정임을 밝혔다."와 "생존의 막다른 골목에 놓인 빈민을 자연의 제일법칙에 입각한 선택지만 남은 상황으로 내몬 다음 그 선택지를 집었다는 이유로 교수형에 처하는 것이 과연 정의일 수 있는지 소설은 질문한다."에 따르면,

불워-리턴은 당대 영국 형법의 문제점을 비판하고, 클리퍼드가 범죄를 저지를 수밖에 없었던 상황을 강조했다는 점에서 자기 정당화의 기회를 많이 주었다고 볼 수 있다. 하지만 마지막 문단 "반면 올리버는 …… 범죄 유혹을 물리쳤고 마침내 사회로부터 보상받는다."에 따르면, 디킨스 소설의 등장인물은 범죄의 유혹을 물리쳤다는 점에서 디킨스가 범죄자에게 자기 정당화의 기회를 주었다고 보기 어렵다.

③ 에인즈워스와 새커리 모두 범죄소설의 목적은 범죄자의 교화나 참회를 통해 독자에게 교훈을 주는 것이라고 보지 않았을 것이다.
3문단 "대중적 인기를 끌었던 에인즈워스의 『룩우드』 또한 영웅의 일대기처럼 범죄 서사를 구성하고 노상강도의 삶을 낭만적으로 묘사한다."에 따르면, 에인즈워스의 소설에 범죄자의 교화나 참회는 드러나 있지 않다. 그리고 4문단 "처벌은 악인의 참회와 독자의 눈물을 위한 최소한의 유예를 허락하지 않은 채 가해짐으로써 봉쇄된 정의를 실현했다."에 따르면, 새커리 역시 범죄자의 교화나 참회가 아닌 범죄자의 타락상을 정확히 보여 주고자 하였다. 따라서 둘 다 범죄자의 교화나 참회를 통해 독자에게 교훈을 주는 것에 범죄소설의 목적을 두었다고 볼 수 없다.

④ 불워-리턴과 에인즈워스 모두 범죄의 사회경제적 요인을 찾기 위해 범죄자의 유년기를 다루었을 것이다.
2문단 "범죄자가 들끓는 술집에서 유년기를 보낸 클리퍼드는 소매치기 누명으로 체포되어 수감 생활을 거듭한다."에 따르면, 클리퍼드의 유년기가 다루어진 것은 클리퍼드가 어린 시절부터 범죄에 많이 노출되었음을 설명할 뿐, 개인의 잠재된 범죄 성향을 찾기 위함이라고는 보기 어렵다. 그리고 3문단 "……에인즈워스의 『룩우드』 또한 영웅의 일대기처럼 범죄 서사를 구성하고……" 에 따르면, 에인즈워스가 영웅적 면모를 강조하기 위해 범죄자의 유년기를 다루었는지는 제시된 내용으로부터 확인할 수 없다. 한편 4문단 "하지만 범죄의 사회경제적 요인을 찾고자 인물의 유년기를 조명했던 앞선 작가들과 달리……"에 따르면, 새커리 이전에 제시된 '앞선 작가들'인 불워-리턴과 에인즈워스 모두 범죄의 사회경제적 요인을 찾고자 인물의 유년기를 다루었을 것임을 알 수 있다.

[4~6] 제재 | 포르피린증
난이도 | ★★☆

4. 정답 ④ 난이도 ★★☆ | 정답률 79%
내용영역 과학기술 | 문항 유형 정보의 확인과 재구성

[정답 풀이]

④ 전설 속 흡혈귀의 특징과 공통점이 있는 포르피린증은 선천성 조혈기성 포르피린증이다.
4문단 "선천성 조혈기성 포르피린증 환자는 불면증이 있으며 햇빛을 피하려 주로 밤에 활동하고 피를 마신 것처럼 붉은색 소변을 본다. 그래서 선천성 조혈기성 포르피린증 환자는 공통된 증세를 보이는 흡혈귀 전설의 모델이 되었다는 것이다."에 따르면, 전설 속 흡혈귀의 특징과 공통점이 있는 포르피린증은 혼합 포르피린증이 아니라 선천성 조혈기성 포르피린증이다.

[오답 풀이]

① 1문단 "이 헴 합성 경로에 관여하는 효소의 이상으로 포르피린으로 통칭되는 헴 합성 중간물질 및 부산물들이 적혈구, 체액, 간에 축적되는 질환이 포르피린증이다."와 3문단 "그중 하나인 '선천성 조혈기성 포르피린증'은, 헴 합성 경로 효소 중 …… 전환되어 생성된 코프로포르피리노젠I에 의해 발생한다. 코프로포르피리노젠I은 환자의 몸에 축적되는데……."에 따르면, 코프로포르피리노젠I은 헴 합성 경로에서 생성되고 환자의 몸에 축적되어 포르피린증을 일으키는 포르피린의 한 종류임을 알 수 있다.

② 2문단 "헴은 단백질의 대표적인 보철그룹으로, 적혈구 안에서 산소를 운반하는 데 참여하는 헤모글로빈뿐 아니라 근육에 존재하는 미오글로빈, 미토콘드리아에 많이 존재하는 시토크롬 등의 단백질에서도 산소와 결합하는 능력을 부여하는 보철그룹으로 작용한다."에 따르면, 미오글로빈과 시토크롬은 헤모글로빈과 마찬가지로 헴을 보철그룹으로 가지고 있는 단백질임을 알 수 있다.

③ 2문단 "적혈구 안에서 산소를 운반하는 데 참여하는 헤모글로빈뿐 아니라 근육에 존재하는 미오글로빈……."과 "운동을 통해 근육이 수축될 때 산소가 많이 필요하므로 미오글로빈은 헤모글로빈과 마찬가지로 산소를 결합하고 있다가 필요할 때 방출한다."에 따르면, 근육의 미오글로빈도 혈액의 헤모글로빈과 마찬가지로 산소와 결합한다.

⑤ 3문단 "그중 하나인 '선천성 조혈기성 포르피린증'은, 헴 합성 경로 효소 중 하나의 결함으로 생겨난 유로포르피리노젠I이 다음 단계 효소의 작용을 통해 전환되어 생성된 코프로포르피리노젠I에 의해 발생한다."에 따르면, 선천성 조혈기성 포르피린증이 발생할 때 유로포르피리노젠I에서 코프로포르피리노젠I을 만드는 효소에는 결함이 일어나지 않는다. 만약 해당 효소에 결함이 일어날 경우, 코프로포르피리노젠I이 정상적으로 생성되지 못할 것이다. 따라서 유로포르피리노젠I에서 코프로포르피리노젠I을 만드는 효소에 일어난 결함은 선천성 조혈기성 포르피린증의 원인이 아니다.

5. 정답 ④ 난이도 ★★☆ | 정답률 61%
내용영역 과학기술 | 문항 유형 정보의 추론과 해석

[정답 풀이]

④ 5문단 "……조지 3세의 성격이상, 불면증, 정신이상이 포르피린증의 하나인 '혼합 포르피린증'과 관련이 있을 것이라고 주장하였다."에 따르면, 조지 3세가 불면증, 정신이상을 겪었다는 문헌 사례는 혼합 포르피린증과 관련된다. 그리고 4문단 "선천성 조혈기성 포르피린증 환자는 불면증이 있으며 햇빛을 피하려 주로 밤에 활동하고 피를 마신 것처럼 붉은색 소변을 본다."에 따르면, 붉은색 소변을 보는 것은 혼합 포르피린증 및 조지 3세의 증상과는 구별되는 선천성 조혈기성 포르피린증만의 증상이다. 따라서 조지 3세는 불면증과 정신이상을 보였지만 붉은색 소변은 보지 않았을 것임을 추론할 수 있다.

[오답 풀이]

① 미오글로빈은 적혈구 안에서 산소를 운반하는 데 참여하지 않을 것이다.
2문단 "헴은 단백질의 대표적인 보철그룹으로, 적혈구 안에서 산소를 운반하는 데 참여하는 헤모글로빈뿐 아니라 근육에 존재하는 미오글로빈……."에 따르면, 적혈구 안에서 산소를 운반하는 데 참여하는 단백질은 미오글로빈이 아니라 헤모글로빈임을 알 수 있다.

② 미토콘드리아의 시토크롬에 존재하는 헴은 산소와 결합할 수 있을 것이다.
2문단 "헴은 단백질의 대표적인 보철그룹으로 …… 미토콘드리아에 많이 존재하는 시토크롬 등의 단백질에서도 산소와 결합하는 능력을 부여하는 보철그룹으로 작용한다."에 따르면, 헴은 미토콘드리아에 존재하는 시토크롬에 산소와 결합하는 능력을 부여한다. 따라서 미토콘드리아의 시토크롬에 존재하는 헴은 산소와 결합할 수 있을 것이다.

③ 비소가 헴의 대사를 저해한다는 사실이 매캘파인과 헌터의 연구 결과에 의해 밝혀진 것은 아니다.
5문단 "매캘파인과 헌터는 문헌 사례 조사를 통해 발표한 연구에서 조지 3세의 성격이상, 불면증, 정신이상이 포르피린증의 하나인 '혼합 포르피린증'과 관련이 있을 것이라고 주장하였다."에 따르면, 매캘파인과 헌터의 연구는 비소와 헴의 대사의 연관성을 다루고 있지 않다. 그리고 마지막 문단 "하지만 그는 모발에서 고농도의 비소를 발견하였고, 비소가 헴 대사를 저해한다는 사실에 착안하여 다시 조지 3세의 포르피린증 관련 논란을 촉발시켰다."에 따르면, 콕스 역시 비소가 헴 대사를 저해한다는 사실을 활용하였을 뿐, 본인의 연구를 통해 비소가 헴의 대사를 저해한다는 사실을 밝힌 것은 아니다.

⑤ 콕스는 조지 3세의 모발에서 헴 합성과 관련된 효소 유전자의 결함을 찾고자 하였을 것이다.
마지막 문단 "……콕스는 조지 3세의 모발을 분석하여 헴 합성과 연관된 유전자의 결함을 찾으려고 하였으나 유전자 분석에 성공하지는 못했다. 하지만 그는 모발에서 고농도의 비소를 발견하였고, 비소가 헴 대사를 저해한다는 사실에 착안하여 다시 조지 3세의 포르피린증 관련 논란을 촉발시켰다."에 따르면, 콕스가 모발에서 고농도 비소를 발견함으로써 포르피린증 관련 논란을 촉발시킨 것은 맞다. 하지만 콕스가 조지 3세의 모발을 분석함으로써 헴 합성과 연관된 유전자의 결함을 찾으려고 하였음을 고려할 때, 조지 3세의 모발에서 발견하고자 한 것이 비소 대사와 관련된 효소 유전자의 결함이라고 보기는 어렵다.

6. 정답 ③

난이도 ★★★ | 정답률 42%

내용영역 과학기술 | 문항 유형 정보의 평가와 적용

[정답 풀이]

<보기> "……특정 효소가 저해되면 다단계 효소 촉매 과정에서 특정 효소의 기질이 축적되어 전체 반응이 저해될 수 있다."에 따르면, 각 효소에 이상이 생겼을 경우 해당 효소의 기질이 축적됨으로써 포르피린증이 발병한다. 그리고 "단, 효소 ㉢에 이상이 생겨 효소 ㉢의 기질인 포르피린 B가 포르피린 C로 전환되지 못하면, 축적된 포르피린 B는 자발적인 반응을 통해 유로포르피리노젠I로 바뀐다."와 3문단 "그중 하나인 '선천성 조혈기성 포르피린증'은, 헴 합성 경로 효소 중 하나의 결함으로 생겨난 유로포르피리노젠I이 다음 단계 효소의 작용을 통해 전환되어 생성된 코프로포르피리노젠I에 의해 발생한다."에 따르면, 선천성 조혈기성 포르피린증의 경우 포르피린 B가 효소 ㉢의 결핍으로 유로포르피리노젠I로 전환된 뒤, 유로포르피리노젠I이 효소 ㉣의 정상 작용을 통해 전환되어 생성된 코프로포르피리노젠I에 의해 발생한다. 이를 바탕으로 포르피린증의 종류에 따른 발병 과정을 효소의 결핍과 기질의 축적을 중심으로 다음과 같이 정리할 수 있다.

포르피린증	발병 과정
도스포르피린증	㉠ 결핍 → 델타아미노레불린산(㉠의 기질) 축적
급성 간헐성 포르피린증	㉡ 결핍 → 포르피린 A(㉡의 기질) 축적
선천성 조혈기성 포르피린증	㉢ 결핍 → 포르피린 B(㉢의 기질) 축적 → 포르피린 B가 유로포르피리노젠I로 전환 → ㉣ 작용으로 코프로포르피리노젠I 생성 · 축적
만발성 피부 포르피린증	㉣ 결핍 → 포르피린 C(㉣의 기질) 축적
유전성 코포르피린증	㉤ 결핍 → 포르피린 D(㉤의 기질) 축적
혼합 포르피린증	㉥ 결핍 → 포르피린 E(㉥의 기질) 축적
조혈기성 프로토포르피린증	㉦ 결핍 → 포르피린 F(㉦의 기질) 축적

③ 4문단 "그래서 선천성 조혈기성 포르피린증 환자는 공통된 증세를 보이는 흡혈귀 전설의 모델이 되었다는 것이다."에 따르면, 흡혈귀와 공통점이 있는 포르피린증은 선천성 조혈기성 포르피린증이다. 그리고 3문단 "……유로포르피리노젠I이 다음 단계 효소의 작용을 통해 전환되어 생성된 코프로포르피리노젠I에 의해 발생한다."와 <보기>의 (나)에 따르면, 효소 ㉣ 결핍 시 코프로포르피리노젠I이 정상적으로 생성되지 못할 것이다. 그리고 효소 ㉤의 결핍은 유전성 코포르피린증을 발병시키며, 코프로포르피리노젠I의 생성 및 선천성 조혈기성 포르피린증의 발병과는 무관하다. 따라서 효소 ㉣과 ㉤이 결핍되어도 흡혈귀와 공통점이 있는 선천성 조혈기성 포르피린증의 원인 물질이 만들어지지 않을 것이다.

[오답 풀이]

① 효소 ㉠의 기질은 도스포르피린증 환자의 체내에 축적될 것이다.
<보기>에 따르면, 도스포르피린증은 효소 ㉠의 결핍으로 ㉠의 산물이 생성되지 못하고 ㉠의 기질인 델타아미노레불린산이 축적되어 발병한다. 이때 ㉠의 산물은 ㉡의 기질이므로 도스포르피린증 환자라면 효소 ㉡의 산물 역시 생성되지 못할 것이다. 따라서 효소 ㉠, ㉡의 산물이 아니라 효소 ㉠의 기질이 도스포르피린증 환자의 체내에 축적될 것이다.

② 효소 ㉢의 산물이 포르피린 D로 전환되는 반응은 만발성 피부 포르피린증 환자의 체내에서 원활히 이루어지지 않을 것이다.

〈보기〉에 따르면, 효소 ㉢의 산물인 포르피린 C는 코프로포르피리노젠I이 아니라 포르피린 D로 전환된다. 그리고 만발성 피부 포르피린증은 효소 ㉣의 결핍으로 포르피린 C가 축적되어 발병하므로, 만발성 피부 포르피린증 환자의 체내에서는 효소 ㉢의 산물인 포르피린 C가 포르피린 D로 전환되는 반응이 원활히 이루어지지 않을 것이다.

④ 효소 ㉥의 산물은 조혈기성 프로토포르피린증 환자의 체내에 축적될 것이다.
〈보기〉에 따르면, 효소 ㉥의 산물인 포르피린 F는 효소 ㉦의 기질이다. 그리고 효소 ㉦이 부족하면 포르피린 F가 축적되어 조혈기성 프로토포르피린증이 발병한다. 따라서 효소 ㉥의 산물은 조혈기성 프로토포르피린증 환자의 체내에 축적될 것이다.

⑤ 효소 ㉥의 기질은 매캘파인과 헌터가 조지 3세가 앓았을 것으로 추정한 포르피린증 환자의 몸에 많이 축적될 것이다.
5문단 "매캘파인과 헌터는 문헌 사례 조사를 통해 발표한 연구에서 조지 3세의 성격이상, 불면증, 정신이상이 포르피린증의 하나인 '혼합 포르피린증'과 관련이 있을 것이라고 주장하였다."에 따르면, 매캘파인과 헌터가 조지 3세가 앓았을 것으로 추정한 포르피린증은 혼합 포르피린증이다. 그리고 〈보기〉에 따르면, 혼합 포르피린증은 효소 ㉥의 결핍으로 효소 ㉥의 기질이 축적되어 발병한다. 따라서 매캘파인과 헌터가 조지 3세가 앓았을 것으로 추정한 혼합 포르피린증 환자의 몸에 많이 축적되는 것은 효소 ㉦의 기질이 아니라 효소 ㉥의 기질이다.

[7~9] 제재 | 고대 그리스 로마의 소년애
난이도 | ★☆☆

7. 정답 ② 난이도 ★☆☆ | 정답률 83%
내용영역 인문 문항 유형 주제, 구조, 관점 파악

[정답 풀이]

② 크세노폰은 에라스테스를 소년의 육체를 차지하려는 불명예스러운 자로 한정하지 않았다.
3문단 "크세노폰은 남성과 소년이 친구가 될 수는 있지만 "남성이 명백히 소년의 육체에 매혹되었다면, 이는 불명예스러운 것"이라고 비판했다."에 따르면, 크세노폰은 에라스테스와 에로메노스가 친구와 같은 관계인 것을 바람직하게 여기고 에라스테스가 에로메노스의 육체에 매혹되는 것을 비판하였다. 즉 크세노폰이 에라스테스를 소년의 육체를 차지하려는 불명예스러운 자로 한정한 것은 아니다.

[오답 풀이]

① 2문단 "고전기 아테네 사람들은 소년을 육체적 아름다움의 추구 대상이자 동시에 지적 대화의 동반자라고 생각했다. 플라톤도 "소년을 사랑하는 사람들은 아무 소년이나 사랑하는 것이 아니라 이성(理性)을 갖기 시작한 나이의 소년들만을 사랑한다."라고 서술한다."에 따르면, 플라톤은 파이데라스티아의 대상을 일정한 지적 성장 단계의 소년으로 한정했음을 알 수 있다.

③ 3문단 "플루타르코스도 에라스테스와 에로메노스 사이의 관계는 교육적이며, 정신적 사랑의 의미가 더 크다고 보았다."에 따르면, 플루타르코스는 성년 남자와 자유민 소년 간의 관계, 즉 에라스테스와 에로메노스 간의 관계에서 정신적인 것을 중시했음을 알 수 있다.

④ 4문단 "호라티우스의 시구에 등장하는 "난 준비된 손쉬운 사랑을 좋아하거든"이라는 표현은 상류층의 노예주가 노예 남녀를 성욕 충족의 도구로 삼는 데 아무런 장애가 없었음을 보여 준다. 이 경우 노예주들은 종종 미소년을 찾는 경향을 보였는데, 그러한 소년 노예는 델리카투스라 불렸다."에 따르면, 호라티우스의 시구에는 로마 공화정 후기에 로마인 노예주가 소년 노예인 델리카투스를 성욕 충족의 도구로 삼는 성 풍속이 암시되어 있음을 알 수 있다.

⑤ 마지막 문단 "……로마에는 그리스의 생활 방식을 숭상하는 헬레니즘이 번져 있었다. 그 일환으로 소년애가 로마에 흘러든 것은 결코 놀라운 일이 아니다. 당대의 지식인 키케로가 "이 우정의 사랑이란 대체 무엇인가? 내가 보기에 이 습속은 그리스인들의 김나시움에서 생겨난 듯하다."라고 논평했듯이, 로마의 지식인들은 …… 의심에 찬 눈초리로 바라보았다."에 따르면, 헬레니즘을 통해 확산된 소년과의 그리스적 우정은 곧 소년애이며, 키케로를 비롯한 로마의 지식인들은 이에 의구심을 갖고 비판적인 태도를 견지하였다. 따라서 키케로는 헬레니즘을 통해 확산된 소년과의 그리스적 우정에 대해 비판적이었다고 볼 수 있다.

8. 정답 ③ 난이도 ★☆☆ | 정답률 86%
내용영역 인문 문항 유형 정보의 확인과 재구성

[정답 풀이]

③ 2문단 "소년애 관계에서 사랑의 대상인 자유민 소년은 에로메노스로 불리며, 이들의 나이는 17세 이하였다."에 따르면, 그리스의 소년애 관계에서 사랑의 대상은 자유민 소년이었다. 그리고 4문단 "하지만 기원전 6~5세기의 아테네와 달리 기원전 2세기의 로마는 성인 남성과 자유민 소년과의 관계를 처벌하고 있었다."와 "나아가 미셸 푸코는 소년애를 억제한 결과 신분에 구애받을 필요가 없는 젊은 노예들과의 동성애가 로마에서 널리 행해졌다고 주장하였다."에 따르면, 공화정 후기의 로마에서는 자유민 소년과의 소년애가 억제되었고, 그에 따라 젊은 노예와의 동성애가 널리 행해졌다. 따라서 그리스에서와 달리 공화정 후기의 로마에서는 자유민 소년과의 소년애가 억제되었다고 할 수 있다.

[오답 풀이]

① 아테네와 달리 스파르타에서는 이십 대 청년이 에로메노스에서 배제되지 않았다.
2문단 "소년애 관계에서 사랑의 대상인 자유민 소년은 에로메노스로 불리며, 이들의 나이는 17세 이하였다."와 3문단 "스파르타에서는 에로메노스의 역할이 30세까지 지속되었다."에 따르면, 아테네에서 이십 대 청년은 에로메노스에서 배제되었지만, 스파르타에서 이십 대 청년은 에로메노스에서 배제되지 않았다.

② 아테네에서와 마찬가지로 스파르타에서의 에라스테스는 소년과의 육체적 관계를 거부하지 않았을 것이다.

2문단 "고전기 아테네 사람들은 소년을 육체적 아름다움의 추구 대상이자 동시에 지적 대화의 동반자라고 생각했다."에 따르면, 아테네의 에라스테스는 소년과의 육체적 관계를 거부하지 않았을 것임을 알 수 있다. 그리고 "실제로 그리스인들은 소년을 대상으로 한 교육과 육체적 쾌락이 양립할 수 있다고 믿었다."와 3문단 "플루타르코스도 에라스테스와 에로메노스 사이의 관계는 교육적이며, 정신적 사랑의 의미가 더 크다고 보았다."에 따르면, 스파르타에서의 에라스테스가 소년과의 정신적 사랑에 더 주목했다고는 볼 수 있지만, 육체적 관계 자체를 거부했을 것이라고 보기는 어렵다.

④ 그리스에서와 달리 제정 초기의 로마에서는 소년애가 수행하는 사회화 기능에 주목하지 않았다.

2문단 "그렇기에 파이데라스티아는 육체적 탐미와 사회적 교육, 우정의 조합이라 간주되었다."에 따르면, 그리스에서는 소년애가 수행하는 사회적 교육 기능에 주목하는 모습이 드러났다. 그런데 마지막 문단 "소년들을 육체적으로 정복하고자 하는 욕망의 충족이 소년애의 궁극적 목표였으며, 이는 잠재적 시민의 명예에 대한 배려와는 거리가 멀었다."에 따르면, 제정 초기의 로마에서는 소년애가 수행하는 사회화 기능에 주목하지 않고 육체적 정복이라는 목표에만 주목했음을 알 수 있다. 따라서 제정 초기의 로마에서 소년애가 수행하는 사회화 기능에 주목했다고 볼 수 없다.

⑤ 공화정 후기의 로마에서와 마찬가지로 제정 초기의 로마에서 소년애는 소년의 명예를 배려하지 않았다.

4문단 "……상류층의 노예주가 노예 남녀를 성욕 충족의 도구로 삼는 데 아무런 장애가 없었음을 보여 준다. 이 경우 노예주들은 종종 미소년을 찾는 경향을 보였는데, 그러한 소년 노예는 델리카투스라 불렸다."에 따르면, 공화정 후기의 로마에서 소년애는 성욕 충족을 위해 이루어졌다. 그리고 마지막 문단 "소년들을 육체적으로 정복하고자 하는 욕망의 충족이 소년애의 궁극적 목표였으며, 이는 잠재적 시민의 명예에 대한 배려와는 거리가 멀었다."에 따르면, 제정 초기 로마의 소년애는 잠재적 시민인 소년들의 명예에 대한 배려와는 거리가 멀었다고 하였다. 따라서 공화정 후기의 로마에서와 마찬가지로 제정 초기의 로마에서 소년애는 소년의 명예를 배려하지 않았다고 볼 수 있다.

9. 정답 ②

난이도 ★★☆ | 정답률 78%

내용영역 인문 | 문항 유형 정보의 평가와 적용

[정답 풀이]

② <보기> "고대 그리스 도자기에 묘사된 소년애 장면은 …… 자유민 소년이 성적 권력관계에서 욕망의 대상으로만 인식되는 것에 대해 그리스 사회가 지닌 거부감을 보여 준다."에 따르면, 그리스 사회에서는 자유민 소년이 성적 권력관계에서 욕망의 대상으로만 인식되는 것에 대한 거부감을 갖고 있었다. 그리고 3문단 "역사가 카틀리지는 소년애가 지녔던 정치적 엘리트 충원 역할에 주목했다. 그에 따르면, 세력 있는 집안 출신인 소년의 에라스테스가 된다는 것은 소년의 가장 가깝고 믿을 만한 조언자, 동료가 된다는 것을 뜻하였다."에 따르면, 카틀리지 역시 에라스테스와 에로메노스의 관계를 성적 권력관계라는 관점이 아닌 조언자, 동료 관계로 설명한다. 따라서 그리스 도자기의 소년애 장면은 소년애를 정치 엘리트 충원 기능과 연결하는 카틀리지의 해석과 상충하지 않는다고 평가할 수 있다.

[오답 풀이]

① 도자기에 그려진 장면은 에로메노스와 에라스테스 관계에 대한 골든의 해석과 상충하지 않겠군.

<보기> "고대 그리스 도자기에 묘사된 소년애 장면은 …… 자유민 소년이 성적 권력관계에서 욕망의 대상으로만 인식되는 것에 대해 그리스 사회가 지닌 거부감을 보여 준다."와 2문단 "아테네의 노예제와 동성애를 연구한 골든이 주장하듯이, 에라스테스와 에로메노스의 육체적 관계도 소년의 명예와 존엄을 배려하는 성격을 띠고 있었다."에 따르면, 그리스 사회에서의 인식과 골든의 해석은 모두 에라스테스와 에로메노스의 육체적 관계에서 자유민 소년을 배려하는 성격을 띠고 있다. 따라서 도자기에 그려진 장면은 에로메노스와 에라스테스 관계에 대한 골든의 해석과 상충하지 않을 것이다.

③ 그리스인이 느낀 '거부감'과 로마인이 지닌 결벽적 태도는 상충한다고 보기 어렵겠군.

<보기> "고대 그리스 도자기에 묘사된 소년애 장면은 …… 자유민 소년이 성적 권력관계에서 욕망의 대상으로만 인식되는 것에 대해 그리스 사회가 지닌 거부감을 보여 준다."에 따르면, 그리스 사회에서는 자유민 소년이 성적 권력관계에서 욕망의 대상으로만 인식되는 것에 대한 거부감을 갖고 있었다. 그리고 4문단 "……기원전 2세기의 로마는 성인 남성과 자유민 소년과의 관계를 처벌하고 있었다. 이에 대해 로마사가 폴 벤느는 로마인이 시민의 능동성과 남성성에 대해 결벽적이었기 때문에 장차 시민이 될 소년과의 관계를 거부한 것이라고 설명했다."에 따르면, 소년과의 육체적 관계는 그 소년의 시민으로서의 능동성과 남성성에 대한 침해로 여겨졌다고 볼 수 있다. 따라서 벤느의 해석을 고려할 때 그리스인이 느낀 '거부감'과 로마인이 지닌 결벽적 태도가 상충한다고 보기 어렵다.

④ 젊은 노예의 법적 지위는 소년애를 억제한 결과 노예를 상대로 한 동성애가 확산되었다는 푸코의 주장을 뒷받침할 수 있겠군.

<보기> "한편, 기원전 2세기 로마의 상류사회에서 노예는 성적 대상이기도 했다. 법적 보호를 받을 수 없었던 노예 소년과의 관계를 즐기는 문화가 확산되자……."와 4문단 "나아가 미셸 푸코는 소년애를 억제한 결과 신분에 구애받을 필요가 없는 젊은 노예들과의 동성애가 로마에서 널리 행해졌다고 주장하였다."에 따르면, 젊은 노예가 법적 보호를 받을 수 없었던 사실은 신분에 구애받을 필요가 없는 젊은 노예들과의 동성애가 로마에서 널리 행해졌다는 푸코의 주장을 뒷받침한다. 하지만 푸코는 소년애가 억제되었기 때문에 노예를 상대로 한 동성애가 확산되었다고 주장하였지, 노예를 상대로 한 동성애가 확산되었기 때문에 소년애가 줄어들었다고 주장하지 않았다.

⑤ 제정 초기 로마의 연가는 소년애가 그리스로부터 유입된 것이 아니라는 윌리엄스의 주장을 뒷받침하지 않겠군.

마지막 문단 "로마사 연구자 윌리엄스는 로마인이 그리스인에게 소년애를 배울 필요가 없었다고 하지만……"에 따르면, 윌리엄스는 로마의 소년애가 그리스로부터 유입된 것이 아니라고 주장한다. 그런데 <보기> "공화정이 붕괴하고 평화의 시기가 도래하자 그리스적 사랑이 확산되었다. 로마의 현실을 일정하게 반영하고 있는 연가(戀歌) 역시 그리스적 사랑의 이식을 잘 보여 주었다."에 따르면, 제정 초기 로마의 연가는 로마의 소년애가 그리스로부터 확산되었음을 뒷받침한다.

[10~12] 제재 | 사법심사와 여론의 관계
난이도 | ★☆☆

10. 정답 ③ 난이도 ★☆☆ | 정답률 96%

내용영역 사회 문항 유형 정보의 확인과 재구성

[정답 풀이]

③ 4문단 "자신과 특별한 이해관계가 없는 한, 대중은 연방대법원의 결정을 수용하는 방향으로 여론을 형성……"에 따르면, 긍정적 반응 모델이 예상하는 반응이란 사법심사에 대한 연방대법원의 결정을 수용하는 방향으로 여론이 형성되는 것이다. 그리고 5문단 "'반발 모델'은 사법심사 결과에 불복하는 그룹들이 반대 의사를 적극 표출하고 이것이 전체 여론으로 확산하는 현상에 주목한다. …… 일시적 반발이 잠잠해지면 사법심사의 결과를 수용하는 방향으로 여론 변화가 나타나기 때문이다."에 따르면, 반발 모델이 예상하는 반응은 사법심사 결과에 불복하는 그룹들이 표출한 반대 의사가 전체 여론으로 확산하는 것인데, 이때 반발이 잠잠해진 뒤에는 사법심사의 결과를 수용하는 방향으로 여론 변화가 나타난다고 하였다. 따라서 반발 모델이 예상하는 반응은 시간이 지나면서 긍정적 반응 모델이 예상하는 반응으로 수렴되는 경향이 있다고 설명할 수 있다.

[오답 풀이]

① 긍정적 반응 모델은 연방대법원의 전문성과 공정성에 대한 대중의 신뢰를 반영한다.

4문단 "대중은 대체로 연방대법원의 전문성과 공정성을 신뢰하고, 그 결과 연방대법원의 결정은 미국 사회에서 안정적으로 수용된다."에 따르면, 긍정적 반응 모델은 대중이 연방대법원의 전문성과 공정성을 불신하는 것이 아니라 신뢰한다는 점을 반영하고 있음을 알 수 있다.

② 연방대법원의 결정을 여론이 즉각 수용할 경우, 반발 모델은 설득력이 줄어든다.

5문단 "'반발 모델'은 사법심사 결과에 불복하는 그룹들이 반대 의사를 적극 표출하고 이것이 전체 여론으로 확산하는 현상에 주목한다."에 따르면, 반발 모델은 연방대법원의 결정이 나온 뒤에 이에 불복하는 이들이 반대 의사를 표출하고 이것이 전체 여론으로 확산한다고 본다. 그런데 연방대법원의 결정을 여론이 즉각 수용한 것은, 반발 모델이 설명하는 현상과는 반대되는 양상으로 여론의 반응이 나타난 것이다. 따라서 이 경우 반발 모델의 설득력은 줄어들 것이다.

④ 낮았던 여론의 관심도가 사법심사 결정 이후 높아졌다면, 양극화 모델은 설득력이 커진다.

6문단 "'양극화 모델'은 여론의 주목을 받지 못하던 사안들이 사법심사를 계기로 본격적인 쟁점으로 전환되어 대중의 찬반 여론이 극명하게 갈리는 현상에 주목한다. 낙태 이슈에 대한 사법심사 결정이 오히려 미국 사회의 갈등을 증폭한 것이 그 예이다."에 따르면, 양극화 모델은 여론의 주목을 받지 못하던 사안들에 대한 여론의 관심도가 사법심사 결정 이후 높아진다고 본다. 따라서 낮았던 여론의 관심도가 사법심사 결정 이후 높아졌다면, 이는 양극화 모델을 지지하는 사례이므로 양극화 모델의 설득력이 커질 것이다.

⑤ 의회의 결정을 수용하는 연방대법원의 결정에 대해 여론의 관심이 높을 경우, 무반응 모델로 이를 설명하기 어렵다.

마지막 문단 "마지막으로 '무반응 모델'은 사법심사 결정 후에도 기존의 여론 지형도가 지속되는 무반응 현상에 주목한다. 사법심사가 의회의 결정을 지지하는 경우, 언론의 주목도나 여론의 관심도는 대체로 낮다."에 따르면, 무반응 모델은 연방대법원의 결정이 의회의 결정을 지지하는 경우 여론의 관심도가 대체로 낮다고 설명한다. 따라서 의회의 결정을 수용하는 연방대법원의 결정에 대해 여론의 관심이 높을 경우, 무반응 모델로는 이를 설명하기 어려울 것이다.

11. 정답 ③ 난이도 ★☆☆ | 정답률 90%

내용영역 사회 문항 유형 정보의 추론과 해석

[정답 풀이]

③ 소수자 보호에 적극적인 사람이라면, 사법심사와 입법 활동 모두 대중의 여론을 있는 그대로 반영해야 한다는 주장에 찬성하지 않을 것이다.

1문단 "사회적 약자에 해당하는 소수자 집단은 다수결 논리에 의해 형성되거나 해체되는 의회나 행정부로부터 보호받기 어렵다는 것이다."에 따르면, 소수자 보호에 적극적인 사람은 사법심사의 반다수주의적 성격이 소수자의 이익 보호에 기여한다고 볼 것이다. 그런데 2문단 "선출직 의원들은 재선 때문에 여론에 민감하게 반응하고 의회 내 입법 다수는 전국 여론의 축소판이어서, 이에 영향을 받는 사법심사는 원래 취지와 달리 소수의 이익을 보호하지 못하는 다수주의적 난제에 직면한다."에 따르면, 입법 활동이 여론을 반영하고 사법심사가 이에 영향을 받을 경우 기존의 취지와 달리 소수자의 이익을 보호하지 못하는 문제가 발생할 수 있다. 따라서 소수자 보호에 적극적인 사람이라면, 사법심사와 입법 활동 모두 대중의 여론을 있는 그대로 반영해야 한다는 주장에 찬성하지 않을 것이다.

[오답 풀이]

① 1문단 "사법심사는 다수주의의 예외로 간주되기도 한다. 민주적 절차로 선출된 의회나 행정부의 결정이 합헌 여부를 기준으로 무효화될 수 있기 때문이다. 게다가 사법심사의 주체가 임명직이

라는 점에서 정통성 문제가 대두된다."와 "사회적 약자에 해당하는 소수자 집단은 다수결 논리에 의해 형성되거나 해체되는 의회나 행정부로부터 보호받기 어렵다는 것이다."에 따르면, 사법심사는 다수결 논리를 따르지 않고 그 주체인 사법심사권자가 임명직이라는 점에서 반다수주의적이다. 한편 사법심사 옹호론자들은 다수결 논리가 소수자 집단을 보호하기 어렵도록 만든다는 점을 우려하는데, 이를 고려할 때 반다수주의자들은 사법심사가 다수주의적 방향으로 변화하는 것에 찬성하지 않을 것이다. 따라서 반다수주의자들은 사법심사권자를 선거로 뽑는 것에 대해 우려를 제기할 것이다.

② 2문단 "이에 로버트 달은 미국의 연방대법원이 반다수주의를 추구하는 사법심사 기구가 아니라 …… 의회의 힘 있는 입법 다수가 최근에 제정한 법률을 연방대법원이 뒤집는 경우는 거의 없다는 것이다."에 따르면, 로버트 달은 연방대법원이 반다수주의를 추구하지 않는다는 견해를 제시한다. 그리고 "선출직 의원들은 재선 때문에 여론에 민감하게 반응하고 의회 내 입법 다수는 전국 여론의 축소판이어서……."에 따르면, 로버트 달은 의회 내 입법 다수는 전국 여론의 축소판이라는 점을 견해에 대한 근거 중 하나로 제시하고 있다. 따라서 로버트 달의 견해는 입법 다수가 대중 선호를 제대로 반영한다는 것을 전제로 도출되었을 것이다.

④ 2문단 "선출직 의원들은 재선 때문에 여론에 민감하게 반응하고 의회 내 입법 다수는 전국 여론의 축소판이어서, 이에 영향을 받는 사법심사는 원래 취지와 달리 소수의 이익을 보호하지 못하는 다수주의적 난제에 직면한다."에 따르면, 다수주의적 난제란 사법심사가 여론 및 입법 다수의 영향을 받아 원래 취지와 달리 소수자의 이익을 보호하지 못하게 되는 것을 뜻한다. 그리고 1문단 "사법심사는 다수주의의 예외로 간주되기도 한다. 민주적 절차로 선출된 의회나 행정부의 결정이 합헌 여부를 기준으로 무효화될 수 있기 때문이다."에 따르면, 의회 결정 무효화가 부당하다고 보는 사람은 민주적 절차, 즉 다수결 논리에 따른 결정이 유지되는 것이 바람직하다고 볼 것이다. 따라서 의회 결정 무효화가 부당하다고 보는 사람은, 사법심사로 인해 민주주의가 다수주의적 난제에 직면했다는 의견에 동의하지 않을 것이다.

⑤ 2문단 "의회의 힘 있는 입법 다수가 최근에 제정한 법률을 연방대법원이 뒤집는 경우는 거의 없다는 것이다."와 "그중에는 사법심사 결과와 여론조사 결과가 60% 이상 일치한다는 연구 결과도 있었다. …… 연방대법원 역시 대체로 의회나 대통령처럼 여론에 반응한다는 것이다."에 따르면, 입법 다수가 최근에 제정한 법률을 연방대법원이 뒤집는 경우가 거의 없다는 점은 연방대법원이 여론에 반응한다는 로버트 달의 주장을 뒷받침한다. 그렇다면 달의 주장을 고려할 때, 여론의 지지를 얻지 못하는 측에서 제정한 법률의 경우 연방대법원이 이를 뒤집을 가능성이 높아질 수 있을 것이다. 따라서 사법심사의 대상이 된 법률을 입법했던 의회 다수당이 선거에서 패배했다면, 달은 그 사안에 대한 연방대법원의 위헌 결정 가능성이 높아진다고 예상할 것이다.

12. 정답 ② 난이도 ★★☆ | 정답률 52%

(내용영역) 사회 (문항 유형) 정보의 평가와 적용

[정답 풀이]

② 반발 모델로는 (가)의 결정 직후 대중이 '선거법 개정'에 반발한 점도, 관여도가 낮았던 대중이 (나)의 결정 직후 입법 찬성으로 선회한 점도 설명할 수 없겠군.

5문단 "'반발 모델'은 사법심사 결과에 불복하는 그룹들이 반대 의사를 적극 표출하고 이것이 전체 여론으로 확산하는 현상에 주목한다."에 따르면, 반발 모델은 사법심사 결과에 대한 불복과 관계된다. 그런데 <보기>에 따르면, (가)의 결정 직후 대중이 '선거법 개정'에 반발하여 반대 여론이 60%에서 80%로 증가한 것은 오히려 사법심사를 통한 위헌 결정에 찬성하는 여론이 증가한 것이라고 볼 수 있다. 그리고 (나)의 결정 직후 국기법 개정 찬성 여론이 15%에서 45%로 증가한 것 역시 사법심사를 통한 합헌 결정에 찬성하는 여론이 증가한 것이라고 볼 수 있다. 즉 (가)의 결정 직후 대중이 '선거법 개정'에 반발한 것도, 관여도가 낮았던 대중이 (나)의 결정 직후 입법 찬성으로 선회한 것도 사법심사 이후 사법심사의 결정을 수용하는 방향으로 대중의 의견이 변화한 것이므로, 반발 모델로는 설명할 수 없을 것이다.

[오답 풀이]

① 4문단 "대중은 대체로 연방대법원의 전문성과 공정성을 신뢰하고, 그 결과 연방대법원의 결정은 미국 사회에서 안정적으로 수용된다."에 따르면, 긍정적 반응 모델은 대중의 연방대법원에 대한 신뢰가 대체로 높다고 설명한다. 그리고 <보기>에 따르면, '선거법 개정'과 관련하여 연방대법원이 위헌 결정을 내린 후 선거법 개정에 대한 찬성 여론은 30%에서 10%로 줄어들고 반대 여론은 60%에서 80%로 증가하였다. 이는 위헌 결정에 대한 X국 국민의 신뢰를 반영한 것이라고 볼 수 있다. 따라서 긍정적 반응 모델로 (가)에 대한 대중의 반응을 설명할 수 있을 것이다.

③ 6문단 "'양극화 모델'은 여론의 주목을 받지 못하던 사안들이 사법심사를 계기로 본격적인 쟁점으로 전환되어 대중의 찬반 여론이 극명하게 갈리는 현상에 주목한다. 낙태 이슈에 대한 사법심사 결정이 오히려 미국 사회의 갈등을 증폭한 것이 그 예이다."에 따르면, 양극화 모델은 사법심사 결정으로 인해 해당 사안에 대한 대중의 찬반 여론이 갈리는 현상이 발생하며, 사회적 갈등이 증폭된다고 본다. 그리고 <보기>에 따르면, 국기법 개정 관련 여론은 입법 후에는 모름 및 무응답이 60%를 차지했으나, 연방대법원의 합헌 결정 후 찬성과 반대가 각각 45%를 차지하면서 찬반 여론이 갈렸다. 따라서 '국기법 개정'에 대한 반응이 연방대법원 결정 이후에 팽팽한 찬반 대립으로 나타났다는 점에서, 양극화 모델로 X국의 사회적 갈등의 증폭을 설명할 수 있을 것이다.

④ 6문단 "……낙태 이슈는 사법심사 과정에서 대중에게 전달되는 관련 정보를 증가시켰고 이 정보에 노출된 대중은 기존의 모호한 태도를 버리고 특정 입장에 집결하고 세력화하였다."에 따르면, 양극화 모델은 낙태 이슈 사례를 통해 사법심사 과정에서 정보 제공량이 증가하는 것이 대중의 관심도를 높이고, 이것이 찬반

여론을 가른다고 설명한다. 이에 대하여 <보기> "사법심사 결정의 전 단계에서 언론은 (가)의 법에 대해 집중 보도했고, 상대적으로 (나)의 법에 대해서는 주목하지 않았으나 결정 이후 보도량을 대폭 늘렸다."에 따르면, (가)의 법과 달리 (나)의 법은 사법심사 과정에서 대중에게 전달되는 정보 제공량이 증가하였음을 알 수 있다. 그리고 선거법 개정 관련 여론의 경우 연방대법원 결정 후에도 '모름 및 무응답' 비율의 변화가 없었지만, 국기법 개정의 경우 연방대법원 결정 후 '모름 및 무응답' 비율이 60%에서 10%로 감소하였다. 즉 (나)의 경우 정보 제공량의 증가로 대중의 관심도가 높아졌고, 그에 따라 '모름 및 무응답' 비율이 줄어든 것이다. 이처럼 (가)와 (나) 두 사안이 정보 제공량에 따라 '모름 및 무응답' 비율의 변화 추세가 달랐다는 점에서, 양극화 모델로 정보 제공량과 대중의 관심도 간의 양의 상관관계를 설명할 수 있을 것이다.

⑤ 마지막 문단 "마지막으로 '무반응 모델'은 사법심사 결정 후에도 기존의 여론 지형도가 지속되는 무반응 현상에 주목한다. 사법심사가 의회의 결정을 지지하는 경우, 언론의 주목도나 여론의 관심도는 대체로 낮다. 주로 폭넓은 사회적 합의가 있었거나 대중의 관심도가 낮았던 특정 사안이 의회에서 입법화되고 사법심사가 이를 추인한 것이기 때문이다."에 따르면, 무반응 모델은 폭넓은 사회적 합의가 있었던 특정 사안이 입법화되고 사법심사가 의회의 결정을 따르는 경우 언론과 여론의 관심도는 낮으며 기존의 여론이 지속된다고 설명한다. 이에 대하여 <보기>에 따르면, (가)의 경우 사법심사가 위헌 결정을 내림으로써 의회의 결정을 따르지 않았고, (나)의 경우 사법심사 결정 후 언론의 주목도가 높아졌고 찬반 여론이 갈렸다. 우선 (가)와 (나) 모두 기존의 여론이 지속되지 않았다는 점에서 무반응 모델로는 여론 추이를 설명하기 힘들다. 다만 무반응 모델에 따라 사회적 합의가 부족한 상태에서 입법 활동을 하였기 때문에 (가)에서는 사법심사가 입법 활동을 추인하지 않았고, (나)에서는 사법심사 이후 대중의 관심도가 높아지고 찬반 여론이 갈렸다고 지적할 수 있다. 따라서 무반응 모델로는 (가)와 (나)로 인한 여론 추이를 설명하기 힘들지만, 사회적 합의가 부족한 상태에서 의회가 입법 활동을 했음을 지적할 수는 있을 것이다.

[13~15] 제재 | 공리주의와 반공리주의
난이도 | ★★★

13. 정답 ① 난이도 ★★☆ | 정답률 64%

내용영역 규범 / 문항 유형 정보의 확인과 재구성

[정답 풀이]

① 3문단 "……내가 어떤 것을 할 권리를 가진다는 사실은 타인의 간섭에 반대하는 근거를 제공할 뿐만 아니라, 권리 침해를 옹호하는 논변이 넘어야 하는 '논증의 문턱'을 제공한다."에 따르면, '논증의 문턱'은 어떤 논변이 권리 침해를 옹호하기 위해 넘어야 하는 것이다. 따라서 '논증의 문턱'을 넘는 경우, 권리 침해는 용인될 것이다.

[오답 풀이]

② 행위 공리주의자는 '대략의 규칙'을 인정할 것이다.
마지막 문단 "이는 규칙을 과거의 경험에서 일반화한 일종의 '대략의 규칙'으로 보는 행위 공리주의의 생각과 다르다."에 따르면, 행위 공리주의자는 규칙을 과거의 경험에서 일반화한 '대략의 규칙'으로 본다. 따라서 행위 공리주의자는 '대략의 규칙'을 인정할 것이다.

③ 규칙 공리주의자는 개별적 행위의 옳고 그름을 판단할 것이다.
4문단 "……규칙 공리주의는 한 사회의 도덕률은 그것을 채택하지 않았을 때보다 채택했을 때 더 큰 공리를 산출하는 경우에만 옳으며, 어떤 개별 행위는 그 도덕률에 의해 정당화될 때 도덕적으로 옳다고 본다."에 따르면, 규칙 공리주의자는 개별적 행위의 옳고 그름을 그 사회의 도덕률에 의해 정당화되는지에 따라 판단한다. 따라서 규칙 공리주의자는 개별적 행위의 옳고 그름을 판단할 것이다.

④ '비판적 수준'에서 공리와 권리 간의 부정합성은 발생할 수 있을 것이다.
4문단 "……브란트는 공리주의와 권리 사이의 부정합성은 단지 행위 공리주의에만 있을 뿐, 규칙 공리주의에는 없다고 주장한다."에 따르면, 행위 공리주의에는 공리주의와 권리 사이의 부정합성이 발생한다고 여겨진다. 그리고 마지막 문단 "이에 견줘 비판적 수준의 사유는 행위 공리주의적으로 사유하는 것이다."에 따르면, '비판적 수준'의 사유는 곧 행위 공리주의적 사유를 뜻한다. 따라서 '비판적 수준'에서 공리와 권리 간의 부정합성은 발생할 수 있을 것이다.

⑤ 반공리주의자는 반자의적 장기 기증 시스템이 유발하는 공포를 인정할 수 있을 것이다.
2문단 "그러나 피시킨은, 무작위 추첨에 의한 반자의적 장기 기증 시스템에서는 사람들이 강제 기증자가 될 위험에 대한 공포보다 자신들도 수혜자가 될 수 있다는 기대가 더 크다면 공리주의자는 공리 극대화의 한 방법으로 그 시스템을 승인할 것이라고 비판한다."에 따르면, 반공리주의자인 피시킨이 제시한 반자의적 장기 기증 시스템에서, 공포는 기대와 맞물려 공리주의자들이 공리 극대화를 판단하는 요소로 언급된다. 즉 피시킨은 공리주의 반대 논변을 제시하면서 반자의적 장기 기증 시스템이 유발하는 공포의 존재를 전제하고 있다. 따라서 반공리주의자가 반자의적 장기 기증 시스템이 유발하는 공포를 인정하지 않는다고 보기 어렵다.

14. 정답 ⑤ 난이도 ★★★ | 정답률 37%

내용영역 규범 / 문항 유형 정보의 추론과 해석

[정답 풀이]

⑤ 헤어의 주장에서, 권리가 가지는 논증의 문턱이 직관적 수준에서는 규범적 힘을 발휘할 수 있다고 평가받을 것이다.
마지막 문단 "직관적 수준의 사유란 우리가 이미 주어진 것으로 간주하고 의문을 제기하지 않는 마음의 습관이나 원리 등을 개별적 사안에 적용할 때의 사유로서, 규칙 공리주의적으로 사유하는

것을 가리킨다."와 "헤어는 직관적 사유를 이끄는 간단하고 일반적인 도덕 원리는……."과 "헤어에 의하면 권리는 일반적 도덕 원리의 일종이다."에 따르면, 직관적 수준의 사유는 규칙 공리주의적 사유이며, 이때 권리는 일반적 도덕 원리의 일종으로서 개별적 사안에 적용된다. 즉 직관적 수준의 사유에서 권리는 개별 행위의 옳고 그름을 판단하는 데 적용되므로 규범적 힘이 인정된다. 또한, 4문단 "한편, 반공리주의 논변에 맞서 브란트는 공리주의와 권리 사이의 부정합성은 단지 행위 공리주의에만 있을 뿐, 규칙 공리주의에는 없다고 주장한다."에 따르면, 공리주의를 옹호하는 관점에서 규칙 공리주의는 권리의 규범적 힘을 수용할 수 있다고 여겨진다. 이를 종합하면, 헤어의 주장에서 권리가 가지는 논증의 문턱은 직관적 수준에서 규범적 힘을 발휘할 수 있을 것이다.

[오답 풀이]

① 2문단 "도덕적 권리들이 존재하는 것이 틀림없다고 전제하는 피시킨은 이 권리들을 인정하지 않는 윤리 이론은 거부되어야 한다고 주장한다. '무엇이 공리를 극대화하는 결과를 낳을 것인가'는 경험적인 문제이므로……."에 따르면, 피시킨은 경험과 결과에 의존한다는 점을 근거로 공리주의를 비판하지만, 도덕적 권리들이 틀림없이 존재한다는 전제에 대해서는 근거를 제시하지 않고 있다. 따라서 피시킨은 경험이나 결과에 의존하지 않고도 권리가 존재한다고 전제할 수 있느냐고 비판받을 수 있을 것이다.

② 2문단 "무엇이 공리를 극대화하는 결과를 낳을 것인가'는 경험적인 문제이므로, 권리에 적대적인 행위가 권리를 존중하는 것보다 더 많은 공리를 산출한다는 이유로 지지되는 공리주의는 권리의 확실한 토대를 제공할 수 없다고 주장한다."에 따르면, 피시킨은 공리의 극대화는 경험에 의존하여 판단된다는 점에서 권리의 확실한 토대를 제공할 수 없다고 주장한다. 그렇다면 같은 맥락에서 경험적인 근거로 지지되는 것은 권리의 확실한 토대를 제공할 수 없다고 볼 것이다. 따라서 피시킨은 권리를 보호하는 규칙의 효용성이 경험적으로 드러나더라도 그 규칙은 권리의 확실한 토대를 제공할 수 없다고 주장할 것이다.

③ 4문단 "한편, 반공리주의 논변에 맞서 브란트는 공리주의와 권리 사이의 부정합성은 단지 행위 공리주의에만 있을 뿐, 규칙 공리주의에는 없다고 주장한다."에 따르면, 브란트는 규칙 공리주의는 권리의 규범적 힘과 정합적이라고 주장한다. 즉 공리주의를 포기하지 않으면서도 권리의 규범적 힘을 인정할 수 있다는 것이다. 이에 대하여 "하지만 라이언스는 규칙 공리주의도 권리들의 규범적 힘을 수용하지 못한다고 주장한다. 공리주의에서는 공리에 대한 위협 없이 규칙을 위반하는 것이 가능하기에, 공리주의적 정당화는 공리주의자에게 규칙 유지의 이유를 제공할 수는 있어도 그 규칙을 준수해야 할 이유는 제시하지 못한다는 것이다."에 따르면, 라이언스는 규칙 공리주의 역시 어디까지나 공리주의인 이상 공리의 극대화를 위해 규칙을 위반할 수 있을 것이므로 권리의 규범적 힘을 수용하지 못한다고 본다. 이상의 주장과 비판을 통해, 라이언스의 브란트 비판을 받아들이는 사람이라면 공리주의와 권리 간의 부정합성은 해소될 수 없다고 볼 것임을 추론할 수 있다. 즉 개별 행위의 옳고 그름을 판단함에 있어 공리의 극대화를 추구하고 권리의 규범적 힘을 수용하지 않거나, 공리의 극대화를 포기하고 권리의 규범적 힘을 수용하게 된다는 것이다. 그러므로 이러한 관점에서는 규칙 공리주의가 규칙 준수의 이유를 제시한다는 것이, 개별 행위의 옳고 그름을 판단하는 기준으로서 공리의 극대화를 포기하는 것과 다르지 않다고 볼 것이다. 따라서 '규칙 준수의 이유를 제시하더라도 규칙 공리주의는 결과를 계산하지 않는 권리론과 다를 바 없다.'라고 주장하는 사람은 공리주의와 권리가 부정합적이라는 관점에서 라이언스의 브란트 비판에 동조할 것이다.

④ 3문단 "그런데 공리주의는 행위의 도덕적 평가에서 일관되게 공리의 극대화를 기준으로 삼기 때문에, 권리의 규범적 힘을 인정할 수 없다."에 따르면, 무언가의 규범적 힘을 인정한다는 것은 그것이 개별 행위의 도덕적 평가 기준이 된다는 것을 뜻한다. 그리고 4문단 "하지만 라이언스는 규칙 공리주의도 권리들의 규범적 힘을 수용하지 못한다고 주장한다. 공리주의에서는 공리에 대한 위협 없이 규칙을 위반하는 것이 가능하기에, 공리주의적 정당화는 공리주의자에게 규칙 유지의 이유를 제공할 수는 있어도 그 규칙을 준수해야 할 이유는 제시하지 못한다는 것이다."에 따르면, 라이언스는 브란트를 비판하면서 규칙 공리주의 역시 행위의 도덕적 평가 기준을 공리의 극대화에 두기 때문에 권리의 규범적 힘을 인정할 수 없으며 규칙을 준수해야 할 이유를 제시하지 못한다고 본다. 그런데 이때 만약 규칙의 규범적 힘을 공리의 극대화를 통해 수용할 수 있다면, 이는 규칙을 행위의 도덕적 평가 기준으로 삼는 것과 공리의 극대화를 도덕적 평가 기준으로 삼는 것이 상충하지 않으며, 둘 사이의 부정합성이 해소된다는 것을 의미한다. 다시 말해, 공리주의적 정당화를 통해 규칙 유지의 이유도, 규칙 준수의 이유도 제공할 수 있다는 것이다. 따라서 규칙의 규범적 힘을 공리의 극대화를 통해 수용할 수 있다면 규칙 유지는 결국 규칙 준수와 다르지 않다고 브란트는 주장할 수 있을 것이다.

15. 정답 ④ 난이도 ★★☆ | 정답률 58%

내용영역 규범 | 문항 유형 정보의 평가와 적용

[정답 풀이]

④ '아기'의 '행복'을 존중하는 규칙을 채택하는 것보다 채택하지 않는 것이 더 큰 공리를 산출한다면, 브란트는 '아기'의 권리가 침해될 수도 있다고 생각할 것이다.

<보기> "그러나 작은 아기를 죽을 때까지 고문하고……."에 따르면, '아기'를 고문하는 것은 인간의 행복을 위해 '아기'의 권리를 침해하는 일이다. 이에 대하여 4문단 "……규칙 공리주의는 한 사회의 도덕률은 그것을 채택하지 않았을 때보다 채택했을 때 더 큰 공리를 산출하는 경우에만 옳으며, 어떤 개별 행위는 그 도덕률에 의해 정당화될 때 도덕적으로 옳다고 본다."에 따르면, 규칙 공리주의자인 브란트는 규칙이 채택됨에 있어 더 큰 공리를 산출하는 규칙이 채택되는 것이 옳으며, 개별 행위는 채택된 규칙에 의해 정당화되어야 한다고 본다. 즉 만약 '아기'의 '행복'을 존중하는 규칙을 채택하는 것보다 채택하지 않는 것이 더 큰 공리를 산출한다면, '아기'의 '행복'을 존중하는 규칙은 채택되지

않을 것이며 '아기'의 권리를 침해하는 행위는 도덕적 정당화를 요구받지 않을 것이다. 따라서 '아기'의 '행복'을 존중하는 규칙을 채택하는 것보다 채택하지 않는 것이 더 큰 공리를 산출한다면, 브란트는 '아기'의 권리가 침해될 수도 있다고 생각할 것이다.

[오답 풀이]

① <보기> "인간을 궁극적으로 행복하게 만들어서 최종적으로 인간에게 평화와 안식을 줄 목적으로 네가 인간 운명의 기본 구조를 만들고 있다고 상상해 봐."에 따르면, '상상'을 실현하는 것은 인간의 공리를 극대화하는 일이다. 이에 대하여 1문단 "공리주의에서 도덕적으로 옳은 것은 공리를 극대화하는 결과를 산출하는 것이다. 반인권적인 행위나 제도라도 결과적으로 더 많은 공리를 산출한다면, 공리주의는 그것을 지지해야 한다."에 따르면, 행위 공리주의에서는 공리의 극대화를 위해서라면 반인권적인 행위가 지지되어야 한다고 본다. 따라서 행위 공리주의자는 '상상'을 실현할 수 있다면 '아기'의 권리에 대한 침해에 동의할 것이다.

② <보기> "인간을 궁극적으로 행복하게 만들어서 최종적으로 인간에게 평화와 안식을 줄 목적으로 …… 그러나 작은 아기를 죽을 때까지 고문하고 그 아기의 한 서린 눈물 위에 그 구조물을 세우는 것이 필수적이고 불가피하다고 상상해 봐."에 따르면, <보기>에서는 '아기'의 고통과 인간들의 '평화와 안식' 중 무엇을 택하는 것이 옳은지 질문하고 있다. 그리고 2문단 "도덕적 권리들이 존재하는 것이 틀림없다고 전제하는 피시킨은 …… '무엇이 공리를 극대화하는 결과를 낳을 것인가'는 경험적인 문제이므로, 권리에 적대적인 행위가 권리를 존중하는 것보다 더 많은 공리를 산출한다는 이유로 지지되는 공리주의는 권리의 확실한 토대를 제공할 수 없다고 주장한다."에 따르면, 피시킨은 도덕적 권리가 선험적으로 존재한다고 전제하며, 그 전제하에서 공리주의는 권리의 확실한 토대를 제공할 수 없다고 본다. 그렇다면 피시킨은 '아기'의 권리가 선험적으로 확실하며, '아기'의 고통과 인간들의 '평화와 안식' 중 무엇을 택해야 하는지는 경험적인 문제이므로 둘을 저울질하는 것이 무의미하다고 생각할 것이다.

③ 3문단 "그에 따르면 내가 어떤 것을 할 권리를 가진다는 사실은 타인의 간섭에 반대하는 근거를 제공할 뿐만 아니라, 권리 침해를 옹호하는 논변이 넘어야 하는 '논증의 문턱'을 제공한다. 그런데 공리주의는 행위의 도덕적 평가에서 일관되게 공리의 극대화를 기준으로 삼기 때문에, 권리의 규범적 힘을 인정할 수 없다."에 따르면, 라이언스는 공리주의가 권리의 규범적 힘을 인정할 수 없다는 점을 근거로 반공리주의 논변을 제시한다. 그리고 <보기> "인간을 궁극적으로 행복하게 만들어서 최종적으로 인간에게 평화와 안식을 줄 목적으로 …… 그러나 작은 아기를 죽을 때까지 고문하고 그 아기의 한 서린 눈물 위에 그 구조물을 세우는 것이 필수적이고 불가피하다고 상상해 봐."에 따르면, '아기'를 고문하는 것은 인간을 궁극적으로 행복하게 만들어서 최종적으로 인간에게 평화와 안식을 주는 공리의 극대화를 목적으로 '아기'의 권리를 침해하는 것이다. 따라서 '아기'를 고문함으로써 더 많은 이익이 생긴다고 할지라도, 라이언스는 '아기'가 '한 서린 눈물'을 흘리지 않도록 고문이 금지되어야 한다고 생각할 것이다.

⑤ <보기> "그러나 작은 아기를 죽을 때까지 고문하고 그 아기의 한 서린 눈물 위에 그 구조물을 세우는 것이 필수적이고 불가피하다고 상상해 봐."에 따르면, <보기>에서 '구조물'의 건설은 '아기'의 권리를 침해하는 일이자, 공리의 극대화를 위해 필수불가결하다고 여겨지는 일이다. 이에 대하여 마지막 문단 "헤어에 의하면 권리는 일반적 도덕 원리의 일종이다."와 "그러나 여기서 헤어는 인간의 오류 가능성과 한계를 언급하면서, 신중한 공리주의자는 직관을 저버리기보다는 따르는 것이 최선이 될 가능성이 크다고 여길 것이라고 주장한다."에 따르면, 헤어는 권리는 일반적 도덕 원리의 일종이며, 인간의 오류 가능성과 한계를 고려했을 때 직관을 저버리고 행위 공리주의적으로 사유하는 것보다는 직관적 사유를 따르는 것이 최선일 가능성이 크다고 본다. 즉 헤어에 따를 때 '구조물'의 건설이 실제로 공리를 극대화할지 판단할 확실한 정보가 없다는 것은 판단에 대한 오류 가능성과 한계를 고려해야 한다는 것을 뜻하며, 직관을 따르는 것이 최선이라는 것은 '아기'의 권리를 보호해야 한다는 직관을 따라야 함을 뜻한다. 따라서 '구조물'의 건설이 실제로 공리를 극대화할지 판단할 확실한 정보가 없다면, 헤어는 '아기'의 권리를 보호해야 한다는 직관을 따라야 한다고 생각할 것이다.

[16~18] 제재 | 솔로우 성장모형
난이도 | ★★☆

16. 정답 ①

난이도 ★★☆ | 정답률 65%

내용영역 사회 | 문항 유형 정보의 확인과 재구성

[정답 풀이]

① 생산함수는 정태상태에 영향을 줄 수 있다.
4문단 "솔로우 성장모형에서 중요한 개념인 '정태상태'는 투자량과 감가상각량이 정확하게 일치하여 자본량의 변화가 없는 상태를 일컫는다."와 "경제가 도달하는 정태상태 자본량은 각 경제의 기초여건인 저축률 및 감가상각률 수준과 생산함수에 의해 결정된다."에 따르면, 생산함수는 정태상태에 해당하는 자본량을 결정하는 요인에 해당한다. 따라서 생산함수가 정태상태에 영향을 주지 않는다고 보기는 어렵다.

[오답 풀이]

② 4문단 "솔로우 성장모형에서 중요한 개념인 '정태상태'는 투자량과 감가상각량이 정확하게 일치하여 자본량의 변화가 없는 상태를 일컫는다."와 3문단 "솔로우 성장모형에 따르면 …… 신규 투자는 자본량을 늘리는 반면 감가상각은 자본량을 줄이는 방향으로 작용하게 된다."에 따르면, 투자와 감가상각은 자본량을 변화시키는 두 요인이며, 자본량의 변화가 발생하는 경우는 투자량과 감가상각량이 일치하지 않는 경우를 말한다. 따라서 투자와 감가상각이 다르다면 자본량은 변동한다.

③ 1문단 "인구와 기술 수준의 변동을 고려하지 않는 '단순한' 솔로우 성장모형에서 생산량(y)은 자본량(k)의 증가 함수이다."와 4문단 "자본량이 늘어나면 생산량이 늘어나고……."에 따르면, 자본

량의 증가로 인해 생산량의 증가가 발생함을 알 수 있다. 따라서 자본량이 늘어나면 생산량은 필연적으로 증가한다.

④ 2문단 "생산에서 소비하지 않고 남은 부분, 즉 저축이 투자의 재원이 되므로 투자와 저축은 언제나 일치한다."에 따르면, 저축과 투자는 동일한 값이다. 따라서 저축이 투자를 상회하는 경우는 결코 발생할 수 없다.

⑤ 1문단 "자본이 한 단위 증가할 때 생산이 늘어나는 정도는 자본 수준이 높아질수록 작아진다고 가정한다."와 4문단 "……투자량의 증가 속도는 차츰 감소하는데, 이는 자본이 늘어남에 따라 생산이 늘어나는 속도가 줄어들기 때문이다."에 따르면, 자본이 증가할수록 생산이 늘어나는 정도가 점차 감소한다. 따라서 자본이 한 단계 증가할 때 생산 증가의 폭은 자본 수준이 높을수록 작아진다.

17. 정답 ① 난이도 ★★☆ | 정답률 56%

(내용영역) 사회 (문항 유형) 정보의 추론과 해석

[정답 풀이]

① 저축률을 비롯한 기초여건은 동일하지만 초기 생산량이 다른 두 국가 경제는 소비 격차가 좁혀질 수 있다.
4문단 "감가상각량의 증가 속도는 자본량의 변화 속도와 언제나 같은 반면 투자량의 증가 속도는 차츰 감소하는데, 이는 자본이 늘어남에 따라 생산이 늘어나는 속도가 줄어들기 때문이다."와 "어느 시점에서는 투자량과 감가상각량이 같아지면서 경제가 정태상태에 도달하게 되며, 이후에 다른 외생적인 변화가 없다면 경제는 이 정태상태를 그대로 유지하게 된다."에 따르면, 투자량(=저축량)의 증가 속도가 점차 줄어들면서 특정 자본량에서 투자량과 감가상각량이 같아져 생산량의 변동이 없는 시점이 나타난다. 이때 4문단 "'정태상태'는 …… 자본량의 변동이 없으므로 생산량의 변동도 없고 저축과 소비도 일정하게 유지된다."와 "정태상태 자본량은 각 경제의 기초여건인 저축률 및 감가상각률 수준과 생산함수에 의해 결정된다."에 따르면, 두 국가 경제의 저축률을 비롯한 기초여건이 동일하다면 정태상태 자본량이 동일하다는 것을 의미하므로, 초기 생산량이 다르더라도 일정 수준의 생산량에 도달하는 과정에서 소비의 격차가 줄어들게 된다. 따라서 저축률을 비롯한 기초여건은 동일하지만 초기 생산량이 다른 두 국가 경제는 소비 격차가 좁혀지지 않는다고 보기 어렵다.

[오답 풀이]

② 마지막 문단 "저축률을 상승시키는 경제 정책 …… 결과로 새로운 정태상태에서 미래 세대는 정책 변경이 없었던 경우와 비교하여 더 높은 수준의 소비를 누릴 수 있으므로 효용이 증가한다."와 "반면 현재 세대, 특히 기대 잔여 수명이 얼마 남지 않은 고령층의 경우에는 미래 시점에서의 소비 증가 혜택을 얻을 가능성은 낮으나 현재의 소비 감소로 인한 효용 감소는 분명하므로 청년층에 비해 이와 같은 정책에 반대할 가능성이 높다."에 따르면, 저축률 상승에 따라 미래 세대의 효용은 증가하지만 현재 세대의 효용은 감소한다. 따라서 저축률을 변경시키는 정책에 대한 찬반 여부는 세대 간 기대 잔여 수명의 차이에 영향을 받는다.

③ 2문단 "감가상각은 자본 사용 정도에 비례하여 자본재의 일부가 마모되어 더 이상 사용할 수 없게 되는 것으로, 감가상각량은 자본량과 0과 1 사이의 값을 갖는 상수인 감가상각률(d)의 곱으로 결정된다."와 4문단 "감가상각량의 증가 속도는 자본량의 변화 속도와 언제나 같은 반면……."에 따르면, 자본 마모 속도가 빨라진다는 것은 자본량이 한 단계 증가할 때 감가상각량의 증가 정도가 커지는 것, 즉 감가상각률의 증가를 의미한다. <그림>에서 감가상각률이 증가할 경우 감가상각량을 나타내는 그래프의 기울기가 커지고, 이에 따라 감가상각량 그래프와 저축량 그래프가 접하는 지점, 즉 저축량과 감가상각량이 일치하는 지점의 X축 값인 자본량이 작아진다. 따라서 <그림>에 의하면 자본 마모 속도가 빨라지는 경우 저축량과 감가상각량이 일치하는 자본량은 작아진다.

④ 2문단 "……투자와 저축은 언제나 일치한다. 저축률(s)은 저축이 생산에서 차지하는 비율로 정의되며 0과 1 사이의 값을 갖는 상수이다."에 따르면, 1문단의 '생산량 = 소비량 + 투자량' 식에서 투자(i)는 곧 저축량을 의미하며, 생산량(y)과 저축률(s)의 곱으로 정리할 수 있다. 이에 따르면, <그림>에서 저축률이 상승하면 일정한 자본량에 대응하는 저축량은 상승하므로 그래프 위치 또한 상승한다. 4문단 "감가상각량의 증가 속도는 자본량의 변화 속도와 언제나 같은 반면……."에 따르면, 감가상각량을 나타내는 그래프의 기울기는 감가상각률이 동일한 한 일정하므로, 감가상각량 그래프와 저축량 그래프가 접하는 지점, 즉 저축량과 감가상각량이 일치하는 지점의 X축 값인 자본량은 커진다. 따라서 <그림>에 의하면 저축률의 상승은 투자량과 감가상각량이 일치하는 자본량을 확대시킨다.

⑤ 4문단 "'정태상태'는 투자량과 감가상각량이 정확하게 일치하여 자본량의 변화가 없는 상태를 일컫는다. 자본량의 변동이 없으므로 생산량의 변동도 없고 저축과 소비도 일정하게 유지된다."와 "결국 어느 시점에서는 투자량과 감가상각량이 같아지면서 경제가 정태상태에 도달하게 되며, 이후에 다른 외생적인 변화가 없다면 경제는 이 정태상태를 그대로 유지하게 된다."에 따르면, 정태상태에서는 생산량의 변동이 일어나지 않는다. 또한 마지막 문단 "솔로우 성장모형에서는 소비가 최대가 되는 정태상태 자본량 수준을 최선의 자본량이라는 의미에서 황금률 자본량이라고 부른다."에 따르면, 황금률 자본량은 정태상태의 일종에 속한다. 따라서 황금률 자본량을 보유하고 있는 경제의 생산량은 다른 조건의 변화가 없다면 변동하지 않는다.

18. 정답 ② 난이도 ★★★ | 정답률 28%

(내용영역) 사회 (문항 유형) 정보의 평가와 적용

[정답 풀이]

<보기>의 X국과 관련된 정보를 정리하면 다음과 같다.

○ 투자량과 감가상각량이 일치하며, 자본량이 황금률 수준을 상회함

○ 정부는 황금률 자본량을 달성하기 위해 국민의 소비를 장려하는 정책을 시행함

② 정책 시행 이후 새로운 정태상태에 도달할 때까지 소비가 점차 증가하는 것은 아니다.

4문단 "……'정태상태'는 투자량과 감가상각량이 정확하게 일치하여 자본량의 변화가 없는 상태를 일컫는다."에 따르면, X국의 상태는 투자량과 감가상각량이 일치하는 정태상태에 속한다고 볼 수 있다. 마지막 문단 "……정태상태에 있는 어느 경제의 자본량이 황금률 수준을 하회하고 있는 상태에서 저축률을 상승시키는 경제 정책이 시행되었다고 하자. 정책이 시행된 시점에는 저축률 상승으로 인해 소비가 즉각 줄어든다. 그러나 시간이 지나면서 투자와 자본량 증대가 생산 수준을 점차 더 높이게 된다. 따라서 생산의 일정 비율인 소비도 점차 증가하여 궁극적으로는 정책 변경 이전보다 높은 수준으로 수렴하게 된다."에 따르면, 어떤 경제가 정태상태에 있고 자본량이 황금률 수준을 하회하는 경우 저축률 상승 결과 소비가 줄어들었다가 투자와 자본량 증대를 통해 다시 소비가 증가하게 된다. 이를 정태상태에 있고 자본량이 황금률 수준을 상회하는 경우에 적용하면, 저축률을 낮춤으로써 투자와 자본량 모두 감소하게 되고, 이에 따라 소비가 감소할 것임을 예상할 수 있다. 따라서 정책 시행 이후 새로운 정태상태에 도달할 때까지 소비가 점차 증가한다고 보기는 어렵다.

[오답 풀이]

① 마지막 문단 "새로운 정태상태에서 미래 세대는 정책 변경이 없었던 경우와 비교하여 더 높은 수준의 소비를 누릴 수 있으므로 효용이 증가한다."에 따르면, 더 높은 수준의 소비를 누릴 수 있다면 효용이 증가함을 알 수 있다. <보기>의 X국에서는 소비를 장려하는 정책을 시행했으므로, 현재의 소비 증가를 통해 고령층과 청년층 모두의 효용 수준이 높아질 것임을 예상할 수 있다. 따라서 정책 시행 이후 현재 세대 중 고령층과 청년층 모두의 효용 수준은 높아질 것이다.

③ 마지막 문단 "생산함수와 감가상각률이 고정되어 있다고 하면, 저축률 변동을 통해 경제가 황금률 수준의 자본량을 달성하거나 또는 황금률에 보다 가까운 수준의 자본량을 보유하도록 경제상태를 이동시킬 수 있다."에 따르면, 다른 조건이 동일한 경우 저축률을 높이거나 낮춤으로써 자본량을 변화시켜 소비가 최대가 되는 정태상태 자본량인 황금률 자본량에 도달할 수 있다. <보기>의 X국은 황금률 수준을 상회하는 자본량을 보유하고 있으며, 저축률 하락을 통해 자본량을 줄여 황금률 자본량에 도달할 것이다. X국의 경우 국민의 소비를 장려하는 정책을 수행하여 일시적으로 소비가 증가하다가, 이 과정에서 투자와 자본량이 줄어들어 소비가 감소한다. 여기서 마지막 문단 "솔로우 성장모형에서는 소비가 최대가 되는 정태상태 자본량 수준을 최선의 자본량이라는 의미에서 황금률 자본량이라고 부른다."에 따르면, X국은 황금률 자본량에 도달하는 것을 목표로 하므로 시간이 흐르면서 소비가 최대가 되는 정태상태 자본량, 즉 황금률 자본량에 도달한다. 결과적으로 X국이 황금률 수준에 해당하는 새로운 정태상태 자본량에 도달한다면, 정책 시행 이전의 정태상태에 비해 소비가 증가한다고 볼 수 있다. 따라서 미래 세대는 정책 시행 전에 비해 더 높은 수준의 소비를 누릴 것이고, 효용 수준은 정책이 시행되지 않는 경우보다 높아질 것이다.

④ 4문단 "자본량이 늘어나면 생산량이 늘어나고 생산량의 일정 비율인 투자도 증가한다. 또한 자본량의 일정 비율인 감가상각량도 늘어난다."와 마지막 문단 "……저축률을 상승시키는 경제 정책이 시행되었다고 하자. 정책이 시행된 시점에는 저축률 상승으로 인해 소비가 즉각 줄어든다. 그러나 시간이 지나면서 투자와 자본량 증대가 생산 수준을 점차 더 높이게 된다."에 따르면, 저축률 상승에 따라 자본량의 증대가 일어나고, 자본량의 일정 비율인 감가상각량 역시 늘어남을 알 수 있다. 이를 <보기>의 경우에 적용하면, 1문단의 '생산량 = 소비량 + 투자량' 공식에 따라 저축률 하락으로 소비가 증가하고, 자본량의 감소가 일어난다. 이에 따라 자본량의 일정 비율인 감가상각량 역시 줄어들 것임을 예상할 수 있다. 따라서 감가상각량은 정책 시행 이전보다 낮은 수준으로 수렴한다.

⑤ 4문단 "자본량이 늘어나면 생산량이 늘어나고 생산량의 일정 비율인 투자도 증가한다."와 마지막 문단 "……저축률을 상승시키는 경제 정책이 시행되었다고 하자. 정책이 시행된 시점에는 저축률 상승으로 인해 소비가 즉각 줄어든다. 그러나 시간이 지나면서 투자와 자본량 증대가 생산 수준을 점차 더 높이게 된다."에 따르면, 저축률 상승에 따라 자본량의 증대가 일어남을 알 수 있다. 이를 <보기>의 경우에 적용하면, 1문단의 '생산량 = 소비량 + 투자량' 공식에 따라 저축률 하락으로 소비가 증가하고, 자본량의 감소가 일어난다. 따라서 자본량은 정책 시행 이전보다 낮은 수준으로 수렴한다.

[19~21] 제재 | 배아에 관한 법령
난이도 | ★★☆

19. 정답 ④ 난이도 ★☆☆ | 정답률 85%

내용영역 규범 | 문항 유형 정보의 확인과 재구성

[정답 풀이]

④ 3문단 "독일 법은 결국 한 번의 시술로 이식할 만큼만 수정하게 하고 …… 배아 보존 자체는 금지하지 않지만 보존될 배아가 애초에 거의 생기지 않게 하려는 것이다."에 따르면, 독일 법은 배아를 보존하는 것 자체를 금지하지는 않지만 여러 기준을 통해 보존될 배아의 생성 가능성을 차단한다. 한편 마지막 문단 "한국 법에서도 …… 일단 배아가 생성되면, 이식 횟수의 결정, 배아의 보존 여부, 난치병 연구를 위한 사용 여부 등에 대해 배아 생성자에게 의사 결정을 맡긴다."에 따르면, 한국 법에서는 배아 생성자가 배아 보존 여부를 결정하는 것을 허용한다. 이를 정리하면, 한국 법과 독일 법 모두 배아를 보존하는 것 자체를 금지하지는 않는다고 볼 수 있다.

[오답 풀이]

① 잔여 배아란, 착상된 후 의학적 판단에 따라 제거된 배아를 말하지 않는다.

3문단 "임신 성공률을 높이려면 가급적 많은 배아를 확보해야 하는 까닭에 잔여 배아가 생긴다. 그런데도 독일 법은 결국 한 번의 시술로 이식할 만큼만 수정하게 하고, 수정 후에는 남김없이 이식하게 하며, 배아를 회수할 목적으로 착상을 방해할 가능성마저 없애고 있다."에 따르면, 수정 후 이식이 이루어지지 않거나, 이식하더라도 착상 전에 회수될 경우 잔여 배아가 생긴다는 것을 알 수 있다. 또한 4문단 "배아보호법으로 인해 오히려 배아가 죽게 되는 역설적 상황 …… 모든 배아를 일단 착상시킨 후 가장 건강한 하나만을 남기고 나머지 한두 개는 모체에서 제거하는 일이 종종 일어난다."에 따르면, 착상된 배아를 모체에서 제거할 경우 배아는 죽게 된다. 따라서 착상된 후 의학적 판단에 따라 제거된 배아는 죽은 배아로, 잔여 배아에 대한 적절한 설명이 아니다.

② 독일학술원 성명에는 잔여 배아 발생을 장려하기 위한 제안이 담겨 있다.
4문단 "배아보호법으로 인해 오히려 배아가 죽게 되는 역설적 상황 …… 법제 개선을 촉구하는 독일학술원의 성명에서는 잔여 배아 보존이 가능하게 하고 배아 생성자가 그 기간을 결정하도록 하자고 제안하였다."에 따르면, 독일학술원의 성명은 배아가 죽게 되는 상황을 막기 위해 잔여 배아 보존을 가능하게 하자는 내용이다.

③ 다배아 이식 시술은 선택적 단일 배아 이식 시술보다 임신 성공 확률이 높지 않을 수 있다.
4문단 "임신 확률을 높이려면 배아의 건강 상태, 산모의 나이, 다태아 출산의 위험성 등에 비추어 가장 적합한 시술 방식을 선택해야 한다."에 따르면, 임신 확률을 높이는 시술 방식은 상황에 따라 달라질 수 있다. 그런데 4문단 "이 법(배아보호법)을 따르면 선택적 단일 배아 이식의 방식을 취하기가 어렵게 된다. 하나를 제외한 나머지 배아에 모두 결함이 있어 불가피하게 배제될 경우가 아니라면, 충분히 건강한 한두 개의 배아를 다음 시술 시기를 위해 남겨 두지 못하기 때문이다."에 따르면, 배아보호법이 적용될 경우 선택적 단일 배아 이식 대신 다배아 이식을 택해야 하는데, 이때 배아를 남겨 두지 못하는, 즉 잔여 배아가 생길 수 없는 경우가 생겨 임신 성공 확률이 낮아질 수 있다. 이를 종합하면, 다배아 이식 시술은 선택적 단일 배아 이식 시술보다 임신 성공 확률이 높다고 볼 수 없다.

⑤ 잔여 배아를 무조건 폐기하도록 강제하는 것은 비윤리적이라는 데 견해가 일치되어 있지 않다.
1문단 "……시술 뒤에 남은 배아를 어떻게 처리할 것인지에 대한 윤리적 논란 …… 잔여 배아를 예외 없이 폐기해야 한다는 견해와, 난치병 연구를 위해 사용할 수 있게 해야 한다는 견해가 맞서고 있는 것이다."에 따르면, 잔여 배아를 어떻게 처리할 것인지에 대한 의견이 대립하고 있다. 2문단 "배아보호법 …… 다른 나라의 입법례와는 달리 가급적 잔여 배아 자체가 만들어지지 않게 하는 것이 최선이라는 시각을 반영한……"과 4문단 "……법제 개선을 촉구하는 독일학술원의 성명에서는 잔여 배아 보존이 가능하게 하고 배아 생성자가 그 기간을 결정하도록 하자고 제안하였다."에 따르면, 잔여 배아의 폐기에 관한 입장이 대립하고 있음을 알 수 있다. 따라서 잔여 배아를 무조건 폐기하도록 강제하는 것은 비윤리적이라는 데 견해가 일치되어 있다고 보기는 어렵다.

20. 정답 ①

난이도 ★★☆ | 정답률 68%

내용영역 규범 | 문항 유형 정보의 추론과 해석

[정답 풀이]

독일의 배아보호법에서 규정하는 엄격한 기준(㉠)을 정리하면 다음과 같다.

○ 1회의 시술 주기 내에 난자를 3개까지만 수정시킬 수 있음
○ 같은 시술 주기 내에 배아를 3개까지만 이식할 수 있음
○ 이식할 배아의 수보다 많은 난자를 수정시켜서는 안 됨
○ 이식 후 배아의 온전한 착상 전에 그것을 채취해서는 안 됨

① 2문단 "1회의 시술 주기 내에 난자를 3개까지만 수정시킬 수 있고, 같은 시술 주기 내에 배아를 3개까지만 이식할 수 있다. 게다가 1회의 시술 주기 내에 이식할 배아의 수보다 많이 난자를 수정시켜서는 안 되고……."에 따르면, 1회의 시술 주기 내에서 수정 가능한 난자의 수는 최대 3개이고, 수정할 난자의 수는 이식할 배아의 수와 일치해야 한다. 따라서 1회의 시술 주기 내에는 3개의 한도 내에서 이식할 배아의 수만큼만 난자를 수정시킬 수 있다.

[오답 풀이]

② 배아 생성자의 요청과 무관하게, 이미 착상된 배아를 모체에서 분리하는 것이 엄격히 금지되지는 않는다.
4문단 "이 법을 따르면 …… 모든 배아를 일단 착상시킨 후 가장 건강한 하나만을 남기고 나머지 한두 개는 모체에서 제거하는 일이 종종 일어난다."에 따르면, 배아보호법이 적용되는 경우에서도 착상된 배아 중 하나만을 남기고 나머지를 모체에서 제거하는 일이 발생한다. 따라서 배아 생성자의 요청이 있어도 이미 착상된 배아를 모체에서 분리하는 것이 엄격히 금지되지는 않는다.

③ 생성한 배아를 동일 시술 주기 내에 이식할 수 없는 경우에는 반드시 폐기해야 하는 것은 아니다.
2문단 "1회의 시술 주기 내에 이식할 배아의 수보다 많이 난자를 수정시켜서는 안 되고……."에 따르면, 배아보호법에서는 수정된 난자의 수보다 이식하는 배아의 수가 적어서는 안 된다. 또한 4문단 "이 법을 따르면 선택적 단일 배아 이식의 방식을 취하기가 어렵게 된다. …… 모든 배아를 일단 착상시킨 후 가장 건강한 하나만을 남기고 나머지 한두 개는 모체에서 제거하는 일이 종종 일어난다."에 따르면, 배아보호법이 적용될 경우 다배아 방식을 채택하여 배아를 모두 착상시키는 절차를 거치게 된다. 따라서 생성한 배아를 동일 시술 주기 내에 이식할 수 없는 경우 반드시 폐기해야 하는 것은 아니다.

④ 생성할 배아의 수보다 더 많은 난자를 채취하여 보관하는 것을 금지하지는 않는다.
3문단 "독일 법은 결국 한 번의 시술로 이식할 만큼만 수정하게 하고, 수정 후에는 남김없이 이식하게 하며, 심지어 배아를 회수할 목적으로 착상을 방해할 가능성마저 없애고 있다. 배아 보존 자체는 금지하지 않지만 보존될 배아가 애초에 거의 생기지 않게 하려는 것이다."에 따르면, 독일의 배아보호법은 배아 보존을 명시적으로 금지하지 않되, 보존될 배아의 생성을 억제하는 것을

목표로 하는 법이다. 따라서 배아보호법의 내용은 생성할 배아의 수보다 더 많은 난자를 채취하여 보관하는 것을 금지하는 것과는 관련이 없다.

⑤ 생성한 배아의 수보다 적게 이식하는 것이 허용되는 경우도 있다.
4문단 "이 법을 따르면 선택적 단일 배아 이식의 방식을 취하기가 어렵게 된다. 하나를 제외한 나머지 배아에 모두 결함이 있어 불가피하게 배제될 경우가 아니라면, 충분히 건강한 한두 개의 배아를 다음 시술 시기를 위해 남겨 두지 못하기 때문이다."에 따르면, 배아보호법을 따를 경우 원칙적으로 수정을 통해 형성된 배아는 모두 모체에 이식되어야 하지만, 예외적으로 하나를 제외한 나머지 배아에 모두 결함이 있어 불가피하게 배제될 경우 결함이 있는 배아가 이식되지 않고 남을 수 있다. 따라서 배아보호법의 기준을 따르더라도 생성한 배아의 수보다 적게 이식하는 것이 허용되는 경우도 있다.

21. 정답 ② 난이도 ★★★ | 정답률 46%

내용영역 **규범** 문항 유형 **정보의 평가와 적용**

[정답 풀이]

<보기>의 갑과 을 부부와 관련된 정보를 정리하면 다음과 같다.

○ 자신들의 생식세포를 이용하여 배아를 인공적으로 생성 ⇒ 모체(을)에 배아 이식 시술을 1회 진행하였으나 착상에 이르지 못함

○ 시술은 정상적으로 진행되었으며, 배아에는 결함이 없었음

② 독일 법이 적용되는 경우도, 한국 법이 적용되는 경우와 같이 갑과 을은 출산을 목적으로 할 경우에 한하여 배아의 생성에 관한 문제에 대해 자기결정권을 행사할 수 있겠군.
2문단 "독일에서는 배아보호법을 제정 …… 이 법은 대다수 국가의 법령들처럼 임신을 목적으로 하지 않는 배아의 생성을 애초에 불허"와 마지막 문단 "한국 법에서도 출산을 목적으로 할 때만 생식세포를 제공하여 배아를 생성할 수 있다."에 따르면, 독일 법과 한국 법은 공통적으로 임신을 목적으로 하는 배아 생성을 허용한다. 따라서 독일 법이 적용되더라도 한국 법이 적용되는 경우와 같이 출산을 목적으로 할 경우 갑과 을은 배아의 생성에 관한 문제에 대해 자기결정권을 행사할 수 있을 것이다.

[오답 풀이]

① 2문단 "독일에서는 배아보호법을 제정 …… 이식 후 배아의 온전한 착상 전에 그것을 채취해도 안 된다."와 3문단 "독일 법은 …… 배아를 회수할 목적으로 착상을 방해할 가능성마저 없애고 있다."에 따르면, 독일 법이 적용되는 경우, 갑과 을의 의사와 상관없이 착상 전에는 배아를 채취할 수 없다. 그러나 마지막 문단 "한국 법에서 …… 배아 생성자에게 의사 결정을 맡긴다."에 따르면, 한국 법이 적용되는 경우, 배아 생성자가 배아의 보존 여부를 결정할 수 있기 때문에 착상 전에 배아 회수를 위해 채취하는 것도 허용될 것이다. 따라서 독일 법이 적용되는 경우, 한국 법이 적용되는 경우와 달리 갑과 을이 원하더라도 착상 전에는 배아가 채취되지 못했을 것이다.

③ 3문단 "독일 법은 결국 한 번의 시술로 이식할 만큼만 수정하게 하고, 수정 후에는 남김없이 이식하게 하며, 심지어 배아를 회수할 목적으로 착상을 방해할 가능성마저 없애고 있다."에 따르면, 독일 법이 적용되는 경우, 1회의 시술 주기 내에 배아를 이식한 뒤 추가로 이식 가능한 배아는 남아 있지 않으며, 착상이 이루어지지 않은 배아를 회수할 수도 없기 때문에 난자를 수정시키는 시술을 다시 진행해야 한다. 그러나 마지막 문단 "한국 법에서 …… 배아 생성자에게 의사 결정을 맡긴다."에 따르면, 한국 법이 적용되는 경우, 배아 생성자가 이식 횟수를 조절하여 배아를 남기는 것도, 착상 전에 배아 회수를 위해 채취하는 것도 허용되므로 반드시 난자를 수정시키는 시술을 다시 진행하지는 않아도 될 것이다. 따라서 독일 법이 적용되는 경우, 갑과 을이 다시 배아 이식 시술을 받으려면 한국 법이 적용되는 경우와 달리 난자를 수정시키는 시술을 다시 진행해야 할 것이다.

④ 2문단 "독일에서는 …… 가급적 잔여 배아 자체가 만들어지지 않게 하는 것이 최선이라는 시각을 반영 …… 배아 생성자의 자기결정권을 제한한다."와 3문단 "독일 법은 결국 한 번의 시술로 이식할 만큼만 수정하게 하고, 수정 후에는 남김없이 이식하게 하며, 심지어 배아를 회수할 목적으로 착상을 방해할 가능성마저 없애고 있다."에 따르면, 독일 법이 적용되는 경우, 배아 생성자는 연구 목적을 위한 배아 사용을 결정할 수 없다. 그러나 마지막 문단 "한국 법에서 …… 난치병 연구를 위한 사용 여부 등에 대해 배아 생성자에게 의사 결정을 맡긴다."에 따르면, 한국 법이 적용되는 경우, 배아 생성자가 연구 목적을 위한 배아 사용을 허용할 수 있다. 따라서 한국 법이 적용되는 경우, 독일 법이 적용되는 경우와 달리 갑과 을 부부의 남은 배아를 연구 목적을 위해 사용할 수 있을 것이다.

⑤ 2문단 "독일에서는 …… 가급적 잔여 배아 자체가 만들어지지 않게 하는 것이 최선이라는 시각을 반영……하여 배아 생성자의 자기결정권을 제한한다."와 3문단 "독일 법은 결국 한 번의 시술로 이식할 만큼만 수정하게 하고, 수정 후에는 남김없이 이식하게 하며, 심지어 배아를 회수할 목적으로 착상을 방해할 가능성마저 없애고 있다. 배아 보존 자체는 금지하지 않지만 보존될 배아가 애초에 거의 생기지 않게 하려는 것이다."에 따르면, 독일의 배아보호법은 배아 생성자가 배아 보존 여부를 결정하는 것을 허용하지 않는다. 반면 마지막 문단 "한국 법에서도 …… 일단 배아가 생성되면, 이식 횟수의 결정, 배아의 보존 여부, 난치병 연구를 위한 사용 여부 등에 대해 배아 생성자에게 의사 결정을 맡긴다."에 따르면, 한국 법에서는 배아 생성자가 배아 보존 여부를 결정하는 것을 허용한다. 따라서 한국 법이 적용되는 경우, 독일 법이 적용되는 경우와 달리 갑과 을의 의사에 따라 남은 배아를 보존하지 않도록 결정할 수 있을 것이다.

[22~24] 제재 | 『변론』과 『크리톤』 해석
난이도 | ★☆☆

22. 정답 ⑤

난이도 ★★☆ | 정답률 79%

(내용영역) 인문 (문항 유형) 정보의 확인과 재구성

[정답 풀이]

⑤ 1문단 "『변론』에서 …… 소크라테스는 국가권력에 대해 개인 양심이 우선함을 주장한 철학적 순교자이자 시민불복종 정신의 선례로 이해된다."와 2문단 "만약 국가의 명령에는 무조건 복종해야 한다는 권위주의적 주장을 『크리톤』의 소크라테스가 하는 것이라면, 『변론』의 소크라테스와는 상치된 주장을 하는 셈이다."에 따르면, 『변론』의 소크라테스는 국가권력에 대한 개인 양심의 우위를 주장하였고, 『크리톤』의 소크라테스는 국가의 명령을 우위에 두고 이에 복종해야 한다고 주장하였다는 해석이 가능하다. 따라서 『변론』과 『크리톤』에 대한 논란은 국가의 권위에 대한 소크라테스의 태도가 비일관적으로 보인다는 것에서 기인한다고 볼 수 있다.

[오답 풀이]

① 소크라테스의 작품 내 일관성에 대한 논란은 『크리톤』에 한정된다.
2문단 "만약 국가의 명령에는 무조건 복종해야 한다는 권위주의적 주장을 『크리톤』의 소크라테스가 하는 것이라면, 『변론』의 소크라테스와는 상치된 주장을 하는 셈이다." 와 3문단 "일관성의 문제는 『크리톤』 내부에 대해서도 제기될 수 있다. 전반부에 제시된 논증의 전제들이 소크라테스가 여러 대화편에서 일관되게 주창해왔던 원칙들인 반면, 후반부에는 권위주의적 주장으로 읽힐 내용이 많다."에 따르면, '일관성의 문제'는 『크리톤』에 나타난 소크라테스 주장이 『변론』에 나타난 동일 인물의 주장과 상치된다는 점 및 『크리톤』의 전반부와 후반부 주장이 일치하지 않는다는 점이다. 따라서 소크라테스의 작품 내 일관성에 대한 논란은 『변론』이 아닌 『크리톤』에서 나타난다.

② 『크리톤』의 후반부는 소크라테스가 의인화된 존재에게 말을 건네는 형식으로 진행되지 않는다.
3문단 "……소크라테스는 의인화된 아테네 법률을 등장시켜 그 입을 빌려 탈옥 반대 논증을 이어간다."에 따르면, 의인화된 아테네 법률이 소크라테스를 대신하여 논증을 진행한다는 점을 알 수 있다. 따라서 『크리톤』의 후반부는 소크라테스가 의인화된 존재에게 말을 건네는 형식이 아니라 의인화된 존재가 말을 하는 형식으로 진행된다.

③ 『크리톤』의 소크라테스는 법에 대한 복종의 근거를 법률의 구체적 내용에서 찾고 있지 않다.
2문단 "소크라테스는 부정의한 일을 하는 것이 어떤 상황에서도, 심지어 부정의한 일을 당한 경우에도 올바르지 않다는 원칙에 동의하는지 크리톤에게 묻고, 그 원칙에 따라 탈옥은 판결이 부당했더라도 부정의하다 …… 국가의 명령에 불복하는 것은 국가의 존립 근거를 해치는 부정의한 일이며, 따라서 국가의 명령이 비록 부당하더라도 복종하는 것이 옳다는 것이다."에 따르면, 소크라테스는 자신의 원칙에 따라 국가의 명령에 복종하는 것이 옳다는 결론을 내리고 있다. 또한 2문단 "여기서 국가의 명령이 부당하다는 것은 법률의 내용이 아니라 판결이 부당함을 뜻한다."에 따르면, 법률의 내용은 법에 복종해야 한다는 소크라테스의 논증에서 고려되지 않는다. 따라서 『크리톤』의 소크라테스는 법에 대한 복종의 근거를 법률의 구체적 내용이 아니라 자신이 세운 원칙에서 찾을 것이다.

④ 시민불복종을 지지하는 사람들은 일반적으로 『변론』의 소크라테스를 모범으로 삼는다.
1문단 "『변론』에서 …… 소크라테스는 국가권력에 대해 개인 양심이 우선함을 주장한 철학적 순교자이자 시민불복종 정신의 선례로 이해된다."에 따르면, 『변론』의 소크라테스는 개인 양심을 국가권력보다 우위에 두었고, 이후 시민불복종 정신의 형성에 영향을 주었다. 또한 4문단 "베트남 전쟁에 반대해 징집에 불복한 청년들을 옹호했던 하워드 진은 『변론』의 소크라테스가 영웅적으로 보여주었던 비판과 저항의 정신을 『크리톤』의 소크라테스는 포기했다고 주장하면서 우리는 전자를 본받아야 한다고 역설했다."에 따르면, 하워드 진과 같이 시민불복종을 지지하는 사람들은 『변론』의 소크라테스를 비판과 저항의 정신을 상징하는 존재로 보았고, 일반적으로 『크리톤』이 아니라 『변론』의 소크라테스를 모범으로 삼음을 알 수 있다.

23. 정답 ④

난이도 ★★☆ | 정답률 73%

(내용영역) 인문 (문항 유형) 정보의 평가와 적용

[정답 풀이]

④ 그로트의 해석과 유벤의 해석 모두 새로운 근거가 추가 제시되지 않으면 단지 추측에 바탕을 둔 것이라고 비판될 수 있겠군.
5문단 "그로트는 텍스트상의 모순을 플라톤의 저술 동기를 통해 설명한다. …… 플라톤은 『크리톤』에서 소크라테스를 애국심에 대한 호소로 충만한 법의 수호자로 묘사하여 부정적 인상을 불식시키고자 했고, 바로 여기서 모순이 생겼다는 것이다."와 마지막 문단 "유벤도 『크리톤』이 『변론』과는 상충되는 권위주의적 주장을 대변하지 않고 오히려 철학과 정치 간의 갈등을 극적으로 드러낸다고 본다."에 따르면, 그로트는 저자의 저술 동기, 유벤은 갈등을 드러낸다는 텍스트의 목적을 언급하며 각자의 주장을 펼치는데, 구체적인 텍스트상의 근거가 언급되어 있지는 않다. 따라서 그로트의 해석과 유벤의 해석 모두 새로운 근거가 추가 제시되지 않으면 단지 추측에 바탕을 둔 것이라는 비판을 받을 수 있을 것이다.

[오답 풀이]

① 4문단 "베트남 전쟁에 반대해 징집에 불복한 청년들을 옹호했던 하워드 진은 『변론』의 소크라테스가 영웅적으로 보여주었던 비판과 저항의 정신을 『크리톤』의 소크라테스는 포기했다고 주장하면서 우리는 전자를 본받아야 한다고 역설했다."에 따르면, 하워드 진은 『크리톤』의 소크라테스를 부당한 권력에 저항하지 않은 인물로 평가하고 있다. 따라서 만약 『크리톤』의 소크라테스도 부당한 권력에 저항한 것으로 판명된다면, 하워드 진의 『크리톤』 해석은 출발점에서부터 철회되어야 할 것이다.

② 6문단 "개리 영은 소크라테스의 철학 방법론에 주목하여 모순을 설명한다. 소크라테스의 대화법에서 논의 수준은 대화 상대자에 따라 조절되는데, 철학적 영민함을 갖추지 못한 크리톤을 엄밀한 이성적 방식으로 설득하는 데 실패하자 소크라테스가 후반부에는 '법률'을 내세워 그를 단지 감동시키고 있다는 것이다."에 따르면, 크리톤은 철학적 영민함을 갖추지 못하여 소크라테스가 다른 대화 상대자보다 논의 수준을 낮추어 설명했다는 점을 알 수 있다. 따라서 다른 작품에 나오는 소크라테스의 대화 상대자들과 크리톤 사이에 철학적 능력 면에서 명확한 차이가 없다면 개리 영의 해석은 설득력을 잃을 것이다.

③ 7문단 "앨런은 『크리톤』에서의 소크라테스의 논증을 자세히 분석하면 『변론』과의 모순은 실제로는 존재하지 않는다고 주장한다."와 "부정의를 저지르는 것', 즉 윤리적 원칙에 의거해 절대적으로 하지 말아야 하는 것과, '부정의를 감수하는 것', 예컨대 소크라테스의 경우 잘못된 판결의 해악을 감수하는 것을 개념적으로 구별하면서 텍스트를 읽으면, 『크리톤』 후반부도 권위주의적 주장과는 거리가 먼 것으로 해석될 수 있다는 것이다."에 따르면, 앨런은 부정의를 저지르는 것과 부정의를 감수하는 것이 개념적으로 동일하지 않다는 점을 들어 『크리톤』과 『변론』의 논증이 서로 모순되지 않는다고 주장한다. 하지만 '부정의를 감수하는 것'이 결국 '부정의를 저지르는 것'과 같다고 여기는 사람에게는 앨런의 해석은 설득력이 없을 것이다.

⑤ 5문단 "그로트는 텍스트상의 모순을 플라톤의 저술 동기를 통해 설명한다. …… 플라톤은 『크리톤』에서 소크라테스를 애국심에 대한 호소로 충만한 법의 수호자로 묘사하여 부정적 인상을 불식시키고자 했고, 바로 여기서 모순이 생겼다는 것이다."와 6문단 "개리 영은 …… 소크라테스의 대화법에서 논의 수준은 대화 상대자에 따라 조절되는데, 철학적 영민함을 갖추지 못한 크리톤을 엄밀한 이성적 방식으로 설득하는 데 실패하자 소크라테스가 후반부에는 '법률'을 내세워 그를 단지 감동시키고 있다는 것이다."에 따르면, 『변론』과 『크리톤』의 해석상 논란에 대해 그로트는 플라톤의 동기를, 개리 영은 소크라테스의 동기를 각각 언급하고 있다. 따라서 그로트는 텍스트 외부 인물의 동기에, 개리 영은 텍스트 내부 인물의 동기에 천착하여 각각 텍스트상의 모순을 설명할 방법을 제시하고 있다.

24. 정답 ⑤ 난이도 ★★☆ | 정답률 57%

내용영역 **인문** 문항 유형 **정보의 추론과 해석**

[정답 풀이]

⑤ 마지막 문단 "유벤도 『크리톤』이 『변론』과는 상충되는 권위주의적 주장을 대변하지 않고 오히려 철학과 정치 간의 갈등을 극적으로 드러낸다고 본다."와 "탈옥하지 않고 국가의 명령에 복종하여 사형을 감내하는 것이 불완전한 현실 국가에서 살아가는 철학자가 오히려 도덕적 우위에 서서 부당한 권력에 저항하는 방식이라는 것이다."에 따르면, <보기>의 갑은 국가의 명령에 복종하여 구류를 감내함으로써 특별세를 부과하는 국가에 저항하였다. 따라서 유벤의 입장에서 특별세 납부는 거부했지만 순순히 구류를 산 갑의 결정은 불복종 행위의 도덕적 순수함을 보여 주었다는 평가를 받을 것이다.

[오답 풀이]

① 하워드 진은, 특별세 납부 대신 구류를 선택한 갑의 결정을 국가에 대한 저항 정신을 포기한 것이라고 비판하지 않을 것이다.
4문단 "베트남 전쟁에 반대해 징집에 불복한 청년들을 옹호했던 하워드 진은 『변론』의 소크라테스가 영웅적으로 보여주었던 비판과 저항의 정신을 『크리톤』의 소크라테스는 포기했다고 주장하면서 우리는 전자를 본받아야 한다고 역설했다."에 따르면, 하워드 진은 『변론』의 소크라테스를 부당한 권력에 저항한 인물로 평가하고 있다. 이에 따르면, <보기>에서 특별세 납부 대신 구류를 선택한 갑은 국가의 부당한 명령에 저항한 이에 해당한다. 따라서 하워드 진의 입장에서 특별세 납부 대신 구류를 선택한 갑의 결정은 국가에 대한 저항 정신을 보여 준 행위일 것이다.

② 타인들에게 갑을 변호하기 위해 갑의 동기를 언급한 을은, 소크라테스를 변호하기 위해 플라톤의 동기를 언급하는 그로트에 비견된다.
5문단 "그로트는 텍스트상의 모순을 플라톤의 저술 동기를 통해 설명한다. 『변론』의 소크라테스는 자신을 아테네 법 위에 놓는 오만한 자라는 인상을 주는데, 이는 그가 국법을 무시하도록 조장했다는 고발의 내용을 확증해 주는 것이었다. 따라서 플라톤은 『크리톤』에서 소크라테스를 애국심에 대한 호소로 충만한 법의 수호자로 묘사하여 부정적 인상을 불식시키고자 했고……."에 따르면, 그로트는 소크라테스에 대한 부정적 인상을 불식시키고자 한 플라톤의 의도에 따라 『크리톤』의 소크라테스가 국법을 수호하는 자로 묘사되었다고 설명한다. 이에 따르면, <보기>의 을과 그로트를 비교할 때 후자를 소크라테스의 변호를 위해 소크라테스의 동기를 언급하는 자라고 설명할 수는 없다.

③ 개리 영은, 경제적 손해를 감수하는 것이 애국심을 보여 주는 증거라는 을의 논증을 어리석은 사람을 설득하고자 노력하는 소크라테스의 논증과 대비된다고 보지 않을 것이다.
6문단 "개리 영은 소크라테스의 철학 방법론에 주목하여 모순을 설명한다. 소크라테스의 대화법에서 논의 수준은 대화 상대자에 따라 조절되는데, 철학적 영민함을 갖추지 못한 크리톤을 엄밀한 이성적 방식으로 설득하는 데 실패하자 소크라테스가 후반부에는 '법률'을 내세워 그를 단지 감동시키고 있다는 것이다."에 따르면, 개리 영의 설명은 대화 상대가 갖춘 철학적 영민함의 정도에 따라 소크라테스가 논의 수준을 조절한다는 점에 바탕을 두고 있다. 한편 <보기>의 을은 상대의 철학적 영민함을 고려하기보다는, 갑을 비난하는 우중에게 갑이 애국적 결정을 하였음을 설득하고 있다는 점에서 소크라테스의 방법론과는 무관하다. 따라서 개리 영은, 경제적 손해를 감수하는 것이 애국심을 보여 주는 증거라는 을의 논증을 어리석은 사람을 설득하고자 노력하는 소크라테스의 논증과 대비된다고 보지 않을 것이다.

④ 앨런은, 갑의 결정이 『변론』 및 『크리톤』에서의 소크라테스의 태도와 상치된다고 보지 않을 것이다.
7문단 "앨런은 『크리톤』에서의 소크라테스의 논증을 자세히 분석하면 『변론』과의 모순은 실제로는 존재하지 않는다고 주장한

다."와 "부정의를 저지르는 것', 즉 윤리적 원칙에 의거해 절대적으로 하지 말아야 하는 것과, '부정의를 감수하는 것', 예컨대 소크라테스의 경우 잘못된 판결의 해악을 감수하는 것을 개념적으로 구별하면서 텍스트를 읽으면, 『크리톤』 후반부도 권위주의적 주장과는 거리가 먼 것으로 해석될 수 있다는 것이다."에 따르면, 앨런의 입장에서 『변론』과 『크리톤』의 소크라테스는 '부정의를 감수'하였지만 '부정의를 저지르는' 잘못을 하지는 않았다. 이에 따르면, <보기>에서 갑은 특별세 납부 대신 구류를 선택하여 '부정의를 감수'하였지만, 특별세 납부는 정의롭지 않은 전쟁에 간접적으로 참여하는 것과 같다는 자신의 윤리적 원칙을 저버리는 '부정의'를 저지르지는 않은 사람에 해당한다. 따라서 앨런의 입장에서 갑의 결정은 『변론』 및 『크리톤』에서의 소크라테스의 태도와 상치되지 않는다.

[25~27] 제재 | 데이터베이스 트랜잭션
난이도 | ★★★

25. 정답 ①

난이도 ★★★ | 정답률 20%

내용영역 과학기술 | 문항 유형 정보의 확인과 재구성

[정답 풀이]

① 2문단 "트랜잭션에는 SQL의 조회 · 삽입 · 삭제 · 갱신 등의 작업이 포함된다."에 따르면, 트랜잭션에서는 조회 · 삽입 · 삭제 · 갱신의 네 작업이 서로 구분된다는 것을 알 수 있다. 또한 4문단 "모순된 읽기에는 오염된 읽기 · 반복 불가능한 읽기 · 팬텀 읽기가 있다. 오염된 읽기는 두 트랜잭션이 동시에 같은 데이터에 접근할 때 한 트랜잭션이 데이터를 갱신한 후 이를 완료하기 전에 다른 트랜잭션이 이 데이터를 읽었으나 이후 데이터 갱신작업을 롤백할 경우 발생하는 문제이다. 반복 불가능한 읽기는 한 트랜잭션 내에서 같은 데이터를 여러 번 조회하는 도중에 다른 트랜잭션이 해당 데이터값을 갱신한 후 완료하면 같은 질의의 결과가 서로 달라지는 문제를 말한다. 팬텀 읽기는 한 트랜잭션에서 질의를 통해 레코드 세트를 읽었지만 다른 트랜잭션이 레코드를 삽입한 후 같은 질의를 반복할 때, 이전과 다른 레코드 세트를 조회하는 현상을 말한다."에 따르면, 오염된 읽기는 갱신 작업, 반복 불가능한 읽기는 조회 및 갱신 작업, 팬텀 읽기는 삽입 및 조회 작업 과정에서 발생하는 문제이다. 따라서 조회작업으로 구성된 두 트랜잭션이 동시에 진행되면 모순된 읽기는 발생하지 않는다.

[오답 풀이]

② 트랜잭션의 격리성 수준을 완료 읽기로 설정하더라도 트랜잭션의 원자성을 충족할 수 있는 것은 아니다.
4문단 "㉠ 트랜잭션의 동시성 제어는 다중 사용자 환경에서 트랜잭션의 일관성과 격리성을 보장하기 위해 DBMS가 제공하는 기능이다."와 마지막 문단 "SQL에서는 트랜잭션의 동시성 제어를 위한 네 단계의 격리성 수준을 정의한다. …… 다음으로 완료 읽기는……."에 따르면, 완료 읽기는 동시성 제어를 위해 설정되는 격리성 수준 중 하나로, 동시성 제어는 트랜잭션의 일관성과 격리성을 보장하기 위한 기능이다. 따라서 트랜잭션의 격리성 수준을 완료 읽기로 설정하는 것은 트랜잭션의 원자성을 충족하는 것과는 관련이 없다.

③ SQL 표준을 사용하여 형태가 정해진 대용량 데이터를 체계적으로 관리할 수 있다.
1문단 "최근 빅데이터, 소셜 네트워크 서비스 등 대용량 웹서비스를 제공하기 위해 비관계형 데이터베이스가 도입되고 있지만, 정형 데이터를 안정적으로 처리하기 위해서 가장 많이 활용되고 있는 것은 관계형 데이터베이스이다. 관계형 데이터베이스 및 정보시스템 개발 과정에서 …… 데이터를 관리할 수 있도록 표준 질의언어인 SQL이 활용되고 있다."에 따르면, SQL은 관계형 데이터베이스에서 데이터를 관리하기 위한 표준 질의언어로, 관계형 데이터베이스는 정형 데이터를 처리하기 위해 활용된다. 따라서 SQL 표준을 사용하여 형태가 정해지지 않은 데이터가 아니라, 형태가 정해진 대용량 데이터를 체계적으로 관리할 수 있다.

④ DBMS는 트랜잭션의 일관성을 보장하기 위해 제약조건을 위배하는 트랜잭션을 거부해야 한다.
3문단 "일관성은 트랜잭션의 실행 전과 후 모두 데이터베이스에 정의된 무결성 제약조건을 충족하여 논리적으로 일관된 상태를 유지해야 함을 의미한다."에 따르면, 제약조건은 데이터베이스의 일관성과 연관된 요소이다. 따라서 DBMS는 트랜잭션의 원자성이 아니라 일관성을 보장하기 위해 제약조건을 위배하는 트랜잭션을 거부해야 한다.

⑤ 두 트랜잭션이 동일 데이터 영역을 넘나들며 진행되어도 모순된 읽기 문제는 발생할 수 있다.
4문단 "오염된 읽기는 두 트랜잭션이 동시에 같은 데이터에 접근할 때 한 트랜잭션이 데이터를 갱신한 후 이를 완료하기 전에 다른 트랜잭션이 이 데이터를 읽었으나 이후 데이터 갱신작업을 롤백할 경우 발생하는 문제이다."와 "반복 불가능한 읽기는 한 트랜잭션 내에서 같은 데이터를 여러 번 조회하는 도중에 다른 트랜잭션이 해당 데이터값을 갱신한 후 완료하면 같은 질의의 결과가 서로 달라지는 문제를 말한다."에 따르면, 동일 데이터를 읽고 작업하는 중에도 모순된 읽기에 해당하는 오염된 읽기 및 반복 불가능한 읽기 현상이 나타날 수 있다. 따라서 두 트랜잭션이 동일 데이터 영역을 넘나들며 진행되어도 모순된 읽기 문제가 발생하지 않는 것은 아니다.

26. 정답 ⑤

난이도 ★★★ | 정답률 22%

내용영역 과학기술 | 문항 유형 정보의 추론과 해석

[정답 풀이]

⑤ 데이터를 독점적으로 사용하는 잠금 기법을 적용함으로써 완전한 격리성을 보장할 수 없다.
마지막 문단 "……기본 방식의 잠금은 데이터의 독점적 사용으로 인해 동시성을 현저히 저해하며, 또한 트랜잭션의 직렬화 가능 실행을 보장하지 못한다."와 "이 두 문제를 해결하기 위해 등장한 2단계 잠금은 항상 직렬화 가능 트랜잭션 실행을 보장한다."에

따르면, 데이터를 독점적으로 사용하는 잠금 기법은 기본 방식의 잠금, 직렬화 가능 실행을 보장하는 잠금 기법은 2단계 잠금에 해당한다. 그리고 마지막 문단 "직렬화 가능 실행은 2단계 잠금과 같은 기법을 사용하여 트랜잭션의 순차적 실행을 보장함으로써 최고 수준의 격리성을 제공한다."에 따르면, 최고 수준의 격리성을 제공하는 잠금 기법은 2단계 잠금이다. 따라서 데이터를 독점적으로 사용하는 잠금 기법을 적용함으로써 완전한 격리성을 보장할 수 있다고 보기 어렵다.

[오답 풀이]

① 4문단 "두 트랜잭션이 동일 데이터를 동시에 갱신할 때 한 트랜잭션의 갱신이 다른 트랜잭션이 갱신한 내용을 덮어 쓸 수 있는데, 이를 갱신 분실이라 한다."에 따르면, 갱신 분실은 두 트랜잭션이 동일 데이터를 동시에 갱신하는 경우를 말한다. 그리고 마지막 문단 "마지막 단계인 직렬화 가능 실행은 2단계 잠금과 같은 기법을 사용하여 트랜잭션의 순차적 실행을 보장함으로써 최고 수준의 격리성을 제공한다."에 따르면, 격리성 수준 중 가장 높은 단계인 직렬화 가능 실행은 순차적 실행을 통해 복수의 트랜잭션이 동시에 실행되지 않도록 한다. 따라서 격리성 수준을 가장 높게 설정하면 갱신 분실 문제가 발생하지 않는다.

② 마지막 문단 "일반적으로 격리성 수준이 높을수록 트랜잭션의 독립성이 강해지지만, 성능 및 동시성은 저하된다."에 따르면, 격리성 수준이 낮을수록 동시성이 높다. 그리고 마지막 문단 "가장 낮은 단계인 미완료 읽기는 완료되지 않은 데이터도 읽을 수 있어 모든 유형의 모순된 읽기가 발생할 수 있다."에 따르면, 동시성이 가장 높은 단계는 미완료 읽기에 해당하고, 이 단계에서는 모든 유형의 모순된 읽기가 발생할 수 있다. 따라서 격리성 수준 중 동시성이 가장 높은 단계는 모순된 읽기를 방지할 수 없다.

③ 마지막 문단 "일반적으로 격리성 수준이 높을수록 트랜잭션의 독립성이 강해지지만, 성능 및 동시성은 저하된다."와 "가장 낮은 단계인 미완료 읽기 …… 마지막 단계인 직렬화 가능 실행"에 따르면, 격리성 수준 중 직렬화 가능 실행이 가장 독립성이 높고, 미완료 읽기가 가장 독립성이 낮다. 따라서 격리성 수준을 직렬화 가능 실행에서 미완료 읽기로 변경하면 독립성이 약해진다.

④ 4문단 "팬텀 읽기는 한 트랜잭션에서 질의를 통해 레코드 세트를 읽었지만 다른 트랜잭션이 레코드를 삽입한 후 같은 질의를 반복할 때, 이전과 다른 레코드 세트를 조회하는 현상을 말한다."에 따르면, 팬텀 읽기는 삽입과 조회 과정에서 발생하는 모순된 읽기 유형으로, 갱신작업과는 관련이 없다. 따라서 갱신작업으로만 구성된 두 트랜잭션이 동시에 진행할 경우 팬텀 읽기는 발생하지 않는다.

27. 정답 ④ 난이도 ★★★ | 정답률 29%

내용영역 과학기술 문항 유형 정보의 평가와 적용

[정답 풀이]

<보기>의 각 상황과 관련된 정보를 정리하면 다음과 같다.

<상황 1>

	수행 주체	특이사항	오류 유형
(1) 갱신	트랜잭션 B	'갑의 계좌잔액'을 100에서 200으로 갱신함	오염된 읽기(데이터 갱신 작업을 롤백함)
(2) 조회	트랜잭션 A	갱신이 완료되기 전에 '갑의 계좌잔액 = 200' 데이터를 읽음	
(3) 롤백	트랜잭션 B	갱신을 아예 진행하지 않은 상태로 돌아감	
(4) 갱신	트랜잭션 C	'을의 계좌잔액'을 500에서 600으로 갱신함	
(5) 완료	트랜잭션 C		
(6) 조회	트랜잭션 A	갱신이 완료된 후 '을의 계좌잔액 = 600' 데이터를 읽음	

<상황 2>

	수행 주체	특이사항	오류 유형
(1) 조회	트랜잭션 A	'갑의 계좌잔액 = 100' 데이터를 읽음	반복 불가능한 읽기(같은 질의의 결과가 서로 달라짐)
(2) 갱신	트랜잭션 B	'갑의 계좌잔액'을 100에서 200으로 갱신함	
(3) 완료	트랜잭션 B		
(4) 조회	트랜잭션 A	갱신이 완료된 후 '갑의 계좌잔액 = 200' 데이터를 읽음	
(5) 조회	트랜잭션 A	'레코드 세트 = {갑, 을}' 데이터를 읽음	팬텀 읽기(이전과 다른 레코드 세트를 조회함)
(6) 삽입	트랜잭션 C	'병의 계좌잔액=700' 데이터를 삽입함	
(7) 완료	트랜잭션 C		
(8) 조회	트랜잭션 A	'레코드 세트 = {갑, 을, 병}' 데이터를 읽음	

④ <상황 2>는 세 트랜잭션을 순차적으로 실행하여 발생한 모순된 읽기를 보여 주는 경우가 아닐 수 있다.
3문단 "격리성은 둘 이상의 트랜잭션을 동시에 실행할 때 상호 간섭에 의한 문제를 일으키지 않는 성질로, 이를 만족한다면 트랜잭션의 동시 실행의 결과는 트랜잭션을 순차적으로 실행하였을 때의 결과와 같다."와 마지막 문단 "직렬화 가능 실행은 2단계 잠금과 같은 기법을 사용하여 트랜잭션의 순차적 실행을 보장함으로써 최고 수준의 격리성을 제공한다."에 따르면, 직렬화 가능 실행을 통해 트랜잭션의 순차적 실행과 격리성이 확보될 수 있다. 4문단 "모순된 읽기에는 오염된 읽기 · 반복 불가능한 읽기 · 팬텀 읽기가 있다."에 따르면, <상황 2>에서는 '반복 불가능한 읽기'와 '팬텀 읽기' 2종의 모순된 읽기가 나타났다는 점에서, <상황 2>의 격리성 수준은 직렬화 가능 실행이 아님을 알 수 있다. 직렬화 가능 실행이 나타나지 않았다는 점에서 트랜잭션의

순차적 실행이 나타났다고도 단정할 수 없다. 따라서 <상황 2>는 A, B, C 세 트랜잭션을 순차적으로 실행하여 발생한 모순된 읽기라고 보기 어렵다.

[오답 풀이]

① 4문단 "오염된 읽기는 두 트랜잭션이 동시에 같은 데이터에 접근할 때 한 트랜잭션이 데이터를 갱신한 후 이를 완료하기 전에 다른 트랜잭션이 이 데이터를 읽었으나 이후 데이터 갱신작업을 롤백할 경우 발생하는 문제이다."에 따르면, <상황 1>에서 트랜잭션 B가 갑의 계좌잔액 데이터를 갱신한 후, 이를 완료하기 전에 트랜잭션 A가 갑의 계좌잔액 데이터를 읽고 롤백이 수행되어 오염된 읽기가 발생하였다. 이와 달리 트랜잭션 C가 을의 계좌잔액 데이터를 갱신한 후에는 이를 완료한 뒤에 트랜잭션 A가 을의 계좌잔액 데이터를 읽었으므로 오염된 읽기가 발생하지 않았다. 따라서 <상황 1>에서 트랜잭션 A가 조회한 갑의 계좌잔액은 오염된 값이나, 을의 계좌잔액은 오염된 값이 아니다.

② 2문단 "입출금 작업이 모두 성공적으로 종료되어야 이를 완전한 거래로 승인하여 '완료'하고……."와 4문단 "오염된 읽기는 두 트랜잭션이 동시에 같은 데이터에 접근할 때 한 트랜잭션이 데이터를 갱신한 후 이를 완료하기 전에 다른 트랜잭션이 이 데이터를 읽었으나 이후 데이터 갱신작업을 롤백할 경우 발생하는 문제이다."에 따르면, 오염된 읽기의 발생 원인은 한 트랜잭션이 데이터를 갱신하고 이를 완료하기 전에 다른 트랜잭션이 해당 데이터를 읽는 것이다. 따라서 <상황 1>의 모순성을 방지하려면 트랜잭션 A가 미완료 데이터를 조회하는 것을 허용해서는 안 된다.

③ 4문단 "오염된 읽기는 두 트랜잭션이 동시에 같은 데이터에 접근할 때 한 트랜잭션이 데이터를 갱신한 후 이를 완료하기 전에 다른 트랜잭션이 이 데이터를 읽었으나 이후 데이터 갱신작업을 롤백할 경우 발생하는 문제이다."에 따르면, <상황 1>에서 갱신 완료 전 데이터를 트랜잭션 A가 읽은 이후 데이터 갱신작업이 롤백되는 오염된 읽기가 나타난다. 그리고 "반복 불가능한 읽기는 한 트랜잭션 내에서 같은 데이터를 여러 번 조회하는 도중에 다른 트랜잭션이 해당 데이터값을 갱신한 후 완료하면 같은 질의의 결과가 서로 달라지는 문제를 말한다."와 "팬텀 읽기는 한 트랜잭션에서 질의를 통해 레코드 세트를 읽었지만 다른 트랜잭션이 레코드를 삽입한 후 같은 질의를 반복할 때, 이전과 다른 레코드 세트를 조회하는 현상을 말한다."에 따르면, <상황 2>에서 트랜잭션 A가 같은 질의를 하였음에도 결과가 서로 달라지는 반복 불가능한 읽기와 트랜잭션 A가 이전과 다른 레코드 세트를 조회하는 팬텀 읽기가 나타난다. 따라서 <상황 1>, <상황 2>에서 확인할 수 있는 모순된 읽기의 유형은 모두 3가지이다.

⑤ 마지막 문단 "SQL에서는 트랜잭션의 동시성 제어를 위한 네 단계의 격리성 수준을 정의한다. …… 세 번째 단계인 반복 가능 조회는 한 트랜잭션에서 하나의 스냅숏만 사용하도록 하여 오염된 읽기와 반복 불가능한 읽기는 발생하지 않으나, 팬텀 읽기를 막을 수는 없다. 마지막 단계인 직렬화 가능 실행은 2단계 잠금과 같은 기법을 사용하여 트랜잭션의 순차적 실행을 보장함으로써 최고 수준의 격리성을 제공한다."에 따르면, 직렬화 가능 실행을 통해 팬텀 읽기를 포함한 모든 종류의 모순된 읽기를 막을 수 있다. 이를 <보기>에 적용하면, <상황 1>에서 오염된 읽기가, <상황 2>에서 반복 불가능한 읽기와 팬텀 읽기가 발생하므로 <상황 2>의 모순된 읽기를 막기 위해서는 격리성 수준을 직렬화 가능 실행으로 설정해야 한다. 따라서 <상황 2>의 모순성을 방지할 수 있도록 격리성 수준을 설정하면 <상황 1>의 모순성도 발생하지 않는다.

[28~30] 제재 | 희곡과 공연의 관계
난이도 | ★☆☆

28. 정답 ③

난이도 ★★☆ | 정답률 57%

내용영역 인문 | 문항 유형 정보의 확인과 재구성

[정답 풀이]

③ 아리스토텔레스는 볼거리가 창작술과 거리가 있으며, 플롯과는 별개의 요소로 보았다.
1문단 "아리스토텔레스는 비극은 단지 읽기만 해도 그 성질을 알 수 있다는 전제에서 비극의 창작술을 플롯을 중심으로 논했다. 다만 비극의 또 다른 요소인 '볼거리'는 비록 창작술과 거리가 멀지만 쾌감을 산출한다고 보았다."에 따르면, 아리스토텔레스는 플롯을 비극의 한 요소로 칭하며 이를 중심으로 창작술을 설명하고, 비극의 또 다른 요소인 볼거리는 창작술과 거리가 멀지만 쾌감을 산출한다고 설명한다. 따라서 아리스토텔레스는 볼거리가 창작술과 거리가 있음을 인정하나, 플롯을 구성하는 일부라 보지는 않는다.

[오답 풀이]

① 1문단 "고전주의 시대를 경과하면서 희곡의 대사는 작가의 사상과 플롯을 집약하는 공연의 중심 요소로 각인되었다."와 2문단 "이러한 위계는 연극학자 혼비가 희곡과 공연의 첫 번째 관계 유형으로 언급한 심포니 모델과 유사하다. …… 음표 · 선율 등을 지시한 악보의 존재는 절대적이다."에 따르면, 고전주의 시대 연극에는 대사에 플롯이 집약되어 있고, 이러한 특성은 혼비의 심포니 모델에서 악보에 제시된 지시가 절대적이라는 특성과 유사함을 알 수 있다. 이에 따르면, 고전주의 연극에서는 대사에 제시된 내용, 즉 플롯을 충실히 재현해야 했을 것이다. 따라서 고전주의 연극에서는 극사건의 전개를 효과적으로 재현하는 것이 중요시되었을 것이다.

② 3문단 "'글로 쓰인 자료'에서 출발하여 무대에 실제 구축되는 '기호들의 두께', 혹은 제스처 · 어조 · 공간의 간격 · 오브제 · 조명 등에 대한 총괄적 지각을 가리키는 '연극성'에 대한 바르트의 논의"에 따르면, 연극성은 희곡이라는 글에서 무대를 구성하는 요소들을 지각하는 것을 말한다. 한편 4문단 "일반적으로 대사는 몸짓 · 어투 · 말소리의 크기와 같은 다양한 표현 안에 놓여 있고, 무대 · 조명 · 음향 · 소품 등은 희곡 안에 응축되어 있다. 그런 까닭에 독자들은 희곡만 읽어도 연극성을 확인할 수 있다."에 따르면, 독자들은 희곡을 읽음으로써 연극성을 구성하는 무대 · 조명 · 음향 · 소품 등의 요소를 확인할 수 있다. 그리고 4문단 "앞의 연극성 논의는 극의 대사나 무대지시문이 불러일으키는

상상이 무대적 전이보다 우선되는 '문학성 풍부한 희곡'이나 사실주의 연극관과 마찰하면서 논의의 지평을 넓혔다."에 따르면, 연극성 논의가 사실주의 연극관과 대립되는 입장이면서도 희곡을 통해 무대 구성을 상상한다는 요소를 공통적으로 가지고 있음을 알 수 있다. 따라서 대사 전달을 중시한 희곡을 읽을 때에도 무대 구성의 상상은 존중되어야 한다고 볼 수 있다.

④ 3문단 "'글로 쓰인 자료'에서 출발하여 무대에 실제 구축되는 '기호들의 두께', 혹은 제스처 · 어조 · 공간의 간격 · 오브제 · 조명 등에 대한 총괄적 지각을 가리키는 '연극성'에 대한 바르트의 논의"에 따르면, 바르트는 글로 쓰인 희곡으로부터 기호들의 두께가 나타난다고 보았다. 따라서 바르트는 희곡 안의 언어도 연극성을 구현하는 기호의 두께를 드러내는 요소로 보았을 것이다.

⑤ 4문단 "아르토는 연극에서 발화와 대화 상황을 우선한 나머지 연극적 표현은 그동안 억압되어 왔다고 분석한 후 …… 대사 역시 무대효과와 무대적 규칙 등과 유기적으로 연결해야 한다고 주장하였다."에 따르면, 아르토는 발화와 대화 상황, 즉 대사뿐만 아니라 이를 제외한 연극의 표현들 또한 중시해야 한다고 본다. 따라서 아르토는 대사 행위와 연결되지 않은 공연 요소를 축소하려는 시도에 대해 부정적이었다고 볼 수 있다.

29. 정답 ④

난이도 ★★☆ | 정답률 77%

내용영역 인문 | 문항 유형 정보의 추론과 해석

[정답 풀이]

④ 조각 모델에서 무대지시문에 기술된 '작가의 말'은 연출적 구상에서 확고한 지침이 되지 않는다.

2문단 "조각 모델에서 연출가는 조각가에 비유된다. 조각가는 작업장에 있는 대리석 덩어리를 염두에 두며 작품을 구상한다."에 따르면, 연출가가 참고하는 희곡의 무대지시문은 조각가의 최초 구상에 해당한다. 그리고 2문단 "영감은 과정 중에도 찾아온다. 조각가는 애초의 아이디어와 새로운 영감을 견주어 좋은 점을 선택하면서 작업해 나가며 …… 온전한 '작품'으로서의 희곡은 대본으로 대체되거나 단지 많은 공연 요소 중 하나로 취급되기도 하는 셈이다."에 따르면, 최초의 아이디어는 확고히 유지되는 것이 아니라 영감에 따라 교체될 수 있으며, 희곡 역시 대본으로 대체되거나 공연 요소 중 하나로 받아들여진다는 점에서 확고한 지침이 아니다. 따라서 조각 모델에서 무대지시문에 기술된 '작가의 말'은 연출적 구상에서 확고한 지침이 된다고 보기는 어렵다.

[오답 풀이]

① 1문단 "고전주의 시대를 경과하면서 희곡의 대사는 작가의 사상과 플롯을 집약하는 공연의 중심 요소로 각인되었다."와 2문단 "이러한 위계는 연극학자 혼비가 희곡과 공연의 첫 번째 관계 유형으로 언급한 심포니 모델과 유사하다. 지휘자와 연주자의 개성이 존중되며 매번 다른 연주가 펼쳐지지만, 음표 · 선율 등을 지시한 악보의 존재는 절대적이다."에 따르면, 연주에서 발휘되는 지휘자와 연주자의 개성은 악보를 바탕으로 발휘되며, 이를 공연에 적용한다면 희곡의 대사와 지시문에 따라 연기의 방향이 설정될 것이다. 따라서 심포니 모델에서 지시문에 기술된 인물의 감정은 연기 창조를 제약하는 요소라고 볼 수 있다.

② 2문단 "시네마 모델은 희곡과 공연의 관계를 영화 제작에 비유한다. 감독은 시나리오를 골격으로 삼되 이를 촬영 대본으로 고친다. 영화는 리허설 상황, 현장 여건, 스태프의 요구 등을 고려하여 대본을 조금씩 수정하며 제작된다."에 따르면, 희곡의 대사는 리허설 상황, 현장 여건, 스태프의 요구 등을 반영하여 촬영 대본으로 재구성된다. 따라서 시네마 모델에서 대사는 조명, 음향, 무대장치의 구성에 참조하는 요소라고 볼 수 있다.

③ 2문단 "시네마 모델은 희곡과 공연의 관계를 영화 제작에 비유한다. 감독은 시나리오를 골격으로 삼되 이를 촬영 대본으로 고친다. 영화는 리허설 상황, 현장 여건, 스태프의 요구 등을 고려하여 대본을 조금씩 수정하며 제작된다."에 따르면, 희곡을 바탕으로 대본이 구성될 때 현장 여건이 반영되기도 한다. 따라서 시네마 모델에서 고전 희곡은 극장 규모를 고려하여 내용을 각색하여 공연될 수 있다.

⑤ 2문단 "영감은 과정 중에도 찾아온다. 조각가는 애초의 아이디어와 새로운 영감을 견주어 좋은 점을 선택하면서 작업해 나가며 …… 온전한 '작품'으로서의 희곡은 대본으로 대체되거나 단지 많은 공연 요소 중 하나로 취급되기도 하는 셈이다."에 따르면, 최초의 아이디어는 영감에 따라 교체될 수 있으며, 희곡 역시 대본으로 재구성되는 과정에서 영감이 반영될 수 있다. 따라서 조각 모델에서 연출가에게 영감을 주는 배우의 즉흥적 몸짓은 공연용 대본의 재구성에 활용될 수 있다.

30. 정답 ③

난이도 ★★★ | 정답률 44%

내용영역 인문 | 문항 유형 정보의 평가와 적용

[정답 풀이]

㉠과 ㉡의 특징을 정리하면 다음과 같다.

	㉠ 해석적 연출가	㉡ 창조적 연출가
공통점	○ 현실을 모형화하거나 상황과 감정의 본질적 특성들을 압축시켜 일정한 형식으로 표현하는 '양식화'를 시도	
차이점	○ 희곡의 플롯에 대한 분석을 토대로 극작가가 제안한 메시지를 무대에 구현하는 방식을 우선 ○ 통합적 무대 기호의 사용을 우선	○ 플롯 이면의 숨겨진 의미나 이중의 메시지에도 관심 ○ 희곡의 지시 사항에서 다소 자유로운 표현에 대한 의견에 귀를 기울이며 공연 요소의 상호작용도 검토 ○ 연극적 표현은 양식화의 원리와 충돌하지 않으면 일순 변형될 수 있고, 무대와 관객 간의 약속 또한 장면 안에서 재구축 ○ 특정한 무대 기호를 부각하거나 무대 기호들의 의미가 서로 충돌하여 연출가의 관점과 극작가의 관점이 긴장하는 장면이 시도될 수 있음

③ ㉠이라면 '다'의 '양철북' 소리를 기계 음향으로 대체하고, '손수레'가 등장할 때까지 점차 빨라지는 북소리를 연출하여 희곡 속의 불안과 긴장감을 고조하지 않겠군.

마지막 문단 "희곡의 플롯에 대한 분석을 토대로 극작가가 제안한 메시지를 무대에 구현하는 방식을 우선하는 해석적 연출가"에 따르면, 해석적 연출가(㉠)는 희곡을 무대화하면서 극작가가 제안한 메시지를 무대에 구현하는 방식을 우선적으로 선택한다. <보기>에서 '다'의 행동을 지시하는 "나를 따라 양철북을 치다가 갑자기 겁에 질려서 나의 등 뒤에 숨는다."에 따르면, 희곡에는 양철북을 친다는 메시지만이 제시되어 있을 뿐, 기계 음향이나 북소리가 점차 빨라진다는 제안은 드러나 있지 않다. 따라서 ㉠의 입장에서는 '다'의 '양철북' 소리를 기계 음향으로 대체하지도, 점차 빨라지는 북소리를 연출하지도 않을 것이다.

[오답 풀이]

① 마지막 문단 "현대 연출가들은 현실을 모형화하거나 상황과 감정의 본질적 특성들을 압축시켜 일정한 형식으로 표현하는 '양식화'에 대해 깊이 고민한다."와 "두 부류의 연출가들은 연극적 표현을 구체화하기 위해 여타 무대 창작자들과 함께 희곡을 양식화 안에서 재차 분석한다."에 따르면, 해석적 연출가(㉠)와 창조적 연출가(㉡) 모두 희곡을 일정한 형식으로 양식화하여 표현하고자 한다. <보기>의 희곡에서는 '나'가 등장하고 말하는 배경으로 "황야의 망루"와 "황혼"을 제시하고 있다. 따라서 ㉠과 ㉡은 모두 불그스름한 조명과 '나'의 대사, 황야의 바람 소리를 동시에 연출하여, 희곡에 등장하는 시공간을 풍요롭게 표현할 수 있을 것이다.

② 마지막 문단 "두 부류의 연출가들은 연극적 표현을 구체화하기 위해 여타 무대 창작자들과 함께 희곡을 양식화 안에서 재차 분석한다."에 따르면, 해석적 연출가(㉠)와 창조적 연출가(㉡) 모두 희곡의 대사와 지시문을 바탕으로 양식화를 진행한다. <보기>에서 "나 : 그러면서도 넌 망루 위만 바라보는구나. 그렇게도 올라가고 싶으냐? / 다, 고개를 떨군다."와 같은 대사와 지시문을 통해 '다'는 망루 위를 쳐다보고 있고, '나'는 그런 '다'에게 양철북 치는 방법을 배울 것을 설득하고 있음을 알 수 있다. 따라서 ㉠과 ㉡은 모두 '침묵'을 무대화할 때 '망루'를 보는 '다'와 '다'를 보는 '나'의 시선을 어긋나게 배치하여, 인물의 지향이 서로 어긋나 있음을 보여줄 수 있을 것이다.

④ 마지막 문단 "창조적 연출가는 플롯 이면의 숨겨진 의미나 이중의 메시지에도 관심을 둔다."와 "창조적 연출가의 작업에서 …… 무대와 관객 간의 약속 또한 장면 안에서 재구축할 수 있다."에 따르면, 창조적 연출가(㉡)는 <보기>에서 해설자가 하늘에 초승달을 거는 행위를 재구축하는 시도를 할 수 있다. 따라서 ㉡이라면 '해설자'가 관객을 인도하여 '초승달'을 걸게 하는 장면을 연출하여, 공연은 관객과 배우 사이의 약속된 놀이라는 관점을 드러낼 수 있을 것이다.

⑤ 마지막 문단 "창조적 연출가의 작업에서 플롯의 전개와 호응하는 연극적 표현은 양식화의 원리와 충돌하지 않으면 일순 변형될 수 있고"와 "특정한 무대 기호를 부각하거나 무대 기호들의 의미가 서로 충돌하여 연출가의 관점과 극작가의 관점이 긴장하는 장면 역시 시도될 수 있다."에 따르면, 창조적 연출가(㉡)는 <보기>에서 해설자가 이리 껍질을 쓰고 손수레를 밀며 들어오는 장면을 변형하여 기호를 부각하거나, 무대 기호들의 의미가 서로 충돌하는 효과를 낼 수 있다. 따라서 ㉡이라면 '손수레'를 고급 승용차처럼 꾸며 무대 위에 연출하여, 희곡에서 다루지 않았던 새로운 의미망을 조직할 수 있을 것이다.

2024학년도 [홀수형]

[1~3] 제재 | 법학의 학문성에 관한 논쟁
난이도 | ★★☆

1. 정답 ③ 난이도 ★★★ | 정답률 36%

내용영역 규범 / 문항 유형 주제, 구조, 관점 파악

[정답 풀이]

5문단 "결국 알베르트가 제안하는 법학은 ㉠ 일정한 가치적 관점에 정향된 사회공학이다."에 따르면, 일정한 가치적 관점에 정향된 사회공학(㉠)을 이해한다는 것은 곧 법학에 대한 알베르트의 관점을 이해하는 것이라고 볼 수 있다. 따라서 1문단에서 5문단에 거쳐 제시된 알베르트의 관점을 이해한 것으로 적절하지 않은 내용이 무엇인지 파악해야 한다.

③ 법의 해석 · 변형 · 형성에 관한 제안을 가설적으로 전제된 관점에서 합리적으로 작성하는 것을 목표로 삼는다.
5문단 "이는 가설적으로 전제된 관점 밑에서 …… 제안을 합리적으로 작성하는 것을 목표로 삼는다."에 따르면, 알베르트가 제안하는 법학은 법체계에 제도화된 가치적 관점이 아니라 가설적으로 전제된 관점하에서 법의 해석 · 변형 · 형성에 관한 제안을 합리적으로 작성하는 것을 목표로 한다. 나아가 1문단 "……알베르트는 경험적 반증가능성을 강조하는 비판적 합리주의에 입각하여 법학의 학문성을 새롭게 이해하고자 한다."에 따르면, 알베르트는 절대성을 갖는 규범교의적 학문이 아니라, 검증 · 평가 가능한 가설적 관점을 취하는 학문으로서 법학을 바라보고자 하였음을 추론할 수 있다.

[오답 풀이]

① 2문단 "법학은 당국의 고시(告示)에서 진리를 얻어내는 점에서 신학과 구조적 유사성을 가지기 때문이다."에 따르면, 알베르트는 법학의 규범교의적 학문으로서의 특징을 신학과의 구조적 유사성에서 발견한다. 이에 대하여 "신학이 경전의 해석을 통해 권위를 확보하듯, 법학은 법전을 확인하고 문제 해결과 관련하여 이를 해석한다. 이때 경전이나 법전은 학문적 비판이나 성찰의 대상이 아니라 해석적 권위의 원천이자 근거가 될 따름이다."에 따르면, 법학과 신학의 구조적 유사성은 법전이 마치 경전과 같이 해석적 권위의 원천이자 근거로, 진리와도 같은 것으로 여겨지는 데서 포착된다. 이에 따를 때, 알베르트는 법전의 의심할 수 없는 권위를 인정하는 한 법학이 규범교의적 학문에서 벗어나지 못한다고 비판했음을 알 수 있다.

② 2문단 "알베르트는 법을 인간의 문화적 성취로 간주하고, 사회적 삶의 사실 중 사회 구성원의 상호 행위 조종의 영역에 속하는 것으로 본다."에 따르면, 알베르트는 법을 인간의 문화적 성취로 간주하고 사회적 삶의 사실 중 사회 구성원의 상호 행위 조종의 영역에서 바라보았음을 알 수 있다.

④ 4문단 "법형성에서 …… 목적을 가리키면서 가치적 관점을 내세울 때, 그는 이를 반대하지 않는다. 하지만 알베르트는 그 목적이나 가치적 관점은 일반적인 평가가 가능하도록 명시되어야 한다고 요구한다."에 따르면, 알베르트는 법형성 과정에서 목적이나 가치적 관점에 반대하지 않지만, 이를 반드시 명시하여 일반적인 판단을 가능하게 해야 한다고 보았음을 알 수 있다.

⑤ 3문단 "알베르트는 법을 사회적 사실로, 법학을 경험과학으로 볼 것을 주장한다. 그에 따르면 규범에 관한 법학적 언명은 규범 자체와 다르게 규범성이 없으며……."에 따르면, 알베르트는 법을 사회적 사실로 법학을 경험과학으로 보고, 규범 자체와 규범에 관한 법학적 언명을 구분하였다. 그리고 3문단 "……법을 현실주의적으로 보느냐, 규범주의적으로 보느냐의 문제는 남는다."와 4문단 "법학에 대한 알베르트의 현실주의적 파악에는……."에 따르면, 이러한 구분이 법학에 대하여 현실주의적 관점을 취한 결과임을 알 수 있다. 따라서 알베르트는 현실주의적 관점에서 법을 사회적 사실로 법학을 경험과학으로 보고, 규범 자체와 규범에 관한 법학적 언명을 구분했다고 볼 수 있다.

2. 정답 ④ 난이도 ★☆☆ | 정답률 90%

내용영역 규범 / 문항 유형 정보의 확인과 재구성

[정답 풀이]

④ 사비니는 법학이 규범주의를 포기할 수 없다고 본다.
3문단 "그에 따르면 규범에 관한 법학적 언명은 규범 자체와 다르게 규범성이 없으며……."에 따르면, 알베르트는 법학을 현실주의적으로 바라보면서 규범에 대한 법학적 언명에는 규범성이 없다고 본다. 이에 대하여 7문단 "법학적 언명의 권위성에 관해서도 …… 규범성을 완전히 박탈하는 것이 가능한지에 의문을 표하는 동시에……."에 따르면, 사비니는 법학적 언명으로부터 규범성을 박탈하는 것이 불가능하다고 지적한다. 즉 사비니는 법학적 언명에는 규범성이 없다는 데서 근거한 알베르트의 현실주의적 관점을 비판함으로써 법학은 규범주의를 포기할 수 없다는 입장을 드러낸 것이다. 따라서 법학이 규범주의를 포기할 수밖에 없다는 것은 사비니에 대한 설명으로 적절하지 않다.

[오답 풀이]

① 2문단 "법학은 …… 신학과 구조적 유사성을 가지기 때문이다."와 "이때 경전이나 법전은 학문적 비판이나 성찰의 대상이 아니라 해석적 권위의 원천이나 근거가 될 따름이다."에 따르면, 알베르트는 법전과 경전이 학문적 비판이나 성찰의 대상이 아니라 해석의 근거와 원천이 된다는 점에서 법학과 신학의 구조적 유사성을 찾을 수 있다고 보았다.

② 2문단 "그가 보기에 법학이 신학과의 구조적 유사성을 탈피하려면, 해석에서 자연법이냐 사회학이냐의 양자택일을 감수해야 한다. 선택의 결과는 자명하다. 절대성을 가진 규범적 현실에 의해 실정법이 구성되고 또 구속된다고 보는 견해는……."에 따르면, 알베르트는 법학이 신학과의 구조적 유사성을 탈피하려면 법의 해석에서 절대성을 가진 규범적 현실을 전제하는 자연법적 관점 대신 사회학을 선택해야 한다고 본다. 그리고 3문단 "물론 이 경우에도 법을 현실주의적으로 보느냐, 규범주의적으로 보느냐의 문제는 남는다."에 따르면, 알베르트는 법의 해석에서

사회학을 선택하더라도 법을 현실주의적으로 볼 것인지 규범주의적으로 볼 것인지의 문제는 여전히 남는다고 보았다.

③ 4문단 "……사회생활에 미칠 작용에 관한 고려에 대해서도 마찬가지이다. 법률이나 그 해석은 규범 체계에 작용하기에 법형성 과정에는 규범 체계의 논리적 지식도 동원해야 한다고 알베르트는 본다."에 따르면, 알베르트는 법률이나 그 해석은 규범 체계에 작용하여 변화를 가져오기 때문에 법형성 과정에는 규범 체계의 논리적 지식도 동원해야 한다고 보았다.

⑤ 6문단 "요컨대 규범적 교의는 법체계 수립에 필수적이며……."에 따르면, 사비니는 규범적 교의가 필수적이라고 보았으므로 자연법의 이념에 따른 법해석을 옹호하였을 것이라고 추론할 수 있다. 그리고 7문단 "자연법과 사회학의 해석적 양자택일에 관해서는 법학의 모든 논의가 자연법적인 것도 아니고, 모든 자연법적 논의가 비합리적인 것도 아니라고 응수한다."에 따르면, 사비니는 법학의 모든 논의가 자연법적인 것은 아니며, 모든 자연법적 논의가 비합리적인 것도 아니라고 보았다.

3. 정답 ③ 난이도 ★★☆ | 정답률 61%

내용영역 규범 문항 유형 정보의 추론과 해석

[정답 풀이]

ㄱ. 6문단 "요컨대 …… 법학도 전통적이고 직관적인 학문 개념을 충족시킨다고 사비니는 주장한다."에 따르면, 사비니는 전통적이고 직관적인 학문이론의 관점에서 규범교의적 법학의 학문성을 옹호하였다. 그리고 마지막 문단 "사비니는 경험적 인식만을 과학적 인식으로 보면서 규범적 인식을 학문 세계에서 배척하는 태도를 문제로 지적하고……."와 "……비판적 합리주의에 대하여 성찰을 요구하는 것이기도 하다."에 따르면, 사비니는 또한 규범교의적 법학의 학문성을 옹호함과 동시에 경험적 인식만을 과학적 인식으로 보는 비판적 합리주의에 대하여 성찰을 요구하고 있다고 추론할 수 있다.

ㄷ. 6문단 "그에 따르면, 규범적 교의는 …… 법률과 함께 법체계를 형성한다."와 "요컨대 규범적 교의는 법체계 수립에 필수적이며……."에 따르면, 사비니는 법률만이 아니라 규범적 교의를 법체계의 필수적 구성 요소로 인정하고 있다. 그리고 7문단 "법학적 언명의 권위성에 관해서도 법률에 관련된 메타 언명으로부터 …… 왜 법학으로부터 수락할 만한 해석의 제안권을 박탈해야 하느냐고 반문한다."에 따르면, 사비니는 법학적 언명으로부터 법해석에 대한 제안권을 박탈하는 것에 반대한다. 따라서 사비니는 법률에 관한 메타 언명으로서 법학적 언명에는 법률에 관한 수락할 만한 해석의 제안권이 있음을 주장한다고 추론할 수 있다.

[오답 풀이]

ㄴ. 법률의 해석을 위해서 결정의 근거지움에 사용하는 법률 바깥의 법명제로 규범적 교의를 이해하면서, 이를 통해 법학이 법률과 함께 법체계를 형성하면서 비판적 검토를 법체계 안으로 수용한다고 본다.

6문단 "규범적 교의는 법률의 해석을 위해서 결정의 근거지움에 사용하는 법률 바깥의 법명제이며, 법률과 함께 법체계를 형성한다."와 7문단 "……법학이 규범적 교의를 가지고 어떻게 하면 최선에 이를 수 있을지를 모색하면서 비판적 검토를 법체계 안으로 수용한다고 해명한다."에 따르면, 법학이 법체계 바깥에서 비판적 검토를 수행한다고 보는 것은 사비니의 입장에 대한 추론으로 적절하지 않다.

[4~6] 제재 | 개인정보 비식별화 기술
난이도 | ★★☆

4. 정답 ② 난이도 ★★☆ | 정답률 71%

내용영역 과학기술 문항 유형 정보의 확인과 재구성

[정답 풀이]

② 민감속성은 범주화와 마스킹으로 비식별 처리를 하지 않는다. 2문단 "데이터 집합에서 정보를 표현하는 최소 단위를 속성이라고 하고 …… 비식별화 기술은 속성을 식별자, 준식별자, 일반속성, 민감속성으로 구분한다."에 따르면, 민감속성은 데이터 집합을 구성하는 속성의 하나이다. 그리고 3문단 "……원본 데이터 집합의 식별자나 준식별자 속성에 대해서만 마스킹, 범주화 등을 수행하여……."에 따르면, 마스킹, 범주화 처리는 식별자나 준식별자 속성에만 수행되고, 민감속성에는 수행되지 않는다.

[오답 풀이]

① 2문단 "주민번호와 같이 그 자체만으로도 누구인지 식별 가능한 속성이 식별자이다."에 따르면, 식별자는 각자가 고유한 값을 가져 각 값의 보유자들을 식별 가능하게 한다. 따라서 휴대전화 번호 또한 각기 고유한 값을 가진다는 점에서 식별자임을 알 수 있다.

③ 마지막 문단 "비식별화 기술은 개인 식별 가능성은 낮출 수 있지만 …… 빅데이터를 활용하는 측에서는 데이터의 가치가 낮아진다."에 따르면, 개인 식별 가능성이 낮은 경우 데이터의 활용성이 낮아진다는 점을 알 수 있다. 또한 "원본 유사도는 비식별 데이터 집합의 활용성을 나타내는 지표이며 …… 이 지표는 레코드 잔존율과 레코드 유사도로 측정한다."에 따르면, 레코드 유사도가 높으면 데이터 집합의 활용성이 높아진다는 점도 알 수 있다. 따라서 레코드 유사도가 높을수록 데이터 집합의 활용성이 높아지고, 개인정보 식별 가능성이 커진다고 볼 수 있다.

④ 2문단 "……성별, 연령, 주소와 같이 개인에 대한 직접적인 식별은 불가능하지만 이들 속성이 결합하면 개인에 대한 식별이 가능해지는 속성을 준식별자라고 한다."와 "일반적으로 개인정보는 개인의 여러 속성과 결합하여 사용된다. 익명 데이터라도 여러 속성과 결합하면 유일한 속성값 조합이 새로 생기게 되며 이에 따라 특정 개인이 재식별되는 불완전한 비식별 데이터 집합이 된다."에 따르면, 준식별자에 해당하는 속성들이 모일 경우 개인에 대한 식별이 가능해질 수 있다. 개인정보에는 개인의 여러 속성이 결합할 수 있으므로, 준식별자들의 조합만으로 특정 개인이 식별되는 경우가 있을 것이다.

⑤ 2문단 "데이터 집합에서 정보를 표현하는 최소 단위를 속성이라

고 하고 다양한 속성들의 조합으로 표현된 하나의 정보를 레코드라고 한다. …… 비식별화 기술은 속성을 식별자, 준식별자, 일반속성, 민감속성으로 구분한다."에 따르면, 레코드에 포함되는 속성에는 식별자, 준식별자 외에도 일반속성, 민감속성이 존재한다. 따라서 레코드는 식별자, 준식별자 외에도 다양한 속성으로 구성된다.

5. 정답 ⑤

난이도 ★★☆ | 정답률 64%

내용영역 과학기술 | 문항 유형 정보의 추론과 해석

[정답 풀이]

⑤ 3문단 "k-익명성은 비식별 처리로 만들어진 동질집합의 크기가 k개 미만인 동질집합을 모두 삭제하여 동질집합의 크기가 k개 이상 될 수 있도록 만든다."에 따르면, k를 높이면 변경 전에 비해 동질집합의 수가 줄어들 수 있고, k를 낮추면 변경 전에 비해 동질집합의 수가 늘어날 수 있다. 이에 따르면, 동질집합의 레코드 수가 갖는 최솟값의 증가는 k가 높아졌음을, 감소는 k가 낮아졌음을 의미한다. 그리고 마지막 문단 "레코드 잔존율은 원본 데이터 집합의 총 레코드 수 대비 비식별 데이터 집합의 총 레코드 수를 백분율로 나타낸 지표이다."에 따르면, k를 변경했더니 레코드 잔존율이 증가했다는 것은 k를 변경하기 전에 비해 비식별 데이터 집합의 총 레코드 수가 늘어났음을, 즉 k를 변경하기 전에 비해 k가 낮아져 동질집합의 수가 늘어났음을 의미한다. 따라서 k를 변경했더니 레코드 잔존율이 증가했다면, 동질집합의 크기들 중 최솟값이 작아진다고 볼 수 있다.

[오답 풀이]

① k를 낮추면 재식별 가능성과 레코드 잔존율 모두 증가할 수 있다.
3문단 "k-익명성은 특정 개인을 추정할 가능성을 1/k 이하로 낮추는 비식별화 기술로……"에 따르면, k를 낮추면 1/k의 값은 커지므로 개인을 추정할 가능성, 즉 재식별 가능성은 증가할 것이다. 또한 마지막 문단 "레코드 잔존율은 원본 데이터 집합의 총 레코드 수 대비 비식별 데이터 집합의 총 레코드 수를 백분율로 나타낸 지표이다."에 따르면, k를 낮추면 비식별 데이터 집합의 총 레코드 수가 늘어날 수 있으므로 레코드 잔존율이 증가할 수 있다.

② k를 낮추면 동질집합의 수가 증가할 수 있지만, 동질집합의 크기가 같아진다고는 볼 수 없다.
3문단 "k-익명성은 비식별 처리로 만들어진 동질집합의 크기가 k개 미만인 동질집합을 모두 삭제하여 동질집합의 크기가 k개 이상 될 수 있도록 만든다."에 따르면, k를 낮추면 동질집합의 크기가 갖는 최솟값은 k를 낮추기 전에 비해 작아질 수 있다. 이 경우 동질집합의 수는 증가할 수 있지만, 이러한 값의 변경이 각 동질집합의 크기를 동일하게 만드는지는 알 수 없다.

③ k를 높이면 재식별 가능성이 감소하고, 동질집합의 레코드 수가 갖는 최솟값이 증가할 수 있다.
3문단 "k-익명성은 특정 개인을 추정할 가능성을 1/k 이하로 낮추는 비식별화 기술로……"에 따르면, k를 높이면 1/k의 값은 작아지므로 개인을 추정할 가능성, 즉 재식별 가능성은 감소할 것이다. 또한 3문단 "……비식별 데이터 집합에서 준식별자 속성 값들이 모두 동일한 레코드들의 집합을 동질집합이라고 하며 이때 레코드들의 수를 동질집합의 크기라고 한다. k-익명성은 비식별 처리로 만들어진 동질집합의 크기가 k개 미만인 동질집합을 모두 삭제하여 동질집합의 크기가 k개 이상 될 수 있도록 만든다."에 따르면, k를 높이면 동질집합의 최소 크기가 증가하여 동질집합의 레코드 수가 갖는 최솟값이 증가할 수 있지만, 레코드 수가 감소한다고 볼 수는 없다.

④ k를 높이면 동질집합의 수는 감소할 수 있지만, 동질집합의 민감속성값이 모두 같아진다고는 볼 수 없다.
3문단 "k-익명성은 비식별 처리로 만들어진 동질집합의 크기가 k개 미만인 동질집합을 모두 삭제하여 동질집합의 크기가 k개 이상 될 수 있도록 만든다."에 따르면, k를 높이면 변경 전에 비해 동질집합의 수가 감소할 수 있다. 또한 3문단 "k-익명성은 …… 원본 데이터 집합의 식별자나 준식별자 속성에 대해서만 마스킹, 범주화 등을 수행하여……."에 따르면, k-익명성을 적용할 때는 민감속성값에 변화를 주지 않는다. 따라서 이 경우 동질집합의 민감속성값이 모두 같아진다고는 볼 수 없다.

6. 정답 ③

난이도 ★★☆ | 정답률 45%

내용영역 과학기술 | 문항 유형 정보의 평가와 적용

[정답 풀이]

<보기>에 제시된 방식에 따라 비식별화 기술을 적용한 결과는 다음과 같다.

(a) 방식

동질집합	No.	우편번호	연령	성별	구매 수준
I	1	1509*	40세 미만	*	상
	4				중
II	5	1385*	40세 이상	*	하
	6				상
III	2	1500*	40세 미만	*	상
	3				중

이에 따르면, 총 3개의 동질집합이 생성되고, 각 동질집합의 크기는 2로 동일하다. 민감속성에 해당하는 '구매 수준'은 각 동질집합에서 2개의 값을 가지므로 ℓ 값이 3 이상이면 모든 동질집합이 삭제되고, 레코드 잔존율은 0%가 된다. 따라서 ℓ 값이 2인 경우여야만 동질집합이 삭제되지 않는다.

(b) 방식

동질집합	No.	우편번호	연령	성별	구매 수준
I	1	150**	40세 미만	*	상
	2				상
	3				중
	4				중
II	5	138**	40세 이상	*	하
	6				상

이에 따르면, 총 2개의 동질집합이 생성되고, 각 동질집합의 크기는 Ⅰ의 경우 4, Ⅱ의 경우 2이다. 민감속성에 해당하는 '구매 수준'은 각 동질집합에서 2개의 값을 가지므로 ℓ 값이 2인 경우여야만 동질집합이 삭제되지 않는다.

제시문에 따르면,

레코드 잔존율 = $\frac{\text{비식별 데이터 집합의 총 레코드 수}}{\text{원본 데이터 집합의 총 레코드 수}}$이고, (a)와 (b) 모두 원본 데이터 집합의 총 레코드 수는 6개로 동일하므로 레코드 잔존율은 비식별화 기술 적용에 따른 비식별 데이터 집합의 총 레코드 수를 비교하여 결정된다.

ㄱ. (a)와 (b)의 k 값과 ℓ 값이 같은 상태에서 (a)보다 (b)의 레코드 잔존율이 크다면 (a)에서 삭제된 동질집합의 수가 (b)에서 삭제된 동질집합의 수보다 더 많다는 것을 의미한다. k 값이 2일 경우 (a)와 (b)의 모든 동질집합이 보존되고, 4보다 클 경우 (a)와 (b)의 모든 동질집합이 삭제된다. 따라서 이 경우 k 값은 3 또는 4이고, 이때 (a)의 모든 동질집합은 삭제되어 그 수는 0이 된다.

ㄷ. 레코드 잔존율이 (a)의 경우 100%, (b)의 경우 50% 이상 100% 미만이라면 (a)가 (b)보다 비식별 데이터 집합의 총 레코드 수가 더 많다. 여기서 (a)와 (b) 모두 k 값이 2로 동일할 경우 두 방식에 따라 형성된 모든 동질집합이 보존되어 두 방식의 레코드 잔존율은 100%로 동일해진다. k 값이 5 이상으로 동일할 경우 두 방식에 따라 형성된 모든 동질집합이 삭제되어 두 방식의 레코드 잔존율은 0%로 동일해진다. 따라서 (a)의 경우 k 값이 2로 지정되어 모든 동질집합이 보존되는 경우 100%의 레코드 잔존율이, (b)의 경우 k 값이 3 또는 4로 지정되어 크기가 2인 동질집합 Ⅱ가 삭제되는 경우 50% 이상 100% 미만의 레코드 잔존율이 나타날 것이다. 그리고 두 경우 모두 모든 동질집합이 삭제된 경우에 해당하지 않기 때문에 ℓ 값은 2로 동일하다.

[오답 풀이]

ㄴ. (a)와 (b)의 레코드 잔존율이 100%라면, (a)와 (b)는 k 값이 같고 ℓ 값도 같지만 동질집합의 수는 같지 않다.
(a)와 (b) 모두 k 값이 2일 때 두 방식에 따라 형성된 모든 동질집합이 보존되어 두 방식의 레코드 잔존율은 100%로 동일해진다. 이 경우 모든 동질집합이 보존되기 때문에 ℓ 값도 2로 동일하다. 하지만 동질집합의 수는 (a) 방식을 따를 경우 3개, (b) 방식을 따를 경우 2개이므로 (a)와 (b)의 동질집합 수가 같다고 볼 수 없다.

[7~9] 제재 | 투표 비용과 투표 참여
난이도 | ★☆☆

7. 정답 ⑤

난이도 ★☆☆ | 정답률 83%

내용영역 사회 　 문항 유형 정보의 확인과 재구성

[정답 풀이]

⑤ 사전투표제를 도입한 취지는 투표 참여에 소요되는 기회비용을 절감하려는 데 있다.

4문단 "투표와 관련된 비용에는 투표에 참여하는 데 필요한 직접 비용뿐 아니라, 투표에 참여하느라 다른 선택을 포기하는 데서 오는 기회비용도 포함된다. …… 투표 참여를 위해 근무 중 자리를 비워야 한다면, 근무하지 못하는 데서 발생하는 손해가 투표의 기회비용이 된다. …… 선거일을 공휴일로 지정하거나 사전투표제를 도입하는 것은 이러한 비용을 낮춰 투표율을 진작하려는 대표적인 제도이다."에 따르면, 사전투표제 도입은 투표 참여로 인해 발생하는 손해, 즉 기회비용을 낮추기 위해 도입된 제도이다. 즉 사전투표제는 투표 참여에 소요되는 직접비용이 아니라 기회비용을 절감하려는 취지의 제도에 해당한다.

[오답 풀이]

① 6문단 "공화당과 민주당이 경쟁하는 미국 선거에서 "공화당원은 선거일에 비가 내리게 기도해야 한다."는 말이 종종 언급되곤 한다. 선거일에 비가 내리면 전체 투표율이 하락하는데, 이러한 참여 감소가 주로 주변부 유권자들(peripheral voters)의 기권에 기인하기 때문이다."에 따르면, 주변부 유권자들의 선거 참여는 공화당의 득표율 상승에 기여하지 않는다는 것을 알 수 있다. 이를 고려하면 전체 투표율이 상승하여 주변부 유권자들이 선거에 참여한다면 민주당의 득표율이 증가할 수 있을 것이다.

② 1문단 "투표 참여 비용의 큰 부분을 차지하는 것이 선거와 후보에 대한 정보를 획득하고 처리하는 비용이다. 일반적으로 사회경제적 지위가 높은 유권자들이 그렇지 않은 유권자들에 비해 더 열심히 투표에 참여하는 이유는 전자가 이러한 비용을 더 낮게 체감하기 때문이다."에 따르면, 사회경제적 지위가 높은, 즉 고소득층에 해당하는 유권자가 그렇지 않은 이들보다 더 열심히 투표에 참여한다.

③ 마지막 문단 "세대에 따라 정치적 지지가 엇갈리는 최근 한국의 선거에서는 연령대에 따라 선거 당일 날씨에 대한 반응이 다를 수 있다. 우선 궂은 날씨로 인한 투표의 직접비용 증가는 나이 든 유권자에게 더 큰 영향을 미칠 가능성이 크다. 나이 든 유권자일수록 젊은 유권자에 비해 이동에 더 큰 제약을 받기 때문이다."와 "……궂은 날씨로 인한 투표의 기회비용 감소는 젊은 세대에서 투표율의 증가로 나타날 가능성이 크다."에 따르면, 한국 선거에서 선거일에 비가 오면 나이 든 유권자의 경우 이동에 제약을 받아 투표율이 감소할 것이고, 젊은 세대의 경우 기회비용이 감소하여 투표율이 증가할 것이다. 즉, 선거일에 비가 오면 나이 든 세대가 지지하는 정당에 불리하게 작용할 수 있다.

④ 1문단 "투표 참여 비용의 큰 부분을 차지하는 것이 선거와 후보에 대한 정보를 획득하고 처리하는 비용이다."에 따르면, 정보 획득, 처리 비용이 낮으면 투표에 참여할 가능성이 더 높다. 언론이 주요 후보의 공약을 비교하여 공개하는 것은 유권자의 입장에서 선거와 후보에 대한 정보 획득, 처리 비용을 줄이는 것이다. 따라서 이러한 정보 공개는 투표율 상승에 기여할 수 있다.

8. 정답 ② 난이도 ★☆☆ | 정답률 82%

내용영역 사회 | 문항 유형 정보의 평가와 적용

[정답 풀이]

ㄱ. 1문단 "투표 참여 비용의 큰 부분을 차지하는 것이 ㉠ 선거와 후보에 대한 정보를 획득하고 처리하는 비용이다."에 따르면, 정보 획득, 처리 비용이 낮으면 투표에 참여할 가능성이 더 높다. 다른 조건이 같다면, 현역 의원이 같은 지역구에서 재선에 도전할 경우 해당 지역구 유권자의 입장에서는 의원에 관한 정보를 이미 알고 있을 것이므로 의원이 처음 출마했을 때에 비해 정보 획득, 처리 비용이 낮아지는 효과를 볼 것이다. 따라서 이 경우 정보 획득, 처리 비용의 감소로 인해 투표율이 높아질 수 있다.

ㄴ. 3문단 "미국 대통령선거를 대상으로 한 최근 연구에 따르면 주 단위에서 강수량과 투표율을 비교했을 때, 강수량이 평년보다 1인치 증가할 때 투표율은 약 2.4% 포인트 감소했다. 다만 이 연구는 ㉡ 주별 강수량을 측정하기 위해 그 주에서 가장 큰 도시의 선거 당일 강수량을 대리지표(proxy)로 활용했다는 점에서 비판의 대상이 되었다."에 따르면, 주에서 가장 큰 도시의 선거 당일 강수량으로부터 주 단위 강수량을 이끌어냈다는 점을 알 수 있다. 그렇다면 지리적으로 큰 주일수록 가장 큰 도시의 선거 당일 강수량이 그 주의 강수량을 대표하기 어려울 수 있다. 따라서 ㉡은 지리적으로 큰 주일수록 날씨의 영향력에 대한 예측에 더 큰 왜곡을 가져올 수 있다.

[오답 풀이]

ㄷ. 직장인들의 투표율과 시간당 임금 사이에 음의 상관관계가 발견된다면 투표율 예측에서 ㉢을 고려할 필요가 더 커진다.
4문단 "……㉢ 투표에 참여하느라 다른 선택을 포기하는 데서 오는 기회비용……"에 따르면, 직장인들의 투표율과 시간당 임금 사이에 음의 상관관계가 발견된다는 것은 투표에 참여하느라 근무를 하지 못할수록 투표 참여로 인해 포기하는 임금, 즉 기회비용이 더 커진다는 것을 의미한다. 따라서 투표율 예측에서 기회비용을 고려할 필요가 더 커질 것이다.

9. 정답 ⑤ 난이도 ★★☆ | 정답률 76%

내용영역 사회 | 문항 유형 정보의 추론과 해석

[정답 풀이]

⑤ 일반적으로 미국에서 $DC_{비} - DC_{맑음}$은 흑인 유권자가 백인 유권자보다 크게 느낀다.
6문단 "선거일에 비가 내리면 전체 투표율이 하락하는데, 이러한 참여 감소가 주로 주변부 유권자들의 기권에 기인하기 때문이다. 즉 선거일의 우천은 청년층, 유색 인종, 저소득층 등과 같이 애초에 투표 참여를 위한 비용을 지불할 의지와 능력이 약한 주변부 유권자들의 투표 장벽을 높이는 경향이 있다."에 따르면, 비가 내리면 유색 인종의 투표율이 낮아진다고 볼 수 있다. 비가 올 때 투표에 참여하기 위해 드는 비용은 직접비용에 해당하므로, <보기>의 식을 적용하면, 백인 유권자에 비해 흑인 유권자가 느끼는 $DC_{비}$와 $DC_{맑음}$의 차이가 더 클 것이다. 따라서 $DC_{비} - DC_{맑음}$은 흑인 유권자가 백인 유권자보다 더 크게 느낄 것이다.

[오답 풀이]

① 2문단 "기존 연구들은 궂은 날씨가 유권자가 투표하러 가는 것을 망설이게 한다는 데 동의한다."에 따르면, 기존 연구들은 $DC_{비}$가 $DC_{맑음}$보다 더 크다는 데 동의함을 알 수 있다. 따라서 이러한 견해는 $DC_{비} - DC_{맑음}$이 양(+)의 값을 갖는다고 볼 것이다.

② 1문단 "투표소가 거주지와 가깝거나 이동하기 쉬운 곳에 있을수록 유권자들이 더 쉽게 투표할 수 있다."와 4문단 "투표와 관련된 비용에는 투표에 참여하는 데 필요한 직접비용뿐 아니라……."에 따르면, 거주지 근처에 투표소가 설치되는 것은 투표에 참여하는 데 필요한 직접비용을 줄이는 결과를 가져온다. 이에 따르면, 거주지 근처에 투표소가 추가로 설치된다면 설치 이전에 비해 비가 올 때 투표소까지 가는 직접비용, 즉 $DC_{비}$는 감소한다.

③ <보기>에 따르면, $R_{맑음}$과 $R_{비}$는 각각 날씨가 맑을 때와 비가 올 때 개인이 투표 참여로부터 얻을 수 있는 보상을 말하므로, $R_{맑음} - R_{비} > 0$은 $R_{맑음}$이 $R_{비}$보다 더 크다는 것을, 다시 말해 맑을 때 투표 참여를 통해 얻는 보상이 비가 올 때 투표 참여를 통해 얻는 보상보다 더 크다는 것을 의미한다. R이 증가할수록 투표할 확률이 높아진다는 점을 고려하면, $R_{비}$가 $R_{맑음}$에 비해 낮은 경우 선거일에 비가 오면 투표할 가능성이 낮아진다.

④ 5문단 "선거일이 공휴일로 지정된 한국에서는 …… 날씨가 맑을 경우 야외 여가 활동을 계획하고 있는 유권자를 생각해 보자. 이들에게는 투표 참여로 인해 여가 활동에 제약을 받을수록 투표의 기회비용이 증가하게 된다."에 따르면, 선거일이 공휴일로 지정된 상황에서 여가 활동을 한다는 선택을 포기하는 데서 발생하는 손해가 기회비용이 된다. 비 오는 날보다 맑은 날일 경우 여가 활동 가능성이 더 크다는 점에서 기회비용이 더 클 수 있으므로, $OC_{맑음}$이 $OC_{비}$보다 더 큰 경우가 생길 수 있다. 이러한 경우 $OC_{비} - OC_{맑음}$은 음(-)의 값을 가질 수 있다.

[10~12] 제재 | 아퀴나스의 진리론과 그에 대한 비판
난이도 | ★★★

10. 정답 ④ 난이도 ★★☆ | 정답률 59%

내용영역 인문 | 문항 유형 정보의 확인과 재구성

[정답 풀이]

④ 1문단 "토마스 아퀴나스를 통해 보편화된 고전적 정식에 따르면 '진리'는 '사물과 지성의 일치'인데……."와 3문단 "이후 토마스 아퀴나스가 제시한 '사물과 지성의 일치'로서의 베리타스는 '지성에 사물이 일치함'과 '사물에 지성이 일치함', 즉 서로 대칭적 방향성을 지닌 사태적 진리와 명제적 진리로 나뉘는데, 존재론적 차원의 진리와 인식론적 차원의 진리가 함께 거론된다는 점에서……."에 따르면, 고전적 정식에서 존재론적 차원의 진리는 '지성에 사물이 일치함', 인식론적 차원의 진리는 '사물에 지성이 일치함'에 대응된다. 이때 '지성'은 '지성에 사물이 일치함'에서는

사물이 '지성에' 일치하느냐를 판정하므로 진리의 판정 기준이라고 볼 수 있으며, '사물에 지성이 일치함'에서는 '지성이' 사물에 일치하느냐를 판정하므로 판정 대상이라고 볼 수 있다. 따라서 고전적 정식에서, 진리의 존재론적 차원에서 판정 기준이 되는 '지성'은 인식론적 차원에서는 판정 대상이 된다고 볼 수 있다.

[오답 풀이]

① 진리에 관한 고전적 정식은 플라톤에 의해 그 최초의 맹아가 마련되었다.

1문단 "토마스 아퀴나스를 통해 보편화된 고전적 정식에 따르면 '진리'는 '사물과 지성의 일치'인데, 그 맹아는 이미 플라톤에게서 보인다."에 따르면, 진리에 관한 고전적 정식은 토마스 아퀴나스를 통해서 보편화된 것이지, 토마스 아퀴나스에 의해 그 최초의 맹아가 마련된 것은 아니라고 볼 수 있다.

② 말의 진위 여부에 관한 플라톤의 입장은 일관적이지 않았다.

1문단 "명제뿐 아니라 하나의 단어도 이미 참 또는 거짓일 수 있다고 한 『크라튈로스』에서와 달리 『소피스테스』에서 플라톤은 말은 그것이 명제일 때 …… 진릿값을 가질 수 있다고 본다."에 따르면, 『크라튈로스』에서 플라톤은 명제뿐 아니라 하나의 단어에서도 참 거짓 여부를 논할 수 있다고 보았다. 따라서 말의 진위 여부가 명제의 차원에 한정된 문제라는 것이 플라톤의 일관된 입장이었다고 볼 수 없다.

③ 플라톤의 진리관에서 좋음의 이데아는 이데아들의 가지성과 인간의 인식 능력을 연결한다.

2문단 "좋음의 이데아 덕분에 비로소 이데아들은 인식될 수 있다. …… 좋음의 이데아는 이데아들의 가지성과 우리의 인식 능력을 연결한다."에 따르면, 플라톤의 진리관에서 좋음의 이데아는 인간의 이성만으로는 인식할 수 없는 이데아들의 가지성과 인간의 인식 능력을 연결하는 것이지, 이데아들과 인간의 인식 능력이 일치한 결과로 나타나는 것이 아니다.

⑤ 사태적 진리가 진리 담론에서 경시되는 철학사적 과정은 철학의 향도적 기능을 약화한다고 비판받는다.

3문단 "……베리타스는 …… 사태적 진리와 명제적 진리로 나뉘는데……."와 "이후의 철학사에서는 베리타스의 두 차원 중 명제적 진리가 담론의 주된 논제가 되는 경향이 종종 보인다. …… 진리의 그러한 의미 한정은 철학 본연의 향도적 기능의 제한으로 이어진다는 비판이 제기될 수 있다."에 따르면, 제시문에서는 진리가 명제적 진리로 의미가 한정되는 것이 철학의 향도적 기능의 제한으로 이어진다는 비판이 제기될 수 있다고 하였다. 따라서 사태적 진리가 진리 담론에서 경시되는 철학사적 과정은 철학의 향도적 기능이 점차 강조되어 왔음을 보여 준다고 할 수 없다.

11. 정답 ① 난이도 ★★★ | 정답률 34%

내용영역 인문 문항 유형 정보의 추론과 해석

[정답 풀이]

① 3문단 "……베리타스는 '지성에 사물이 일치함'과 '사물에 지성이 일치함', 즉 서로 대칭적 방향성을 지닌 사태적 진리와 명제적 진리로 나뉘는데……."에 따르면, '지성에 사물이 일치함'을 성취하지 못하는 사물은 사태적 진리, 즉 존재론적 차원의 진리를 성취하지 못하였다고 볼 수 있다. 이에 대하여 1문단 "오르토테스란 명제가 참임으로써 성립하는 진리를 가리킨다."와 3문단 "…… 참과 거짓의 문제가 발생하는 장은 주로 인간 지성의 영역이기에 진리는 결국 인간의 참 인식에서 완전히 성취된다는 세계관에서 기인하는 것이다."에 따르면, 명제의 참/거짓 여부와 관계되는 진리 개념인 오르토테스는 사태적 진리가 아니라 명제적 진리, 즉 인식론적 차원의 진리에 속한다고 볼 수 있다. 그리고 1문단 "……참 명제에서는 …… 존재하지 않는 연결이 존재하지 않는 것으로 언표된다."에 따르면, 존재하지 않는 연결이 존재하지 않는 것으로 언표될 때, 그 명제가 참임으로써 오르토테스가 성립할 수 있다고 하였다. 따라서 참 명제로서 존재하지 않는 연결이 존재하지 않는 것으로 언표될 때, '지성에 사물이 일치함'을 성취하지 못하는 사물도 오르토테스를 성취하는 명제의 주어가 될 수 있을 것이다.

[오답 풀이]

② '국가의 이데아'는 우리의 이성 자체의 힘만으로 인식될 수 없으며, 좋음의 이데아를 통해 알레테이아를 성취할 수 있다.

2문단 "『국가』에서 플라톤은 알레테이아 곧 '비은폐성'을 진리의 또 다른 국면으로 제시한다.", "……우리 이성은 그것들을 인식할 수 없다. 좋음의 이데아 덕분에 비로소 이데아들은 인식될 수 있다.", "즉 좋음의 이데아는 이데아들의 알레테이아와 그것들에 대한 우리 인식의 오르토테스를 가능케 한다."에 따르면, '국가의 이데아'는 우리의 이성 자체의 힘만으로 인식될 수 없으며, 알레테이아는 좋음의 이데아에 의해 성취된다. 따라서 우리의 이성 자체의 힘만으로 이데아가 인식될 수 있다는 것은 알레테이아에 대한 설명으로 적절하지 않다.

③ '삼각형의 꼭짓점은 네 개이다.'라는 말은 존재하지 않는 연결을 존재하는 것으로 언표하므로 오르토테스일 수 없다.

1문단 "……거짓 명제에서는 ('테아이테토스'와 '난다'의) 존재하지 않는 연결이 존재하는 것으로, 또는 존재하는 연결이 존재하지 않는 것으로 언표된다. 오르토테스란 명제가 참임으로써 성립하는 진리를 가리킨다."에 따르면, 거짓 명제인 '삼각형의 꼭짓점은 네 개이다.'에서는 '삼각형의 꼭짓점'과 '네 개이다'의 존재하지 않는 연결이 존재하는 것으로 언표된다. 따라서 존재하는 연결을 존재하지 않는 것으로 언표했다는 설명은 적절하지 않다.

④ '이 몸이 새라면 어떻게 될까.'라는 말은 사실성을 주장하는 언표가 아니므로 오르토테스 여부를 판별하는 대상일 수 없다.

1문단 "……주어-술어 연결을 통해 사실성을 주장하는 언표일 때 비로소 진릿값을 가질 수 있다고 본다."와 "오르토테스란 명제가 참임으로써 성립하는 진리를 가리킨다."에 따르면, 오르토테스 여부를 판별하는 대상이려면 주어와 술어의 연결을 포함하는 동시에 사실성을 주장하는 언표여야 한다. 그런데 '이 몸이 새라면 어떻게 될까.'라는 말은 사실성을 주장하는 언표가 아니므로, 오르토테스 여부를 판별하는 대상일 수 없다.

⑤ '지고의 신적 지성의 설계에 따라 만들어진 완벽한 이 세계'는 '지성에 사물이 일치함'의 경우이므로 베리타스를 성취할 수 있다.

3문단 "이는 사물이 신의 지성의 실천적 현시이기에 원칙적으로

이 세계에서 참되지 못한 것은 없으며, 참과 거짓의 문제가 발생하는 장은 주로 인간 지성의 영역이기에…….”에 따르면, 신적 지성의 실천적 현시인 사물은 참되지 않은 것이 없다고 하였다. 즉 신적 지성에 따른 것은 참과 거짓의 여부를 논할 판정 대상이 아니며 그 자체로 참되다. 이에 따를 때, ‘지고의 신적 지성의 설계에 따라 만들어진 완벽한 이 세계’는 신적 지성의 설계에 따른 것이라고 하였으므로 그 자체로 참된 존재론적 차원의 진리, 즉 ‘지성에 사물이 일치함’의 경우라고 추론할 수 있다. 따라서 ‘지고의 신적 지성의 설계에 따라 만들어진 완벽한 이 세계’는 베리타스를 성취할 수 있을 것이다.

12. 정답 ③ 난이도 ★★☆ | 정답률 44%

내용영역 인문 문항 유형 주제, 구조, 관점 파악

[정답 풀이]

③ 1문단 “……『소피스테스』에서 플라톤은 말은 그것이 명제일 때, 즉 주어-술어 연결을 통해 사실성을 주장하는 언표일 때 비로소 진릿값을 가질 수 있다고 본다.”에 따르면, 『소피스테스』에서 플라톤은 말의 진리 여부를 논할 수 있으려면 그것이 명제로서 주어-술어 연결을 통해 사실성을 주장하는 언표여야 한다고 보았다. 이에 대하여 마지막 문단 “칸트에 따르면 …… 이때 불가피한 무한소급이 발생한다.”와 “……진리의 기준으로서의 ‘객관적 사실’에는 영원히 다다를 수 없다. 칸트는 이 무한소급의 근원을 우리 인식의 불가피한 순환 구조, 즉 주관성으로부터의 이탈 불가능성에서 찾는다.”에 따르면, 칸트는 명제와 객관적 사실을 비교하여 명제 즉 인식의 참 거짓 여부를 따질 때, 그 기준이 되는 객관적 사실에는 다다를 수 없고, 명제에 대한 진위 판단은 주관성에서 벗어날 수 없다고 보았다. 이를 고려할 때, 칸트는 『소피스테스』에서 개진된 플라톤의 진리관, 즉 사실성이라는 것이 언표로 주장될 수밖에 없다는 점을 두고 인식과 사물의 비교에서 나타나는 필연적 결과가 발견되는 경우라고 판단할 것이다.

[오답 풀이]

① 『국가』에서 플라톤이 제시한 ‘진리의 또 다른 국면’에 대해서는 진위 판별이 불가능하다고 생각할 것이다.
2문단 “『국가』에서 플라톤은 알레테이아 곧 ‘비은폐성’을 진리의 또 다른 국면으로 제시한다.”와 “……좋음의 이데아는 이데아들의 가지성과 우리의 인식 능력을 연결한다.”에 따르면, 플라톤이 제시한 ‘진리의 또 다른 국면’은 좋음의 이데아를 통해 가지계의 이데아들이 인식되는 것을 의미한다. 그런데 마지막 문단 “……인식의 참 또는 거짓을 따지려면 …… 이때 불가피한 무한소급이 발생한다.”에 따르면, 칸트는 인식의 참 또는 거짓은 따질 수 없는 것이라고 보았다. 따라서 칸트는 ‘진리의 또 다른 국면’에 대해서 진위 판별이 불가능하다고 생각할 것이다.

② 토마스 아퀴나스의 정식에 대해 ‘사물에 지성이 일치함’으로서의 진리는 그 성취 여부를 판별할 수 없다고 여길 것이다.
3문단 “……베리타스는 ‘지성에 사물이 일치함’과 ‘사물에 지성이 일치함’, 즉 서로 대칭적 방향성을 지닌 사태적 진리와 명제적 진리로 나뉘는데…….”에 따르면, ‘사물에 지성이 일치함’으로서의 진리는 인식론적 차원의 진리이다. 그런데 마지막 문단 “칸트에 따르면 명제 즉 인식의 참 또는 거짓을 따지려면 …… 불가피한 무한소급이 발생한다.”에 따르면, 칸트는 인식론적 차원의 진리는 판단할 수 없다고 여긴다. 따라서 칸트는 ‘사물에 지성이 일치함’으로서의 진리는 그 성취 여부를 판별할 수 없다고 여길 것이다.

④ 고전적 정식의 중대한 구조적 난점이 자연법칙에 대한 탐구를 통해 해결될 것이라고 여기지 않을 것이다.
마지막 문단 “칸트에 따르면 어떤 명제 즉 인식의 참 또는 거짓을 따지려면 …… 불가피한 무한소급이 발생한다.”와 “칸트는 이 무한소급의 근원을 우리 인식의 불가피한 순환 구조, 즉 주관성으로부터의 이탈 불가능성에서 찾는다.”에 따르면, 고전적 정식의 중대한 구조적 난점인 무한소급의 문제는 주관성으로부터의 이탈 불가능성으로 인해 발생한다. 그리고 “……과학이 밝히는 자연법칙도 자연 자체의 법칙이 아니라 경험의 조건으로서의 우리 심성의 내적 구조일 뿐이라는 것이다.”에 따르면, 칸트는 자연법칙 역시 주관성으로부터 벗어날 수 없다고 본다. 따라서 칸트는 무한소급의 문제가 자연법칙에 대한 탐구를 통해서 해결될 수 있다고 여기지 않을 것이다.

⑤ 인간과는 다른 감각 능력을 지닌 생명체에게는 동일한 사물이 전혀 다른 방식으로 지각된다는 사실은 인식의 순환 구조에 대한 주장을 약화시킨다고 평가하지 않을 것이다.
마지막 문단 “칸트는 이 무한소급의 근원을 우리 인식의 불가피한 순환 구조, 즉 주관성으로부터의 이탈 불가능성에서 찾는다.”에 따르면, 칸트는 우리의 인식은 주관성으로부터 벗어날 수 없는 순환 구조를 띤다고 보았다. 그리고 “우리가 ‘사물’이라고 부르는 모든 것은 ‘우리’가 경험하는 바의 사물, 즉 ‘현상’일 뿐, 결코 존재하는 그대로의 ‘사물 자체’가 아니며…….”에 따르면, 인식이 주관성으로부터 벗어날 수 없다는 것은 우리가 존재하는 그대로의 ‘사물’이라고 생각하는 것이 기실 주관적 경험에 불과함을 의미한다. 그런데 이때 인간과는 다른 감각 능력을 지닌 생명체에게 동일한 사물이 전혀 다른 방식으로 지각된다는 사실은, 사물에 대한 인식이 각자 경험하는 바에 따라 다르게 지각됨을 의미하며 이는 우리의 인식이 주관성으로부터 벗어날 수 없다는 주장에 부합한다. 따라서 칸트의 주장을 약화시키지 않을 것이다.

[13~15] 제재 | 사회적 가치와 사회성과
난이도 | ★★☆

13. 정답 ① 난이도 ★★☆ | 정답률 50%

내용영역 사회 문항 유형 정보의 확인과 재구성

[정답 풀이]

① 1문단 “고전학파 경제학자들은 …… 가격이 결정된다는 ‘객관적 가치론’을 주창했다. 이러한 가치론은 노동의 존엄과 생산적 활동을 중시하는 당대의 가치 규범 위에 세워졌다.”에 따르면, ‘객관적 가치론’은 가격 결정이 노동의 존엄과 생산의 활동을 중시하는

당대의 가치 규범을 바탕으로 이루어진다고 본다. 그리고 2문단 "……가격이 가치 규범과 괴리를 보이고 그 규범에 부정적 영향을 미치는 현상까지 빚어진다. 투기적 활동이 높은 가격을 부여받는다면……"에 따르면, 가격이 가치 규범에 부정적 영향을 미치는 현상은 생산적 기여 없이 돈을 버는 행위를 꺼리지 않고, 가격이 매겨지지 않는 덕목들을 무가치한 것으로 인식하는 상황과 관계된다. 즉 가격에 의한 가치 규범의 변화는 노동의 존엄과 생산적 활동을 무가치한 것으로 인식할 우려를 낳는다. 따라서 '객관적 가치론'은 가격에 의한 가치 규범의 변화에 대해 비판적 입장을 취할 것이다.

[오답 풀이]

② '주관적 가치론'은 공급자의 비용을 부차적인 문제로 취급하지 않을 것이다.
1문단 "그러나 오늘날에는 가치의 핵심을 소비자의 욕구 충족에서 찾고 …… '주관적 가치론'이 대세가 되었다."에 따르면, '주관적 가치론'에서 가치의 핵심은 소비자의 욕구 충족이다. 하지만 "이는 시장에 의해 수요자의 욕구 및 공급자의 비용에 관한 정보가 가격으로 표출되고……"에 따르면, 수요자의 욕구와 공급자의 비용에 관한 정보 모두 시장 참여자의 의사결정 과정에 영향을 미친다. 따라서 '주관적 가치론'이 공급자의 비용을 부차적인 문제로 취급했다고 볼 수 없다.

③ '사회학적 관점'은 가치의 문제를 사람들의 욕구 충족이라는 측면에서 판단하지 않을 것이다.
3문단 "'사회학적 관점'에서는 가치를 인간의 삶에서 궁극적으로 바람직한 것으로 이해하며 규범으로서의 가치를 강조한다."와 1문단 "그러나 오늘날에는 가치의 핵심을 소비자의 욕구 충족에서 찾고 …… '주관적 가치론'이 대세가 되었다."에 따르면, '사회학적 관점'이 아니라 '주관적 가치론'에서 가치의 문제를 사람들의 욕구 충족이라는 측면에서 판단하고 있다.

④ '경제학적 관점'은 가치와 가격의 괴리 현상이 존재한다고 볼 것이다.
2문단 "이러한 시장실패에 더해 시장의 힘이 커지면서 가격이 가치 규범과 괴리를 보이고 그 규범에 부정적 영향을 미치는 현상까지 빚어진다."와 3문단 "반면, '경제학적 관점'에서는 시장 실패 현상에 주목해……"에 따르면, '경제학적 관점'에서 주목하는 시장실패 현상은 가격과 가치 규범의 괴리를 일으키는 데 영향을 준다. 따라서 '경제학적 관점'은 가격과 가치 규범의 괴리 현상이 존재한다고 볼 것이다.

⑤ 취약계층을 고용하는 기업에 제공되는 고용지원금은 '외부성'을 약화해 '사회적 가치'를 제고할 것이다.
2문단 "시장 거래 과정에는 거래 쌍방의 편익과 비용에 더해 제3자의 편익과 비용도 발생하는 '외부성'이 존재한다."와 3문단 "……외부성으로 인해 누군가의 욕구를 충족시켰으나 그 비용이 회수되지 못한 편익……"과 4문단 "이때, 사회성과는 …… 시장의 가격기구에 반영되지 않거나 비용이 회수되지 못한 편익에 초점을 맞추고……"에 따르면, 기업이 취약계층을 고용함으로써 창출한 사회적 가치는 취약계층 및 사회 전체(제3자)의 편익을 발생시키는 동시에 기업 입장에서는 비용이 회수되지 못한 편익이라는 점에서 외부성에 해당한다. 그런데 5문단 "이에 따르면 정부 · 공익재단 · 시민 등이 사회 문제를 해결하는 다양한 형태의 경제 활동 조직에 제공한 지원금은 이들 조직의 비용을 보전시켜 주므로……"에 따르면, 정부가 지급하는 고용지원금은 편익을 창출한 기업의 비용을 보전시켜 준 것이라고 볼 수 있다. 따라서 고용지원금은 외부성을 약화해 '사회적 가치'를 제고할 것이다.

14. 정답 ④ 난이도 ★★☆ | 정답률 72%

내용영역 사회 문항 유형 정보의 추론과 해석

[정답 풀이]

④ 마지막 문단 "……화폐화된 성과에 대한 평가를 토대로 기존 이해관계자들을 통해 회수되지 못한 부분에 대한 금전적 보상, 즉 '사회성과 보상'이 다양한 수단들로 활성화된다면……"에 따르면, 사회성과 보상은 화폐화된 성과에 대한 평가를 토대로 주어지는 보상이다. 그런데 3문단 "'사회학적 관점'에서는 가치를 인간의 삶에서 궁극적으로 바람직한 것으로 이해하며 규범으로서의 가치를 강조한다. 이 관점에서는 공정 · 평등 · 삶의 질 · 지속가능성 등의 가치 규범에 비춰……"에 따르면, '사회학적 관점'에서는 가격이 매겨지지 않는 요소인 가치 규범을 사회적 가치의 핵심으로 이해한다. 즉 가치 규범은 사회적 가치임에도 가격을 매길 수 없는 요소이므로 사회성과로 측정되지 않을 것이다. 다시 말해 사회성과 보상은 사회적 가치에 대하여 '경제학적 관점'을 반영하지만, '사회학적 관점'을 반영하지 못하고 있다. 따라서 사회성과 보상이 사회적 가치 제고라는 본연의 목적에 충실하기 위해서는 화폐화된 성과로 측정할 수 없는 편익인 가치 규범을 평가할 수 있는 보완책이 필요할 것이라고 추론할 수 있다.

[오답 풀이]

① 정부 지원금은 이해관계자를 통해 회수되는 비용이므로 사회성과 보상에 포함되지 않을 것이다.
마지막 문단 "……기존 이해관계자들을 통해 회수되지 못한 부분에 대한 금전적 보상, 곧 '사회성과 보상'이……"에 따르면, 사회성과 보상은 사회적 가치 창출에 대하여 이해관계자들을 통해 회수되지 못한 부분에 대한 보상과 관계된다. 그런데 5문단 "이에 따르면 정부 · 공익재단 · 시민 등이 사회 문제를 해결하는 다양한 형태의 경제 활동 조직에 제공한 지원금은 이들 조직의 비용을 보전시켜 주므로……"에 따르면, 정부 지원금은 기존 이해관계자를 통해 보전되는 비용에 속한다. 따라서 정부 지원금은 사회성과 보상에 포함되지 않을 것이다.

② 영리기업이 사회성과 보상의 대상이 될 수 없을 것이라고 보기 어렵다.
4문단 "사회성과란 기업 활동의 경제적 결과인 '재무성과'에 상응해 기업이 창출한 사회적 가치를 측정하기 위한 개념이다."에 따르면, 사회성과는 기업이 창출한 사회적 가치를 측정하기 위한 개념이다. 따라서 영리기업이라고 하여 사회성과 보상의 대상이 될 수 없을 것이라고 보기 어렵다.

③ '경제학적 관점'에서는 사회성과 보상이 가격기구에 영향을 줄 수 있다고 여길 것이다.

4문단 "……시장의 가격기구에 반영되지 않거나 비용이 회수되지 못한 편익에 초점을 맞추고 화폐 단위로 측정가능한 결과와 인센티브를 강조한다는 점에서 '경제학적 관점'을 반영한다."에 따르면, '경제학적 관점'은 가격기구에 반영되지 않은 편익에 관심을 둔다. 그리고 마지막 문단 "……곧 '사회성과 보상'이 다양한 수단들로 활성화된다면, 사회적 가치를 달성하는 활동들은 가격을 본격적으로 부여받게 된다."에 따르면, 사회성과 보상은 사회적 가치를 달성한 활동에 가격을 부여하고자 한다. 따라서 '경제학적 관점'에서는 사회성과 보상이 가격기구에 영향을 줄 수 있다고 여길 것이다.

⑤ '사회학적 관점'에서는 사회성과 측정에 기초한 사회적 가치 촉진 정책에 반대하지 않을 것이다.

4문단 "사회성과란 …… 기업이 창출한 사회적 가치를 측정하기 위한 개념이다. 이때, 사회성과는 사회 문제를 해결하려 한다는 점에서 '사회학적 관점'을 반영하고……."에 따르면, 사회성과는 사회적 가치를 측정하기 위한 개념이며, 사회 문제를 해결하려 한다는 점에서 '사회학적 관점'을 반영한다. 그리고 마지막 문단 "이 과정에서 …… 가격과 사회의 가치 규범도 다시 정렬될 것이다."에 따르면, 사회성과 측정에 기초한 사회적 가치 촉진 정책은 사회구성원들이 중요시하는 가치 규범을 반영하고 가격과 사회의 가치 규범을 재정렬하고자 할 것이다. 따라서 가치 규범을 강조하는 '사회학적 관점'에서는 사회성과 측정에 기초한 사회적 가치 촉진 정책에 반대하지 않을 것이다.

15. 정답 ③ 난이도 ★★★ | 정답률 29%

내용영역 **사회** 문항 유형 **정보의 평가와 적용**

[정답 풀이]

5문단 "사회성과의 구체적인 측정 방법에는 기업활동으로부터 편익을 제공받거나 그 활동 비용을 부담한 이해관계자별로 계정을 만든 후, 각자의 편익과 비용을 기입하고 합산하는 방법이 있다."에 따르면, <보기>의 병원 활동과 관련된 이해관계자는 A 병원으로부터 편익을 얻고 가격을 지불한 '취약계층 노인들'과, 후원금을 지원한 '지방자치단체', '지역의 뜻있는 주민들', '기업들'이다. 그리고 5문단 "……조직의 비용을 보전시켜 주므로 해당 이해관계자 계정에서 비용으로 처리해 사회성과 계산에서 차감한다."와 "이때 사회성과는 두 이해관계자의 비용과 편익을 합산한 순편익으로……."에 따르면, A 병원이 창출한 사회성과는 병원이 창출한 편익에서 나머지 이해관계자들의 비용을 차감한 값임을 알 수 있다. 이를 바탕으로 <보기>의 병원 활동에 대한 편익, 비용, 사회성과를 다음과 같이 정리할 수 있다.

(단위 : 만 원)

연도		2021년	2022년
편익	취약계층 노인	10×100=1,000	10×150=1,500
비용	취약계층 노인	2×100=200	2×150=300
	지방자치단체	3×100=300	3×150=450
	지역주민	-	1×150=150
	기업	-	3×150=450
사회성과	A 병원	1,000-500=500	1,500-1,350=150

③ 2021년부터 2년 동안 이해관계자 계정의 비용 총액은 1,850만 원이다.

<보기> "……회당 2만 원을 받고 총 100회를 제공하였다. 이때 지방자치단체는 회당 3만 원을 지원하였다."에 따르면, 2021년 이해관계자 계정의 비용은 500만 원이다. 그리고 "한편, 2022년에는 …… 주민들과 기업들도 동참해, 각각 회당 1만 원과 3만 원의 후원금을 지원했고, 이 병원의 취약계층 노인 대상 진료 서비스는 총 150회로 늘어났다."에 따르면, 2022년 이해관계자 계정의 비용은 1,350만 원이다. 따라서 2021년부터 2년 동안 이해관계자 계정의 비용 총액은 1,850만 원이다.

[오답 풀이]

① 5문단 "……150만 원의 편익이 발생한다. 이는 근로자의 삶의 질이 개선된 효과를 나타낸다."와 <보기> "A 병원은 2021년에 취약계층의 삶의 질 개선을 목적으로……."에 따르면, A 병원이 제공한 진료 서비스는 사회적기업의 고용에 대응하므로 곧 취약계층 노인들이 병원을 통해 얻은 편익에 해당한다. 그리고 2021년과 2022년에 취약계층 노인들이 얻은 편익은 각각 1,000만 원과 1,500만 원이다. 따라서 2022년에 취약계층 노인들이 이 병원을 통해 얻은 편익은 전년도에 비해 500만 원 증가했다.

② 4문단 "이때, 사회성과는 …… 시장의 가격기구에 반영되지 않거나 비용이 회수되지 못한 편익에 초점을 맞추고……."에 따르면, <보기>에서 취약계층 노인들이 진료 서비스에 회당 지불한 가격인 2만 원은 A 병원이 창출한 편익 중 가격기구를 통해 그 비용을 회수한 금액에 해당한다고 볼 수 있다. 그러므로 2021년과 2022년에 가격기구를 통해 비용을 회수한 금액은 각각 200만 원과 300만 원이다. 따라서 2022년에 이 병원이 취약계층 노인을 위해 창출한 편익 중 가격기구를 통해 그 비용을 회수한 금액은 전년도에 비해 100만 원 증가했다.

④ <보기>에 따르면, 2021년에 병원이 창출한 편익은 1,000만 원, 이해관계자 계정의 비용은 500만 원, 병원이 창출한 사회성과는 500만 원이다. 그리고 2022년에 병원이 창출한 편익은 1,500만 원, 이해관계자 계정의 비용은 1,350만 원, 병원이 창출한 사회성과는 150만 원이다. 따라서 2022년에 이 병원이 창출한 사회성과는 전년도에 비해 350만 원 감소했다.

⑤ 마지막 문단 "……기존 이해관계자들을 통해 회수되지 못한 부분에 대한 금전적 보상, 곧 '사회성과 보상'이……."에 따르면, A 병원의 사회성과를 보상하기 위해서는 병원이 창출한 편익에서 이해관계자들을 통해 비용이 회수된 부분을 뺀 만큼의 금전적 보상이 주어져야 한다. 이에 대하여 2021년에 이해관계자를 통해 비용이

2024학년도

회수된 편익은 취약계층 노인들이 지불한 가격인 200만 원과 지방자치단체가 지원한 300만 원이다. 따라서 2021년의 사회성과를 보상하기 위해서는 2021년 병원이 창출한 편익에서 비용이 회수된 편익을 뺀 500만 원이 필요하다.

[16~18] 제재 | 문학적 언어와 시적 진실
난이도 | ★★☆

16. 정답 ③ 난이도 ★★☆ | 정답률 43%

내용영역 인문 문항 유형 정보의 확인과 재구성

[정답 풀이]

③ 근대 초기 유럽소설은 허구에 대한 통념을 비판했다고 보기 어렵다. 1문단 "실제 일어난 사실과 들어맞지 않는 것은 진실일 수 없다는 통념이 여전했기 때문이다. 유럽의 초기 근대소설 작가들이 자기들의 작품을 실화나 역사라고 주장하곤 했던 사실은……"에 따르면, 근대 초기 유럽소설 작가들은 뿌리 깊은 통념하에서 자신들의 작품을 소설이 아닌 실화나 역사라고 주장하였다. 따라서 근대 초기 유럽소설이 허구에 대한 통념을 비판했다고 보기 어렵다.

[오답 풀이]

① 2문단 "이들은 명제의 진위는 논리 법칙에 의한 증명 또는 경험적 검증으로 판단될 수 있으며……"와 3문단 "이때 과학적으로 사용된 언어의 진실성은 증명이나 검증을 통해 판정되지만……"에 따르면, 과학적으로 사용된 언어의 진실성은 실증주의와 유사하게 증명이나 검증의 방법을 통해 판단될 수 있다.

② 5문단 "역설은 표면적으로 모순적인 것처럼 보이지만 실은 진실을 새롭게 드러내는 진술이다."와 "……역설을 통해서만 드러날 수 있음은 시적 진실의 또 다른 가능성을 잘 보여 준다."에 따르면, 신비평 이론가들은 역설이라는 문학의 언어를 통해서만 드러낼 수 있는 진실이 있다고 생각했음을 알 수 있다.

④ 1문단 "문학은 개연성을 가진 사건, 즉 세상의 이치에 따라 일어날 법한 일을 그리지만, 역사는 우연적이고 일회적으로 일어난 사실을 다룬다."와 "그럼에도 작가들은 오랫동안 역사가들 앞에서 자격지심을 느끼곤 했었던 것 같다."에 따르면, 허구적인 문학은 오랫동안 역사와 대비되었다. 그리고 2문단 "20세기에 들어와 시적 진실의 개념은 실증주의 추종자들에게 다시 의심을 받았다."와 3문단 "그는 언어의 '과학적 사용'과 '정서적 사용'을 구분한다."에 따르면, 근대 이후에는 허구적인 문학이 과학과도 대비되었음을 알 수 있다.

⑤ 1문단 "문학은 개연성을 가진 사건 …… 역사는 우연적이고 일회적으로 일어난 사실을 다룬다."에 따르면, 문학은 허구이며, 역사는 사실이라는 점이 대립하고 있다. 이에 대하여 "따라서 문학이 역사보다 더 보편적인 진실을 이야기한다는 것은 …… 고전적 관점이다."에 따르면, 문학의 허구성에 대한 고전적 옹호론은 허구와 사실을 대립시키되 문학이 더 개연성 있는 보편적인 진실을 이야기한다는 점으로부터 문학의 허구성을 옹호한다. 반면 "실제 일어난 사실과 들어맞지 않는 것은 진실일 수 없다는 통념이 여전했기 때문이다."에 따르면, 문학의 허구성에 대한 비판적 통념은 허구와 사실을 대립시키면서 문학은 허구일 뿐이고 사실에 들어맞는 것은 역사라고 주장한다. 따라서 문학의 허구성에 대한 고전적 옹호론과 비판적 통념 모두 허구와 사실을 대립시켜 주장을 펼쳤다고 볼 수 있다.

17. 정답 ② 난이도 ★★☆ | 정답률 73%

내용영역 인문 문항 유형 정보의 추론과 해석

[정답 풀이]

② ㉡은 경험적으로 검증할 수 있는 판단 가능성을 갖지 못하기 때문에 무의미한 것으로 여겨지는 진술을 의미한다.
2문단 "이들은 명제의 진위는 논리 법칙에 의한 증명 또는 경험적 검증으로 판단될 수 있으며, 판단 가능성을 가지지 못한 명제는 의미가 없다고 보았다. 이 입장에서 문학적 진술은 대개 거짓이거나 무의미한 진술에 불과하다."에 따르면, 문학적 진술이 무의미한 것으로 여겨진다는 것은 실증주의에 따를 때 판단 가능성을 갖지 못한다는 것을 뜻한다. 이에 따를 때 '보여 주지도 못하면서 그저 있다고 우겨대는 ㉡ 헛소리'는 판단 가능성을 갖지 못하는 무의미한 진술을 비유적으로 이르는 말이다. 따라서 헛소리(㉡)는 반증할 수 있는 사례를 찾을 수 있는 진술이 아니라, 경험적으로 검증할 수 있는 판단 가능성을 갖지 못하기 때문에 무의미한 것으로 여겨지는 진술을 의미한다고 볼 수 있다.

[오답 풀이]

① 1문단 "따라서 문학이 역사보다 더 보편적인 진실을 이야기한다는 것은 …… 시적 진실을 옹호하는 고전적 관점이다. 그럼에도 작가들은 오랫동안 역사가들 앞에서 ㉠ 자격지심을 느끼곤 했었던 것 같다."와 "유럽의 초기 근대소설 작가들이 자기들의 작품을 실화나 역사라고 주장하곤 했던 사실은……"에 따르면, 작가들은 시적 진실을 옹호하는 관점을 지녔음에도 불구하고, 역사가들에 대한 자격지심으로 인해 자기들의 작품을 실화나 역사라고 주장하곤 하였다. 이를 고려할 때, 자격지심(㉠)은 당대의 풍조 속에서 시적 진실에 대한 자기 확신을 가지지 못했던 작가들의 태도를 나타낸다고 볼 수 있다.

③ 3문단 "……정서적으로 사용된 언어의 진실성은 수용자의 주관적 정서와 태도에 미치는 효과에 의해 결정된다. 리처즈는 시의 언어는 정서적 사용의 언어이며……."에 따르면, 리처즈는 문학적 언어는 정서적으로 사용된 언어이므로 수용자들의 주관적 정서와 태도에 미치는 효과에 의해 그 진실성이 결정된다고 보았다. 이에 대하여 4문단 "리처즈의 견해는 …… 문학 언어의 특수성에 주목하여 시적 진실에 대한 ㉢ 알리바이를 제공한다."에 따르면, 알리바이(㉢)는 문학적 진술이 과학적 진술과는 다른 방법, 즉 수용자들의 주관적 정서와 태도에 미치는 효과를 판단하는 방법을 통해 진실성을 인정받을 근거가 있음을 비유하는 말이라고 볼 수 있다.

④ 4문단 "시적 허용은 운율과 같은 특정한 미적 효과를 위해 …… 역사적·지리적 사실에도 적용되었다. 작가는 악의 없는 거짓말에 대한 일종의 ㉣ 면책특권을 누렸던 셈이다."에 따르면, 시적 허용은 미적 효과를 위해서 문학작품이 역사적 사실에서 벗어나

는 것을 용인한다. 따라서 면책특권(ⓔ)은 분명한 예술적 효과를 가진 경우, 문학작품과 역사적 사실의 불일치가 시적 허용을 통해 용인될 수 있음을 말한다고 볼 수 있다.

⑤ 1문단 "문학은 개연성을 가진 사건, 즉 세상의 이치에 따라 일어날 법한 일을 그리지만……."과 6문단 "시적 진실은 일종의 맥락적 진실이며, 문학적 진술의 진실성은 작품 전체의 맥락에서 가지는 일관성과 설득력에 의해 판단된다."와 마지막 문단 "……두 관점이 각각 추려내는 좋은 작품의 목록은 상당히 큰 ⓜ 교집합을 이루기 때문이다."에 따르면, 시적 진실에 대한 고전적 관점과 맥락적 진실에 대한 설명 모두를 만족시키는 교집합에 속하는 문학작품은 사건이 개연성을 가지며, 진술이 작품 전체 맥락에서 일관성과 설득력을 가져야 한다. 따라서 교집합(ⓜ)은 진술이나 사건들이 작품의 전체적인 구조 속에서 충분한 개연성을 가지고 제시되는 작품들로 구성된다고 볼 수 있다.

18. 정답 ① 난이도 ★★☆ | 정답률 59%

내용영역 인문 | 문항 유형 정보의 평가와 적용

[정답 풀이]

① 두 인물이 '부자 관계'라는 점은 서사 진행을 통해 암시되었으므로 예상할 수 없는 결말이라고 보기 어렵겠군.

3문단 "……정서적으로 사용된 언어의 진실성은 수용자의 주관적 정서와 태도에 미치는 효과에 의해 결정된다."와 "……시의 진술은 '우리의 충동과 태도를 방출하거나 조직함에 있어 그 효과에 의해 정당화되는 말의 형태'로서의 의사(疑似) 진술이라고 말한다."에 따르면, 의사 진술이란 수용자의 주관적 정서와 태도에 미치는 효과에 의해 진실성이 인정되는 진술을 의미한다고 볼 수 있다. 그렇다면 「메밀꽃 필 무렵」의 결말은 독자의 정서와 태도에 어떤 효과를 유발하였는지에 따라 일종의 의사 진술로 파악될 수는 있을 것이다. 하지만 <보기> "「메밀꽃 필 무렵」은 장돌뱅이 허 생원과 그가 우연히 마주친 동이가 사실 부자 관계라는 점을 서사 진행을 통해 조금씩 암시한다."에 따르면, 두 사람이 부자 관계라는 점은 서사 진행을 통해 암시되었으므로 예상할 수 없는 결말이라고 보기 어렵다.

[오답 풀이]

② <보기> "이러한 결말은 왼손잡이의 유전 여부와 관련하여 약간의 논란이 있지만, 헤어진 아들과의 상봉을 감동적으로 그려내는 한편……."에 따르면, 「메밀꽃 필 무렵」의 결말은 '왼손잡이의 유전'과 관련하여 과학적 사실에 부합하는지에 대한 논란이 있지만, 동시에 '헤어진 아들과의 상봉'을 감동적으로 그려낸다. 이에 대하여 3문단 "……정서적으로 사용된 언어의 진실성은 수용자의 주관적 정서와 태도에 미치는 효과에 의해 결정된다."와 4문단 "시적 허용은 운율과 같은 특정한 미적 효과를 위해 …… 역사적·지리적 사실에도 적용되었다."에 따르면, 문학작품의 진실성은 수용자의 정서에 미치는 영향에 의해 결정될 수 있으며, 시적 허용은 미적 효과를 위해서라면 어법뿐만 아니라 실제 사실에도 적용될 수 있었다. 따라서 '왼손잡이의 유전'은 과학적 사실과 맞지 않는 것일지라도 독자에게 감동을 불러일으킨다면 시적 허용의 대상이 될 수 있을 것이다.

③ <보기> "……달밤의 서정적 풍경은 허 생원의 스산한 삶을 아름다운 것으로 재발견하는 동시에……."에 따르면, '달밤의 서정적 풍경'은 '허 생원의 스산한 삶'을 아름다운 것으로 재발견한다는 점에서 역설적이다. 그리고 5문단 "우리의 복잡다단한 경험과 …… 역설을 통해서만 드러날 수 있음은 시적 진실의 또 다른 가능성을 잘 보여 준다."에 따르면, 역설은 모순적 언어를 통해 인간의 복잡다단한 삶과 감정을 드러냄으로써 시적 진실의 가능성을 보여 준다. 따라서 '달밤의 서정적 풍경'은 '허 생원의 스산한 삶'을 역설적인 아름다움으로 드러낸다는 점에서 시적 진실의 가능성을 보여주는 사례라고 할 수 있을 것이다.

④ 6문단 "시적 진실은 일종의 맥락적 진실이며, 문학적 진술의 진실성은 작품 전체의 맥락에서 가지는 일관성과 설득력에 의해 판단된다."와 마지막 문단 "……작품이 제시하는 허구적인 세계의 내적 정합성이라는 맥락 아래 승인되는 맥락적 진실을 획득할 것이다."에 따르면, 허구적 세계의 내적 정합성이라는 맥락 아래 승인되는 맥락적 진실은 작품 전체의 맥락에서 가지는 일관성과 설득력에 의해 판단된다. 이에 대하여 <보기> "……부자 관계라는 점을 서사 진행을 통해 조금씩 암시한다."와 "……작품 전체의 치밀한 구성을 통해 드러난다. 특히 작품 후반부에서 섬세한 문체로 …… 두 인물의 관계를 밝히기 위한 적절한 배경으로서 기능한다."에 따르면, 허 생원과 동이가 부자 관계라는 점을 드러내는 서사 진행에 있어 작품 전체의 '치밀한 구성'은 둘의 관계에 대한 암시에 영향을 주고, '섬세한 묘사'는 두 인물의 관계를 밝히기 위한 배경으로서 기능한다. 이는 작품 전체의 맥락에 일관성과 설득력을 부여한다고 볼 수 있으므로, 이를 통해 작가가 창조한 세계의 내적 정합성이 확인된다고 할 수 있다.

⑤ <보기> "이러한 결말은 …… 벗어나기 어려운 혈연적 숙명이라는 인간적 진실을 형상화한다."에 따르면, 작가는 장돌뱅이 허 생원의 삶에 대한 허구적 이야기를 통해 '혈연적 숙명'이라는 보편적 주제를 제시한다. 이에 대하여 1문단 "문학은 개연성을 가진 사건, 즉 세상의 이치에 따라 일어날 법한 일을 그리지만……."과 "따라서 문학이 역사보다 더 보편적인 진실을 이야기한다는 것은 …… 시적 진실을 옹호하는 고전적 관점이다."에 따르면, 「메밀꽃 필 무렵」의 작가는 개연성을 갖는 사건을 통해 드러나는 보편적인 진실을 시적 진실로 추구하였을 것이라고 짐작해볼 수 있다.

[19~21] 제재 | 박세당, 「예송변」
난이도 | ★★★

19. 정답 ⑤ 난이도 ★★★ | 정답률 32%

내용영역 인문 | 문항 유형 정보의 확인과 재구성

[정답 풀이]

⑤ 2문단 "효종이 세상을 떠나니 당시 대왕대비인 인조의 계비(繼妃) 자의대비는 어머니로서의 상복을 입어야 했다."에 따르면, 당시의 논쟁은 대왕대비가 '어머니로서' 상복을 몇 년 입어야 하는지에 관한 논쟁이었고, 이는 자신이 낳은 아들이 죽더라도 동일하게

적용되었을 것이다. 또한 2문단 "ⓐ 갑설은 "……삼년복(三年服)을 입어야 한다."라고 하였다. ⓑ 을설은 "……기년복(朞年服)을 입어야 한다."라고 하였다."에 따르면, 대왕대비가 상복을 입어야 하는 기간은 1년에서 3년 사이임을 알 수 있다. 이를 정리하면, 대왕대비는 자신이 낳은 아들이 죽으면 종통에 상관없이 1년 이상 상복을 입어야 한다.

[오답 풀이]

① 장자가 아니면서 종통을 계승할 수 있는지에 대하여 찬반이 갈린다고 볼 수는 없다.

3문단 "효종은 인조의 차자로서 적통을 이어 만백성에 군림하고 온 세대에 종통을 드리웠으니……."와 마지막 문단 "대왕대비가 기년복을 입어도 효종은 결국 인조의 종통을 이은 것이고, 대왕대비가 삼년복을 입어도 효종은 역시 결국 인조의 종통을 이은 것이기 때문이다."에 따르면, 글쓴이는 효종이 선왕의 종통을 이은 왕임을 인정하고 있다. 그리고 3문단 "그저 효종이 인조의 차자라는 이유로 이렇듯 어지러이 다투는 결론 없는 분쟁이 있는 것이다."에 따르면, 대왕대비가 상복을 입는 기간을 결정할 때 장자가 죽은 경우를 적용할지를 두고 찬반이 갈리고 있다. 따라서 장자가 아니면서 종통을 계승할 수 있는지에 대하여 찬반이 갈린다고 볼 수는 없다.

② 전해 오는 예법에 규정되지 않은 차장자 관련 복제에 대한 해석에 논란이 있다.

5문단 "고례(古禮)에도 그에 관한 정문(正文)이 없어서 주석들도 같고 다름이 있으니, 한때의 예(禮)는 실정을 참작하여 정하면 된다."에 따르면, 차장자 관련 복제가 고례에 규정되어 있지는 않음을 알 수 있다.

③ 장자가 사망하였을 때 그 어머니의 상복은 삼년복이라는 데 대해서는 다툼이 없다.

2문단 "ⓐ 갑설은 "차장자라 함은 …… 장자가 됨으로써 그 명칭이 붙은 것이니, 삼년복(三年服)을 입어야 한다."라고 하였다. ⓑ 을설은 "……원래 장자가 아니므로, 중자의 기년복(朞年服)을 입어야 한다."라고 하였다."에 따르면, 제시문의 논쟁은 효종을 장자로 보아 대왕대비가 삼년복을 입을지, 중자로 보아 기년복을 입을지에 대한 것이다. 이에 따르면, 어머니의 상복이 장자가 사망하였을 때 삼년복, 중자가 사망하였을 때 일년복이라는 점은 논자들이 동의하고 있다.

④ 측실 소생이라는 사실은 황제로서의 종통 승계에 흠이 되는 요소가 아니다.

4문단 "옛날 한(漢)의 문제(文帝)는 …… "짐은 황제의 측실에서 난 아들이다."라고 말하였고, …… 당시에는 위에서도 스스로 서자(庶子)였던 사실을 숨기지 않았고 아래에서도 임금을 위해 숨기려 하지 않았다. 하물며 문제는 그 후사가 수십 대에 이어졌고 당 태종처럼 지금까지도 성군으로 칭송되는데, 누가 그런 것을 문제 삼는가."에 따르면, 글쓴이는 문제가 황제의 측실 소생임에도 후사가 수십 대에 이어졌다는 점에서 측실 소생이라는 사실이 종통 승계에 흠이 되는 요소가 아님을 주장하고 있다.

20. 정답 ④

난이도 ★★☆ | 정답률 67%

(내용영역) 인문 (문항 유형) 주제, 구조, 관점 파악

[정답 풀이]

글쓴이는 무왕과 문왕(㉠)의 사례를 인용하여 무왕이 문왕의 장자가 아님에도 성공적으로 주나라의 대통을 이었다는 점을 강조하며, 효종의 사례도 이와 유사하다고 주장한다. 무왕이 붕어할 때 어머니가 상복을 3년 입었든, 2년도 안 입었든 그러한 사실은 종통이 불명하다는 주장과 관련이 없다는 입장을 편다.

④ 4문단 "우리 효종과 인조는 주(周)의 ㉠ 무왕과 문왕에 비견되는데, 무왕이 문왕의 장자가 아니라는 것은 어린아이들도 안다. 그리하여 후세 사람들은, 문왕은 자식을 가리는 밝음이 있고 무왕은 뜻을 잇는 효가 있어서 주나라 팔백 년을 여는 대업을 이루고 대통을 전하였다고 여긴다."에 따르면, 효종과 인조의 관계가 무왕과 문왕의 관계에 비유되고 있다. 그리고 5문단 "인조가 효종에게 물려주고 효종이 인조를 이은 것은 충분히 주나라 무왕과 문왕의 경우와 같으니, 복제가 오르고 내리거나 가볍고 무겁거나 하는 것은 무슨 상관이겠는가."와 마지막 문단 "대왕대비가 기년복을 입어도 효종은 결국 인조의 종통을 이은 것이고, 대왕대비가 삼년복을 입어도 효종은 역시 결국 인조의 종통을 이은 것……."에 따르면, 무왕이 문왕의 뒤를 이어 대통을 이었듯, 효종은 인조의 종통을 이어 나라를 통치했으니 종통이 뚜렷하지 못함을 따지고 복을 올리고 내리는 논쟁을 하는 것이 적절하지 않다는 것이 글쓴이의 주장이다. 따라서 인조가 밝은 덕으로 보위를 튼튼히 하고 후대에 이어가도록 한 것을 강조하여 종통의 본질을 환기하는 것이 글쓴이의 의도라고 볼 수 있을 것이다.

[오답 풀이]

① 무왕과 문왕(㉠)의 사례에서는 무왕이 문왕의 장자가 아님에도 성공적으로 주나라의 대통을 이었다는 점이 강조되고 있기 때문에, 해당 사례는 국왕이 된 이상 장자의 지위는 자연스럽게 따라붙게 된다는 원리를 설명하는 것과는 관련이 없다.

② 5문단 "무왕이 붕어하고 그 어머니인 태사가 아직 살아 있다고 가정할 때 무왕을 위해 상복을 꼭 3년 입었을지 2년도 안 입었을지는 아무도 모른다. 그러나 복을 입지 않았다고 해서 무왕을 깎아 먹겠으며 복을 입었다고 해서 그 빛을 더하겠는가. 당시에 종통이 불명하다는 따위의 이야기가 있었을까."에 따르면, 글쓴이는 무왕의 어머니가 어떤 복제를 입었든 무왕의 종통과는 관련이 없다는 주장을 펼치고 있다. 따라서 무왕의 어머니인 태사의 복제를 따짐으로써 효종의 어머니가 입을 상복의 종류를 결정하는 것이 글쓴이의 의도라고는 볼 수 없다.

③ 4문단 "우리 효종과 인조는 주(周)의 무왕과 문왕에 비견되는데, 무왕이 문왕의 장자가 아니라는 것은 어린아이들도 안다. 그리하여 후세 사람들은, 문왕은 자식을 가리는 밝음이 있고 무왕은 뜻을 잇는 효가 있어서 주나라 팔백 년을 여는 대업을 이루고 대통을 전하였다고 여긴다."에 따르면, 글쓴이는 효종을 문왕의 아들인 무왕에 견주고 있다. 그리고 1문단 "적자(嫡子)로서 종통(宗統)을 잇는 …… 효종은 차자여서 차장자(次長子)라고들 한다."에 따르면, 효종이 적자임에는 변함이 없다. 즉 글쓴이는

효종이 적자가 되어 적법하게 종통을 계승하였다고 설명하지 않는다. 따라서 효종을 주의 문왕에 견주는 것도, 효종이 적자가 되어 적법하게 종통을 계승하였음을 밝히는 것도 글쓴이의 의도라고는 보기 어렵다.

⑤ 1문단 "적자(嫡子)로서 종통(宗統)을 잇는 맏아들이 장자(長子)이니 효종은 차자여서 차장자(次長子)라고들 한다."와 4문단 "무왕이 문왕의 장자가 아니라는 것은 어린아이들도 안다."에 따르면, 무왕이 문왕의 장자가 아님을 알 수 있다. 또한 마지막 문단 "대왕대비가 기년복을 입어도 효종은 결국 인조의 종통을 이은 것이고, 대왕대비가 삼년복을 입어도 효종은 역시 결국 인조의 종통을 이은 것……"에 따르면, 글쓴이는 효종이 인조의 종통을 이은 왕임을 주장하고 있으므로 종통을 확고히 해야 한다는 입장이라고는 보기 어렵다. 따라서 차장자로서 종묘사직의 기초를 닦은 중국의 실례를 들어 국가의 종통을 확고히 해야 한다는 지향을 드러내는 것이 글쓴이의 의도라고는 보기 어렵다.

21. 정답 ① | 난이도 ★★★ | 정답률 21%

(내용영역) 인문 | (문항 유형) 정보의 평가와 적용

[정답 풀이]

① <보기>는 종통 승계를 우선하는 원칙을 강조하고 있지만, 정해지는 기준이 나라 안 모든 질서에서 일관된다고 보지 않는다. 2문단 "ⓐ 갑설은 "차장자라 함은 …… 장자의 죽음으로 말미암아 차자가 후사를 이어 장자가 됨으로써 그 명칭이 붙은 것이니, 삼년복(三年服)을 입어야 한다."라고 하였다."에 따르면, 갑설(ⓐ)은 효종의 사례를 차자가 장자가 된 경우로 해석한다. <보기>에 따르면, 집안의 적자 가운데 첫째 아들로서 종통을 이어받을 사람만을 장자라 하는 것은 변함없는 원칙이다. 중자 중에서 종통을 잇도록 정한 경우에는 아버지나 어머니가 삼년복을 입지 않지만, 왕가에서는 서자라도 세자로 책봉되면 임금이 될 때까지는 장자와 같이 대우해야 한다. 따라서 <보기>에서는 종통 승계를 우선하는 원칙에 따른 기준이 나라 안 모든 질서에서 일관된다고 보지 않는다.

[오답 풀이]

② 2문단 "ⓑ 을설은 "차장자가 중자라는 사실은 어쩔 수 없으니, …… 원래 장자가 아니므로, 중자의 기년복(朞年服)을 입어야 한다."라고 하였다."에 따르면, 을설(ⓑ)은 효종은 중자로서 세자가 되었다는 사실이 정해져 있으므로 장자가 아니라고 주장한다. <보기>에 따르면, 집안의 적자 가운데 첫째 아들로서 종통을 이어받을 사람만을 장자라 하므로, 이러한 원칙에 따를 때 효종은 장자가 아니다. 따라서 을설(ⓑ)과 <보기> 모두 효종은 중자로서 세자가 되었다는 사실이 바뀔 수 없기 때문에 장자일 수 없다고 본다.

③ 2문단에 따르면, 내 생각(ⓒ)은 글쓴이의 입장에 해당한다. 5문단 "무릇 인조가 효종에게 물려주고 효종이 인조를 이은 것은 충분히 주나라 무왕과 문왕의 경우와 같으니, 복제가 오르고 내리거나 가볍고 무겁거나 하는 것은 무슨 상관이겠는가."에 따르면, 글쓴이는 효종이 인조의 뒤를 이어 임금이 되었으니 그를 장자로 볼지, 중자로 볼지 논의하는 것은 무의미하다고 본다. <보기>에 따르면, 누구든 대통을 계승하는 보위에 올랐다면 임금으로 대우해야 한다고 본다. 따라서 내 생각(ⓒ)과 <보기> 모두 임금이 된 효종에 대해서 장자인지를 문제 삼을 필요가 없다고 본다.

④ 2문단 "ⓐ 갑설은 "차장자라 함은 …… 장자의 죽음으로 말미암아 차자가 후사를 이어 장자가 됨으로써 그 명칭이 붙은 것이니, 삼년복(三年服)을 입어야 한다."라고 하였다. ⓑ 을설은 "……원래 장자가 아니므로, 중자의 기년복(朞年服)을 입어야 한다."라고 하였다."에 따르면, 갑설(ⓐ)의 입장에서는 소현세자의 죽음으로 세자가 된 효종은 장자의 대우를 받아야 하고, 을설(ⓑ)의 입장에서는 첫째 아들만이 장자에 해당한다. <보기>에서는 집안의 적자 가운데 첫째 아들로서 종통을 이어받을 사람만을 장자라 하는 것이 원칙이지만, 왕가에서는 세자로 책봉되면 임금이 될 때까지는 장자와 같이 대우해야 마땅하다고 주장한다. 이를 종합하면 <보기>의 견해는 세자 시절의 효종이 장자의 대우를 받아야 한다고 본다는 점에서 갑설(ⓐ)과 일치하고, 첫째 아들만이 장자에 해당한다고 본다는 점에서 을설(ⓑ)과 일치한다.

⑤ 1문단 "적자(嫡子)로서 종통(宗統)을 잇는 맏아들이 장자(長子)이니 효종은 차자여서 차장자(次長子)라고들 한다."에 따르면, 적자, 즉 적실의 소생임은 장자 또는 차장자를 결정하는 필수 조건 중 하나이다. 갑설(ⓐ), 을설(ⓑ), 내 생각(ⓒ)의 논쟁은 효종이 적실의 소생이라는 사실을 인정하는 바탕에서 그를 어떻게 대우해야 하는지에 관한 것이다. 또한 <보기>에 따르면, 집안의 적자 가운데 첫째 아들로서 종통을 이어받을 사람만을 장자라 하는 것은 변함없는 원칙이므로, 차장자 역시 다른 조건은 동일하고 둘째 아들이라는 점만 다르다는 점에서 적실 소생이어야 한다. 그러므로 <보기> 역시 어떤 아들이 차장자인지 여부를 논하려면 그가 적실의 소생이어야 한다고 볼 것이다. 이를 종합하면, 효종이 적실의 소생이 아니라면 차장자라 할 여지가 없다고 보는 점에서는 갑설(ⓐ), 을설(ⓑ), 내 생각(ⓒ), <보기> 모두 일치한다.

[22~24] 제재 | 광역학 치료 기전
난이도 | ★★☆

22. 정답 ④ | 난이도 ★★☆ | 정답률 55%

(내용영역) 과학기술 | (문항 유형) 정보의 확인과 재구성

[정답 풀이]

④ 2문단 "감광제에 빛을 쪼여 발생한 활성산소종은 반감기가 약 0.05 ㎲ 이하이기 때문에 …… 감광제와 매우 가까운 주변부에서만 국소적 반응을 일으킨다."와 마지막 문단 "……감광제는 암 조직에만 선택적으로 축적되고 빛을 쪼여 준 부위에서만 국소적인 독성을 나타내므로 대안적 암 치료법으로 고려되고 있다."에 따르면, 광역학 치료를 통한 암 치료 시 발생하는 활성산소종은 반감기와 유효거리가 짧을 것이며, 암 조직에만 선택적으로 축적되므로 암세포와 멀리 떨어져 위치한 정상세포에 미치는 영향이 적을 것이다.

[오답 풀이]

① 포르피린을 합성하는 여드름균 때문에 생긴 여드름을 치료하려면 여드름균만 사멸시키는 특정 파장의 빛을 쪼여야 한다.
3문단 "여드름균은 포르피린을 스스로 합성하는데 이 때문에 특정 파장의 빛을 쪼이면 여드름균만 사멸되어 효과적인 치료를 할 수 있다."에 따르면, 포르피린을 합성하는 여드름균 때문에 생긴 여드름을 치료하려면 빛을 차단하는 것이 아니라 여드름균만 사멸시키는 특정 파장의 빛을 쪼여야 한다.

② 빛이 없이 세포독성을 유발하는 형광시약은 감광제로 적합하지 않으므로 광역학 치료에 사용하지 않을 것이다.
3문단 "많은 형광 염색 시약들도 활성산소종 방출 능력을 가지고 있어 감광제로 사용할 수 있지만 …… 빛이 없을 경우에는 독성이 낮아야 하며……."에 따르면, 형광시약을 감광제로 사용할 수 있으려면 빛이 없을 때 독성이 낮아야 한다. 따라서 빛이 없이 세포독성을 유발하는 형광시약은 감광제로 적합하지 않으므로 광역학 치료에 사용하지 않을 것이다.

③ 감광제가 정상 피부 조직에 잔류하고 외부 빛이 체내 깊숙이 투과되지 않더라도 알레르기가 발생할 수 있다.
3문단 "높은 농도의 감광제를 주입할 경우 알레르기를 유발할 수 있고 완전히 분해 혹은 배출되지 않은 감광제가 잔류되었을 경우 햇빛 노출에 의해 피부세포가 손상될 수 있기 때문에……."에 따르면, 알레르기는 높은 농도의 감광제가 주입되는 경우 발생한다. 따라서 감광제가 정상 피부 조직에 잔류하고 외부 빛이 체내 깊숙이 투과되었는지와 관계없이 높은 농도의 감광제가 주입되었다면 알레르기가 발생할 수 있을 것이다.

⑤ 감광제를 이용한 암 치료 시 감광제는 LDL과의 결합을 통해 암 조직에 선택적으로 축적된다.
마지막 문단 "암 치료 시에는 감광제가 암 조직에 선택적으로 축적되는 기전을 이용한다. 정맥 주사로 투여되는 감광제는 …… 저밀도 지질단백질(LDL)과 강하게 결합한다. 암세포의 세포막에는 LDL과 결합하는 LDL 수용체가 많이 존재하기 때문에 정상세포에 비해 암세포에 감광제가 다량으로 축적된다."에 따르면, 감광제를 이용한 암 치료 시 감광제는 LDL과 결합함으로써 LDL 수용체가 많이 존재하는 암세포에 선택적으로 축적된다.

23. 정답 ②

난이도 ★★★ | 정답률 28%

(내용영역) 과학기술 (문항 유형) 정보의 평가와 적용

[정답 풀이]

1문단 "……㉠아크리딘 색소가 침착된 원생동물이 번개에 노출되자 죽는 현상을 우연히 관찰했고, 이어 피부 종양에 형광물질의 하나인 에오신을 바르고 빛을 쪼여 종양에 반응이 있음을 확인했다."에 따르면, <보기>의 실험은 빛이 차단된 환경에서 감광제를 투여한 뒤 빛을 쪼이는 순서로 진행되었을 것임을 알 수 있다. 그러므로 순서를 고려하여 빛이 없는 상황에서 먼저 감광제가 투여되었을 때 어떤 변화가 발생했을지, 그 후에 빛을 쪼이고 항산화제를 투여했을 때 활성산소종 발생 양상이 어떻게 나타났을지 구분하여 파악해야 한다.

② A는 적색 빛보다 녹색 빛에 의해 더 많은 양의 활성산소종을 발생시킨다.
<보기>에 따르면, 감광제 A를 투여하고 녹색 빛을 쪼인 경우(감광제 A, 광원 녹색 빛), 항산화제를 투여하지 않으면 원생동물의 생존율이 0%로 나타났고, 적색 빛을 쪼인 경우(감광제 A, 광원 적색 빛), 항산화제 투여 여부와 무관하게 원생동물의 생존율은 80%로 나타났다.

광원	감광제	항산화제	생존율(%)
녹색 빛	A	-	0
		+	80
적색 빛	A	-	80
		+	80

이에 대하여 2문단 "특정 감광제는 특정 파장의 빛에 가장 효율적으로 반응하기 때문이다."에 따르면, 특정 감광제는 어떤 색깔의 빛을 받느냐에 따라 활성산소종을 생성시키는 양상이 달라진다는 점을 알 수 있다. 그런데 녹색 빛을 쪼였을 때 원생동물의 생존율이 더 낮았다는 것은 감광제 A에 대하여 적색 빛과 녹색 빛에 의한 활성산소종 발생 양상이 달랐으며, 녹색 빛에 의해 더 많은 활성산소종이 발생했음을 의미한다. 따라서 A는 적색 빛보다 녹색 빛에 의해 더 많은 양의 활성산소종을 발생시킨다고 볼 수 있다.

[오답 풀이]

① <보기>에 따르면, 감광제를 투여하지 않고 빛을 쪼이지 않은 경우(감광제 -, 광원 -), 항산화제 투여 여부와 무관하게 원생동물의 생존율은 100%로 나타났다. 그리고 감광제 A를 투여하고 빛을 쪼이지 않은 경우(감광제 A, 광원 -), 항산화제 투여 여부와 무관하게 원생동물의 생존율은 80%로 나타났다.

광원	감광제	항산화제	생존율(%)
-	-	-	100
		+	100
	A	-	80
		+	80

이때 둘의 차이는 감광제 A 투여 여부뿐이므로 A를 투여한 것이 원생동물의 생존율이 80%인 원인이라고 볼 수 있다. 이에 대하여 3문단 "많은 형광 염색 시약들도 …… 빛이 없을 경우에는 독성이 낮아야 하며……."에 따르면, 감광제는 빛이 없는 경우에 자체 독성을 가질 수 있다. 그리고 2문단 "감광제가 어떤 파장의 빛에 의해 활성화되면 …… 활성산소종을 생성시킨다."에 따르면, 감광제는 빛에 반응하여야 활성산소종을 생성시킬 수 있으므로, 빛을 쪼이지 않은 상황에서 감광제에 의한 활성산소종의 발생은 일어나지 않았을 것이다. 그렇다면 감광제 A를 투여하고 빛을 쪼이지 않은 원생동물의 생존율이 80%인 것은 감광제 A의 자체 독성이 원인이 되었을 것이다. 따라서 A는 활성산소종과의 생성과는 무관한 독성을 가지고 있다고 볼 수 있다.

③ <보기>에 따르면, 감광제 B를 투여하고 녹색 빛과 적색 빛을 각각 쪼인 경우(감광제 B, 광원 녹색 빛/적색 빛), 항산화제를 투여하지 않으면 원생동물의 생존율이 각각 70%, 0%로 나타났

고, 항산화제를 투여하면 원생동물이 죽지 않았다.

광원	감광제	항산화제	생존율(%)
녹색 빛	B	-	70
		+	100
적색 빛	B	-	0
		+	100

이에 대하여 2문단 "……활성산소종을 짧은 시간 안에 국소적으로 발생시키고 …… 세포를 사멸시킨다."와 "……활성산소종을 제거하는 항산화제의 투여가 필요한 경우도 있다."에 따르면, 항산화제는 활성산소종을 제거하는 역할을 하므로, 항산화제를 투여하지 않았을 때 원생동물이 죽은 것은 활성산소종이 원인이 되었을 것임을 알 수 있다. 따라서 B는 적색 빛뿐 아니라 녹색 빛에 의해서도 활성산소종을 발생시킨다고 볼 수 있다.

④ <보기>에 따르면, 감광제 A와 B를 각각 투여하고 빛을 쪼이지 않은 경우(감광제 A/B, 광원 -), 항산화제 투여 여부와 무관하게 원생동물의 생존율이 각각 80%, 100%로 나타났다.

광원	감광제	항산화제	생존율(%)
-	A	-	80
		+	80
	B	-	100
		+	100

즉 빛이 존재하지 않는 경우, 항산화제 투여 여부가 원생동물의 생존율에 영향을 미치지 않았다. 이에 대하여 2문단 "……활성산소종을 제거하는 항산화제의 투여가 필요한 경우도 있다."에 따르면, 항산화제는 활성산소종을 제거하는 역할을 하므로 항산화제 투여 여부가 원생동물 생존에 영향을 미치지 않았다는 것은 활성산소종이 생성되지 않았음을 뜻한다. 따라서 A와 B는 빛이 존재하지 않으면 활성산소종을 발생시키지 않는다고 볼 수 있다.

⑤ <보기>에 따르면, 감광제를 투여하지 않거나 감광제 B를 투여하고 자외선을 쪼인 경우(감광제 -/B, 광원 자외선), 모두 항산화제를 투여하지 않으면 원생동물의 생존율이 0%로, 항산화제를 투여하면 원생동물의 생존율이 40%로 나타났다. 즉 두 경우 모두 자외선을 쪼이고 항산화제를 투여하면 40%의 원생동물이 생존한다. 그리고 감광제 A를 투여하고 자외선을 쪼인 경우(감광제 A, 광원 자외선), 항산화제를 투여하지 않으면 원생동물의 생존율이 0%로, 항산화제를 투여하면 원생동물의 생존율이 32%로 나타났다.

광원	감광제	항산화제	생존율(%)
자외선	-	-	0
		+	40
	A	-	0
		+	32
	B	-	0
		+	40

이에 대하여 ①에 따르면, A는 빛이 차단된 환경에서 자체 독성으로 20%의 원생동물을 사멸시킨다는 사실을 확인할 수 있다. 즉 32%라는 생존율은 빛을 쪼이기 전에 A의 자체 독성으로 인해 원생동물의 80%만이 생존한 상황에서, 자외선을 쪼이고 항산화제를 투여한 뒤 그중에서 40%가 생존한 결과이다(100%×80%×40%). 달리 말하면, 이는 감광제를 투여하지 않은 경우와 투여한 경우의 활성산소종 발생 양상 자체에는 차이가 없었을 것임을 의미한다. 따라서 자외선에 의하여 유발되는 활성산소종은 A나 B로부터 발생한 것은 아닐 것이다.

24. 정답 ②

난이도 ★★★ | 정답률 17%

내용영역 과학기술 | 문항 유형 정보의 추론과 해석

[정답 풀이]

<보기> "X, Y, Z 사이에 빛, 활성산소종, 항산화제를 매개하지 않는 직접적인 상호작용은 없었다."에 따르면, 특정 신물질이 포함된 각 혼합용액은 <보기>에 제시되지 않은 작용은 일으키지 않으면서, 포함하고 있는 신물질의 효과를 모두 가질 것이다. 이를 바탕으로 혼합용액에 빛을 쪼인 결과 및 신물질을 암세포에 가하고 빛을 쪼인 결과를 다음과 같이 정리할 수 있다.

		녹색 빛	적색 빛
X, Z	활성산소종	-	-
	형광 방출	적색 형광(X)	-
	암세포 사멸	100%(X)	100%(X)
Y, Z	활성산소종	-	발생(Y) & 50% 제거(Z)
	형광 방출	-	-
	암세포 사멸	-	100%(Y)
X, Y, Z	활성산소종	발생 (X 간섭효과+Y) & 50% 제거(Z)	발생(Y) & 50% 제거(Z)
	형광 방출	적색 형광(X)	-
	암세포 사멸	100%(X)	100%(X, Y)

② <보기>에 따르면, Y, Z 혼합용액에 녹색 빛을 쪼이는 경우, 적색 형광은 방출되지 않고 활성산소종도 발생하지 않는다. 반면 X, Y, Z 혼합용액에 녹색 빛을 쪼이면, 먼저 X의 영향으로 적색 형광이 방출된다. 그리고 3문단 "또한 세포 안에는 특정 파장의 빛을 받고 그보다 긴 파장의 빛을 내어 놓는 형광물질이 존재할 수 있으므로……."에 따르면, 적색 형광의 방출로 인하여 Y가 적색 빛에 노출될 것이며, 그 결과 활성산소종이 발생할 것이다. 따라서 Y, Z 혼합용액에 녹색 빛을 쪼이면 X, Y, Z 혼합용액에 녹색 빛을 쪼인 경우보다 적색 형광이 적게 방출되고 활성산소종도 적게 발생할 것이다.

[오답 풀이]

① X, Z 혼합용액에 녹색 빛을 쪼이면 Y, Z 혼합용액에 적색 빛을 쪼인 경우보다 적색 형광은 많이 방출되고 활성산소종은 적게 발생하겠군.

<보기>에 따르면, X, Z 혼합용액에 녹색 빛을 쪼이면 X의 영향으로 적색 형광은 방출되지만 활성산소종은 발생하지 않는다. 그리

고 Y, Z 혼합용액에 적색 빛을 쪼이면 형광은 방출되지 않지만 Y의 영향으로 활성산소종은 발생한다. 따라서 X, Z 혼합용액에 녹색 빛을 쪼이면 Y, Z 혼합용액에 적색 빛을 쪼인 경우보다 적색 형광은 많이 방출되지만 활성산소종은 적게 발생할 것이다.

③ X, Z 혼합용액에 녹색 빛을 쪼이면 X, Y, Z 혼합용액에 적색 빛을 쪼인 경우보다 적색 형광은 많이 방출되고 활성산소종은 적게 발생하겠군.
<보기>에 따르면, X, Z 혼합용액에 녹색 빛을 쪼이면 X의 영향으로 적색 형광은 방출되지만 활성산소종은 발생하지 않는다. 그리고 X, Y, Z 혼합용액에 적색 빛을 쪼이면 형광은 방출되지 않지만 Y의 영향으로 활성산소종은 발생한다. 따라서 X, Z 혼합용액에 녹색 빛을 쪼이면 X, Y, Z 혼합용액에 적색 빛을 쪼인 경우보다 적색 형광은 많이 방출되고 활성산소종은 적게 발생할 것이다.

④ X, Z를 동시에 암세포에 가하고 녹색 빛을 쪼이면 Y, Z를 동시에 가하고 녹색 빛을 쪼인 경우보다 적색 형광은 많이 방출되고 암세포도 많이 사멸하겠군.
<보기>에 따르면, X, Z를 동시에 암세포에 가하고 녹색 빛을 쪼이면 X의 영향으로 적색 형광이 방출되고 암세포는 100% 사멸할 것이다. 그리고 Y, Z를 동시에 가하고 녹색 빛을 쪼이면 형광은 방출되지 않고 암세포 역시 사멸되지 않는다. 따라서 X, Z를 동시에 암세포에 가하고 녹색 빛을 쪼이면 Y, Z를 동시에 가하고 녹색 빛을 쪼인 경우보다 적색 형광은 많이 방출되고 암세포도 많이 사멸할 것이다.

⑤ Y, Z를 동시에 암세포에 가하고 적색 빛을 쪼이면 X, Z를 동시에 가하고 녹색 빛을 쪼인 경우보다 적색 형광은 적게 방출되지만, 암세포가 더 많이 사멸하지는 않겠군.
<보기>에 따르면, Y, Z를 동시에 암세포에 가하고 적색 빛을 쪼이면 형광은 방출되지 않지만, Y의 영향으로 암세포는 사멸할 것이다. 그리고 X, Z를 동시에 가하고 녹색 빛을 쪼이면 X의 영향으로 적색 형광이 방출되고 암세포는 100% 사멸할 것이다. 따라서 Y, Z를 동시에 암세포에 가하고 적색 빛을 쪼이면 X, Z를 동시에 가하고 녹색 빛을 쪼인 경우보다 적색 형광은 적게 방출되지만, 암세포가 더 많이 사멸하지는 않을 것이다.

[25~27] 제재 | 흄의 도덕 판단에 대한 해석
난이도 | ★★☆

25. 정답 ⑤
난이도 ★★☆ | 정답률 61%

내용영역 규범 문항 유형 정보의 확인과 재구성

[정답 풀이]

⑤ 정서주의는 인간 정서가 솔직하게 표현되더라도 이를 근거로 존재 명제에서 당위 명제를 이끌어낼 수는 없다고 본다.
마지막 문단 "정서주의에서는 …… 도덕 판단을 시인과 부인의 표현으로 간주하기 때문이다. 이 입장에서 도덕 판단은 정서적 의미를 지닐 뿐이고 단지 발화자의 태도를 표현하는 것에 불과하며……."와 "도덕 판단이 정서의 표현이라면, 그 판단은 참이거나 거짓일 수는 없고 …… 흄은 존재 명제에서의 당위 명제 도출을 부정하고 도덕적 지식의 불가능성을 주장하는 정서주의자로 해석될 수 있다."에 따르면, 정서주의는 도덕 판단을 시인과 부인의 표현으로 보며, 존재 명제에서의 당위 명제 도출을 부정한다. 따라서 정서주의는 인간 정서가 솔직하게 표현되는지와 관계없이 존재 명제에서 당위 명제를 이끌어내는 것이 불가능하다고 본다.

[오답 풀이]

① 1문단 "당위 명제는 존재 명제에서 도출될 수 없다는 흄의 주장은 …… 도덕 판단이 사실에 관한 참/거짓인 명제임을 부정하며 도덕적 지식은 존재할 수 없다고 주장하는 도덕철학자들에게 흄의 주장은 성서처럼 여겨진다."에 따르면, 도덕철학에서 도덕적 지식의 불가능성을 주장하는 철학자들이 흄의 주장을 받아들이고 있음을 알 수 있다. 따라서 흄의 주장은 도덕철학에서 도덕적 지식의 불가능성을 주장하는 철학자들에게 주된 근거로 활용되고 있다.

② 2문단 "매킨타이어는 흄의 주장이 모든 존재 명제가 아니라 일부의 존재 명제만을 겨냥하고 있다고 본다. 흄은 도덕 판단이 영원한 합목적성이나 신의 의지에 대한 신학적 명제에서 도출되는 것에 대해서만 그 불가능성을 인정한다는 것이다. …… 매킨타이어는 인간의 필요나 이익과 진정으로 관련되는 존재 명제에서만 당위 명제를 도출할 수 있다고 보는 것이 흄의 진의라고 생각했다."에 따르면, 매킨타이어의 해석에서 흄이 말하는 존재 명제가 '영원한 합목적성이나 신의 의지에 대한 신학적 명제'와 '인간의 필요나 이익과 진정으로 관련되는 존재 명제'로 분류되고 있음을 알 수 있다. 따라서 매킨타이어는 흄이 영원한 합목적성이나 신의 의지에 대한 신학적 명제를 존재 명제로 보았다고 해석한다.

③ 4문단 "헌터도 흄이 존재 명제에서의 당위 명제 도출을 전적으로 부정하지는 않았다고 해석한다. 흄은 도덕 판단을 존재 명제처럼 사실적 주장으로 인식했고 따라서 사실적 주장으로서의 도덕 판단은 다른 사실적 주장에서 도출될 수 있다고 생각했다는 것이다."에 따르면, 헌터의 해석에서 흄이 말하는 존재 명제와 도덕 판단은 모두 사실적 주장에 해당한다. 따라서 헌터는 흄이 존재 명제와 당위 명제를 모두 사실적 주장으로 보았다고 이해한다.

④ 마지막 문단 "정서주의에서는 흄처럼 사실의 기술과 정서의 표현을 구별하며, 도덕 판단을 시인과 부인의 표현으로 간주하기 때문이다. 이 입장에서 도덕 판단은 정서적 의미를 지닐 뿐이고 단지 발화자의 태도를 표현하는 것에 불과하며, 사실의 기술에서 도출될 수 없다."에 따르면, 정서주의자로 분류되는 플류와 허드슨의 해석에서 흄이 말하는 인간 정서는 사실적 진술과는 구별되는 개념으로 사실적 진술로부터 도출될 수 없다. 따라서 플류와 허드슨은 흄이 인간 정서를 사실적 진술의 대상이 아니라고 보았다고 해석한다.

26. 정답 ④
난이도 ★★☆ | 정답률 68%

내용영역 규범 문항 유형 정보의 추론과 해석

[정답 풀이]

ㄱ. 2문단 "매킨타이어는 …… 흄이 정서에 관해 논의할 때 사회적 규칙이 어떻게 공공의 이익을 증진하는가의 문제와 관련해서

수많은 인류학적, 사회학적 사실을 인용했던 점을 제시한다."와 3문단 "이런 맥락에서 매킨타이어는 '연결 개념'을 제안한다. 이 개념에는 욕구와 필요, 쾌락 등이 포함되는데, 이것들은 사실적인 것인 동시에 도덕적 개념과 밀접하게 연결된 인간 본성의 여러 측면과도 관련된다."에 따르면, 쾌락은 연결 개념의 하나로 공공의 이익을 증진하는 사회적 규칙에 관한 사실 및 도덕적 개념과 관련된 것이다. 그리고 3문단 "매킨타이어는 연결 개념이 사실들을 그것들과 관련된 도덕적 요구에 연결한다고 보고……." 에 따르면, 사실들을 그것들과 관련된 도덕적 요구에 연결하는 것이 연결 개념이다. 따라서 매킨타이어에 따르면, 공익을 증진하는 사회적 규칙은 우리에게 쾌락을 유발한다면 도덕성을 지닌다는 것이 흄의 생각이다.

ㄷ. 마지막 문단 "정서주의는 도덕적 논증의 타당성이나 도덕적 지식이 존재할 수 없다고 주장한다. 도덕 판단이 정서의 표현이라면, 그 판단은 참이거나 거짓일 수는 없고 …… 흄은 존재 명제에서의 당위 명제 도출을 부정하고 도덕적 지식의 불가능성을 주장하는 정서주의자로 해석될 수 있다."에 따르면, 도덕 판단은 정서의 표현에 해당하며 도덕적 지식은 존재할 수 없다. 이를 정리하면, 플류와 허드슨에 따르면, 도덕 판단은 정서의 표현이기 때문에 도덕적 지식이 될 수 없다는 것이 흄의 생각이다.

[오답 풀이]

ㄴ. 헌터에 따르면, 인간 정서에 대한 사실적 진술에서 도출된 도덕 판단은 도덕적 지식이 될 수 있다는 것이 흄의 생각이다.

5문단 "헌터의 해석에 따르면, 흄의 당위 명제는 …… 인간 정서와 관련된 사실적 진술로서의 존재 명제에서는 도출될 수 있다. 이 입장에서는 만일 도덕 판단이 정서의 기술이라면, 그것은 참이거나 거짓이 되며 도덕적 지식을 산출할 수 있을 것이라고 볼 수 있다. 이러한 지식의 내용이 주관적인 것이라 해도 그렇다." 에 따르면, 인간 정서와 관련된 사실적 진술에서 도덕 판단이 도출된다면 지식의 내용이 주관적이더라도 그로부터 도덕적 지식 또한 산출될 수 있다. 따라서 헌터에 따를 때 인간 정서는 주관적이기 때문에 인간 정서에 대한 사실적 진술에서 도출된 도덕 판단이 도덕적 지식이 될 수 없다는 점이 흄의 생각이라고는 보기 어렵다.

27. 정답 ① 난이도 ★★☆ | 정답률 40%

내용영역 규범 문항 유형 정보의 평가와 적용

[정답 풀이]

① 4문단 "헌터는 "당신이 어떤 행위나 특성을 사악하다고 말할 때, 이는 당신이 당신의 본성에 의해 그것에 대한 비난 또는 경멸의 느낌이나 정서를 가지게 된다는 사실을 의미할 뿐이다."라는 흄의 언급에 주목한다. 흄의 이 언급은 인간 정서의 사실적 진술에 관한 것이며, 이 사실적 진술은 어떤 행위나 특성에 대한 관찰과 그것에 대한 느낌 간의 인과적 연결을 기술하는 것이다." 에 따르면, 고의적 살인에 대한 관찰(검토)과 그것이 사악하다는 부정적 느낌이 인과적으로 연결되어 '고의적 살인이 사악하다는 진술', 즉 인간 정서의 사실적 진술이 나타나는 것이다. 그리고 5문단 "헌터의 해석에 따르면, 흄의 당위 명제는 …… 인간 정서와 관련된 사실적 진술로서의 존재 명제에서는 도출될 수 있다."에 따르면, 헌터는 고의적 살인이 사악하다는 부정적 정서의 진술로부터 고의적 살인에 대한 도덕 판단이 도출된 것이라고 생각할 것이다.

[오답 풀이]

② '악덕'이라는 도덕 판단의 근거를 매킨타이어는 인간의 타고난 성질에서 찾겠지만, 헌터는 인간 정서에 관한 사실적 진술에서 찾겠군.

3문단 "매킨타이어는 '연결 개념'을 제안한다. 이 개념에는 욕구와 필요, 쾌락 등이 포함되는데, 이것들은 사실적인 것인 동시에 도덕적 개념과 밀접하게 연결된 인간 본성의 여러 측면과도 관련된다. 매킨타이어는 연결 개념이 사실들을 그것들과 관련된 도덕적 요구에 연결한다고 보고……."에 따르면, 인간 본성의 여러 측면이 연결 개념으로 작용하여 사실들과 도덕적 요구가 연결된다. 따라서 매킨타이어는 도덕 판단의 근거를 인간의 본성, 즉 타고난 성질에서 찾을 것이다. 하지만 5문단 "헌터의 해석에 따르면, 흄의 당위 명제는 …… 인간 정서와 관련된 사실적 진술로서의 존재 명제에서는 도출될 수 있다."에 따르면, 헌터는 도덕 판단의 근거를 시인과 부인의 표현이 아니라 인간 정서에 관한 사실적 진술에서 찾을 것이다.

③ 플류와 허드슨은 '악덕'에 대해 '고의적 살인'이 어떤 사람에게 유발한 불쾌감을 기술한 것으로 간주하지 않겠군.

4문단 "사실적 진술은 어떤 행위나 특성에 대한 관찰과 그것에 대한 느낌 간의 인과적 연결을 기술하는 것이다."에 따르면, '고의적 살인'이 어떤 사람에게 유발한 불쾌감을 기술한 것은 헌터가 설명하는 '인간 정서의 사실적 진술'에 해당한다. 그런데 마지막 문단 "플류와 허드슨은 …… 흄은 도덕 판단을 인간 정서에 관한 사실적 진술이 아니라 정서의 표현으로 보았다고 주장한다."에 따르면, 플류와 허드슨은 '악덕'이라는 도덕 판단을 인간 정서에 관한 사실적 진술로 간주하지 않을 것이다.

④ 매킨타이어와 달리 헌터는 '거부의 감정'이 사실적 측면과 도덕적 요구를 연결하는 개념이라고 생각하지 않겠군.

3문단 "매킨타이어는 '연결 개념'을 제안한다. 이 개념에는 욕구와 필요, 쾌락 등이 포함되는데, 이것들은 사실적인 것인 동시에 도덕적 개념과 밀접하게 연결된 인간 본성의 여러 측면과도 관련된다. 매킨타이어는 연결 개념이 사실들을 그것들과 관련된 도덕적 요구에 연결한다고 보고……."에 따르면, 도덕적 개념과 밀접하게 연결된 인간 본성의 여러 측면이 연결 개념으로 작용할 수 있다. 따라서 매킨타이어는 '거부의 감정'이 사실적 측면과 도덕적 요구를 연결하는 개념이라 생각할 수 있을 것이다. 하지만 5문단 "헌터의 해석에 따르면, 흄의 당위 명제는 …… 인간 정서와 관련된 사실적 진술로서의 존재 명제에서는 도출될 수 있다."에 따르면, 헌터는 도덕 판단과 인간 정서와 관련된 사실적 진술을 연결 짓지만, 사실적 측면과 도덕적 요구를 연결하는 개념이 있다고 설명하지는 않는다. 따라서 헌터가 '거부의 감정'이 사실적 측면과 도덕적 요구를 연결하는 개념이라 생각할 수는 없을 것이다.

⑤ 매킨타이어는 '당신 자신 안에 있는 것'을 도덕 판단으로 간주하겠지만, 플류와 허드슨은 '대상에 있는 것'을 도덕 판단으로 간주하지 않겠군.

3문단 "……'연결 개념' …… 에는 욕구와 필요, 쾌락 등이 포함되는데, 이것들은 사실적인 것인 동시에 도덕적 개념과 밀접하게 연결된 인간 본성의 여러 측면과도 관련된다. 매킨타이어는 연결 개념이 사실들을 그것들과 관련된 도덕적 요구에 연결한다고 보고……."에 따르면, 연결 개념에 의해 사실과 도덕적 요구가 연결될 때 도덕 판단이 가능해질 것이다. 이를 〈보기〉에 적용하면 매킨타이어는 '당신 자신 안에 있는 것'을 인간에게 정념이나 정서를 불러일으키는 필요나 이익과 관련된 도덕 판단으로 간주할 수 있을 것이다. 하지만 마지막 문단 "플류와 허드슨은 …… 흄은 도덕 판단을 인간 정서에 관한 사실적 진술이 아니라 정서의 표현으로 보았다고 주장한다."에 따르면, 〈보기〉에서 '대상에 있는 것'을 정서의 표현이라고 보기는 어려우므로 플류와 허드슨이 '대상에 있는 것'을 도덕 판단으로 간주할 수는 없다.

[28~30] 제재 | 미성년 자녀 반환에 관한 국제 협약
난이도 | ★☆☆

28. 정답 ② 난이도 ★★☆ | 정답률 75%

내용영역 규범 문항 유형 정보의 확인과 재구성

[정답 풀이]

② 4문단 "위법한 국제적 이동이 발생한 경우, 자녀를 반환시키려면 양육친은 재판에서 승소하여 강제집행 절차까지 마쳐야 한다."에 따르면, 자녀 반환이 실현되려면 양육자가 반환재판에서 승소한 후 강제집행 절차까지 이루어져야 한다. 따라서 양육친이 반환재판에서 승소하더라도 그것만으로는 자녀의 반환이 실현되지 않는다.

[오답 풀이]

① 전담기관 제도와 반환재판 제도 모두 효과적으로 작동하고 있다.

3문단 "이 협약에 특유한 전담기관 제도와 반환재판 제도가 모두 효과적으로 작동하므로 이 협약은 성공적으로 운영되고 있다고 평가된다."에 따르면, 자녀 반환에 관한 국제 협약에서 전담기관 제도와 반환재판 제도가 모두 효과적으로 작동하고 있다.

③ 법원의 재판으로 양육권자가 정해지더라도 그 나라의 재판을 통해 이를 번복할 수 없는 것은 아니다.

5문단 "협약에 따르면 …… 부모 중 누가 양육권자로서 더 적합한지는 판단하지 못하도록 하고 있다. 이는 반환재판의 지연을 방지하고 자녀가 원래 살던 나라에서 양육권자를 정하는 재판을 하도록 하기 위해서이다."에 따르면, 반환재판은 양육권자 결정과는 관련이 없으며, 양육권자를 정하는 재판은 반환재판이 끝난 후 자녀가 원래 살던 나라에서 실시될 것이다. 만약 법원의 재판으로 양육권자가 정해지는 경우 그 나라의 재판으로 번복할 수 없는지는 제시문에서 설명하지 않는다. 따라서 법원의 재판으로 양육권자가 정해지는 경우 그 나라의 재판으로는 이를 번복할 수 없다고 단정할 수 없다.

④ 양육친과 비양육친의 합의로 반환 방법이 정해지더라도 전담기관이 상황에 개입하는 경우가 있다.

4문단 "전담기관은 자녀의 소재 탐지, 반환재판 진행, 승소 후의 강제집행 절차에 이르는 전반적인 과정에서 양육친을 지원한다. 또한 양육친과 비양육친이 합의로 자녀의 반환 방법을 결정하도록 주선하고, 합의가 성립하면 그 실행을 지원한다."에 따르면, 자녀의 반환 방법에 관한 합의가 이루어진 뒤에도 전담기관이 실행 지원과 같은 방식으로 상황에 개입할 수 있다.

⑤ 양육친과 비양육친의 국적이 서로 다르더라도 전담기관이 타국 국민에 대해 지원을 제공해야 하는 경우가 있다.

4문단 "협약에는 가입국들의 전담기관들 간 공조 체계도 마련되어 있어서 양육친은 자국 전담기관을 매개로 비양육친과 자녀가 머무는 외국의 전담기관의 지원을 받거나 외국 전담기관에 직접 지원을 신청할 수 있다."에 따르면, 양육친은 자국 전담기관을 매개로 외국 전담기관의 지원을 받거나 직접 외국 전담기관에 지원을 신청할 수 있다. 이 경우 전담기관이 타국 국민에 대해 지원을 제공해야 할 것이다.

29. 정답 ② 난이도 ★★☆ | 정답률 74%

내용영역 규범 문항 유형 정보의 추론과 해석

[정답 풀이]

② 마지막 문단 "반환재판 사례가 축적되면서 협약 제정 당시 예상하지 못했던 현상이 나타났다. 비양육친이 양육친의 가정폭력으로 인해 양육친 몰래 자녀를 데리고 외국으로 도피하는 사례가 많아졌다."에 따르면, 해당 상황에서 자녀가 본국으로 반환될 경우 양육친의 폭력에 노출될 위험이 있다. 이처럼 협약 제정 당시의 예상과 달리 신속한 반환을 통해 자녀가 원래 살던 나라에서 그대로 살 수 있게 해 주는 것이 자녀의 복리에 부합한다고 보기 어려운 사례가 늘고 있음을 확인할 수 있다.

[오답 풀이]

① 협약의 목적은 16세 미만인 자녀에 대한 위법한 국제적 이동이 발생한 경우에 자녀를 신속하게 반환시키는 것이다.

3문단 "협약은 16세 미만인 자녀에 대한 위법한 국제적 이동이 발생한 경우에 자녀를 신속하게 반환시키는 것을 목적으로 한다."에 따르면, 협약의 목적은 양육권자 결정에 관한 재판이 어디서 진행되는지와는 관련이 없다. 그리고 5문단 "……자녀가 원래 살던 나라에서 양육권자를 정하는 재판을 하도록 하기 위해서이다."에 따르면, 협약에서는 양육권자 결정에 관한 재판이 자녀가 원래 살던 나라에서 이루어질 수 있도록 하고 있지만, 이 역시 협약의 목적과 관계된다고 보기는 어렵다. 따라서 양육권자 결정이 자녀가 현재 머무는 나라에서 진행되게 하는 것은 협약의 목적에 해당하지 않는다.

③ 양육친과 비양육친의 국적이 같더라도 비양육친이 위법하게 자녀를 국제적으로 이동시킬 경우 협약이 적용될 것이다.

2문단 "이 협약은 양육친과 비양육친의 국적이 같은 경우나 비양육친이 자신의 본국 아닌 제3국으로 자녀를 데려간 경우에도 적용되는데……."와 3문단 "양육친의 의사에 반해 자녀를 다른

나라로 이동시키면 양육권을 침해하여 위법한 행위가 된다."에 따르면, 위법하게 자녀를 국제적으로 이동시킬 경우 협약에서 규정한 위법한 행위에 해당하며 이때 협약은 양육친과 비양육친의 국적이 같은 경우에도 적용될 것이다.

④ 비양육친의 본국만 협약에 가입한 경우 양육친은 비양육친의 본국에서 협약상의 지원 신청과 반환재판 청구를 할 수 없다. 3문단 "이 협약에 특유한 전담기관 제도와 반환재판 제도가 …… 다만 양육친과 비양육친의 본국이 모두 협약 가입국이어야만 적용되며……."에 따르면, 전담기관에의 지원 신청과 반환재판 청구는 양육친과 비양육친의 본국이 모두 협약 가입국이어야만 가능하다.

⑤ 비양육친이 양육친의 동의하에 자녀를 외국으로 데려간 경우라도 상황에 따라 위법한 국제적 이동으로 인정될 수 있다. 3문단 "비양육친이 양육친의 동의하에 귀국을 전제로 자녀를 국제적으로 이동시킨 후 자녀를 반환하기를 거부하는 경우 위법성이 인정된다."에 따르면, 비양육친이 양육친의 동의하에 자녀를 외국으로 데려간 경우라도 자녀를 반환하기를 거부하는 경우 위법한 국제적 이동에 해당한다.

30. 정답 ④ 난이도 ★★☆ | 정답률 65%

내용영역 **규범** 문항 유형 **정보의 평가와 적용**

[정답 풀이]

<보기>의 인물들에 관한 정보를 정리하면 다음과 같다.

	갑	을	병
국적	X국	Y국	-
신분	양육친	비양육친	갑과 을의 자녀
행사 권리	양육권	면접교섭권	-

○ X국, Y국은 모두 협약 가입국이다.

④ 을이 방학을 맞은 병을 Y국으로 데려가려 했으나 갑이 병의 소재를 알려주지 않는 경우, 을은 면접교섭권 행사에 대해 Y국에서 전담기관의 지원을 받을 수 있다.
3문단 "이 협약에 특유한 전담기관 제도와 반환재판 제도가 …… 다만 양육친과 비양육친의 본국이 모두 협약 가입국이어야만 적용되며, 면접교섭권이 침해되는 경우에는 전담기관의 지원을 받을 수 있을 뿐……."에 따르면, X국과 Y국은 모두 협약 가입국이므로 을은 면접교섭권 행사와 관련하여 Y국에서 전담기관의 지원을 받을 수 있다.

[오답 풀이]

① 3문단 "양육친의 의사에 반해 자녀를 다른 나라로 이동시키면 양육권을 침해하여 위법한 행위가 된다."에 따르면, 을이 갑의 동의 없이 병을 제3국인 Z국으로 데려간 행위는 위법한 행위이다. 또한 2문단 "이 협약은 …… 비양육친이 자신의 본국 아닌 제3국으로 자녀를 데려간 경우에도 적용되는데……", 4문단 "직접 외국의 법원에 반환재판을 청구할 수도 있다."와 5문단 "협약에 따르면, 자녀에 대한 위법한 국제적 이동 사실이 인정되면 법원은 자녀를 돌려보내도록 결정한다."에 따르면, Z국 역시 협약 가입국이므로 갑이 Z국에서 반환재판을 청구할 수 있으며, 위법한 국제적 이동임이 인정되면 Z국 법원은 병을 X국으로 돌려보내도록 결정할 수 있다.

② 5문단 "협약에 따르면 …… 부모 중 누가 양육권자로서 더 적합한지는 판단하지 못하도록 하고 있다. 이는 반환재판의 지연을 방지하고 자녀가 원래 살던 나라에서 양육권자를 정하는 재판을 하도록 하기 위해서이다."에 따르면, 반환재판은 양육권자 결정과는 관련이 없다. 따라서 갑이 Y국에서 반환재판을 청구하는 경우, 을이 양육권자 변경을 주장하더라도 Y국 법원은 누가 양육권자로 더 적합한지 판단할 권한이 없다.

③ 5문단 "협약에 따르면, 자녀에 대한 위법한 국제적 이동 사실이 인정되면 법원은 자녀를 돌려보내도록 결정한다. …… 다만 반환 예외 사유가 인정되면 법원은 반환청구를 받아들이지 않을 수 있다. 자녀가 1년 이상 체류 중인 나라에서의 생활에 적응한 경우나……."에 따르면, 병이 Y국에서 3년 이상 체류했음에도 생활 적응에 실패한 상황은 반환 예외 사유에 해당하지 않는다. 따라서 갑이 Y국 법원에 반환청구를 하는 경우, Y국 법원은 갑의 반환청구를 받아들일 수 있다.

⑤ 마지막 문단 "비양육친이 양육친의 가정폭력으로 인해 양육친 몰래 자녀를 데리고 외국으로 도피하는 사례가 많아졌다. 이 경우 법원은 중대한 위험이 인정됨을 이유로 반환청구를 받아들이지 않을 수 있지만, 협약의 입법 취지가 무의미해지는 것을 방지하기 위해 자녀 보호에 필요한 조치를 명하면서 반환청구를 인용할 수도 있다."에 따르면, 갑의 폭력 성향 때문에 을이 병을 Y국으로 데려간 직후 갑이 Y국에서 반환재판을 청구하는 경우, 중대한 위험이 인정되어도 Y국 법원은 자녀 보호에 필요한 조치를 명하면서 갑의 반환청구를 받아들일 수 있다.

2023학년도[홀수형]

[1~3] **제재** | **판사의 진솔함에 대한 논의**
난이도 | ★★☆

1. 정답 ③ 난이도 ★★☆ | 정답률 62%

내용영역 **규범** 문항 유형 **정보의 확인과 재구성**

[정답 풀이]

③ 법-도덕 딜레마 상황에서 거짓말하기를 선택한 판사는 법에 충실한 선택을 위해 행동하는 듯하지만, 사실은 자신의 도덕적 양심을 위한 선택을 한 것이다.
2문단 "즉, 판사는 …… 다른 합법적인 법해석을 만들어내고는 …… 은밀하게 곤경에서 벗어나는 것이다."에 따르면, 법-도덕 딜레마 상황에서 거짓말하기를 선택한 판사는 법적 권리를 부정하는 것이 법해석의 결과인 것처럼 꾸며냄으로써 자신이 지지하는 도덕적 권리를 옹호한다. 즉 거짓말하기를 선택한 판사는 법에 충실한 선택을 한 것처럼 판결 이유를 밝히지만, 그것은 자신의 생각과 다르며 실제로는 자신의 도덕적 양심에 따른 선택을 한 것이라고 볼 수 있다.

[오답 풀이]

① 1문단 "……사법권의 행사에 민주적 통제가 미치도록 판결에 이유를 밝힐 것을 요구한다. 이때 판사는 판결의 핵심적인 근거에 관해 허위나 감춤 없이……."와 "이런 반대론은 …… 민주주의 원리에 반하므로 동의하기 어렵다."에 따르면, 판사에게 진솔함이 요구되는 이유는 거짓말을 선택하는 것이 민주주의 원리에 반하는 것이기 때문이다. 다시 말해 판사가 진솔 의무를 지키는 것이 민주주의 원리에 부합한다. 그리고 3문단 "하지만 법-도덕의 딜레마와 진솔 의무는 …… 완전히 사라지지 않았다."와 "여기서 판사의 선택은 정의와 민주주의, 사법의 정당성에 지속적으로 영향을 미친다."에 따르면, 법-도덕 딜레마 상황에서 판사의 선택은 민주주의에 영향을 미치게 된다. 판사가 판결과 그 근거를 진솔하게 드러내는 것이 민주주의 원리에 합한 것임을 고려할 때, 판사의 진솔함이 법-도덕 딜레마와 민주주의를 서로 연결 짓고 있다고 볼 수 있다.

② 4문단 "……판단이 매우 어려운 사안에서 창의적인 법해석을 한 경우에도 그런 사정을 감춘다."와 "더 심각한 것은 판사가 법 외적인 사정에 무관심하고 오직 법의 문언에 충실한 결과인 듯 판결 이유를 제시하지만……."에 따르면, 판사의 진솔 의무를 지지하는 견해에서는 판사들이 오직 법의 문언에만 충실한 것처럼 판결 이유를 제시하는 방식으로 거짓말을 하고 있음을 비판한다. 달리 말하면 진솔 의무를 지지하는 견해에서는 법 외적인 사정을 고려하여 창의적인 법해석을 한 경우라도 판결 근거에 대해 자신이 믿는 바와 판단 과정을 분명히 드러낼 것을 요구하고 있다고 볼 수 있다. 따라서 진솔 의무를 지키기 위해 법 외적인 요소를 고려하는 것을 허용할 것이다.

④ 4문단 "먼저 판사의 진솔함은 사법의 정당성을 수호하는 중요한 방책이 된다."와 마지막 문단 "이런 인식을 바탕으로 법-도덕 딜레마 상황에서 거짓이 정당화된다는 견해도 재검토되고 있다. 거짓으로 이룰 수 있는 것은 진솔함으로도 이룰 수 있다."에 따르면, 판사의 진솔함이 사법의 정당성을 뒷받침한다는 견해에서는 법-도덕 딜레마 상황에서 거짓이 정당화된다는 견해를 재검토할 것을 제안하면서 진솔함의 중요성을 강조한다. 따라서 판사의 진솔함이 사법의 정당성을 뒷받침한다는 견해에 의하면 법-도덕 딜레마 상황에서 판사가 거짓말하기를 선택해서는 안 된다고 볼 것이다.

⑤ 1문단 "……사법권의 행사에 민주적 통제가 미치도록 판결에 이유를 밝힐 것을 요구한다. 이때 판사는 판결의 핵심적인 근거에 관해 허위나 감춤 없이……."에 따르면, 판사가 판결 이유를 밝혀야 한다는 것과 판결 이유를 진솔하게 작성해야 한다는 것은 별개이며, 판사가 판결 이유를 밝혀야 한다는 것은 사법권의 행사에 민주적 통제가 미치도록 하는 데 근거를 두고 있음을 알 수 있다. 또한 "이런 반대론은 …… 민주주의 원리에 반하므로 동의하기 어렵다."에 따르면, 판결 이유를 진솔하게 작성해야 한다는 것은 판결 이유를 거짓으로 드러내는 것이 민주주의 원리에 반한다는 데 근거를 두고 있다. 따라서 둘은 별개이지만 모두 민주주의 원리에서 공통의 근거를 찾을 수 있다.

2. 정답 ① 난이도 ★☆☆ | 정답률 92%

내용영역 **규범** 문항 유형 **정보의 추론과 해석**

[정답 풀이]

① 4문단 "㉠ 어떤 판사는 법이 모호하고 선례도 없어 판단이 매우 어려운 사안에서 창의적인 법해석을 한 경우에도 그런 사정을 감춘다. 이때 판사는 자신이 진정으로 믿는 법해석을 근거로 판결한 것이지만, 패소한 당사자를 설득하기 위해 판사들 사이의 상투적 표현법을 써서……."에 따르면, 법적 판단이 어렵다는 사정 때문에 판사가 상당한 재량을 행사하여 창의적인 법해석을 한 경우, 판사는 그런 사정을 감추기 위해 판사들 사이의 상투적 표현법을 사용하여 법에 따른 판결일 뿐이라고 말한다. 따라서 판사의 법해석은 법적 판단의 어려움으로 상당한 재량이 행사된 결과이지만 공식적으로는 그렇게 말하지 않을 것이라는 진술이 ㉠에 대한 설명으로 가장 적절하다.

[오답 풀이]

② 판사의 법해석은 기존 판례가 없어 새로운 해석을 통해 이루어졌으나, 판사는 공식적으로 그렇게 말하지 않을 것이다.
4문단 "……법이 모호하고 선례도 없어……."와 "……판사들 사이의 상투적 표현법을 써서 이렇게 말하는 편이 더 좋다고 생각한다."에 따르면, 판사는 기존 판례를 답습한 것이 아니라 해당 사안에 대한 기존 판례가 없어 새로운 해석을 한 것이지만, 공식적으로는 그렇게 말하지 않을 것이다.

③ 판사의 법해석은 합법적인 해석 권한을 벗어난다고 볼 수 없다. ㉠에서는 판사의 법해석이 합법적인 해석 권한을 벗어난 것이라고 서술하고 있지 않다. 마지막 문단 "판사의 거짓말은 ……

사법의 권위와 정당성은 실추될 것이다."에 따르면, ㉠에서 판사가 창의적인 법해석을 감추고자 거짓말을 하는 것은 사법적 판단 과정의 정당성과 결부되어 문제시되는 것이지, 법해석이 합법적인 해석 권한을 벗어났음을 의미하지 않는다.

④ 판사의 법해석은 도움이 될 만한 선례가 없어 창의적인 법해석을 통해 이루어졌으나, 판사는 공식적으로 그렇게 말하지 않을 것이다.
4문단 "……법이 모호하고 선례도 없어……."와 "판사는 법을 만들지 않으며, 법을 발견하고, 법률을 기계적으로 적용할 뿐이다."에 따르면, ㉠에서 판사의 법해석은 도움을 줄 만한 선례가 없는 경우의 창의적인 법해석에 해당하지만, 그런 사정을 감추기 위해 공식적으로는 법을 발견하여 기계적으로 적용한 것처럼 판결을 제시할 것이다.

⑤ 판사의 법해석은 법률을 기계적으로 적용한 결과가 아니지만, 판사는 공식적으로 그렇게 말하지 않을 것이다.
4문단 "……창의적인 법해석을 한 경우에도 그런 사정을 감춘다."와 "……이렇게 말하는 편이 더 좋다고 생각한다. …… 법률을 기계적으로 적용할 뿐이다."에 따르면, 판사의 법해석은 법률을 기계적으로 적용한 결과가 아니지만, 공식적으로는 법률을 기계적으로 적용한 결과일 뿐이라고 말할 것이다.

3. 정답 ⑤ 난이도 ★☆☆ | 정답률 91%

내용영역 규범 | 문항 유형 정보의 평가와 적용

[정답 풀이]

⑤ 비판론자는 타당한 결과를 도출했더라도 이를 감추기 위해 거짓을 선택하는 것을 수긍하지 않을 것이다.
2문단 "……법적 결론이 지극히 부정의한 결과를 초래하는 상황에서는……."과 "즉, 판사는 …… 다른 합법적인 법해석을 만들어 내고는 …… 은밀하게 곤경에서 벗어나는 것이다."에 따르면, 타당한 결과를 도출했더라도 이를 감추기 위해 거짓을 선택하는 것은 법-도덕 딜레마 상황에서 도덕적 권리를 지지하기 위해 판결의 이유를 사실대로 말하지 않는 상황에 해당한다고 볼 수 있다. 이에 대하여 <보기> "……'비판론자'는 판사들이 실제 사법적 판단 과정을 사실대로 말한 것이 아니라는 점을 …… 비판한다."에 따르면, 비판론자는 사법적 판단 과정이 사실대로 드러나지 않도록 하는 판사의 거짓말이 잘못되었음을 지적한다. 따라서 비판론자는 타당한 결과를 도출했을지라도 판사가 거짓을 선택하는 것을 수긍하지 않을 것이다.

[오답 풀이]

① 1문단 "……사법권의 행사에 민주적 통제가 미치도록 판결에 이유를 밝힐 것을 요구한다."와 <보기> "판사의 진술함이 판사의 권력 남용을 저지하는 필수불가결한 요소라고 보는 '비판론자' ……."에 따르면, 사법적 판단 과정도 민주적 통제의 대상이 된다고 보는 입장은 <보기>에서 판사의 권력 남용을 저지함으로써 사법적 판단 과정이 민주적 통제의 대상이 되어야 한다고 보는 비판론자의 입장이라고 할 수 있다. 비판론자가 판사의 진술함을 권력 남용을 저지하는 필수불가결한 요소로 여기고 있음을 고려할 때, 비판론자는 판사의 진술 의무를 지지할 것이며 따라서 대중이 사법적 판단 과정의 실체를 정확하게 알아야 한다고 생각할 것이다.

② 4문단 "……실제로는 어떤 결과를 도출할 것인지 먼저 선택한 다음에 자신이 선호하는 결과를 보장하는 해석론을 개발해 제시하는 경우이다."에 따르면, 판사는 특정한 사건에 대하여 자신이 선호하는 결과를 미리 선택한 후 그에 맞는 법해석을 제시하기도 한다. 그리고 <보기> "후자에 의하면 법은 곧 정치이고 판사는 법복 입은 정치인이다. 판사는 재판 중에 법 외적 고려에 따라 자신이 만든 법을 적용한다."에 따르면, 법현실주의자는 법을 곧 정치로 간주하면서 판사가 판결에 있어 법 외적인 요소를 고려할 수 있다고 본다. 즉 법현실주의자는 특정한 정치적 성향이 밝혀진 판사가 자신의 정치 성향을 고려하여 선호하는 결과를 미리 선택함으로써 어떤 판결이 내려질지 예상되는 것을 자연스럽게 여길 것이라고 추론할 수 있다.

③ 2문단 "판사는 도덕적 양심에 반해 법률을 적용하거나……."와 <보기> "전자에 의하면 판사는 중립적 심판자로서 사안에 법을 그대로 적용할 뿐이다. …… 판사에게는 엄격하게 법을 적용할 의무만 있다."에 따르면, 법을 그대로 적용하는 것이 판사의 의무라고 여기는 법형식주의자라면 법과 도덕이 충돌하는 상황에서 도덕이 아니라 법의 지배에 따라 판결이 이루어져야 한다고 보는 견해를 지지할 것이다.

④ 4문단 "……오직 법의 문언에 충실한 결과인 듯 판결 이유를 제시하지만, 실제로는 어떤 결과를 도출할 것인지 먼저 선택한 다음에 자신이 선호하는 결과를 보장하는 해석론을 개발해 제시하는 경우이다."에 따르면, 결과를 먼저 선택한 다음 이를 지지하는 법해석을 찾아내는 판사는 오직 법의 문언에 충실한 결과인 듯한 판결 이유를 제시한다. 이에 대하여 <보기> "……'비판론자'는 판사들이 실제 사법적 판단 과정을 사실대로 말한 것이 아니라는 점을 지적하기 위해 그런 문구를 '고상한 거짓말'이라고 비판한다."에 따르면, 비판론자는 법의 문언에 충실한 것처럼 표현 문구를 사용하는 것을 '고상한 거짓말'이라고 비판할 것임을 알 수 있다.

[4~6] 제재 | 식물인간의 도덕적 고려
난이도 | ★☆☆

4. 정답 ② 난이도 ★★☆ | 정답률 70%

내용영역 규범 | 문항 유형 정보의 확인과 재구성

[정답 풀이]

② 도덕 피동자는 능동적인 주의력이 있다.
3문단 "반면 감응력은 수동적인 측면을 넘어서 그런 정보를 바라거나 피하고 싶다는 능동적인 측면을 포함한다."에 따르면, 감응력은 능동적인 측면을 포함하므로 감응력이 있는 존재에게는 능동적인 주의력이 있다. 그리고 1문단 "반면에 도덕 피동자는 …… 도덕적 행동을 할 수 없는 존재이다. 그럼에도 …… 감응력이 있기 때문이다."에 따르면, 도덕 피동자는 감응력이 있는 존재이다. 따라서 도덕 피동자에게는 수동적인 의식적 상태를 넘어선 능동적인 주의력이 있다.

[오답 풀이]

① 1문단 "도덕 공동체의 구성원은 도덕적 고려의 대상이 되는 존재로서 도덕 행위자와 도덕 피동자로 구분된다."와 "반면에 도덕 피동자는 …… 도덕적 행동을 할 수 없는 존재이다."에 따르면, 도덕 피동자는 도덕적 행위를 할 수 없는 존재이지만 도덕적 고려의 대상이 되는 존재로서 도덕 공동체의 구성원이 될 수 있다. 따라서 도덕 피동자의 경우를 통해 도덕적 행위를 할 수 없는 존재라도 도덕 공동체에 들어올 수 있음을 알 수 있다.

③ 4문단 "도덕적 고려는 …… 도덕적 행위자가 그 존재와 맺는 구체적 관계에 의해 결정된다는 주장도 있다."와 "……구체적 관계의 여부에 따라 도덕 공동체에 속하기도 하고 속하지 않기도 하는 문제도 생긴다."에 따르면, 관계론적 접근에서는 도덕적 행위자가 어떠한 존재와 맺는 구체적 관계의 여부에 따라 그 존재가 도덕 공동체에 속하여 도덕적 고려의 대상이 될 수 있는지가 결정된다. 따라서 관계론적 접근에서는 도덕적 행위자가 동물과 어떤 관계를 맺고 있는지에 따라 동물을 도덕적 고려의 대상으로 삼지 않을 수도 있다.

④ 1문단 "……쾌락이나 고통을 느끼는 감응력이 있기 때문이다."와 3문단 "……식물인간이 어떤 자극에도 반응하지 못한다는 행동주의적 관찰 때문이다. 이런 관찰은 식물인간이 그 자극에 대한 질적 느낌, 곧 현상적 의식을 가지지 않는다고 결론 내린다. 어떤 사람이 현상적 의식이 없는 경우 그는 감응력이 없을 것이다."에 따르면, 행동주의적 관찰은 식물인간이 자극에 반응하지 않으므로 현상적 의식을 가지지 않는다고 결론을 내린다. 그런데 현상적 의식이 없으면 고통을 느끼는 감응력이 없다. 즉 식물인간이 고통을 느끼지 못한다고 판단하는 것은 자극에 반응이 없으므로 현상적 의식이 없고, 현상적 의식이 없으므로 고통을 느끼는 감응력이 없다고 판단하였기 때문이다.

⑤ 1문단 "도덕 행위자는 도덕 행위의 주체로서 자신의 행위에 따른 결과에 책임질 수 있는 존재이다."와 2문단 "식물인간은 고차원적 의식은 물론이고 감응력도 없다고 생각되는데……?"에 따르면, 식물인간은 자신의 행위에 따른 결과에 대해 책임질 수 있는 능력은 물론 도덕 피동자가 갖추었다고 여겨지는 감응력도 갖추지 못한 존재이다. 따라서 식물인간은 도덕 공동체의 구성원이 되어도 스스로 책임질 수 있는 존재는 아니다.

5. 정답 ④

난이도 ★☆☆ | 정답률 81%

내용영역 규범 | 문항 유형 정보의 추론과 해석

[정답 풀이]

④ 3문단 "그런데 거꾸로 감응력이 없다고 해서 꼭 현상적 의식을 가지지 못하는 것은 아니다."에 따르면, 감응력이 없어도 현상적 의식은 가질 수 있다. 그리고 2문단 "반면에 커루더스는 고차원적 의식을 감응력의 기준으로 보아…….에 따르면, 커루더스는 고차원적 의식이 있는 존재에게는 감응력이 있고, 고차원적 의식이 없는 존재에게는 감응력이 없다고 여기고 있다. 즉 감응력이 없는 존재에게는 고차원적 의식이 없다고 본 것이다. 따라서 커루더스는 현상적 의식이 있지만 감응력이 없는 존재를 두고 고차원적 의식이 없다고 생각할 것이다.

[오답 풀이]

① '감응력 마비자'는 현상적 의식을 가질 수 있다.
3문단 "감응력이 없다고 해서 꼭 현상적 의식을 가지지 못하는 것은 아니다. …… 외부 자극에 좋고 싫은 적극적인 의미가 없어도 어떠한 감각 정보가 접수된다는 수동적인 질적 느낌을 가질 수 있기 때문이다."와 마지막 문단 "이 사람은 …… 외부의 자극에 대한 정보가 최소한 접수되는 정도의 수동적인 의식적 상태에 있다고 해야 할 것이다."에 따르면, 감응력이 없는 '감응력 마비자'라도 외부 자극에 대한 정보가 접수되는 수동적인 질적 느낌인 현상적 의식을 가질 수 있다.

② 감응력은 정보 접수적 측면과 능동적 측면을 모두 가진다.
3문단 "……어떠한 감각 정보가 접수된다는 수동적인 질적 느낌을 가질 수 있기 때문이다. 반면 감응력은 수동적인 측면을 넘어서 그런 정보를 바라거나 피하고 싶다는 능동적인 측면을 포함한다."에 따르면, 감응력은 감각 정보가 접수된다는 현상적 의식의 수동적인 측면에 더해서 능동적인 측면을 포함한다. 따라서 감응력은 정보 접수적 측면과 능동적 측면을 모두 가진다고 볼 수 있다.

③ 감응력은 행동주의적 기준으로 포착될 것이다.
3문단 "……감응력을 도덕적 고려의 기준으로 삼는 철학자들은……. 행동주의적 기준으로 포착되지 않는 심적 상태는 도덕적 고려의 대상으로 여기지 않는 것이다."에 따르면, 감응력을 도덕적 고려의 기준으로 삼는 철학자들은 행동주의적 기준으로 포착되지 않는 심적 상태를 도덕적 고려의 대상으로 여기지 않는다. 달리 말해 도덕적으로 고려할 수 있는 존재의 경우, 그 심적 상태가 행동주의적 기준으로 포착되어야 할 것이다. 그렇다면 감응력을 도덕적 고려의 기준으로 삼는 철학자들은 감응력을 행동주의적 관찰로 포착할 수 있었을 것이다. 따라서 감응력은 행동주의적 기준으로 포착되는 요소일 것이라 추론할 수 있다.

⑤ 싱어는 감응력 없이 현상적 의식의 상태에 있는 대상에게 위해를 가하는 것을 비윤리적이라고 주장하지 않을 것이다.
2문단 "싱어와 …… 감응력을 도덕적 고려의 기준으로 삼는다. 싱어는 …… 감응력이 있으므로 동물도 도덕 공동체에 포함해야 한다고 주장한다."에 따르면, 싱어는 감응력이 있는 존재를 도덕적 고려의 대상으로 여긴다. 즉 감응력 없이 현상적 의식의 상태에 있는 대상이라면 도덕적 고려의 대상으로 여기지 않을 것이며, 따라서 위해를 가하는 것을 비윤리적이라고 주장하지 않을 것이다.

6. 정답 ③

난이도 ★☆☆ | 정답률 86%

내용영역 규범 | 문항 유형 정보의 평가와 적용

[정답 풀이]

㉠의 내용은 식물인간이 고통을 느끼는 감응력은 없지만, 주관적 의식 상태인 현상적 의식을 가질 수 있다면 도덕적 고려의 대상으로서 도덕 공동체에 받아들여질 여지가 있다는 주장이다. 따라서 현상적 의식만을 가진 존재를 도덕적 고려 대상에 포함하는 것에 대한 문제 제기가 ㉠에 대한 비판으로 가장 적절할 것이다.

③ 3문단 "반면 감응력은 …… 능동적인 측면을 포함한다. 이것은 자신이 어떻게 취급받는지에 신경 쓸 수 있다는 뜻이므로……."에

따르면, 감응력이 없는 존재는 자신이 어떻게 취급받는지에 신경을 쓰지 않을 것이다. 즉 자신이 어떻게 취급받는지에 신경 쓰지 않는데 도덕적 고려를 할 필요가 있냐고 묻는 것은 감응력이 없는 존재를 도덕적으로 고려할 필요가 있는지에 대한 의구심을 드러낸 것이라 할 수 있다. 따라서 식물인간이 감응력이 없더라도 도덕적 고려 대상에 포함할 수 있다고 보는 ㉠에 대한 비판으로 가장 적절하다.

[오답 풀이]

① ㉠은 감응력이 없어도 도덕적으로 고려할 수 있다는 견해이므로, 감응력이 있는 존재만을 도덕적으로 고려하는 것이 차별을 일으킬 수 있다는 문제 제기는 ㉠에 대한 비판으로 적절하지 않다.

② 1문단 "반면에 도덕 피동자는 …… 도덕적 행동을 할 수 없는 존재이다. 그럼에도 …… 감응력이 있기 때문이다."에 따르면, 도덕 피동자는 감응력이 있는 존재이다. 그러므로 도덕 행위자가 감응력이 있는 존재인 도덕 피동자에게 도덕적 의무를 져야 한다는 주장은 감응력이 없는 존재에 대하여 논하고 있는 ㉠에 대한 비판으로 적절하지 않다.

④ 4문단 "그러나 이런 관계론적 접근은 …… 구체적 관계의 여부에 따라 도덕 공동체에 속하기도 하고 속하지 않기도 하는 문제도 생긴다. 결국 식물인간을 도덕적으로 고려하려면 식물인간에게서 도덕적으로 의미 있는 속성을 찾아야 한다."에 따르면, 글쓴이는 식물인간의 도덕적 고려 여부를 관계론적 접근으로 판단할 때 발생하는 문제점을 지적하면서 식물인간을 도덕적으로 고려할 만한 의미 있는 속성을 찾아야 한다고 주장한다. 그리고 마지막 문단 "이 사람은 …… 정보가 최소한 접수되는 정도의 수동적인 의식적 상태에 있다고 해야 할 것이다. …… 그 상태를 도덕적으로 고려할 수 없다는 주장은 설득력이 부족하다."에 따르면, 마지막 문단에서는 현상적 의식만을 가진 사람을 도덕적으로 고려할 수 없다는 주장을 반박하면서 식물인간이 현상적 의식을 가진다면 도덕 공동체에 받아들여질 수 있다고 본다. 따라서 식물인간의 도덕적 고려 여부를 관계론적 접근이 아니라 도덕적 속성을 가지고 판단해야 한다는 주장은 ㉠에 대한 비판이 아니라 ㉠에 동의하는 의견이라고 볼 수 있다.

⑤ 마지막 문단 "이 사람은 특별한 능동적인 주의력이 필요한 의식적 상태는 아니지만, 외부의 자극에 대한 정보가 최소한 접수되는 정도의 수동적인 의식적 상태에 있다고 해야 할 것이다."에 따르면, 감응력 마비자는 능동적인 주의력 없이 수동적인 의식적 상태에 있는 것으로 여겨진다. 그런데 일상에서 특별한 능동적인 주의력이 필요한 의식 상태가 알고 보면 외부 자극에 대한 정보가 최소한 접수되는 정도의 의식적 상태가 아니겠느냐는 것은 곧 감응력과 현상적 의식을 분리해서 볼 필요 없다는 견해를 담고 있다. 따라서 해당 견해는 ㉠에 대한 비판으로 적절하지 않다.

[7~9] 제재 | 단백질 합성과 신호서열 이론
난이도 | ★★☆

7. 정답 ⑤

난이도 ★★☆ | 정답률 63%

내용영역 과학기술 | 문항 유형 정보의 확인과 재구성

[정답 풀이]

⑤ 미토콘드리아로 수송되는 단백질과 세포막에 위치하는 단백질은 다른 곳에 위치한 리보솜에서 합성된 것이다.
3문단 "세포질에서 독립적으로 존재하는 리보솜에서 완성된 단백질은 주로 세포질, 세포핵 · 미토콘드리아와 같은 세포 내 소기관으로 이동하여 기능을 수행한다."에 따르면, 미토콘드리아로 수송되는 단백질은 세포질에서 독립적으로 존재하는 리보솜에서 합성된다. 그런데 3문단 "반면 소포체 위의 리보솜에서 합성이 끝난 단백질은 세포 밖으로 분비되든지, 세포막에 위치하든지……."에 따르면, 세포막에 위치하는 단백질은 소포체 위의 리보솜에서 합성된 것이다. 따라서 미토콘드리아로 수송되는 단백질과 세포막에 위치하는 단백질은 같은 곳에 위치한 리보솜에서 합성된 것이 아니다.

[오답 풀이]

① 3문단 "반면 소포체 위의 리보솜에서 합성이 끝난 단백질은 세포 밖으로 분비되든지, 세포막에 위치하든지……."에 따르면, 세포막에 위치하는 단백질은 소포체 위의 리보솜에서 합성된 것이다. 따라서 세포막에서 수용체 역할을 하는 단백질은 소포체 위의 리보솜에서 합성된 것이다.

② 3문단 "세포질에서 독립적으로 존재하는 리보솜에서 완성된 단백질은 주로 세포질, 세포핵 · 미토콘드리아와 같은 세포 내 소기관으로 이동하여 기능을 수행한다."에 따르면, 세포질에서 사용되는 단백질은 세포질에서 독립적으로 존재하는 리보솜에서 합성된 것이다.

③ 4문단 "일부 소포체에서 기능하는 효소는 소포체 위의 리보솜에서 단백질 합성을 완료한 후 골지체로 이동하여 변형된 다음 소포체로 되돌아온 단백질이다."에 따르면, 골지체에서 변형된 후 소포체로 돌아온 단백질은 소포체 위의 리보솜에서 합성된 것이다.

④ 3문단 "세포질에서 독립적으로 존재하는 리보솜에서 완성된 단백질은 주로 세포질, 세포핵 · 미토콘드리아와 같은 세포 내 소기관으로 이동하여 기능을 수행한다."에 따르면, 세포핵으로 수송되는 단백질은 세포질에서 독립적으로 존재하는 리보솜에서 합성된 것이다. 그런데 "반면 소포체 위의 리보솜에서 합성이 끝난 단백질은 세포 밖으로 분비되든지……."에 따르면, 세포 밖으로 분비되는 단백질은 소포체 위의 리보솜에서 합성된 것이다. 따라서 세포핵으로 수송되는 단백질은 세포 밖으로 분비되는 단백질과 다른 곳에 위치한 리보솜에서 합성된 것이다.

8. 정답 ⑤ 난이도 ★★☆ | 정답률 50%

내용영역 과학기술 문항 유형 정보의 추론과 해석

[정답 풀이]

⑤ NLS와 NES를 모두 가졌으나 세포 외부에서 발견되는 단백질은 세포질에 독립적으로 존재하는 리보솜에서 합성된 단백질과 결합할 경우 세포 외부로 이동하지 않을 것이다.
마지막 문단 "……특정 장소로 수송하기 위한 신호서열을 가지고 있는 단백질과의 결합을 통해 신호서열이 지정하는 특정 장소로 이동할 수 있다는 결론……."에 따르면, 단백질은 특정 신호서열을 가지고 있는 단백질과의 결합을 통해 해당 신호서열이 지정하는 장소로 이동할 수 있다. 그런데 3문단 "세포질에서 독립적으로 존재하는 리보솜에서 완성된 단백질은 주로 세포질, 세포핵 · 미토콘드리아와 같은 세포 내 소기관으로 이동하여 기능을 수행한다."에 따르면, 세포질에 독립적으로 존재하는 리보솜에서 합성된 단백질의 경우 세포 외부로는 이동하지 않는다. 따라서 NLS와 NES를 모두 가졌으나 세포 외부에서 발견되는 단백질은 세포질에 독립적으로 존재하는 리보솜에서 합성된 단백질과 결합하여 세포 외부로 이동했다고 볼 수 없다.

[오답 풀이]

① 5문단 "예를 들어 KDEL 신호서열은 소포체 위의 리보솜에서 합성된 후……."와 "또한 NLS는 세포질에 독립적으로 존재하는 리보솜에서 합성되어……."에 따르면, KDEL 신호서열을 가진 단백질과 NLS 신호서열을 가진 단백질은 서로 다른 곳에 위치한 리보솜에서 합성된 것이다. 이처럼 단백질은 서로 다른 세포 내 두 장소에서 합성되어 각자 기능을 수행하며, 서로 중첩되지 않는다. 따라서 KDEL 신호서열을 가지고 있는 단백질은 NLS가 없을 것이다.

② 5문단 "예를 들어 KDEL 신호서열은 …… 골지체를 거쳐 추가 변형 과정을 거친 다음 소포체로 되돌아오는 단백질이 가지고 있는 신호서열이다."에 따르면, KDEL 신호서열을 가지고 있는 소포체로 최종 수송된 단백질은 골지체에서 변형을 거쳤을 것이다.

③ 마지막 문단 "……특정 장소로 수송하기 위한 신호서열을 가지고 있는 단백질과의 결합을 통해 신호서열이 지정하는 특정 장소로 이동할 수 있다는 결론을 얻었다."에 따르면, 세포 내 특정 장소로 가기 위한 신호서열을 가지고 있지 않은 단백질이라도 특정 신호서열을 가지고 있는 단백질과 결합하여 그 신호서열이 지정하는 장소로 이동할 수 있다. 그리고 5문단 "또한 NLS는 …… 세포핵으로 들어가는 단백질이 가지고 있는 신호서열이고……."에 따르면, NLS는 단백질을 세포핵으로 수송하는 신호서열이다. 따라서 NLS가 없는 단백질이 세포핵 안에 존재하고 있었다면, 그 단백질은 NLS가 있는 다른 단백질과 결합하여 세포핵 안으로 수송되었을 것이다.

④ 5문단 "또한 NLS는 세포질에 독립적으로 존재하는 리보솜에서 합성되어 세포핵으로 들어가는 단백질이 가지고 있는 신호서열이고……."에 따르면, NLS가 있으나 NES가 없는 단백질은 합성 후 세포핵에 위치할 것이다. 그리고 "NES는 반대로 세포핵 안에 존재하다가 세포질로 나오는 단백질이 가지고 있는 신호서열이다."에 따르면, NES가 있는 단백질은 세포질, 즉 세포핵 밖으로 나갈 수 있을 것이다. 마지막 문단 "……특정 장소로 수송하기 위한 신호서열을 가지고 있는 단백질과의 결합을 통해 신호서열이 지정하는 특정 장소로 이동할 수 있다는 결론을 얻었다."에 따르면, 세포 내 특정 장소로 가기 위한 신호서열을 가지고 있지 않은 단백질이라도 특정 신호서열을 가지고 있는 단백질과 결합하여 그 신호서열이 지정하는 장소로 이동할 수 있다. 따라서 NLS가 있으나 NES가 없는 단백질은 NES가 있는 단백질과 결합하면 다시 세포핵 밖으로 나갈 수 있을 것이다.

9. 정답 ③ 난이도 ★★☆ | 정답률 66%

내용영역 과학기술 문항 유형 정보의 평가와 적용

[정답 풀이]

a. ㉠은 KDEL이 소포체로의 단백질 수송을 결정하는 신호서열이라는 결론을 내리고 있다. 그렇다면, KDEL 신호서열이 있는 어떤 단백질의 KDEL 신호서열을 인위적으로 제거하면 소포체로 이동하지 않을 것이다. 따라서 이러한 실험 결과는 ㉠을 강화한다.

c. 5문단 "그리고 세포질에 독립적으로 존재하는 리보솜에서 만들어진 단백질을 미토콘드리아로 수송하기 위한 신호서열인 MTS도 있다."에 따르면, MTS는 단백질을 미토콘드리아로 수송하기 위한 신호서열이다. 그리고 ㉢은 특정 장소로 수송하기 위한 신호서열을 가지고 있는 단백질과의 결합을 통해 신호서열이 지정하는 특정 장소로 이동할 수 있다는 결론을 내리고 있다. 그에 따라 MTS가 없는 어떤 단백질이 MTS가 있는 단백질과 결합한다면 미토콘드리아에서 발견될 것이다. 따라서 이러한 실험 결과는 ㉢을 강화한다.

[오답 풀이]

b. NLS를 가진 어떤 단백질의 NLS를 인위적으로 제거하면 세포 밖으로 분비된다는 실험 결과는 ㉡의 결론을 강화하지 않는다. 5문단 "또한 NLS는 세포질에 독립적으로 존재하는 리보솜에서 합성되어 세포핵으로 들어가는 단백질이 가지고 있는 신호서열이고"에 따르면, NLS를 가진 단백질은 세포질에서 독립적으로 존재하는 리보솜에서 만들어진 것이다. 그런데 ㉡은 소포체에 부착한 리보솜에서 만들어진 단백질을 대상으로 한다. 따라서 선택지의 실험 결과는 ㉡의 결론을 강화하지 않는다.

[10~12] 제재 | 미국 역사학의 흐름
난이도 | ★☆☆

10. 정답 ④ 난이도 ★☆☆ | 정답률 91%

내용영역 인문 문항 유형 정보의 확인과 재구성

[정답 풀이]

④ 베트남전쟁은 미국인들이 경제적 자유주의에 대한 회의심을 갖게 만든 계기가 되었다.
마지막 문단 "1960년대 중반 이후 미국은 베트남전쟁과 민권운동으로 대변되는 …… 이 같은 현실은 합의사학이 제시했던 미국의

밝은 과거상과 현재상에 대해 회의심을 갖게 했다."에 따르면, 베트남전쟁은 합의사학이 미국사를 합의와 연속성의 시각에서 이해하고 경제적 자유주의에 대해 재평가했던 것에 회의심을 갖게 하였다. 따라서 베트남전쟁은 미국인들이 경제적 자유주의에 대한 보편적 합의를 이루는 역사적 계기가 되지 않았다.

[오답 풀이]

① 1문단 "농업 중심의 사회를 벗어나면서 급속한 산업화와 도시화에 따른 갈등이 나타나고 있던 19세기 말 미국에서는 …… 대두했다."에 따르면, 19세기 말 미국은 농업 중심의 사회를 벗어나 급속한 산업화가 진행되고 있었다는 것을 알 수 있다.

② 마지막 문단 "……19세기 말엽 이후에는 제국주의적 팽창정책으로부터 거리를 두었다고 보면서 1898년 식민지를 둘러싼 미국-스페인 전쟁을 '거대한 일탈'이라고 규정했다."에 따르면, 합의사학은 19세기 말 미국의 정책을 제국주의적 팽창정책으로 보기 어렵다고 평가하면서도 미국-스페인 전쟁은 '일탈'이라고 규정하였다. 합의사학의 입장에서도 미국-스페인 전쟁은 제국주의적 팽창정책의 성격이 드러난다는 것이다. 또한 "윌리엄스는 …… 해외 팽창정책을 주도했다고 주장했다."에 따르면, 윌리엄스는 19세기 말 미국의 정치인들이 해외 팽창정책을 주도했다고 보고 있으므로 미국-스페인 전쟁 역시 해외 팽창정책의 결과라고 여기고 있음을 알 수 있다. 따라서 19세기 말 국외로 세력을 확장하려는 미국의 정책은 스페인과 무력 충돌을 일으켰다고 볼 수 있다.

③ 2문단 "제2차 세계대전 이후에 나치 독일의 인권 탄압과 공산주의의 팽창에 놀란 보수적 미국인들은 혁신주의 역사학이 비판했던 미국적 가치 …… 에 대해 재평가하기 시작했다. 게다가 냉전질서에서 미국의 정체성을 보존하기 위해서는 국민적 단결이 필요했다."에 따르면, 보수적 미국인들이 혁신주의 역사학이 비판했던 미국적 가치를 재평가함으로써 냉전질서에서 미국의 정체성을 보존하고 국민적 단결을 추구하고자 했음을 알 수 있다. 따라서 제2차 세계대전 직후에 보수 성향의 미국인들은 미국의 전통적 가치를 부활시키고자 했다.

⑤ 마지막 문단 "……다수의 신좌파 역사가들은 …… 민중의 역사와 권력관계에 주목했다. 흑인들의 민권운동과 소수민족인 아메리카 원주민, 여성, 빈민들의 운동을 배경으로 태동했던 신좌파 역사학은 …… 주의를 기울였다."에 따르면, 1960년대 이후 등장한 신좌파 역사학은 흑인, 소수민족, 여성들 또한 연구대상으로 삼았다. 따라서 1960년대 이후 미국에서는 다양한 소수집단과 관련된 연구가 대두되었다.

11. 정답 ① 난이도 ★★☆ | 정답률 79%

(내용영역) 인문 (문항 유형) 주제, 구조, 관점 파악

[정답 풀이]

① 1문단 "예컨대, 야만과 문명이 공존하는 프런티어야말로 미국 발전의 근원이라고 주장한 터너는……."과 2문단 "부어스틴은 미국의 관대함과 타협의 정신을 프런티어에서 찾기도 했다."에 따르면, 터너와 부어스틴 모두 미국의 발전에 프런티어가 기여했음을 인정하고 있다. 따라서 터너는 부어스틴과 마찬가지로 프런티어가 미국 역사 발전에서 긍정적인 역할을 하였다고 볼 것임을 알 수 있다.

[오답 풀이]

② 베커는 혁신주의적 개혁을 위한 '갈등'이 미국 역사의 원동력이라고 볼 것이다.
2문단 "이러한 배경에서 합의사학이 등장했는데, 그것의 특징은 미국사를 합의와 연속성의 시각에서 이해했다는 점이다."에 따르면, 합의사학의 경우 미국 역사의 원동력을 국민적 합의에서 찾고 있다. 따라서 하츠의 경우 합의사학자라는 점에서 미국 역사 발전의 원동력을 국민적 합의에서 찾을 것이다. 반면 1문단 "혁신주의 역사학의 특징은 역사의 핵심을 갈등이라고 본 점에 있다."와 "혁신주의 역사가 베커는 미국혁명이 …… 권력 다툼이었다는 사실을 밝혀냄으로써 이중혁명론을 제시했다."에 따르면, 베커는 하츠와 달리 미국 역사 발전의 원동력을 갈등에서 찾고 있다.

③ 호프스태터는 미국인들이 사회적 동질성을 유지함으로써 갈등이 극소화되었다고 볼 것이다.
2문단 "합의사학을 대변하는 호프스태터는 미국적 가치를 공동이념으로 삼은 미국인들은 사회적 동질성을 유지하면서 갈등을 극소화했다고 주장했다."에 따르면, 호프스태터는 갈등이 극소화된 원인을 미국인들이 사회적 동질성을 유지하고자 했기 때문이라고 보고 있다. 따라서 호프스태터는 유력 세력이 혁명에서 승리함으로써 갈등이 극소화되었다고 보지 않을 것이다.

④ 윌리엄스는 19세기 말 미국의 국제적 영향력 행사를 예외적 현상으로 파악하지 않을 것이다.
마지막 문단 "합의사학은 정책 결정자들이 19세기 말엽 이후에는 제국주의적 팽창정책으로부터 거리를 두었다고 보면서 …… 윌리엄스는 이런 해석을 비판하며 정치인들이 …… 문호개방이라는 이름으로 해외 팽창정책을 주도했다고 주장했다."에 따르면, 윌리엄스는 정치인들이 국내의 분열을 호도하거나 자본의 이익을 위해 미국-스페인 전쟁과 같은 해외 팽창정책을 주도하였다고 비판하였다. 따라서 윌리엄스는 19세기 말 미국의 국제적 영향력 행사는 예외적 현상이 아니라 일반적인 현상이라고 파악할 것이다.

⑤ 하워드 진과 윌리엄스는 역사적 분석범위를 넓히면서도 역사학의 정치화를 경계하지는 않을 것이다.
마지막 문단 "하워드 진과 같은 신좌파 역사가는 혁신주의 역사학에 동조하면서 역사학을 이데올로기적 요구에도 부응해야 하는 학문으로 보았다."에 따르면, 신좌파 역사가는 역사학의 정치화에 대해 부정적인 태도를 취하지 않고 있다. 또한 "미국혁명과 헌법에 대한 연구에서 다수의 신좌파 역사가들은 …… 갈등 이외에도 민중의 역사와 권력관계에 주목했다."에 따르면, 신좌파 역사가는 역사적 분석범위를 넓히고 있음을 알 수 있다. 따라서 윌리엄스와 하워드 진은 신좌파 역사가라는 점에서 이들 모두 역사학의 분석범위를 넓히고 있으며 역사학의 정치화를 경계하지 않았을 것이라고 볼 수 있다.

12. 정답 ② 난이도 ★★☆ | 정답률 50%

내용영역 인문 문항 유형 정보의 평가와 적용

[정답 풀이]

② 합의사학자라면, 제1차 대륙회의와 요크타운 전투에 대해 봉건적 체제를 타파하는 시민혁명이라고 파악하지 않을 것이다.
2문단 "하츠가 미국에는 봉건적 과거가 없다는 토크빌의 지적에 공감하면서 주장하듯이 …… 굳이 혁명을 일으킬 필요는 없었기 때문이다."에 따르면, 하츠와 같은 합의사학자들은 미국에는 애초에 봉건적 과거가 존재하지 않는다고 보았다. 이처럼 봉건적 과거가 존재하지 않는다면 타파해야 할 봉건적 체제 역시 존재하지 않는다. 따라서 합의사학자라면, 제1차 대륙회의와 요크타운 전투가 봉건적 체제를 타파하는 것이라고 보지 않았을 것이며, 이를 시민혁명이라고 여기지도 않았을 것이다.

[오답 풀이]

① 1문단 "혁신주의 역사학은 헌법을 금융업자, 상인 등으로 구성된 동산소유집단과 채무에 시달리던 소농 출신의 부동산 소유집단 사이의 싸움에서 전자가 승리하면서 만들어진 비민주적 문서로 파악하였다."에 따르면, 혁신주의 역사학은 헌법이 각자의 이익을 수호하고자 하는 유산계급과 하층민 간의 권력 다툼에서 유산계급이 승리한 결과물이라고 보았다. 따라서 혁신주의 역사학자라면, 필라델피아 제헌의회는 새로운 헌법에 의해 경제적 이익을 받을 수 있는 집단이 지배하고 있었다는 사실을 덧붙이려 할 것이다.

③ 2문단 "이러한 배경에서 합의사학이 등장했는데, 그것의 특징은 미국사를 합의와 연속성의 시각에서 이해했다는 점이다."와 "합의사학은 헌법 제정이 중산층의 합의를 통해 이루어졌다는 데 보다 많은 주의를 기울였다."에 따르면, 합의사학은 계급적인 갈등을 강조한 혁신주의 역사학과 달리 구성원 간의 합의를 강조하였고 헌법 제정 또한 합의의 결과물이라고 보았다. 따라서 합의사학자라면 헌법 제정에 대하여 연방주의자들이 승리라기보다는 정치적 합의를 도출한 사건으로 볼 것이다.

④ 마지막 문단 "흑인들의 민권운동과 소수민족인 아메리카 원주민, 여성, 빈민들의 운동을 배경으로 태동했던 신좌파 역사학은 이러한 피지배집단이 혁명전쟁과 헌법 제정 과정에서 행한 능동적인 행위를 복원하는 데 주의를 기울였다."에 따르면, 신좌파 역사학은 혁명전쟁에서 여성과 같은 피지배집단이 차지한 역할을 복원하고자 한다. 따라서 신좌파 역사학자들이라면, 독립전쟁 당시 하층민들의 급진주의적 정치에서 여성이 차지한 역할을 새롭게 규명할 필요성을 제기할 것이다.

⑤ 1문단 "혁신주의 역사가 베커는 미국혁명이 …… 상층 상인과 지주를 비롯한 보수적이고 봉건적인 식민지 유력자와 하층 수공업자 및 노동자 사이에 벌어진 권력 다툼이었다는 사실을 밝혀냄으로써 이중혁명론을 제시했다."에 따르면, 혁신주의 역사학은 독립혁명에서 계급 갈등을 주요하게 취급했을 것임을 알 수 있다. 그리고 마지막 문단 "미국혁명과 헌법에 대한 연구에서 다수의 신좌파 역사가들은 유산계급과 무산계급 사이의 갈등 이외에도 민중의 역사와 권력관계에 주목했다."에 따르면, 신좌파 역사가들은 미국혁명에서 유산계급과 무산계급 사이의 갈등에 주목한 것에 그치지 않고 그 외의 민중의 역사와 권력관계 또한 연구 대상으로 삼았음을 알 수 있다. 즉, 신좌파 역사학 또한 미국혁명에서 계급 간의 대립을 주요하게 취급하고 있는 것이다. 따라서 혁신주의 역사학자나 신좌파 역사학자라면 독립혁명에서 식민지 뉴욕의 상층 부르주아지와 하층 수공업자들의 대립을 주요하게 취급하는 데 대하여 반대하지는 않을 것이다.

[13~15] 제재 | 나이의 정치적 효과
난이도 | ★★☆

13. 정답 ② 난이도 ★★☆ | 정답률 72%

내용영역 사회 문항 유형 정보의 확인과 재구성

[정답 풀이]

② 트루엣의 연구에 따르면 생애주기 효과는 개인의 사회경제적 배경과 무관하지 않다.
2문단 "그에 따르면 성별, 거주지별, 교육 수준별로 약간의 차이는 있지만……"에 따르면, 트루엣의 연구에서는 성별, 거주지, 교육 수준 등 개인의 사회경제적 배경이 보수주의 점수로 측정되는 생애주기 효과에 일부 영향을 미치고 있음을 밝히고 있다. 따라서 트루엣의 연구에 따르면 생애주기 효과는 개인의 사회경제적 배경과 무관하지 않다.

[오답 풀이]

① 마지막 문단 "일반적으로 연령 집단은 조사 당시 나이, 기간 효과는 조사 연도, 코호트는 출생 연도와 같은 변수들로 측정된다."와 "즉, 셋 중 두 정보로부터 다른 항의 값이 자동 도출되므로 ……"에 따르면, 코호트를 측정할 수 있는 변수인 출생 연도는 조사 당시 연령과 조사 시기를 알면 자동으로 도출된다. 따라서 조사 시기와 조사 당시 연령을 알면 코호트 집단을 특정할 수 있게 된다.

③ 마지막 문단 "그러나 연구의 난관은 …… 식별 문제에 직면하게 된다는 것이다."와 "대부분 추정 모형에 일정한 제약을 가해서 문제를 피해 갔다."에 따르면, 추정 모형에 제약 조건을 적용하는 것이 식별 문제를 해결하는 방편으로 활용되었음을 알 수 있다.

④ 마지막 문단 "그러나 연구의 난관은 …… 식별 문제에 직면하게 된다는 것이다."와 "그 밖에도 세 변수 중 하나를 다른 대리변수로 대체하는 방법도 있다."에 따르면, 나이의 정치적 효과를 분석할 때 발생하는 문제를 해결하고자 세 변수 중 하나를 다른 대리변수로 대체하는 방법을 사용하기도 함을 알 수 있다.

⑤ 마지막 문단 "……3개의 개별 효괏값으로 명확하게 구분해 내기 어렵다. 이러한 한계가 나이와 정치 성향의 관계에 대한 경험적 연구를 오랜 기간 가로막아 왔다. 기술적으로 완전한 극복 방안은 없으며……"에 따르면, 나이와 정치 성향의 관계 연구에서 APC의 개별 효과를 각각 구분해 내는 방법은 없음을 알 수 있다.

14. 정답 ⑤

난이도 ★★☆ | 정답률 50%

내용영역 사회 | 문항 유형 정보의 추론과 해석

[정답 풀이]

ㄱ. 2문단 "생애주기 효과가 말하는 보수화에는 …… 권위주의적 성향의 증가도 포함된다."에 따르면, 권위주의 성향 점수는 얼마나 보수화되었느냐에 따라 결정되는 것임을 알 수 있다. 그리고 5문단 "……동일 시점에서 정치 세대 간의 태도 차이를 측정하는 횡단면 디자인……"에 따르면, 해당 조사는 2022년 7월 24일이라는 동일 시점에 X세대와 전후세대 간 정치의식 차이를 조사하는 횡단면 디자인의 조사임을 알 수 있다. 이는 기간 효과는 조사 결과에 영향을 미치지 않음을 의미한다. 그리고 2문단 "……30~40대를 거치면서 이 점수가 급격히 높아지며, 50세 이후부터 생애주기의 끝까지 높은 보수주의 점수가 유지된다."와 4문단 "한편 국내 선행 연구에 따르면, 한국전쟁 이후 등장한 소위 전후세대는 여타 코호트 집단에 비해 권위주의적 성향과 보수적 정치 성향이 더 강하다고 알려져 있으며, …… X세대의 경우 나이가 들어서도 보수화되는 경향이 상대적으로 완만한 것으로 나타났다."에 따르면, 코호트 효과로 인해 전후세대의 보수적 성향이 X세대보다 강하게 나타날 것이다. 따라서 X세대가 전후세대보다 덜 보수화되었다는 조사 결과가 나올 것이며, 권위주의 점수 역시 X세대가 전후세대보다 낮게 측정될 것이다.

ㄴ. 5문단 "……다른 시점의 동일 연령대 집단의 태도 차이를 측정하는 시차 연구 디자인……"과 2문단 "……50세 이후부터 생애주기의 끝까지 높은 보수주의 점수가 유지된다."에 따르면, 해당 조사는 다른 시점 동일 연령대 집단의 태도 차이를 조사한 것이므로 생애주기 효과는 통제됨을 알 수 있다. 그리고 4문단 "예컨대, 영국에서 2차 세계대전 이후 노동당 지지 성향이 강한 진보적 코호트가 등장하였다면 1980년대에는 대처 총리 집권기의 영향을 받아 보수적 코호트가 형성되었다는 연구들이 존재한다."에 따르면, 코호트 효과를 기준으로는 대처 세대가 더 보수적 정치 성향을 드러내야 한다. 그런데 대처 세대가 평균적으로 더 진보적 정치 성향을 드러내는 조사 결과가 존재한다면, 이것은 1980년대와 2010년대라는 조사 시점이 결과에 영향을 주었다고 보아야 한다. 따라서 기간 효과가 주요하게 작용했다고 판단해 볼 수 있다.

ㄷ. 5문단 "……동일 코호트의 시간 흐름에 따른 태도 차이를 측정하는 종단면 디자인……"에 따르면, 해당 조사는 동일 코호트인 영국의 대처 세대의 정치의식 변화를 조사한 것이므로 코호트 효과는 통제됨을 알 수 있다. 그리고 2문단 "……30~40대를 거치면서 이 점수가 급격히 높아지며, 50세 이후부터 생애주기의 끝까지 높은 보수주의 점수가 유지된다."에 따르면, 생애주기 효과를 기준으로는 2010년 조사에서 이념적으로 더 보수적이라는 결과가 나와야 한다. 그런데 2010년 조사에서 이념적으로 덜 보수적이라는 결과가 나왔다면, 조사 시점의 기간 효과가 조사 결과에 영향을 주었다고 추론할 수 있다. 이때 3문단 "……전 연령 집단의 사고방식이나 인식에 포괄적, 보편적 영향을 미치는 효과이다."에 따르면, 기간 효과는 전 연령 집단에게 영향을 미친다. 따라서 다른 정치 코호트들 또한 진보적 분위기의 시대적 영향을 받았을 수 있다.

15. 정답 ④

난이도 ★★☆ | 정답률 63%

내용영역 사회 | 문항 유형 정보의 평가와 적용

[정답 풀이]

5문단 "APC의 합성 효과를 구분해 개별 효과를 비교하기 위해서는 동일 코호트의 시간 흐름에 따른 태도 차이를 측정하는 종단면 디자인, 동일 시점에서 정치 세대 간의 태도 차이를 측정하는 횡단면 디자인, 다른 시점의 동일 연령대 집단의 태도 차이를 측정하는 시차 연구 디자인의 조합이 필요하다."와 마지막 문단 "위의 연구 디자인을 적용하여 APC 효과를 통제된 하나의 개별 효과와 나머지 두 개가 이루는 합성 효과로 나누어 파악할 수는 있지만……"에 따르면, 각 연구 디자인마다 통제된 개별 효과와 합성 효과로 나타나는 나머지 두 효과를 다음과 같이 정리할 수 있다.

연구 디자인	종단면 디자인	횡단면 디자인	시차 연구 디자인
고정된 변수	코호트 (출생 연도)	조사 시점	조사 당시 나이
통제된 개별 효과	코호트 효과	기간 효과	생애주기 효과
합성 효과	기간 효과 생애주기 효과	코호트 효과 생애주기 효과	기간 효과 코호트 효과

그리고 <보기>의 연구 집단은 다음과 같이 정리할 수 있다.

A(t1)	A(t2)
t1 시기 청년 코호트 A	t2 시기 중년 코호트 A
B(t1)	**B(t2)**
t1 시기 중년 코호트 B	t2 시기 노년 코호트 B

④ B(t1)와 A(t2)의 차이는 다른 시점에 서로 다른 두 중년 세대 집단에 나타나는 태도 차이이므로 시차 연구 디자인을 적용하여 알 수 있으며, 이때 연령대가 같으므로 생애주기 효과는 통제된다. 그리고 나머지 두 효과인 기간 효과와 코호트 효과는 합성 효과로 나타나므로 개별 효과로 구분하기 어려울 것임을 알 수 있다.

[오답 풀이]

① A(t1)와 A(t2)의 차이는 코호트를 고정한 채 도출해 낸, 기간 효과와 생애주기 효과의 합성 효과이다.
동일 코호트인 A의 t1과 t2 시기 차이는 동일 코호트의 시간 흐름에 따른 태도 차이를 측정하는 종단면 디자인을 적용하여 알 수 있다. 이때 둘의 차이는 기간 효과와 생애주기 효과가 이루는 합성 효과로, 코호트 효과는 통제된다.

② A(t1)와 B(t1)의 차이는 동일 시간대의 다른 코호트 간 차이를 측정하는 횡단면적 연구 디자인을 적용하여 알 수 있다.
A(t1)와 B(t1)의 차이는 동일 시점에 서로 다른 청년 세대와 중년 세대 간의 태도 차이를 측정하는 횡단면 디자인을 적용하여 알 수 있다. 종단면 디자인은 동일 코호트를 대상으로 하므로 서로 다른 코호트인 A와 B의 차이를 측정하는 데 적용될 수 없다.

③ A(t2)와 B(t2)의 차이는 조사 시점을 고정하여 얻은 코호트 간 차이로서 기간 효과의 개입이 통제되고 있다.
A(t2)와 B(t2)의 차이는 조사 시점을 고정한 횡단면 디자인을 통해 알 수 있는데, 횡단면 디자인에서는 조사 시점을 고정하므로 개입이 통제되는 효과는 생애주기 효과가 아니라 기간 효과이다. A(t2)와 B(t2)는 각각 중년 세대와 노년 세대이므로, 생애주기 효과의 개입이 통제되지 않는다.

⑤ B(t1)와 B(t2)의 차이는 동일 코호트의 시간 흐름에 따른 태도 차이를 측정하는 종단면 디자인을 적용하여 알 수 있다.
동일 코호트인 B의 t1과 t2 시기 차이는 동일 코호트의 시간 흐름에 따른 태도 차이를 측정하는 종단면 디자인을 적용하여 알 수 있다. B(t1)와 B(t2)는 각각 중년 세대와 노년 세대이므로, 동일 연령대 집단의 태도 차이를 측정할 수 없다.

[16~18] 제재 | 김자림 「이민선」과 근대화 여성 담론
난이도 | ★★☆

16. 정답 ①
난이도 ★★☆ | 정답률 63%
내용영역 인문 | 문항 유형 정보의 확인과 재구성

[정답 풀이]

① 보비는 이민에 소극적인 태도를 지녔다가 변화하지만, 만세는 적극적인 이민 의지로 일관하지 않았다.
(가) 2문단 "피양댁의 친딸 보비도 이민단에 동참하나 조국에서 추방되는 듯하여 소극적이다."와 3문단 "그동안 보비는 만세의 포부에 감동하고 그의 연인이자 이민의 지지자가 된다."에 따르면, 보비는 이민에 대하여 소극적인 태도를 지녔다가 만세의 연인이 된 후 이민을 지지하게 된다. 그러나 3문단 "……소라는 그녀를 백치로 여기던 물개에게 겁탈당한 뒤 바다에 투신한다. 이에 이민을 포기하려 했던 만세는 …… 보비의 독려로 의지를 회복하지만……."에 따르면, 만세는 소라의 투신 이후 적극적이었던 이민 의지를 잃었다가 다시 회복하게 된다. 따라서 만세가 적극적인 이민 의지로 일관했다고 볼 수 없다.

[오답 풀이]

② (나) "우리의 이민선 쨍카호를 타고 신천지를 향해 저 푸른 바다를 뚫구 나가는 거야."와 (가) 2문단 "창수에게 브라질은 사탕무를 심어 부를 일구는 미래다."에 따르면, 창수는 이민의 목적지인 브라질에 대한 환상이 있으며, 이민이 자신에게 부를 가져다줄 것으로 생각하는 낙관적 태도를 보인다. 반면 덕보가 (나)에서 "유쾌한 거지 떼지 뭡니까?"라고 말하는 데서 덕보는 이민단을 '거지 떼'에 비유하면서 이민을 떠나는 현실을 비판적으로 묘사하고 있음을 알 수 있다.

③ (가) 2문단 "딸 소라는 …… 이민을 '속일 줄도 속을 줄도 모르는 그대로의' 존재인 인형의 고향에 가는 여정으로 생각한다. 창수의 처남 덕보는 제대 후 실업자로 있다가 속이고 미워하는 아수라장 같은 이 땅에 지쳐 이민을 결심한다."에 따르면, 소라는 '속일 줄도 속을 줄도 모르는 그대로의' 순수함을 동경하며 이민에 접근했으며, 덕보는 속이고 미워하는 사회의 비정함을 비관하며 이민에 접근했음을 알 수 있다.

④ (가) 2문단 "창수에게 브라질은 사탕무를 심어 부를 일구는 미래다."와 "아들 만세는 농업에는 관심이 없고 이민을 통해 예술로 세계 속에 한국을 이해시키는 정신적 지주가 되기를 바란다."에 따르면, 창수는 경제적인 성공이, 만세는 예술을 통한 국위 선양이 이민의 목표임을 알 수 있다.

⑤ (가) 2문단 "득찬은 실업 상태를 견디다 못해 아내와 자식, 아버지와 동생까지 데리고 왔다. 월남민 피양댁은 이민을 위해 깡패 물개와 복덕방 영감을 끌어들여 가족을 급조하고 돈으로 좌지우지한다."에 따르면, 피양댁은 이민을 위해 가족을 새로 구성한 반면 득찬은 기존의 가족들을 데리고 이민을 가려고 함을 알 수 있다.

17. 정답 ①
난이도 ★★☆ | 정답률 80%
내용영역 인문 | 문항 유형 주제, 구조, 관점 파악

[정답 풀이]

① 피양댁은 경제적 이해타산을 중시하는 인물이나, 극작가는 피양댁을 통해 남성중심적 근대화가 요구하는 '좋은' 여성상을 형상화하지 않았다.
(가) 2문단 "월남민 피양댁은 …… 돈으로 좌지우지한다."와 3문단 "창수는 피양댁의 요구대로 헐값에 땅을 팔려 하나 무산되었다."에 따르면, 피양댁은 경제적 이해타산을 중시하는 인물임을 알 수 있다. 그런데 마지막 문단 "여성인물들은 전쟁을 거치며 요구되었던 가정과 국가에 헌신하는 '좋은' 여성의 상과……."에 따르면, 남성중심적 근대화가 요구하는 '좋은' 여성상은 가정과 국가에 헌신하는 여성이다. 그런데 경제적 이해타산을 중시하는 피양댁의 모습을 가정과 국가에 헌신하는 모습으로 보기 어려우며, 따라서 피양댁이 남성중심적 근대화가 요구하는 '좋은' 여성상을 형상화했다고 볼 수 없다.

[오답 풀이]

② (가) 3문단 "……소라는 그녀를 백치로 여기던 물개에게 겁탈당한 뒤 바다에 투신한다."에 따르면, 소라는 물개의 폭력으로 인해 목숨을 잃게 된다. 그리고 마지막 문단 "「이민선」은 근대화를 이민으로 은유하면서도 여성에 대한 억압과 배제의 모습을 출항하는 이민선의 얼룩처럼 남겨둔다."에 따르면, 「이민선」의 극작가는 남성중심적 근대화가 여성에게 폭력이자 억압으로 작용하는 현실을 작중 여성 인물을 통해 드러내고자 했음을 알 수 있다. 이를 고려할 때, 물개에게 폭력을 당한 소라는 남성중심적 근대화에서 희생된 전후 여성의 현실을 형상화한 것이라고 볼 수 있다.

③ (가) 1문단 "1960년대 근대화 담론은 …… 경세성장의 동력으로 동원한다."에 따르면, 근대화 담론이 성장 지향적이었음을 알 수 있다. 그리고 마지막 문단 "「이민선」은 근대화를 이민으로 은유하면서도 여성에 대한 억압과 배제의 모습을 출항하는 이민선의 얼룩처럼 남겨둔다."와 "……소라의 인형 등이 얼룩처럼 남지만……."에 따르면, 죽음으로 인해 소라가 이민을 함께 하지 못했으며 소라의 인형만 이민선에 남겨졌다는 사실은 얼룩처럼 남겨져 있으면서 여성에 대한 배제의 모습을 형상화한다. 따라서

이민을 함께 하지 못하게 된 소라를 통해 성장 지향적인 근대화에서 낙오된 전후 여성의 일면을 형상화했다고 볼 수 있다.

④ (가) 3문단 "그동안 보비는 만세의 포부에 감동하고 그의 연인이자 이민의 지지자가 된다."에 따르면, 보비는 민족적 열정을 가진 남성 주체인 만세와 관계를 맺고 있으면서 그 민족적 열정을 수용하고 있음을 알 수 있다. 그리고 마지막 문단 "……미래의 환상을 내세워 이민을 이끌어가는 남성들의 강박이 암시되는 것이다."와 "……한편으로 그에 대한 회의를 접어두고 근대화 논리에 수긍하는 여성 극작가의 모순된 정체성을 읽을 수 있다."에 따르면, 극작가는 남성 인물을 지지하는 보비의 모습으로부터 이민을 이끌어가는 남성들의 근대화 논리에 수긍하는 여성의 양상을 형상화했을 것이라고 추론할 수 있다.

⑤ (가) 2문단 "……창수댁은 이민으로 고향을 떠나야 하는 회한에서 쉽게 벗어나지 못한다."에 따르면, 창수댁은 이민을 원하지 않는 인물이라고 볼 수 있다. 그리고 마지막 문단 "……미래의 환상을 내세워 이민을 이끌어가는 남성들의 강박이 암시되는 것이다."와 "창수댁의 정신 착란이나 …… 이민선은 가족을 태우고 출항한다."에 따르면, 정신 착란에 빠진 채 이민선에 타게 되는 창수댁의 모습은 이민선이 상징하는 근대화에 자신의 의지와 무관하게 참여하게 되는 여성의 모습을 그려낸다. 따라서 창수댁을 통해 근대화 과정에 강제로 참여할 수밖에 없었던 전후 여성의 모습을 형상화하고 있다고 볼 수 있다.

18. 정답 ⑤ 난이도 ★★☆ | 정답률 44%

내용영역 인문 문항 유형 정보의 평가와 적용

[정답 풀이]

⑤ (나) "영찬, 장타령을 하며 신나게 엉덩이춤을 춘다. 모두들 손뼉으로 박자를 맞춘다."에 따르면, 장타령은 이민을 기념하는 파티에 참여한 등장인물들이 미래에 대한 환상에 매몰되어 낙관적인 기대에 부풀어 있는 모습을 드러낸다. 그 후 "그, 그만들 하슈, 그만. (괴로운 듯 머리를 움켜쥐며) …… 유쾌한 거지 떼지 뭡니까?"라는 덕보의 발언이 이어진다. '동냥하는 사람이 돌아다니며 구걸을 할 때 부르는 노래'라는 장타령의 의미를 고려할 때, '장타령'은 이민에 참여하는 등장인물들의 은폐되어 있던 현재 상황을 드러내며 각자의 어려운 처지를 환기하도록 하는 계기로 작용한다고 볼 수 있다.

[오답 풀이]

① '한쪽이 빠진 트렁크'는 과거의 경험에 대한 등장인물들의 상반된 태도를 보여주는군.
(나) "인젠 제에발 그 구질구질한 짐짝을 끌구 다니지 말자구 했잖소."와 "(트렁크를 뺏으며) 안 돼요. 하나두 버릴 수 없어요. 이것들은 지난 세월을 말해 주는 웃음과 울음과 한숨이 섞여 부서진 감정의 파편들이에요."에 따르면, '한쪽이 빠진 트렁크'를 창수는 버려야 하는 '구질구질한 짐짝'으로 인식하고, 창수댁은 '지난 세월'이 담긴 '감정의 파편'으로 인식한다. 이는 과거를 버려야 하는 것으로 인식하는 창수와, 고향을 떠나는 회한에서 벗어나지 못하는 창수댁의 과거 경험에 대한 상반된 태도를 보여주는 것이라 할 수 있다.

② '바다'는 등장인물이 과거를 잊고 미래로 나아가기를 꿈꾸는 공간이군.
(나) "바다 깊이 때 묻은 과거를 수장해 버리란 말요."와 "예수가 죽음에서 부활하듯이 우리도 다시 사는 거야. (돌아보며) 그러니 그 구질구질한 과거는 저 바다에 처넣으란 말이야."에 따르면, 창수는 '과거를 수장'하고 이민이라는 미래로 나아가는 일을 예수의 죽음과 부활에 비유한다. 즉 미래로 나아가기 위해 과거는 잊자는 것을 '바다'에 묻어버리라는 식으로 표현한 것이다. 따라서 '바다'는 육체적 죽음을 극복하고 정신의 재생을 꿈꾸는 공간이 아닌, 창수가 과거를 잊고 미래로 나아가기를 꿈꾸는 공간이라고 할 수 있다.

③ '이민선'은 미래에 대한 환상 속의 '신천지'로 등장인물을 인도하는 상징이군.
(나) "우리의 이민선 쨍카호를 타고 신천지를 향해 저 푸른 바다를 뚫구 나가는 거야. ……이 번쩍이는 소망에 행운이 있으라."에 따르면, '이민선'이나 '신천지'는 격정적인 기억 등 과거와 관련된 요소에 대응되는 것이 아니라, 미래에 대한 환상과 대응된다. 따라서 '이민선'은 격정적인 기억 속의 '신천지'로 등장인물을 인도하는 상징이 아니라, 미래에 대한 환상 속의 '신천지'로 창수를 비롯한 등장인물을 인도하는 상징이라고 볼 수 있다.

④ '노끈'은 등장인물의 파편화된 기억을 원래대로 복원하려는 의지를 보여주는 요소가 아니군.
(나)에서 "만세야, 이 노끈으로 같이 얽어매 보자."를 비롯한 창수댁의 대사와 (가) 2문단 "……창수댁은 이민으로 고향을 떠나야 하는 회한에서 쉽게 벗어나지 못한다."에 따르면, 창수댁이 '노끈'으로 무언가 얽어매려는 행위는 과거를 간직하려는 의지를 비유적으로 보여준다고 할 수 있다. 따라서 '노끈'은 창수댁이 과거의 기억을 간직하려는 의지를 보여주는 것이지, 파편화된 기억을 원래대로 복원하려는 의지를 보여준다고 할 수 없다.

[19~21] 제재 | 제도가능곡선 모델
난이도 | ★★☆

19. 정답 ① 난이도 ★★★ | 정답률 39%

내용영역 사회 문항 유형 정보의 확인과 재구성

[정답 풀이]

① 2문단 "바람직한 제도에 대한 전통적인 생각은 시장과 정부 가운데 어느 것을 선택해야 할 것인가를 중심으로 이루어졌다. 그러나 제도가능곡선 모델은 자유방임에 따른 무질서의 비용과 국가 개입에 따른 독재의 비용을 통제하는 데에는 기본적으로 상충관계가 존재한다는 점에 착안한다."와 3문단 "이 곡선은 한 사회의 제도적 가능성, 즉 국가 개입을 점진적으로 증가시키는 제도의 변화를 통해……."에 따르면, 제도가능곡선 모델은 무질서의 비용과 독재의 비용의 상충적인 관계를 토대로 한 사회의 제도적 가능성, 즉 국가 개입을 점진적으로 증가시키는 제도의 변화를 통해 얼마나 많은 무질서를 감소시킬 수 있는지를 나타낸다. 이처럼 제도가능곡선 모델은 제도의 선택을 점진적으로 이해한

다는 점에서 시장과 정부를 이분법적으로 파악하는 전통적인 생각에서 벗어나 있다. 따라서 제도가능곡선 모델은 기존의 전통에서 탈피하여 제도의 선택을 이해한다고 할 수 있다.

[오답 풀이]

② 제도가능곡선 모델에 따르면 어떤 제도가 효율적인지는 문제의 특성이나 사회의 특성에 의해 결정된다.

1문단 "이런 난점들을 극복하려는 제도가능곡선 모델은, 해결하려는 문제에 따라 동일한 사회에서 다른 제도가 채택되거나 또는 동일한 문제를 해결하기 위해 사회에 따라 다른 제도가 선택되는 이유를 효율성 시각에서도 설명할 수 있게 해준다."에 따르면, 제도가능곡선은 어떤 제도가 효율적인지는 문제의 특성에 의해서도 결정된다고 보고 있다.

③ 제도가능곡선 모델 제안자들은 항상 효율적 제도가 선택된다고 보지 않는다.

마지막 문단 "제도가능곡선 모델의 제안자들은 효율적 제도가 선택되지 않는 경우도 많다는 것을 인정한다."에 따르면, 제도가능곡선 모델 제안자들은 항상 효율적 제도가 선택된다고 보는 것은 아님을 알 수 있다.

④ 제도가능곡선 모델은 제도가 채택되는 일반적인 체계에 대한 설명을 제시한다.

1문단 "효율성 시각은 …… 전통적으로는 특정한 제도가 한 사회에 가장 이익이 되는 이유를 제시하는 설명에 그치고 체계적인 모델을 제시하지 못했다고 할 수 있다."와 "이런 난점들을 극복하려는 제도가능곡선 모델은 …… 사회에 따라 다른 제도가 선택되는 이유를 효율성 시각에서도 설명할 수 있게 해준다."에 따르면, 제도가능곡선 모델은 제도의 선택에 대해 체계적인 설명을 제시하지 못하는 기존의 효율성 시각의 한계를 극복하기 위해 제시된 것이며, 문제나 사회에 따라 달라지는 제도의 선택을 효율성 시각에서 설명할 수 있도록 하였다. 따라서 제도가능곡선 모델은 제도가 채택되는 일반적인 체계에 대한 설명을 제시하는 이론임을 알 수 있다.

⑤ 제도가능곡선 모델은 사회 전체적으로 가장 이익이 되는 제도가 선택된다고 설명한다.

1문단 "제도의 선택에 대한 설명에는, 합리적인 주체인 사회 구성원들이 사회 전체적으로 가장 이익이 되는 제도를 채택한다고 보는 효율성 시각과……."에 따르면, 효율성 시각이란 사회 전체적으로 가장 이익이 되는 제도가 선택된다고 설명하는 것이다. 제도가능곡선 모델 또한 효율성 시각에서 제도의 선택을 이해하므로 사회 전체적으로 가장 이익이 되는 제도가 선택된다는 입장이다. 따라서 제도가능곡선 모델이 사회 전체적으로 가장 이익이 되는 제도가 선택된다고 설명하지 않는다는 것은 제도가능곡선 모델에 대한 진술과 일치하지 않는다. 다만, 마지막 문단 "제도가능곡선 모델의 제안자들은 효율적 제도가 선택되지 않는 경우도 많다는 것을 인정한다."에 따르면, 제도가능곡선 모델 자체는 효율성 시각에 근거해 있을지라도 실제로 모든 상황에 예외 없이 적용되는 것은 아니라는 점을 제도가능곡선 모델의 제안자들이 인정하고 있을 뿐이다.

20. 정답 ③ 난이도 ★★★ | 정답률 42%

내용영역 사회 　 문항 유형 정보의 추론과 해석

[정답 풀이]

③ 정부에 대한 언론의 감시 및 비판 기능이 잘 작동하여 개인의 자유에 대한 침해 가능성이 낮은 사회에서는 그렇지 않은 사회보다 곡선상의 더 오른쪽에 위치한 제도가 효율적일 것이다.

2문단 "그러나 제도가능곡선 모델은 자유방임에 따른 무질서의 비용과 국가 개입에 따른 독재의 비용을 통제하는 데에는 기본적으로 상충관계가 존재한다는 점에 착안한다. 힘세고 교활한 이웃이 개인의 안전과 재산권을 침해할 가능성을 줄이려면 국가 개입에 의한 개인의 자유 침해 가능성이 증가하는 것이 일반적이라는 것이다."에 따르면, '힘세고 교활한 이웃이 개인의 안전과 재산권을 침해할 가능성'은 '무질서로 인한 사회적 비용'에, '국가 개입에 의한 개인의 자유 침해 가능성'은 '독재로 인한 사회적 비용'에 대응시킬 수 있다. 그리고 자유방임에 따른 무질서의 비용과 국가 개입에 따른 독재의 비용이 상충관계라는 점에서, 무질서로 인한 사회적 비용을 감소시키기 위해서는 독재로 인한 사회적 비용이 증가하게 됨을 알 수 있다.

그렇다면 정부에 대한 언론의 감시 및 비판 기능이 잘 작용하여 개인의 자유에 대한 침해 가능성이 낮은 사회에서는 그렇지 않은 사회보다 같은 수준의 무질서 비용을 감소시키기 위해 증가하는 독재 비용이 더 적을 것이다. 다시 말해, 같은 수준의 독재 비용이 증가했을 때 무질서 비용이 더 많이 감소할 것이다. 제시문에 따르면, 국가 개입이 동일한 정도로 증가했을 때 무질서 비용이 더 많이 감소하는 국가는 제도가능곡선 A에 해당하며, 제도가능곡선 A는 B에 비해 곡선의 모양이 더 가파르고 곡선상의 더 오른쪽에 접점이 형성되어 있다. 그리고 3문단 "……제도가능곡선의 접점에 해당하는 제도가 선택되는 것이 효율적 제도의 선택이다."에 따르면, 접점에 해당하는 제도가 곧 효율적 제도이다. 따라서 개인의 자유에 대한 침해 가능성이 낮은 사회에서는 그렇지 않은 사회보다 곡선상의 더 오른쪽에서 접점이 형성될 것이며, 곡선상의 더 오른쪽에 위치한 제도가 효율적일 것이다.

[오답 풀이]

① 2문단 "이런 상충관계에 주목하여 이 모델은 무질서로 인한 사회적 비용과 독재로 인한 사회적 비용을 합한 총비용을 최소화하는 제도를 효율적 제도라고 본다."에 따르면, 효율적 제도란 무질서와 독재로 인한 사회적 총비용을 최소화한 것이다. 따라서 민사소송과 정부 규제가 혼합된 제도가 효율적 제도라면, 그 외에 나머지 제도는 민사소송과 정부 규제가 혼합된 제도보다 사회적 총비용이 더 많이 들 것이다.

② 5문단 "따라서 불평등이 강화되거나 갈등 해결 능력이 약화되는 역사적 변화를 경험하면 이 곡선이 원점에서 멀어지는 방향으로 이동한다."에 따르면, 시민적 자본이 부족한 사회에서는 시민적 자본이 풍부한 사회보다 제도가능곡선이 원점에서 멀어지기 때문에 동일한 제도라도 사회적 총비용이 더 커진다. 따라서 시민적 자본이 풍부한 사회에서 비효율적인 제도보다 시민적 자본의 수준이 낮은 사회에서 효율적인 제도의 제도가능곡선이 원점에서 더 먼 상태에 있을 수 있으며, 그 결과 무질서와 독재로 인한 사회적 총비용이 더 클 수 있다.

④,⑤ 5문단 “예컨대 국가 개입이 동일한 정도로 증가했을 때, 개입의 효과가 큰 정부를 가진 국가(A)는 그렇지 않은 국가에 비해 무질서 비용이 더 많이 감소한다. 그러므로 전자가 후자에 비해 곡선의 모양이 더 가파르고 곡선상의 더 오른쪽에서 접점이 형성된다.”에 따르면, 국가 개입의 효과가 큰 국가에서는 곡선의 모양이 가팔라서 접점의 곡선의 오른쪽에서 형성되기 쉽다.
그런데 교도소 운영을 국가가 아니라 민간이 맡았을 때 재소자의 권리가 유린되거나 처우가 불공평해질 위험이 너무 커진다는 것은 바꿔 말하면, 민간이 아닌 국가가 맡았을 때 개입의 효과가 크다는 것을 보여준다고 할 수 있다. 따라서 이는 제시문의 곡선 A에 해당한다고 볼 수 있으므로, 곡선이 가팔라지고 접점이 곡선의 오른쪽에서 형성되기 쉬울 것이다.(④) 한편, 경제주체들이 교활하게 사적 이익을 추구함으로써 평판이 나빠져 장기적인 이익이 줄어들 것을 염려해 스스로 바람직한 행위를 선택할 가능성이 큰 산업의 경우, 개인들이 자체적으로 무질서 비용을 줄이고 있으므로 국가가 개입한다고 해서 무질서 비용이 급격하게 감소하지는 않을 것이다. 즉, 국가 개입의 효과가 다른 사회에 비해 떨어지는 곡선 B에 해당한다고 볼 수 있다. 따라서 이 경우 기울기는 완만하게 감소하고 접점이 곡선의 왼쪽에서 형성되기 쉽다.(⑤)

21. 정답 ① | 난이도 ★★☆ | 정답률 57%

(내용영역) 사회 | (문항 유형) 정보의 평가와 적용

[정답 풀이]

① 철도회사와 대기업이 발달하면서 제도가능곡선이 원점에서 멀어지는 방향으로 이동했군.
5문단 “따라서 불평등이 강화되거나 갈등 해결 능력이 약화되는 역사적 변화를 경험하면 이 곡선이 원점에서 멀어지는 방향으로 이동한다.”에 따르면, 제도가능곡선은 불평등이 심화된 사회에서는 원점으로부터 멀어진다는 것을 알 수 있다. 그런데 <보기>에 따르면, 철도회사와 대기업이 발달하면서 소송 당사자들 사이에 불평등이 심화되는 문제가 발생하였다. 따라서 제도가능곡선은 철도회사와 대기업이 발달하면서 원점에서 멀어지는 방향으로 이동하였을 것이다.

[오답 풀이]

② 1문단 “제도가능곡선 모델은 …… 효율성 시각에서도 설명할 수 있게 해준다.”에 따르면, 제도가능곡선 모델 또한 효율성 시각에서 제도의 선택을 이해한다. 이때, 효율성 시각이란 어떤 제도가 선택된다는 것은 그것이 가장 이익이 되는 즉, 효율성 있는 제도임을 전제하고 있다. <보기>에 따르면, 철도회사와 대기업이 발달하기 전에는 소송 당사자들 사이에 불평등이 심하지 않아 정부의 통제나 규제 대신 민사소송이 많은 문제의 해결을 담당하였다. 이는 민사소송이 효율적인 당시 상황에서는 가장 이익이 되는 제도임을 보여준다. 따라서 철도회사와 대기업이 발달하기 전에는 많은 문제의 해결을 민사소송에 의존하는 것이 효율적이었다고 볼 수 있다.

③ <보기>에 따르면, 규제국가는 철도회사와 대기업이 발달하면서 불평등이 심해지자 이를 해결하기 위한 방안으로 탄생한 것이다. 따라서 규제국가의 탄생으로 소송 당사자들 간의 불평등은 완화되었을 것임을 알 수 있다. 5문단 “따라서 불평등이 강화되거나 갈등 해결 능력이 약화되는 역사적 변화를 경험하면 이 곡선이 원점에서 멀어지는 방향으로 이동한다.”에 따르면, 불평등이 강화되거나 갈등 해결 능력이 약화되는 상황에서는 제도가능곡선이 원점에서 멀어지므로 그 결과 사회적 총비용은 증가할 것이다. 그런데 규제국가의 탄생으로 불평등이 19세기 후반보다 완화되고 갈등 해결 능력이 강화되었으므로, 이 경우 제도가능곡선은 원점에 가까워지고 사회적 총비용 또한 줄어들 것이다.

④ 5문단 “따라서 불평등이 강화되거나 갈등 해결 능력이 약화되는 역사적 변화를 경험하면 이 곡선이 원점에서 멀어지는 방향으로 이동한다.”와 “이러한 능력이 일종의 제약 조건이라면, 어떤 제도가 효율적일 것인지는 제도가능곡선의 모양에 의해 결정된다.”에 따르면, 사회의 시민적 자본의 수준에 따라 제도가능곡선의 위치가 결정되고 그 결과 효율적인 제도 또한 사회에 따라 다르게 나타날 것임을 알 수 있다. 그렇다면, <보기>와 같이 철도회사와 대기업의 발달로 소송 당사자들 사이에 불평등이 심화된 경우 제도가능곡선의 위치는 원점에서 멀어질 것이다. 그리고 <보기>에 따르면, 소송 당사자들 사이에 불평등을 해소하고자 민사소송이 담당했던 많은 문제들에 대한 사회적 통제를 연방정부와 주정부의 규제당국들이 담당하게 되었다. 이는 국가개입이 강화된 제도가 효율적 제도로 선택되었음을 의미한다. 이 경우 제도가능곡선의 모양은 가팔라지고 정부 규제에 가까운 부분에서 접점이 형성될 것이다. 따라서 규제국가는 많은 문제에서 제도가능곡선의 모양과 위치가 변화한 것에 대응하여 효율적 제도를 선택한 결과라 할 수 있다.

⑤ 5문단 “예컨대 국가 개입이 동일한 정도로 증가했을 때, 개입의 효과가 큰 정부를 가진 국가는 그렇지 않은 국가에 비해 무질서 비용이 더 많이 감소한다. 그러므로 전자가 후자에 비해 곡선의 모양이 더 가파르고 곡선상의 더 오른쪽에서 접점이 형성된다.”에 따르면, 국가 개입의 효과가 큰 국가에서는 곡선의 모양이 가팔라진다. <보기>에 따르면, 철도회사와 대기업이 발달한 이후에 소송 당사자들 사이의 불평등과 사법부의 부패가 심해짐에 따라 이를 해결하고자 규제국가가 탄생하였다. 이때, 규제국가의 탄생은 곧 사회 문제 해결에 정부 개입의 효과가 큼을 전제하고 있다. 따라서 철도회사와 대기업이 발달한 이후에 소송 당사자들 사이의 불평등과 사법부의 부패가 심해짐에 따라 제도가능곡선의 모양이 더욱 가팔라졌음을 알 수 있다.

[22~24] 제재 | 헤겔의 '낭만적인 것' 의미
난이도 | ★★★

22. 정답 ②

난이도 ★★★ | 정답률 38%

(내용영역) 인문 (문항 유형) 주제, 구조, 관점 파악

[정답 풀이]

② 3문단 "반면 기독교는 자연적 대상의 숭배 또는 매개를 넘어섰다는 점에서 기독교적인 것이기는 하지만 …… 기독교적인 것의 불완전 단계로 평가된다."에 따르면, 기독교는 기독교적인 것에 속한다. 그런데 3문단 "……그가 몇몇 지점에서 낭만적인 것을 기독교적인 것과 같은 의미로 사용되고 있다는 점에 유의해야 한다."와 "……기독교적인 것은 비록 언어적으로 종교적 색채를 풍기기는 하지만 …… 정신철학적 범주이다."에 따르면, 헤겔은 정신철학적 범주에서 낭만적인 것과 기독교적인 것을 동일한 의미로 보고 있다. 따라서 기독교적인 것에 속하는 기독교는 정신적 작동 방식의 측면에서 낭만적인 것에 속한다고 할 수 있다.

[오답 풀이]

① 낭만주의와 기독교는 서로 바꾸어 쓸 수 있는 동의어가 아니다.
3문단 "……그가 몇몇 지점에서 낭만적인 것을 기독교적인 것과 같은 의미로 사용되고 있다는 점에 유의해야 한다."에 따르면, 헤겔이 규정한 낭만적인 것과 기독교적인 것은 정신철학적 범주에서 동일한 의미라 할 수 있다. 그렇다고 해서 낭만주의와 기독교가 동의어인 것은 아니다. 3문단에 따르면, 기독교는 엄연히 "제도화된 신앙 및 교리 체계"로서의 의미를 지니는 것이다. 그런데 낭만주의는 4문단에서 알 수 있듯이 "감성과 상상력의 무제한적 발산, 가슴 속의 모든 것을 표출할 수 있는 자유"를 지향하는 것으로, 기독교의 의미와는 분명한 차이를 보인다.

③ 낭만주의와 기독교는 완전한 형태의 내면적 지성성을 획득하지 못한다.
3문단 "반면 기독교는 …… 개념적 반성을 필요조건으로 하는 지성의 완전한 순수 내면성에는 미치지 못하기에, 기독교적인 것의 불완전한 단계로 평가된다."에 따르면, 기독교는 내면적 지성성을 의미하는 기독교적인 것에는 미치지 못하는 단계이다. 그리고 마지막 문단 "그러나 낭만주의가 달성하는 정신의 내면성은 개념적 반성성에 의거한 철학적 사유의 내면성에는 아직 이르지 못한 열등한 것이며……."에 따르면, 낭만주의 또한 완전한 형태의 내면적 지성성에 도달하지 못하는 불완전한 단계이다.

④ 최고도의 기독교적인 것은 예술사조로서의 낭만주의를 통해 성취되지 않는다.
3문단 "따라서 가장 완전한 의미에서 기독교적인 것은 순수한 개념적 반성을 통해 진리를 인식하는 철학에서 달성된다."에 따르면, 최고도의 기독교적인 것은 철학을 통해 성취되는 것이다. 그런데 2문단 "……무한한 상상력과 감수성이 핵심인 낭만주의는 응당 극복되어야 할 전형적인 지적 미성숙의 상태이다."에 따르면, 낭만주의는 오히려 극복되어야 할 지적 미성숙의 상태를 의미한다. 이는 이성적 사유를 토대로 하는 정신의 고급 단계와는 거리가 멀다. 따라서 최고도의 기독교적인 것은 예술사조로서의 낭만주의를 통해 성취되는 것이 아니라 이성적 사유를 통해 성취될 수 있는 것이다.

⑤ 낭만적인 것과 기독교적인 것은 '정신의 가장 고급한 단계'에서 순수한 개념적 반성을 통해 수행되는 것이다.
3문단 "……낭만적인 것을 기독교적인 것과 같은 의미로 사용하고 있다는 점에 유의해야 한다."와 마지막 문단 "진정으로 낭만적인 것은 철학적 사유에서 비로소 성취된다."에 따르면, 낭만적인 것과 기독교적인 것은 철학적 사유를 통해 성취되는 것이다. 그런데 3문단 "그에 따르면 정신의 가장 저급한 단계는 객체에 대한 주체의 의존성이 가장 지배적인 감각적 지각의 단계이며, 가장 고급한 단계는 그러한 대상 의존성을 완전히 극복한 정신적 주체의 순수하고 내면적인 재귀적 작동인 반성, 즉 이성적 사유이다."에 따르면, 철학적 사유, 즉 이성적 사유는 정신의 가장 고급한 단계에서 이루어지는 것이다. 따라서 낭만적인 것과 기독교적인 것은 모든 단계에서 순수한 개념적 반성을 통해 수행되는 것이 아니라 정신의 가장 고급한 단계에서 수행되는 것이다.

23. 정답 ②

난이도 ★★☆ | 정답률 48%

(내용영역) 인문 (문항 유형) 정보의 추론과 해석

[정답 풀이]

② 3문단 "……가장 고급한 단계는 그러한 대상 의존성을 완전히 극복한 정신적 주체의 순수하고 내면적인 재귀적 작동인 반성, 즉 이성적 사유이다."와 "이는 절대자, 곧 '신'이 어떤 인격체가 아니라 세계의 근본적 존재 구조 내지는 원리로서의 이성이라고 보는 그의 절대적 관념론에 의거한다."에 따르면, 헤겔의 정신철학적 범주에서 정신의 가장 고급 단계는 이성적 사유이다. 이는 헤겔이 세계의 근본적 존재 구조를 이성이라고 본 것에 근거한다. 그리고 3문단 "절대자 그 자체가 완전한 이성적 구조, 즉 개념의 엄밀하고도 완전한 자기 운동 체계이므로, 그것에 호응하는 인간 지성의 형식 역시 개념적 사유 능력인 이성이어야 한다는 것이다."에 따르면, 헤겔은 세계의 근본적 존재 구조가 이성이기에 인간 지성의 형식 역시 이러한 존재 구조에 호응하는 이성이어야 한다는 인식을 드러낸다. 따라서 참된 인식의 수행 방식은 인식의 궁극적 대상의 존재 구조에 대응해야 한다고 생각하는 것은 ㉠을 추론한 것으로 가장 적절하다고 할 수 있다.

[오답 풀이]

① 정신의 재귀적 작동이 최고도로 이루어지는 것은 신앙과 예술의 영역이 아니다.
3문단 "……가장 고급한 단계는 그러한 대상 의존성을 완전히 극복한 정신적 주체의 순수하고 내면적인 재귀적 작동인 반성, 즉 이성적 사유이다."에 따르면, 정신의 재귀적 작동이란 곧 이성적 사유를 의미한다. 이때 이성적 사유는 내면적 지성성이라 할 수 있다. 그런데 3문단 "내면적 지성성에는 여러 단계가 있고 그 완전한 단계는 개념적 사유를 통한 철학인 한에서……."에 따르면, 내면적 지성성의 완전한 단계는 철학에 한정된다. 따라서 정신의 재귀적 작동은 신앙과 예술의 영역이 아니라 철학 영역에서 최고도로 이루어지는 것이다.

③ 구체적 현실에 대한 체험보다는 개념의 연쇄를 통한 논리적 추론을 인식의 출처로 평가할 것이다.

1문단 "헤겔에게서 낭만은 …… 그 실질적 내용 면에서는 그의 정신철학 전체의 핵심을 적확하게 드러내는 개념이라 할 수 있다."에 따르면, 헤겔이 낭만의 최고 단계라고 생각하는 것이 곧 헤겔 정신철학 전체의 핵심이라 할 수 있으며, 그 최종 단계로 성취되는 것이 곧 낭만적인 것이다. 그런데 마지막 문단 "……낭만주의가 주어진 경험 세계를 넘어서는 지적 주체의 내면적 작동을 중심 원리로 하는 것은 분명하기에 낭만주의는 의심할 바 없이 낭만적인 것의 하나이다."에 따르면, 주어진 경험 세계를 넘어선다는 것은 낭만적인 것의 속성이라 할 수 있다. 따라서 구체적 현실에 대한 체험을 인식의 출처로 평가하는 것은 ㉠을 추론한 것이라 할 수 없다.

④ 절대적 진리에 대한 최고의 인식은 인격화된 절대자의 존재를 증명하는 데서 이루어지지 않는다.

3문단 "이는 절대자, 곧 신이 어떤 인격체가 아니라 세계의 근본적인 존재 구조 내지 원리로서의 이성이라고 보는 그의 절대적 관념론에 의거한다."에 따르면, 헤겔은 절대자를 이성으로 규정하였지, 인격화된 어떤 것으로 규정하지 않았다. 따라서 인격화된 절대자의 존재를 증명함으로써 절대적 진리에 대한 최고의 인식에 도달하고자 하는 것은 ㉠을 추론한 것이라 할 수 없다.

⑤ 정신 내면의 자유로운 상상력의 작동으로는 최고의 지적 탁월성이 달성될 수 없다.

2문단 "헤겔의 관점에서 볼 때 무한한 상상력과 감수성이 핵심인 낭만주의는 응당 극복되어야 할 전형적인 지적 미성숙의 상태이다."에 따르면, 정신 내면의 자유로운 상상력의 작동, 즉 낭만은 지적 미성숙의 상태이다. 따라서 정신 내면의 자유로운 상상력의 작동에서 최고의 지적 탁월성이 달성된다고 여기는 것은 ㉠을 추론할 것이라 할 수 없다.

24. 정답 ④ 난이도 ★★☆ | 정답률 71%

내용영역 인문 문항 유형 정보의 평가와 적용

[정답 풀이]

④ 마지막 문단 "……낭만주의가 주어진 경험 세계를 넘어서는 지적 주체의 내면적 작동을 중심 원리로 하는 것은 분명하기에 낭만주의는 의심할 바 없이 낭만적인 것의 하나이다."에 따르면, 낭만적인 것은 곧 지적 주체의 내면적 작동을 중심 원리로 한다. 따라서 회화를 낭만적 장르로 분류하는 방식은 회화적 표현이 근본적으로 주체의 정신적 내면성에 의거한다는 점에 근거해 있는 것이라 할 수 있다.

[오답 풀이]

① '낭만적' 예술 장르는 철학적 사변의 한계를 넘어서지 않으며, 이로써 낭만적인 것을 더욱 높이 추동시키지도 않는다.

마지막 문단 "진정으로 낭만적인 것은 철학적 사유에서 비로소 성취된다."에 따르면, 낭만적인 것은 철학적 사유의 내면성에 도달한 것이지, 철학적 사변의 한계를 넘어선 것이라고 할 수 없다. 따라서 어떤 예술 장르를 '낭만적'이라고 부르는 것은 예술이 철학적 사변의 한계를 넘어섰다고 본 것이 아니며, 이로써 낭만적인 것을 더욱 높이 추동시킨다는 생각에서 비롯된 것도 아니다.

② 인간의 본질을 세속의 미시적 현실에서 찾아야 한다는 인식의 전환을 보여주지 않는다.

<보기>에 따르면, 네덜란드 장르화에 형상화된 인간적인 것 그 자체는 "네덜란드인들 고유의 자기 확신과 자기 지향성"을 근간으로 하고 있다. 이는 마지막 문단 "지적 주체의 내면적 작동"에 대응시킬 수 있으며, 세속의 미시적 현실을 의미하지 않는다. 따라서 네덜란드의 장르화에서 인간적인 것 그 자체가 형상화된다는 진술은 인간의 본질을 세속의 미시적 현실에서 찾아야 한다는 인식의 전환을 사상적 토대로 한다고 볼 수 없다.

③ 양식상 사실주의로 분류되는 장르화를 낭만적인 것으로 부르는 것은 일상의 사실적 묘사 속에서 정신의 내면성이 함축되어 있다는 판단에서 비롯된다.

3문단 "……기독교적인 것은 비록 언어적으로 종교적 색채를 풍기기는 하지만, 제도화된 신앙 및 교리 체계로서의 기독교를 넘어서는 정신철학적 범주이다."에 따르면, 헤겔이 기독교적인 것을 낭만적인 것과 동일한 의미로 사용하고 있는 이유는 기독교적인 것이 종교적 의미를 뛰어넘는, 즉 순수한 내면적 정신성을 성취하는 것이기 때문이다. 따라서 양식상 사실주의로 분류되는 장르화를 낭만적인 것으로 부르는 것은 일상의 사실적 묘사 속에 기독교의 교리가 함축되어 있기 때문이 아니라, 그 묘사 속에 정신의 내면성이 함축되어 있기 때문이다.

⑤ 네덜란드 장르화를 낭만적인 것으로 설명하는 것은 개념적 반성성에 의거한 철학적 사유의 내면성이 가장 모범적으로 작용하고 있다는 평가에 바탕을 둔다.

마지막 문단 "감성과 상상력의 무제한적 발산, 즉 가슴 속의 모든 것을 표출할 수 있는 자유를 지향하는 …… 낭만주의는 의심할 바 없이 낭만적인 것의 하나이다."와 "그러나 낭만주의가 …… 열등한 것이며, 이에 낭만주의는 낭만적인 것의 완전한 전형이 될 수 없다."에 따르면, 상상력의 무제한적 발산을 추구하는 낭만주의의 미적 전략은 낭만적인 것의 완전한 전형이 될 수 없다. 그렇다면, 이와 같이 낭만주의의 전략을 구사하는 회화 작품 역시 낭만적인 것이라 볼 수 없을 것이다. 마지막 문단 "진정으로 낭만적인 것은 철학적 사유에서 비로소 성취된다."에 따르면, 네덜란드 장르화를 낭만적인 것으로 설명하는 것은 그 작품에 개념적 반성성에 의거한 철학적 사유의 내면성이 함축되어 있기 때문임을 알 수 있다.

[25~27] 제재 | 중력파 검출 실험의 원리
난이도 | ★★★

25. 정답 ③ 난이도 ★★☆ | 정답률 49%

내용영역 과학기술 문항 유형 정보의 확인과 재구성

[정답 풀이]

③ 산탄 잡음에 의한 신호대잡음비는 레이저 출력이 클수록 커진다.

4문단 "따라서 광자의 개수를 늘리면 산탄 잡음에 의한 신호대잡음비를 증가시킬 수 있는데 공진기는 그 안에 레이저 빛을 가둠으로써 간섭계 내부의 광자 개수를 증가시키는 역할도 한다. 하지만 이 정도로는 원하는 신호대잡음비를 얻기에 부족하고 레이저의 출력을 높이는 데에 한계가 있다."와 "……출력 재활용 거울(M5)을 설치하여 간섭계에 사용되는 유효 레이저 출력을 원하는 수준으로 높인다."에 따르면, 공진기와 출력 재활용 거울은 유효 레이저 출력을 높이고 간섭계 내부 광자 개수를 증가시키는 역할을 한다. 그리고 광자의 개수를 늘리면 산탄 잡음에 의한 신호대잡음비가 증가한다. 따라서 산탄 잡음에 의한 신호대잡음비는 레이저 출력이 클수록 커질 것이다.

[오답 풀이]

① 2문단 "……간섭계가 놓인 면을 중력파가 통과하며 …… 빛이 지나는 두 경로의 길이 차가 시간에 따라 변화하고 광검출기에서 측정되는 빛의 세기가 그에 따라 변화한다. 이를 측정하면 중력파의 세기와 진동수를 알아낼 수 있다."에 따르면, 레이저 간섭계의 경로 길이 변화로 경로 간 길이 차이에 변화가 일어나면, 광검출기에서 측정되는 빛의 세기가 그에 따라 변화한다. 그리고 이를 측정하면 중력파를 감지할 수 있다. 따라서 중력파는 레이저 간섭계의 경로 길이 변화를 통해 감지된다고 할 수 있다.

② 4문단 "……이때 빛의 세기는 광자의 개수에 비례한다."와 "……공진기는 그 안에 레이저 빛을 가둠으로써 간섭계 내부의 광자 개수를 증가시키는 역할도 한다."에 따르면, 빛의 세기가 광자의 개수에 비례하므로 공진기는 간섭계 내부 빛의 세기를 증가시키는 역할을 한다고 볼 수 있다.

④ 마지막 문단 "……광자가 거울에 충돌하며 '복사압'이라는 힘을 작용하여 거울이 미세하게 움직이기 때문이다. 광자 개수의 요동이 거울의 요동과 그에 따른 간섭계 경로 길이의 요동을 유발하여 간섭신호의 잡음으로 나타나는데,……."에 따르면, 광자 개수의 요동이 거울의 요동을 일으키고 그에 따른 간섭계 경로 길이의 요동을 유발하면 나타나는 잡음이 복사압 잡음이다. 따라서 복사압 잡음이 광자 개수의 요동 때문에 발생한다고 할 수 있다.

⑤ 마지막 문단 "……복사압 잡음에 의한 신호대잡음비는 진동수가 작을수록 급격히 감소하며……."에 따르면, 복사압 잡음에 의한 신호대잡음비는 진동수가 작을수록 급격히 작아진다. 따라서 진동수가 클수록 복사압 잡음에 의한 신호대잡음비는 커질 것이다.

26. 정답 ⑤

난이도 ★★★ | 정답률 22%

내용영역 과학기술 | 문항 유형 정보의 추론과 해석

[정답 풀이]

ㄴ. 마지막 문단 "빛의 입자적 성질은 간섭신호에 '복사압 잡음'이라고 불리는 또 다른 잡음을 일으키는데, 광자가 거울에 충돌하며 '복사압'이라는 힘을 작용하여 거울이 미세하게 움직이기 때문이다."에 따르면, 광자가 거울에 충돌하면 결과적으로 복사압 잡음이 발생한다. 그리고 3문단 "……투과율을 갖도록 하여 빛이 출입할 수 있도록 하였다. 이 경우 공진기 밖으로 나온 빛은……."에 따르면, 거울의 반사율을 감소시키면 거울에 충돌하여 반사되지 않고 간섭계를 빠져나가는 광자의 개수가 증가한다고 추론할 수 있다. 즉 출력 재활용 거울의 반사율을 감소시키면 거울에 충돌하는 광자의 개수가 감소하며, 따라서 복사압 잡음이 감소하게 될 것이다.

ㄷ. 3문단 "중력파는 공간을 일정한 비율로 변형시키므로 간섭계의 경로 길이를 되도록 크게 하는 것이 길이의 변화량을 크게 할 수 있어……."에 따르면, 간섭계의 경로 길이가 늘어나면 중력파에 의한 경로 길이 변화량이 늘어난다. 그리고 "……각 공진기의 두 거울 사이를 빛이 여러 번 왕복하도록 함으로써 유효 경로 길이를 늘리는 방법을 사용하였다."에 따르면, 공진기는 기본적으로 거울 사이의 왕복 횟수를 늘려서 간섭계의 유효 경로 길이를 늘리기 위해 사용된다. 이때 각 공진기를 구성하는 두 거울 사이의 거리를 늘리면 간섭계의 경로 길이는 더 증가할 것이며, 따라서 중력파에 따른 경로 길이 변화량 역시 늘어날 것이다.

[오답 풀이]

ㄱ. 중력파가 검출될 때, 광검출기에서 측정되는 빛의 세기는 일정하지 않을 것이다.
2문단 "……간섭계가 놓인 면을 중력파가 통과하며 공간의 수축과 팽창이 반복되면 빛이 지나는 두 경로의 길이 차가 시간에 따라 변화하고 광검출기에서 측정되는 빛의 세기가 그에 따라 변화한다. 이를 측정하면 중력파의 세기와 진동수를 알아낼 수 있다."에 따르면, 중력파가 간섭계가 놓인 면을 통과함으로써 공간의 수축과 팽창이 반복되면 광검출기에서 측정되는 빛의 세기가 변화한다. 따라서 중력파가 검출될 때, 광검출기에서 측정되는 빛의 세기는 일정하지 않고 변화할 것이라고 추론할 수 있다.

27. 정답 ③

난이도 ★★☆ | 정답률 43%

내용영역 과학기술 | 문항 유형 정보의 평가와 적용

[정답 풀이]

<보기> "……민감도(1/신호대잡음비)를 진동수에 따라 나타낸 것이다."에 따르면, <보기>의 그래프를 다음과 같이 진동수와 신호대잡음비에 대한 그래프로 변환할 수 있다.

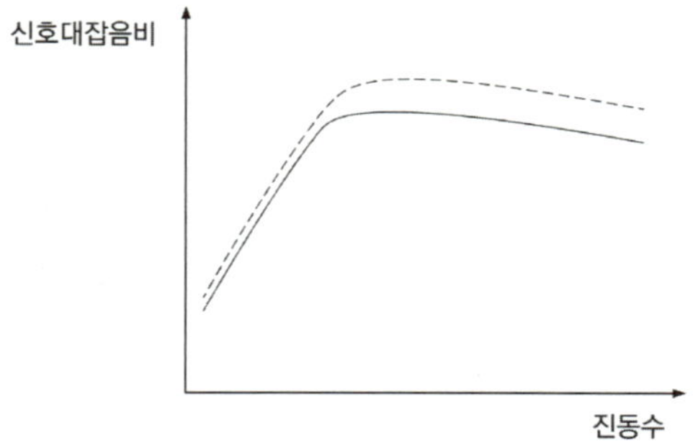

즉 <보기>에서는 특정한 물리량을 증가시킴으로써 실선으로 나타난 신호대잡음비를 점선과 같은 신호대잡음비로 개선하고자 하는 것이다. 그리고 <보기> "여기서 신호대잡음비는 산탄 잡음과 복사압 잡음 모두에 의한 것이다."와 제시문 마지막 문단 "따라서 두 잡음의 합으로 결정되는 신호대잡음비……."에 따르면, 변환된 그래

프의 신호대잡음비는 다음과 같다.

$$\text{신호대잡음비} = \frac{\text{신호크기}}{\text{산탄 잡음} + \text{복사압 잡음}}$$

그리고 마지막 문단 "……복사압 잡음에 의한 신호대잡음비는 진동수가 작을수록 급격히 감소하며, 산탄 잡음에 의한 신호대잡음비는 진동수가 클수록 완만히 감소한다."에 따르면, 그래프에서 진동수 증가에 따른 신호대잡음비의 증가 추세는 복사압 잡음에 의한 신호대잡음비의 변화에 더 크게 영향을 받은 것이고, 감소 추세는 산탄 잡음에 의한 신호대잡음비의 변화에 더 크게 영향을 받은 것이라고 할 수 있다. 따라서 실선 대비 점선 위치를 고려할 때, 특정한 물리량의 증가가 신호대잡음비에 어떻게 영향을 미치는지를 판단해야 한다고 볼 수 있다.

ㄱ. 마지막 문단 "……거울의 질량이 클수록 거울의 요동이 작아진다."에 따르면, 거울의 질량이 클수록 거울의 요동이 작아져 복사압 잡음이 줄어든다. 따라서 거울의 질량을 증가시키면 복사압 잡음이 감소하는 만큼 신호대잡음비가 증가하여 그래프가 점선의 모양으로 개선될 것이다.

ㄴ. 4문단 "……광자의 개수를 늘리면 산탄 잡음에 의한 신호대잡음비를 증가시킬 수 있는데 공진기는 그 안에 레이저 빛을 가둠으로써 간섭계 내부의 광자 개수를 증가시키는 역할도 한다."와 "……출력 재활용 거울(M5)을 설치하여 간섭계에 사용되는 유효 레이저 출력을 원하는 수준으로 높인다."에 따르면, 레이저 출력을 증가시키면 간섭계 내부 광자 개수가 증가할 것이라고 추론할 수 있다. 그리고 "신호의 크기는 광자의 개수 N에 비례하고, 광자 개수의 요동에 의한 잡음은 N의 제곱근($\sqrt{N}$)에 비례한다."에 따르면, 신호크기는 광자 개수에, 산탄 잡음은 광자 개수의 제곱근에 비례한다. 따라서 광자 개수가 증가하면 산탄 잡음 대비 신호크기가 더 많이 증가하므로, 산탄 잡음에 의한 신호대잡음비의 영향을 더 많이 받는 진동수 대역에서 신호대잡음비가 증가하여 그래프가 점선의 모양으로 개선될 것이다.

[오답 풀이]

ㄷ. 출력 재활용 거울의 투과율이 증가하면 그래프가 점선의 모양대로 개선되지 않을 것이다.
3문단 "……투과율을 갖도록 하여 빛이 출입할 수 있도록 하였다."와 4문단 "따라서 광자의 개수를 늘리면 산탄 잡음에 의한 신호대잡음비를 증가시킬 수 있는데 …… 간섭계 내부의 광자 개수를 증가시키는 역할도 한다."에 따르면, 출력 재활용 거울의 투과율을 높이면 빛이 빠져나간 만큼 간섭계 내부 광자 개수가 감소하여 신호크기가 작아지므로 산탄 잡음에 의한 신호대잡음비는 감소할 것이다. 그리고 마지막 문단 "광자가 거울에 충돌하며……. 광자 개수의 요동이 거울의 요동과 …… 간섭신호의 잡음으로 나타나는데……."에 따르면, 투과율을 높였을 때 거울에 충돌하는 광자 개수는 감소할 것이므로 복사압 잡음은 줄어들 것이다. 그러나 신호대잡음비가 점선과 같이 개선되려면, 신호대잡음비가 감소 추세를 보이는 진동수 대역, 즉 산탄 잡음에 의한 신호대잡음비의 영향이 더 큰 진동수 대역에서의 신호대잡음비가 증가해야 한다. 그런데 출력 재활용 거울의 투과율을 높이는 것은 산탄 잡음에 의한 신호대잡음비가 감소하는 결과를 낳는다.

이를 고려할 때, 복사압 잡음이 감소하더라도 산탄 잡음에 의한 신호대잡음비의 감소로 인해 그래프의 모양은 개선되지 않을 것이다.

[28~30] 제재 | 법정립적 폭력과 법보존적 폭력
난이도 | ★★☆

28. 정답 ⑤

난이도 ★★☆ | 정답률 80%

내용영역 규범 | 문항 유형 정보의 확인과 재구성

[정답 풀이]

⑤ 마지막 문단 "또한 법보존적 폭력은 법정립적 폭력에 이미 내재되어 있다고 보았다. 정립은 자기보존적인 반복에 대한 요구를 내포하며 …… 때문이다."에 따르면, 데리다는 법보존적 폭력이 법정립적 폭력에 내재되어 있으며 정립은 자기보존적인 반복에 대한 요구를 내포하고 있다고 보았다. 따라서 데리다는 법을 보존하기 위한 반복적이고 제도화된 폭력들이 법정립적 폭력에 포함되어 있다고 이해한다.

[오답 풀이]

① 벤야민은 법정립적 폭력과 법보존적 폭력 모두 신화적 폭력에 속하는 것으로 규정한다.
4문단 "더 나아가 그는 법 정립과 법 보존의 이러한 순환 회로를 신화적 폭력이라 명명하면서 그것을 신적 폭력과 구별 짓는다."에 따르면, 벤야민은 법보존적 폭력을 신적 폭력에 속하는 것으로 규정하지 않았다.

② 벤야민은 신적 폭력이 도래함으로써 법 정립과 법 보존의 순환 회로가 폭파될 것으로 보았다.
4문단 "신적 폭력은 법을 허물어뜨리는 순수하고 직접적인 폭력이다. 벤야민은 이것이 신화적 폭력의 순환 회로를 폭파하고 ……."에 따르면, 벤야민은 신적 폭력이 법 정립과 법 보존의 순환 회로, 즉 신화적 폭력의 순환 회로를 폭파한다고 보았다. 그리고 이러한 신적 폭력이 새로운 질서로 나아가게끔 하는 적극적 동력이라고 보아 신적 폭력을 긍정적으로 평가하였다. 따라서 벤야민은 신적 폭력이 도래함으로써 법 정립과 법 보존의 순환 회로가 더 강고해질 수 있다고 보지 않았으며, 신적 폭력에 대해 우려하는 태도를 보이지는 않는다.

③ 벤야민은 법의 수단으로 사용되는 폭력이 자신의 목적을 달성하는 순간 힘을 상실하여 소거되는 것이 아니라고 보았다.
4문단 "여기서 폭력은 법 제정의 수단으로 복무하지만, 목적한 바가 법으로 정립되는 순간 퇴각하는 것이 아니라 자신의 도구적 성격을 넘어서 힘 자체가 된다."에 따르면, 벤야민은 법 제정의 수단이 되는 폭력이 목적을 달성하는 순간 소거되는 것이 아니라고 보았다. 오히려 폭력은 법 정립의 목적을 달성한 후에는 자신의 도구적 성격을 넘어서 힘 자체가 된다고 보았다.

④ 데리다는 폭력의 적법성이 법 언어 행위를 통해 사후적으로 정립된다고 본다.
마지막 문단 "데리다는 「법의 힘」에서 합법화된 폭력을 소급적으로 정립하는 법의 발화수반적 힘을 분석했다. 그는 법 언어 행위를

통해 적법한 권력과 부정의한 폭력 사이의 경계가 비로소 그어진다고 설명했다."에 따르면, 데리다는 적법한 권력과 부정의한 폭력이 처음에는 경계 없이 있다가 법 언어 행위를 통해 그 경계가 생겨난다고 보았다. 즉, 데리다에 의하면 폭력의 적법성이란 법 언어 행위를 통해 사후적으로 정립되는 것이다.

29. 정답 ⑤ 난이도 ★★☆ | 정답률 56%

내용영역 규범 / 문항 유형 정보의 추론과 해석

[정답 풀이]

⑤ ㉠과 ㉡ 모두 법적으로 승인된 폭력이 자신을 법 바깥의 폭력들과 차등화하는 문제에 충분한 관심을 두지 않았다.

3문단 "또한 법이 스스로 저지르는 폭력만을 정당한 강제력으로 상정하고 다른 모든 형태의 폭력적인 것들을 폭력으로 치부하는 문제에 관해 양편 모두 충분한 관심을 두지 않아 왔음을 지적했다."에 따르면, 벤야민은 자연법론(㉠)과 법실증주의(㉡) 모두 법적으로 승인된 폭력만을 정당한 강제력으로 상정하고 그 외의 폭력적인 것들은 그저 폭력으로 치부하는 것에 대해 충분한 관심을 두지 않았다고 지적하고 있다. 따라서 법실증주의(㉡) 또한 자연법론(㉠)과 마찬가지로 법적으로 승인된 폭력이 자신을 법 바깥의 폭력들과 차등화하는 문제에 주목한다고 볼 수 없다.

[오답 풀이]

① 2문단 "벤야민에 따르면, 고전적인 자연법론은 법 창출과 존속의 근거를 …… 외부적인 실체의 권위로부터 구한다."에 따르면, 고전적 자연법론은 법 창출과 존속의 근거 즉, 정당성 판단의 준거가 될 법적 권위를 외부적인 실체의 권위로부터 구한다. 따라서 자연법론(㉠)은 정당성 판단의 준거가 될 법적 권위를 법 바깥에서 구한다고 볼 수 있다.

② 2문단 "반면 법실증주의는 폭력을 수단으로 사용하기 위한 절차적 정당성이 확보되었는지 여부에 주목한다."에 따르면, 법실증주의(㉡)는 절차적 정당성의 확보 여부가 법적 폭력을 수단으로 사용하는 것을 판단하는 데 중요한 기준이 된다고 보았다. 따라서 법실증주의(㉡)는 수단의 절차적 정당화 여부에 따라 법의 폭력성을 판단해야 한다고 주장한다.

③ 3문단 "정당화된 수단이 목적의 정당성을 보증한다고 보는 경우든 정당한 목적을 통해 수단이 정당화될 수 있다고 보는 경우든, 목적과 수단의 상호지지적 관계를 전제로 폭력의 정당성을 판단한다."에 따르면, 정당화된 수단이 목적의 정당성을 보증한다고 보는 경우(법실증주의)와 정당한 목적을 통해 수단이 정당화될 수 있다고 보는 경우(자연법론) 모두 목적과 수단의 상호지지적 관계를 전제하고 있다. 따라서 자연법론(㉠)과 법실증주의(㉡) 모두 목적이나 수단 중 어느 한쪽이 정당화되면 다른 쪽의 정당성도 보증된다고 전제한다.

④ 2문단 "벤야민은 자연법론보다는 법실증주의가 폭력 비판의 가설적 토대로 더 적합하다고 판단했다. …… 법실증주의는 법체계의 자기 정초적 성격을 강조함으로써 법 제정 과정의 폭력을 읽어낼 단서를 제공해 주어……."에 따르면, 법실증주의는 법체계의 자기 정초적 성격을 강조함으로써 법 제정 과정의 폭력을 읽어낼 단서를 제공해 주며, 이러한 특징으로 인해 폭력 비판의 가설적 토대로 자연법론보다 더 적합하다는 평가를 받는다. 이때 법 제정 과정의 폭력이란 곧 법의 정립과 보존 과정에 내재된 폭력이라 할 수 있다. 따라서 자연법론(㉠)보다 법실증주의(㉡)가 법의 정립과 보존 과정에 내재된 폭력을 발견하는 데 더 유용하다고 할 수 있다.

30. 정답 ③ 난이도 ★★☆ | 정답률 70%

내용영역 규범 / 문항 유형 정보의 평가와 적용

[정답 풀이]

③ 4문단 "신적 폭력은 …… 벤야민은 이것이 신화적 폭력의 순환 회로를 폭파하고 새로운 질서로 나아가게끔 하는 적극적 동력임을 주장한다."에 따르면, 벤야민은 법과 폭력의 순환 고리를 끊어낼 순수하고 직접적인 폭력, 즉 신적 폭력에 대해 새로운 질서로 나아가게끔 하는 적극적 동력이라고 주장하며 이러한 폭력에 대해 긍정적으로 평가하였다. 그리고 <보기>의 B 또한 신화적 폭력을 넘어서 국가법 자체를 탈정립할 신적 폭력을 지지할 필요가 있다고 보아, 신적 폭력을 지지한 벤야민과 입장을 같이한다.

[오답 풀이]

① A는 법 정립 과정에 폭력이 개입하지 않는다고 본 데서 벤야민과 관점을 달리한다.

1문단 "벤야민은 폭력이 모든 합법적 권력의 탄생과 구성 과정에 개입함을 …… 법 자체를 제정하고 부과하며 유지하는 방식으로도 작동함을 밝히고자 했다."와 4문단 "벤야민은 …… 법의 내재적 폭력성을 설명하기 위해 법정립적 폭력과 법보존적 폭력을 새롭게 개념화했다."에 따르면, 벤야민은 법 정립 과정에 폭력이 개입한다고 주장하였다. 반면 A는 국가법이 제정되고 유지되는 과정에 폭력이 난입할 여지는 없다고 보아 법 정립 과정에 폭력이 개입하지 않는다고 보았다. 따라서 A와 벤야민은 법 정립 과정에 폭력이 개입하는지 여부에 대해 서로 입장을 달리한다.

② A는 벤야민, 데리다 모두와 견해를 달리한다.

3문단 "또한 법이 스스로 저지르는 폭력만을 정당한 강제력으로 상정하고 다른 모든 형태의 폭력적인 것들을 폭력으로 치부하는 문제에 관해 양편 모두 충분한 관심을 두지 않아 왔음을 지적했다."에 따르면, 벤야민은 법에 의한 폭력만을 정당한 강제력으로 상정하고 그 외의 것은 폭력이라고 층위를 달리하는 것을 문제라고 보았고, 이를 비판하였다. 이를 통해 벤야민은 적법한 강제력과 적법하지 않은 폭력이 처음부터 다른 기원을 가진다고 보지는 않았음을 알 수 있다. 그리고 마지막 문단 "그는 법 언어 행위를 통해 적법한 권력과 부정의한 폭력 사이의 경계가 비로소 그어진다고 설명했다."에 따르면, 데리다는 법 언어 행위를 통해 적법한 강제력과 적법하지 않은 폭력이 비로소 경계 지어진다고 보아, 적법한 강제력과 적법하지 않은 폭력이 처음부터 다른 기원을 가진다고 보지 않았다. 반면 A는 강제적 힘에 의해 정초된 법은 처음부터 불법이라고 보아 정치적 자유의 행사를 통해 구성된 권력, 즉 적법한 폭력과는 그 기원이 다르다고 보고 있다.

④ B는 신적 폭력과 신화적 폭력의 구분을 전제한 데서 벤야민과는 견해를 같이하고 데리다와는 견해를 달리한다.

4문단 “더 나아가 그는 법 정립과 법 보존의 이러한 순환 회로를 신화적 폭력이라 명명하면서 그것을 신적 폭력과 구별 짓는다.”에 따르면, 벤야민은 신화적 폭력과 신적 폭력을 분명히 구분하고 있다. 그리고 B 또한 〈보기〉에서 “신화적 폭력을 넘어서 국가법 자체를 탈정립할 신적 폭력”이라고 하여 신적 폭력과 신화적 폭력의 구분을 전제하고 있다. 반면 마지막 문단 “더 나아가 그는 법을 정립하고 보존하는 신화적 폭력과 법을 허물어뜨리는 신적 폭력이 뚜렷이 구분될 수 없으며…….”에 따르면, 데리다는 신적 폭력과 신화적 폭력을 분명하게 구분하기 어렵다고 보았다. 따라서 데리다는 벤야민, B와 달리 신적 폭력과 신화적 폭력의 구분을 전제하고 있지 않다.

⑤ A와 B는 모두 법 정립 권력을 입법 권력에만 한정 지은 데서 벤야민과 입장을 달리한다.

4문단 “전자의 사례로 …… 이들이 각각 근대 국가의 입법 권력과 행정 권력에 대응하는 한정된 개념으로 사용되었다고 보기 어렵다.”에 따르면, 벤야민은 법정립적 폭력이 입법 권력에 한정된 것으로 보지 않았다. 반면 A는 “법 제정 권력을 다룰 때, 논의 대상은 의회의 입법권으로 좁혀져야 한다.”라고 보아 법 정립 권력을 입법 권력에 한정 짓고 있다. 그리고 B 또한 “법의 정립을 입법권의 자장 안에서 고민하기보다는 …… 국가법 자체를 탈정립할 신적 폭력을 지지할 필요가 있다.”고 보아, 법 정립 권력은 입법 권력에 한정 짓는 한편, 그것을 탈정립할 신적 폭력을 긍정하고 있다. 따라서 A와 B 모두 법 정립 권력을 입법 권력에만 한정 지은 데서 벤야민과 입장을 달리한다.

2022학년도(홀수형)

[1~3] 제재 | 부랑인 정책
난이도 | ★★☆

1. 정답 ③ 난이도 ★★☆ | 정답률 51%

내용영역 규범 | 문항 유형 정보의 확인과 재구성

[정답 풀이]

③ 4문단 “신원이 확실하지 않은 자들을 마구잡이로 잡아들임에 따라 수용자 수가 급증한 국영 또는 사설 복지기관들은 국가보조금과 민간 영역의 후원금으로 운영됨으로써…….”에 따르면, 국가는 마구잡이로 잡아들인 부랑인들을 사설 복지기관에 수용하게 했다. 즉 국가는 부랑인 수용에 있어 사설 복지기관의 협력을 얻은 것이다. 또한 사설 복지기관은 국가보조금을 받음으로써 부랑인 수용에 있어 국가의 협력을 얻었다. 따라서 부랑인 수용에서 행정당국인 국가와 민간 복지기관은 상호 협력적인 관계였다고 할 수 있다.

[오답 풀이]

① 부랑인 정책은 격리 중심에서 갱생 중심으로 초점이 옮겨갔다.

3문단 “1950년대 부랑인 정책이 일제 단속과 시설 수용에 그쳤던 것과 달리, 이 시기부터 국가는 부랑인을 과포화 상태의 보호시설에 단순히 수용하기보다는 저렴한 노동력으로 개조하여 국토개발에 활용하고자 했다.”에 따르면, 부랑인 정책은 처음에 단순히 부랑인을 격리하는 것에서 부랑인을 노동력으로 개조하는 것으로 변했다. 따라서 부랑인 정책은 갱생 중심에서 격리 중심으로 초점이 옮겨간 것이 아니라, 격리 중심에서 갱생 중심으로 초점이 옮겨갔다.

② 법령에는 부랑아의 시설 수용 기간에 한도를 두는 규정이 있었다.

4문단 “〈아동복지법 시행령〉은 부랑아 보호시설의 목적을 ‘부랑아를 일정 기간 보호하면서 개인의 상황을 조사·감별하여 적절한 조치를 취함’이라 규정했으나, …… 규정된 보호 기간이 임의로 연장되기도 했다.”에 따르면, 〈아동복지법 시행령〉에는 부랑아의 보호시설에 보호되는 기간이 규정되어 있었다. 따라서 부랑아의 시설 수용 기간에 한도를 두는 규정이 법령에 결여되어 있지 않았다.

④ 개척 터전으로 떠난 부랑인은 많은 경우 개척지를 떠났다.

4문단 “개척의 터전으로 총진군했던 부랑인 가운데 상당수는 …… 중도에 탈출했다. …… 토지를 분배 받은 경우라도 부랑아 출신이라는 딱지 때문에 헐값에 땅을 팔고 해당 지역을 떠났다.”에 따르면, 개척지로 향했던 부랑인 가운데 상당수는 중도 탈출했으며, 토지 개간으로 조성된 농지를 받은 부랑인들도 헐값에 땅을 팔고 개척지를 떠났다. 따라서 개척단원이 되어 도시를 떠난 부랑인은 대체로 개척지에 안착하지 않고 떠났다고 할 수 있다.

⑤ 부랑인 정책은 사회복지 제공의 성격을 가지고 있었다.

1문단 “부랑인에 대한 사회복지 법령들도 이 무렵 마련되기 시작

2022학년도

했는데, …….”에 따르면, 부랑인 정책은 사회복지 법령들에 의거하여 수행되기도 했다. 따라서 부랑인 정책은 사회복지 제공의 성격을 갖지 않았다고 할 수 없다.

2. 정답 ⑤ 난이도 ★★☆ | 정답률 80%

내용영역 **규범** 문항 유형 **정보의 평가와 적용**

[정답 풀이]

⑤ <내무부 훈령 제410호>(㉠)가 위반한 것은 상급 행정기관의 지침이 아니라 헌법이다.

2문단 “훈령은 상급 행정기관이 하급 기관의 조직과 활동을 규율할 목적으로 발하는 것으로서, …… 국회에서 제정한 법률로써 제한하도록 규정한 헌법에 위배되는 것이기도 하다.”에 따르면, <내무부 훈령 제410호>(㉠)는 부랑인 단속을 담당하는 하급 행정기관이 훈령을 발한 상급 행정기관의 규율을 따르게 하기 위해 만든 것이지, 상급 행정기관의 지침을 위반하도록 만든 것이 아니다. 오히려 <내무부 훈령 제410호>(㉠)가 위반한 것은 헌법이다.

[오답 풀이]

① 2문단 “헌법, 법률, 명령, 행정규칙으로 내려오는 위계에서 행정규칙에 속하는 훈령은 …… 국회에서 제정한 법률로써 제한하도록 규정한 헌법에 위배되는 것이기도 하다.”에 따르면, <내무부 훈령 제410호>(㉠)는 규범의 위계 중 가장 하위에 속하는 행정규칙에 해당하고, 헌법은 규범의 위계 중 가장 상위에 속하는 것이다. 그런데 <내무부 훈령 제410호>(㉠)는 헌법에 위배되는 것이었다. 따라서 <내무부 훈령 제410호>(㉠)가 상위 규범과 하위 규범 사이의 위계를 교란시켰다고 비판할 수 있다.

② 2문단 “위 훈령은 복지 제공을 목적으로 한 <사회복지사업법>을 근거 법률로 하면서도 거기서 위임하고 있지 않은 치안 유지를 내용으로 한 단속 규범이다.”에 따르면, <내무부 훈령 제410호>(㉠)는 근거 법령의 목적 범위 안에 있지 않은 내용을 규정하였다. 따라서 <내무부 훈령 제410호>(㉠)가 근거 법령의 목적 범위를 벗어나는 사항을 규율했다고 비판할 수 있다.

③ 2문단 “행정규칙에 속하는 훈령은 …… 이를 통한 인신 구속은 국민의 자유와 권리를 필요한 경우 국회에서 제정한 법률로써 제한하도록 규정한 헌법에 위배되는 것이기도 하다.”에 따르면, <내무부 훈령 제410호>(㉠)는 국회에서 제정한 법률을 근거로 하면서도 법률에 벗어나는 사항을 규정하고 있어 헌법에 위배되는 것이다. 그런데 <내무부 훈령 제410호>(㉠)는 행정부에서 규정하는 행정규칙에 속한다. 따라서 <내무부 훈령 제410호>(㉠)가 법률을 제정하는 국회의 입법권을 행정부에서 침해하는 결과를 초래했다고 비판할 수 있다.

④ 2문단 “걸인, 껌팔이, 앵벌이를 비롯하여 ‘기타 건전한 사회 및 도시 질서를 저해하는 자’를 모두 ‘부랑인’으로 규정했다.”에 따르면, <내무부 훈령 제410호>(㉠)는 ‘부랑인’을 특정하지 않고 포괄적으로 정의했다. 또한 4문단 “신원이 확실하지 않은 자들을 마구잡이로 잡아들임에 따라…….”에 따르면, 이러한 정책의 결과로 ‘부랑인’들을 마구잡이로 잡아들이는 현상이 나타나기도 했다. 따라서 <내무부 훈령 제410호>(㉠)가 부랑인을 포괄적으로 정의함으로써 과잉 단속의 근거로 사용될 여지가 있었다고 비판할 수 있다.

3. 정답 ⑤ 난이도 ★☆☆ | 정답률 85%

내용영역 **규범** 문항 유형 **정보의 평가와 적용**

[정답 풀이]

⑤ ‘순종적인 몸’을 만들어내는 기술과 ‘안전장치’는 배척 관계가 아니다.

<보기> “국가는 …… 각종 ‘안전장치’를 통해 인구의 위험을 계산하고 조절한다. 그 과정에서 …… ‘순종적인 몸’을 만들어내는 기술이 동원된다.”에 따르면, ‘안전장치’를 통해 인구의 위험을 조절하는 과정에서 ‘순종적인 몸’을 만들어내는 기술이 이용된다. 따라서 ‘순종적인 몸’을 만들어내는 기술과 ‘안전장치’는 배척 관계가 아니다.

[오답 풀이]

① <보기> “‘건전 사회의 적’으로 상정된 존재는 사회로부터 배제된다. 이는 변형된 국가인종주의의 발현으로 이해할 수도 있다. …… 변형된 국가인종주의는 단일 사회가 스스로의 산물과 대립하며 끊임없이 ‘자기 정화’를 추구한다…….”에 따르면, ‘자기 정화’는 변형된 국가인종주의에서 ‘건전 사회의 적’으로 상정된 존재와 대립하며 보이는 특징이다. 따라서 부랑인을 ‘우범 소질’을 지닌 잠재적 범죄자로 규정한 것은 ‘우범 소질자’를 ‘건전 사회의 적’으로 상정한 사회의 ‘자기 정화’를 보여준다고 할 수 있다.

② <보기> “국가는 …… 인구의 위험을 계산하고 조절한다. 그 과정에서 삶을 길들이고 훈련시켜 효용성을 최적화함으로써 …….”에 따르면, 국가는 삶을 길들이고 훈련시키는 기획을 한다. 국가가 부랑인을 개조하려 국토 개발에 동원하고자 한 것은 부랑인들로 규정된 자들의 삶을 국가가 길들이고자 한 것이라 볼 수 있다. 따라서 국가가 부랑인을 개조하려 국토 개발에 동원하고자 한 것은 국가가 삶을 길들이고 훈련시키는 기획을 보여준다고 할 수 있다.

③ <보기> “정상과 비정상, 건전 시민과 비건전 시민의 구분과 위계화가 이루어지고 …… 이는 변형된 국가인종주의의 발현으로 이해할 수도 있다.”에 따르면, 변형된 국가인종주의에서는 정상과 비정상이라는 위계화가 이루어진다. 부랑인을 생산적 주체와 거기에 이르지 못한 주체로 구분 지은 것은 정상과 비정상이라는 위계화가 이루어진 것이라 볼 수 있다. 따라서 부랑인을 생산적 주체와 거기에 이르지 못한 주체로 구분 지은 것은 변형된 국가인종주의의 특징을 보여준다고 할 수 있다.

④ <보기> “정상과 비정상, 건전 시민과 비건전 시민의 구분과 위계화가 이루어지고 …… 이는 변형된 국가인종주의의 발현으로 이해할 수도 있다.”에 따르면, 변형된 국가인종주의에서는 건전 시민과 비건전 시민이라는 위계화가 이루어진다. 따라서 치안관리라는 명분을 위해 부랑인의 존재를 이용한 것은 건전 시민과 비건전 시민의 구분과 위계화를 보여준다고 할 수 있다.

[4~6] 제재 | 환경 위기와 철학적 근대 담론
난이도 | ★☆☆

4. 정답 ④

난이도 ★☆☆ | 정답률 84%

내용영역 인문 | 문항 유형 정보의 확인과 재구성

[정답 풀이]

④ 1문단 "저 숭고한 인본주의적 가치들은 무엇보다도 …… 철학적 근대를 통해 정초되었기 때문이다."에 따르면, 철학적 근대는 인본주의 사상의 기초가 되었다. 따라서 인본주의적 이념들의 사상적 태도를 제공한 것은 철학적 근대의 주목할 만한 성과라 할 수 있다.

[오답 풀이]

① 가장 강화된 이성주의는 자연과 인간 간에 우위를 정하지 않는다.
4문단 "……객관적 관념론은 어떤 노선보다도 강한 이성주의적 면모를 지니는……."과 "즉 '이성'은 …… 근본적으로는 존재론적 · 형이상학적 위상까지 지니는 최상위의 범주 또는 섭리를 가리킨다."에 따르면, 가장 강화된 이성주의인 객관적 관념론에서는 이성을 형이상학적 위상까지 지니는 최상위의 범주라고 보았다. 그리고 4문단 "……양자는 본질적으로 동근원적이라는 것이다."에 따르면, 자연과 인간은 형이상학적 위상을 지니는 절대적 이성에 따라 서로 다른 양태로 존재하는 이성으로서 우위를 정할 수 없다고 보았다. 따라서 가장 강화된 이성주의는 인간에 대한 자연의 형이상학적 우위를 정초하지 않았다.

② 현대의 환경 위기는 새로운 억압적 정치 체제와 함께 도래하지 않았다.
1문단 "……그것은 '생존'을 빌미로 하는 신유형의 독재나 제국주의를 유발함으로써……."에 따르면, 현대의 환경 위기는 독재나 제국주의 같은 억압적인 정치 체제를 유발할 위험이 있다. 즉 현대의 환경 위기가 먼저 나타난 뒤에 이것이 원인이 되어 그 결과 억압적 정치 체제가 도래할 수 있다는 것이다.(환경 위기 → 억압적 정치 체제) 따라서 현대의 환경 위기는 새로운 억압적 정치 체제의 대두와 함께 도래한 것이 아니다.

③ 철학적 근대의 딜레마를 이성에 근거하여 해소하고자 한 것은 객관적 관념론이다.
마지막 문단 "그 때문에 현대의 환경 철학 담론에서 근대를 원천적으로 거부하는 포스트모더니즘……."에 따르면, 포스트모더니즘은 현대의 환경 철학 담론에서 근대를 원천적으로 거부한다. 또한 마지막 문단 "객관적 관념론은 오히려 최고도로 강화된 이성주의를 통해 철학적 근대의 딜레마에 대한 해결을 모색할 수 있음을 보여준다."에 따르면, 철학적 근대의 딜레마를 이성에 근거하여 해소하고자 한 것은 객관적 관념론이다. 따라서 포스트모더니즘은 철학적 근대의 딜레마를 이성에 근거하여 해소하고자 하지 않았다.

⑤ 인간의 이성적 주체성을 옹호하는 철학사적 흐름은 억압적 자연관으로 귀결되지 않을 수 있다.
마지막 문단 "객관적 관념론은 오히려 최고도로 강화된 이성주의를 통해 철학적 근대의 딜레마에 대한 해결을 모색할 수 있음을 보여준다."에 따르면, 철학적 근대의 결정판인 객관적 관념론은 최고도로 강화된 이성에 근거하여 기존의 철학적 근대에서 야기되었던 억압적 자연관에서 벗어날 수 있는 근거를 제시한다. 이는 인간의 이성적 주체성을 옹호하는 철학사적 흐름이 억압적 자연관으로 귀결되지 않을 수 있음을 보여준다.

5. 정답 ①

난이도 ★☆☆ | 정답률 87%

내용영역 인문 | 문항 유형 정보의 추론과 해석

[정답 풀이]

① 데카르트주의(㉠)와 칸트주의(㉡) 모두 자연의 자기 목적을 이성적 인식의 기준으로 설정하지 않는다.
2문단 "……자연은 주체에 대해 근본적 타자로서, 그 어떤 자기 목적이나 내면도 없는 단적인 물질적 실체……."에 따르면, 데카르트주의(㉠)는 자연의 자기 목적이 애초에 존재하지 않는다고 본다. 그리고 3문단 "물론 이 세상에서 자연의 자기 목적이 중요한 화두로 제기되기도 하지만, 이 역시 세계를 대하는 인간의 심적 태도의 차원에서 상정될 뿐이다."에 따르면, 칸트주의(㉡)는 데카르트주의(㉠)와 달리 자연의 자기 목적은 인정하지만 그것을 단지 인간의 심적 태도와 연관 지을 뿐 이성적 인식의 기준으로는 보지 않는다. 따라서 데카르트주의(㉠)와 칸트주의(㉡) 모두 자연의 자기 목적을 이성적 인식의 기준으로 설정하지 않는다.

[오답 풀이]

②, ③ 3문단 "자연은 '인식'과 '사용'의 대상이던 것에서 나아가 '제작'의 대상으로까지 여겨지게 된다."와 "……지성의 대상인 자연 법칙 또한 그 입법권이 자율적 주체인 인간에게 부여되는 것이다."에 따르면, 칸트주의(㉡)는 자연을 인식과 사용의 대상으로 생각한 데카르트주의(㉠)의 자연관에서 더 발전하여 인간이 자연 법칙 또한 수립할 수 있다고 보았다. 따라서 데카르트주의(㉠)와 칸트주의(㉡) 모두 자연을 인식과 사용의 대상으로 생각한다고 볼 수 있다. 다만 칸트주의(㉡)는 데카르트주의(㉠)와 달리 인간을 자연 법칙을 수립하는 주체라고까지 보았다는 점에서 차이가 있다.

④ 2문단 "……이 사상 체계에서 자연은 주체에 대해 근본적 타자로서, …… 열등한 존재로 인식된다."에 따르면, 데카르트주의(㉠)는 자연을 이성적 주체인 인간보다 열등한 존재로 인식한다. 그리고 3문단 "자연은 한낱 조야한 질료로서 주어질 뿐, 그 구체적 존재 형식은 인식 주체로서의 인간의 지적 틀에 의해 결정된다는 것이다."에 따르면, 칸트주의(㉡)는 자연을 인간의 이성에 의해 결정되는 미천한 존재로 인식하였다. 따라서 데카르트주의(㉠)와 칸트주의(㉡) 모두 자연에 대한 인간 이성의 우위를 주장한다고 할 수 있다.

⑤ 1문단 "이 위기는 자연과 인간을 근본적으로 차별하는 세계관을 사상적 토대로 하고 …… 사상사적 맥락에서 가장 큰 책임을 져야 하는 것이 바로 철학적 근대라고 지적되기 때문이다."에 따르면, 현대의 환경 위기의 책임은 철학적 근대에 있다. 데카르트주의(㉠)와 칸트주의(㉡)는 이러한 철학적 근대를 대표하는 사상이다. 따라서 데카르트주의(㉠)와 칸트주의(㉡)는 모두 환경 위기에 대한 철학적 책임이 있는 것으로 평가된다고 할 수 있다.

6. 정답 ② 난이도 ★★☆ | 정답률 69%

(내용영역) 인문 (문항 유형) 정보의 추론과 해석

[정답 풀이]

② 이성의 위상을 지고의 형이상학적 차원까지 높임으로써 자연법칙을 인간의 이성과 동등한 사물 양태의 이성이라고 여겼다.
4문단 "즉 자연은 절대적 이성에 따라 존재하고 변화하는 사물 양태의 이성이고, 지성적 주체인 인간은 절대적 이성에 따라 사유하고 성숙하여 절대적 이성의 인식에 도달해 가는 의식 양태의 이성이기에, 양자는 본질적으로 동근원적……."에 따르면, 객관적 관념론은 자연 또한 사물 양태의 이성이라는 점에서 인간의 이성과 동등한 위치에 있다고 여겼다. 한편 3문단 "즉 의지의 규범인 도덕 준칙과 마찬가지로 지성의 대상인 자연 법칙 또한 그 입법권이 자율적 주체인 인간에게 부여되는 것이다."에 따르면, 자연 법칙을 인간 의식의 투영을 통해 만들어진 것으로 여긴 것은 기존의 철학적 근대의 자연관이다.

[오답 풀이]

① 4문단 "즉 자연은 절대적 이성에 따라 존재하고 변화하는 사물 양태의 이성이고, 지성적 주체인 인간은 절대적 이성에 따라 사유하고 성숙하여 절대적 이성의 인식에 도달해 가는 의식 양태의 이성……."에 따르면, 객관적 관념론은 자연과 인간을 각각 사물 양태의 이성과 의식 양태의 이성이라고 보았다. 따라서 객관적 관념론은 자연 법칙을 탐구하는 자연과학에 대해 의식 양태의 이성(인간)이 사물 양태의 이성(자연)을 인식하는 것이라고 여길 수 있을 것이라고 추론할 수 있다.

③ 4문단 "이성은 …… '삼라만상의 선험적인 논리적 구조 내지 원리'라는 절대적 위상을 지니며, 이에 모든 자연사와 인간사는 이러한 절대적 이성이 시공간의 차원으로 외화한 현상적 실재로 설명된다."에 따르면, 객관적 관념론은 삼라만상, 즉 우주에 존재하는 모든 것들을 이성의 영역에 포함시키고 있다. 따라서 객관적 관념론은 어떤 것이 반이성으로 보일지라도 결국 이 또한 절대적 이성이 시공간의 차원으로 외화된 현상적 실재이므로, 이성 영역에 포섭된다고 설명할 수 있을 것이라고 추론할 수 있다.

④ 4문단 "……이성은 '세계의 모든 것에 선행하면서 동시에 그 모든 것을 가능케 하는 조건' …… 절대적 위상을 지니며, 이에 모든 자연사와 인간사는 이러한 절대적 이성이 시공간의 차원으로 외화한 현상적 실재로 설명된다."에 따르면, 객관적 관념론은 인간사를 절대적 이성에 따라 존재하는 것이라고 보았다. 따라서 객관적 관념론은 이성이 절대적 진리치를 지닌다는 관점에 의거하여 모든 인간사, 즉 역사적 사건도 이성의 법칙에 따라 진행되는 것으로 이해할 수 있을 것이라고 추론할 수 있다.

⑤ 4문단 "……철학적 근대의 완성판이라 불리는 객관적 관념론은 …… 자연에 대한 억압적 지배를 정당화하는 궁극의 사조라는 죄명을 뒤집어쓸 개연성이 클 것이다."에 따르면, 철학적 근대는 인본주의적 가치를 지녔음에도 억압적 자연 지배에 대한 책임이 있다는 딜레마에 빠져 있다. 그런데 4문단 "……양자는 본질적으로 동근원적이라는 것이다."와 마지막 문단 "객관적 관념론은 오히려 최고도로 강화된 이성주의를 통해 철학적 근대의 딜레마에 대한 해결을 모색할 수 있음을 보여준다."에 따르면, 객관적 관념론은 이러한 철학적 근대의 딜레마를 강화된 이성주의를 통해 해결할 수 있음을 시사한다. 이는 객관적 관념론이 자연과 인간을 각각 서로 다른 양태의 이성이며, 본질적으로 동근원적이라고 본 것에서 기인한다. 따라서 억압적 자연 지배의 책임을 져야 한다는 비판이 제기된다면 자연과 인간의 동근원성을 강조하는 일원론적 관점을 근거로 반박할 수 있을 것이라고 추론할 수 있다.

[7~9] 제재 | 소설의 화자에 대한 논의
난이도 | ★★☆

7. 정답 ① 난이도 ★☆☆ | 정답률 89%

(내용영역) 인문 (문항 유형) 정보의 확인과 재구성

[정답 풀이]

① 1문단 "그래서 독자는 항상 화자의 목소리를 통해서 허구 세계에 대한 정보를 얻는다."에 따르면, 독자는 화자의 목소리를 통해 정보를 얻는다. 따라서 독자가 소설을 감상하고자 할 때, 독자와 접촉하며 정보를 제공하는 존재는 화자이다.

[오답 풀이]

② 소설이 진행되는 동안 하나의 시점을 유지하는 것은 작품이 예술적으로 성공하는 지름길이 아니다.
5문단 "그리고 개별 작품의 경우에도 하나의 시점을 처음부터 끝까지 유지한 작품을 찾는 것이 쉽지 않다. 우리가 훌륭하다고 손꼽는 작품들 또한 그러하다."에 따르면, 예술적으로 성공한 작품들의 대다수는 하나의 시점을 처음부터 끝까지 유지하지 않았다. 따라서 소설이 진행되는 동안 하나의 시점을 유지한다고 해서 그 작품이 예술적으로 성공하는 것은 아니다.

③ 소설에서 등장인물의 대화를 직접화법으로 묘사할 때에도 화자의 목소리가 개입한다.
1문단 "독자는 화자가 자신의 말로 바꾸었는가 혹은 그렇지 않았는가 상관없이 언제나 그의 목소리를 들을 뿐이다."에 따르면, 독자는 직접화법의 여부와 상관 없이 언제나 화자의 목소리를 듣게 된다. 따라서 소설에서 등장인물의 대화를 직접화법으로 묘사할 때에도 화자의 목소리가 개입한다.

④ 드라마에서는 통상 등장인물의 목소리가 '말하는 주체' 없이 관객에게 직접 전달된다.
1문단 "드라마가 화자 없이 등장인물의 대사로 진행된다는 점에서"에 따르면, 드라마에서는 통상 화자, 즉 '말하는 주체' 없이 등장인물의 목소리만 관객에게 직접 전달된다. 따라서 드라마에서는 통상 '말하는 주체'의 목소리가 관객에게 들릴 수 없다.

⑤ 이야기되는 사건이 같더라도 작가가 화자의 위치나 입장, 독자와의 관계를 변화시키면 다른 소설로 만들 수 있다.
3문단 "화자가 다른 공간적 위치에 서거나 다른 이념적 입장을 가질 때, 같은 사건도 다르게 인식되어 다르게 재현된다는 것이다."에 따르면, 같은 사건도 화자의 위치나 입장에 따라 다르게 재현될 수 있다. 따라서 이야기되는 사건이 같으면 작가가 화자의

위치나 입장, 독자와의 관계를 변화시켜도 다른 소설로 만들기 어렵다고 볼 수 없다.

8. 정답 ④ 난이도 ★★☆ | 정답률 60%

내용영역 인문 문항 유형 주제, 구조, 관점 파악

[정답 풀이]

④ 브룩스와 워렌(㉠)은 '말하는 주체'에 선행하는 '보는 주체'로서의 화자의 역할을 소설의 내용적 측면에서 분석하고 있지 않다. 2문단 "브룩스와 워렌은 순전히 화자가 보는 위치를 기준으로 일인칭과 삼인칭을 구분한 뒤, 목격자로서 사건을 관찰하는지 그렇지 않으면 탐구자로서 사건을 분석하는지에 따라……"에 따르면, 브룩스와 워렌(㉠)은 화자의 역할을 사건을 보는 위치에 국한하여 분석하고 있다. 반면 3문단 "'보는 주체'로서의 화자의 역할에 대한 또 다른 접근은 랜서에 의해 이루어졌다. 그는 화자의 역할을 이야기의 내용이나 주제와 결합시켰다."에 따르면, 랜서(㉡)는 브룩스와 워렌(㉠)과 달리 화자의 역할을 소설의 내용적 측면에서 분석하고 있다. 따라서 브룩스와 워렌(㉠)이 '말하는 주체'에 선행하는 '보는 주체'로서의 화자의 역할을 소설의 내용적 측면에서 분석하고 있다고 볼 수 없다.

[오답 풀이]

① 2문단 "그렇지만 이들의 논의는 삼인칭 시점에서 '화자'의 시점을 '작가'의 시점으로 치환하였고, ……"에 따르면, 브룩스와 워렌(㉠)은 삼인칭 시점에서 '화자'와 '작가'를 구분하지 않았다. 따라서 브룩스와 워렌(㉠)은 현실에 존재하는 작가와 작가가 창조한 화자를 개념적으로 구분하지 않고 있다고 볼 수 있다.

② 3문단 "그래서 랜서는 화자를 작가가 창조한 세계를 보여주는 인식틀이라고 언급했다. …… 독자가 바라볼 수 있는 시선과 들을 수 있는 목소리를 항상 화자에 의존한다는 것을 알려준 셈이다."에 따르면, 랜서(㉡)는 독자가 화자에 의존하여 이야기를 수용한다고 보았다. 따라서 랜서(㉡)는 화자에 대해 이야기를 수용하는 독자의 입장에 영향을 미치는 인식틀로 작용한다고 보고 있다고 할 수 있다.

③ 4문단 "화자의 개입을 최소화하여 독자들이 실재와 가상을 착각하게 만들수록 진정성을 의심한 반면, ……"에 따르면, 플라톤(㉢)은 독자들이 실재와 가상을 착각하게 만들수록 소설의 진정성은 떨어진다고 보았다. 이는 소설의 진정성을 의심받지 않기 위해서는 독자들이 실재와 가상을 혼동하지 않고 명확히 구분할 수 있도록 해야 한다는 것을 의미한다. 따라서 플라톤(㉢)은 독자들이 실재와 가상을 혼동하지 않도록 하는 것이 진정성 있는 태도라고 판단하고 있다고 볼 수 있다.

⑤ 3문단 "그래서 랜서는 화자를 작가가 창조한 세계를 보여주는 인식틀이라고 언급했다. …… 독자가 바라볼 수 있는 시선과 들을 수 있는 목소리는 항상 화자에 의존한다는 것……"에 따르면, 랜서(㉡)는 독자들이 화자에 의존하여 작가가 창조한 세계를 접한다고 보았다. 따라서 랜서(㉡)는 독자들이 화자를 통해서 작가의 입장이나 태도를 파악할 수 있다고 믿을 것이다. 그리고 4문단 "……주관적인 논평을 섞는 방식으로 화자를 떠올리게 할수록 좀 더 진정성을 지닌 것으로 평가했던 것이다."에 따르면, 플라톤(㉢)에게 진정성 있는 소설이란 소설 속에 드러나 있는 작가의 주관적인 논평을 통해 독자들이 화자를 떠올릴 수 있는 소설이다. 이때, 화자가 작가의 주관적인 논평을 통해 드러난다는 점에서 화자는 작가의 입장이나 태도를 대변하는 존재라 할 수 있다. 따라서 플라톤(㉢) 또한 독자들이 화자를 통해서 작가의 입장이나 태도를 파악할 수 있다고 믿을 것이다.

9. 정답 ③ 난이도 ★★☆ | 정답률 67%

내용영역 인문 문항 유형 정보의 평가와 적용

[정답 풀이]

<보기>의 화자는 주인공인 '나'로, 다른 등장인물과 함께 허구세계인 작품 속에 존재하고 있다. 독자는 화자에 의존하여 작품에 대한 정보를 얻는다는 점에서 <보기>의 독자들은 화자인 '나'와 동일한 정보를 공유한다. 그리고 독자는 화자인 '나'의 시선과 목소리에 의존하므로 다른 등장인물의 내면은 파악하기가 어려울 것이다.

③ 주인공과 화자와 독자의 정보가 일치한다고 해서 독자들이 주인공과 등장인물들에 대한 화자의 정보를 객관적 사실로 받아들일 수 있는 것은 아니다.
마지막 문단 "하지만 등장인물과 독자가 동일한 정보를 공유하는 경우, 독자는 인물과 같은 수준으로 작중의 상황을 이해하고 ……"에 따르면, 주인공과 화자와 독자의 정보가 일치하는 경우, 독자는 주인공이 가지고 있는 정보만을 한정적으로 취득하게 된다. 그런데 소설을 읽는 것을 등장인물, 화자, 독자가 정보량을 둘러싸고 벌이는 일종의 게임으로 보는 견해에 따르면, 등장인물, 화자, 독자가 지니는 정보량에 따라 동일한 사건도 전혀 다른 이야기로 변주될 수 있다. 따라서 독자는 주인공과 화자와 독자의 정보가 일치한다고 해서 화자의 정보를 객관적 사실로 받아들일 수 있다고 볼 수 없다.

[오답 풀이]

① 마지막 문단 "하지만 등장인물과 독자가 동일한 정보를 공유하는 경우, 독자는 인물과 같은 수준으로 작중의 상황을 이해하고 함께 퍼즐을 풀어나가는 기분으로 사건을 경험할 것이다."에 따르면, <보기>와 같이 화자가 주인공과 동일한 인물인 경우, 독자들은 주인공과 같은 수준으로 사건을 경험하게 될 것이다. 이때, <보기>는 주인공의 내면을 중심으로 사건이 진행되고 있다. 따라서 독자들은 주인공의 내면 변화를 파악할 수 있을 것이다.

②, ④ 5문단 "하지만 등장인물과 독자가 동일한 정보를 공유하는 경우, 독자는 인물과 같은 수준으로 작중의 상황을 이해하고 함께 퍼즐을 풀어나가는 기분으로 사건을 경험할 것이다."에 따르면, <보기>의 경우 독자는 화자인 주인공과 같은 수준으로 작중 상황을 이해하게 될 것이다. 이때, <보기>의 주인공은 자신을 둘러싼 상황을 명확히 파악하지 못하고 있다. 따라서 이러한 주인공과 동일한 정보를 공유하는 독자로서는 사건의 전모를 정확히 파악하는 데 한계가 있을 것이며, 사건이 발생할 때마다 긴장감을 경험할 수 있을 것이다. 그리고 <보기>의

2022학년도

등장인물 '은희'는 작중 상황에 대해 주인공과 전혀 다른 태도를 보이고 있는데, '나'가 치매환자라는 언급을 통해 '나'의 상황 인식이 온전하지 못한 정신 상태에 기인한 것일 수도 있다는 것을 알려준다. 따라서 독자들은 이렇듯 자신의 상황을 정확히 알지 못하는 주인공을 안타깝게 느낄 수 있을 것이다.

⑤ 5문단 "그리고 등장인물이 독자에게 공개하지 않은 비밀을 숨기고 있는 경우, 독자는 결말에 이르러서야 사건의 전모를 파악하면서 반전의 효과를 체험할 수도 있다."에 따르면, 독자가 가지고 있는 정보가 한정적일 경우, 새로운 정보가 제시되면 이야기는 다른 국면으로 전개될 수 있다. <보기>에서 '은희'는 없어진 물건을 찾는 '나'의 모습을 치매 증상으로 일축하고 있으나 '나'는 그에 동의하지 않는다. 독자들은 화자이며 주인공인 '나'에 의존하여 상황을 한정적으로 파악할 수밖에 없기 때문에 객관적인 진실을 파악하기에 한계가 있다. 따라서 '은희'나 '나'에 대한 새로운 진실이 알려진다면 독자들은 이야기의 흐름 또한 달라질 것이라고 기대할 수 있을 것이다.

[10~12] 제재 | 망막의 신호 처리
난이도 | ★★☆

10. 정답 ③

난이도 ★★☆ | 정답률 63%

내용영역 과학기술 | 문항 유형 정보의 확인과 재구성

[정답 풀이]

③ 2문단 "신경절세포 가운데 특정 종류는 …… 다른 경로를 따라 움직일 때만 신호를 발생한다."와 "안구의 움직임에 의한 상의 떨림은 망막 위에서 전체 이미지가 같은 방향으로 움직이는 변화를 만드는데……."에 따르면, 특정한 신경절세포의 경우 세포가 감지하는 부분과 상의 이동 경로가 다르지 않을 때에는 전기적 신호를 발생하지 않는다. 정지한 물체의 상을 감지하는 것은 세포가 감지하는 부분과 상의 이동 경로가 다르지 않은 경우이므로, 이와 같은 신경절세포에서는 전기적 신호가 발생하지 않을 것이다. 따라서 정지한 물체의 상에 대해 전기적 신호를 출력하지 않는 신경절세포가 존재한다.

[오답 풀이]

① 신경절세포는 광수용체에서 발생한 전기적 신호를 원래 세기대로 출력하지 않는 경우가 있다.
2문단 "망막에는 …… 광수용체세포에 연결되어 최종 신호를 출력하는 신경절세포가 존재한다."에 따르면, 신경절세포는 광수용체에서 발생한 전기적 신호를 출력하는 역할을 한다. 그런데 2문단 "신경절세포 가운데 특정 종류는 각 세포가 감지하는 부분이 이미지 전체의 이동 경로와 같은 경로를 따라 움직일 때는 전기적 신호를 발생하지 않고……."에 따르면, 특정한 신경절세포의 경우 상을 감지했음에도 전기적 신호를 발생하지 않는 경우가 있다. 그리고 5문단 "물체가 이동할 때 신경절세포는 물체의 이동 방향으로 가장 먼저 자극되는 광수용체의 신호를 크게 증폭하여 받아들이고……."에 따르면, 신경절세포는 물체가 이동할 때 광수용체에서 발생한 전기적 신호를 원래 세기가 아니라 더 증폭해서 출력하는 경우도 있다. 따라서 신경절세포는 광수용체에서 발생한 전기적 신호를 언제나 원래 세기대로 출력한다고 할 수 없다.

② 한곳을 가만히 응시할 때는 망막에 형성된 이미지의 떨림이 발생한다.
1문단 "나무는 움직이지 않으므로 …… 실제로는 가만히 한곳을 응시하더라도 안구가 끊임없이 움직이고 있어……."에 따르면, 한곳을 가만히 응시할 때에도 망막에 형성된 이미지의 떨림이 발생하고 있다.

④ 마이크로칩은 망막에서 발생한 전기적 신호를 관찰 가능하게 만든다.
1문단 "최근 미세전극이 …… 마이크로칩을 이용하여 망막에서 발생하는 전기적 신호를 실시간으로 관찰할 수 있게 되면서……."에 따르면, 마이크로칩은 망막에서 발생하는 전기적 신호 자체를 관찰 가능하게 만든다. 따라서 마이크로칩은 망막에 도달한 빛을 전기적 신호로 변환시키지 않는다.

⑤ 빛의 밝기가 일정할 때 하나의 신경절세포에서 발생하는 신호의 세기는 일정하지 않다.
5문단 "둘째 …… 물체가 이동할 때 신경절세포는 …… 광수용체의 신호를 크게 증폭하여 받아들이고 곧바로 증폭률을 떨어뜨려 신호의 세기를 줄여버린다."에 따르면, 물체가 이동함에 따라 신경절세포에서 발생하는 신호의 세기 역시 변한다. 따라서 물체가 이동하고 있을 경우에는 빛의 밝기가 일정하더라도 하나의 신경절세포에서 발생하는 신호의 세기는 일정하지 않을 수 있다.

11. 정답 ④

난이도 ★★★ | 정답률 39%

내용영역 과학기술 | 문항 유형 정보의 추론과 해석

[정답 풀이]

ㄱ. 5문단 "즉, 밝기가 변화한 직후 신경절세포의 출력 신호가 최대가 되고, ……."와 "……출력 신호는, 그 형태가 상의 앞쪽 경계면 혹은 그보다 앞선 지점에 대응하는 위치에서 그 세기가 최대가 되는 비대칭적인 모양이 된다."에 따르면, 신경절세포의 신호 출력 기제가 정상적으로 잘 작동할 경우, 신호의 세기가 최대가 되는 곳은 망막에서 빛의 밝기가 변하는 경계이며, 상의 앞쪽임을 알 수 있다. <보기>에서 상의 속력이 같은 그래프 b와 c의 모양을 상의 이동 방향에 따라 가정해 보면 다음과 같다.

i) 상이 오른쪽에서 왼쪽으로 이동할 경우
상의 앞쪽은 막대의 상에서 왼쪽이 되므로, 신호의 세기는 막대의 왼쪽 경계에서 최대가 될 것이다.

ii) 상이 왼쪽에서 오른쪽으로 이동할 경우
상의 앞쪽은 막대의 상에서 오른쪽이 되므로, 신호의 세기는 막대의 오른쪽 경계에서 최대가 될 것이다.

그래프 b를 보면, 상의 왼쪽 경계면에서 신호의 세기가 최대이다. 따라서 상은 오른쪽에서 왼쪽으로 이동하고 있다.

ㄴ. 5문단 "……출력 신호는, 그 형태가 상의 앞쪽 경계면 혹은 그보다 앞선 지점에 대응하는 위치에서 그 세기가 최대가 되는 비대칭적

인 모양이 된다."와 마지막 문단 "……속력이 너무 커서 증폭률의 변화가 물체의 이동 속력에 맞추어 재빨리 이루어지지 못하면 …… 시간 지연에 대한 보상이 잘 이루어지지 않는다."에 따르면, 속력이 너무 빠를 경우, 시간 지연에 대한 보상이 잘 이루어지지 않아 신호의 세기는 상의 앞쪽 경계면이나 그보다 앞선 지점에서 최대가 되지 않을 것이다. <보기>에서 a는 b와 달리 상의 앞쪽 경계면이 아니라 상의 뒤쪽에 가까운 곳에서 신호가 최대가 되고 있다. 이는 a가 b에 비해 시간 지연에 대한 보상이 잘 이루어지지 않고 있음을 보여준다. 따라서 상의 속력은 a가 b보다 크다.

[오답 풀이]

ㄷ. 상과 주변의 밝기 차는 b가 c보다 크다.

마지막 문단 "물체와 주변의 밝기 차이가 작거나 속력이 너무 커서 …… 이러한 기제가 잘 작동하지 못하여 시간 지연에 대한 보상이 잘 이루어지지 않는다."에 따르면, 신호의 세기에 영향을 미치는 것은 1) 물체와 주변의 밝기 차이, 2) 속력임을 알 수 있다. 따라서 속력이 동일할 때 시간 지연에 대한 보상은 물체와 주변의 밝기 차이가 작을 때보다 물체와 주변의 밝기 차이가 클 때에 잘 이루어질 것이다. <보기>에서 b와 c를 비교해 보면, b는 상의 앞쪽 경계면에서 신호의 세기가 최대가 되었으나, c는 b보다 더 뒤쪽에서 신호의 세기가 최대가 되었다. 그리고 신호의 세기도 b가 c보다 더 크다. 이를 통해 b가 c보다 시간 지연에 대한 보상이 잘 이루어지고 있음을 알 수 있다. 따라서 상과 주변의 밝기 차는 b가 c보다 크다.

12. 정답 ⑤ 난이도 ★★★ | 정답률 34%

내용영역 과학기술 | 문항 유형 정보의 평가와 적용

[정답 풀이]

⑤ 4문단 "……상의 밝기와 이동 속도 등을 변화시켜가며 망막에서 발생하는 신호를 측정하였다."와 "……막대 모양의 상을 1/60초 동안만 맺히게 한 후에 …… 광수용체에서 전기 신호가 발생하고 여러 신경세포를 거치는 과정에서 시간 지연이 일어나므로, 상이 맺힌 순간부터 약 1/20초 후에 신경절세포에서 신호가 발생하기 시작하여 약 1/20초 동안 지속되었다."에 따르면, 상의 밝기를 1/60초 동안 변화시켰을 때 신경절세포에서는 약 1/20초 후에 신호가 발생하고, 그 신호는 약 1/20초 동안 지속된다는 것을 알 수 있다. 그런데 도롱뇽이 정지한 파리를 응시하고 있는 상황에서 눈을 깜박여 파리의 상이 1/60초 동안 사라졌다면, 이는 상의 밝기를 1/60초 동안 변화시킨 것과 같은 경우라 할 수 있다. 그러므로 도롱뇽이 눈을 깜박일 때, 정지한 파리의 상이 1/60초 동안 사라지면 파리의 상이 있던 위치의 신경절세포에서는 약 1/20초 동안 신호가 지속될 것이다. 따라서 파리의 상이 있던 위치의 신경절세포에서는 1/60초보다 오래 신호가 지속된다.

[오답 풀이]

① 날아가는 파리가 속력을 줄이면 상이 맺힌 위치의 개별 신경절세포에서의 시간 지연은 감소하지 않는다.

4문단 "광수용체에서 전기 신호가 발생하고 여러 신경세포를 거치는 과정에서 시간 지연이 일어나므로, ……"에 따르면, 시간 지연이 일어나는 원인은 광수용체에서 발생한 신호가 신경세포를 거치기까지 시간이 걸리기 때문이다. 즉 시간 지연은 신경세포 사이에서 일어나는 것이므로 상의 속력의 변화는 시간 지연에 영향을 주지 않는다. 따라서 날아가는 파리가 속력을 줄여도 상이 맺힌 위치의 개별 신경절세포에서의 시간 지연에는 변함이 없을 것이다.

② 아래위로 천천히 움직이는 물체 위에 앉아 있는 도롱뇽은 수평으로 날아가는 파리의 움직임을 알아차린다.

2문단 "신경절세포 가운데 특정 종류는 …… 다른 경로를 따라 움직일 때만 신호를 발생한다."에 따르면, 상의 이동 경로가 세포가 감지하는 부분과 다를 때에는 상의 움직임을 잘 포착할 수 있다. 아래위로 천천히 움직이는 물체 위에 앉아 있는 도롱뇽과 수평으로 날아가는 파리는 수직과 수평으로 이동 경로가 다르다. 따라서 도롱뇽은 파리의 움직임을 잘 알아차릴 수 있을 것이다.

③ 배경이 밝고 파리의 색이 어두울수록 상의 위치와 신경절세포의 출력 신호가 최대가 되는 위치 사이의 오차는 작다.

마지막 문단 "물체와 주변의 밝기 차이가 작거나 …… 이러한 기제가 잘 작동하지 못하여 시간 지연에 대한 보상이 잘 이루어지지 않는다."에 따르면, 물체와 주변의 밝기 차이가 작을수록 상을 인식하는 데 어려움이 있다. 이처럼 상을 인식하기 어려운 환경일수록 신호 출력 기제가 제대로 작동하지 못하므로 상의 위치와 신경절세포의 출력 신호가 최대가 되는 위치 사이의 오차 또한 커질 것이다. 그런데 배경이 밝고 파리의 색이 어두울수록 물체와 주변의 밝기 차이는 커지므로 파리의 색이 밝을 때보다 상을 더 잘 인식할 수 있을 것이다. 따라서 이 경우 상의 위치와 신경절세포의 출력 신호가 최대가 되는 위치 사이의 오차는 작을 것이다.

④ 망막에 맺힌 날아가는 파리의 상에서 머리 부분에서 발생하는 신호의 증폭률은 몸통 부분에서 발생하는 신호의 증폭률보다 크다.

4문단 "상의 앞쪽 경계와 같은 위치 혹은 이보다 앞선 위치에서 신호가 최대가 되었다."에 따르면, 신호의 증폭률은 상의 앞쪽 경계나 그보다 앞선 위치에서 최대가 된다. 망막에 맺힌 날아가는 파리의 상의 경우 상의 앞쪽은 몸통 부분이 아니라 머리 부분이다. 따라서 이 경우 파리의 머리 부분에서 발생하는 신호의 증폭률이 최대가 되므로, 몸통 부분에서 발생하는 신호의 증폭률보다 크다.

[13~15] 제재 | 파시즘의 정의에 대한 견해
난이도 | ★★☆

13. 정답 ① 난이도 ★★☆ | 정답률 55%

내용영역 인문 | 문항 유형 정보의 확인과 재구성

[정답 풀이]

① 마르크스주의적 해석은 계급 간 대립을 부인하지 않는다.

2문단 "기본적으로 계급투쟁 개념에 바탕을 둔 마르크스주의적 해석인데, 대표적인 것은 '코민테른 테제'이다. …… 그들에 따르

2022학년도

면, 자본과 노동이 대립하면서 어느 한쪽이 절대 우위를 갖추지 못하면 제3의 세력이 등장하는데, 파시즘이 그 예라는 것이다."에 따르면, 마르크스주의적 해석은 기본적으로 계급투쟁 개념에 바탕을 두고 있으며, 코민테른 테제를 따르지 않는 톨리아티나 탈하이머와 바이다 또한 자본과 노동이 대립한다고 보았으므로 계급 간 대립은 인정했다고 할 수 있다. 따라서 마르크스주의자들의 해석 중에는 계급 간 대립을 부인하면서 파시즘을 해석하는 경우가 없다.

[오답 풀이]

② 3문단 "냉전의 분위기 속에서 이탈리아의 파시즘, 독일의 나치즘, 소련의 스탈린주의를 뭉뚱그려 전체주의로 범주화하는 경향이 나타났다."에 따르면, 냉전 상황에서는 이탈리아와 독일, 소련의 억압적 체제를 전체주의라는 하나의 범주로 파악했다. 따라서 이탈리아와 독일, 소련의 억압적 체제들을 하나의 범주로 파악한 것은 냉전 상황을 배경으로 하고 있다고 할 수 있다.

③ 1문단 "본디 파시즘은 1919년에서 1945년까지 무솔리니가 이끈 정치 운동, 체제, 이념만을 지칭하는 용어였다. …… 점차 그 용어가 가리키는 대상도 다양해져 갔다."에 따르면, 파시즘은 본래 무솔리니의 정치 현상을 가리키는 용어였다가 점차 그 지시 대상이 다양해졌다. 또한 3문단 "이탈리아의 파시즘, ……."에 따르면, 이러한 무솔리니의 정치 현상을 가리키는 파시즘은 이탈리아에서 나타난 것이다. 따라서 파시즘이라는 용어는 이탈리아에서 특정 시기에 있었던 정치 현상을 가리켰지만, 지시 대상이 점차 확장되었다고 할 수 있다.

④ 3문단 "……이 이론은 전체주의의 특징을 메시아 이데올로기, 유일 정당, 비밀경찰의 테러, 대중 매체의 독점, 무력 장악, 경제의 통제로 꼽았다. …… 파시즘과 스탈린주의는 전혀 다른 계급적 토대 위에서 서로 다른 목표를 추구하므로 동일한 범주로 묶일 수 없다는 비판이 제기되었다."에 따르면, 전체주의이론을 비판하는 입장에서는 전체주의이론이 파시즘과 스탈린주의가 서로 다른 기반과 목적을 추구한다는 점을 간과했다고 비판했다. 이들의 입장에서 전체주의의 특징인 메시아 이데올로기, 유일 정당, 비밀경찰의 테러, 대중 매체의 독점, 무력 장악, 경제의 통제는 표면적 특징에 해당한다고 볼 수 있다. 따라서 전체주의 이론은 파시즘과 스탈린주의의 서로 다른 기반과 목적을 간과하고 표면적 특징만을 추출했다는 비판을 받았다고 할 수 있다.

⑤ 2문단 "대표적인 것은 '코민테른 테제'이다. 이에 따르면, 파시즘이란 "금융 자본의 가장 반동적이고 국수주의적이며 제국주의적인 분파의 공공연한 테러 독재."이다. 즉, 파시즘이 자본주의의 도구이며, 대자본의 대리인이라고 파악한 것이다."에 따르면, 코민테른 테제에서 자본주의는 국수주의적이며 제국주의적인 성향을 지니고 있으며, 파시즘은 자본주의의 정치 체제이다. 따라서 마르크스주의의 대표적 해석인 코민테른 테제는 파시즘을 국수주의적이며 제국주의적인 성향의 대자본이 폭력을 수단으로 정권을 유지하려 한 정치 체제로 본다고 할 수 있다.

14. 정답 ① 난이도 ★★☆ | 정답률 51%

(내용영역) 인문 (문항 유형) 정보의 추론과 해석

[정답 풀이]

① 파시즘의 최종 목표는 '파시즘적 인간'을 완성하는 것이 아니라 혁명적인 변화이다.
4문단 "그(㉠)에 따르면, 파시즘은 …… 공동체의 정치 문화와 사회 문화에 대한 혁명적인 변화를 목적으로 삼는다. 그리고 '신화'를 수단으로 삼아……."와 "신화가 실현되기 위해서는 …… '파시즘적 인간'으로 거듭 나는 것이 필요했다."에 따르면, 그리핀(㉠)은 파시즘의 최종 목표를 공동체의 정치, 사회 문화에 대한 혁명적인 변화로 보고, '파시즘적 인간'을 통해 실현되는 '신화'는 그 수단이라고 파악했다. 따라서 그리핀(㉠)은 파시즘의 최종 목표를 '파시즘적 인간'을 완성해 내는 것이라 보지 않았다.

[오답 풀이]

② 4문단 "'신화'를 수단으로 삼아 내적 응집력과 대중의 지지라는 추동력을 얻어낸다. 그 '신화'란 자유주의의 몰락 이후의 질서라는 고난 속에서 쇠퇴의 위기에 처한 민족공동체가 새로운 엘리트의 지도 아래 부활한다는 것이다."에 따르면, 그리핀(㉠)은 '신화'를 자유주의 몰락이라는 역사적 상황의 변화로 인해 쇠퇴의 위기를 맞이한 민족적 고난을 새로운 엘리트의 지도로 극복하여 부활하는 것이라고 파악했다. 그리고 이러한 '신화'를 내적 응집력과 대중의 지지를 얻는 수단으로 삼았다고 보았다. 이때 내적 응집력은 세력의 단결을 뜻하고, 대중의 지지를 얻는 것은 곧 체제를 유지하기 위함이라고 볼 수 있다. 따라서 그리핀(㉠)은 파시즘이 역사적 상황의 변화로 인해 맞이한 민족적 고난을 지도적 엘리트에 의해 극복한다는 '신화'를 세력의 단결과 체제 유지의 수단으로 삼았다고 보았다고 할 수 있다.

③ 마지막 문단 "팩스턴(㉡)에 따르면, 파시즘 정권은 형식적 관료주의와 독단적 폭력이 혼합된 기묘한 형태였다. …… 특권 국가가 결국 우위를 점한 나치와 달리, 무솔리니는 표준 국가의 영역에 더 큰 권력을 허용하였다."에 따르면, 팩스턴(㉡)은 독일은 당의 동형 기구로 만들어진 독단적 특권 국가가 우위를 점한 반면, 이탈리아는 합법성에 따라 관료적으로 움직이는 표준 국가의 영역에 더 큰 권력이 주어졌다고 파악했다. 따라서 팩스턴(㉡)은 독일 나치즘에서는 독단적 폭력이, 이탈리아 파시즘에서는 형식적 관료주의가 두드러졌다고 보았다고 할 수 있다.

④ 마지막 문단 "팩스턴(㉡)은 …… 파시즘을 전통적인 권위주의적 독재의 변종으로 규정한다. …… 그는 '이중 국가' 개념을 파시즘 체제 분석에 적용시켰다. '이중 국가'는 …… '표준 국가'가 …… '특권 국가'와 갈등을 빚으면서도 협력 속에 공존한다는 개념이다."에 따르면, 팩스턴(㉡)은 전통적인 권위주의적 독재에서 파시즘이 파생되었고, 이중 국가에서는 '표준 국가'와 '특권 국가'가 갈등 속에서도 병존하는 현상이 나타난다고 보았다. 따라서 팩스턴(㉡)은 파시즘 치하에서 이중적 권력 기구가 갈등 속에서도 병존하는 현상을 권위주의적 독재에서 파생한 것이라고 파악하였다고 할 수 있다.

⑤ 4문단 "근대적 성격을 보여준 것에 주목하여 파시즘을 일종의 '근대적 혁명'이라고 보았다."에 따르면, 그리핀(㉠)은 파시즘에서 나타난 근대적 성격에 주목하여 파시즘을 일종의 혁명이라고 파악했다. 그리고 마지막 문단 "팩스턴(㉡)은 파시즘이 근대적 혁명이라는 주장을 거부하면서, …… 그는 혁명으로 보이는 파시즘이 실은 기성 제도 및 전통적 엘리트 계층과 연합했다는 점을 중시하기 때문이다."에 따르면, 팩스턴(㉡)은 파시즘이 혁명으로 보이지만 사실은 기성 세력인 엘리트 계층과 연합했으므로 혁명이 아니라고 하였다. 따라서 그리핀(㉠)은 파시즘에서 나타난 근대적 성격에 주목하여 혁명적 성격을 가졌다고 파악했고, 팩스턴(㉡)은 기득권층과의 연합에 주목하여 혁명적 성격을 가지지 않았다고 파악했다고 할 수 있다.

15. 정답 ② 난이도 ★★☆ | 정답률 54%

내용영역 인문 문항 유형 정보의 평가와 적용

[정답 풀이]

② 4문단 "신화가 실현되기 위해서는 구성원이 오직 역동성과 민족에 대한 헌신으로만 무장한 '파시즘적 인간'으로 거듭 나는 것이 필요했다."에 따르면, 그리핀은 대중의 역동성에 주목하여 파시즘을 설명하고자 했다. 즉 대중의 자발적 동의하에 파시즘이 일어났다는 것이다. 그런데 <보기>에서 (가)는 파시즘이 전통문화와 타협하며 대중의 수동적 동의를 확보하려고 한다는 점에서 '문화 혁명'에도 한계가 있다고 주장한다. 즉 (가)는 그리핀과 달리, 파시즘을 규정할 때 대중의 수동적 동의를 강조하였다. 따라서 (가)는 '전통문화와 타협'하는 대중의 '수동적 동의'를 강조하여 그리핀의 주장을 비판하는 입장을 보일 것이라고 추론할 수 있다.

[오답 풀이]

① (가)는 탈하이머와 바이다의 주장에 동의하지 않을 것이다.
<보기>에서 (가)는 파시즘 치하에서 소유 관계와 계급 구조가 바뀌지 않았기 때문에 혁명이라고 볼 수 없다는 입장이다. (가)는 파시즘에서 혁명적 성격을 굳이 찾자면 문화이지만, 그 역시 한계가 뚜렷하다고 주장하고 있다. 그런데 2문단 "탈하이머와 바이다는 파시즘이 계급으로부터 상대적으로 자유로운 현상이라고 보았다."에 따르면, 탈하이머와 바이다는 파시즘이 계급에서 상대적으로 벗어났음을 주장하고 있다. 즉 탈하이머, 바이다와 (가)는 파시즘과 계급의 관계를 바라보는 관점에서 대립하고 있다. 따라서 (가)는 탈하이머와 바이다의 주장에 동의하는 입장을 보이지 않을 것이다.

③ (나)는 그리핀의 주장에 동의하지 않을 것이다.
(나)는 투쟁과 경쟁을 통해 사회 개혁이 이루어지는 것이라고 보며, 파시즘을 사회 개혁, 즉 혁명의 실패로 보았다. 이러한 견해는 계급투쟁을 강조한 마르크스주의적 해석에 가까운 것이라 할 수 있다. 반면 4문단 "그는 …… 자본주의 경제 질서를 수용하고 …… 파시즘을 일종의 '근대적 혁명'이라고 보았다."에 따르면, 그리핀은 파시즘을 자본주의 경제 질서를 수용한 근대적 혁명이라고 보았다. 즉 (나)는 파시즘이 혁명에 실패한 것이라 본 반면, 그리핀은 파시즘이 혁명을 이루었다고 본 것이다. 따라서 (나)는 그리핀의 입장에 동의하는 입장을 보이지 않을 것이다.

④ (다)는 팩스턴의 주장에 동조하지 않을 것이다.
<보기>에서 (다)는 파시즘을 소부르주아의 '정치적 육화'로 간주하고, 소부르주아가 의회와 부르주아 국가를 파괴한다고 보는 입장이다. 즉 소부르주아의 수단인 파시즘은 폭력적인 형태를 띤다는 것이다. 그런데 마지막 문단 "팩스턴은 …… 전통적인 권위주의적 독재의 변종으로 규정한다. …… 합법성에 따라 관료적으로 움직이는 '표준 국가'가 …… 무솔리니는 표준 국가의 영역에 더 큰 권력을 허용하였다는 점이다."에 따르면, 팩스턴은 파시즘이 폭력적인 형태보다는 합법성을 가지는 관료적 성격이 더 강하다고 파악하였다. 따라서 (다)는 팩스턴의 주장에 동조하는 입장을 보이지 않을 것이다.

⑤ (다)는 소부르주아를 파시즘의 수단이라고 보지 않으며, 톨리아티의 주장을 비판하지도 않을 것이다.
<보기>에서 (다)는 파시즘을 소부르주아의 '정치적 육화'로 간주하고, 소부르주아가 의회와 부르주아 국가를 파괴한다고 보는 입장이다. 즉 '소부르주아'가 파시즘의 수단이라고 강조하는 것이 아니라, 소부르주아의 성격이 정치적으로 나타난 것이 파시즘이라고 본 것이다. 또한 2문단 "톨리아티는 파시즘이 소부르주아적 성격의 대중적 기반 위에 있었다고 파악했으며, ……."에 따르면, 톨리아티는 파시즘을 소부르주아 성격의 대중적 기반 위에 있다고 파악했다. 따라서 <보기>의 (다)와 톨리아티 모두 파시즘이 소부르주아적 성격을 가지고 있다고 인정하고 있으므로 (다)는 톨리아티의 주장을 비판하는 입장을 보이지도 않을 것이다.

[16~18] 제재 | 클러스터링
난이도 | ★★☆

16. 정답 ④ 난이도 ★★☆ | 정답률 74%

내용영역 과학기술 문항 유형 정보의 확인과 재구성

[정답 풀이]

④ 마지막 문단 "계층법은 클러스터 개수를 사전에 정하지 않아도 되는 장점이 있다."에 따르면, 계층법은 사전에 클러스터 개수를 정하지 않는다. 따라서 계층법으로 계통도를 산출할 때 클러스터 개수는 미리 정하지 않는다.

[오답 풀이]

① 클러스터링 기법은 유사한 개체들을 묶어 한 개의 클러스터로 생성하는 기법이 아니다.
2문단 "클러스터링은 데이터의 특성에 따라 유사한 개체들을 묶는 기법이다."와 3문단 "분할법은 전체 데이터 개체를 사전에 정한 개수의 클러스터로 구분하는 기법으로, ……."에 따르면, 클러스터링 기법은 유사한 개체들을 묶어 사전에 정한 개수의 클러스터로 구분할 수 있다. 따라서 클러스터링 기법에서는 개체들을 묶어서 여러 개의 클러스터로 생성할 수 있다.

② 분할법에서는 클러스터 중심점을 임의의 위치에 배치한다.
3문단 "사전에 K개로 정한 클러스터 중심점을 임의의 위치에

배치하여 초기화한다."에 따르면, 분할법에서 알고리즘의 첫 단계는 클러스터 중심점을 임의의 위치에 배치하는 것이다. 따라서 분할법에서는 클러스터링 수행자가 정확한 계산을 통해 초기 중심점을 찾아내는 것이 아니라, 임의로 중심점을 배치하는 것이다.

③ 분할법에서는 한 개체가 여러 클러스터에 속할 수 없다.
3문단 "분할법은 …… 모든 개체는 생성된 클러스터 가운데 어느 하나에 속한다."에 따르면, 분할법에서는 한 개체가 생성된 클러스터 중 하나에 속한다. 따라서 분할법에서는 한 개체가 여러 클러스터에 속할 수 없다.

⑤ 계층법의 계통도에서 수평선을 아래로 내릴 경우 추상화 수준이 낮아진다.
마지막 문단 "모든 개체가 하나로 묶일 때까지 추상화 수준을 높여가는 상향식으로 알고리즘이 진행되어 …… 계통도에서 점선으로 표시된 수평선을 아래위로 이동해 가면서 클러스터링의 추상화 수준을 변경할 수 있다."에 따르면, 계층법의 계통도에서 수평선이 위로 이동할수록 추상화 수준이 높아진다. 따라서 계층법의 계통도에서 수평선을 내릴 경우 추상화 수준은 낮아진다.

17. 정답 ④

난이도 ★★★ | 정답률 38%

내용영역 과학기술 | 문항 유형 정보의 추론과 해석

[정답 풀이]

④ 초기화를 다르게 하면서 알고리즘을 여러 번 수행해도 전체 최적해가 결정되지 않을 수 있다.
5문단 "K-민즈 클러스터링에서 …… '전체 최적해'는 확정적으로 보장되지 않는다. 알고리즘의 첫 번째 단계인 초기화를 어떻게 하느냐에 따라 …… 좋은 결과를 찾는 데 실패할 수도 있다."에 따르면, K-민즈 클러스터링은 초기화를 어떻게 하느냐에 따라 전체 최적해를 얻을 수도, 얻지 못할 수도 있다. 따라서 초기화를 다르게 하면서 알고리즘을 여러 번 수행하더라도 전체 최적화가 결정되는 것은 아니다.

[오답 풀이]

① 4문단 "두 개체가 인접해 있더라도 가장 가까운 중심점이 서로 다르면 두 개체는 상이한 클러스터에 배정된다."에 따르면, 특성이 유사하여 서로 인접한 개체들도 중심점이 다르면 서로 다른 클러스터에 배정될 수 있다. 따라서 특성이 유사한 두 개체가 서로 다른 클러스터에 배치될 수 있다고 추론할 수 있다.

② 5문단 "K-민즈 클러스터링의 경우 품질 지표는 개체와 그 개체가 해당하는 클러스터의 중심점 간 거리의 평균이다. …… 알고리즘의 첫 번째 단계인 초기화를 어떻게 하느냐에 따라 클러스터링 결과가 달라질 수 있으며, ……."에 따르면, 초기에 클러스터 중심점을 어느 위치에 배치하느냐에 따라 클러스터링 결과인 품질 지표가 달라질 수 있다.

③ 5문단 "K-민즈 클러스터링의 경우 품질 지표는 개체와 그 개체가 해당하는 클러스터의 중심점 간 거리의 평균이다."와 "클러스터의 개수인 …… K가 커질수록 각 개체와 해당 중심점 간 거리의 평균은 감소한다."에 따르면, 클러스터의 개수가 커질수록 개체와 해당 중심점 간 거리의 평균인 품질 지표 값은 감소한다. 따라서 클러스터 개수를 감소시키면 클러스터링 결과의 품질 지표 값은 증가한다고 추론할 수 있다.

⑤ 3문단 "2)와 3)의 과정을 반복해서 수행하여 더 이상 변화가 없는 상태에 도달하면 알고리즘이 종료된다."에 따르면, K-민즈 클러스터링에서는 K개로 정한 클러스터 중심점을 다시 구하는 과정을 반복해서 더 이상 좌표 평균을 계산하여 변화가 없는 중심점이 나오면 알고리즘을 종료한다. 따라서 K-민즈 클러스터링은 K를 정하여 알고리즘을 진행하면 각 클러스터의 중심점은 결국 고정된 점에 도달한다고 추론할 수 있다.

18. 정답 ②

난이도 ★★☆ | 정답률 56%

내용영역 과학기술 | 문항 유형 정보의 평가와 적용

[정답 풀이]

② 고객 특성은 계층법이 효과적이지 않다.
마지막 문단 "따라서 계층법은 개체들 간에 위계 관계가 있는 경우에 효과적으로 적용할 수 있다."에 따르면, 계층법은 위계 관계에 있는 개체들에 효과적으로 적용된다. 그런데 <보기>의 사례에서 고객 특성인 성별, 거주지, 소득 수준 등은 위계 관계에 있지 않다. 따라서 고객 특성은 계층법이 효과적이지 않을 것이다.

[오답 풀이]

① 2문단 "범주형 특성에 거리 개념을 적용하려면 이를 수치형 특성으로 변환해야 한다."에 따르면, 범주형 특성은 수치형 특성으로 변환해야 거리 개념에 적용이 가능하다. <보기>에서 고객 정보 중 고객의 거주지나 성별 등은 범주형에 해당한다. 따라서 고객 정보에는 수치형이 아닌 것도 있어 특성의 유형 변환이 요구된다고 할 수 있다.

③ 3문단 "K-민즈 클러스터링에서는 …… 사전에 K개로 정한 클러스터 중심점을……."에 따르면, K-민즈 클러스터링 알고리즘은 사전에 클러스터 중심점을 K개로 정한 후에 실행된다. <보기>의 사례에서 클러스터링 중심점은 세분화할 시장이 된다. 따라서 K-민즈 클러스터링 알고리즘을 실행하려면 세분화할 시장의 개수를 먼저 정해야 할 것이다.

④ 2문단 "거리를 계산할 때 특성들의 단위가 서로 다른 경우가 많은데, 이런 경우 특성 값을 정규화할 필요가 있다."에 따르면, 특성들의 단위가 서로 다른 경우 특성 값을 정규화해야 한다. <보기>에서 고객 정보에 해당하는 나이, 소득 수준 등은 서로 다른 단위를 가지고 있는 특성들이다. 따라서 나이와 소득 수준과 같이 단위가 다른 특성을 기준으로 시장을 세분화할 경우 정규화가 필요할 것이다.

⑤ 5문단 "극단적으로 모든 개체를 클러스터로 구분할 경우 개체가 곧 중심점이므로 이들 사이의 거리의 평균값은 0으로 최소화되지만, ……."에 따르면, 모든 개체를 클러스터로 구분할 경우 품질 지표 값은 0이 된다. <보기>의 사례에서 모든 고객을 별도의 세분화된 시장들로 구분하여 1:1 마케팅을 하는 것은 모든 개체를 클러스터로 구분하는 경우에 해당한다. 따라서 이 경우 K-민즈 클러스터링의 품질 지표 값은 0이 될 것이다.

[19~21] 제재 | 소유와 지배의 분리
난이도 | ★★★

19. 정답 ④ 난이도 ★★☆ | 정답률 47%

내용영역 사회 문항 유형 주제, 구조, 관점 파악

[정답 풀이]

④ 벌리는 경영자의 신인의무의 대상을 주주로 한정해야 한다고 보았다.
마지막 문단 "……경영자의 신인의무의 대상, 즉 회사를 자신에게 믿고 맡긴 사람의 이익을 자신의 이익보다 우선해야 하는 의무의 대상을 주주가 아닌 다른 이해 관계자들로 확장해서는 안 된다고 벌리는 주장했다."에 따르면, 벌리는 경영자의 신인의무 대상은 주주로 한정되어야 한다고 보았다.

[오답 풀이]

① 1문단 "오늘날 교과서적 견해에서 '소유와 지배의 분리'라는 개념은 …… 주주의 이익보다 자신들의 이익을 앞세우는 문제의 심각성을 강조하는 개념이다."에 따르면, '소유와 지배의 분리'에 대한 오늘날 교과서적 견해는 주주의 이익을 앞세워야 한다고 보는 입장이다. 그리고 3문단 "……전통적인 법학의 논리에 입각한다면 회사가 오로지 주주의 이익을 위해서만 운영되어야 한다는 견해가 도출될 수밖에 없다."에 따르면, 전통적인 법학의 논리에서는 회사가 오직 주주의 이익을 위해서 운영되어야 한다. 따라서 소유와 지배의 분리에 대한 오늘날 교과서적 견해는 전통적인 법학 논리에 입각한 견해를 받아들이고 있다고 볼 수 있다.

② 5문단 "결국 회사체제에서 회사는 공동체의 이익을 위해 운영되어야 한다는 것이 벌리의 결론이다."에 따르면, 벌리는 회사가 공동체의 이익을 위해 운영되어야 한다고 보았다. 이는 회사의 사회적 책임을 의미한다. 그런데 마지막 문단 "회사법에서 주주 이외에 주인을 인정하지 않아야 한다고 그가 주장한 이유는 주인이 여럿이면 …… 회사 지배자들의 사회적 권력을 키워주는 결과를 낳을 것이라고 보았기 때문이다."에 따르면, 벌리는 회사법에서 회사의 주인이 여럿임을 인정하게 되면 회사 지배자들의 사회적 권력을 키워주는 결과를 낳는다고 보았다. 이때 회사의 주인이 여럿임을 인정한다는 것은 곧 회사가 공동체의 이익을 위해 운영된다는 것과 같다. 즉 벌리는 회사법에서 공동체의 이익을 강조하면 회사 지배자들의 권력이 커질 것이라고 본 것이다. 따라서 벌리는 회사법에서 회사의 사회적 책임을 강조할 경우 회사 지배자들의 권력을 키워 주는 결과를 낳는다고 보았다.

③ 4문단 "전통적인 경제학의 논리에 입각하면 …… 재산권의 보호를 사회적으로 바람직한 목적을 위한 수단으로 보기 때문이다."에 따르면, 전통적인 경제학에서는 사회적으로 바람직한 목적, 다시 말해 사회적으로 가장 좋은 결과를 위해서 재산권을 보호해야 한다고 보았다. 따라서 전통적인 경제학의 논리에 따르면 사회적으로 가장 좋은 결과를 낳을 수 있도록 재산권이 인정되는 것이 바람직하다.

⑤ 1문단 "오늘날 교과서적 견해에서 '소유와 지배의 분리'라는 개념은 …… 창업자 가족이나 대주주의 영향력이 약해져 …… 주주의 이익보다 자신들의 이익을 앞세우는 문제의 심각성을 강조하는 개념이다."에 따르면, 오늘날 교과서적 견해에서는 소유와 지배가 분리됨에 따라 대주주의 영향력이 약해져서 문제가 발생한다고 보았다. 이러한 입장에서는 대주주의 영향력이 강해지면 소유와 지배의 분리에 따른 문제를 해결할 수 있다고 볼 것이다. 그런데 마지막 문단 "그는 …… 지배에 의한 회사의 약탈로부터 비활동적 재산권을 보호하는 것이 회사가 공동체의 이익을 위해 운영되도록 하기 위한 출발점이라고 보았다."에 따르면, 벌리는 지배자로부터 비활동적 재산권, 즉 주식을 보호해야 한다고 주장했다. 이때 지배자는 창업자나 그 후손, 대주주, 경영자 등이 해당될 수 있다. 따라서 벌리는 대주주의 영향력이 강해지면 주주의 이익을 보장할 수 없다고 보므로 소유와 지배의 분리에 따른 문제를 해결하는 데 도움이 되지 않는다고 볼 것이다.

20. 정답 ① 난이도 ★★★ | 정답률 43%

내용영역 사회 문항 유형 정보의 추론과 해석

[정답 풀이]

① 벌리(㉠)에게 있어 '지배'는 준공공회사에서 공동체의 이익을 위해 반드시 수행되는 기능이 아니다.
2문단 "벌리는 소유와 지배가 분리된 현대 회사를 준공공회사라고 불렀다."에 따르면, 벌리에게 있어 준공공회사는 현대 회사를 가리킨다. 그리고 1문단 "그에게 있어서 '소유', '지배', '경영'은 각각 …… 사업체에 대한 권력을 갖는 기능 …… 기능을 지칭하는 개념이지……."와 마지막 문단 "……지배에 의한 회사의 약탈로부터 비활동적 재산권을 보호하는 것이 회사가 공동체의 이익을 위해 운영되도록 하기 위한 출발점이라고 보았다."에 따르면, 벌리(㉠)는 '소유', '지배', '경영'이 사업체에 대한 행위를 하는 기능이며, 이러한 기능들이 결과적으로는 공동체의 이익을 위해 수행되어야 한다고 보았다. 그런데 지배에 의한 회사의 약탈이 일어나는 경우에는 지배자의 이익을 위해 회사가 운영될 것이므로 공동체의 이익을 위해 운영되는 것이 어렵다. 따라서 벌리(㉠)에게 있어 '지배'는 공동체의 이익을 위해 수행되어야 하는 기능이지만, 반드시 수행되는 기능이라고 할 수는 없다.

[오답 풀이]

② 2문단 "벌리에 따르면 산업혁명 이전에는 …… 19세기에 많은 사업체들에서 소유자가 (1)과 (2)를 수행하고……."와 "……회사라는 생산 도구는 전통적인 사유재산으로서의 의미를 잃게 되었다."에 따르면, 벌리(㉠)는 20세기 이전까지의 전통적인 사유재산에서는 소유자가 소유와 지배의 기능을 수행한다고 보았다. 따라서 벌리(㉠)는 '지배'를 전통적인 의미에서의 사유재산에서 소유자가 수행하는 기능이라고 생각했을 것이다.

③ 2문단 "사기업에서는 통합되어 있던 위험 부담 기능과 회사 지배 기능이 분리되어 주주와 지배자에게 각각 배치됨으로써……."에 따르면, 벌리(㉠)는 주주는 위험 부담 기능을, 지배자는 회사 지배 기능을 부담한다고 보았다. 따라서 벌리(㉠)는 회사체제의 회사에서 지배 기능의 담당자는 위험을 부담하지 않는다고 생각할 것이다.

④ 2문단 "(2)는 …… 즉 활동적 재산의 점유가 되었다."에 따르면, 벌리는 '지배'가 활동적 재산의 점유가 된다고 보았다. 즉 '지배'의 기능을 담당하는 자는 곧 활동적 재산을 점유한 자이다. 따라서 벌리(㉠)는 회사체제의 회사에서 '지배'는 활동적 재산을 점유한 자가 수행하는 기능이라고 생각할 것이다.

⑤ 1문단 "그에게 있어서 '소유', '지배', '경영'은 …… 기능을 지칭하는 개념이지 각 기능의 담당 주체를 지칭하는 것이 아니다."에 따르면, 벌리(㉠)는 '소유', '지배,' '경영'을 다른 개념으로 생각한다. 그리고 2문단 "(2)는 창업자나 그 후손, 대주주, 경영자 …… 등 이사를 선출할 힘을 가진 다양한 주체에 의해 수행될 수 있다."에 따르면, 벌리(㉠)는 '지배'가 '경영'의 담당 주체인 경영자에 의해서도 수행될 수 있다고 보았다. 따라서 벌리(㉠)는 '지배'가 '경영'의 담당자에 의해 수행될 수도 있다고 인정하지만 '경영'과 동일시하지 않는다고 할 수 있다.

21. 정답 ⑤

난이도 ★★☆ | 정답률 46%

내용영역 사회 | 문항 유형 정보의 평가와 적용

[정답 풀이]

⑤ <보기>에서 1차 뉴딜과 2차 뉴딜의 대상은 이미 준공공회사에 해당한다.

2문단 "벌리는 소유와 지배가 분리된 현대 회사를 준공공회사라고 불렀다."에 따르면, 준공공회사는 소유와 지배가 분리된 현대 회사를 가리킨다. <보기>에서 1차 뉴딜이 경영자들과 지배자들로부터 주주의 재산권을 보호하는 원칙을 확립한 것으로 볼 때, <보기>의 회사는 소유와 지배가 분리된 형태의 회사라는 것을 알 수 있다. 벌리(㉠)에 따르면, 이러한 회사는 준공공회사에 해당한다. 따라서 <보기>에서 1차 뉴딜과 2차 뉴딜의 대상은 이미 준공공회사에 해당하므로 1차 뉴딜과 2차 뉴딜이 준공공회사로의 변화를 추구한다고 볼 수 없다.

[오답 풀이]

① 마지막 문단 "그는 회사법 영역에서 주주에 대한 신인의무를 경영자뿐 아니라 지배자에게도 부과하여 지배에 의한 약탈로부터 비활동적 재산권을 보호하는 것이……"에 따르면, 벌리(㉠)는 회사법 영역에서 주주에 대한 신인의무를 경영자뿐 아니라 지배자에게도 부과하여 지배에 의해 회사가 약탈되는 것을 막아야 한다고 보았다. <보기>에서 1차 뉴딜은 금융개혁에 초점을 맞춰 경영자들과 지배자들에게 주주에 대한 신인의무를 부과함으로써 주주의 재산권을 엄격하게 보호하는 원칙을 확립했다. 따라서 벌리(㉠)는 <보기>의 1차 뉴딜을 지배에 의해 회사가 약탈되는 것을 막기 위한 회사법 영역의 개혁이라고 볼 것이다.

② 마지막 문단 "하지만 이를 뒷받침할 법적 근거가 마련되지 않거나, 이를 실현할 합리적인 계획들을 공동체가 받아들일 준비가 안 된 상황에서는, …… 그는 회사법 영역에서 주주에 대한 신인의무를 경영자뿐 아니라 지배자에게도 부과하여 …… 비활동적 재산권을 보호하는 것이 회사가 공동체의 이익을 위해 운영되도록 하기 위한 출발점이라고 보았다."에 따르면, 벌리(㉠)는 공동체의 이익을 위해 회사가 운영되는 것을 뒷받침할 법적 근거가 마련되지 않거나, 실현할 합리적인 계획들을 공동체가 받아들일 준비가 안 된 상황에서는 주주의 이익을 보호하는 것이 회사가 공동체의 이익을 위해 운영되도록 하기 위한 출발점이라고 보았다. <보기>에서 1차 뉴딜은 주주의 재산권을 엄격하게 보호하는 원칙을 확립했다. 따라서 벌리(㉠)는 <보기>의 1차 뉴딜이 회사가 공동체의 이익을 위해 운영되도록 하기 위한 출발점으로서 주주의 이익을 위해 회사가 운영되도록 하는 원칙을 확립한 개혁이라고 볼 것이다.

③, ④ 마지막 문단 "……회사법 바깥의 영역에서 공동체에 대한 회사의 의무를 이행하도록 하는 현실적인 시스템을 마련하고 정착시킴으로써 사회의 이익에 비활동적 재산권이 자리를 양보하도록 만들 수 있다고 보았다."에 따르면, 벌리(㉠)는 회사법 바깥의 영역에서 공동체의 이익에 주주의 재산권이 자리를 양보하도록 만들 수 있다고 보았다. <보기>에서 2차 뉴딜은 노사관계와 사회보장 등 회사법 바깥의 분야로 개혁을 확장한 정책이다. 따라서 벌리(㉠)는 <보기>의 2차 뉴딜이 주주의 재산권이 사회의 이익에 자리를 양보하도록 만드는 개혁이자 회사가 공동체의 이익을 위해 운영되도록 하기 위한 회사법 바깥 영역의 개혁이라고 보았을 것이다.

[22~24] 제재 | 미국 민주주의 규범

난이도 | ★☆☆

22. 정답 ⑤

난이도 ★☆☆ | 정답률 83%

내용영역 사회 | 문항 유형 정보의 확인과 재구성

[정답 풀이]

⑤ 2문단 "민주주의 규범이 무너지면 민주주의도 위태로워진다. 민주주의 유지에 핵심적 역할을 하는 규범은 민주주의보다 오랜 전통을 가진 '상호 관용'과 '제도적 자제'이다."에 따르면, 민주주의는 민주주의 규범을 통해 유지될 수 있다. 이러한 민주주의 규범은 '상호 관용'과 '제도적 자제'로 대표되며, 견제와 균형의 원리를 지니고 있다. 따라서 견제와 균형의 원리를 통해 민주주의를 보호하고자 한 헌법의 목적을 실현 가능하게 한 것은 민주주의 규범이라고 할 수 있다.

[오답 풀이]

① 상호 관용이 강화되면 제도적 자제도 강화되고, 상호 관용이 약화되면 제도적 자제도 약화된다.

3문단 "이 두 가지 규범은 상호 연관되어 있다. 상대를 경쟁자로 받아들일 때, 제도적 자제도 기꺼이 실천한다."에 따르면, 상호 관용이 실천될 때 제도적 자제도 실천된다. 즉, 제도적 자제는 상호 관용이 전제되어 있을 때 실천 가능한 것이다. 따라서 상대를 적이 아니라 나와 동등한 경쟁자로 볼수록(상호 관용↑), 제도적으로 허용된 권력을 신중하게 행사하게 될 것이다(제도적 자제↑). 반면 상대를 나에게 위협적인 적으로만 인식할수록(상호 관용↓) 제도적으로 허용된 권력을 최대한으로 사용하여 상대를 공격하고자 할 것이다(제도적 자제↓).

② 대통령과 입법부의 권력 행사가 합법적이라도 민주주의 정치 체제 보호에 부정적으로 작용할 수 있다.

2문단 "합법적 권력 행사라도 자제되지 않을 경우 기존 체제를 위태롭게 할 수 있다."에 따르면, 합법적 권력을 신중하게 행사해야만 민주주의 정치 체제가 보호될 수 있다. 따라서 대통령과 입법부의 권력 행사가 합법적이더라도, 그것이 절제된 것이 아니라면 민주주의 정체 체제 보호에 긍정적으로 작용할 수 없다.

③ 민주주의 이념을 유지하는 핵심인 민주주의 규범은 민주주의 이념보다 오래되었다.

2문단 "민주주의 유지에 핵심적 역할을 하는 규범은 민주주의보다 오랜 전통을 가진 '상호 관용'과 '제도적 자제'이다."에 따르면, 민주주의 규범은 민주주의 이념보다 더 오래된 것이다. 따라서 민주주의 규범이 민주주의의 이념으로부터 탄생한 것이라 볼 수 없으며, 민주주의 제도의 확립을 통해 발전되는 것도 아니다.

④ 민주주의 규범은 헌법이나 법률에 성문화된다고 해서 효과가 극대화된다고 보기 어렵다.

1문단 "여기에는 헌법이나 법률에 명문화되지 않은 민주주의 규범도 중요한 역할을 해왔다."에 따르면, 민주주의 규범은 애초에 헌법이나 법률에 성문화되어 있지 않은 상태에서 민주주의 체제를 유지하는 데 기여하였다. 또한 제시문에서는 민주주의 규범이 헌법이나 법률로 성문화될 때, 민주주의 정치 체제에 어떠한 영향을 미칠 것인지는 언급하고 있지 않다.

23. 정답 ③ | 난이도 ★☆☆ | 정답률 83%
내용영역 사회 | 문항 유형 정보의 추론과 해석

[정답 풀이]

③ 마지막 문단 "이후 양당 간 경쟁은 '당파적 양극화'로 치달았다. …… 이러한 상황에서 인종 차별에 의존한 기존의 민주주의 규범은 한계를 보이면서 붕괴했다."에 따르면, 민주주의 확대에서 비롯된 당파적 양극화가 결국 민주주의를 붕괴시켰다. 따라서 민주주의 확대로 촉발된 양극화가 두 번째 위기(㉡)의 원인이 되었다고 할 수 있다.

[오답 풀이]

① 첫 번째 위기(㉠)를 거치면서 상호 관용과 제도적 자제의 규범이 건국 이후 '다시' 형성되었다.

5문단 "민주주의 규범이 다시 형성되기 시작한 것은……"에 따르면, 첫 번째 위기(㉠)를 극복하는 과정에서 민주주의 규범은 다시 형성되었다. 따라서 첫 번째 위기(㉠)를 거치면서 상호 관용과 제도적 자제의 규범이 건국 이후 처음으로 형성된 것이 아니다.

② 첫 번째 위기(㉠) 이후 형성된 민주주의 규범은 인종 차별에 의존함으로써 정치 체제를 안정시켰다.

5문단 "역설적이게도 남북 전쟁 이후의 민주주의 규범은 인종 차별을 묵인한 비민주적인 타협의 산물이었다. 그리고 오랜 기간 백인 중심으로 작동했던 민주주의를 유지하는 데 기여했다."에 따르면, 공화당과 민주당이 인종 차별에 대해 상호 타협함으로써 첫 번째 위기(㉠)를 극복할 수 있었다. 그리고 두 번째 위기가 오기까지 민주주의 체제는 오랜 기간 안정적으로 유지되었다. 따라서 첫 번째 위기(㉠) 이후 형성된 민주주의 규범은 인종 차별적 특성을 토대로 정치 체제를 안정화시키는 역할을 하였다.

④ 두 번째 위기(㉡)는 다양한 집단의 정치 참여를 제도적으로 보장하는 방향으로 민주주의가 확대되면서 심화되었다.

마지막 문단 "흑인의 참정권이 제도적으로 보장되었고, 대규모 이민으로 다양한 민족과 인종이 정치 체제로 유입되었다."와 "이러한 상황에서 인종 차별에 의존한 기존의 민주주의 규범은 한계를 보이면서 붕괴했다."에 따르면, 다양한 집단의 정치 참여가 제도적으로 보장되면서 인종 차별에 의존한 기존의 민주주의 규범은 한계를 보일 수밖에 없었다. 그리고 그 결과 민주주의 규범은 붕괴하였다. 따라서 두 번째 위기(㉡)는 완화된 것이 아니라 심화되었다.

⑤ 첫 번째 위기(㉠)와 두 번째 위기(㉡) 모두 정당별 지지 집단이 뚜렷이 구분되는 현상이 나타났다.

5문단 "노예제를 찬성한 남부의 백인 농장주들, 그리고 그들과 입장을 같이한 민주당은 당시 노예제 폐지를 주장한 공화당을 심각한 위협으로 인식했다."에 따르면, 첫 번째 위기(㉠)에서 민주당과 공화당은 노예제의 찬반 여부에 따라 지지 집단이 뚜렷이 구분되었음을 알 수 있다. 그리고 마지막 문단 "공화당과 민주당은 각기 다른 집단의 이익과 가치를 대변하게 되었다. 이후 양당 간 경쟁은 '당파적 양극화'로 치달았다."에 따르면, 두 번째 위기(㉡)에서 민주당과 공화당은 당파적 양극화에 치달을 정도로 지지 집단이 뚜렷이 구분되어 있다. 따라서 첫 번째 위기(㉠)와 두 번째 위기(㉡) 모두 정당별 지지 집단이 뚜렷이 구분되는 현상이 나타났다.

24. 정답 ③ | 난이도 ★★☆ | 정답률 70%
내용영역 사회 | 문항 유형 정보의 평가와 적용

[정답 풀이]

③ ⓒ로 볼 때, 아옌데 대통령은 제도적 자제 규범을 실천하고 있지 않다.

3문단 "반면 서로를 적으로 간주할 때 상호 관용의 규범은 무너진다. 이러한 상황에서 정치인은 제도가 부여한 법적 권력을 최대한 활용하려 하며, ……."에 따르면, 상호 관용이 무너진 상태에서는 헌법적 권력을 최대한 신중하게 사용하는 제도적 자제는 이루어지지 않는다. <보기>에서 아옌데 대통령의 좌파 여당은 야당을 위협적인 적으로 간주하고 있다. 이는 상호 관용이 무너진 상태이다. 따라서 ⓒ는 제도적 자제 규범을 실천한 것이 아니라 여당의 적인 야당을 무너뜨리기 위해 국민투표라는 헌법적 권력을 공격적으로 활용하고 있는 것이라 할 수 있다.

[오답 풀이]

① 마지막 문단 "보수와 진보 간 정책적 차이뿐만 아니라 인종과 종교, 삶의 방식을 기준으로 첨예하게 나뉘어 정당 간 경쟁이 적대적 갈등으로까지 확대되었다."에 따르면, 1960년대 이후 미국에서 심화된 당파적 양극화는 좌 · 우 이념뿐만 아니라 다양한 차원에서 양극화를 보이고 있다. 따라서 이러한 미국의 당파적

2022학년도

양극화는 좌 · 우 이념을 중심으로 심화된 ⓐ와는 성격이 다르다고 할 수 있다.

② 3문단 “반면 서로를 적으로 간주할 때 상호 관용의 규범은 무너진다.”에 따르면, 상대를 위협적인 적으로 인식하는 것은 상호 관용의 규범이 붕괴되는 요인으로 작용한다. 따라서 ⓑ로 인해 1960년대 이후 칠레에서는 상호 관용의 규범이 붕괴되는 과정이 일어났음을 알 수 있다.

④ 4문단 “첫 번째 상황은 야당이 입법부를 장악하면서 …… 이 경우 야당은 대통령을 공격하기 위해 헌법에서 부여한 권력을 최대한 휘두른다.”에 따르면, 민주주의 규범이 붕괴된 상황에서 여당이 의회에서 소수당일 경우, 야당은 헌법에서 부여된 권력을 최대한 활용하여 권력을 장악하고자 한다. <보기>에서 의회의 다수당인 야당은 헌법에서 극히 예외적인 상황에서 사용하도록 규정된 의회의 불신임 결의를 여당을 공격하기 위해 사용하고 있다. 따라서 ⓓ로 볼 때, 민주주의 규범이 붕괴된 상황에서 대통령 소속 정당이 의회 소수당인 경우 야당이 헌법적 권력을 공격적으로 활용할 가능성이 높음을 알 수 있다.

⑤ 2문단 “합법적 권력 행사라도 자제되지 않을 경우 기존 체제를 위태롭게 할 수 있다.”에 따르면, 제도적 자제가 지켜지지 않을 경우 민주주의가 붕괴될 수 있다. <보기>에서 의회가 불신임 결의안을 사용한 것은 제도적 자제가 실천되지 않은 것이다. 제도적 자제는 상호 관용의 규범이 실천되었을 때 가능한 것이므로, 결국 <보기>의 상황은 상호 관용과 제도적 자제가 이루어지지 않음으로써 민주주의가 붕괴된 사례라 할 수 있다. 그런데 ⓔ를 통해 1970년 이전까지는 이러한 상호 관용과 제도적 자제가 지켜져 왔음을 알 수 있다. 민주주의는 상호 관용과 제도적 자제가 실천되었을 때 유지되는 것이다. 따라서 1970년 이전의 칠레 정치인들은 민주주의 규범을 존중함으로써 민주주의 정착에 기여했다고 할 수 있다.

[25~27] 제재 | 인공 지능과 인공 감정
난이도 | ★★☆

25. 정답 ②
난이도 ★★☆ | 정답률 75%

(내용영역) 규범 (문항 유형) 정보의 확인과 재구성

[정답 풀이]

인공 지능과 인공 감정은 다음과 같이 비교할 수 있다.

	실현 방식	한계 및 평가
인공 지능	주어진 인지적 과제 수행	의미를 이해하지 못함 → 인간의 지능과 다름
인공 감정	입력 자극에 대한 적절한 출력을 내놓는 행동 패턴	내적인 감정 경험이 아님 → 인간의 감정과 다름

② 인공 지능에서 행동이 하는 역할은 인공 감정에서 입력 자극에 대한 적절한 출력을 내놓는 행동들의 패턴에 해당한다.

4문단 “철학자들은 인공 지능이 인간과 똑같은 인지적 과제를 수행했다고 하더라도 그것은 의미를 이해하지 못하기 때문에 …… 인공 감정에 대해서도 마찬가지로, 감정을 입력 자극에 대한 적절한 출력을 내놓는 행동들의 패턴이 아니라 내적인 감정 경험으로 이해한다면 …… 인간의 감정이라고 말할 수 없다.”에 따르면, 인공 지능에서 인지적 과제를 수행하는 행동은 인공 감정에서 입력 자극에 대한 적절한 출력을 내놓는 행동 패턴에 대응된다. 그리고 의미를 이해하는 것은 내적인 감정 경험에 대응된다. 따라서 인공 지능에서 행동이 하는 역할은 인공 감정에서 내적인 감정 경험이 맡는 것이라 할 수 없다.

[오답 풀이]

① 2문단 “인공 지능의 연구도 그렇지만, 인공 감정의 연구도 …… 인간의 감정을 더 깊이 이해하는 과정이기도 하다.”에 따르면, 인공 지능과 인공 감정을 연구하면 인간의 지능과 감정까지 더 잘 알게 됨을 알 수 있다.

③ 4문단 “철학자들은 인공 지능이 …… 의미를 이해하지 못하기 때문에 진정한 지능이 아니라고 주장했다.”에 따르면, 인공 지능을 진정한 지능이 아니라고 보는 철학자들은 인공 지능이 의미를 이해하지 못한다는 점을 근거로 제시하였다. 따라서 인공 지능에 회의적인 철학자는 의미의 이해가 지능의 본질적인 요소라고 생각한다는 것을 알 수 있다.

④ 1문단 “이 물음에 선뜻 동의하지 못하는 사람들은 인간성의 핵심을 …… 감정적인 부분에서 찾으려 한다.”에 따르면, 인간성의 핵심을 감정적인 부분에서 찾고자 하는 사람들의 경우 인공 지능을 지닌 로봇을 도덕적 고려의 대상으로 인정하지 않는다. 즉, 로봇은 인간성의 핵심을 갖추지 못했기 때문에 도덕적 고려의 대상으로 볼 수 없다고 본 것이다. 따라서 인간성의 핵심이 로봇에게도 있다면 로봇을 도덕적 고려의 대상으로 인정해야 한다고 볼 것이다.

⑤ 마지막 문단 “로봇이 감정을 가지기 위해서는 …… 그러나 거기에는 현실적으로 상당히 어려운 전제 조건이 만족되어야 한다.”에 따르면, 인공 감정을 만들기 위한 전제 조건을 만족하기란 현실적으로 어렵다. 그리고 4문단 “그러나 로봇이 정말로 이러한 감정 경험을 하는지 판단하기는 쉽지 않다.”에 따르면, 설령 인공 감정이 만들어진다고 하더라도 인공 감정이 인간과 같은지 판단하기가 어렵다는 것을 알 수 있다.

26. 정답 ②
난이도 ★★☆ | 정답률 74%

(내용영역) 규범 (문항 유형) 정보의 평가와 적용

[정답 풀이]

② A의 기쁨을 진정한 감정이라고 말할 수 있으려면 A의 기쁨이 내적인 감정 경험이어야 한다.

4문단 “감정을 입력 자극에 대한 적절한 출력을 내놓는 행동들의 패턴이 아니라 내적인 감정 경험으로 이해한다면 인공 감정이 곧 인간의 감정이라고 말할 수 없다.”에 따르면, 인공 감정을 진정한 인간의 감정이라고 규정하기 위해서는 해당 감정이 내적인 감정 경험이어야 한다. 따라서 A의 기쁨이 적절한 입력 자극과 출력에 의한 것이라면 A의 기쁨은 진정한 감정이라고 말할 수 없다.

[오답 풀이]

① 마지막 문단 "첫째, 감정을 가진 개체는 기본적인 충동이나 욕구를 가진다고 전제된다. 목마름, 배고픔, 피로감 등의 본능이나 성취욕, 탐구욕 등이 없다면 감정도 없다."에 따르면, 로봇이 진정한 감정을 갖기 위한 첫 번째 전제조건은 기본적인 충동이나 욕구가 있어야 한다는 것이다. 그리고 그 욕구에는 시합에서 승리하고자 하는 성취욕 또한 포함되어 있다. 따라서 A에게 성취욕으로 대변되는 누군가를 이기려는 욕구가 있다면 A의 기쁨이 진정한 감정일 가능성이 있다고 볼 수 있다.

③ 마지막 문단 "둘째, 인간과 사회적으로 상호작용하기 위해 인간이 가지는 것과 같은 감정을 가지려면 …… 생명체들처럼 복잡하고 예측 불가능한 환경에 적응할 수 있어야 한다."에 따르면, 로봇이 진정한 감정을 갖기 위한 두 번째 전제조건은 로봇이 다양한 영역에서 적응하고 그 환경에 맞게 행위할 수 있어야 한다는 것이다. 따라서 A가 바둑 이외의 다양한 영역에서도 인간처럼 업무를 잘 수행한다면 A의 기쁨은 진정한 감정일 가능성이 있다고 볼 수 있다.

④ 4문단 "인간만 보더라도 행동의 동등성은 심성 상태의 동등성을 함축하지 않기 때문에……."에 따르면, 인간의 경우 같은 행동을 한다고 해서 감정까지 동일하다고 볼 수 없다. 이는 곧 기쁨을 표현하는 행동을 하더라도 실제로는 기쁘지 않을 수 있음을 의미한다. 따라서 B는 기쁘지 않으면서도 겉으로는 기뻐하는 행동을 보일 수 있다. 또한 4문단 "로봇의 경우에는 행동의 동등성이 곧 심성 상태의 존재성조차도 함축하지 않는다."에 따르면, 로봇의 경우 심성 상태, 즉 감정 자체가 애초에 존재한다고 볼 수 없다. 즉 감정이 존재하지 않음에도 특정한 행동을 할 수 있다는 것이다. 따라서 로봇인 A의 경우 기쁨이라는 감정이 없더라도 기뻐하는 행동을 보일 수 있을 것이다.

⑤ 3문단 "우리는 사회적 상호작용에서 서로의 신체 반응이나 표정을 통해 미묘한 감정을 읽어내고……."에 따르면, 인간은 상대의 신체 반응이나 표정을 통해 그 감정을 인식할 수 있다. 따라서 B가 A의 기쁨을 알게 된 것은 A의 신체 반응이나 표정 때문이라고 할 수 있다.

27. 정답 ⑤ | 난이도 ★★☆ | 정답률 69%

내용영역 규범 | 문항 유형 정보의 평가와 적용

[정답 풀이]

⑤ 마지막 문단 "로봇이 감정을 가지기 위해서는 감정을 인식하고 표현하는 데 그쳐서는 안 되고 내적인 감정을 생성할 수 있어야 한다."에 따르면, 결국 ㉠에서 말하는 진정한 감정이란 인간이 가지는 것과 같은 감정을 의미한다. 그런데 로봇의 경우 인간과 같은 감정을 가질 수 없으므로 ㉠은 로봇이 진정한 감정이 없으며, 이러한 로봇을 도덕 공동체에 받아들일 수 없다고 본 것이다. 이처럼 ㉠은 인간의 내적 감정 체계에 비추어 로봇의 감정 유무를 판단하고 있다. 그런데 로봇이 인간과 다른 방식으로 감정의 핵심 역할을 수행할 수 있다면, 인간의 내적 감정 체계에만 비추어 로봇의 감정의 유무를 판단하는 것은 신뢰하기 어려울 것이다. 따라서 ㉠에 대한 문제 제기로 적절하다.

[오답 풀이]

① ㉠은 로봇에게는 진정한 감정이 없다고 보았다. 따라서 로봇이 감정에 휩싸일 경우에 발생할 수 있는 문제점을 지적하는 것은 ㉠에 대한 문제 제기로 적절하지 않다.

② 인공 감정 연구가 상당한 수준에 올라와 있다는 것이 곧 로봇에게 진정한 감정이 있음을 함축하는 것은 아니다. 따라서 로봇에게 진정한 감정이 없다고 본 ㉠에 대한 문제 제기로 적절하지 않다.

③ 1문단 "우리는 이제 …… 인공 지능도 도덕적 고려의 대상으로 인정해야 하느냐는 물음에 직면하는 것이다."에 따르면, 논의의 출발점은 인간이 인공 지능을 도덕적 고려의 대상으로 볼 수 있는가이지, 인공 지능이 도덕적 고려를 하는가가 아니다. 따라서 ㉠에 대한 문제 제기로 적절하지 않다.

④ ㉠에서 로봇을 도덕 공동체에 받아들일 수 없다고 평가한 것은 로봇에게 진정한 감정이 없다고 판단했기 때문이다. 이는 내적 감정이 없는 대상은 도덕 공동체에 포함시킬 수 없다는 것을 의미한다. 즉, 어떠한 대상이 도덕 공동체에 포함되기 위해서는 내적 감정이 필요하다는 것이다. 이를 정리하면 다음과 같다.

그런데 '도덕 공동체에 있으면 내적 감정을 갖겠지만, 내적 감정을 갖는다고 해서 꼭 도덕 공동체에 포함해야 할까?'는 어떠한 대상이 도덕 공동체에 포함되기 위해서는 내적 감정이 필요하다는 ㉠에 부합하는 내용으로, ㉠을 반박하는 것이 아니다. 따라서 ㉠에 대한 문제 제기로 적절하지 않다.

[28~30] 제재 | 칸트의 법규범 설명 체계
난이도 | ★★★

28. 정답 ⑤ | 난이도 ★★★ | 정답률 31%

내용영역 규범 | 문항 유형 주제, 구조, 관점 파악

[정답 풀이]

⑤ 윤리규범도 법칙 수립 과정에서 의무 강제와 결합한다.
마지막 문단 "윤리규범과 법규범의 차이를 오로지 법칙 수립 형식 내지 의무 강제 방식에서의 자율성과 타율성에서 찾는 칸트의 설명체계에서……."에 따르면, 윤리규범은 의무 강제 방식이 자율적이고, 법규범은 타율적이라는 차이가 있다. 즉 윤리규범은 의무 강제와 자율적으로 결합하는 것이다. 따라서 외면성 명제와 상관없이 윤리규범은 법칙 수립 과정에서 의무 강제와 자율적으로 결합하게 된다.

[오답 풀이]

① 마지막 문단 "이렇듯 외면성이 법규범의 핵심적 징표를 이루고 있는 한, ……."에 따르면, 외면성 명제는 법규범에만 존재하는 핵심적 징표이다. 따라서 외면성 명제는 윤리규범과 법규범의 차이를 나타내는 것이라 할 수 있다.

② 6문단 "법규범이 어떤 행위가 요구되고 어떤 행위가 금지되는지를 단순히 기술하는 수준에 머물지는 않는다 하더라도, 역설적이게도 그에 따라 행하도록 지시 · 명령 · 요구할 수는 없게 된다는 것이다."에 따르면, 규정성 명제와 무조건성 명제 외에 외면성 명제를 도입하는 순간, 법규범은 단순히 기술하는 수준에 머물지 않지만, 그에 따라 행하도록 지시 · 명령 · 요구할 수도 없게 된다는 문제점이 있다. 이를 통해 외면성 명제에 따른다 해도 법규범이 기술적 명제로 바뀌는 것은 아니라는 점을 알 수 있다. 따라서 외면성 명제가 법규범을 기술적 명제로 환원시키는 것은 아니라고 할 수 있다.

③ 5문단 "법규범은 강제와 형벌의 위험을 피하고자 하는 사람들에 대해서만 그것이 지시하는 바를 행하게 할 뿐이어서, 앞에서 살펴본 무조건성 명제에 반하게 되기 때문이다."에 따르면, 규정성 명제와 외면성 명제가 성립하는 가언 명령의 상황에서는 무조건적 명제에 반하게 되어 법규범이 발하여지지 않는다. 따라서 외면성 명제와 규정성 명제를 유지하는 한 무조건성 명제를 유지하기 어렵다고 할 수 있다.

④ 6문단 "규정성 명제와 무조건성 명제 외에 법규범에 특유한 외면성 명제를 도입하는 순간, …… 종국적으로는 법규범에 한하여 규정성 명제를 인정할 수 없게 되는 역설적인 결과를 낳는다."에 따르면, 규정성 명제와 무조건성 명제 외에 외면성 명제를 도입하는 순간 규정성 명제를 인정할 수 없게 된다. 즉 외면성 명제와 무조건성 명제가 유지된다면 규정성 명제는 받아들여질 수 없게 되는 것이다. 따라서 외면성 명제와 무조건성 명제를 유지하는 한 규정성 명제를 유지하기 어렵다고 할 수 있다.

29. 정답 ③

난이도 ★★★ | 정답률 40%

(내용영역) 규범 (문항 유형) 정보의 추론과 해석

[정답 풀이]

③ 정언 명령에 부합하는 행위는 아무 이유 없이 할 수도 있다. 4문단 "정언 명령에 복종하는 유일한 방식은 그것이 명령하고 있다는 이유에서 그것을 따르는 것이다. 명령이기 때문에 하는 행위와 그저 명령에 부합하는 행위는 구별되어야 한다."에 따르면, 정언 명령에 부합하는 행위라고 해서 모두 정언 명령에 복종하는 행위는 아니다. 이를 통해 정언 명령에 부합하는 행위 중에는 정언 명령이 명령하고 있다는 이유로 정언 명령에 복종하는 행위, 다른 내적 동기로 인해 정언 명령에 부합하는 행위, 아무 이유 없이 정언 명령에 부합하는 행위 등이 포함된다는 것을 알 수 있다. 따라서 정언 명령에 부합하는 행위는 아무 이유 없이 할 수 있다고 추론할 수 있다.

[오답 풀이]

① 6문단 "윤리규범과 법규범에 대해 일견 통용되는 것으로 보이는 규정성 명제와 무조건성 명제 외에……"에 따르면, 윤리규범과 법규범은 규정성 명제와 무조건성 명제라는 점에서 공통점이 있다. 또한 마지막 문단 "윤리규범과 법규범의 차이를 오로지 법칙 수립 형식 내지 의무 강제 방식에서의 자율성과 타율성에서 찾는……"에 따르면, 법규범은 의무 강제가 타율적이라는 점에서 윤리규범과 차이가 있다. 즉 규정을 따르는 데 있어 자율적인지 타율적인지에 따라 법규범과 윤리규범으로 나뉘는 것이지, 규정의 내용 자체가 다르다는 것이 아니다. 따라서 윤리규범과 법규범의 내용은 서로 동일할 수 있을 것이라고 추론할 수 있다.

② 2문단 "첫째, 법규범은 사람들에게 무엇을 해야 하고 무엇을 하지 말아야 하는지를 지시해 주는 처방을 담고 있다는 규정성 명제……"에 따르면, 규정성 명제는 사람들에게 지시하는, 즉 명령하는 형태를 지닌다. 따라서 규범의 규정적 성격은 명령의 형태로 표현되어야 할 것이라고 추론할 수 있다.

④ 4문단 "법규범은 그것을 따르는 내면의 동기까지 요구하지는 않는다는 점에서 윤리규범과 달라야 하기 때문이다."에 따르면, 법규범과 달리 윤리규범은 내면의 동기를 요구한다. 즉 내면의 동기로 규범을 준수하는 것은 윤리적 이유에 해당한다. 반면, 마지막 문단 "……법규범에 관해서도 모종의 동기 자체는 제시될 수 있어야 한다. 그리고 그가 말하는 법규범에 어울리는 동기란 바로 타율적 강제라는 외적인 동기이다."에 따르면, 법규범은 내면의 동기가 아니라 타율적 강제라는 외적인 동기가 제시된다. 따라서 법규범은 윤리적 이유가 아닌 타율적 강제라는 이유에서 준수할 수 있어야 할 것이라고 추론할 수 있다.

⑤ 2문단 "셋째, 법규범은 특정한 목적을 공유하는 사람만이 아니라 그 관할 아래 놓여 있는 모든 사람을 구속한다는 무조건성 명제……"에 따르면, 무조건성 명제는 규범의 관할 아래 놓여 있는 모든 사람, 즉 공동체의 모든 구성원을 구속한다. 그리고 이러한 무조건성 명제는 윤리규범에도 통용된다. 따라서 윤리규범과 법규범은 공동체의 모든 구성원에 대하여 효력을 지닐 것이라고 추론할 수 있다.

30. 정답 ②

난이도 ★★★ | 정답률 31%

(내용영역) 규범 (문항 유형) 정보의 평가와 적용

[정답 풀이]

② 3문단 "우선 법규범은 …… 오로지 외적인 자유만을 전제로 한다는 점에서 무조건적이며 단적으로 효력을 지닌다."에 따르면, 칸트는 법규범이 오로지 외적인 자유만을 전제한다고 보았다. 이를 볼 때, <보기>에서 칸트가 외면성 명제를 법규범의 개념에 내재한 필연성을 밝히는 분석적 진리로서 의도했다는 것은 곧 사람들에게 법규범을 따르는 것 자체가 행위의 이유가 될 것까지 요구하는 것이 아니라 오로지 외적으로 법규범에 부합하게끔 행동할 것을 요구한다는 것을 의미한다. 즉 칸트는 법규범이 내면적 동기는 요구하지 않고 오로지 외적인 동기만을 가진다는 것을 밝히고자 했던 것이다. 이와 같이 내면의 자유를 전제하지 않는다는 조건은 <보기>에서 정당한 국가 권력의 실질적 조건에 해당한다. 따라서 칸트의 외면성 명제는 정당한 국가 권력의 실질적 조건이 될 수 있다는 점에서 국가 권력이 사람들의 내면의 자유에 개입하려 해서는 안 된다는 것을 함의한다고 할 수 있다.

[오답 풀이]

① 칸트의 외면성 명제는 국가 권력의 정당성 기반을 약화시키지 않았다.

<보기>에서 외면성 명제는 정당한 국가 권력이 갖춰야 할 실질적 조건을 의미하게 되었다. 즉 국가 권력의 정당성을 확보하기 위해서는 외면성 명제를 갖춰야 한다는 것이다. 이는 국가 권력의 정당성 기반을 약화시켰다는 것으로 볼 수 없다. 따라서 칸트의 외면성 명제는 법적 명령의 역설을 초래함으로써 국가 권력의 정당성 기반을 약화시켰다는 것은 <보기>를 설명한 것으로 적절하지 않다.

③ 칸트는 법규범을 국가 권력의 정당성을 확보하기 위한 정치적 지도 원리로 삼고자 하지 않았다.
<보기>에서 칸트의 본래 의도는 외면성 명제를 법규범에 관한 실용적 지식이 아니라 법규범의 개념에 내재한 필연성을 밝히는 분석적 진리로서 파악하는 것이었다. 그러나 이러한 칸트의 의도와 달리, 전체주의 체제에 대한 역사적 경험에 비추어 외면성 명제를 실질적 조건으로 파악하고 국가 권력의 정당성을 확보하기 위해 사용했다. 따라서 칸트는 법규범을 국가 권력의 정당성을 확보하기 위한 정치적 지도 원리로 삼고자 하지 않았다고 할 수 있다.

④ 칸트는 사람들이 법에 대한 심정적 지지가 없는 법에 부합하는 행위를 하더라도 위험으로 간주하지 않을 것이다.
2문단 "법규범은 사람들에게 오로지 외적으로 그것에 부합하게끔 행동할 것을 요구할 뿐……."과 4문단 "법규범은 그것을 따르는 내면의 동기까지 요구하지는 않는다는 점에서 윤리규범과 달라야 하기 때문이다."에 따르면, 칸트는 법규범이 외적으로 법규범에 부합하는 행위를 요구할 뿐 내면의 동기까지 요구하지 않는다고 보았다. 즉 칸트는 법에 부합하는 행위와 사람들의 심정적 지지의 유무는 관련이 없다고 본 것이다. 따라서 칸트에 의거할 때 법에 대한 심정적 지지가 없는 법에 부합하는 행위를 외면성 명제에 부합하는 행위라고 볼 것이므로 전체주의 체제가 도래할 위험이 있다고 보지 않을 것이다.

⑤ 칸트는 사람들이 실제로 어떠한 이유에서 법을 준수하거나 위반하는지를 파악할 필요가 없다고 볼 것이다.
3문단 "우선 법규범은 그것을 따르는 사람들의 실질적 목적이나 필요를 전제로 하지 않으며……."에 따르면, 칸트는 사람들이 법규범을 따르는 실질적 목적을 파악할 필요가 없다고 보았다. 따라서 칸트에 의거할 때 국가 권력의 행사는 사람들이 실제로 어떠한 이유에서 법을 준수하거나 위반하는지를 정확히 파악한 토대 위에서 이루어질 필요가 없다고 볼 것이다.

2021학년도 [홀수형]

[1~3] 제재 | 프로세스 마이닝
난이도 | ★★★

1. 정답 ①

난이도 ★★☆ | 정답률 81%

내용영역 과학기술 | 문항 유형 정보의 확인과 재구성

[정답 풀이]

① 2문단 "이벤트 로그란 …… 이것이 프로세스 마이닝의 출발점이 된다."에 따르면, 이벤트 로그는 프로세스 마이닝의 출발점이다. 그리고 "이벤트 로그는 사용자에게 도움이 되는 정보를 직접 제공할 수 없는 원데이터이므로"에 따르면, 이벤트 로그는 사용자에게 직접적으로 유용한 정보를 제공하지 못한다. 따라서 이벤트 로그는 프로세스 마이닝의 출발점이지만 그 자체로는 유용한 정보라 할 수 없다.

[오답 풀이]

② 업무 전문가의 충분한 지식이 없어도 이벤트 로그로부터 프로세스 모델을 도출할 수 있다.
3문단 "프로세스 발견이란 프로세스 분석가가 알고리즘을 통해 이벤트 로그로부터 프로세스 모델을 도출하는 것을 말하는데, 이때 분석가는 별다른 업무 지식 없이도 작업을 수행할 수 있다."에 따르면, 분석가는 별다른 업무 지식이 없어도 프로세스 모델을 도출할 수 있다. 따라서 업무 전문가의 충분한 지식이 없어도 이벤트 로그로부터 프로세스 모델을 도출할 수 있다.

③ 프로세스 발견은 프로세스 모델을 이벤트 로그로부터 도출하는 것이다.
3문단 "프로세스 발견이란 프로세스 분석가가 알고리즘을 통해 이벤트 로그로부터 프로세스 모델을 도출하는 것"에 따르면, 프로세스 발견은 프로세스 모델 자체를 도출하는 것이지, 프로세스에 내재된 업무 관련 규정을 도출하는 것이 아니다.

④ 클러스터링은 복잡한 프로세스 모델일 경우 유사한 사례들을 같은 그룹으로 묶어주는 기법이다.
3문단 "만일 도출된 프로세스 모델이 복잡하여 유의미한 분석이 곤란할 경우, 퍼지 마이닝이나 클러스터링 기법을 활용할 수 있다. …… 클러스터링은 특성이 유사한 사례들을 같은 그룹으로 묶어주는 기법이다."에 따르면, 클러스터링은 프로세스 모델이 복잡하여 유의미한 분석이 곤란한 경우, 특성이 유사한 사례들을 같은 그룹으로 묶어주는 기법이다. 따라서 복잡한 프로세스 모델을 여러 개의 세부 프로세스 모델로 구분해 주는 기법이라 볼 수 없다.

⑤ 기존의 프로세스 모델에 활동과 경로를 추가하는 것은 프로세스 확장이다.
5문단 "업무 수행 시간 및 담당자 등 이벤트 로그 분석에서 얻은 부가적 정보를 추가하여 발견된 프로세스 모델을 '확장'하는 것이다."에 따르면, 기존의 프로세스 모델에 부가적 정보를 추가하는 것은 프로세스 모델을 확장하는 과정에서 발생한다. 따라서 기존

의 프로세스 모델에 활동과 경로를 추가하는 것은 프로세스 수정이 아니라 프로세스 확장이다.

2. 정답 ④ 난이도 ★★☆ | 정답률 49%

내용영역 과학기술 문항 유형 정보의 추론과 해석

[정답 풀이]

④ 프로세스 마이닝은 예상된 이벤트 로그에 적용하는 것이 아니라 이벤트 로그에서 정보를 추출하는 기법이고, 프로세스 모델 중심의 기법이 아니라 프로세스 모델 중심 분석기법과 데이터 중심 분석기법을 연결하는 역할을 하는 기법이다.

1문단 "프로세스 마이닝은, …… 프로세스 모델 중심 분석기법과, …… 데이터 중심 분석기법을 연결하는 역할을 한다."와 2문단 "프로세스 마이닝은 …… 이벤트 로그에서 프로세스에 관련된 가치 있는 정보를 추출하는 것이다."에 따르면, 프로세스 마이닝은 이벤트 로그에서 정보를 추출하는 기법으로, 프로세스 모델 중심 분석기법과 데이터 중심 분석기법을 연결하는 역할을 한다. 따라서 예상된 이벤트 로그에 적용할 프로세스 모델 중심의 기법이 아니다.

[오답 풀이]

① 4문단 "먼저 기존의 프로세스 모델이 적절함에도 불구하고 업무 담당자가 이를 준수하지 않는 경우를 들 수 있다."에 따르면, 프로세스 마이닝을 통해 업무 담당자의 규정 준수 여부를 파악할 수 있다. 따라서 프로세스 마이닝을 도입하면 내부 규정의 준수 여부에 대한 감독이 용이해질 것이다.

② 4문단 "적합성 검증이란 기존의 프로세스 모델과 이벤트 로그 분석에서 도출된 결과를 비교하여 어느 정도 일치하는지를 확인하는 것이다."에 따르면, 프로세스 마이닝의 유형 중 하나인 적합성 검증은 기존의 프로세스 모델을 도출 결과와 비교하여 일치 정도를 확인하는 것이다. 따라서 프로세스 마이닝을 통해 기존의 프로세스 모델이 실제로 어떻게 수행되는가를 파악할 수 있을 것이다.

③ 3문단 "(프로세스 발견을 통해) 도출된 프로세스 모델이 복잡하여 유의미한 분석이 곤란할 경우, 퍼지 마이닝이나 클러스터링 기법을 활용할 수 있다."와 "퍼지 마이닝은 …… 프로세스 모델을 단순화해 주는 기법이다." 그리고 "클러스터링은 …… 프로세스 모델의 복잡도가 줄어든다."에 따르면, 프로세스 마이닝은 업무 처리 과정이 비정형적이어서 프로세스 모델이 복잡한 경우에도 퍼지 마이닝이나 클러스터링 기법을 활용하여 업무 분석을 할 수 있다.

⑤ 5문단 "프로세스 향상에는 두 유형이 있다. …… 다른 하나는 업무 수행 시간 및 담당자 등 이벤트 로그 분석에서 얻은 부가적 정보를 추가하여 발견된 프로세스 모델을 '확장'하는 것이다."에 따르면, 프로세스 향상의 유형에 해당하는 '확장'은 프로세스 마이닝을 통해 발견된 프로세스 모델을 확장하는 것이다. 프로세스 향상은 프로세스 마이닝의 유형 중 하나이므로, 프로세스 마이닝은 기존의 프로세스 모델뿐 아니라 발견으로 도출된 프로세스 모델을 향상하는 데에도 활용된다고 볼 수 있다.

3. 정답 ⑤ 난이도 ★★★ | 정답률 22%

내용영역 과학기술 문항 유형 정보의 평가와 적용

[정답 풀이]

⑤ 외래 환자의 대기 시간을 분석하기 위해서는 외래 환자의 진료 업무가 수행되는 시간에 대한 정보가 필요하다. 그런데 2문단 "(이벤트 속성으로) 필수적인 것은 사례 ID, 활동명, 발생 시점이며, 다양한 분석을 위해 그 외 속성들도 추가될 수 있다."에 따르면, 업무 시간에 대한 정보는 필수적인 정보가 아니고 추가되어야 하는 정보이다. 그리고 5문단 "다른 하나는 업무 수행 시간 및 담당자 등 이벤트 로그 분석에서 얻은 부가적 정보를 추가하여 발견된 프로세스 모델을 '확장'하는 것이다."에 따르면, 업무 수행 시간 등의 정보를 추가하는 것은 프로세스 모델의 확장이라고 할 수 있다. 즉 외래 환자의 대기 시간 분석을 위해서는 업무 수행 시간이라는 속성이 추가되는 프로세스 확장이 필요하다.

[오답 풀이]

① 필수적 속성만으로는 연령 및 질환을 기준으로 클러스터링을 할 수 없다.

3문단 "클러스터링은 특성이 유사한 사례들을 같은 그룹으로 묶어주는 기법이다."에 따르면, 클러스터링은 전체 이벤트 로그를 세분화하여 특성이 유사한 사례들끼리 묶어주는 방법이다. 연령 및 질환을 기준으로 클러스터링하기 위해서는 연령 및 질환이 이벤트 로그의 속성이 되어야 한다. 그런데 2문단 "(이벤트 속성으로) 필수적인 것은 사례 ID, 활동명, 발생 시점이며"에 따르면, 연령 및 질환은 필수적인 정보가 아니다. 따라서 필수적 속성만으로는 연령 및 질환을 기준으로 클러스터링을 할 수 없다.

② 기존의 프로세스 모델과 이벤트 로그 분석 결과가 불일치한다고 하여 반드시 업무 담당자의 업무 수행 실태를 교정해야 하는 것은 아니다.

4문단 "기존의 프로세스 모델과 이벤트 로그에서 도출된 결과물이 불일치하는 경우가 발생하는데, …… 이와 달리 이벤트 로그의 분석 결과물이 더 적절한 것으로 판단되는 경우에는 기존의 프로세스 모델을 수정할 필요가 있다."에 따르면, 기존의 프로세스 모델과 도출 결과가 불일치할 경우, 기존의 프로세스 모델이 적절하면 업무 담당자의 업무 수행 실태를 교정한다. 그러나 분석 결과물이 더 적절하면 기존 프로세스 모델을 수정한다. 따라서 이벤트 로그 분석 결과물이 더 적절한 경우에는 업무 수행 실태를 교정하지 않아도 되므로 의료진에 대한 제재 조치나 지침 재교육이 필수적인 것은 아니다.

③ 임곗값 조절은 복잡한 프로세스 모델을 단순화하여 분석 가능한 프로세스 모델을 도출하기 위한 것이다.

3문단 "퍼지 마이닝은 …… 프로세스 모델을 단순화해 주는 기법이다. 이때 프로세스 모델에 나타난 활동과 경로에 대한 임곗값을 설정하여 모델의 복잡도를 조절할 수 있다."에 따르면, 프로세스 마이닝에서 임곗값을 설정하는 것은 복잡한 프로세스 모델에서 실행 빈도가 낮은 활동을 제거하여 프로세스 모델을 단순화하기 위한 것이다. 즉 임곗값 조절은 이벤트 속성에서 분석이 가능한 프로세스 모델을 도출하기 위한 방법이지, 빈번하게 수행되는 진료 프로세스 수행 패턴을 가려내기 위한 것이 아니다.

④ 사례 ID는 이벤트 로그에서 필수적인 속성이므로 제외할 수 없다.
2문단 "이때 기록되는 속성으로 필수적인 것은 사례 ID, 활동명, 발생 시점이며"에 따르면, 사례 ID는 이벤트 로그의 필수 속성이다. 따라서 환자의 개인정보 보호가 필요하더라도 프로세스 마이닝을 적용할 때, 사례 ID는 이벤트 로그에서 제외할 수 없다.

[4~6] 제재 | 고진의 풍경론
난이도 | ★★☆

4. 정답 ⑤ 난이도 ★★☆ | 정답률 74%
내용영역 인문 문항 유형 정보의 확인과 재구성

[정답 풀이]

⑤ 구니키다 돗포의 소설에 나오는 주인공은 사적 관계를 기피하는 인물이다.
3문단 "가령, 작가 구니키다 돗포의 소설에는 외로움을 느끼지만 정작 자기 주변의 이웃과 사귀지 않고 …… 그들에게 자신의 감정을 일방적으로 투사하는 주인공이 등장한다."와 "실제 이웃과의 관계 맺기를 기피한 채, …… 인간마저도 하나의 풍경으로 취급해 버리는 주인공"에 따르면, 주인공은 이웃과 사적 관계 맺기를 기피하고 자신의 감정을 투영하여 이들을 하나의 풍경으로 취급해 버리는 인물이다. 따라서 구니키다 돗포 소설의 주인공은 사적 관계에 몰두하는 인물이라고 볼 수 없다.

[오답 풀이]

① 1문단 "15세기 초 브루넬레스키가 제안한 선원근법은 서양의 풍경화에 큰 변화를 가져왔다. 고정된 한 시점에서 대상을 통일적으로 배치하는 기하학적 투시도법으로 인간의 눈에 보이는 대로 자연을 화폭에 담을 수 있게 된 것이다."에 따르면, 선원근법은 인간의 눈에 보이는 대로 자연을 그릴 수 있도록 해 준 기법이다. 이때 눈에 보이는 대로 그릴 수 있게 되었다는 것은 풍경화에 사실감을 부여할 수 있게 되었다는 의미이다. 따라서 브루넬레스키가 제안한 선원근법은 풍경화에 사실감을 부여했음을 알 수 있다.

② 4문단 "리얼리즘의 본질을 '낯설게 하기'에서 찾는 러시아 형식주의의 견해 또한 마찬가지이다. 너무 익숙해서 실은 보고 있지 않은 것을 보게 만들어야 한다는 이 견해"에 따르면, 러시아 형식주의자들은 너무 익숙해서 실은 보고 있지 않은 것을 보게 만들어야 한다고 주장했다. 그런데 너무 익숙해서 실은 보고 있지 않은 것을 보게 만드는 것은 익숙한 세계를 새롭게 인식하는 것이다. 따라서 러시아 형식주의자들은 익숙한 세계를 새롭게 인식해야 한다고 주장했음을 알 수 있다.

③ 1문단 "고정된 한 시점에서 대상을 통일적으로 배치하는 기하학적 투시도법으로 인간의 눈에 보이는 대로 자연을 화폭에 담을 수 있게 된 것이다."에 따르면, 풍경화는 기하학적 투시도법을 적용하여 인간의 눈에 보이는 대로 대상을 재현한다. 반면 마지막 문단 "기하학적 투시도법을 따르지 않는 산수화에는 그야말로 자연이 있는 그대로 재현된 것처럼 보이니 말이다. 그러나 산수화의 소나무조차도 화가의 머릿속에 있는 소나무라는 관념을 묘사한 것이지 특정 시공간에 실재하는 소나무가 아니다."에 따르면, 산수화는 기하학적 투시도법을 적용하지 않고 대상에 대한 관념을 재현한다. 즉 기하학적 투시도법을 적용하는 풍경화는 인간의 눈에 보이는 대로 대상을 재현하고, 기하학적 투시도법을 적용하지 않는 산수화는 관념에 따라 대상을 재현한다는 점에서 대상의 재현 양상이 대비된다고 할 수 있다.

④ 5문단 "작가 나쓰메 소세키는 '문학이란 무엇인가'라는 질문을 던졌을 때, 자신이 참고해 온 문학책들이 자신의 통념을 만들고 강화했을 뿐이라는 사실을 깨닫고는 책들을 전부 가방에 넣어 버렸다."에 따르면, 나쓰메 소세키는 문학책을 참고하여 문학을 연구하였고, 이때 참고한 문학 서적들이 자신의 통념을 만들고 강화했을 뿐이라는 사실을 깨달았다. 이때 자신의 통념을 만들고 강화한 것은 자기 반복이다. 따라서 나쓰메 소세키는 문학 서적을 통해서 문학을 연구하는 작업이 자기 반복이라고 보았음을 알 수 있다.

5. 정답 ⑤ 난이도 ★★☆ | 정답률 70%
내용영역 인문 문항 유형 정보의 추론과 해석

[정답 풀이]

3문단 "고진은 인간마저도 하나의 풍경으로 취급해 버리는 주인공으로부터, 전도된 시선을 통해 풍경을 발견하는 '내적 인간'의 전형을 읽는다."와 4문단 "이미 풍경에 익숙해진 사람은 주관에 의해 배열된 세계를 벗어나지 못하고 …… 만일 이러한 믿음에서 나온 외부 세계의 모사를 리얼리즘이라 부른다면 그것이 곧 전도된 시선에서 비롯된 것임을 알아야 한다고 말한다."에 따르면, 전도된 시선은 주관에 의해 배열된 세계를 벗어나지 못하고, 눈에 보이는 것이 본래적인 세계의 모습이라 믿는 것이다. 이때 눈에 보이는 것이 본래적인 세계의 모습이라 믿는 것은 주관적 시각을 통해 구성된 세계를 객관적 현실이라 믿는 것이다. 따라서 전도된 시선은 주관적 시각을 통해 구성된 세계를 객관적 현실이라 믿는 것이라 볼 수 있다.

6. 정답 ③ 난이도 ★★☆ | 정답률 46%
내용영역 인문 문항 유형 정보의 평가와 적용

[정답 풀이]

<보기>에서 최재서는 내면성과 자아의 실험적 표현을 추구하는 이상의 소설을 사실적 묘사라는 관점에서 '리얼리즘의 심화'라고 비평한다. 이는 내면성이나 자아라는 관점(주관의 재현)과 대상의 사실적 묘사라는 관점(객관의 재현)이 서로 얽혀 있다는 고진의 풍경론과 유사한 관점이다. 나아가 작품의 해석에 미리 확정된 관점이나 범주가 없다는 최재서의 결론은 풍경 안에 갇혀 있다는 사실을 자각하고 고정된 시점을 의심해야 한다는 고진의 결론과 유사한 것으로 파악할 수 있다.

③ "내면성과 자아의 실험적 표현을 추구하는 작품도 리얼리즘에 속할 수 있다는 의견"은 <보기>에서 이상의 소설에 대한 최재서의 의견이다. 그리고 4문단 "고진의 풍경론은 한쪽에서는 내면성

이나 자아라는 관점을, …… 주관의 재현과 객관의 재현을 내세우기에 마치 상반된 듯 보이지만 사실 두 관점은 서로 얽혀 있다는 것이다."와 5문단 "고진은 소세키야말로 자신이 풍경에 갇혀 있다는 사실을 자각했던 것이라 본다. …… 이른바 '풍경 속의 불안'이 시작되는 것이다."에 따르면, 리얼리즘은 전도된 시선에서 비롯된 것이며, 이렇게 자신이 전도된 시선으로 보는 풍경 안에 갇혀 있다는 사실을 자각하는 이는 자신의 고정된 시점 자체에 질문을 던지며 회의한다. <보기>에서 최재서는 이상의 「날개」는 특정 대상의 내면까지도 '주관의 막을 제거한 카메라'를 들이대어 투명하게 조망한 사례라고 하였으므로, 고진의 관점에서는 특정 대상의 내면을 사실적 묘사라는 관점으로 바라본 이상의 「날개」에 대해 풍경 안에 갇혀 있음을 자각한 것이라 해석될 것이다.

[오답 풀이]

① 대상에 따라 관점이 이동할 수 있는 것은 고진에게는 자신이 풍경 안에 갇혀 있다는 사실을 자각한 것이라 해석될 것이다.
5문단 "고진은 소세키야말로 자신이 풍경에 갇혀 있다는 사실을 자각했을 것이라 본다. …… 결국 자신의 고정된 시점 자체에 질문을 던지며 회의할 수밖에 없다."에 따르면, 시점은 고정되어 있으며, 자신이 풍경에 갇혀 있다는 사실을 자각한 작가는 고정된 시점에 회의한다. 따라서 대상에 따라 관점이 이동할 수 있다는 최재서의 의견은, 고진에게는 작가의 머릿속에 있는 관념이 서양 풍경화의 방식으로 재현되는 것이라 해석되는 것이 아니라, 풍경 안에 갇혀 있다는 사실을 자각한 것이라 해석될 것이다.

② 고진에게는 주관이 외부를 적극적으로 파악하는 것은 풍경 속의 불안을 벗어난 것이 아니다.
5문단 "일단 고정된 시점이 생기면 그에 포착된 모든 것은 좌표에 따라 배치되며 …… 결국 자신의 고정된 시점 자체에 질문을 던지며 회의할 수밖에 없다."에 따르면, 작품 해석에 미리 확정된 범주란 없다는 의견은 곧 고정된 시점 자체에 질문을 던지며 회의하는 이른바 '풍경 속의 불안'을 인식한 것이라 할 수 있다. 그런데 마지막 문단 "요컨대 질문을 던지며 회의한들 …… 막연한 불안이 생기는 사태를 막을 수는 없다."에 따르면, '풍경 속의 불안'은 애초에 벗어날 수 없는 것이다. 따라서 고진에게는 주관이 외부를 적극적으로 파악하는 것은 풍경 속의 불안을 벗어난 것이 아님을 알 수 있다.

④ 「날개」가 대상의 내면에 주관의 막을 제거한 카메라를 들이댔다는 의견은, 고진에게는 주관의 재현과 객관의 재현이 서로 얽혀 있는 것이라 해석될 것이다.
4문단 "고진의 풍경론은 한쪽에서는 내면성이나 자아라는 관점을, …… 주관의 재현과 객관의 재현을 내세우기에 마치 상반된 듯 보이지만 사실 두 관점은 서로 얽혀 있다는 것이다."에 따르면, 고진은 내면성이나 자아가 사실적 묘사와 관계있다고 보고 있다. 이를 봤을 때, <보기>에서 "「날개」는 특정 대상의 내면까지도 '주관의 막을 제거한 카메라'를 들이대어 투명하게 조망한 사례이다."라는 최재서의 의견은, 고진에게는 주관의 재현과 객관의 재현이 상반되는 것이 아니라 얽혀 있는 것이라 해석될 것이라 볼 수 있다.

⑤ 고진이 말하는 '내적 인간'은 풍경에 갇혀 있다는 사실을 자각하지 못할 뿐이지, 풍경을 지각하지 못하는 것이 아니다.
3문단 "고진은 인간마저도 하나의 풍경으로 취급해 버리는 주인공으로부터, 전도된 시선을 통해 풍경을 발견하는 '내적 인간'의 전형을 읽는다."에 따르면, '내적 인간'이란 주관적 시각을 통해 구성된 세계를 객관적 현실이라 믿는, 즉 전도된 시선을 통해 풍경을 발견하는 인물이다. 즉 고진이 말하는 '내적 인간'은 풍경에 갇혀 있다는 사실을 자각하지 못할 뿐이지, 풍경을 지각하지 못하는 것이 아니다. 따라서 이상이 「날개」에서 자폐적으로 자기 세계에 갇혀 지내는 사내를 그렸다는 의견은, 고진에게는 풍경을 지각하지 못하는 인물을 그린 것이라고 해석될 수 없다.

[7~9] 제재 | 롤스의 평등론에 대한 싱어의 비판
난이도 | ★☆☆

7. 정답 ④ 난이도 ★☆☆ | 정답률 87%

내용영역 규범 문항 유형 주제, 구조, 관점 파악

[정답 풀이]

④ 1문단 "모든 인간은 평등하다고 말하는데, 이 말은 무슨 뜻일까? 그리고 그 근거는 무엇인가? 일단 이 말을 모든 인간을 모든 측면에서 똑같이 대우하는 절대적 평등으로 생각하는 이는 없다. 인간은 저마다 가지고 태어난 능력과 소질을 똑같게 만들 수 없기 때문이다."에 따르면, 평등하다는 것이 결과를 평등하게 만든다는 것은 아니다. 그리고 3문단 "그는 어떤 규칙이 공평하고 일관되게 운영되며, 그 규칙에 따라 유사한 경우는 유사하게 취급된다면 형식적 정의는 실현된다고 본다."에 따르면, 규칙에 따라 유사한 경우는 유사하게 취급하는 것이 형식적 정의에 해당한다. 따라서 형식적 정의가 실현되어도 결과는 불평등할 수 있다.

[오답 풀이]

① 형식적 정의에서도 차별적 대우가 허용된다.
2문단 "평등에 대한 요구는 모든 불평등을 악으로 보는 것이 아니라 …… 차별적 대우를 하는 것을 허용한다."에 따르면, 평등은 차별적 대우를 허용한다. 그리고 3문단 "롤스는 기존의 자연권 사상에 의존하지 않는 방식으로 …… 그 규칙에 따라 유사한 경우는 유사하게 취급된다면 형식적 정의는 실현된다고 본다."에 따르면, 형식적 정의는 평등의 근거에 대한 설명에 해당한다. 이때 형식적 정의 역시 평등이 허용하는 것은 인정할 것이다. 따라서 형식적 정의에서도 차별적 대우가 허용된다고 볼 수 있다.

② 절대적 평등이 결과적인 평등을 가져온다고 볼 수 없다.
1문단 "모든 인간을 모든 측면에서 똑같이 대우하는 절대적 평등"에 따르면, 절대적 평등은 모든 인간을 모든 측면에서 똑같이 대우하는 것이다. 그러나 1문단 "인간은 저마다 다르게 가지고 태어난 능력과 소질을 똑같게 만들 수 없기 때문이다."에 따르면, 인간의 능력과 소질은 똑같지 않다. 따라서 능력과 소질의 차이가 있기 때문에 모든 인간을 절대적으로 평등하게 대우한다고 해서 결과적으로 모든 인간이 똑같이 평등한 상황을 만들어 낸다고 할 수 없다.

③ 불평등도 평등의 이념에 부합할 수 있다.

2문단 "평등에 대한 요구는 모든 불평등을 악으로 보는 것이 아니라 충분한 이유가 제시되지 않은 불평등을 제거하는 데 목표를 두고 있다."에 따르면, 불평등도 충분한 이유가 제시된다면 평등에 대한 요구에 부합할 수 있다. 따라서 불평등은 충분한 이유가 있더라도 평등의 이념에 부합하지 않는다고 볼 수 없다.

⑤ 인간의 능력은 절대적으로 평등하게 만들 수 없다.

1문단 "(모든 인간은 평등하다는) 이 말을 모든 인간을 모든 측면에서 똑같이 대우하는 절대적 평등으로 생각하는 이는 없다. 인간은 저마다 다르게 가지고 태어난 능력과 소질을 똑같게 만들 수 없기 때문이다. 절대적 평등은 개인의 개성이나 자율성 등의 가치와 충돌하기도 한다."에 따르면, 인간의 능력을 모두 동일하게 만드는 것은 불가능하다. 즉 인간의 능력을 절대적으로 평등하게 만들 수 없음을 알 수 있다.

8. 정답 ① 난이도 ★★☆ | 정답률 52%

내용영역 규범 문항 유형 정보의 추론과 해석

[정답 풀이]

① 롤스에서 평등의 근거가 되는 특성을 가지지 못한 존재는 도덕과 무관하다.

4문단 "그는 평등한 대우를 받기 위한 영역 성질로서 '도덕적 인격'을 제시한다."와 "도덕적 인격이라고 해서 도덕적으로 훌륭하다는 뜻이 아니라 도덕과 무관하다는 말과 대비되는 뜻으로 쓰고 있다."에 따르면, 도덕적이라는 말과 대비되는 말은 도덕과 무관하다는 말이다. 따라서 평등의 근거가 되는 특성을 가지지 못한 존재인 도덕적이지 않은 존재는 부도덕한 존재(도덕적으로 나쁜 존재)가 아니라 도덕과 무관한 존재임을 알 수 있다.

[오답 풀이]

② 4문단 "그는 평등한 대우를 받기 위한 영역 성질로서 '도덕적 인격'을 제시한다. …… 이 능력을 최소치만 갖고 있다면 평등한 대우에 대한 권한을 갖게 된다."에 따르면, 롤스는 최소한의 능력만 갖추고 있다면 평등한 대우에 대한 권한을 인정한다. 따라서 롤스에서 영역 성질은 정도의 차를 감안하지 않는 동일함을 가리킨다고 볼 수 있다.

③ 마지막 문단 "그에 따르면 어떤 존재가 이익, 즉 이해관계를 갖기 위해서는 기본적으로 고통과 쾌락을 느낄 수 있는 능력을 갖고 있어야 한다. 그리고 그 능력을 가진 존재는 이해관계를 가진 존재이기 때문에 평등한 도덕적 고려의 대상이 된다."에 따르면, 싱어는 인간이 아니라 고통과 쾌락을 느낄 수 있는 능력을 갖는 존재라면 평등한 도덕적 고려의 대상이 된다고 보았다. 따라서 싱어는 인간이 아닌 존재가 느끼는 고통과 쾌락도 도덕적으로 고려해야 한다고 볼 것이다.

④ 마지막 문단 "그 능력을 가진 존재는 이해관계를 가진 존재이기 때문에 평등한 도덕적 고려의 대상이 된다. 이때 이해관계가 강한 존재를 더 대우하는 것이 가능하다."에 따르면, 싱어는 이해관계를 가진 도덕적 고려의 대상 사이에서도 이해관계가 강한 존재에 대해 차별적 대우를 하는 것이 가능하다고 본다. 따라서 싱어는 도덕적으로 평등한 사람들도 이해관계가 강한 존재를 더 대우함으로써 차별적 대우를 받을 수 있다고 본 것이라 할 수 있다.

⑤ 마지막 문단 "도덕에 대한 민감성의 수준은 사람에 따라 다르다. …… 그것을 갖춘 정도에 따라 도덕적 위계를 다르게 하지 말아야 할 이유가 분명하지 않다고 말한다."에 따르면, 싱어는 도덕에 대한 민감성이 사람마다 다르며, 그로 인해 도덕적 인격의 능력도 사람마다 다르다는 것을 인정한다. 또한 4문단 "도덕적 인격이란 도덕적 호소가 가능하고 그런 호소에 관심을 기울이는 능력이 있다는 것인데, 이 능력을 최소치만 갖고 있다면 평등한 대우에 대한 권한을 갖게 된다."에 따르면, 롤스에게 도덕적 인격은 도덕적 호소에 관심을 기울이는 능력이다. 따라서 이는 도덕에 대한 민감성의 수준이라고 할 수 있다. 롤스는 이 능력을 최소치 이상 가질 수 있다고 보고 있으므로 도덕에 대한 민감성의 수준도 사람마다 차이가 있을 수 있음을 인정한다고 할 수 있다.

9. 정답 ④ 난이도 ★☆☆ | 정답률 81%

내용영역 규범 문항 유형 정보의 평가와 적용

[정답 풀이]

④ 병에 대해 롤스는 그 질병에 걸리지 않은 사람과 마찬가지로 평등하다고 생각할 것이다.

4문단 "롤스는 도덕적 인격을 규정하는 최소한의 요구 조건은 잠재적 능력이지 그것의 실현 여부가 아니기에 어린 아이도 평등한 존재라고 말한다."에 따르면, 롤스는 평등의 근거인 도덕적 인격의 실현 여부가 아니라 잠재적 능력이 중요하다고 보았다. <보기>에서 병이 질병으로 인해 도덕적 능력을 상실한 것은 일시적인 것이므로 잠재적 능력을 가지고 있다고 볼 수 있다. 따라서 병에 대해 롤스는 그 질병에 걸리지 않은 사람과 마찬가지로 평등하다고 생각할 것이다.

[오답 풀이]

① 마지막 문단 "싱어는 평등의 근거로 …… 기본적으로 고통과 쾌락을 느낄 수 있는 능력을 갖고 있어야 한다. 그리고 그 능력을 가진 존재는 …… 평등한 도덕적 고려의 대상이 된다."에 따르면, 싱어는 고통과 쾌락을 느낄 수 있는 존재는 도덕적 고려의 대상이 된다고 본다. <보기>에서 갑은 고통을 느끼는 능력을 회복 불가능하게 상실하였다. 따라서 갑에 대해 싱어는 도덕적 고려의 대상이 아니라고 볼 것이다.

② 마지막 문단 "싱어는 평등의 근거로 …… 기본적으로 고통과 쾌락을 느낄 수 있는 능력을 갖고 있어야 한다. 그리고 그 능력을 가진 존재는 …… 이때 이해관계가 강한 존재를 더 대우하는 것이 가능하다."에 따르면, 싱어는 고통과 쾌락을 느낄 수 있는 능력이 더 강한 존재를 더 대우할 수 있다고 본다. 이때 싱어는 도덕적 능력은 고려하지 않는다. <보기>에서 을은 도덕적 능력을 선천적으로 결여했지만 고통을 느낄 수 있으므로 이해관계를 가지는 존재이다. 따라서 싱어는 고통과 쾌락을 느낄 수 있는 능력이 더 강한 존재를 더 대우할 수 있다고 보므로, 을이 도덕적 능력이 있는 사람보다 더 고통을 느낀다면, 더 대우를 받아야 한다고 생각할 것이다.

2021학년도

③ 마지막 문단 "한편 롤스에서는 …… 이는 통상적인 평등 개념과 어긋난다. 그래서 싱어는 평등의 근거로…… 평등한 도덕적 고려의 대상이 된다."에 따르면, 싱어는 도덕적인 능력으로 평등한 존재임을 구분하는 것은 통상적인 평등 개념에 어긋난다고 보며, 평등의 근거로 고통과 쾌락을 느낄 수 있는 능력의 유무로 평등한 존재임을 구분할 수 있다고 본다. <보기>에서 을은 고통을 느낄 수 있는 존재이므로 도덕적 고려의 대상이 된다. 따라서 싱어는 을이 도덕적 고려의 대상임을 설명할 수 있다는 점에서 자신의 설명이 통상적인 평등 개념에 부합한다고 생각할 것이다.

⑤ 마지막 문단 "한편 롤스에서는 도덕적 능력을 태어날 때부터 가지고 있지 않거나 …… 이는 통상적인 평등 개념과 어긋난다."에 따르면, 싱어는 롤스가 도덕적 능력이 선천적으로 결여되었거나 영구적으로 상실된 사람에게 도덕적 지위가 있다고 설명하지 못한다고 본다. <보기>에서 갑은 도덕적 능력을 회복 불가능하게 상실하였고, 을은 도덕적 능력을 선천적으로 결여했다. 따라서 싱어는 롤스가 갑과 을에 대해 도덕적 인격임을 설명하지 못할 것이라고 볼 것이다.

[10~12] 제재 | 윤기, 「논형법」
난이도 | ★★☆

10. 정답 ①

난이도 ★★★ | 정답률 25%

내용영역 규범 | 문항 유형 주제, 구조, 관점 파악

[정답 풀이]

① 2문단 "형법은 선왕들이 통치에서 전적으로 믿고 의지하는 도구는 아니었지만 교화를 돕는 수단이었고, 백성들이 그른 짓을 하지 않도록 역할을 해 왔다."와 마지막 문단 "지금은 교화가 쇠퇴하여 인심이 거짓을 일삼으며, 저마다 자신의 잇속만 챙기면서 풍속도 모두 무너졌다."에 따르면, 글쓴이는 형법은 교화를 돕는 수단이어야 한다고 주장한다. 그리고 2문단 "그렇다고 해서 그보다 더 무거운 형벌로 과도하게 적용하면 죽이지 않아도 될 범죄자를 죽일 수 있어 적당하지 않다."에 따르면, 글쓴이는 죄보다 더 무거운 형벌로 과도하게 적용하는 것은 적당하지 않다고 본다. 따라서 글쓴이는 교화를 중시하고 형벌의 과도한 적용을 삼가야 한다고 생각한다고 볼 수 있다.

[오답 풀이]

② 글쓴이는 살인자의 유배가 가능하다고 주장한다.
3문단 "살인자가 …… 변방으로의 유배를 그대로 집행하는 것이 양쪽을 모두 보전하는 일이다."에 따르면, 글쓴이는 살인을 저지른 중죄인이 유배되는 일이 없어야 한다고 주장하고 있는 것이 아니다.

③ 글쓴이는 사형과 같은 형벌에 찬성한다.
6문단 "만약 무고한 사람이 살해되었다면, …… 반드시 목숨으로 갚도록 해야 한다."에 따르면, 글쓴이는 살인자에게 사형을 내려야 한다는 입장이므로 사형의 폐지를 주장하지 않음을 알 수 있다.

④ 글쓴이는 형벌로 보복을 대신하려고 하는 응보적인 경향에 대해 찬성한다.
6문단 "만약 무고한 사람이 살해되었다면, …… 이로써 죽은 자의 원통한 혼령을 위로할 뿐 아니라, 과부와 고아가 된 이가 원수 갚고자 하는 마음을 위로할 수 있으며, 또한 천리를 밝히고 나라의 기강을 떨치는 일이다. 보는 이들의 마음을 통쾌하게 할 뿐 아니라 후대의 징계도 되니, 또한 좋지 않겠는가."에 따르면, 살인자를 사형이라는 형벌로 보복을 대신하는 것이 통쾌하다고 본다. 따라서 글쓴이는 형벌로 보복을 대신하려고 하는 응보적인 경향에 대해 찬성하는 입장이라고 볼 수 있다.

⑤ 글쓴이는 무고하게 살해된 피해자를 고려하면 사형이 합당한 처벌이라고 본다.
6문단 "만약 무고한 사람이 살해되었다면, …… 반드시 목숨으로 갚도록 해야 한다."에 따르면, 글쓴이는 무고하게 살해된 피해자를 고려하면 사형이 합당한 처벌이라고 본다. 따라서 글쓴이는 무고하게 살해된 피해자를 고려하면 의형은 합당한 처벌이 아니라고 볼 것이다.

11. 정답 ②

난이도 ★★☆ | 정답률 69%

내용영역 규범 | 문항 유형 정보의 추론과 해석

[정답 풀이]

② 1문단 "상고 시대 법에서 오형은 중죄인에 대하여 이마에 글자를 새기고(묵형) 코나 팔꿈치, 생식기를 베어 내고(의형, 비형, 궁형), 죽이는(대벽) 형벌이었다."와 4문단 "신체에 가하는 형벌인 육형(肉刑)으로 오형만 있었던 상고 시대에 순임금이 그 참혹함을 차마 볼 수 없어서 유배, 속전, 채찍, 회초리의 형벌을 만들었다고 한다."에 따르면, 상고 시대 법(㉠)에서 중죄인에 대한 형벌이었던 오형은 신체에 가하는 형벌인 육형에 해당한다. 따라서 상고 시대 법(㉠)에서 중죄에 대한 형벌을 육형으로 하는 것이 원칙이었다고 볼 수 있다.

[오답 풀이]

① 상고 시대 법(㉠)에서는 경미한 죄에 오형을 적용하지 않았다.
1문단 "상고 시대 법에서 오형은 중죄인에 대하여 …… 형벌이었다. …… 나머지 경죄는 채찍이나 회초리를 쳤는데……."에 따르면, 상고 시대 법(㉠)에서 오형은 중죄인에 대한 형벌이었고, 나머지 경죄는 채찍이나 회초리로 벌을 내렸다. 따라서 상고 시대 법(㉠)에서는 경미한 죄에 오형을 적용하지 않았다고 볼 수 있다.

③ 지금의 법(㉡)에서 유배형도 속전의 대상이 된다.
2문단 "지금의 법을 보면, 유배형과 노역형이 간악한 이를 효과적으로 막지 못하고 있다."에 따르면, 유배형은 정식 형벌이다. 그리고 3문단 "지금은 살인과 상해에 대하여도 속전할 수 있도록 하여, 재물 있는 이들이 사람을 죽이거나 다치게 하도록 만드니, …… 변방으로의 유배를 그대로 집행하는 것이 양쪽을 모두 보전하는 일이다."에 따르면, 유배형에 해당하는 형벌도 속전의 대상이었다. 따라서 지금의 법(㉡)에서 유배형도 속전의 대상이 된다고 볼 수 있다.

④ 유배형처럼 상고 시대 법(㉠)에서 오형에 해당하지 않는 형벌은 지금의 법(㉡)에서도 집행된다.

1문단 "오형(五刑)은 …… 정상이 애처롭거나 신분과 공로가 높은 경우에는 예외적으로 오형 대신 유배형을 적용하였다. 나머지 경죄는 채찍이나 회초리를 쳤는데 따져볼 여지가 있는 경우에는 돈으로 대속할 수 있도록, 곧 속전(贖錢)할 수 있도록 하였다."에 따르면, 오형에 해당하지 않는 형벌은 유배형, 채찍이나 회초리, 속전 등이었다. 2문단 "지금의 법을 보면, 유배형과 노역형이 간악한 이를 효과적으로 막지 못하고 있다."와 3문단 "지금은 살인과 상해에 대하여도 속전할 수 있도록 하여, 재물 있는 이들이 사람을 죽이거나 다치게 하도록 만드니……"에 따르면, 지금의 법(㉡)에도 유배형과 속전이라는 형벌이 존재한다. 따라서 상고 시대 법(㉠)에서 오형에 해당하지 않는 유배형, 속전 등의 형벌은 지금의 법(㉡)에서도 집행된다고 할 수 있다.

⑤ 지금의 법(㉡)에서도 상고 시대 법(㉠) 중 오형에 해당하는 죽이는 형벌이 남아 있다.

1문단 "오형(五刑)은 중죄인에 대하여 이마에 글자를 새기고(묵형) 코나 팔꿈치, 생식기를 베어 내고(의형, 비형, 궁형), 죽이는(대벽) 형벌이었다."에 따르면, 오형은 묵형, 의형, 비형, 궁형, 대벽으로 나뉜다. 이때 대벽은 죽이는 형벌, 즉 참형에 해당한다. 그리고 2문단 "그렇다고 해서 그보다 더 무거운 형벌로 과도하게 적용하면 죽이지 않아도 될 범죄자를 죽일 수 있어 적당하지 않다."에 따르면, 지금의 법에서도 범죄자를 죽이는 형벌이 남아 있다. 따라서 상고 시대 법(㉠)에서의 오형이 지금의 법(㉡)에서 모두 사라진 것이 아니다.

12. 정답 ⑤

난이도 ★★★ | 정답률 37%

내용영역 규범 | 문항 유형 정보의 평가와 적용

[정답 풀이]

⑤ 유배의 효과가 없을 때 의형이나 비형을 되살릴 수 있다는 것에 대해서는 두 글이 다른 태도를 보일 것이다.

2문단 "지금의 법을 보면, 유배형과 노역형이 간악한 이를 효과적으로 막지 못하고 있다. 따라서 예전처럼 의형, 비형을 적용한다면, …… 선왕의 뜻과 시의에 알맞은 일이다."에 따르면, 제시문은 유배의 효과가 없을 때 의형이나 비형을 되살릴 수 있다는 것에 대해서 찬성하는 입장임을 알 수 있다. 반면 <보기> "……육형으로 끊어진 팔꿈치를 다시 붙일 수 없는 참혹함을 받아들이지 못하는 어진 정치에서 비롯한 것임을 알 수 있다."에 따르면, 속전은 의형의 참혹함을 받아들이지 못하는 데에서 비롯된 어진 정치이다. 즉 의형을 참혹한 형벌로, 속전을 어진 정치로 받아들인 것이다. 따라서 <보기>는 유배의 효과가 없다고 하여 의형을 되살릴 수 있다는 데 반대할 것이라고 추론할 수 있다.

[오답 풀이]

① 5문단 "지금의 사법관들은 죄수를 신중히 살핀다는 흠휼(欽恤)을 잘못 이해하여서, …… 참형에 해당하는 것이 유배형이 되고, 유배될 것이 노역형이 되고, 노역할 것이 곤장형이 되고, 곤장 맞을 것을 회초리로 맞게 되니, 이는 뇌물을 받아 법을 가지고 논 것이지 어찌 흠휼이겠는가?"에 따르면, 제시문은 법을 집행할 때 엄격하게 해야 한다는 입장이다. 그리고 <보기> "죽여야 할 사람을 끝없이 살리려고만 한다면 어찌 덕이 되겠는가. 흠휼은 …… 살리기만 좋아하는 것이 아니다."에 따르면, <보기> 또한 법을 집행할 때 엄격해야 한다는 점을 이야기하고 있다. 따라서 법을 엄격하게 집행해야 한다고 보는 점에서 두 글은 같은 태도를 보인다.

② 5문단 "지금의 사법관들은 죄수를 신중히 살핀다는 흠휼(欽恤)을 잘못 이해하여서, 사람의 죄를 관대하게 다루어 법 적용을 벗어나도록 해 주는 것으로 안다. …… 이는 뇌물을 받아 법을 가지고 논 것이지 어찌 흠휼이겠는가?"에 따르면, 지금의 사법관들은 흠휼을 잘못 이해하고 관대한 처벌을 내리려 함을 지적하고 있으며, 속전의 남용도 이로 인한 것이라고 할 수 있다. <보기> "지금의 법에서 속전은 …… 그에 해당하는 경우가 아니라면 부유함으로 처벌을 요행히 면해서는 안 되며, …… 흠휼은 한 사람이라도 죄 없는 자를 죽이지 않으려는 것이지 살리기만 좋아하는 것이 아니다."에 따르면, <보기>는 속전의 남용을 잘못된 것으로 지적하며, 흠휼은 살리기만 좋아하는 것이 아님을 강조한다. 따라서 제시문과 <보기> 모두 속전의 남용에 대해 흠휼을 오해한 소치로 보고 있음을 알 수 있다.

③ 1문단 "상고 시대 법에서 오형(五刑)은 …… 나머지 경죄는 채찍이나 회초리를 쳤는데 따져볼 여지가 있는 경우에는 돈으로 대속할 수 있도록, 곧 속전(贖錢)할 수 있도록 하였다."에 따르면, 상고 시대 법에서는 경죄 중에서 따져볼 여지가 있는 경우에 속전을 할 수 있었다. 그런데 <보기>에서는 상고 시대에 속전은 꼭 가벼운 형벌이 아니어도 의심스러운 경우에 적용한 것이라고 본다. 즉 중죄에도 의심스러운 경우에는 속전할 수 있다고 본 것이다. 따라서 상고 시대에 중죄를 속전할 수 있었는지에 대해서는 두 글이 서로 달리 보고 있다.

④ 3문단 "지금은 살인과 상해에 대하여도 속전할 수 있도록 하여, …… 무고한 피해자에게는 이보다 더 큰 불행이 있겠는가?"와 마지막 문단 "권문세가에는 너그럽고 한미한 집에는 각박하다. 똑같은 일에 법을 달리하고 똑같은 죄에 논의를 달리하여, 간사한 관리들이 법조문을 농락하고 기회를 잡아 장사하니, …… 이 통탄스러움을 이루 말로 다할 수 있겠는가."에 따르면, 현재 중죄에 대한 속전은 권문세가, 즉 부자들의 전유물이며, 고쳐야 하는 일이다. 따라서 제시문은 중죄에 대한 속전이 부자들의 전유물이므로 폐지하자는 것에 찬성할 것이다. 반면 <보기>는 지금의 법에서 속전은 정황이 의심스럽거나 사면에 해당하는 경우에만 비로소 허용된다고 본다. 즉 <보기>는 중죄의 경우라도 정해진 기준에 따라 속전이 허용될 수 있다는 입장이므로 자의적으로 속전이 적용된다고 여기지 않는다. 따라서 <보기>는 중죄에 대한 속전의 폐지에 반대할 것이므로, 중죄에 대한 속전을 폐지하자는 것에 대해서는 두 글이 다른 태도를 보일 것이다.

[13~15] 제재 | 권리와 권력의 관계에 대한 르포르의 견해
난이도 | ★★☆

13. 정답 ③ 난이도 ★★☆ | 정답률 65%

내용영역 사회 문항 유형 정보의 확인과 재구성

[정답 풀이]

③ 민주주의를 개인의 권리들의 관계가 만들어 내는 쟁의의 공간으로 이해하는 인물은 르포르이다.
마지막 문단 "결국 르포르는 권력이 제어할 수 있는 틀을 넘어 쟁의가 발생하는 장소로서 민주주의 국가를 제시함으로써……."에 따르면, 르포르는 쟁의가 발생하는 장소로서의 민주주의 국가를 제시하였다. 즉 민주주의를 개인의 권리들의 관계가 만들어 내는 쟁의의 공간으로 이해한 것이다. 따라서 민주주의를 개인의 권리들의 관계가 만들어 내는 쟁의의 공간으로 이해한 것은 자유주의자들이 아니라 르포르라고 할 수 있다.

[오답 풀이]

① 1문단 "아렌트가 고대 아테네의 시민적 덕성의 복원을 통한 정치적인 것의 활성화를 제기했다면, 르포르는 근대 민주주의 자체의 긴장에 주목하면서 '인권의 정치'를 통한 정치적인 것의 부활을 시도하였다."에 따르면, 아렌트는 시민적 덕성의 복원을 통해, 르포르는 '인권의 정치'를 통해 정치적인 것의 활성화를 시도하였다. 5문단 "공적 영역에서 실현되는 정치적 자유는, …… 정치적인 것의 활성화를 통해 공론장과 같은 민주적 공간을 구성한다."에 따르면, 정치적인 것의 활성화는 공적 공간의 민주화를 의미한다. 따라서 아렌트는 시민적 덕성의 복원을 통해, 르포르는 인권의 정치를 통해 공적 공간의 민주화에 대해 사유한다고 볼 수 있다.

② 1문단 "르포르는 자유주의가 …… 결국 민주주의를 개인과 국가의 표상관계를 통해 개인들의 이익의 총합으로서 국가의 단일성을 확보하기 위한 수단으로 볼 뿐이라고 비판한다."에 따르면, 자유주의자들은 개인과 국가의 표상관계를 통해 국가의 단일성을 이해한다. 여기서 국가의 단일성은 국가권력의 단일성을 의미한다. 그리고 5문단 "국가권력은 상징적으로는 단일하지만 실제적으로는 민주적으로 공유되어야 함에도, 이를 오해한 것이 전체주의이다."에 따르면, 르포르는 국가권력이 상징적으로 단일하다고 이해한다. 따라서 르포르는 근대 국가권력의 상징적 측면에서, 자유주의자들은 개인과 국가의 표상관계를 통해 권력의 단일성을 이해한다고 볼 수 있다.

④ 4문단 "근대 민주주의의 속성인 인민과 대표의 동일시에 따른 대표의 절대화를 통해 '하나로서의 인민'과 '사회적인 것의 총체로서의 당'에 대한 표상의 일치, 당과 국가의 일치, 결국 '일인' 통치로 귀결된 전체주의가 그 예라고 르포르를 비판한다."에 따르면, 근대 민주주의에서 피통치자인 인민과 통치자인 대표가 동일시되어 절대성을 갖게 되면서 전체주의로 귀결된다. 즉 피통치자로서의 인민과 통치자로서의 대표를 동일시하는 경향이 극단화되면 전체주의가 나타난다고 볼 수 있다.

⑤ 마지막 문단 "나아가 '권리들을 가질 수 있는 권리'라는 관념은 인간의 권리의 실현 조건으로서 국가권력이라는 틀 자체를 거부하면서, 자신이 거주하는 곳에서 권리의 실현을 요구하는 급진적 흐름으로서 세계시민주의의 가능성을 보여준다."에 따르면, 세계시민주의의 가능성은 인간의 권리의 실현 조건으로서 국가권력이라는 틀 자체를 거부하는 데에서 출발한다. 이때 국가권력이라는 틀 자체를 거부하는 것은 국민국가의 성원이라는 전제를 거부하는 것을 의미한다. 따라서 세계시민주의는 인간의 권리가 실현되는 조건으로 국민국가의 성원이라는 전제를 거부할 필요가 있음을 주장한다고 볼 수 있다.

14. 정답 ② 난이도 ★★☆ | 정답률 60%

내용영역 사회 문항 유형 주제, 구조, 관점 파악

[정답 풀이]

② 상징적 및 실제적 권력의 단일성에 근거하는 것은 전체주의이며, 근대의 민주적 권력이 권리를 확장시켜 온 것도 아니다.
5문단 "국가권력은 상징적으로는 단일하지만 실제적으로는 민주적으로 공유되어야 함에도, 이를 오해한 것이 전체주의이다."에 따르면, 르포르가 볼 때, 실제적 권력의 단일성에 근거하는 것은 전체주의이기 때문에 민주적 권력이라고 할 수 없다. 또한 마지막 문단 "역사적으로 다양한 권리들이 권력이 정한 경계를 넘어서 생성되어 왔다는 점을 강조한다."에 따르면, 르포르는 권력이 권리를 확장시켜 온 것이 아니라, 권력이 정한 권리들의 한계를 넘어설 때 권리가 확장되어 왔다는 입장임을 알 수 있다.

[오답 풀이]

① 3문단 "하지만 르포르가 제기하는 것은 권력이 권리에 순응해야 한다는 점이다. 특히 저항권은 시민 고유의 것이지 결코 국가에게 그것의 보장을 요구할 수 없는 것이다. 그것은 권력에 대한 권리의 선차성이며, 권력이 권리에 어떤 영향도 미칠 수 없다는 것을 의미한다."에 따르면, 저항권은 시민 고유의 권리이다. 그리고 시민 고유의 권리는 국가권력이 보장할 수 없는 권리이다. 따라서 르포르는 권리와 권력의 관계(㉠)에 대해서 국가권력이 보장할 수 없는 시민 고유의 권리가 존재할 수 있다고 본다.

③ 3문단 "근대에 '인간의 권리'는 '시민의 권리'로서 존재해 왔다. 인간은 특정 국민국가의 성원으로서 국가권력에 의해 인정될 때, 즉 이방인이었던 아렌트가 포착했던 '권리들을 가질 수 있는 권리'가 전제될 때 비로소 권리를 향유할 수 있다."에 따르면, 르포르는 근대국가에서 인간은 국가권력이 특정 국민국가의 성원으로서 권리를 인정해야만 권리를 향유할 수 있었다고 본다. 즉 국가권력이 개인을 국민이라는 성원으로 인정해야만 권리를 누릴 수 있었던 것이다. 따라서 르포르는 근대국가에서는 국가권력이 개인을 국민이라는 성원으로 인정하는 한에서 권리를 부여해 왔다고 본다.

④ 마지막 문단 "결국 르포르는 …… 법이 인정하는 한에서 권리를 사유하는 자유주의적 법치국가의 한계를 넘어서고자 하며, 역사적으로 다양한 권리들이 권력이 정한 경계를 넘어서 생성되어 왔다는 점을 강조한다."에 따르면, 국가권력이 정한 한계를 극복하면서 다양한 권리, 즉 기존에 인정되지 않았던 권리가 인정되었음을 알 수 있다.

⑤ 5문단 "공적 영역에서 실현되는 정치적 자유는, 시민들의 관계를

표현하는 장치이자 권력에 대한 통제 수단으로서 정치적인 것의 활성화를 통해 공론장과 같은 민주적 공간을 구성한다. …… 따라서 권리의 근원은 그 누구에 의해서도 독점되지 않는 권력이어야 한다."에 따르면, 권리는 시민들의 관계를 표현하는 장치이자 민주적 공간을 구성하는 권력에 대한 통제 수단으로서, 그 누구에 의해서도 독점되지 않아야 한다. 즉 르포르는 권리를 사회적 관계의 산물로 이해한 것이다. 따라서 르포르는 권리를 사회적 관계로 이해함으로써 권리는 누구도 독점할 수 없는 민주적 공간을 구성하는 동력이 된다고 본다.

15. 정답 ④ 난이도 ★★☆ | 정답률 78%

내용영역 사회 문항 유형 정보의 평가와 적용

[정답 풀이]

④ 마지막 문단 "역사적으로 다양한 권리들이 권력이 정한 경계를 넘어서 생성되어 왔다는 점을 강조한다. 이때 인권의 정치는 차별과 배제에 대한 저항과 새로운 주체들의 자유를 위한 무기가 된다."에 따르면, 르포르는 권리가 권력이 정한 경계를 넘어 생성되어 왔음을 강조하며 새로운 권리의 주체들이 자유를 얻어야 함을 주장한다. 즉 권력의 경계를 넘어 권리의 주체를 형성해야 한다고 주장한 것이다. 반면 〈보기〉 "개인이 권력의 시선, 즉 규율을 내면화함으로써 권력이 만들어 낸 주체가 되어간다는 점에서, …… 국가권력이 생산적 권력임을 강조한다."에 따르면, 푸코는 개인이 국가권력의 시선을 내면화함으로써 권력이 만들어 낸 주체가 되어간다는 점에 주목하여 국가권력이 주체를 생산하고 관리하는 모습을 강조한다.

[오답 풀이]

① 르포르는 권리에 대한 권력의 종속을 주장했다.
3문단 "하지만 르포르가 제기하는 것은 권력이 권리에 순응해야 한다는 점이다."에 따르면, 르포르는 권력이 권리에 종속되어야 한다고 본다. 따라서 르포르는 권리에 대한 권력의 종속을 비판하지 않았다.

② 푸코는 권리에 대한 요구를 통해서 권력을 제한할 수 있다고 보지 않는다.
〈보기〉 "근대에 개인의 권리의 확대는 …… 국가가 더 깊이 개인의 삶에 침투하는 권력으로 전환되는 역설을 낳았다. …… 근대의 자율적 주체는 사라져 버렸다."에 따르면, 푸코는 개인의 권리가 확대되면서 오히려 국가권력이 개인의 삶에 침투하여 자율적 주체를 사라지게 만들었다는 점을 지적한다. 즉 푸코는 권리의 확대나 권리에 대한 요구가 국가권력을 강화했다는 입장이므로 이를 통해 국가권력을 제한하려 하지 않을 것이다.

③ 푸코는 자율적 주체에 의한 권리의 확장을 주장하지 않았다.
5문단 "물론 르포르도 새로운 권리의 발생이 국가권력을 강화시킬 수 있음을 인정한다. 따라서 국가권력에 대한 제어와 감시가 필요하며, 억압에 대한 저항으로서 정치적 자유가 강조된다."에 따르면, 르포르는 권리의 확장이 가져오는 권력의 확장을 방지해야 한다는 입장임을 알 수 있다. 그러나 〈보기〉 "근대에 개인의 권리의 확대는 …… 그것은 동시에 국가가 더 깊이 개인의 삶에 침투하는 권력으로 전환되는 역설을 낳았다. …… 근대의 자율적 주체는 사라져 버렸다."에 따르면, 푸코는 권리의 확대로 인해 근대의 자율적 주체가 사라졌음을 지적하고 있다. 즉 푸코에게 권리의 확대는 자율적 주체를 사라지게 한 원인이지, 자율적 주체가 추구해야 하는 목적이 아니다.

⑤ 르포르는 전체주의가 될 위험에서 벗어나기 위한 해결책을 근대 민주주의를 벗어나는 것에서 찾으려 했다.
5문단 "르포르도 새로운 권리의 발생이 국가권력을 강화시킬 수 있음을 인정한다. 따라서 국가권력에 대한 제어와 감시가 필요하며, 억압에 대한 저항으로서 정치적 자유가 강조된다."에 따르면, 르포르는 권리의 발생이 전체주의로 이어질 위험을 벗어나기 위해 정치적 자유를 강조한다. 그리고 마지막 문단 "쟁의가 발생하는 장소로서 민주주의 국가를 제시함으로써 법이 인정하는 한에서 권리를 사유하는 자유주의적 법치국가의 한계를 넘어서고자 하며"와 "인간의 권리의 실현 조건으로서 국가권력이라는 틀 자체를 거부하면서"에 따르면, 르포르는 정치적 자유를 이루기 위해서 국가권력이라는 근대 민주주의의 틀을 벗어나야 함을 주장한다. 즉 르포르는 근대 민주주의의 틀을 벗어나는 것에서 전체주의가 될 위험에서 벗어나기 위한 해결책을 찾으려 한 것이다.

[16~18] 제재 | 수피즘이 제국주의에 저항할 수 있었던 원동력
난이도 | ★☆☆

16. 정답 ⑤ 난이도 ★☆☆ | 정답률 93%

내용영역 인문 문항 유형 정보의 확인과 재구성

[정답 풀이]

⑤ 개인적 구원의 희구와 지도자에 대한 추종은 수피즘의 결과적 쇠락을 초래한 주요 원인이 아니다.
2문단 "수피즘은 신과의 영적 합일을 통한 개인적 구원을 추구한다. …… 수피가 걷는 개인적인 영적 도정은 길을 잃을 수도, 자아도취에 빠져 버릴 수도 있었기에 위험하기도 했다. 그 때문에 그들은 영적 선배들을 스승으로 모시게 되었고, 거의 맹목적으로 스승을 따라야 했다. 10세기 말 수피들은 종단을 구성하기 시작했다. 수피 종단은 지역과 시기에 따라 성쇠를 거듭했지만, 점차 많은 동조자를 얻었다."에 따르면, 수피즘은 개인적 구원을 추구하면서 스승을 추종하는 종교 집단이었다. 수피즘은 성쇠를 거듭하면서 점차 많은 동조자들을 얻었으므로, 개인적 구원을 추구하면서 스승, 즉 지도자를 추구하는 수피즘이 점차 커져 갔음을 알 수 있다. 따라서 개인적 구원의 희구와 지도자에 대한 추종 간의 모순이 수피즘의 결과적 쇠락을 초래한 주요 원인이라고 할 수 없다.

[오답 풀이]

① 1문단 "그중 눈에 띄는 것은 수피 종단들이 여러 지역에서 군사적 저항을 주도했다는 점이다. 대표적인 것이 알제리, 리비아, 수단에서의 항쟁이었다."에 따르면, 수피 종단들이 알제리, 리비아, 수단에서 항쟁을 벌였다. 그리고 3문단 "북아프리카의 경우, 수피 종단들은 한동안 쇠락하다가 18세기 이후 강력하게 재조직되어

2021학년도

선교와 교육기관의 역할도 담당했고, 지역 밀착을 통해 생활 공동체를 형성하는 구심점이 되면서 항쟁에 필요한 기반을 이미 갖추고 있었다."에 따르면, 북아프리카에서 수피 종단들은 선교와 교육기관의 역할을 담당하면서 생활 공동체를 형성하는 구심점이 되었다. 즉 북아프리카에서 수피 종단들이 행한 선교 활동이 성공한 것이다. 그런데 알제리, 리비아, 수단은 북아프리카에 해당하는 나라이다. 따라서 수피 종단이 행했던 선교 활동은 알제리와 리비아, 수단에서 성공을 거두었다고 할 수 있다.

② 4문단 "수니파에서 가장 엄격한 와하비즘은 성인을 인정하지 않고, 심지어 은사를 받기 위해 예언자 무하마드의 묘소에서 기도하는 것도 알라 외의 신성을 인정하는 것이라고 보아 배격했다."에 따르면, 와하비즘은 알라 외의 신성을 인정하지 않는 일신교적 원칙을 고수하며, 예언자 무하마드의 묘소에서 기도하는 것 역시 배격했다. 이는 무하마드의 묘소에서 기도하는 것 역시 무하마드를 알라와 같은 특별한 존재로 받드는 것이라고 보았기 때문이다. 따라서 와하비즘 신봉자들은 예언자 무하마드를 특별한 존재로 받들면 일신교적 원칙을 어긴다고 보았다고 할 수 있다.

③ 2문단 "8세기 초에 수피즘이 싹텄고, 9세기에는 독특한 신비주의 의식이 나타났다."와 마지막 문단 "더불어 수피즘의 의식에 참여한 이들 간에 생기는 형제애는 초국가적 조직망의 형성과 상호 협조를 가능하게 했다."에 따르면, 수피들은 독특한 신비주의 의식을 지니며, 수피즘의 의식에 참여한 이들 간에 형제애가 초국가적 조직망의 형성을 가능하게 했다. 즉 수피들은 고유한 영적 의식에 참여하였고, 참여자들 간 형제애, 즉 연대 의식이 국제적인 조직망을 만들 수 있는 원동력이 되었던 것이다. 따라서 수피들은 고유한 영적 의식의 참여를 통해 만들어진 연대 의식을 바탕으로 국제적 조직망을 구성했다고 볼 수 있다.

④ 2문단 "수피즘을 따르는 이들인 수피는 속세의 욕심에서 벗어나 모든 것을 신께 의탁하며, 금욕적으로 살고자 했다."에 따르면, 수피즘은 세속을 떠나 신에게 모든 것을 맡기는 삶을 추구했다. 그리고 3문단 "수피 종단들은 한동안 쇠락하다가 18세기 이후 강력하게 재조직되어 선교와 교육기관의 역할도 담당했고, 지역 밀착을 통해 생활 공동체를 형성하는 구심점이 되면서 항쟁에 필요한 기반을 이미 갖추고 있었다."에 따르면, 수피 종단들은 지역 공동체를 형성하는 구심점이 되었다. 따라서 수피즘은 세속을 떠나 신에게 모든 것을 맡기는 삶을 추구하면서도 지역 공동체와의 협조를 중시했다고 볼 수 있다.

17. 정답 ⑤

난이도 ★☆☆ | 정답률 89%

내용영역 인문 　 문항 유형 주제, 구조, 관점 파악

[정답 풀이]

⑤ 6문단 "이슬람교에서 마흐디란 종말의 순간 인류를 올바른 길로 인도하고 정의와 평화의 시대를 가져오는 구원자이다. 또한 마흐디는 부정의를 제거하고 신정주의 국가를 건설하는 개혁적 지도자이기도 하다."에 따르면, 수피즘에서 마흐디는 종말의 순간 인류를 인도하는 구원자이자 신정주의 국가를 건설하는 개혁적 지도자이다. 다시 말해, 마흐디는 종말의 순간에 나타나는 구원자인 것이다. 따라서 무함마드 아흐마드가 마흐디로 인정받은 것은 당시가 종말의 시대로 여겨지고 있었음을 알려준다고 볼 수 있다.

[오답 풀이]

① 수단의 수피즘에서 마흐디는 무하마드의 후손으로 받아들여지는 구원자를 의미하지 않는다.
6문단 "북동 아프리카에서 일어난 수단 항쟁의 주역인 무함마드 아흐마드의 경우는 달랐다. 그는 성인 가문 출신은 아니었지만, 당시 만연한 마흐디의 도래에 대한 기대감을 충족시켜 종교적 권위를 얻고 이를 다시 정치적 권위로 전환시킴으로써 항쟁의 중심이 되었다."에 따르면, 수단 항쟁의 주역인 무함마드 아흐마드는 마흐디의 도래에 대한 기대감을 충족시켜 종교적 권위를 얻었다. 즉 무함마드 아흐마드는 예언자 무함마드의 후손이 아님에도 마흐디로서 인정을 받을 수 있었던 것이다. 따라서 수단의 수피즘에서 마흐디는 무하마드의 후손으로 받아들여지는 구원자를 의미하지 않는다.

② 마흐디는 신비주의적 의식을 통해 알라와 하나가 되는 경지에 이르렀을 때 완성되는 것이 아니다.
6문단 "이슬람교에서 마흐디란 종말의 순간 인류를 올바른 길로 인도하고 정의와 평화의 시대를 가져오는 구원자이다. 또한 마흐디는 부정의를 제거하고 신정주의 국가를 건설하는 개혁적 지도자이기도 하다."에 따르면, 수피즘에서 마흐디는 인류의 구원자이자 개혁적 지도자이다. 즉 마흐디는 종단의 지도자이며, 이때 마흐디는 신이 아니라 성인에 가까운 지위라고 볼 수 있다. 따라서 마흐디는 신비주의적 의식을 통해 알라와 하나가 되는 경지에 이르렀을 때 완성되는 것이 아니다.

③ 마흐디는 인류를 올바른 길로 인도하고, 부정의를 제거하는 종교적 지도자이다.
6문단 "이슬람교에서 마흐디란 종말의 순간 인류를 올바른 길로 인도하고 정의와 평화의 시대를 가져오는 구원자이다. 또한 마흐디는 부정의를 제거하고 신정주의 국가를 건설하는 개혁적 지도자이기도 하다."에 따르면, 마흐디는 인류를 올바른 길로 인도하고, 부정의를 제거하는 종교적 지도자이지, 군사적 능력을 지녀 외세를 막아 내는 국가 지도자가 아니다.

④ 마흐디가 신정주의 국가를 건설할 것이라는 개혁적 개념은 민간 신앙에서 그 기원을 찾을 수 있다.
6문단 "마흐디는 부정의를 제거하고 신정주의 국가를 건설하는 개혁적 지도자이기도 하다. 마흐디 사상은 민간 신앙에서 출발하여 퍼진 것이었고, 특히 토속 신앙의 영향을 많이 받았던 수피들은 종단 지도자를 마흐디로 쉽게 받아들였다."에 따르면, 신정주의 국가를 건설하는 개혁적 개념을 가진 마흐디 사상은 민간 신앙에서 출발하였다. 따라서 마흐디가 신정주의 국가를 건설할 것이라는 개혁적 개념은 이슬람 경전이 아니라 민간 신앙에서 그 기원을 찾을 수 있을 것이다.

18. 정답 ① 난이도 ★★★ | 정답률 39%

내용영역 인문 문항 유형 정보의 평가와 적용

[정답 풀이]

① 초월적 능력을 지니지 않으면 무라비트가 될 수 없었을 것이다.
<보기> "성인은 인류와 알라를 가로막는 욕망에서 초탈한 인물이어서 알라와 인류의 중재자로서 권능을 지닌다고 여겨졌고, 사후에도 권위가 남아 있었다."에 따르면, 성인은 알라와 인류의 중재자로서 권능, 즉 초월적 능력을 지녔음을 알 수 있다. 5문단 "무라비트는 신의 은총인 바라카를 가졌다고 여겨져 존경을 받았다. 무라비트는 특정 가문 출신 중 영적으로 선택된 소수만이 될 수 있었는데, 대표적으로는 예언자 무하마드의 후손인 샤리프 가문이 있다."에 따르면, 무라비트는 신의 은총을 가졌다고 여겨졌고, 예언자 무하마드의 후손인 가문 중에서도 영적으로 선택된, 즉 초월적 능력을 지닌 소수만이 무라비트가 될 수 있었다. 따라서 초월적 능력을 지니지 않으면 예언자 무하마드의 혈통이더라도 무라비트가 될 수 없었을 것이다.

[오답 풀이]

② <보기> "왈리를 추앙하는 사상인 월라야가 나타났다. 성인은 인류와 알라를 가로막는 욕망에서 초탈한 인물이어서 알라와 인류의 중재자로서 권능을 지닌다고 여겨졌고"에 따르면, 왈리가 중재자로서의 권능이라는 특별한 능력이 있다고 믿어졌던 것은 월라야에 따라 알라와 인류의 중재자가 있다고 믿었기 때문이다.

③ <보기> "성인은 …… 사후에도 권위가 남아 있었다. 묘소는 중립 지대였으며, 적대적 부족들도 함께 모이는 장터 역할도 했다."와 4문단 "성인들의 묘소는 순례의 대상이 되었고, 이를 중심으로 설립된 수피즘 수도원은 지역 공동체의 중심이 되는 경우가 많았다."에 따르면, 성인은 사후에도 권위가 유지되었으며, 성인의 묘소는 중립 지대였기 때문에 성인들의 묘소를 중심으로 설립된 수피즘 수도원이 지역 공동체의 중심이 될 수 있었을 것이다.

④ 3문단 "알제리 항쟁을 이끌었던 압드 알 카디르와 리비아 항쟁 지도자였던 아흐마드 알 샤리프가 성인으로 존경받은 것은 정치적 권위를 확보하는 데 큰 도움이 되었다."에 따르면, 압드 알 카디르는 성인으로 존경받았기에 부족들 간 이견을 봉합하고 결집시킬 수 있었다. 그리고 <보기> "성인은 인류와 알라를 가로막는 욕망에서 초탈한 인물이어서 알라와 인류의 중재자로서 권능을 지닌다고 여겨졌고"에 따르면, 성인은 욕망에 초탈한 인물로 여겨졌다. 따라서 압드 알 카디르가 부족 간의 이견을 통합하고 결집할 수 있었던 것은 성인으로 인정받았기 때문이며, 이는 그가 욕망에서 초탈한 인물이라고 여겨졌기 때문이라고 볼 수 있다.

⑤ 5문단 "무라비트는 신의 은총인 바라카를 가졌다고 여겨져 존경을 받았다. 무라비트는 특정 가문 출신 중 영적으로 선택된 소수만이 될 수 있었는데, 대표적으로는 예언자 무하마드의 후손인 샤리프 가문이 있다."에 따르면, 샤리프 가문이 바라카를 지닐 수 있다고 인정된 것은 예언자 무하마드의 후손이기 때문이다. 그리고 <보기> "성인은 …… 알라와 인류의 중재자로서 권능을 지닌다고 여겨졌고, 사후에도 권위가 남아 있었다."와 "일부 사람들은 최후의 심판일에 예언자 무하마드가 중재자로서 신도들을 구원할 것이라고 믿었다."에 따르면, 예언자 무하마드가 성인으로 여겨진 것은 중재자의 권능을 지녔기 때문이다. 따라서 예언자 무하마드가 최후의 심판에서 중재자 역할을 맡을 수 있기 때문에 무하마드의 후손인 샤리프 가문도 바라카를 지닐 수 있다고 인정되었다고 볼 수 있다.

[19~21] 제재 | 귀신 개념에 대한 성리학적 논쟁
난이도 | ★★☆

19. 정답 ④ 난이도 ★★☆ | 정답률 60%

내용영역 인문 문항 유형 정보의 확인과 재구성

[정답 풀이]

④ 항구적인 감통의 능력을 가지는 것은 귀신의 기가 아니라 리이다.
4문단 "기가 완전히 소멸된 먼 조상에 대해서는 …… 영원한 리가 있기 때문에 자손과 감통이 있을 수 있다고 주장하였다."에 따르면, 항구적인 감통의 능력을 가진다는 것을 제사의 근거로 내세운 것은 이이의 견해이며, 항구적인 감통의 능력을 가지는 것은 리이다.

[오답 풀이]

① 2문단 "성리학의 논의가 본격화되기 전에는 대체적으로 귀신을 인간의 화복과 관련된 신령한 존재로 여겼다."에 따르면, 귀신은 신령으로서 이해가 되고 있었으며 성리학적 귀신론이 이를 대체했음을 알 수 있다.

② 2문단 "귀신의 존재는 유한할 수밖에 없었고, 이는 조상의 제사를 4대로 한정하는 근거가 되었다."와 3문단 "기의 유한성에 근거한 성리학의 귀신 이해는 먼 조상에 대한 제사와 관련하여 문제의 소지를 안고 있었기에 귀신의 영원성에 대한 근거 마련이 필요했다."에 따르면, 성리학의 입장에서는 먼 조상에 대한 제사도 귀신을 대상으로 한 것이었다. 따라서 조선 성리학자들은 먼 조상에 대한 제사가 단순한 추념이 아니라고 보았을 것이다.

③ 4문단 "불교에서 윤회한다는 마음은 …… 그 기가 한 번 흩어지면 더 이상의 지각 작용은 있을 수 없다고 지적하여 윤회 가능성을 부정하였다."에 따르면, 이이는 귀신의 존재가 지나치게 강조되면 불교의 윤회설로 흐를 수 있는 점에 주목하여, 기는 소멸하므로 윤회는 불가능하다고 주장한다. 따라서 생성 소멸하는 기를 통해 귀신을 이해하는 것은 윤회설을 반박하는 논거였다고 할 수 있다.

⑤ 1문단 "이들의 귀신 논의는 성리학의 자연철학적 귀신 개념에 유의하여"와 2문단 "귀신이란 리(理)와 기(氣)로 이루어진 자연의 변화 현상으로서 …… 성리학의 자연철학적 입장에서 귀신을 재해석하였다."에 따르면, 성리학자들은 귀신이 자연 현상과 관계된 것으로 인식했음을 알 수 있다.

2021학년도

20. 정답 ① 난이도 ★★☆ | 정답률 64%

내용영역 인문 | 문항 유형 정보의 추론과 해석

[정답 풀이]

① 3문단 "삶과 죽음 사이에는 형체를 이루는 기가 취산(聚散)하는 차이가 있을 뿐 그 기의 순수한 본질은 유무의 구분을 넘어 영원히 존재한다고 설명하였다. 기를 취산하는 형백(形魄)과 그렇지 않은 담일청허(湛一淸虛)로 구분"에 따르면, 서경덕(㉠)은 형체의 존재 여부를 기의 취산, 즉 형백의 취산으로 설명한다. 그리고 본질적인 기인 담일청허는 유무의 구분을 넘어 영원히 존재한다고 보았다.

[오답 풀이]

② 서경덕(㉠)은 형백과 담일청허를 삶과 죽음에 각각 대응하는 것으로 여기지 않았다.
3문단 "삶과 죽음 사이에는 형체를 이루는 기가 취산(聚散)하는 차이가 있을 뿐 그 기의 순수한 본질은 유무의 구분을 넘어 영원히 존재한다고 설명하였다. 기를 취산하는 형백(形魄)과 그렇지 않은 담일청허(湛一淸虛)로 구분"에 따르면, 서경덕(㉠)은 기를 형백과 담일청허로 이원화하였다. 그러나 삶과 죽음은 형백의 취산에 따른 것이고, 담일청허는 영원히 존재하는 것이므로 형백과 담일청허가 삶과 죽음에 각각 대응한다는 설명은 적절하지 않다.

③ 이이(㉡)는 기가 완전히 소멸된 먼 조상도 자손과 감통할 수 있다고 보았다.
4문단 "기가 완전히 소멸된 먼 조상에 대해서는 서로 감통할 수 있는 기는 없지만 영원한 리가 있기 때문에 자손과 감통이 있을 수 있다고 주장하였다."에 따르면, 이이(㉡)는 기가 흩어져 사라지더라도 제사의 주관자인 자손은 조상과 감통할 수 있다고 보았다.

④ 인간의 지각이 영원하다는 것은 이이(㉡)가 아니라 서경덕(㉠)의 주장이다.
4문단 "마음의 작용인 지각은 몸을 이루는 기의 작용이기 때문에 그 기가 한 번 흩어지면 더 이상의 지각 작용은 있을 수 없다고 지적"에 따르면, 이이(㉡)는 인간의 지각이 기의 작용이며 기가 흩어지면 더 이상의 지각 작용은 있을 수 없다고 보았다.

⑤ 서경덕(㉠)과 이이(㉡)가 귀신의 영원성에 대한 근거로 삼은 리는 물질성을 지니지 않는 보편 원리이다.
3문단 "서경덕은 기의 항구성을 근거로 귀신의 영원성을 주장하였다."와 "기의 순수한 본질은 유무의 구분을 넘어 영원히 존재한다고 설명하였다."에 따르면, 서경덕(㉠)은 불변하는 기의 본질을 근거로 귀신의 영원성을 주장하였다. 그런데 3문단 "서경덕의 기 개념은 우주자연의 보편 원리이자 도덕법칙인 불변하는 리와, …… 성리학의 이원적 요소를 포용한 것"에 따르면, 서경덕(㉠)이 말하는 기의 본질이란 결국 성리학에서 말하는 보편 원리인 리라는 요소를 포용한 것이므로 물질성을 지닌다고 보기 어렵다. 또한 4문단 "기가 완전히 소멸된 먼 조상에 대해서는 서로 감통할 수 있는 기는 없지만 영원한 리가 있기 때문에 자손과 감통이 있을 수 있다고 주장하였다."에 따르면, 이이(㉡)도 보편 원리인 리를 근거로 귀신의 영원성을 주장한다. 따라서 물질성을 지닌 근원적 존재에서 귀신의 영원성 근거를 찾았다고 할 수 없다.

21. 정답 ① 난이도 ★★☆ | 정답률 62%

내용영역 인문 | 문항 유형 주제, 구조, 관점 파악

[정답 풀이]

ㄱ. 마지막 문단 "송명흠도 …… 귀신을 리이면서 기인 것, 즉 형이상에 속하고 동시에 형이하에 속하는 것이라고 설명하였다."에 따르면, 귀신을 기로 말하면 형이하에 속하고, 리로 말하면 형이상에 속한다는 것은 낙론계 유학자들의 입장에 부합한다.

ㄴ. 마지막 문단 "김원행은 귀신이 리와 기 어느 것 하나로 설명될 수 없으며, 리와 기가 틈이 없이 합쳐진 묘처(妙處), 즉 양능(良能)에서 그 의미를 찾아야 한다고 주장하였다."와 "송명흠도 모든 존재는 리와 기가 혼융한 것이라고 전제"에 따르면, 리와 기가 혼융하여 떨어지지 않는다는 것은 낙론계 유학자들의 입장에 부합한다.

[오답 풀이]

ㄷ. 낙론계 유학자들은 기가 스스로 작용한다고 여기지 않고, 귀신의 존재를 부정하지도 않는다.
마지막 문단 "양능이란 기의 기능 혹은 속성이지만 기 자체의 무질서한 작용이 아니라 기에 원래 자재(自在)하여 움직이지 않는 리에 따라 발현하는 것"에 따르면, 기와 리가 혼융되지 않고 기가 스스로 작용한다고 설명하는 것은 낙론계 유학자들의 입장에 부합하지 않는다. 더구나 낙론계 유학자들은 귀신이 존재한다는 입장이다. 따라서 귀신이 없음에 의심이 있을 수 없다는 것은 귀신의 존재를 부정하는 입장이므로 낙론계 유학자들의 입장에 부합하지 않는다.

ㄹ. 낙론계 유학자들은 제사 때 귀신이 강림할 수 있는 것은 기 때문이며, 강림하는 것은 리라고 본다.
마지막 문단 "제사 때 귀신이 강림할 수 있는 것은 기 때문이지만 제사 주관자의 마음과 감통하는 주체는 리라고 설명하였다."에 따르면, 낙론계 유학자들은 제사 때 강림할 수 있게 하는 것은 기이며, 강림하는 것은 리라고 본다. 따라서 제사 때 강림할 수 있게 하는 것은 리이며, 강림하는 것은 기라는 설명은 낙론계 유학자들의 입장에 부합하지 않는다.

[22~24] 제재 | 빈곤의 원인에 대한 경제학자들의 다양한 견해
난이도 | ★★☆

22. 정답 ③ 난이도 ★★☆ | 정답률 74%

내용영역 사회 | 문항 유형 정보의 확인과 재구성

[정답 풀이]

③ 제도의 역할을 강조하는 경제학자 중 이스털리는 정치제도가 아니라 자유로운 시장이 잘 작동해야 한다고 본다.
제도의 역할을 강조하는 경제학자들에는 이스털리, 애쓰모글루

등이 포함된다. 그런데 2문단 "경제가 성장하려면 자유로운 시장이 잘 작동해야 한다."에 따르면, 이스털리는 자유로운 시장이라는 경제제도를 강조했으며, 정치제도 변화가 경제성장을 위한 전제조건이라고 주장하지 않았음을 알 수 있다.

[오답 풀이]

① 1문단 "빈곤의 원인으로 지리적 요인을 강조하는 삭스는 …… 외국의 원조에 기초한 초기 지원과 투자가 필요하다고 주장한다."에 따르면, 지리적 요인을 강조한 삭스가 외국의 원조에 긍정적이었음을 알 수 있다.

② 2문단 "경제가 성장하려면 자유로운 시장이 잘 작동해야 한다."에 따르면, 제도의 역할을 강조한 학자 중 한 명인 이스털리는 자유로운 시장이라는 경제제도를 강조했음을 알 수 있다.

④ 2문단 "이스털리는 외국의 원조에 대해서도 회의적인데, …… 부패를 더욱 악화시키는 결과만 초래한다고 본다."와 3문단 "애쓰모글루도 외국의 원조에 대해 회의적"에 따르면, 제도의 역할을 강조하는 이스털리와 애쓰모글루는 외국이 좋은 영향을 주지 못할 것이라는 입장이다. 따라서 제도의 역할을 강조하는 이스털리와 애쓰모글루가 외국이 성장에 미치는 역할을 중시하지 않는 경우임을 알 수 있다.

⑤ 4문단 "로머는 …… 불모지를 외국인들에게 내주고 좋은 제도를 갖춘 새로운 도시로 개발하도록 하는 프로젝트를 제안한다."에 따르면, 제도의 중요성을 강조하는 로머도 지리적 요인을 강조하는 삭스처럼 초기 지원이 필요하다고 생각함을 알 수 있다.

23. 정답 ②

난이도 ★★☆ | 정답률 59%

내용영역 사회 | 문항 유형 주제, 구조, 관점 파악

[정답 풀이]

② 마지막 문단 "처방에 대한 이들의 수요는 어떠한지 등을 파악해야 빈곤 퇴치에 도움이 되는 지식을 얻을 수 있다고 본다."에 따르면, 배너지와 뒤플로는 가난한 사람들의 수요 파악을 중요하게 생각하고 있음을 알 수 있다. 또한 2문단 "가난한 사람들이 …… 스스로 필요한 것을 선택하도록 해야 한다고 보기 때문이다."에 따르면, 이스털리도 가난한 사람들의 수요를 중시함을 알 수 있다.

[오답 풀이]

① 애쓰모글루는 제도보다 정책을 중시한다고 할 수 없다.
2문단 "제도의 역할을 강조하는 경제학자들의 견해는 삭스와 다르다."에 따르면, 삭스의 견해에 반대하는 경제학자들은 제도의 역할을 강조한다. 애쓰모글루도 이러한 경제학자들에 포함된다. 3문단 "빈곤의 원인이 나쁜 제도라고 생각하는 애쓰모글루도"와 "그는 …… 정치제도가 먼저 변화해야 한다고 주장한다."에 따르면, 애쓰모글루는 제도를 중시함을 알 수 있다.

③ 콜리어는 거대한 문제를 우선해서는 안 된다고 보지 않는다.
4문단 "콜리어는 경제 마비 상태에 이른 빈곤국들이 나쁜 경제제도와 정치제도의 악순환에 갇혀 있으므로 좋은 제도를 가진 외국이 군사 개입을 해서라도 그 악순환을 해소해야 한다고 주장한다."에 따르면, 콜리어는 나쁜 경제제도와 정치제도의 악순환이라는 거대한 문제를 해소해야 한다고 본다. 따라서 콜리어는 거대한 문제를 우선해서는 안 된다고 보지 않는다.

④ 배너지와 뒤플로는 정부가 부패해도 정책이 성과를 낼 수 있다고 보는 점에서 삭스에 동의한다.
2문단 "정부가 부패할 경우에 원조는 가난한 사람들의 처지를 개선하지는 못하고 …… 이에 대해 삭스는 가난한 나라 사람들의 소득을 지원해 …… 법치주의가 확립될 수 있다고 주장한다."에 따르면, 삭스 또한 배너지와 뒤플로와 마찬가지로 정부가 부패해도 정책이 성과를 낼 수 있다는 입장임을 알 수 있다.

⑤ 배너지와 뒤플로는 빈곤 문제를 해결하는 일반적인 해답이 있다고 보지 않는다.
마지막 문단 "배너지와 뒤플로는 일반적인 해답의 모색 대신 "모든 문제에는 저마다 고유의 해답이 있다."는 관점에서 빈곤 문제에 접근해야 한다고 주장하고"에 따르면, 배너지와 뒤플로는 로머와 달리 빈곤 문제를 해결하는 일반적인 해답이 있다고 보지 않는다.

24. 정답 ②

난이도 ★★★ | 정답률 30%

내용영역 사회 | 문항 유형 정보의 평가와 적용

[정답 풀이]

② 삭스는 b3에서 a1으로 이동해야 한다고 볼 것이다.
마지막 문단 "덫이 있다는 견해는 완만하다가 가파르게 오른 다음 다시 완만해지는 'S자 모양'이라고 생각한다."에 따르면, <보기>의 S자 그래프는 빈곤의 덫이 있는 상황임을 알 수 있다. 또한 마지막 문단 "S자 곡선의 경우, 소득 수준이 낮은 영역에 속하는 사람은 시간이 갈수록 소득 수준이 '낮은 균형'으로 수렴하므로 지원이 필요하다."에 따르면, P점을 기준으로 그 왼쪽은 소득 수준이 낮은 영역이고, 이 영역에서는 b1에서 b3쪽으로 점점 수렴해 간다는 것을 알 수 있다. 삭스는 외국의 원조로 초기 지원을 해 주어야 빈곤의 덫을 벗어날 수 있다는 입장이다. 그런데 b3에서 b1으로 이동하면 다시 b3으로 수렴해 갈 것이므로 빈곤의 덫에서 벗어날 수 없다. 따라서 삭스는 b1이 아니라 소득 수준이 높은 영역인 P의 오른쪽, 예를 들어 a1으로 이동해야 한다고 볼 것이다.

[오답 풀이]

① <보기>에서 S자 곡선이 45°선과 만나는 점 O, P, Q는 모두 균형점이다. 마지막 문단 "S자 곡선의 경우, 소득 수준이 낮은 영역에 속하는 사람은 시간이 갈수록 소득 수준이 '낮은 균형'으로 수렴하므로 지원이 필요하다."에 따르면, 이 O, P, Q 중 소득 수준이 낮은 점 O가 '낮은 균형'이라고 할 수 있다.

③ b3은 소득 수준이 낮은 지점으로, 빈곤의 덫에 빠져 있는 상황이라고 할 수 있다. 1문단 "이런 상황에서는, 초기 지원과 투자로 가난한 사람들이 빈곤의 덫에서 벗어나도록 해주어야만 생산성 향상이나 저축과 투자의 증대가 가능해져 소득이 늘 수 있다."에 따르면, 삭스는 b3과 같이 빈곤의 덫에 걸려있는 상황에서는 지원이 없는 경우 생산성이 늘어날 수 없다고 보는 입장이다.

④ 2문단에 따르면, 이스털리는 '빈곤의 덫' 같은 것은 없다는 입장이다. 마지막 문단 "덫이 없다는 견해는 이 곡선이 가파르게 올라가다가 완만해지는 '뒤집어진 L자 모양'이라고 생각"과 "뒤집어진 L자 모양의 곡선에 해당한다면 아무리 가난한 사람이라도 시간이 갈수록 점점 부유해진다."에 따르면, 뒤집어진 L자 모양의 곡선은 S자 곡선과 다르게 '낮은 균형'으로 수렴하는 부분이 없으므로 점 P의 왼쪽 영역이 없다. 따라서 덫이 없다는 입장인 이스털리는 점 P의 왼쪽 영역이 없고 P가 곡선의 원점이라고 볼 것이다.

⑤ <보기>에 따르면, "'균형'이란 한 번 도달하면 거기서 벗어나지 않을 상태를 말한다. 물론 외부적 힘이 가해질 경우에는 균형에서 벗어날 수도 있다." 그러나 2문단에 따르면, "이스털리는 정부의 지원과 외국의 원조가 성장에 도움이 되지 않는다고 본다." 따라서 이스털리는 a1에서 지원이 이루어진다 해도 균형 상태의 소득, 즉 점 Q의 수준은 변하지 않는다고 볼 것이다.

[25~27] 제재 | 바르부르크 효과
난이도 | ★★★

25. 정답 ④

난이도 ★★☆ | 정답률 43%

내용영역 과학기술 | 문항 유형 정보의 확인과 재구성

[정답 풀이]

④ 5문단 "세포의 성장에 필요한 거대 분자를 동화작용을 통해 만들기 위해 해당작용의 중간 생성 물질을 동화작용의 재료로 사용하려고 해당작용에 집중한다는 것이다."에 따르면, 해당작용의 중간 생성 물질을 동화작용의 재료로 사용하여 동화작용을 통해 거대 분자를 만든다. 따라서 동화작용에서 거대 분자를 만들 때 해당작용의 중간 생성물이 사용된다고 할 수 있다.

[오답 풀이]

① NADH는 미토콘드리아에서 ATP를 추가로 생산하는 데 사용될 수 있다.
3문단 "해당작용에서 …… NADH가 2개 만들어지고, NADH 1개당 3개의 ATP를 산화적 인산화를 통해 만들 수 있는데, 젖산 발효를 하는 세포는 NADH를 에너지가 낮은 상태인 NAD^+로 전환하는 손해를 감수한다."에 따르면, NADH는 ATP를 생산하는 데 사용될 수 있으나, 젖산 발효가 일어나는 경우에는 ATP를 생산하지 못한다. 그런데 3문단 "세포 내부에 산소가 부족하면 산화적 인산화는 일어나지 못하고 해당작용만 진행되며, 이 경우에는 …… 젖산 발효가 일어난다."에 따르면, 젖산 발효는 산소가 부족한 경우에 일어난다. 다시 말해 산소가 충분하다면 젖산 발효가 일어나지 않고 산화적 인산화가 일어나므로 미토콘드리아에서는 NADH를 이용해서 ATP를 만들어 낼 수 있다.

② 해당과정 중 소비되는 NAD^+의 재생산은 해당작용의 지속적 수행에 필수적이다.
3문단 "젖산 발효 과정은 해당작용에 필요한 조효소 NAD^+의 재생산을 위해 필수적이다."에 따르면, 해당작용의 지속적 수행에 필수적인 것은 NAD^+의 재생산임을 알 수 있다. 또한 3문단 "NADH 1개당 3개의 ATP를 산화적 인산화를 통해 만들 수 있는데"에 따르면, NADH를 이용해 ATP가 생성되는 것은 산화적 인산화를 통해 이루어지므로 해당과정 중 소비된다고 할 수 없다.

③ 심폐기능에 비해 과격한 운동을 하면 근육에서 젖산은 늘어나고 NAD^+도 늘어난다.
3문단에 따르면, "심폐 기능에 비해 과격한 운동을 하였을 때 근육 세포에서 생성된 젖산이 근육에 축적된다." 그리고 3문단 "젖산 발효 과정은 해당작용에 필요한 조효소 NAD^+의 재생산을 위해 필수적이다."와 "젖산 발효를 하는 세포는 NADH를 에너지가 낮은 상태인 NAD^+로 전환하는 손해를 감수한다."에 따르면, 젖산 발효가 일어나는 경우 NAD^+가 줄어드는 것이 아니라 늘어난다고 할 수 있다.

⑤ 암 억제 유전자의 돌연변이에 의해 바르부르크 효과가 유발된다.
마지막 문단 "최근의 연구에서는 …… 바르부르크 효과는 암의 원인이라기보다는 그러한 돌연변이에 의한 결과로 발생하는 것으로 밝혀졌다."에 따르면, 바르부르크 효과에 의해 암 억제 유전자의 돌연변이가 유발되는 것이 아니라, 암 억제 유전자의 돌연변이에 의해 바르부르크 효과가 유발된다고 할 수 있다.

26. 정답 ⑤

난이도 ★★★ | 정답률 19%

내용영역 과학기술 | 문항 유형 정보의 추론과 해석

[정답 풀이]

⑤ 유산소 해당작용 과정 중 포도당 1개당 암세포에서 생산되는 ATP의 개수는 정상세포에서 생산되는 NADH의 개수와 동일하다.
4문단 "유산소 해당작용을 수행하는 암세포는 포도당 1개당 ATP 2개만을 생산하는 효율이 떨어지는 해당작용에 에너지 생산을 대부분 의존하므로"에 따르면, 암세포의 유산소 해당작용 과정 중 포도당 1개당 생산되는 ATP의 개수는 2개이다. 그런데 3문단 "해당작용에서 포도당 1개가 2개의 피루브산으로 분해될 때 NADH가 2개 만들어지고"에 따르면, 정상세포의 산소가 있을 때 수행되는 해당작용의 과정 중 포도당 1개당 생산되는 NADH의 개수도 2개이다. 따라서 전자와 후자의 개수는 모두 2개로 동일하다.

[오답 풀이]

① 3문단 "NADH 1개당 3개의 ATP를 산화적 인산화를 통해 만들 수 있는데"에 따르면, 산화적 인산화는 NADH를 이용해 ATP를 생성한다. 그런데 2문단 "나머지는 미토콘드리아에서 대부분 산화적 인산화를 통해 만들어진다."에 따르면, 산화적 인산화는 미토콘드리아에서 수행된다. 따라서 미토콘드리아의 기능이 상실되면 산화적 인산화가 수행되지 못하여 NADH를 이용하여 ATP를 만들지 못한다.

② 4문단 "바르부르크 효과는 산소가 있어도 해당작용을 산화적 인산화에 비해 선호하는 암세포 특이적 대사 과정인 '유산소 해당작용'을 뜻한다."에 따르면, 유산소 해당작용을 수행하는 암세포는 산소가 충분히 존재할 때에도 해당작용만 진행함을 알 수 있다. 그리고 3문단 "산화적 인산화는 일어나지 못하고 해당작용만 진행되며, 이 경우에는 해당작용의 최종 산물인 피루브산이 젖산으로 바뀌는 젖산 발효가 일어난다."와 "젖산 발효를

하는 세포는 NADH를 에너지가 낮은 상태인 NAD$^+$로 전환하는 손해를 감수한다."에 따르면, 해당작용만 진행될 경우, 해당작용의 산물인 피루브산과 NADH는 각각 젖산과 NAD$^+$로 전환됨을 알 수 있다.

③ 2문단 "이론적으로 포도당 1개가 …… 36개 또는 38개의 ATP가 만들어진다. 이 중 2개의 ATP는 세포질에서 일어나는 해당작용을 통해, 나머지는 미토콘드리아에서 …… 만들어진다."에 따르면, 포도당 1개에서 생성되는 36~38개의 ATP 중에서 2개는 해당작용을 통해 만들어진다. 그리고 나머지 34~36개의 ATP는 미토콘드리아에서 만들어진다고 할 수 있다.

④ 2문단 "이론적으로 포도당 1개가 가지고 있는 에너지가 전부 ATP로 전환될 경우 …… 이 중 2개의 ATP는 세포질에서 일어나는 해당작용을 통해"에 따르면, 해당작용을 통해 만들어지는 ATP는 2개이다. 3문단 "해당작용에서 포도당 1개가 2개의 피루브산으로 분해될 때 NADH가 2개 만들어지고, NADH 1개당 3개의 ATP를 산화적 인산화를 통해 만들 수 있는데, 젖산 발효를 하는 세포는 NADH를 에너지가 낮은 상태인 NAD$^+$로 전환하는 손해를 감수한다."에 따르면, 포도당 1개가 피루브산 2개로 분해될 때 생성되는 조효소는 NADH 2개이다. 그리고 NADH 2개의 에너지는 미토콘드리아에서 산화적 인산화를 통해 6개의 ATP로 전환될 수 있다. 그런데 젖산 발효로 인해 ATP가 생성되지 않으므로 해당작용에서 생성되는 ATP는 2개인 것이다. 따라서 포도당 1개에서 생성되는 NADH의 에너지가 ATP로 모두 전환되었다면, 해당작용을 통해 생성된 ATP 2개에 NADH의 에너지가 전환된 ATP 6개가 더해져서 총 8개의 ATP가 된다.

27. 정답 ③ 난이도 ★★☆ | 정답률 47%

(내용영역) 과학기술 (문항 유형) 정보의 평가와 적용

[정답 풀이]

③ 3문단 "세포 내부에 산소가 부족하면 산화적 인산화는 일어나지 못하고 해당작용만 진행되며"와 4문단 "포도당 1개당 ATP 2개만을 생산하는 효율이 떨어지는 해당작용"에 따르면, 일반적으로 세포 내부의 산소가 줄어들어 생산 효율이 낮은 해당작용만 진행되기 때문에 이전에 비해 ATP의 생산량이 감소한다. 따라서 산소가 감소해도 동일한 양의 ATP를 생산하기 위해서는 이전에 비해 더 많은 포도당이 필요하다. 〈보기〉 "방사성 포도당 유도체는 포도당과 구조적으로 유사하여 암 조직과 같은 포도당의 흡수가 많은 신체 부위에 수송되어 축적되므로"에 따르면, 포도당의 흡수가 늘어난다는 것은 방사성 포도당 유도체의 축적이 늘어난다는 것을 의미한다. 따라서 산소가 감소해도 동일한 양의 ATP를 생산하기 위해서는 이전에 비해 더 많은 포도당이 필요하며, 그로 인해 방사성 포도당 유도체의 축적이 늘어날 것이다.

[오답 풀이]

① 피루브산이 젖산으로 전환되는 양이 증가하면 방사성 포도당 유도체의 축적이 늘어날 것이다.

3문단 "세포 내부에 산소가 부족하면 산화적 인산화는 일어나지 못하고 해당작용만 진행되며, 이 경우에는 해당작용의 최종 산물인 피루브산이 젖산으로 바뀌는 젖산 발효가 일어난다."에 따르면, 피루브산이 젖산으로 전환되는 양이 증가한다는 것은 해당작용만 진행되는 경우가 늘어난다는 것을 의미한다. 그런데 〈보기〉 "방사성 포도당 유도체는 포도당과 구조적으로 유사하여 암 조직과 같은 포도당의 흡수가 많은 신체 부위에 수송되어 축적되므로"에 따르면, 암세포의 경우처럼 산화적 인산화가 줄고 해당작용이 많이 늘어날 때 방사성 포도당 유도체의 축적이 늘어난다는 것을 알 수 있다. 따라서 피루브산이 젖산으로 전환되는 양이 증가하면 해당작용만 진행되는 경우가 늘어나므로 방사성 포도당 유도체의 축적이 오히려 늘어날 것이다.

② 포도당이 피루브산으로 전환되는 양이 감소하면 방사성 포도당 유도체의 축적이 줄어들 것이다.

3문단 "해당작용에서 포도당 1개가 2개의 피루브산으로 분해될 때"에 따르면, 포도당이 피루브산으로 전환되는 것은 해당작용의 결과이다. 따라서 포도당이 피루브산으로 전환되는 양이 감소한다는 것은 해당작용이 줄어든다는 것을 의미한다. 그런데 〈보기〉에 따르면, 암세포의 경우처럼 산화적 인산화가 줄고 해당작용이 많이 늘어나는 경우, 방사성 포도당 유도체의 축적이 늘어난다는 것을 알 수 있다. 따라서 포도당이 피루브산으로 전환되는 양이 감소하면 해당작용이 줄어드는 것이므로 방사성 포도당 유도체의 축적이 오히려 줄어들 것이다.

④, ⑤ 해당작용에 의존하면 방사성 포도당 유도체의 축적이 늘고, 산화적 인산화에 의존하면 방사성 포도당 유도체의 축적이 줄어들 것이다.

4문단 "바르부르크 효과는 산소가 있어도 해당작용을 산화적 인산화에 비해 선호하는 암세포 특이적 대사 과정인 '유산소 해당작용'을 뜻한다."에 따르면, 암세포는 산화적 인산화에 의존하지 않고 해당작용에 의존한다. 그런데 〈보기〉 "방사성 포도당 유도체는 포도당과 구조적으로 유사하여 암 조직과 같은 포도당의 흡수가 많은 신체 부위에 수송되어 축적되므로"에 따르면, 암세포의 경우처럼 산화적 인산화가 줄고 해당작용이 많이 늘어날 때 방사성 포도당 유도체의 축적이 늘어난다는 것을 알 수 있다. 즉 해당작용에 대한 의존도와 방사성 포도당 유도체의 축적은 비례하고, 산화적 인산화에 대한 의존도와 방사성 포도당 유도체의 축적은 반비례한다고 할 수 있다.

[28~30] 제재 | 법률 문언 해석에 관한 법학방법론적 논의와 법철학적 논의
난이도 | ★★☆

28. 정답 ② 난이도 ★★★ | 정답률 36%

(내용영역) 규범 (문항 유형) 주제, 구조, 관점 파악

[정답 풀이]

② 3문단 "한편 종래 법철학적 논의에서는 …… 확정적인 의미의 중심부와 불확정적인 의미의 주변부를 지니며, 중심부의 사안에서는 문언에 엄격히 구속되어야 하지만 주변부의 사안에서는 해석자의 재량이 인정될 수밖에 없다."에 따르면, 선택지의 "종래의 법철학 학설 중 의미의 중심부와 주변부의 구별을 강조하는

입장"은 법철학적 논의를 의미한다. 그리고 이 법철학적 논의에서 중심부의 사안은 문언에 구속되고 주변부의 사안은 해석자의 재량에 맡기는 것을 알 수 있다. 또한 법철학적 논의에 대한 반론인 4문단 "주변부의 사안을 해석자의 재량에 맡기기보다는 규칙의 목적에 구속되게 해야 할 뿐 아니라, …… 반론이 제기되고 있다."에 따르면, 해설자의 재량에 맡기는 것은 법률의 목적에 주목하는 것이 아님을 알 수 있다. 결국 법철학적 논의에서는 중심부와 주변부 모두 법률의 목적보다 문언에 주목한다고 할 수 있다.

[오답 풀이]

① 전통적인 법학방법론 학설의 입장에서는 문언을 넘은 해석과 문언에 반하는 해석을 구별한다.
2문단 "전통적인 법학방법론은 …… '법률의 문언을 넘은 해석'이나 '법률의 문언에 반하는 해석'을 …… '법률내재적 법형성'과 '초법률적 법형성'이라 부르며"에 따르면, 전통적인 법학방법론 학설은 이 둘을 구분해서 부르고 있음을 알 수 있다.

③ 민주주의의 본질을 강조하는 입장에서는 법률의 적용에 따른 부적절한 결과를 인정한다.
마지막 문단 "뻔히 부적절한 결과가 예상되는 경우에도 …… 문언을 강조하는 입장은 …… 민주주의의 본질에 대한 성찰을 배경으로 하는 것"과 "비록 부적절한 결과가 예상되는 경우라 하더라도 여전히 문언에 구속될 것을 요구하는 편"에 따르면, 민주주의의 본질을 강조하는 입장은 문언을 강조하는 입장이며, 부적절한 결과를 인정하고 있음을 알 수 있다.

④ 법률 적용 결과의 합당성을 강조하는 입장에서는 문언이 제공하는 답이 부적절한지 여부가 해석자의 주관에 따라 달라질 수 있다고 주장하지 않는다.
마지막 문단 "뻔히 부적절한 결과가 예상되는 경우에도 문언에 구속될 것을 요구하는 것은 일견 합리적이지 않아 보일 수 있다."에 따르면, 문언에 구속될 것을 요구하는 입장과 대립되는 것이 법률 적용 결과의 합당성을 강조하는 입장이다. 즉 법률 적용 결과의 합당성을 강조하는 입장은 문언이 제공하는 답이 부적절할 때 문언에 구속되지 말고 문언에 반하는 해석을 할 수 있다는 입장이다. 그런데 마지막 문단 "해석자에게 (법률 적용의 결과가 부적절하다고 결정할 수 있는) 그러한 권한을 부여하는 것이 바람직하지 않다고 생각하는 한, 비록 부적절한 결과가 예상되는 경우라 하더라도 여전히 문언에 구속될 것을 요구하는 편이 오히려 합리적일 수도 있는 것이다."에 따르면, 문언이 제공하는 답이 부적절한지 여부가 해석자의 주관에 따라 달라질 수 있다는 것은 문언에 구속될 것을 요구하는 입장에서 법률 적용 결과의 합당성을 강조하는 입장을 반박할 때 근거로 사용된다. 따라서 법률 적용 결과의 합당성을 강조하는 입장이 이러한 주장을 한다고 보기 어렵다.

⑤ 법률이 부적절한 답을 제공하는 사안은 언어적 불확정성으로 인해 발생하지 않는다.
5문단 "표준적 사안 외에 아무런 답을 제공하지 않는 사안이나 부적절한 답을 제공하는 사안도 있을 수 있는데"와 "전자를 판단하기 어려운 까닭은 문언의 언어적 불확정성에 기인하는 것인 반면, 후자는 문언이 언어적 확정성을 갖추었음에도 불구하고"에 따르면, 부적절한 답을 제공하는 사안은 문언이 언어적 확정성을 갖춘 경우이다. 따라서 언어적 불확정성으로 인해 법률이 부적절한 답을 제공하는 사안이라는 설명은 적절하지 않다.

29. 정답 ② | 난이도 ★★★ | 정답률 42%

내용영역 규범 | 문항 유형 정보의 추론과 해석

[정답 풀이]

② 마지막 문단 "그렇다면 판단하기 어려운 사안에서는 더 이상 문언을 신경 쓰지 않아도 되는 것일까? 그렇지는 않다."와 "엄밀히 말해 오로지 법률의 문언 그 자체만이 민주적으로 결정된 것이며, 그 너머의 것에 대해서는, 심지어 입법 의도나 법률의 목적이라 해도 동등한 권위를 인정할 수 없다."에 따르면, 판단하기 어려운 사안에 해당하여 해석을 통한 보충이 필요한 경우라 해도 법률의 목적이 법률의 문언과 동등한 권위를 가지지 않는다. 따라서 판단하기 어려운 사안의 해석을 위해 법률의 목적에 구속되어야 하는 것은 아니라고 볼 수 있다.

[오답 풀이]

① 법률의 문언이 극도로 명확한 경우에도 판단하기 어려운 사안이 발생할 수 있다.
5문단 "전자를 판단하기 어려운 까닭은 문언의 언어적 불확정성에 기인하는 것인 반면, 후자는 문언이 언어적 확정성을 갖추었음에도 불구하고 그것이 제공하는 답을 올바른 것으로 받아들일 수 없어 보이는 탓에 판단하기 어려운 것이라는 점에서 서로 구별되어야 한다."에 따르면, 판단하기 어려운 사안은 언어적 불확정성에 기인한 사안과 언어적 확정성을 갖춘 문언이 제공하는 답을 올바른 것으로 판단하기 어려운 사안이다. 따라서 법률의 문언이 극도로 명확한 경우에도 판단하기 어려운 사안이 발생할 수 있다.

③ 문언을 넘어선 해석은 문언이 해석자를 이끌어 주는 경우라도 시도될 수 있다.
마지막 문단 "문언이 답을 제공하지 않기 때문에 해석을 통한 보충이 필요한 경우라 하더라도 규칙의 언어 그 자체가 해석자로 하여금 규칙의 목적을 가늠하도록 인도해 줄 수 있으며……."에 따르면, 문언이 답을 제공하지 않아 해석을 통한 보충이 필요한 경우라도 문언 자체가 법률의 목적을 가늠할 수 있도록 해석자를 인도해 준다. 즉 문언을 넘어선 해석에 해당하는 경우라도 문언이 해석자를 이끌어 줄 수 있는 것이다. 따라서 문언을 넘어선 해석은 문언이 해석자를 전혀 이끌어 주지 못할 때 비로소 시도될 수 있는 것이 아니다.

④ 문언에 반하는 해석은 법률의 흠결이 있을 때 이를 보충하기 위한 것이 아니다.
5문단 "문언이 …… 아무런 답을 제공하지 않는 사안이나 부적절한 답을 제공하는 사안도 있을 수 있는데, 이들이 바로 각각 문언을 넘은 해석과 문언에 반하는 해석이 시도되는 경우"와 "후자는 문언이 언어적 확정성을 갖추었음에도 불구하고"에 따르면, 문언에 반하는 해석은 언어적 확정성을 갖춘 경우이므로

법률의 흠결이 있는 경우라 할 수 없다. 따라서 문언에 반하는 해석은 법률의 흠결이 있을 때 이를 보충하기 위한 것이 아니므로 법률의 흠결을 보충하기 위한 경우에 정당화된다고 볼 수 없다. 덧붙여서 2문단 "'법률의 문언을 넘은 해석'이나 '법률의 문언에 반하는 해석'을 …… 전자를 특정 법률의 본래적 구상 범위 내에서 흠결 보충을 위해 시도되는 것으로, 후자를 전체 법질서 및 그 지도 원리의 관점에서 수행되는 것으로 파악하기도 한다."를 통해서도, 문언을 넘은 해석은 법률의 흠결이 있는 경우이고, 문언에 반하는 해석은 그렇지 않은 경우임을 알 수 있다.

⑤ 법률의 흠결이 형식상 드러나 있는 경우에는 전체 법질서를 고려한 해석이 필요하지 않다.
2문단 "형식상 드러나지 않는 법률적 결함에 대처하는 것도 일견 흠결 보충이라 할 수 있지만, 이는 또한 법률이 제시하는 결론을 전체 법질서의 입장에서 뒤집는 것과 별반 다르지 않기 때문이다."에 따르면, 형식상 드러나지 않는 법률적 결함에 대처하는 것은 전체 법질서의 입장을 고려한 해석이 필요할 수 있다. 그러나 이는 어디까지나 형식상 드러나지 않는 법률적 결함에 한정된 것이다. 형식상 드러나 있는 법률의 흠결을 보충하기 위해서도 전체 법질서를 고려한 해석이 필요하다고 볼 수는 없다.

30. 정답 ③ | 난이도 ★★☆ | 정답률 63%

내용영역 규범 | 문항 유형 정보의 평가와 적용

[정답 풀이]

③ 4문단 "주변부의 사안을 해석자의 재량에 맡기기보다는 규칙의 목적에 구속되게 해야 할 뿐 아니라"에 따르면, [A]는 규칙의 목적에 맞게 주변부의 사안을 해석해야 한다고 본다. 따라서 ㉠의 목적이 주민의 안전을 확보하는 것이라면, [A]의 입장은 이러한 목적에 맞게 '야생동물'을 해석해야 한다. 즉 어떤 동물이 기르는 것이 금지된 '야생동물'에 해당하는지는 그 동물이 주민의 안전을 위협하는지에 따라 결정된다. 그런데 공격성을 지닌 들개는 주민의 안전을 위협할 수 있으므로 '야생동물'에 해당되어 기르는 것이 금지될 수 있다.

[오답 풀이]

① 규칙의 목적이 야생의 생물 다양성을 보존하기 위한 것이라면, 멸종 위기 품종의 길고양이를 입양하는 것이 허용되지 않을 것이다.
멸종 위기의 동물을 키워서 멸종되지 않게 하는 것과 야생의 생물 다양성을 보존하는 것은 다르다. 멸종 위기 품종의 길고양이를 입양하는 것은 오히려 야생의 생물 다양성을 감소시키는 행동이다. 따라서 규칙의 목적에 구속되어 해석해야 한다는 것이 [A]의 입장이므로, 야생의 생물 다양성 보존이라는 규칙의 목적에 구속된다면, 이러한 행동은 허용되지 않을 것이다.

② 사자가 '야생동물'의 언어적 의미에 부합한다는 것만으로는 허용 여부를 단정할 수 없다.
4문단 "중심부의 사안에서조차 규칙의 목적에 대한 조회 없이는 문언이 해석자를 온전히 구속할 수 없다."에 따르면, 확정적인 의미의 중심부도 해석을 위해서는 규칙의 목적이 필요하다는 것이 [A]의 입장이다. 즉, [A]는 개구리처럼 의미상 '야생동물'에 속하는 경우에도 규칙의 목적이 필요하다고 본다. 따라서 규칙의 목적을 알지 못하는 상황에서, 사람과 함께 산 사자가 '야생동물'의 언어적 의미에 부합한다는 것만으로는 기르는 것이 허용되지 않는다고 단정할 수 없다.

④ 인근에서 잡힌 희귀한 개구리를 관상용으로 키우는 것이 허용되었다 하더라도, 개구리는 '야생동물'에 해당할 수 있다.
4문단 "인근에서 잡힌 희귀한 개구리를 연구 · 보호하기 위해 발견 장소와 가장 유사한 환경의 주택가 시설에 둘 수 있을까? 이를 긍정하는 경우에도 그러한 개구리가 의미상 '야생동물'에 해당한다는 점 자체를 부인할 수는 없을 것이다."에 따르면, 희귀한 개구리를 연구 보호하기 위해 주택가에 두는 것이 허용될 때에도 개구리가 '야생동물'에 해당한다고 인정한다. 즉 [A]는 규칙의 목적에 따라 허용 여부가 결정되는 것이지만, 그 목적 때문에 야생동물의 언어적 의미가 바뀌는 것은 아니라는 입장이다. 따라서 인근에서 잡힌 희귀한 개구리를 관상용으로 키우는 것이 허용되었더라도, '야생동물'의 언어적 의미가 이에 따라 결정되는 것은 아니다.

⑤ 유전자 조합으로 창조된 동물을 기르는 것이 금지되었다고 해서, '야생동물'의 언어적 의미를 단정할 수 있는 것은 아니다.
4문단 "인근에서 잡힌 희귀한 개구리를 연구 · 보호하기 위해 …… 그러한 개구리가 의미상 '야생동물'에 해당한다는 점 자체를 부인할 수는 없을 것이다."에 따르면, [A]는 규칙의 목적에 따라 허용 여부가 결정되는 것이지만, 그 목적 때문에 야생동물의 언어적 의미가 바뀌는 것은 아니라는 입장임을 알 수 있다. 따라서 유전자 조합으로 창조된 동물을 기르는 것이 금지되었는지에 따라, '야생동물'의 언어적 의미가 결정되는 것은 아니다.

2020학년도 (홀수형)

[1~3] 제재 | 법률 언어에서 '물(物)'의 의미 변화
난이도 | ★★☆

1. 정답 ④ 난이도 ★★☆ | 정답률 68%

내용영역 규범 문항 유형 정보의 확인과 재구성

[정답 풀이]

④ 3문단에 따르면, 과거에 비디오물은 "영상이 고정되어 있는 테이프나 디스크 등의 물체"로 정의되었다. 하지만 관련 법령이 정비되면서 "연속적인 영상이 디지털 매체나 장치에 담긴 저작물"이라고 정의하게 되었다. 그리고 이처럼 비디오물이 저작물(무체물)로 정의되었기 때문에, 유체물에 고정되어 있는지를 따질 필요가 없게 되었다.

[오답 풀이]

① 디지털 정보는 그것을 담고 있는 매체와 구별되는 특성 때문에 정보 자체도 압수할 수 있다.
2문단에 따르면, 디지털 증거는 유체물인 저장 매체가 아니라, 그에 담겨 있으면서 그와 구별되는 무형의 정보 자체가 핵심이다. 따라서 디지털 증거의 등장 이후 정보 자체를 압수해야 한다는 인식이 발생했다. 즉 디지털 정보는 정보 자체를 압수하는 방식으로도 압수 절차가 이루어질 수 있다.

② 전자적 형태의 문자 정보도 증거조사의 대상으로 삼을 수 있다.
2문단에 따르면, 민사소송에서 증거조사의 대상인 문서는 문자나 기호, 부호로써 일정한 사상을 표현한 유형물이기 때문에 문서 정보를 담고 있는 자기 디스크 등을 문서로 볼 수 있는지에 대한 논쟁이 일었다. 따라서 민사소송법 제374조와 이에 대한 특칙을 두어 정보 자체를 문서로써 증거조사를 할 수 있는 근거를 마련하였다.

③ 형법상 음란물은 유체물이지만 아동 · 청소년 이용 음란물은 유체물과 무체물이 모두 포함된다.
3문단의 형법 판례에 따르면, 음란한 영상을 수록한 디지털 파일 자체는 유체물이 아니므로 음란물로 볼 수 없다. 그러나 아동 포르노그래피의 차단을 위해 신설된 법령에서는 필름 · 비디오물 · 게임물 외에 통신망 내의 음란 영상에 대하여도 아동 · 청소년 이용 음란물로 규제한다. 즉 아동 · 청소년 이용 음란물에는 유체물과 무체물이 모두 포함된다. 따라서 형법상 음란물은 유체물인 반면, 아동 · 청소년 이용 음란물은 유체물과 무체물을 모두 포함한다는 점에서 차이가 있다.

⑤ 게임물에 대한 규제의 중심은 매체에서 콘텐츠로 옮겨갔다.
3문단에 따르면, 과거에 게임물은 비디오물과 함께 "영상이 고정되어 있는 테이프나 디스크 등의 물체"로 정의되었다. 그런데 새로운 법률이 제정되면서 게임물은 유체물에 고정되어 있는지를 따지지 않는 영상물로 규정되었다. 즉 게임물의 정의는 유체물인 매체에서 무체물인 영상물로 변화하였으며, 이에 따라 규제의 중심도 매체에서 영상물 같은 콘텐츠로 옮겨갔다.

2. 정답 ④ 난이도 ★★☆ | 정답률 73%

내용영역 규범 문항 유형 정보의 추론과 해석

[정답 풀이]

④ 4문단의 판례는 재물을 팔아서 얻은 무언가는 이미 동일성을 상실한 탓에 장물이 아니라고 하였고, 물건이 아닌 재산상 가치 또한 장물이 아니라고 보았다. 이러한 판례의 입장에 대해서 비판(㉠)은 오늘날 금융 거래 환경에서 금전이 이체된 예금계좌상의 가치가 유체물인 현금과 본질적으로 다르지 않다고 주장한다. 즉 비판(㉠)의 입장은 물건이 아닌 예금계좌상의 가치도 장물로 보아야 한다는 것이다. 비판(㉠)의 대상은 이러한 입장과 반대되는 내용이어야 하므로 은행 계정에 기록된 자산 가치에 대해서 장물죄의 규정을 적용하지 않는다는 태도가 비판(㉠)의 대상이 될 것이다.

[오답 풀이]

물건이 아닌 재산상 가치 또한 장물이 아니라고 보는 판례의 입장에 대해서 비판(㉠)은 오늘날 금융 거래 환경에서 금전이 이체된 예금계좌상의 가치가 유체물인 현금과 본질적으로 다르지 않다고 주장한다. 즉 ㉠의 입장은 예금계좌상의 가치처럼 물건이 아닌 재산상 가치도 장물로 보아야 한다는 것이다. 비판(㉠)의 대상은 이러한 비판(㉠)의 입장과 반대되는 내용이어야 한다. 그런데 장물을 팔아서 생긴 현금을 장물죄의 적용 대상으로 보지 않는다는 태도(①), 장물의 개념을 범죄로 취득한 물건 그 자체로 한정하여서는 안 된다는 태도(②), 관리할 수 있는 전기를 장물죄에서 규율하는 재물로 인정한다는 태도(③), 장물죄에서 형법 제346조의 준용이 없더라도 그 죄에서 규정하는 재물에는 동력이 포함된다는 태도(⑤) 모두 이에 해당하지 않으므로 비판(㉠)의 대상으로 적절하지 않다.

3. 정답 ② 난이도 ★★☆ | 정답률 46%

내용영역 규범 문항 유형 정보의 평가와 적용

[정답 풀이]

② 자립형태소는 독자적으로 쓰일 수 있는 형태소이고, 의존형태소는 다른 어근과 결합할 필요가 있는 형태소이다. '뇌물'에서 '뇌'와 '장물'에서의 '장'은 독자적으로 쓰일 수 없기 때문에 자립형태소가 아니라 의존형태소에 해당한다. 반면, '증거물'에서 '증거'는 독자적으로 쓰일 수 있기 때문에 자립형태소이다. 따라서 '뇌물'과 '장물'의 '물'은 자립형태소와 결합하지 않았다는 점에서 '증거물'의 '물'과 차이가 있다고 볼 수 있다.

[오답 풀이]

① '뇌물'에서의 '물'은 사전적 의미보다 확대된 개념으로 해석되는 문법 단위이다.
사전적으로 '-물(物)'은 물건이나 물질이라는 의미를 갖는다. 그러나 법조문에서는 '-물(物)'이 일반적 의미를 넘어서는 개념으로 쓰이기도 한다. <보기>에서도 뇌물은 금품, 물품 기타의 재산적 이익뿐만 아니라 사람의 수요 · 욕망을 충족시키기에 족한 일체의 유형 · 무형의 이익을 포함한다고 하며 그 범위를 사전적 의미보다 넓게 보고 있다. 따라서 '뇌물'에서의 '물'은 사전적 의미보다 확대된 개념으로 해석되는 문법 단위라고 할 수 있다.

③ '게임물'에서의 '물'은 물건에 한정되지 않는 개념으로 변화하였으므로 '뇌물'에서의 '물'보다 좁은 의미를 갖는다고 할 수 없다.
'게임물'에서의 '물'은 처음에 비디오물과 함께 정의되어 물건에 한정되는 개념이었지만, 게임 산업이 발전하면서 새로운 법률 제정을 통해 독자적 정의가 마련되었다. 그에 따라 유체물에 고정되어 있는지를 따지지 않는 영상물로 규정되어, 물건에 한정되지 않는 개념으로 변화하였다. 또한 <보기>에서 '뇌물'의 '물'도 마찬가지로 유형 · 무형의 이익을 포함하는 넓은 의미이다. 따라서 '게임물'에서의 '물'은 '뇌물'의 '물'보다 좁은 의미라 볼 수 없다.

④ '뇌물'의 '물'과 '장물'의 '물'은 다른 의미를 가진다.
<보기>에서 '뇌물'로 보는 대상에는 재물뿐 아니라 일체의 유형 · 무형의 이익을 포함하여 광범위한 이익까지 인정된다. 반면 4문단에 따르면, '장물'에는 물건 그 자체와 '관리할 수 있는 동력'이 포함되지만, 물건이 아닌 재산상 가치인 것은 장물로 보지 않는다. 따라서 '뇌물'의 '물'과 '장물'의 '물'은 다른 의미를 가진다고 볼 수 있다.

⑤ '뇌물'에서 '압수물'의 개념 변화는 압수 방식을 새롭게 해석한 결과가 아니고, '물'의 의미 변화 역시 입법으로 규정한 결과가 아니다.
무형의 정보 자체가 디지털 증거의 핵심이 됨에 따라 정보 그 자체를 압수해야 한다는 인식이 생겨났고, 그에 따라 출력이나 복사도 압수 방식으로 형사소송법에 규정되었다. 이것은 입법을 통해 기존의 압수 방식에 새로운 방식이 추가로 규정되면서 '압수물'의 개념이 바뀐 것이다. 따라서 압수 방식을 새롭게 해석한 결과로 '압수물'의 개념이 변화된 것은 아니다. 또한 <보기>의 판결에서 '뇌물'에 대한 개념을 재산적 이익뿐만 아니라 사람의 수요 · 욕망을 충족시키기에 족한 일체의 유형 · 무형의 이익을 포함한다고 하였다. 하지만 이것은 판결의 내용이므로, 법을 만들거나 수정하는 입법을 통해 '뇌물'의 '물'에 대한 개념이 규정된 결과가 아니다.

[4~6] 제재 | 조선 초 중혼 규제에 관한 법적 논의
난이도 | ★★★

4. 정답 ②
난이도 ★☆☆ | 정답률 80%
내용영역 인문 / 문항 유형 정보의 확인과 재구성

[정답 풀이]

② 3문단에 따르면, 수정 보완 기준(㉡)에서는 처첩의 자식들 사이에 적통을 다투는 경우 신분, 혼서 및 혼례를 조사하여 판결하며, 처인지 첩인지에 따라 그 자식에게 노비를 차등 분급하였다.

[오답 풀이]

① 규제(㉠)에서는 처와 첩을 구분할 때 혼서의 유무와 혼례식 여부를 기준으로 하였다.
2문단에 따르면, 사헌부는 혼서의 유무와 혼례식 여부로 처와 첩을 구분하여야 한다고 했고, 이것이 받아들여졌다. 따라서 규제(㉠)에서는 생사 여부가 아닌, 혼서와 혼례식을 기준으로 처와 첩을 구분하였다.

③ 규제(㉠)에서도 처를 첩으로 바꾸거나 첩을 처로 바꾸면 처벌을 받았다.
2문단에 따르면, 규제(㉠)에서는 처와 첩의 지위가 바뀐 경우 처벌 후 원래대로 바꾸라고 하였다. 따라서 규제(㉠)에서도 처를 첩으로 바꾸거나 첩을 처로 바꾸면 처벌을 받았다. 수정 보완 기준(㉡)에서는 규제(㉠)가 유지되었으므로 규제(㉠)와 수정 보완 기준(㉡) 모두 처와 첩의 지위가 바뀐 경우에는 처벌 후 원래대로 바꾸라는 기준을 제시한다고 볼 수 있다.

④ 규제(㉠)와 수정 보완 기준(㉡) 모두 다처일 경우 후처와 이혼해야 하였다.
규제(㉠)에서는 처가 있는데도 다시 처를 취한 자는 처벌 후 후처를 이혼시키라고 하였다. 즉 다처일 경우, 후처와는 이혼하라는 것이다. 수정 보완 기준(㉡)에서도 태종 13년 3월 11일 이후부터 처가 있는데 또 처를 얻은 자는 엄히 징계하여 후처와 이혼시키라고 하였으므로 이 역시 다처일 경우 모든 처가 아니라 후처와 이혼하라고 한 것이다.

⑤ 규제(㉠)와 수정 보완 기준(㉡)에서는 영락 11년 3월 11일 이후부터 중혼이 허용되지 않았다.
2문단에 따르면, 규제(㉠)는 영락 11년에 받아들여져 시행된 중혼 규제 방침이다. 이에 따르면, 처가 있는데도 다시 처를 취한 자는 처벌 후 후처를 이혼시켰다. 즉 영락 11년에 규제가 시작된 이후로는 중혼이 허용되지 않았다. 3문단에 따르면, 수정 보완 기준(㉡)에서도 영락 11년 3월 11일 이후부터 처가 있는데 또 처를 얻은 자는 엄히 징계하여 후처와 이혼시켰다. 따라서 규제(㉠)와 수정 보완 기준(㉡) 모두 영락 11년 3월 11일 이후부터 적용한 중혼 허용의 기준은 없었다. 은의와 동거 여부는 이미 당사자가 죽어 이혼할 수 없는 경우에 수정 보완 기준(㉡)에서 작첩과 수신전을 주는 기준이었을 뿐, 영락 11년 3월 11일 이후부터 중혼을 허용하는 기준은 아니다.

5. 정답 ⑤
난이도 ★★☆ | 정답률 78%
내용영역 인문 / 문항 유형 정보의 추론과 해석

[정답 풀이]

⑤ 정척(ⓓ)과 어떤 이(ⓔ) 모두 이효손은 이 씨를 위해 상복을 입어야 한다고 주장하고 있다.
정척(ⓓ)은 「육전등록」을 근거로 하여 이효손은 이 씨를 계모에 견주어 상복을 3년 입어야 한다고 주장하였다. 그리고 어떤 이(ⓔ)는 이 씨를 첩모로 강등하여 이효손은 첩모를 위한 상복을 입어야 한다고 주장하였다. 따라서 이효손이 이 씨를 위해 상복을 입어야 한다는 점에서는 정척(ⓓ)과 어떤 이(ⓔ)의 입장이 동일하다.

[오답 풀이]

① 집현전(ⓐ)은 전 왕조 말에는 여러 명의 처를 한시적으로 모두 적처로 인정하였다는 점과 「육전등록」에서 이미 여러 처를 인정하였다는 근거로 들어 이효손이 이 씨를 위해 3년간 상복을 입어야 한다고 주장하였다. 이를 볼 때 집현전은 백 씨와 이 씨 모두 적처로 인정하는 입장임을 알 수 있다. 이처럼 백 씨와

이 씨를 같게 대우하는 집현전(ⓐ)의 논리에 따르면, 이성손 역시 백 씨가 사망한 경우에 이 씨가 사망한 경우와 동일하게 백 씨를 위해 3년간 상복을 입어야 한다.

② 예조(ⓑ)는 이효손이 이 씨를 위해 친모인 백 씨와 똑같이 할 수는 없으므로 상복을 1년 입어야 한다고 주장하면서, 이렇게 하는 것이 이 씨를 첩모로 대우하는 것은 아니라고 하였다. 즉 백 씨와 이 씨를 모두 첩이 아닌 처로 인정하면서도, 이 씨를 친모인 백 씨와 동일한 대우를 하지 않는다는 것이다. 따라서 이것은 아버지의 적처라도 경우에 따라 어머니로서의 대우에 대한 판단이 달라야 함을 의미한다고 볼 수 있다.

③ 예조(ⓑ)는 백 씨의 의리가 이 씨와 같지 않으니 대우 또한 달라야 한다고 하면서도 이 씨를 첩모로 대우해서는 안 된다는 입장이다. 백 씨와 이 씨를 모두 처로 인정한 것이다. 또한 정인지(ⓒ)는 예에서 두 명의 처를 두지 않는 것과 달리 「육전등록」에서 은의와 동거 여부를 고려함으로써 문란함을 방기하게 되었다고 하였다. 이는 「육전등록」에 따를 때 이 씨와 백 씨 모두 처로 인정됨을 의미한다. 따라서 예조(ⓑ)와 정인지(ⓒ) 중 어떤 논리를 따르더라도 백 씨와 이 씨는 모두 이담의 적처로 인정된다고 볼 수 있다.

④ 정인지(ⓒ)는 이효손과 이성손이 각각 자기 어머니에 대해서만 상복을 입어야 한다고 하였다. 정인지(ⓒ)의 논리를 따르면, 이효손은 이 씨를 위해 상복을 입지 않게 된다. 반면 정척(ⓓ)은 이 씨를 이효손의 계모에 견주게 하여 상복을 3년 입고, 후에 백 씨의 상에는 이성손이 3년을 입게 하여야 한다고 주장한다. 정척(ⓓ)의 논리를 따르면, 이효손은 이 씨를 위해 상복을 입어야 한다. 따라서 정인지(ⓒ)와 정척(ⓓ) 중 어느 쪽의 논리를 따르는지에 따라 이효손이 이 씨를 위해 상복을 입는 여부가 달라진다고 볼 수 있다.

6. 정답 ⑤

난이도 ★★★ | 정답률 37%

(내용영역) 인문 (문항 유형) 정보의 평가와 적용

[정답 풀이]

⑤ 이 소송의 상황은 세 명의 처를 둔 경우가 아니다.
처 · 첩을 구분할 때는 신분과 혼서 유무 및 혼례식 여부로 가려야 한다. 그런데 노 씨는 상인의 서녀라는 신분이며 박길동과 혼례를 하지 않았으므로 처가 아니라 첩이다. 따라서 이 소송의 상황은 두 명의 처와 한 명의 첩이 있는 경우이므로 이 소송에 세 명의 처를 둔 경우의 규정을 적용하는 것은 적절하지 않다.

[오답 풀이]

① 중혼 규제 방침은 1413년에 시작되었고, 이에 대한 수정 보완 기준은 그다음 해인 1414년에 논의되었다. 박길동은 중혼 규제 방침이 시행되기 전에 노 씨, 김 씨, 허 씨와 혼인하였고 수정 보완 기준이 논의되기 전인 1413년 5월에 죽었다. 따라서 박길동이 사망한 직후인 1413년에 소가 제기되어 그 해에 판결되었다면 수정 보완 기준이 마련되기 이전의 중혼 규제 방침이 적용되어야 한다. 수정 보완 전 중혼 규제에 따르면, 혼서의 유무와 혼례식 여부로 처와 첩을 구분하고, 당사자가 이미 죽은 경우 선처에게 작첩과 수신전이 주어진다. 따라서 박길동과 가장 먼저 혼서를 교환하고 혼례를 올린 김 씨가 선처로 인정되어 김 씨에게 작첩과 수신전이 주어졌을 것이다.

② 박길동이 소가 제기되었던 1415년까지 사망하지 않고 생존해 있었다면 수정 보완 기준에 의해 중혼에 대한 규제를 적용받을 것이다. 수정 보완 기준에서는 태종 13년 3월 11일 이후에 중혼한 자에 대해서만 처벌한다. 그런데 세 차례 있었던 박길동의 혼인은 모두 규제가 이루어지기 전인 태종 13년 이전에 벌어졌던 일이므로 박길동이 계속 생존해 있었다고 해도 중혼에 대해 처벌받지 않을 것이다.

③ 수정 보완 기준에 따르면, 처첩의 자식들 사이에 적통을 다투는 경우에는 신분, 혼서 및 혼례를 조사하여 판결한다. 따라서 이 소송의 경우에는 노 씨의 신분이나 혼서의 유무, 혼례식 여부에 따라 적처와 적통 여부가 결정되는 것이므로 박일룡이 집안의 일을 주관하는 아들이라는 점은 판결에 영향을 주지 않았을 것이다.

④ 이 소송이 제기된 1415년은 중혼 규제에 대한 수정 보완 기준이 마련된 이후이다. 수정 보완 기준에 따르면, 은의가 깊고 얕음과 동거 여부를 고려하여, 선처와 은의가 약하고 후처와 평생 같이 살았다면 후처라도 작첩과 수신전을 주었다. 박길동의 경우 김 씨가 선처이고 허 씨가 후처인데, 박길동과 평생 같이 산 자는 허 씨이므로 수정 보완 기준에 따라 작첩과 수신전은 허 씨에게 주어졌을 것이다.

[7~9] 제재 | 오믹스
난이도 | ★★☆

7. 정답 ⑤

난이도 ★★☆ | 정답률 78%

(내용영역) 과학기술 (문항 유형) 정보의 확인과 재구성

[정답 풀이]

⑤ 3문단에 따르면, 분화를 통해 다른 세포로 변하게 되면 그 세포가 가지고 있는 단백질의 조합도 달라진다. 암세포도 정상 세포에서 분화한 것이므로 암세포의 단백질 조합 역시 정상 세포의 단백질 조합과 달라졌을 것이다. 단백질체는 단백질 전체의 집합을 의미하므로 암세포의 단백질체 정보는 정상 세포의 단백질체 정보와 동일하지 않다고 볼 수 있다. 암세포의 단백질체와 정상 세포의 단백질체를 서로 비교해 보면, 정상 세포에 비하여 암세포에서 양이 변화되어 있는 단백질을 찾을 수 있다는 4문단의 내용을 통해서도 이를 확인할 수 있다.

[오답 풀이]

① 신경 세포의 RNA 중 일부만이 단백질로 번역된다.
2문단에 따르면, RNA 중 일부만이 번역 과정을 통해 단백질로 만들어진다. 따라서 신경 세포의 경우에도 RNA 중 일부만이 단백질로 번역될 것이다.

② 인간 간세포의 단백질체 정보는 인간 간세포의 유전체 정보의 일부이다.

2문단에 따르면, 유전체는 생명 시스템이 수행 가능한 모든 기능에 대한 유전 정보를 총괄한다. 전사체는 그 유전체 정보의 일부분을 가지고 있고, 단백질체는 전사체의 일부분을 가지고 있다. 따라서 유전체 > 전사체 > 단백질체 순으로 정보의 보유량이 많으므로 유전체 정보가 단백질체 정보의 일부가 아니라, 반대로 단백질체 정보가 유전체 정보의 일부이다.

③ 인간 간세포의 단백질체 정보는 생쥐 간세포의 단백질체 정보와 다르다.
2문단에 따르면, 인간의 간세포와 생쥐의 간세포의 유전체는 각각 서로 다른 정보를 가지고 있다. 단백질체 정보는 유전체 정보의 일부분이므로 인간과 생쥐의 간세포 유전체 정보가 서로 다르다면, 단백질체 정보 역시 서로 다를 것이다.

④ 암세포도 정상 세포의 분화를 통해 나타날 수 있다.
3문단에 따르면, 분화는 세포가 외부의 자극이나 내재된 프로그램에 의해 한 종류에서 다른 종류의 세포로 변화하는 과정이다. 그리고 정상 세포가 암세포로 바뀌는 과정도 분화 과정이라 할 수 있다. 이를 볼 때 암세포도 정상 세포에서 분화할 수 있다.

8. 정답 ② 　　난이도 ★★☆ | 정답률 50%

내용영역 과학기술 　　문항 유형 정보의 추론과 해석

[정답 풀이]

② 트립신을 첨가한 후에 생성되는 펩타이드들의 아미노산 서열이 모두 동일할 수는 없다.
5문단에 따르면, 단백질은 20종류의 아미노산이 500개 정도가 일렬로 연결된 형태이며, 2만 종 이상의 단백질들이 서로 다른 아미노산 서열을 가진다. 그리고 6문단에 따르면, 펩타이드는 단백질에 트립신을 첨가하여 생성되는 평균 10개 정도의 아미노산으로 이루어진 조각이다. 따라서 서로 다른 단백질에 트립신을 첨가한 후 생성되는 펩타이드들의 아미노산 서열이 모두 동일할 수는 없다.

[오답 풀이]

① 3문단에 따르면, 분화는 한 세포가 다른 세프로 변하는 과정을 말하며, 분화가 이루어지면 그 세포의 단백질 조합이 달라진다. 단백질 조합의 변화는 단백질 전체의 집합인 단백질체 수준의 변화를 의미한다. 그런데 단백질체는 실제로 수행 중인 기능에 대한 정보를 담고 있는 반면, 유전체는 그 시스템이 수행 가능한 모든 기능에 대한 유전 정보를 가지고 있다. 따라서 세포의 분화로 단백질체 정보가 변화한다고 해도 이는 어디까지나 유전체 정보의 허용 범위 안의 변화이다. 즉 세포 분화를 한다고 해도 유전체 정보는 변하지 않는다고 추론할 수 있다.

③ 2문단에 따르면, 단백질은 생명체에서 필수적인 일을 직접 수행하며, 단백질의 전체의 집합인 단백질체는 실제로 수행 중인 기능에 대한 정보를 담고 있다. 그리고 3문단에 따르면, 이러한 인체의 세포들은 종류에 따라 전체 단백질 중 일부를 서로 다른 조합으로 가지고 있다. 즉 피부 세포, 신경 세포 등의 기능이 다른 것은 각 기능을 수행하는 단백질을 세포마다 다르게 갖고 있기 때문이며, 단백질이 다르다는 것은 결국 단백질체 정보가 다르다는 것을 의미한다고 할 수 있다.

④ 6문단에 따르면, 트립신은 특정 아미노산을 인지하여 자르므로 어떤 아미노산과 아미노산 사이가 잘릴 것이지를 예측할 수 있다. 따라서 어떤 단백질의 아미노산 서열을 알면 트립신 처리 후 생성될 각 펩타이드의 아미노산 서열을 예측할 수 있다. 그리고 모든 아미노산의 분자량은 이미 알려져 있으므로 펩타이드의 아미노산 서열을 안다면 펩타이드의 분자량을 예측할 수 있다.

⑤ 4문단에 따르면, 암세포의 단백질체와 정상 세포의 단백질체를 비교했을 때, 암세포에서 정상 세포보다 양이 늘어나 있는 단백질은 발암 단백질의 후보가 될 수 있다. 그런데 6문단에 따르면, 펩타이드는 단백질의 아미노산 서열을 자른 조각이므로 어떤 단백질에서 유래한 특정 펩타이드의 양이 많다는 것은 곧 그 단백질의 양이 많다는 것이다. 따라서 어떤 단백질에서 유래한 특정 펩타이드의 양이 정상 세포에서보다 암세포에서 더 많다면 그 단백질은 발암 단백질의 후보라고 할 수 있다.

9. 정답 ③ 　　난이도 ★★☆ | 정답률 60%

내용영역 과학기술 　　문항 유형 정보의 평가와 적용

[정답 풀이]

ㄱ. ㉠은 필수적인 '일'을 직접 수행하는 물질은 단백질체를 이루는 단백질들이라고 하였다. 그런데 최초의 생명체가 DNA나 단백질은 가지지 않고 RNA만 가지고 있었다면, 단백질이 없어도 생명체의 필수적인 일이 수행될 수 있다는 것이므로 ㉠의 설득력은 약화된다.

ㄴ. ㉡에 따르면, 암세포에서 정상 세포보다 양이 늘어난 단백질은 발암 단백질의 후보, 즉 암을 발생시키는 기능을 할 가능성이 있다. 여기에는 특정 단백질의 양이 많을수록 그 단백질의 기능이 더 많이 활성화된다는 것이 전제되어 있다. 하지만 양이 많아지면 덩어리를 이루어 오히려 기능이 비활성화되는 단백질이 있다면, 이 전제가 약화되어 ㉡의 설득력이 약화된다. 만약 암세포에서 정상 세포보다 양이 늘어나서 단백질의 기능이 비활성화된다면 이 단백질이 암을 발생시키는 기능을 한다고 할 수 없기 때문이다.

[오답 풀이]

ㄷ. 트립신을 첨가한 서로 다른 단백질에서 같은 분자량을 지닌 펩타이드가 생성된다면, ㉢의 설득력은 약화된다.
암세포 단백질체와 정상 세포 단백질체의 펩타이드 분자량 분석을 통해 치료용 표적 후보 단백질이 어떤 단백질인지 알아낼 수 있다. 이를 위해서는 두 단백질체의 펩타이드의 분자량을 분석한 데이터를 비교하여 그 차이만으로 암세포에서 늘어난 특정 단백질을 알아낼 수 있어야 한다. 그런데 트립신을 첨가한 서로 다른 단백질에서 같은 분자량을 지닌 펩타이드가 생성된다면 펩타이드의 분자량을 분석해서 차이가 있다 해도 어떤 단백질이 늘어났는지 확정할 수 없게 되므로 ㉢의 설득력이 약화된다.

[10~12] 제재 | 채만식의 「탁류」 비평
난이도 | ★☆☆

10. 정답 ① 난이도 ★★☆ | 정답률 72%

내용영역 인문 문항 유형 주제, 구조, 관점 파악

[정답 풀이]

① 1문단에 따르면, 글쓴이는 채만식이 「탁류」에서 현실을 대하는 태도에는 식민지 근대화 과정에 대한 민감한 시선이 들어 있다고 본다. 채만식의 민감한 시선이란 구체적으로 '초봉'의 몰락 과정을 통해 드러난다. 즉 인간과 사물을 환금의 가능성으로만 파악하는 자본주의의 기제가 인간의 순수한 영혼을 잠식해 들어가고, 그러면서 그 이윤 추구의 원리를 확대 재생산하는 과정을 통해 부정적인 삶의 양태들을 냉소하고 풍자하는 냉정한 태도를 드러낸다고 본 것이다. 따라서 제시문은 일본의 식민 지배를 받던 시대의 특수성을 고려하여 자본주의 기제에 잠식되는 삶의 양태에 대한 채만식의 비판적 인식을 추적하는 것이라 볼 수 있다.

[오답 풀이]

② 제시문은 인물의 내면 심리에 대한 세밀한 분석이 나타나지 않고, 소설가의 내면 심리를 천착하지 않는다.
제시문은 「탁류」에서 그려진 인물들의 삶의 양태가 어떻게 변화하는지에 주목한다. 특히 초봉이 자본주의에 물들어 몰락하는 과정을 통해 부정적인 삶의 양태를 풍자하고 있으면서도 다른 한편으로는 승재와 같은 인물의 삶을 통해 구원의 가능성을 찾고자 하였다는 점을 강조한다. 이 과정에서 인물의 내면 심리에 대한 세밀한 분석이 아닌 소설 속에서 인물들의 삶의 양태가 변화하는 과정이 나타남을 드러낸다. 또한 제시문은 소설가의 내면 심리가 아니라 당시 현실에 대한 소설가의 인식에 대해서 설명하고 있으므로 내면 심리를 천착*한다는 설명도 적절하지 않다.

* 천착 : 어떤 원인이나 내용 따위를 따지고 파고들어 알려고 하거나 연구함.

③ 소설가가 궁핍으로 인한 연명의 문제보다 윤리의 문제를 중시한다고 보기 어렵고, 소설가의 인식을 비판하는 내용이 제시문에 드러나 있지 않다.
채만식의 소설 「탁류」는 궁핍화가 극에 달해 연명에 관심을 가질 수밖에 없었던 조선인의 현실을 중요한 문제로 삼은 작품이다. 채만식은 특유의 냉정한 태도로 부정적인 삶의 양태들을 냉소하고 풍자하면서도 보다 나은 미래를 가능하게 할 잠재적 가능성이나 가치들을 끈질기게 탐색한다. 이를 보았을 때 채만식이 연명의 문제보다 윤리의 문제를 중시했다기보다는 연명의 문제가 극심한 상황 속에서도 윤리의 문제를 해결할 가능성을 찾으려 했다고 할 수 있다. 또한 제시문에는 소설가의 인식을 비판한 내용이 나타나 있지 않다.

④ 제시문은 소설가의 염세적 시선에 주목하여 삶의 의미를 반추하지 않는다.
채만식은 부정적 삶의 양태에 대해 냉소적인 시선을 보내고 있다. 하지만 한편으로는 보다 의미 있는 삶의 형식 혹은 보다 나은 미래를 가능하게 하는 잠재적 가능성이나 가치들을 끈질기게 탐색한다. 제시문은 소설가의 이러한 이중적 시선에 주목하고 있는 것이지, 인간의 존재론적 모순에 대해 염세적인 시선을 보내지 않는다. 따라서 인간의 존재론적 모순에 대한 소설가의 염세적 시선에 주목하여 삶의 의미를 반추한다는 설명은 적절하지 않다.

⑤ 제시문은 현실을 대하는 소설가의 이중적 태도를 인물들의 삶의 모습을 통해 통찰하고 있다.
글쓴이는 채만식이 초봉의 몰락을 통해 냉정한 태도로 부정적인 삶의 양태들을 냉소하고 풍자한다고 본다. 그러면서도 한편으로는 어머니의 마음을 가지게 되는 초봉의 삶이나 남에게 그저 베푸는 승재의 삶을 타락한 세계를 넘어설 수 있는 길로 제시한다고 파악한다. 글쓴이는 이처럼 현실의 모습을 비판하면서도 현실의 모습에서 구원의 가능성을 찾는다는 점에서 현실을 대하는 채만식의 태도를 이중적이라고 파악하는 것이다. 따라서 제시문은 초봉의 몰락 과정이나 승재의 증여의 삶 등 인물들의 삶의 모습을 통해 작가의 이중적 태도를 통찰하고 있는 것이지, 인물들이 표방하는 이념의 분석을 통해 통찰하고 있는 것이 아니다.

11. 정답 ② 난이도 ★☆☆ | 정답률 86%

내용영역 인문 문항 유형 정보의 추론과 해석

[정답 풀이]

② 하나의 변곡점(㉡)은 초봉이 노동을 통해 조금씩 무언가를 축적해 가는 삶의 방식에 회의를 갖게 되었음을 나타낸다.
노동을 통해 조금씩 무언가를 축적해 가는 삶의 방식을 가지고 있었던 초봉은 태수에 의해 이러한 삶의 방식에 대해 회의를 갖게 된다. 그리고 결국 타락한 교환가치의 세계 속으로 빠져든다. 하나의 변곡점(㉡)이란 초봉이 이처럼 태수에 의해 타락하기 시작했음을 의미한다. 따라서 하나의 변곡점(㉡)은 초봉이 노동을 통해 빈곤에서 벗어날 수 있다는 믿음을 되찾았다는 것을 알려주는 것이 아니라, 그 믿음에 회의를 갖고 교환의 정치경제학에 빠져들기 시작했음을 나타낸다고 볼 수 있다.

[오답 풀이]

① 고유한 영토(㉠)는 초봉이 경제적 어려움에 시달리는 가족을 위해서라면 자기희생을 마다하지 않는 순수한 영혼으로서 살아가던 세계를 의미한다. 이때의 초봉은 자본주의 기제로부터 영향을 받지 않았고, 가족에 대해 증여자로서 베푸는 삶을 살아가고 있었다. 따라서 고유한 영토(㉠)는 초봉이 지녔던 순수한 영혼을 불러일으키는 것이라고 볼 수 있다.

③ 영혼이 없는 자동인형(㉢)은 초봉이 교환의 정치경제학을 자기화함으로써 자신의 인격을 버리고 스스로를 상품으로 만들어 나가는 모습을 비유한 것이다. 이것은 초봉이 물신주의적 가치관을 수용하게 됨으로써 자본주의 시스템을 받아들여 인간과 사물을 환금의 가능성으로만 파악하게 되었음을 나타내는 것으로 볼 수 있다.

④ 노회함과 집요함(㉣)은 자본주의 시스템이 자신을 착취하는 것에 대해 강렬한 거부감을 느끼던 초봉이 결국에는 자신의 몸을 상품화하도록 만드는 자본주의 기제의 성격이다. 즉 순수한 영혼이었

던 초봉이 자본주의 기제를 받아들이면서 몰락하는 과정은 식민지 근대화 과정에서 들어온 자본주의 시스템이 순진성의 세계를 끈덕지고 교활하게 파괴하는 식민지 근대화 과정과 상통한다. 그리고 노회함과 집요함(㉣)은 초봉의 몰락 과정이 식민지 근대화 과정과 상통함을 상징적으로 보여주는 것이라 할 수 있다.

⑤ 횔덜린의 말(㉤)인 "위험이 있는 곳에 구원의 힘도 함께 자란다."는 위험이 가득한 세상에서 그 위험을 이겨낼 수 있는 구원의 힘 역시 같이 자라남을 의미한다. 이것은 구원의 힘이 역설적 방식으로 존재함을 강조하는 것이다. 즉 자본주의의 기제에 잠식당한 초봉이 송희를 낳으면서 어머니의 마음을 갖게 되어 증여의 삶을 살 수 있는 것처럼 왜곡된 자본주의 논리를 벗어날 힘이 '초봉'의 몰락 과정에서 생성되어 가기도 함을 시사해 준다고 볼 수 있다.

12. 정답 ⑤ 난이도 ★★☆ | 정답률 54%

내용영역 인문 | 문항 유형 정보의 평가와 적용

[정답 풀이]

⑤ 초봉은 교환의 정치경제학을 무의식적으로 자기화한 것이 아니고, '입술'을 꽉 다무는 계봉의 모습은 '증여의 윤리'를 의식적으로 수용하는 태도를 나타낸 것이 아니다.
3문단에 따르면, 초봉은 교환의 정치경제학에 익숙해진 후 제호가 초봉의 육체를 돈으로 측량하여 제시한 거래에 흔쾌히 응한다. 즉 의식적으로 자신의 인격을 버리고 스스로를 상품으로 만들어 나간 것이기 때문에 교환의 정치경제학을 의식적으로 자기화했다고 볼 수 있다. 한편, '입술'을 꽉 다무는 계봉의 모습은 승재가 건네는 돈을 자존심 때문에 받지 않으려고 하는 태도이다. 이것은 '증여의 윤리'를 의식적으로 수용하지 않으려는 태도라고 볼 수 있다.

[오답 풀이]

① 태수가 초봉에게 끊임없이 베푼 증여와 선물은 사악한 증여이다. 태수는 증여에 대한 대가로 무언가를 요구함으로써 초봉을 타락한 교환가치의 세계 속으로 전락시켰다. 이것은 이윤 추구 원리의 작동을 표상하는 것이라 볼 수 있다. 한편 5문단에 의하면 승재는 남에게 그저 베풀려고 하는 증여의 삶을 살아간다. 따라서 <보기>에서 승재가 계봉에게 건네는 돈은 불순한 사심이 없이 아무런 대가를 요구하지 않는 순수한 증여이므로 순수 증여를 표상하는 것으로 볼 수 있다.

② 3문단에 따르면, 제호는 초봉이 자본주의 기제에 익숙해질 무렵 초봉에게 접근하여 초봉의 육체를 돈으로 측량하고 거래를 제안하였다. 이는 속물주의적 논리를 통해 자신의 의지를 관철한 것으로 볼 수 있다. 한편 <보기>에서 승재는 계봉에게 생활에 보태라며 돈을 내밀면서 어떠한 대가도 요구하지 않는다. 이때의 '돈'은 단순히 물질적 교환가치가 아니라 '마음'의 가치이며, 이를 통해 승재는 자신의 선의를 드러낸다고 볼 수 있다.

③ 3문단에 따르면, 형보는 거부감을 드러내는 초봉의 반응에도 초봉과 송희 모녀의 호강을 구실로 가학성을 노골적으로 드러내어 초봉에게 고통을 준다. 이것은 돈의 위력을 믿고 초봉의 고통을 아랑곳하지 않는 것이다. 한편 <보기>에서 계봉은 승재의 순수 증여로서의 돈을 의식적으로 받지 않으려고 하는 모습을 보인다. 이것은 '근경 있는 마음자리'에 대해 고마움을 느끼면서도 일하는 만큼의 대가를 얻어야 한다는 철칙을 지키고자 하는 자존심 때문에 받지 않으려고 하는 것이므로 양가적인 태도를 보인다고 할 수 있다.

④ 태수는 초봉에게 끊임없이 증여하고 선물하는 행위를 집요하게 반복함으로써 과잉 증여를 한다. 반면 승재의 증여는 남에게 그저 베풀고자 하는 것이지, 대가를 바라는 불순한 사심을 지니지 않은 것이므로 순수한 증여이다. 이러한 승재의 순수한 증여는 타락한 세계를 넘어설 수 있는 길로 제시하는 것이므로 타락한 교환 세계에서 벗어날 희망의 표지로 볼 수 있다.

[13~15] 제재 | 헨리 조지의 토지가치세

난이도 | ★★☆

13. 정답 ① 난이도 ★★☆ | 정답률 70%

내용영역 사회 | 문항 유형 정보의 확인과 재구성

[정답 풀이]

① 2문단에 따르면, 헨리 조지가 제안한 토지가치세의 대상은 토지 소유자의 임대 소득 중 불로소득에 해당하는 소득이다. 또한 토지가치세의 기본 취지는 수익권 중 토지 개량의 수익을 제외한 나머지는 정부가 환수하여 사회 전체를 위해 사용하자는 것이다. 즉 토지가치세의 대상은 수익권 중 토지 개량의 수익을 제외한 나머지이고, 이것은 토지 소유자의 임대 소득 중 불로소득에 해당한다. 따라서 개량되지 않은 토지에서 나오는 임대료 수입은 불로소득으로 여겼다고 볼 수 있다.

[오답 풀이]

② 헨리 조지는 토지가치세가 다른 세금들을 대체하여 재정에 필요한 조세 수입을 확보하게 해 줄 것이라 보았다.
2문단에 따르면, 헨리 조지는 토지 수익권 중 토지 개량의 수익을 제외한 나머지 수익을 정부가 환수하면 다른 세금을 없애도 될 정도로 충분한 조세 확보가 될 것이라고 기대했다.

③ 헨리 조지는 토지의 사용권과 처분권은 개인의 자유로운 의사에 맡기되, 수익권에는 제약을 두자고 주장하였다.
헨리 조지는 토지에 대한 소유권이 사용권, 처분권, 수익권으로 구성된다고 하였다. 그중 사용권과 처분권은 개인의 자유로운 의사에 맡기고 수익권 중 토지 개량의 수익을 제외한 나머지는 정부가 환수하여 사회 전체를 위해 사용하자고 주장하였다. 즉 헨리 조지는 사용권에 제약을 두자고 주장하지 않았다.

④ 토지가치세의 경제적 효율성을 제고한다고 해서 공정성이 높아지지 않는다.
헨리 조지는 자신의 노력이나 기여와는 무관한 불로소득이 많다면 토지가치세를 통해 이를 환수하는 것이 바람직하다고 주장했다. 경제주체들이 받는 편익에 따라 부여되는 세금이 공정한 세금이므로 이러한 측면에서 토지가치세는 공정한 세금이라고 할 수 있다. 또한 헨리 조지는 토지가치세가 다른 세금들을 대체하

여 초과 부담을 제거함으로써 경제 활성화에 크게 기여할 것으로 보았다. 초과 부담이라는 비효율을 최소화하는 세금이 효율적이므로 토지가치세는 효율적인 세금이라고 할 수 있다. 이처럼 토지가치세는 각각 다른 측면에서 공정성과 효율성을 갖는 방안이지, 경제적 효율성을 높임으로써 공정성을 높이는 방안이 아니다.

⑤ 헨리 조지는 토지를 제외한 나머지 경제 영역에서는 자유로운 시장 원리를 추구해야 한다고 주장하였다.

2문단에 따르면, 헨리 조지는 토지를 제외한 나머지 경제 영역에서는 자유 시장을 옹호하는 신념을 가지고 있었다. 즉 헨리 조지는 모든 경제 영역에서 시장 원리를 사회적 가치에 부합하게 규제하는 것이 아니라, 토지 외의 경제 영역에서는 자유 시장의 원리를 적용하고, 토지에 한해서만 사회적 가치에 부합하게 규제해야 한다고 주장하였다.

14. 정답 ⑤ | 난이도 ★★☆ | 정답률 77%

내용영역 사회 | 문항 유형 정보의 추론과 해석

[정답 풀이]

⑤ 부동산에 대해 토지와 건물을 구분하여 과세할 수 있다고 해도 조세 저항은 줄어들지 않을 것이다.

4문단에 따르면, 토지가치세가 현실화되지 못한 이유는 두 가지가 있다. 이 중 하나는 토지 가치 상승분과 건물 가치 상승분의 구분이 쉽지 않다는 것이다. 그런데 만약 부동산에 대해 토지와 건물을 구분하여 과세할 수 있다면 토지 가치 상승분과 건물 가치 상승분의 구분이 쉬워질 것이므로 이 현실적 문제가 해소될 수 있다. 하지만 조세 저항은 토지가치세가 현실화되지 못한 또 다른 이유에 해당한다. 즉 토지와 건물을 구분하여 과세하는 것과는 상관없이, 조세 저항으로 인해 토지가치세의 세율을 낮게 유지할 수밖에 없는 현실적 문제는 남는다. 따라서 부동산에 대해 토지와 건물을 구분하여 과세할 수 있어도 조세 저항은 줄어들지 않을 것이다. 또한 3문단에 따르면, 이러한 현실적 문제와 상관없이 토지가치세는 토지 공급 감소와 가격 상승 같은 초과 부담을 발생시키지 않는다. 따라서 토지가치세의 도입은 자동차 과세와 다르게 초과 부담을 발생시키지 않을 뿐이지, 토지의 공급 감소와 가격 상승 문제를 해소하는 것은 아니다.

[오답 풀이]

① 마지막 문단에 따르면, 첨단산업 분야의 대기업들이 자리를 잡은 지역 주변에서는 임대료가 급등하고 혼잡도 또한 커진다. 이러한 '외부 효과'로 인해 해당 지역의 부동산 소유자들은 막대한 이익을 사유화하는 반면, 임대료 상승이나 혼잡비용 같은 손실은 지역민 전체에게 전가된다. 이러한 상황에서 높은 세율의 토지가치세는 해당 지역의 부동산 소유자들의 불로소득에 세금을 부과하는 것이므로 외부 효과로 발생한 이익의 사유화를 완화할 수 있을 것이다.

② 3문단에 따르면, 통상 어떤 재화나 생산요소에 대한 과세는 거래량 감소, 가격 상승과 함께 초과 부담을 유발한다. 예를 들어 자동차에 과세하면 자동차 거래가 감소하여 초과 부담이 발생한다. 그런데 자동차세의 인상이 자동차 소비자들의 의사 결정에 영향을 미치지 않는다는 것은 자동차세를 인상해도 자동차 거래가 감소하지 않는다는 것을 의미한다. 따라서 자동차세가 인상되었지만 거래 감소라는 초과 부담이 발생하지 않아 세수 증대에 효과적일 것이다.

③ 누진세는 소득 금액이 커질수록 높은 세율을 적용하는 세금이다. 누진세인 근로소득세가 적용되었을 때는 고임금 근로자가 저임금 근로자보다 높은 세율을 적용받으므로 소득 대비 내는 세금이 더 많았을 것이다. 그런데 만약 단일세인 토지가치세가 도입되면서 누진세인 근로소득세가 폐지된다면, 소득 금액과 상관 없이 저임금 근로자와 고임금 근로자가 동일한 세율을 적용받게 된다. 따라서 토지가체세 도입과 근로소득세 폐지로 인한 혜택은 저임금 근로자보다 고임금 근로자가 더 많이 받는다고 볼 수 있다.

④ 2문단에 따르면, 헨리 조지는 토지를 제외한 나머지 경제 영역에 대해서는 자유 시장 원리를 옹호했다. 그리고 토지가치세도 자신의 노력이나 기여와는 무관한 토지소유자의 불로소득을 환수하고자 한 것이기 때문에 토지 개량의 수익 등 부가가치 생산에 기여한 부분에 대해서는 세금을 부과하지 않았다. 이를 계승하는 학자라면 조지와 마찬가지로 불로소득을 제외한 부분에서는 자유 시장 원리를 옹호할 것이므로 부가가치 생산에 기여한 부분에 대해서는 세금을 부과하지 않는 것이 바람직하다고 보았을 것이다.

15. 정답 ④ | 난이도 ★★☆ | 정답률 67%

내용영역 사회 | 문항 유형 정보의 평가와 적용

[정답 풀이]

④ Y국의 담배세는 탄력도가 낮은 쪽에서 납세 부담을 지게 만드는 것에 해당한다.

3문단에 따르면, 토지는 세금이 부과되지 않는 곳으로 옮길 수 없다는 점에서 비탄력적이며, 토치가치세는 탄력도가 낮은 토지 소유자에게 납세 부담을 지게 한다. 이를 볼 때, 수요자나 공급자가 세금이 부과되지 않는 곳으로 옮길 수 있으면 탄력도가 높음을 알 수 있다. X국에서는 요트 구매자에게 높은 세금을 부과하는 사치세가 도입된 이후 요트 구매자인 부자들은 요트 구매를 줄이고 지출의 대상을 세금이 부과되지 않는 쪽으로 바꾸었다. 따라서 요트 구매자들은 탄력도가 높다고 할 수 있고, 요트 구매자에게 높은 세금을 부과하는 사치세는 탄력도가 높은 쪽에서 납세 부담을 지게 만드는 세금이라 할 수 있다. 하지만 Y국에서는 담배세 인상으로 인한 담배 가격 상승에도 불구하고 담배 소비가 거의 감소하지 않았다. 즉 담배 소비자들은 탄력도가 낮다고 할 수 있고, 담배세는 탄력도가 낮은 담배 소비자 쪽에서 납세 부담을 지게 만드는 것이라 할 수 있다.

[오답 풀이]

① 3문단에 따르면, 토지가치세는 토지 소유자에게 부과되므로 토지 공급자에게 부과되는 세금이다. 반면 X국의 사치세나 Y국의 담배세는 요트 구매자와 담배 구매자에게 부과되므로 소비자에게 부과되는 세금이다.

② 1문단에 따르면, 초과 부담은 조세 외에 추가로 부담해야 하는 각종 손실 또는 비용을 말한다. X국의 사치세는 요트 거래 감소와

근로자 해고 등의 손실을 가져왔으므로 초과 부담을 발생시켰다고 할 수 있다. 반면 Y국의 담배세는 담배 가격 상승에도 불구하고 담배 소비가 거의 감소하지 않았으므로 담배세 외에 추가로 부담해야 하는 손실이나 비용이 거의 없다. 3문단에 따르면, 토지가치세 역시 토지 공급을 줄이지 않아 초과 부담을 발생시키지 않는다. 따라서 Y국의 담배세와 토지가치세는 초과 부담을 거의 발생시키지 않는다.

③ X국에서는 사치세를 통해 요트 구매자들의 납세 부담을 늘리려고 하였으나 요트 구매자들이 요트 구매를 줄이면서 본래의 목표를 달성하지 못하게 되었다. 이에 따라 X국은 부족한 세수를 보충하기 위하여 근로소득세를 인상하였는데, 이는 사치세 대상자에 해당하는 요트 구매자들 이외에게도 납세 부담이 늘어난 것으로 볼 수 있다. 반면 Y국에서는 과세 대상자인 담배 구매자들에게 담배세에 대한 과세 부담이 집중되었고, 3문단에 따르면, 토지가치세 역시 과세 대상자인 토지 소유자에게 납세 부담이 집중되었다.

⑤ X국에서는 요트 구매자에게 높은 세금을 부과하는 사치세를 도입하여 부유층의 납세 부담을 늘리려고 하였다. 그러나 부자들이 지출의 대상을 다른 쪽으로 바꾸면서 정부는 조세 개편의 정책 목표를 달성하지 못하였다. Y국 역시 담배 소비를 줄이고자 담배세를 인상하였지만 담배 가격이 상승하였음에도 담배 소비는 거의 감소하지 않았으므로 조세 개편의 정책을 달성하지 못하였다. 반면 3문단에 따르면, 토지가치세 도입에 따른 여타 세금의 축소가 초과 부담을 줄여 경제를 활성화한다는 G7 대상 연구는 토지가치세로 인한 초과 부담의 감소 정도가 GDP의 14~50%에 이른다고 하였다. 따라서 <보기>의 사치세와 담배세와 달리, 토지가치세를 통해 거둘 수 있는 경제 활성화 효과가 최근 연구에서 확인되고 있다고 볼 수 있다.

[16~18] 제재 | 지식인의 정의와 역할에 대한 논쟁
난이도 | ★★☆

16. 정답 ③
난이도 ★★☆ | 정답률 76%

내용영역 사회 | 문항 유형 정보의 확인과 재구성

[정답 풀이]

③ 2문단에 따르면, 근대의 지식인상에 대한 논쟁에서 만하임은 지식인이 보편성에 입각해 사회의 다양한 계급적 이해들을 종합하여 최선의 길을 모색해야 한다고 했다. 그람시는 소외 계급의 해방을 위한 과제가 역사적 보편성을 지니며 지식인은 이를 위해 혁명적 자의식을 불어넣고 조직하는 역할을 해야 한다고 주장했다. 사르트르는 지식인은 보편성에 입각하여 소외 계급의 해방을 추구해야 한다고 말했다. 따라서 근대적 지식인상을 주장한 만하임, 그람시, 사르트르는 각각 차이를 가지고 있음에도 불구하고 공통적으로 지식인은 보편성을 추구해야 하는 존재라 인식했다고 볼 수 있다.

[오답 풀이]

① 권력에 대한 비판적 지식인은 중세에도 존재했다.
1문단에 따르면, 20세기 초 드레퓌스 사건이 발생하기 이전인 중세에도 아벨라르와 같은 비판적 지식인이 존재했다.

② 계몽주의 시대의 지식인은 특정 분야의 전문가가 아니었다.
1문단에 따르면, 계몽주의 시대에는 특정 분야를 깊이 파고들지는 못하더라도 모든 분야를 아우를 수 있는 능력을 지닌 사람을 지식인으로 정의했다.

④ 탈근대의 지식인은 자신의 전문 분야에서 제기되는 문제의 정치적 특성을 인정하는 존재이다.
탈근대의 지식인상과 관련되어 제시된 이론가는 푸코와 부르디외이다. 4문단에 따르면, 푸코는 보편적 지식인을 대체할 지식인상으로 특수적 지식인을 제시하였다. 특수적 지식인은 자신의 분야에 해당하는 사안에 정치적으로 개입하면서 일상적 공간에서 투쟁한다. 또한 5문단에 따르면, 부르디외는 문화생산자들이 각자의 특수한 영역에 대한 상징적 권위를 가지고 사회 전체에 보편적인 가치를 전파해 나가는 투쟁을 전개할 때에 지식인의 범주에 들어간다고 했다. 그리고 이러한 지식인은 정치활동을 통하여 지식인의 역할을 수행한다고 하였다. 특수한 영역에 대한 상징적 권위를 가진 지식인들이 자신의 분야에서 정치활동을 수행한다는 것이다. 따라서 푸코와 부르디외 모두 자신의 전문 분야에서 제기되는 문제의 정치적 특성을 인정한 것으로 볼 수 있다.

⑤ 자율적인 참여와 협업의 결여가 순응주의의 발생 원인인 것이지, 탈근대의 대중이 자율적인 참여와 협업에 기초하여 이미 권력에 대한 순응주의로부터 벗어난 것이 아니다.
3문단에 따르면, 오늘날 인터넷의 발달로 열린 가상공간에서는 집단 지성이 출현한다. 집단 지성은 엘리트 집단으로부터 지식 권력을 회수하고 새로운 민주주의의 가능성을 열어 놓는다. 그러나 이는 대중의 자율성에 기초한 참여와 협업을 전제할 때 가능하며, 참여와 협업이 결여될 때는 순응주의가 등장할 수 있다. 이것은 탈근대의 대중이 참여와 협업을 하지 않을 때 순응주의가 등장할 수 있다는 가능성을 제시한 것이지, 탈근대의 대중이 이미 순응주의에 빠졌다가 참여와 협업을 통해 이를 벗어났다는 의미가 아니다.

17. 정답 ①
난이도 ★★☆ | 정답률 73%

내용영역 사회 | 문항 유형 주제, 구조, 관점 파악

[정답 풀이]

① 3문단에 따르면, 인터넷이 발달하여 탈근대적 지식 문화와 사회 공간이 창조되었다. 그에 따라 지식의 개념이 변하면서 다양한 정보들이 하이퍼텍스트 형태를 띠게 되었다. 텍스트의 복수성이 무한해지고 새로운 독자도 탄생하면서 집단적이고 감정이입적인 구술 문화가 지녔던 특성들이 지식 문화에서 재활성화하게 되었다. 구술 문화적 특성을 공유하는 다양한 텍스트들이 형성되고 지식이 전파되는 문화가 형성된 것이다.

[오답 풀이]

②, ③ 탈근대적 지식 문화에서는 지식 생산자의 권위가 사라지고 지식 권력이 탈중심화되면서 중앙 집중적 지식 권력의 영향력이 줄어든다.

1문단에 따르면, 계몽주의 시대에는 근대적 분류 체계로 지식을 생산하여 개인이 시각 매체에 의존하여 지식을 소비하는 문자 문화 시대였다. 이 과정에서 지식 권력이 지식의 표준 장악을 둘러싸고 중앙 집중화되었던 것이다. 그런데 3문단에 따르면, 탈근대적 지식 문화에서는 디지털 정보들이 하이퍼텍스트 형태를 띠게 되면서 텍스트의 복수성이 무한해진 결과, 오히려 지식 생산자의 권위는 사라지고 지식 권력이 탈중심화되었다.

④ 문화생산자적 속성을 지닌 지식인의 사회적 지위는 처음부터 부르주아지에 의해 지배받는 피지배 분파에 속한다.

5문단의 부르디외 견해에 따르면, 지식인은 사회 총자본의 관점에서 볼 때에는 지배 계급에 속하지만, 문화생산자적 속성을 지니며 시장 기제에 따라 부르주아지에 의해 지배받는다. 이런 점에서 지식인은 피지배 분파에 속한다. 즉, 지식인은 부르주아 계급에서 피지배 계급으로 전락한 것이 아니라, 지배 계급이지만 문화생산자적 속성을 볼 때에는 처음부터 피지배 분파에 속하는 것이다.

⑤ 집단 지성은 지식 권력을 회수하여 대중의 지식 및 담론을 규제하는 새로운 권력 체계를 형성하지 않는다.

3문단에 따르면, 탈근대적 지식 문화에서 출현하는 집단 지성은 엘리트 집단으로부터 지식 권력을 회수하고 새로운 민주주의의 가능성을 열어놓기도 한다. 이는 대중의 자율성에 기초한 참여와 협업을 전제할 때 가능한 것이다. 즉 집단 지성이 지식 권력을 회수했다는 것은 대중의 자율성에 기초한 참여와 협업이 이루어졌다는 것이므로 대중의 지식 및 담론을 규제한다는 설명은 적절하지 않다. 또한 4문단에 따르면, 고전적 지식인은 대중의 지식 및 담론을 금지하고 봉쇄하는 권력 체계의 대리인 역할을 자인했다. 즉 대중의 지식 및 담론을 규제한 것은 새로운 권력 체계가 아니라 기존의 권력 체계였다. 따라서 집단 지성이 대중의 지식 및 담론을 규제하는 새로운 권력 체계를 형성한다고는 보기 어렵다.

18. 정답 ⑤ | 난이도 ★★☆ | 정답률 57%

내용영역 사회 | 문항 유형 정보의 추론과 해석

[정답 풀이]

⑤ 푸코(㉣)는 보편적 지식인과 이를 대체할 특수적 지식인을 구분하였다. 이와 달리 부르디외(㉤)는 지식인들이 각자의 특수한 영역에 대한 상징적 권위를 가지는 한편, 사회 전체에 보편적인 가치를 전파해 나가는 투쟁을 전개할 때에만 비로소 지식인의 범주에 들 수 있다고 하였다. 그리고 이러한 지식인은 정치활동을 통하여 특수성들을 역사화하는 역할과, 보편적인 것에 접근하는 조건들을 보편화하는 역할을 함께 수행한다. 즉 부르디외(㉤)의 지식인은 특정한 분야에서 전문적인 지식을 지니고 있는 특수적 지식인이면서 보편적 가치를 전파하는 보편적 지식인의 역할도 수행하므로 보편적 지식인과 특수적 지식인으로 구분할 수 없는 존재이다.

[오답 풀이]

① 만하임(㉠)은 지식인을 동질적인 계급으로 형성될 수 없는 존재라고 여겼을 것이다.

만하임(㉠)은 지식인 중에서도 계급에 차이가 있는 경우가 많기에 단일 계급으로 간주할 수 없다고 하였다. 그렇기 때문에 보편성에 입각해 다양한 계급적 이해들을 종합하여 최선의 길을 모색해야 한다고 보았다. 따라서 지식인이 동질적인 계급으로 형성될 수 있는 존재라고 여기지 않았을 것이다.

② 그람시(㉡)는 지식인이 계급적 이해관계와 이성적 사유 사이의 모순으로부터 출발하여 보편성을 향해 부단히 나아가야 하는 불안정한 존재라고 여기지 않았다.

그람시(㉡)가 파악하는 지식인은 계급으로부터 독립할 수 없다. 따라서 그람시(㉡)는 계급의 이해에 유기적으로 결합하여 그것을 당파적으로 대변하는 유기적 지식인을 제시하였다. 즉 그람시(㉡)의 지식인은 계급적 이해관계를 대변하는 존재이지, 계급적 이해관계와 이성적 사유 사이의 모순으로부터 출발하여 보편성을 향해 나아가야 하는 불안정한 존재가 아니다.

③ 지식인이 어느 계급과 제휴해 있어도 계급적 이해들을 종합할 수 있다고 여긴 것은 사르트르(㉢)가 아니라 만하임(㉠)이다.

사르트르(㉢)에 따르면, 부르주아 계급에 속한 지식인은 당파적 이해와 보편적 지식 간의 모순을 발견하고 보편성에 입각하여 소외 계급의 전문가가 유기적 지식인이 되도록 계몽적 역할을 해야 한다. 그리고 소외 계급에 속한 유기적 지시인은 계급의 이해를 당파적으로 대변하는 역할을 한다. 즉 사르트르가 언급한 두 지식인 모두 계급적 이해들을 종합할 수 있는 역할을 하지 못한다. 지식인이 다양한 계급적 이해들을 종합하여 최선의 길을 모색해야 한다고 여긴 것은 만하임(㉠)이다.

④ 푸코(㉣)가 제시한 특수적 지식인은 보편적 지식을 전파하는 운동을 전개하지 않는다.

푸코(㉣)는 특정한 분야에서 전문적인 지식을 지니고 있는 존재를 특수적 지식인이라고 보았다. 그리고 특수적 지식인은 자신의 분야에 해당하는 구체적인 사안에 정치적으로 개입하면서 일상적 공간에서 권력과 투쟁한다고 하였다. 즉 특수적 지식인이 미시권력에 저항하는 방법은 보편적 지식을 전파하는 운동을 전개하는 것이 아니라 일상적 공간에서 정치적으로 개입하는 것이다.

[19~21] 제재 | 시간여행의 논리적 문제
난이도 | ★★★

19. 정답 ③ | 난이도 ★☆☆ | 정답률 86%

내용영역 인문 | 문항 유형 주제, 구조, 관점 파악

[정답 풀이]

③ 1, 2문단에 따르면, 영원주의자(㉠)는 과거, 현재, 미래를 이미 존재하는 서로 다른 시간 단계라고 파악하므로 과거부터 미래까지 시간 퍼즐의 여러 조각 중 하나를 찾아가는 시간여행이 가능하다고 본다. 마지막 문단에 따르면, 과거에 도착하는 사건의 원인

이 현재에서의 출발이라는 점을 고려한다면 과거에 도착하는 순간 미래 사건이 되는 시간여행은 도착 시점에서 이미 결정된 사건이 될 수 있다. 이에 따라 조건부 결정론자(ⓒ)는 출발지 미결정의 문제가 해소되어 시간여행이 가능하다고 주장한다. 즉 영원주의자(㉠)와 조건부 결정론자(ⓒ) 모두 과거로 출발하는 시간여행이 가능하다고 본다.

[오답 풀이]

① 영원주의자(㉠)와 달리, 현실주의자 중에 다수(ⓛ)는 미래를 전혀 결정되지 않은 시간이라고 본다.
1문단에 따르면, 영원주의자(㉠)에게 매 순간은 시간의 퍼즐을 이루는 하나의 조각처럼 이미 주어져 있다. 따라서 영원주의자(㉠)는 미래가 이미 결정되어 있는 시간이라고 볼 것이다. 반면 2문단에 따르면, 현실주의자 중에 다수(ⓛ)는 이미 지나간 과거와 아직 도래하지 않는 미래는 존재하지 않는다고 본다. 그리고 4문단에 따르면, 미래는 아직 존재하지 않기에 전혀 결정되지 않은 시간이라는 것이 현실주의자 중에 다수(ⓛ)의 입장이다.

② 현재주의자 중에 다수(ⓛ)와 달리, 영원주의자(㉠)는 시간여행에서 과거에 도착하더라도 출발지인 현재가 존재한다고 본다.
3문단에 따르면, 현실주의자 중에 다수(ⓛ)는 미래의 비존재를 주장하므로 과거의 특정 시점에 도착한 시간여행자는 존재하지 않는 미래에서 출발하여 현재에 도착한 셈이고, 이를 출발지 비존재의 문제라고 파악한다. 즉 현재주의자 중에 다수(ⓛ)는 시간여행에서 과거에 도착하는 순간 출발지는 더 이상 존재하지 않는다고 보는 것이다. 반면 1문단에 따르면, 영원주의자(㉠)에게 매 순간은 시간의 퍼즐을 이루는 하나의 조각처럼 이미 주어져 있다. 따라서 영원주의자(㉠)에게 과거는 현재의 앞에 있는 시간 단계일 뿐이므로, 시간여행에서 과거에 도착하더라도 출발지인 현재는 여전히 존재한다.

④ 조건부 결정론자(ⓒ) 역시 현재주의자이므로 시제가 특별한 의미를 가진다고 본다.
현실주의자 중에 다수(ⓛ)와 조건부 결정론자(ⓒ) 모두 현재주의자이다. 1문단에 따르면, 현재주의자는 시간이 흐른다고 보는 입장이다. 그들에게 있어 과거, 현재, 미래는 모두 다른 의미나 표상을 지니므로 현실주의자 중에 다수(ⓛ)와 조건부 결정론자(ⓒ) 모두 시제가 특별한 의미를 가진다고 본다.

⑤ 조건부 결정론자(ⓒ)와 달리, 현실주의자 중에 다수(ⓛ)는 시간여행에 필요한 도착지가 존재하지 않는다고 본다.
2문단에 따르면, 현실주의자 중에 다수(ⓛ)는 도착지 비존재의 문제를 제기한다. 시간여행을 하려면 과거나 미래(도착지)로 이동할 수 있어야 하지만, 이미 흘러간 과거와 아직 오지 않은 미래는 실재하지 않으므로 시간여행은 불가능하다는 것이다. 즉 현실주의자 중에 다수(ⓛ)는 시간여행에 필요한 도착지가 존재하지 않는다는 입장이다. 이와 달리 조건부 결정론자(ⓒ)는 시간여행이 가능하다는 입장이다. 조건부 결정론자(ⓒ)에 따르면, 시간여행에 필요한 도착지는 시간여행자가 도착할 시점에 현재가 되어 존재한다.

20. 정답 ③ 난이도 ★★☆ | 정답률 51%

내용영역 인문 | 문항 유형 정보의 추론과 해석

[정답 풀이]

③ 4차원주의자는 미래에서 과거로 가는 것을 시간의 흐름을 거슬러 올라간다고 생각하지 않을 것이다.
1문단에 따르면, 4차원주의자는 시간이 흐르지 않는다고 주장한다. 그리고 시간이 흐르지 않는다면 과거, 현재, 미래는 이미 똑같이 존재하여 시제가 특별한 의미를 가지지 않는다. 이들에게 미래는 도래하지 않은 시간이 아니라 현재의 뒤에 있는 시간 단계일 뿐이다. 또한 과거 역시 이미 지나간 시간이 아니라 현재의 앞에 있는 시간 단계일 뿐이다. 따라서 4차원주의자에게 미래에서 과거로 간다는 것은 시간의 흐름을 거슬러 올라가는 것이 아니라, 퍼즐 조각처럼 동일한 의미의 여러 시점 중 한 곳을 찾아가는 것일 뿐이다.

[오답 풀이]

① 1문단에 따르면, 3차원주의자 중에서 오직 현재만이 존재한다고 보는 사람이 현재주의자이다. 그리고 현재주의자들 중 다수는 시간여행이 불가능하다고 본다. 따라서 3차원주의자 중에는 현재주의자들 중 다수처럼 과거를 거슬러 올라갈 수 없는 시간으로 여기는 사람이 있다.

② 1문단에 따르면, 영원주의자는 시간이 흐르지 않는다고 보고, 어떤 사람이 없던 수염을 기르면 시간의 흐름에 따른 변화가 아니라고 여긴다. 이와 반대로 현재주의자는 시간이 흐른다고 주장한다. 따라서 영원주의자와 달리 누군가의 외모가 변한 것을 보면 이는 시간의 흐름에 따른 변화라고 여길 것이다.

④ 마지막 문단에 따르면, 시간여행이 가능하다고 믿는 3차원주의자는 '출발지 비존재'를 '출발지 미결정'으로 보면 문제가 해소된다고 주장한다. 이에 따르면, 시간여행자는 실재하지 않는 미래로부터 현재로 이동한 것(출발지 비존재의 문제)이 아니라, 미결정된 미래로부터 현재로 이동한 것(출발지 미결정의 문제)이 된다. 즉 출발지 비존재의 문제가 출발지 미결정의 문제로 대체된 것이므로 출발지 미결정의 문제가 해결되면 출발지 비존재의 문제 또한 해소된다고 생각할 것이다.

⑤ 3문단에 따르면, 우리가 미래에 도착하는 순간 도착지가 생겨난다는 주장은 시간여행이 가능하다고 보는 3차원주의자들이 도착지 비존재의 문제를 해결하기 위해 제시한 것이다. 이들은 시간여행자가 도착할 때의 시점이 시간여행자에게 현재가 되어 존재한다고 하였다. 그러나 시간여행의 가능성을 부인하는 3차원주의자에 따르면, 이처럼 도착할 때의 시점이 현재가 된다면 시간여행자는 현재가 아닌 다른 시점에서 출발하여 현재에 도착한 셈이 된다. 그런데 과거나 미래는 존재하지 않으므로 출발지 비존재의 문제가 발생한다. 따라서 시간여행의 가능성을 부인하는 3차원주의자는 현재에서 미래로 갈 경우에도 존재하지 않는 과거에서 출발하여 현재에 도착한 셈이 된다며 출발지 비존재의 문제가 남아 있다고 비판할 것이다.

21. 정답 ④ 난이도 ★★☆ | 정답률 62%

내용영역 인문 문항 유형 정보의 평가와 적용

[정답 풀이]

④ 현재주의자 중에서 시간여행이 가능하다고 믿는 현재주의자는 무명의 레논과 스타인 레논이 동일한 외모를 가진다 해도 원리(ⓐ)에 위배되는 일이 발생했다고 주장할 것이다.
'동일한 것은 서로 구별될 수 없다.'는 원리(ⓐ)에 위배되어 나타나는 것이 '동일한 사람이 무명이면서 동시에 스타이다.'라는 논리적 모순(ⓑ)이다. 그런데 미래에 도착하는 시점의 레논과 미래에 있던 레논이 겉으로는 동일한 외모를 가질 수 있다고 가정하더라도, 무명이면서 동시에 스타라는 논리적 모순은 해결되지 않는다. 즉 동일한 것은 서로 구별될 수 없다는 원리(ⓐ)에 위배된다는 점은 변함이 없다. 따라서 현재주의자 중에서 적어도 시간여행이 가능하다고 믿는 현재주의자(조건부 결정론자)는 무명의 레논과 스타인 레논이 동일한 외모를 가진다 해도 원리(ⓐ)에 위배되는 일이 발생했다고 주장할 것이다. 그러므로 모든 현재주의자가 원리(ⓐ)에 위배되는 일이 발생하지 않았다고 주장할 수 있는 것은 아니다.

[오답 풀이]

① 시간여행의 도착지가 존재하지 않는다는 논리는 현재주의자 중 다수에 해당하는 논리이다. 이들의 논리를 따를 경우 출발지가 비존재하는 문제가 발생하기 때문에 시간여행이 불가능하다. 그런데 <보기>의 '동일한 것은 서로 구별될 수 없다'는 원리(ⓐ)에 위배되는 상황은 레논이 시간여행을 했기 때문에 발생했다. 따라서 시간여행이 불가능하다는 현재주의자 중 다수에 해당하는 논리에 따를 경우 원리(ⓐ)에 위배되는 사건은 아예 일어나지 않을 것이다.

② 레논의 서로 다른 단계 중에 현재 단계가 뒤의 단계를 방문할 수 있다는 것은 영원주의자들의 논리이다. 이들의 논리에 따르면, 과거, 현재, 미래의 시간 단계들은 시간의 흐름이 아니라 동시에 존재하는 것이다. 즉 동일한 사람이 각 시간 단계에 서로 다른 모습으로 존재할 수 있으므로 영원주의자들에게 있어 논리적 모순(ⓑ)은 문제가 되지 않을 것이다.

③ 마지막 문단에 따르면, 조건부 결정론자는 시간여행자가 도착하는 순간에 시간여행은 이미 결정된 사건으로 여겨질 수 있으므로 출발지 미결정의 문제가 해소되어 시간여행이 가능하다고 주장한다. 즉 레논이 미래에 도착한 순간에 출발지 미결정의 문제가 해소된다는 것이다. 그런데 시간여행의 가능성을 믿는 3차원주의자(조건부 결정론자)는 출발지 비존재를 출발지 미결정으로 보면 출발지 비존재의 문제가 해소된다고 주장한다. 따라서 이러한 논리에 따르면, 레논이 미래에 도착한 순간에 출발지 비존재의 문제도 해소된다고 볼 수 있다.

⑤ 현재주의자들은 시간이 흐른다고 보기 때문에 이들에게 과거, 현재, 미래 시제는 모두 다른 의미나 표상을 지닌다. 이에 따르면, 무명인 레논과 스타인 레논이 동시에 만나는 것처럼 보이지만 각자의 시간 흐름에서는 동시가 아니라고 가정하면, 두 레논은 각자의 시간 흐름에 존재하는 별개의 두 명이라고 할 수 있다. 따라서 시간여행이 가능하다고 보는 현재주의자의 경우에는 두 레논이 동일한 사람이 아니므로 '동일한 사람이 무명이면서 동시에 스타이다'라는 논리적 모순이 해소될 수 있다고 볼 것이다.

[22~24] 제재 | 도덕적 행위의 조건
난이도 | ★★★

22. 정답 ⑤ 난이도 ★★☆ | 정답률 75%

내용영역 규범 문항 유형 정보의 확인과 재구성

[정답 풀이]

⑤ 2문단에 따르면, 이웃의 불행에 공감하여 돕는 행위는 의무에 부합하는 행위지만 성격적 특성이 발현된 것일 뿐이지 도덕적 존경의 대상은 아니다. 도덕적 가치를 갖는 행위는 다만 의무로 인식하여 타인을 돕는 것처럼 오로지 당위에 의거한 행위, 즉 의무에서 비롯하는 행위이다. 이타적인 동기에서 유발되는 행위는 의무에 부합하는 행위지만 이타적이라는 성격적 특성이 발현된 것이다. 따라서 의무에서 비롯하는 행위가 아니고 도덕적 존경의 대상이 될 수 없다.

[오답 풀이]

① 어떠한 행위를 도덕적이라고 판단하는 근거는 결과가 아니라 동기인 의지에 있다.
3문단에 따르면, 행위의 도덕적 가치는 행위에서 기대되는 결과에 의존하지 않고 행위를 결정하는 동기인 의지에서 나온다. 따라서 결과가 이성적 존재자의 공감을 얻는다 하더라도 이와 상관없이 그 행위의 동기가 어떤 것인지에 따라 도덕적 가치의 유무가 결정된다.

② 도덕적 가치 판단은 동기인 의지만을 고려해야 한다.
2문단에 따르면, 도덕적 가치는 다만 의무로 인식하여 행하는 행위, 다시 말해 의무에서 비롯하는 행위만이 가질 수 있다. 그리고 3문단에 따르면, 의무에서 비롯하는 행위는 오직 당위에 의거한 행위이며, 그 도덕적 가치는 행위를 결정하는 동기인 의지에서 구한다. 따라서 도덕적 가치 판단을 할 때에는 동기인 의지만을 고려해야 하며, 품성인 덕은 도덕적 가치 판단의 고려 대상이 아니다.

③ 어떤 행위가 만인의 보편적 이익을 지향하는 것은 행위의 동기가 의무가 아니므로 그 행위는 도덕적이라 말할 수 없다.
3문단에 따르면, 어떤 조건도 없이 오직 당위에 의거한 행위, 즉 의무에서 비롯하는 행위만이 도덕적 가치를 가질 수 있다. 그런데 어떤 행위가 만인의 보편적 이익을 지향한다는 것은 보편적 이익이라는 결과를 이루기 위한 행위를 뜻한다. 즉 행위를 유발하는 동기가 의무가 아니라 보편적 이익이라는 결과이므로 의무에서 비롯하는 행위가 될 수 없고 도덕적일 수 없다.

④ 행위의 동기가 감정이라면 진정한 도덕적 가치를 가질 수 없다.
2문단에 따르면, 이웃의 불행에 공감하여 돕는 행위는 의무에 부합하는 행위지만 성격적 특성이 발현된 것일 뿐이지 도덕적 가치를 갖지는 못한다. 이와 마찬가지로 감정에서 우러나는 자발적 행위도 의무에 맞는 행위일 수는 있지만 성격적 특성이 발현된 것일 뿐이므로 도덕적 가치를 갖지 못한다.

23. 정답 ① 난이도 ★★☆ | 정답률 53%

(내용영역) 규범 (문항 유형) 주제, 구조, 관점 파악

[정답 풀이]

의무에 어긋나는 행위	결과가 의무에 부합하지 않는 행위
의무에 맞는 행위	결과가 의무에 부합하는 행위
의무에서 비롯하는 행위	결과가 의무에 부합하면서 동기가 오직 법칙의 표상만으로 규정된 의지(선의지)인 행위(도덕적 가치가 있는 행위)

① 의무에 맞는 행위는 의무에 어긋나는 행위가 될 수 없다.
의무에 맞는 행위는 의무에 부합하는 행위이다. 반면에 의무에 어긋나는 행위는 의무와 충돌하는 비도덕적인 행위이므로 의무에 부합하지 않는 행위라고 할 수 있다. 따라서 의무에 맞는 행위는 의무에 어긋나는 행위가 될 수 없다.

[오답 풀이]

② 의무에 부합하지만 오로지 당위에 의거한 행위가 아니라면, 다시 말해 의무에 부합하지만 행위를 유발하는 동인이 법칙의 표상만으로 규정된 의지(선의지)만이 아니라면, 의무에 맞는 행위이지만 의무에서 비롯하는 행위가 아닐 수 있다. 2문단에 제시된 의사와 박애주의자의 행위가 바로 의무에 맞는 행위이지만 의무에서 비롯하는 행위가 아닌 예시이다.

③ 3문단에 따르면, 의무에서 비롯하는 행위의 도덕적 가치는 유발 동기인 의지에서 구한다. 그리고 4문단에 따르면, 결과를 고려하지 않고 법칙의 표상만으로 의지를 규정해야만 그 의지를 선하다고 할 수 있다. 즉 오로지 행위 유발의 동인이 법칙의 표상만으로 규정된 의지(선의지)일 뿐인 의무에서 비롯되는 행위는 도덕적 가치를 갖는 행위로서, 항상 의무에 부합한다. 따라서 의무에서 비롯되는 행위는 의무에 맞는 행위가 될 수밖에 없다.

④ 행위의 유발 동인이 어떠한 것인지와 상관없이, 의무에 부합하지 않는 행위는 의무에 어긋나는 행위가 되고, 의무에 부합하는 행위는 의무와 맞는 행위가 된다. 따라서 의무에 어긋나는 행위와 의무에 맞는 행위는 유발 동인이 동일할 수 있다. 예를 들어 의사가 수입을 늘리기 위해 최선을 다해 진료한다면, 의사의 행위는 의무에 맞는 행위이다. 그런데 만약 의사가 수입을 늘리기 위해 과잉 진료를 하거나 불법적인 행위를 한다면 이것은 의무에 어긋나는 행위가 될 것이다. 이 두 행위 모두 수입 증가라는 동일한 유발 동인을 가지지만 하나는 의무에 맞는 행위이고 하나는 의무에 어긋나는 행위이다.

⑤ 3문단에 따르면, 의무에서 비롯하는 행위의 도덕적 가치는 유발 동기인 의지에서 구한다. 그리고 법칙 자체에 대한 생각만이 탁월한 선을 이루며, 이성적 존재자의 의지를 규정하는 근거가 될 수 있다. 따라서 법칙 자체에 대한 생각만으로 규정되는 의지를 이성적 존재자의 선의지라 할 수 있다. 결과적으로 이성적 존재자의 선의지에 따른 행위가 도덕적 가치가 있는 행위이며, 동시에 의무에서 비롯하는 행위이다. 그러나 의무에 어긋나는 행위는 도덕적 가치를 지니지 않는 행위이므로 선의지를 따른다고 볼 수 없다.

24. 정답 ② 난이도 ★★☆ | 정답률 75%

(내용영역) 규범 (문항 유형) 정보의 평가와 적용

[정답 풀이]

② 3문단에 따르면, 의무에서 비롯하는 행위의 도덕적 가치는 유발 동기인 의지에서 구한다. 그리고 4문단에 따르면, 결과를 고려하지 않고 법칙의 표상만으로 의지를 규정해야만 그 의지를 선하다고 할 수 있다. 따라서 법칙의 표상만으로 규정된 의지에 따라 한 행위는 도덕적 가치가 있다고 할 수 있다. 즉 사람(㉡)이 법칙에 대한 표상만으로 자신의 의지를 규정하여 이웃을 돕는다면 그의 행위는 도덕적 가치가 있는 행위이므로 도덕적으로 정당하다고 볼 수 있다.

[오답 풀이]

① 평판을 위한 행위는 탁월한 선이 발현되지 못한 행위이므로 도덕적으로 정당하지 않다.
3문단에 따르면, 탁월한 선은 법칙 자체에 대한 생각만으로 이루어진다. 따라서 행위의 동인인 의지가 이 법칙 자체에 대한 생각만으로 규정이 되어야 탁월한 선이 발현되었다고 할 수 있다. 그런데 자신의 평판을 위한 행위는 법칙 자체에 대한 생각이 아니라 평판 상승이라는 결과가 의지를 규정하는 근거가 되는 행위이다. 따라서 이 행위는 탁월한 선이 발현되지 못한 행위이고, 도덕적으로 정당하다고 볼 수 없다.

③ 보편적 합법칙성에 부합하도록 인격의 탁월성을 극대화한다고 해서 도덕적으로 정당하게 되는 것은 아니다.
2문단에 따르면, 사람(㉡)의 행위는 의무에 부합하는 행위이다. 이 행위는 동기가 의무에서 비롯된 것이 아니라 단지 그의 성격적 특성이 발현된 것일 뿐이므로 아무런 도덕적 가치를 갖지 못한다. 그런데 사람(㉡)의 인격을 보편적 합법칙성에 부합하도록 극대화한다는 것은 이런 성격적 특성을 더욱 강화할 뿐이다. 그렇기 때문에 사람(㉡)의 인격을 극대화한다고 해도 여전히 그의 행위는 의무에 부합하는, 다시 말해 보편적 합법칙성에 부합하는 행위일 뿐이며 의무에서 비롯되는 행위가 아니라는 점은 변함이 없다. 의무에서 비롯되는 행위가 되기 위해서는 법칙의 표상만으로 규정된 의지가 행위의 동기가 되어야 한다. 인격의 탁월성을 극대화하는 것은 이에 해당하지 않기에 도덕적으로 정당하다고 볼 수 없다.

④ 거짓 약속을 하는 사람(㉢)의 주관적 원리는 보편적 법칙과 최고선 사이에 모순 때문이 아니라, 자기 스스로의 모순 때문에 보편적 법칙이 될 수 없는 것이다.

3문단에 따르면, 거짓 약속을 하는 사람(ⓒ)의 주관적 원리를 보편적 원리로 삼고자 한다면, 그 어떤 약속도 있을 수 없는 모순이 발생하므로 보편적 법칙이 되자마자 자기 파괴를 겪게 된다. 즉 거짓 약속을 하는 사람(ⓒ)의 주관적 원리는 스스로의 모순 때문에 보편적 법칙이 될 수 없고 도덕적으로 정당할 수 없는 것이다. 더구나 법칙에 대한 생각만이 우리가 도덕적이라고 부르는 탁월한 선을 이루므로 보편적 법칙과 최고선 사이에 모순이 있을 수 없다.

⑤ 거짓 약속을 하는 사람(ⓒ)의 선한 의도는 의무에서 비롯한 것이 아니다.
행위가 도덕적으로 정당하기 위해서는 의무에서 비롯된 행위이어야 한다. 그러나 자신의 이익에 대한 고려를 완전히 배제한다고 해도, 친구를 도우려는 선한 의도는 성격적 특성이 발휘된 것이다. 따라서 이러한 의도에 따른 행위는 법칙의 표상만으로 규정된 의지에 따라 한 행위로 볼 수 없고 의무에서 비롯된 행위라 할 수는 없다. 따라서 이 행위는 도덕적으로 정당하다고 볼 수 없다.

[25~27] 제재 | 우주선 랑데부와 궤도 운동 원리
난이도 | ★★☆

25. 정답 ②
난이도 ★★☆ | 정답률 48%

내용영역 과학기술 | 문항 유형 정보의 확인과 재구성

[정답 풀이]

② 원 궤도의 지름이 클수록 우주선의 속력은 느려진다.
4문단에 따르면, 궤도 운동하는 우주선이 지구 중심에서 멀어지면 속력이 느려진다. 그런데 원 궤도의 지름이 크다는 것은 우주선과 지구 사이의 거리가 멀다는 것을 의미한다. 따라서 원 궤도의 지름이 클수록 우주선의 속력은 더 느려질 것이다.

[오답 풀이]

① 2문단에 따르면, 우주선은 연료를 분사하여 분사 방향의 반대쪽으로 추진력을 받으며, 이는 뉴턴의 제3법칙으로 설명할 수 있다. 즉 뉴턴의 제3법칙은 우주선 추진의 원리 중 하나이다.

③ 4문단에 따르면, 연료 분사 없이 지구의 중력만 작용할 때, 궤도 운동하는 우주선의 역학적 에너지는 크기가 일정하게 보존된다. 따라서 타원 궤도 운동 중인 우주선은 역학적 에너지가 보존된다고 할 수 있다.

④ 2문단에 따르면, 우주선은 연료를 분사하여 분사 방향의 반대쪽으로 추진력을 받는다. 이 경우 뉴턴의 제3법칙에 따라 연료를 분사하는 힘과 우주선에 작용하는 추진력은 크기가 같다. 그리고 뉴턴의 제2법칙에 따르면, 같은 힘을 가했을 때 물체의 질량과 가속도는 반비례한다. 따라서 우주선이 분사하는 연료 기체는 우주선과 동일한 힘을 받지만, 우주선에 비해 질량이 더 가벼우므로 연료 기체의 가속도가 우주선의 가속도보다 더 클 것이다.

⑤ 6문단에 따르면, 원 궤도에 있는 우주선이 속력을 늦추면 작은 타원 궤도로 진입하게 된다. 즉 속력을 늦추면 궤도의 지름이 이전보다 작아진다. 그런데 3문단에 따르면, 궤도를 한 바퀴 도는 데 걸리는 시간인 주기는 궤도의 지름이 클수록 더 길다. 따라서 원 궤도에 있는 우주선이 속력을 늦추면 궤도의 지름이 작아지므로 회전 주기가 짧아진다고 볼 수 있다.

26. 정답 ③
난이도 ★★★ | 정답률 40%

내용영역 과학기술 | 문항 유형 정보의 추론과 해석

[정답 풀이]

ㄱ. 4문단에 따르면, 원 궤도에 있는 우주선이 후방 분사를 한다면 운동 에너지가 증가하고 그만큼 역학적 에너지도 증가하여 우주선은 기존의 원 궤도보다 지구로부터 더 멀리 도달할 수 있는 큰 타원 궤도로 진입한다. 이를 볼 때 제미니 4호가 원 궤도에서 후방 분사를 한 경우라면 큰 타원 궤도로 진입했을 것이므로 지구로부터 더 멀어질 수 있다.

ㄷ. 4문단에 따르면, 원 궤도에 있는 우주선이 궤도 접선 방향으로 후방 분사하여 운동 에너지를 증가시키면, 그만큼 역학적 에너지도 증가하여 우주선은 기존의 원 궤도보다 지구로부터 더 멀리 도달할 수 있는 큰 타원 궤도로 진입한다. 그런데 궤도를 도는 우주선의 중력 위치 에너지는 우주선이 지구와 멀수록 커지므로, 큰 타원 궤도에서 우주선이 지구로부터 더 멀리 도달할 수 있다는 것은 더 큰 중력 위치 에너지를 가질 수 있다는 것을 의미한다. 따라서 우주선은 새로 진입한 큰 타원 궤도에서 중력 위치 에너지의 최댓값, 즉 최대 중력 위치 에너지가 더 커진다.

[오답 풀이]

ㄴ. 타원 궤도에 있는 우주선의 역학적 에너지 크기는 일정하게 유지되지만, 운동 에너지 크기와 중력 위치 에너지 크기는 일정하게 유지되지 않는다.
4문단에 따르면, 역학적 에너지는 중력 위치 에너지와 운동 에너지의 합이며, 궤도 운동하는 우주선의 역학적 에너지는 크기가 일정하게 보존된다. 그리고 중력 위치 에너지는 지구와 가까울수록 작아지고, 멀수록 커진다. 그런데 타원 궤도에 있는 우주선은 원 궤도와 달리 우주선과 지구와의 거리가 일정하게 유지되지 않는다. 따라서 이 우주선은 지구와의 거리에 따라 중력 위치 에너지 크기가 변화하며, 이에 반비례하여 운동 에너지 크기도 변화한다. 예를 들어, 우주선이 지구와 가까워진다면 중력 위치 에너지는 작아지고 그만큼 운동 에너지는 커져서 역학적 에너지 크기가 일정하게 유지될 것이다. 따라서 타원 궤도에 있는 우주선의 운동 에너지 크기와 중력 위치 에너지 크기는 모두 일정하게 유지되지 않는다.

27. 정답 ④
난이도 ★★★ | 정답률 34%

내용영역 과학기술 | 문항 유형 정보의 평가와 적용

[정답 풀이]

④ 우주선 X가 우주선 Y와 같은 운동 에너지를 가지는 궤도상의 지점은 두 개이다.

<보기>에서 궤도 A는 우주선과 지구와의 거리가 더 멀어지는 큰 타원 궤도이다. 4문단에 따르면, 원 궤도에 있는 우주선이 후방 분사하여 운동 에너지를 증가시키면 그만큼 역학적 에너지도 증가하여 우주선은 큰 타원 궤도로 진입한다. 따라서 우주선 X가 큰 타원 궤도로 진입했다는 것은 연료 후방 분사를 해서 우주선 X의 운동 에너지(속력)와 역학적 에너지가 증가되었다는 것이다. 이에 반해 우주선 Y는 계속 원 궤도로 움직이고 있으므로 궤도 진입 지점에서 우주선 X는 우주선 Y보다 더 빠른 속력, 다시 말해 더 큰 운동 에너지를 가진다. 그리고 분사가 끝난 후 우주선 X는 궤도 A에서 지구와의 거리가 멀어질수록 운동 에너지(속력)가 감소하게 된다. 따라서 궤도 A를 반 바퀴 도는 동안에 어느 한 지점에서는 우주선 X와 우주선 Y의 운동 에너지가 같다. 그리고 반 바퀴를 돈 지점, 즉 우주선 X와 지구와의 거리가 가장 먼 지점에서는 우주선 Y보다 작은 운동 에너지를 갖게 된다. 이후 나머지 반 바퀴를 돌면서 우주선 X의 운동 에너지가 점차 증가하여 다시 우주선 Y보다 커지게 되므로 처음 반 바퀴와 마찬가지로 그 중간의 어느 한 지점에서는 우주선 X와 우주선 Y의 운동 에너지가 같다. 결국 한 바퀴를 도는 동안에 두 우주선의 운동 에너지가 같은 지점은 반 바퀴에 한 개씩, 총 두 개임을 알 수 있다.

[오답 풀이]

① 5문단에 따르면, 우주선이 전방 분사를 하면 작은 타원 궤도로 진입하게 되고, 원 궤도에서보다 더 느려진 진입 속력과 더 빨라진 최대 속력 사이에서 변화한다. <보기>에서 전방 분사한 우주선 X가 진입한 궤도는 작은 타원 궤도(궤도 B)이다. 따라서 작은 타원 궤도를 도는 우주선 X는 원 궤도를 도는 우주선 Y보다 더 큰 최대 속력을 가진다. 4문단에 따르면, 운동 에너지는 속력의 제곱에 비례하므로 최대 운동 에너지 역시 우주선 X가 더 크다.

② 4문단에 따르면, 중력 위치 에너지는 우주선이 지구에 가까울수록 작다. 즉 중력 위치 에너지는 우주선과 지구와의 거리에 비례한다. 그런데 궤도 A에서는 원 궤도와 접하는 지점이 지구와 가장 가까운 지점이지만, 궤도 B에서는 동일한 지점이 지구와 거리가 가장 먼 지점이다. 따라서 해당 지점의 중력 위치 에너지가 궤도 A의 최소 중력 위치 에너지, 궤도 B의 최대 중력 위치 에너지가 된다. 결국 궤도 A의 최소 중력 위치 에너지와 궤도 B의 최대 중력 위치 에너지는 크기가 같으므로, 궤도 A의 최소 중력 위치 에너지는 궤도 B의 최소 중력 위치 에너지보다 크다.

③ 후방 분사한 이후 우주선 X는 궤도 A에 진입하게 된다. 4문단에 따르면, 중력 위치 에너지는 우주선이 지구에 가까울수록 작으므로 우주선 X는 지구와 가장 가까운 지점, 즉 원 궤도와 겹치는 지점에서 중력 위치 에너지의 최솟값을 갖는다. 그리고 이 지점에서는 우주선 X와 우주선 Y가 지구와 동일한 거리만큼 떨어져 있으므로 두 우주선의 중력 위치 에너지가 같다.

⑤ '우주선 X와 우주선 Y의 가능한 거리 중 최댓값'이라는 것은 우주선 X와 우주선 Y 사이의 최대 거리를 의미한다. 우주선 X와 우주선 Y 사이의 최대 거리는 두 우주선이 서로 반대편에 위치할 때의 거리이므로 우주선 X가 진입하는 궤도의 최대 지름이 클수록 크다. 우주선 X가 궤도 A로 진입하면 원 궤도에서보다 우주선 Y와의 최대 거리가 더 멀어진다. 반면, 우주선 X가 궤도 B로 진입한 경우, 원 궤도에서보다 우주선 Y와의 최대 거리가 더 짧아진다. 따라서 우주선 X와 우주선 Y의 최대 거리는 우주선 X가 궤도 B로 진입한 경우가 궤도 A로 진입한 경우보다 작다.

[28~30] 제재 | 연륜연대학에 기초한 법적 증거의 활용
난이도 | ★★☆

28. 정답 ①

난이도 ★★★ | 정답률 30%

내용영역 규범 / 문항 유형 정보의 추론과 해석

[정답 풀이]

① 나이테 분석은 이미 생성된 나이테를 대상으로 하지만, 이는 아직 발생하지 않은 변동을 예측하는 데 사용될 수 있다.
5문단에 따르면, 과학자들은 나이테에 담긴 환경 정보의 종단 연구를 통해 기후 변동의 역사를 고증하고, 미래의 기후 변화를 예측하는 데 주로 관심을 기울여 왔다. 이를 볼 때 이미 생성된 나이테를 대상으로 하는 나이테 분석은 미래의 기후 변화와 같이 아직 발생하지 않은 변동을 예측하는 데 사용될 수 있음을 알 수 있다.

[오답 풀이]

② 2문단에 따르면, 대부분의 수목은 매년 나이테를 하나씩 만들어 낸다. 소유지 경계 획정 시기에 심은 성목(成木)은 심기 전부터 이미 나이테를 가지고 있었을 수 있고, 그렇지 않더라도 적어도 심은 이후로는 매년 나이테를 하나씩 만들었을 것이다. 즉 나이테의 개수는 경계 확정 시기까지 소급한 햇수보다 같거나 클 것이다.

③ 5문단에 따르면, 나이테에 담긴 환경 정보에는 비단 강수량이나 수목 질병만이 아니라 중금속이나 방사성 오염 물질, 기타 유해 화학 물질에 대한 노출 여부도 포함되므로 이를 분석하면 특정 유해 물질이 어느 지역에 언제부터 배출되었는지를 확인할 수 있다. 즉 특정 시기에 발생한 사건으로 인한 환경 정보가 나이테에 반영되기 때문에 발생 연도가 확실한 사건에 대한 지식이 추가되면 다른 나무와 비교하는 방법을 사용하지 않아도 수목의 생육 연대를 추산할 수 있다. 예를 들어, 2005년에 유해 물질 배출 사고가 있었다는 지식이 있고, 사고지역에서 발견된 나무의 특정 나이테에서 유해 물질이 발견되었다면 그 나이테가 생성되었던 시기가 2005년임을 알 수 있다.

④ 5문단에 따르면, 나이테 속의 유해 화학 물질에 대한 노출 여부를 분석하면 특정 유해 물질이 어느 지역에서 언제부터 배출되었는지를 확인할 수 있다. 배후지의 나무와 달리 차로변의 가로수만 특정 나이테 층에서 납 성분이 발견되었다면, 납 성분이 발견된 나이테가 생성되던 시기에 차로변의 가로수가 납 성분에 노출되었다고 추정할 수 있다. 차로변이라는 주변 환경을 고려할 때, 납 성분이 발견된 시기에 납을 함유한 자동차 연료가 사용되었을 것이라는 추정이 가능하다.

⑤ 나이테는 매년 수목의 가장자리에 만들어진다. 나이테 분석을 통해 어떤 유해 화학 물질의 배출 시기를 정확히 추산하기 위해서는 유해 화학 물질이 배출된 시기에 만들어진 가장자리의 나이테

에서만 그 성분이 발견되어야 한다. 그런데 심부로도 수분과 양분이 공급되는 나무라면 유해 화학 물질이 실제로 배출된 시기에 만들어진 나이테뿐만이 아니라 다른 시기에 만들어진 나이테에서도 그 성분이 발견될 수 있다. 따라서 유해 화학 물질의 배출 시기를 더 이전으로 추산하는 오차가 발생할 수 있다.

29. 정답 ③

난이도 ★★☆ | 정답률 65%

내용영역 규범 | 문항 유형 정보의 추론과 해석

[정답 풀이]

③ [A]에서 대들보에 사용된 목재의 20번째 나이테는 폭이 넓을 것이다.
400년 된 수목에서는 1643년부터 거슬러 1628년까지 넓은 나이테 5개, 좁은 나이테 5개, 넓은 나이테 6개 순으로 특이 패턴이 보였다. 그리고 대들보 목재에서는 가장자리 나이테에서 7개째부터 이와 동일한 패턴이 발견되었다. 그렇다면 대들보 목재의 나이테는 7개째부터 11개째까지가 5개의 넓은 나이테(1639~1643년)에 해당하고, 12개째부터 16개째까지가 5개의 좁은 나이테(1634~1638년)에 해당한다. 마지막으로 17개째부터 22개째까지는 6개의 넓은 나이테(1628~1633년)에 해당한다. 따라서 20개째 나이테는 폭이 넓을 것이다.

[오답 풀이]

① 2005년에 베어 낸 수목은 400개의 나이테를 가졌다. 나이테는 매년 하나씩 만들어지므로 그 수목은 400년 전인 1605년경부터 자랐을 것이다.

② 400년 된 수목에서는 1643년부터 거슬러 1628년까지 넓은 나이테 5개, 좁은 나이테 5개, 넓은 나이테 6개 순으로 특이 패턴이 보였다. 그리고 대들보 목재에서는 가장자리 나이테에서 7개째부터 이와 동일한 패턴이 발견되었다. 그렇다면 대들보 목재는 7개째부터 11개째까지가 5개의 넓은 나이테(1639~1643년)에 해당한다. 따라서 10번째 나이테는 폭이 넓을 것이다.

④ 400년 된 수목에서는 1643년부터 거슬러 1628년까지 넓은 나이테 5개, 좁은 나이테 5개, 넓은 나이테 6개 순으로 특이 패턴이 보였다. 그리고 대들보 목재에서는 가장자리 나이테에서 7개째부터 이와 동일한 패턴이 발견되었다. 그렇다면 대들보 목재의 7번째 나이테는 1643년에 만들어진 것이다. 그리고 나이테는 매년 하나씩 만들어지므로 15번째 나이테는 1643년으로부터 8년 전인 1635년경에 생겼을 것이다.

⑤ 400년 된 수목의 나이테 패턴을 대들보 목재와 비교하여 대들보로 사용된 목재가 1650년경에 베어졌고 1318년경부터 자란 것이라는 결론이 도출되었다. 동일한 방식으로 이 대들보 목재를 유적의 기둥 목재와 비교한다면, 1318~1650년 사이에 발생한 대들보 목재의 나이테 패턴이 기둥 목재에서도 발견되는지를 찾는 것이므로 나이테 패턴 비교 구간은 1318년경에서 1650년경 사이가 될 것이다.

30. 정답 ③

난이도 ★★☆ | 정답률 76%

내용영역 규범 | 문항 유형 정보의 평가와 적용

[정답 풀이]

③ B를 따르는 법원에서 해당 연구 결과를 유의미하게 활용한다면, 그 연구의 수행자가 피해 당사자의 입장을 적극 대변하는 인물일 수 없다.
연구의 수행자가 피해 당사자의 입장을 적극 대변하는 인물이라는 것은 전문가의 편견이 개입될 수 있다는 것을 의미한다. 그러나 B는 전문가의 편견 개입 가능성이나 쟁점 혼란, 소송 지연 등의 사유가 있을 경우에는 증거로 활용하지 않는다. 따라서 B를 따르는 법원이 나이테 분석에 근거한 연구 결과를 유의미하게 활용하였다면, 해당 연구 결과는 전문가의 편견 개입 가능성 등의 사유가 없어야 하므로 연구의 수행자가 피해 당사자의 입장을 적극 대변하는 인물일 수 없다.

[오답 풀이]

① A는 관련 분야 전문가들의 일반적 승인을 얻은 것만을 증거로 활용한다. A를 따르는 법원이 나이테 분석에 근거한 연구 결과를 유의미하게 활용한다면 나이테 분석에 근거한 연구 결과가 관련 분야 전문가들의 일반적 승인을 얻은 것으로 볼 수 있다.

② A는 관련 분야 전문가들의 일반적 승인을 얻은 것만을 증거로 활용한다. A를 따르는 법원이 공장의 유해 물질 배출로 인한 피해의 배상을 판단할 때 나이테 분석에 근거한 연구 결과를 유의미하게 활용한다면 나이테 분석을 통해 유해 물질의 노출 여부를 연구한 결과가 관련 분야 전문가들의 일반적 승인을 얻은 것으로 볼 수 있다. 그리고 이처럼 수목의 화학적 성질에 초점을 맞춘 연구를 연륜화학이라 부르므로 결국 연륜화학의 방법이 대체로 인정된다고 할 수 있다.

④ C는 사안에 관련성이 인정되고 일정한 신뢰성 요건을 갖춘 것은 모두 증거로 인정한다. C를 따르는 법원이 나이테 분석에 근거한 연구 결과를 유의미하게 활용한다면, 해당 연구 결과는 관련성과 신뢰성 요건을 갖추었을 것이다. 일반적으로 사이비 과학이라는 것은 과학적 정당성이나 신뢰성을 확보하지 못한 것을 말하므로 나이테 분석은 신뢰성 요건을 갖추었다는 점에서 사이비 과학이 아니라고 할 수 있다.

⑤ C는 사안에 대한 관련성이 인정되고 일정한 신뢰성 요건을 갖춘 것은 모두 증거로 인정한다. 따라서 C를 따르는 법원이 홍수로 인한 농가 피해의 보상을 판단할 때 나이테 분석에 근거한 연구 결과를 유의미하게 활용하지 않는다면, 해당 연구 결과는 관련성이 인정되지 않거나 일정한 신뢰성 요건을 갖추지 못하거나 혹은 둘 다 인정받지 못한 것이다. 그런데 홍수는 강수량이 많을 때 발생하는 자연재해이고, 2문단에 따르면, 연륜연대학에서는 나이테의 폭을 통해 강수량의 많고 적음을 파악할 수 있다. 따라서 나이테 분석에 대한 연구 결과는 홍수 피해 보상이라는 사안에 대한 관련성이 인정될 수 있다. 결국 C를 따르는 법원이 해당 연구 결과를 활용하지 않는다면, 그 연구 방법이 일정한 신뢰성의 요건을 충족하지 못한다고 추정할 수 있다.

2019학년도 [홀수형]

[1~3] 제재 | 법의 본질에 대한 논의들
난이도 | ★★☆

1. 정답 ① 난이도 ★★☆ | 정답률 54%

(내용영역) 규범 (문항 유형) 주제, 구조, 관점 파악

[정답 풀이]

① 마지막 문단에 따르면, 관습이론은 비합리적이거나 억압적인 사회·문화적 관행을 합리화해 준다는 공격을 받는다는 것을 알 수 있다. 관습이론은 관습을 확인하고 재천명하는 것을 법이라고 보고 사회의 관습을 중요시하다보니 이렇게 억압적 관행을 합리화시킨다는 비판을 받는다. 그런데 여기서 말하는 '비합리적이거나 억압적인 사회·문화적 관행'이 곧 '지배계급의 이익을 위한 억압적 체계'를 의미하는지는 명시적으로 제시되어 있지는 않다. 하지만 관습이론에서 관습을 확인하고 재천명하는 역할을 권위자가 수행했다는 사실과, 지배 집단이 억압 구조를 유지·강화하여 자신들의 이익을 영위하려 한다는 갈등이론의 주장을 통해 유추해 볼 수 있다. 따라서 관습이론은 지배계급의 이익을 위한 억압적 체계를 합리화한다는 비판을 받는다고 볼 수 있다.

[오답 풀이]

② 법이 발생하는 기원을 알려 주려 하는 것은 구조이론이 아니라 관습이론에 해당한다.
구조이론에서는 교환의 유형, 권력의 상호 관계, 생산과 분배의 방식, 조직의 원리들이 모두 법의 모습을 결정하는 인자가 된다고 말하며, 법을 구조화의 결과물이라고 본다. 그리고 그 결과물인 법이 상이하게 나타나는 이유를 사회 구조의 차이에 따른 것이라고 말한다. 법의 모습을 결정한다는 것과 구조화의 결과물이라고 표현한 것을 통해 볼 때, 구조이론은 법이 어떠한 기원으로부터 발생하였는지보다는 왜 그런 모습을 띠는지에 대해 알려 주려 함을 알 수 있다.

③ 구조이론은 논리적 문제가 있다고 공격받는 이론이 아니라 공격하는 이론이다.
구조이론은 관습이론이 법을 단순히 관습이나 문화라는 사회적 사실에서 유래한다고 보는 점에 대해 규범을 정의하는 개념으로 규범을 설명하는 오류라고 지적한다.

④ 갈등이론은 사회관계에서의 대립을 드러내는 데 주목한다.
갈등이론에서는 법을 지배 집단이 억압 구조를 유지·강화하여 자신들의 이익을 영위하려는 하나의 수단으로 본다. 그렇기 때문에 법과 제도로 유지되고 심화되는 사회적 불평등에 주목하는 것이다. 따라서 갈등이론은 법이 사회관계에서의 대립을 해소하는 역할을 한다고 보지 않는다.

⑤ 전체로서의 사회적 이익을 유지하는 기능적 체계를 설명하는 것은 갈등이론이 아니라 구조이론에 해당한다.
법의 존재 이유가 사회 전체의 필요, 즉 사회 구조를 유지하고 운영할 수 있는 합리적 방책이 필요했기 때문이라고 보는 것은 구조이론이다. 갈등이론은 법이 사회적 통합을 위한 합의의 산물이 아니라, 지배 집단이 자신들의 이익을 영위하고자 이용하는 하나의 수단이라고 본다.

2. 정답 ① 난이도 ★★☆ | 정답률 78%

(내용영역) 규범 (문항 유형) 정보의 추론과 해석

[정답 풀이]

분석(㉠)은 서로 상이한 법 현상을 보이는 정착촌 A와 정착촌 B에 대해 구조이론이 분석한 것을 이른다. 이에 따라 정착촌 A와 정착촌 B의 특징을 정리하면 다음과 같다.

정착촌 A		정착촌 B
• 사법위원회가 성문화된 절차에 따라 분쟁을 처리하고 제재를 결정함 • 독립적 생활 방식, 사적 소유 인정 → 비공식 규율로는 충분하지 않고, 공식적인 절차와 기구가 필요함	VS	• 성문화된 규칙이나 절차, 이를 처리할 기구도 없음 • 공동 작업, 공동 소유 → 구성원들 사이의 친밀성이 높고, 집단 규범의 위반자를 곧바로 제재 가능

① A의 사법위원회가 지닌 기능이 사적 소유제의 도입에 따른 가정 간 빈부 격차를 고착시키는 역할을 수행하였다는 것은 구조이론보다 갈등이론의 분석에 해당한다.
구조이론은 법을 사회 전체를 유지하고 운영할 수 있는 합리적 방책으로 보고, 상이한 법 현상을 사회 구조의 차이에 따른 것으로 설명한다. 따라서 구조이론은 정착촌 A와 정착촌 B에서 서로 상이한 법 현상을 보이는 것이 사회 구조의 차이 때문이라고 분석할 것이고, A의 사법위원회가 지닌 사회 구조 유지의 기능에 대해서도 긍정적으로 평가할 것이다. 이와 달리, 법과 제도로 유지되고 심화되는 불평등에 주목해야 한다는 갈등이론은 A의 사법위원회가 지닌 기능이 빈부 격차를 고착시키는 역할을 했다고 분석할 것이다.

[오답 풀이]

② B는 성문화된 규칙이나 절차가 없음에도 불구하고 집단 규범의 위반자를 제재하는 것이 가능하였는데, 이에 대하여 구조이론은 공동 작업으로 생산된 작물을 공동 소유하는 B의 공동생활 방식으로 인한 것이라 분석한다. 즉 B의 공동생활 방식이 구성원들을 일상적인 비난과 제재의 가능성에 놓이도록 만들기 때문에 사법위원회와 같은 기구가 없어서 천명되지 않은 관습임에도 B에서는 법처럼 지켜졌다고 파악한 것이다.

③ 구조이론에서는 상이한 법 현상을 사회 구조의 차이에 따른 것으로 설명한다. 따라서 A와 B 또한 사회의 조직이나 구조가 상이하기 때문에 서로 다른 법체계를 가졌다고 설명할 것이다.

④ 구조이론에서는 공동 소유를 하는 B의 경우 성문화된 규칙이나 절차 없이도 집단 규범의 위반자를 곧바로 제재하는 것이 가능하다고 보는 반면, 독립적인 생활 방식을 바탕으로 살아가는 A에서는 비공식적인 규율로는 충분하지 않고 공식적인 절차와 기구가 필요했다고 분석한다. 즉 B와 달리 A에서 성문화된 규칙이 발전한 모습을 보고, 사회 관행과 같은 비공식적 규율은 독립적인 생활 방식의 규율에 적합하지 않았다고 해석한 것이다.

⑤ 구조이론에서는 B가 공동 작업으로 생산된 작물을 공동 소유하는 과정 속에서 구성원들 사이의 친밀성이 높아졌고, 그렇기 때문에 성문화된 규칙이나 절차 없이도 집단 규범의 위반자를 곧바로 제재하는 것이 가능했다고 본다. 반면 A는 독립적인 생활 방식을 바탕으로 살아가기 때문에 비공식적인 규율로는 충분하지 않고 공식적인 절차와 기구가 필요했다고 본다. 이는 A가 구성원이 함께 하는 생활 속에서 규범을 체득하는 B와 같은 구조가 아니라서 규율 내용을 명시하여야 규범을 둘러싼 갈등을 억제할 수 있었다고 이해했기 때문이다.

3. 정답 ③ 난이도 ★☆☆ | 정답률 84%

내용영역 규범 문항 유형 정보의 평가와 적용

[정답 풀이]

③ 성문법의 제정이 관행의 전환을 이끌어 냈다는 평가는 관습이론의 논거를 강화하지 못하고 오히려 약화시킬 것이다.
관습이론은 성문법이 관습을 변화시킬 수 없다는 입장을 취한다. 그런데 '여성발전기본법', '남녀차별금지및구제에관한법률'의 제정이 한국 사회에서 여성에 대한 차별 관행의 전환을 이끌어 냈다는 평가는 성문법이 관습을 변화시킬 수 있다는 근거가 된다. 따라서 이는 관습이론의 논거를 약화시킬 것이다.

[오답 풀이]

① 구조이론은 법이 사회 구조를 유지하고 운영할 수 있는 합리적 방책이 필요했기 때문에 도입된 것이라고 본다. 그리고 갈등이론은 법이 지배 집단이 자신들의 이익을 영위하려는 수단으로 이용하고자 만들어졌다고 본다. 즉 구조이론과 갈등이론 모두 법을 자연적으로 발생한 것이 아니라고 보는 것이다. 관습이론 또한 사회에 형성된 관습을 확인하고 재천명하는 것이 법이 된다고 보았으므로, 구조이론이나 갈등이론과 마찬가지로 법이 자연적으로 발생한 것이 아니라고 볼 것이다.

② 구조이론은 상이한 법 현상을 사회 구조의 차이에 따른 것으로 설명하며, 법의 모습을 결정하고 그러한 차이를 유발하는 인자에는 조직의 원리들이 포함된다고 말한다. 따라서 상이한 법체계를 가진 두 사회에 대하여 조직 원리상의 차이 때문이라고 설명할 것이다. 반면 관습이론은 사회에 형성된 관습을 확인하고 재천명하는 것이 법이 된다고 보는 입장이다. 따라서 상이한 법체계를 가진 두 사회에 대하여 두 사회의 관습이 서로 다르기 때문에 재천명된 법의 모습도 달라진 것이라고 말할 것이다.

④ 관습이론은 법이란 제도화된 관습이며, 사회의 문화와 관습에 어긋나는 법은 성문화되어도 법으로서의 효력이 없다고 말한다. 남계 혈통 중심의 호주제가 개정 민법으로 폐지된 것은 현재의 변화된 가족 문화에 맞지 않기 때문이었다는 분석은 성문화된 법이 사회의 문화와 관습에 어긋나기 때문에 효력을 잃은 예에 해당한다. 따라서 이에 대해 관습이론은 관습을 재천명하는 법의 역할을 보여 준 것이라고 하여 지지할 것이다.

⑤ 관습이론은 성문법이 관습을 변화시킬 수 없다는 입장을 취한다. 1993년 제정된 '가정의례에관한법률'이 허례허식을 일소하기 위하여 몇 가지 행위들을 금지하였음에도 국민들 사이에서는 그러한 행위들이 여전히 지속되었고, 심지어 1999년에 그 법률이 폐지되었다는 것은 성문법이 관습을 변화시키지 못한 예에 해당한다. 따라서 이러한 사실에서 성문법이 관습을 변화시킬 수 없다는 관습이론의 주장은 힘을 얻을 것이다.

[4~6] 제재 | 아리스티데스 「로마 송사」
난이도 | ★★☆

4. 정답 ④ 난이도 ★☆☆ | 정답률 80%

내용영역 인문 문항 유형 정보의 확인과 재구성

[정답 풀이]

④ 3문단에 따르면, 서기 1세기 초 로마의 정체가 공화정에서 제정으로 바뀐 뒤, 그리스 문화를 존중하는 로마 황제들의 배려가 늘어가면서 그리스인의 자유 상실감은 상당히 약화되었고, 그리스 지식인들은 자신들의 문화 권력을 인정받는 대가로 로마와 타협할 준비가 되었다. 하지만 이때의 타협은 그리스인을 위한 타협이었으며, 자신들의 정체성을 지키기 위한 노력의 일환이었다. 결국 제정 초기에 그리스 지식인들은 로마의 그리스 문화 존중을 바탕으로 자신들의 자존감을 지켰던 것이다.

[오답 풀이]

① 로마의 속주 행정이 페르시아와 달리 전횡성을 극복한 것은 공화정 말기가 아니라 제정 이후이다.
아리스티데스는 「로마 송사」에서 로마가 이전의 다른 제국인 페르시아에 비해 행정 조직과 지배 이념에 있어서 비교 우위를 지니며, 페르시아 왕의 전횡과 대척을 이루는 통치의 탈인격성을 특징으로 한다고 평가한다. 아리스티데스의 시기는 속주 지식인들이 동화주의를 기조로 하던 시대로, 로마의 정체가 이미 공화정에서 제정으로 바뀐 뒤이다.

② 공화정 말기에 속주민은 로마 군 지휘관과 관리들의 통치에 이견을 표하는 고발이 잦았다.
속주에 배치된 군 지휘관과 관리들에 대한 속주민의 고발이 잦았던 당시 현실에서 보면 기원전 2~1세기의 로마인들은 최선자라고 답하기 어렵다고 하였다. 서기 1세기 초 로마의 정체가 공화정에서 제정으로 바뀌었다고 하였으므로, 기원전 2~1세기는 공화정 말기에 해당한다.

③ 제정 초기에 로마의 상류층은 평화와 안정을 보장하는 체제의 변화를 환영하지 않았다.
서기 1세기 초 로마의 정체가 공화정에서 제정으로 바뀐 뒤, 그때까지 통치라기보다는 그저 점령해 온 지역에서 실질적 행정이 시작되었고, 그 결과 로마의 통치가 공고해지고 속주의 평화가 자명해졌다. 따라서 그리스인들은 평화와 안정을 보장하는 제정으로의 체제 변화를 환영하였을지 모른다. 하지만 이 시기 로마의 상류층이 공화정에서 제정으로의 체제 변화를 환영하였는지는 알 수 없다. 오히려 아리스티데스의 시기에 아피아누스가 제정으로 전환된 것을 축복이라고 묘사할 때, 로마의 전통적 지배 계층은 옛 정체인 공화정에 대한 향수를 짙게 간직하고 있었다고 하는

점으로 보아 로마의 상류층은 공화정에서 제정으로의 체제 변화를 환영하지 않았다고 볼 수 있다.

⑤ '팍스 로마나' 절정기의 시민권 정책이 '보편 시민' 양성이라는 통치 원리의 산물이라고 보기는 어렵다.
그리스인 아리스티데스는 '팍스 로마나'가 절정에 달해 있던 서기 2세기 중엽 로마의 정책에 대해 '보편 시민'을 구현하려는 시민권 정책이라고 하여 그 개방성 원리를 칭찬하였다. 하지만 로마인들은 정책 배후의 이념을 숙고하지 않았는데, 이는 그들에게 속주인 그리스의 엘리트들에 대한 시민권 개방이 단지 분리 통치를 위한 지배 비결이었을 뿐이기 때문이다.

5. 정답 ⑤ 난이도 ★★☆ | 정답률 50%

내용영역 인문 문항 유형 주제, 구조, 관점 파악

[정답 풀이]

⑤ 순응주의(㉠)는 로마의 정체가 공화정에서 제정으로 바뀌기 전의 기조이기 때문에 로마의 정체 변화에 대해 어떻게 파악하였는지 판단할 수 없다.
타협주의(㉡)는 로마의 정체가 공화정에서 제정으로 바뀐 뒤 로마의 통치가 공고해지면서 로마가 가져온 평화의 혜택이 자명해진 것에 주목한다. 동화주의(㉢)에서도 역사가 아피아누스는 제정이 안정과 평화, 풍요를 안겨 주었다고 보았고, 로마가 공화정에서 제정으로 전환된 것을 축복이라고 묘사했다. 즉 ㉡과 ㉢은 제정으로의 로마의 정체 변화를 긍정적으로 파악하고 있다.

[오답 풀이]

① 기원전 2~1세기의 철학자 파나이티오스와 포세이도니오스는 최선자의 지배가 약자에게 유익하다는 논리를 펼쳤다. 이로써 그리스인은 로마인에 대해 지배의 도덕적 정당성을 인정하면서 순응주의(㉠)를 드러냈다. 이때 지배의 도덕적 정당성을 인정했다는 것은 지배의 정당성을 윤리적 정당성과 일치시킨 것으로 이해할 수 있다.

② 서기 1세기 초 로마의 정체가 공화정에서 제정으로 바뀐 뒤 로마의 통치에 대한 그리스인의 대처 자세도 타협주의(㉡)로 바뀐다. 하지만 이때의 타협은 로마인에 대한 아부가 아니라, 그리스인을 위한 것이었다. 즉 정복자로 성공한 로마인을 불편하게 대할 이유가 없으며, 로마가 관대한 통치를 펴면 그리스인의 이상인 화합을 실현할 수 있을 것이라 전망했기 때문에 그런 의미에서의 타협을 진행한 것이다. 결국 그리스인이 아직까지는 자신들의 정체성을 지키기 위한 노력을 포기하지 않은 것이며, 이런 점에서 ㉡에서는 그리스 정체성의 유지를 중시한다는 특징을 갖고 있다고 이해할 수 있다.

③ 속주 지식인들의 기조가 동화주의(㉢)로 변한 것은 아리스티데스의 시기에 이르러서이다. 아리스티데스는 로마의 행정 조직이 거대하지만 동시에 체계적인 점을 특징으로 한다고 말하였다. 따라서 ㉢에서는 제국 행정 시스템의 체계적인 면을 높이 평가했음을 알 수 있다.

④ 타협주의(㉡)는 로마의 정체가 공화정에서 제정으로 바뀐 뒤 로마의 통치가 공고해지면서 로마가 가져온 평화의 혜택이 자명해진 것에 주목한다. 그리고 로마 황제들에게 그리스인의 문화 권력을 인정받는 만큼 자유 상실감도 약화되면서, 로마인의 권력과 타협하면 로마가 관대한 통치를 펴고 그리스인의 이상인 화합을 실현할 것이라고 전망한다. 이는 로마인의 권력과 타협함으로써 자신들의 자유가 조금 상실되더라도 평화와 안전을 보장받으면서 화합을 실현하는 것을 더 중시한 것이다. 동화주의(㉢)에서도 로마의 제정이 안정과 평화, 풍요를 안겨주었다고 보고, 그러한 평화의 전망 속에서 모든 속주 도시의 정치적 자립성이 세계 제국 안에서 소멸되는 상태를 꿈꾼다. 이 또한 그리스인으로서의 자유보다 제국의 통치 아래에서 누리는 평화와 안전을 더 중시한 것으로 볼 수 있다.

6. 정답 ① 난이도 ★★☆ | 정답률 44%

내용영역 인문 문항 유형 정보의 평가와 적용

[정답 풀이]

① 3문단에 따르면, 디오는 로마가 화합을 실현할 것이라고 전망하면서 그리스인의 정체성을 포기하지 않는 입장이다. <보기>는 로마 통치자들과의 우정에서 이득을 보는 것이 그리스 도시들의 복지에 이어지도록 할 것을 주장하고, 그리스 도시들이 누릴 평화와 번영, 화합 등을 강조하고 있다. 이처럼 '우리(그리스) 도시'와 '화합'을 말하고 있다는 점에서, <보기>는 로마의 권력과 타협하면서도 그리스인의 정체성 지키기를 포기하지 않은 타협주의의 디오와 같은 자세를 견지한다고 볼 수 있다.

[오답 풀이]

② <보기>의 주장은 '자신과 출신 도시'를 거론하고 있으므로 동화주의 시기의 인물인 아피아누스와 동시대인의 주장이라고 보기 어렵다.
<보기>는 그리스인이 같은 그리스 정치가 지망생에게 권고하는 내용이다. 하지만 아피아누스가 황제의 통치를 환영하였던 것은 아리스티데스의 시기와 동시대이며, 이 시기는 동화주의를 기조로 하였던 시기이다. 특히 아리스티데스는 더 이상 그리스에 대한 혜택과 배려를 논하지 않고, 제국 시민으로서의 관점을 강조하였다.

③ 로마가 '친구들'의 '정치적 이익'을 지켜 준다는 것과 로마의 행정이 탈인격성을 지닌다는 아리스티데스의 태도가 같다고 보기는 어렵다.
<보기>는 로마인이 친구들의 정치적 이익을 증대시켜 주는 데 열심이기 때문에 그리스의 정치가는 그들과의 우정에서 이득을 보아야 한다고 말한다. 하지만 시민권 확대에 주목한 아리스티데스는 로마의 행정이 탈인격성을 지닌다는 점에서 페르시아 왕의 전횡과 대척을 이루는 체계적인 면을 보인다고 평가한다.

④ 이민족들과의 전쟁이 사라졌다는 사실과 로마인과 그리스인이 한 뿌리라는 사실은 서로 관련이 없기 때문에 <보기>가 디오니시우스의 주장을 지지한다고 보기는 어렵다.

<보기>는 그리스인이 '이민족들'과 싸우던 전쟁이 사라졌다고 함으로써 로마의 통치에 의해 그리스 도시들이 누리는 축복들을 강조하고 있다. 이는 로마가 가져온 평화의 혜택이 자명해지자 그런 로마와 타협할 준비가 된 그리스인의 자세를 보여주는 것이다. 그런데 디오니시우스는 실체적 근거도 없이 로마인의 뿌리가 사실 그리스인이라며 일종의 동조론을 제기한다. 따라서 로마인과 그리스인이 한 뿌리를 가졌다는 것은 실체적 근거 없는 주장이며, 이민족들과 싸우던 전쟁이 사라졌다는 것이 디오니시우스의 동조론과 같은 의미를 가진다고 볼 수 없다.

⑤ <보기>의 주장을 파나이티오스, 포세이도니오스와 동시대인의 견해라고 보기는 어렵다.

<보기>는 로마 통치자들에 의해 그리스가 누리는 평화, 번영, 풍요, 질서, 화합 등을 축복이라고 표현하고 있다. 하지만 약자에게 유익한 점을 고민한 파나이티오스, 포세이도니오스는 로마의 정체가 제정으로 바뀌기 전의 사람들로, 이 시기는 속주에 배치된 군 지휘관과 관리들에 대한 속주민의 고발이 잦았던 시기이다.

[7~9] 제재 | 전자 현미경
난이도 | ★★★

7. 정답 ⑤ 난이도 ★★☆ | 정답률 53%

내용영역 과학기술 문항 유형 정보의 확인과 재구성

[정답 풀이]

⑤ 2문단에 따르면, 광학 현미경은 시료에 가시광선을 비추고 시료의 각 점에서 산란된 빛을 렌즈로 접속하여 상을 만든다. 마지막 문단에 따르면, 전자 현미경 또한 시료에서 산란된 전자의 물질파를 검출기에 접속하여 상이 맺힌 지점에서 전자의 분포를 측정함으로써 시료 표면의 형태를 디지털 영상으로 나타낸다. 결국 광학 현미경과 전자 현미경 모두 시료에서 산란된 파동을 관찰하여 상을 얻는다는 점에서 그 기본적인 원리는 같다.

[오답 풀이]

① 광학 현미경의 해상도는 빛의 파장에 의존한다.

광학 현미경의 경우 파장이 가장 짧은 가시광선을 사용하더라도 그 해상도는 파장의 절반보다 작아질 수 없다. 이는 광학 현미경에서 얻을 수 있는 최소의 해상도가 그러하다는 것이지, 광학 현미경의 해상도가 시료에 비추는 빛의 파장에 의존하지 않음을 의미하지는 않는다. 일반적으로 현미경에서 얻을 수 있는 해상도는 사용하는 파동의 파장에 비례한다고 하였으므로, 광학 현미경의 해상도도 시료에 비추는 빛의 파장에 의존한다고 볼 수 있다.

② 전자 현미경에서는 진공 장치 내부의 기압이 높을수록 선명한 상을 얻을 수 없다.

전자 현미경은 고전압으로 가속된 전자빔을 사용하기 때문에 현미경의 내부 기압이 대기압의 1/1010 이하인 진공 상태여야 한다. 이는 전자가 공기와 충돌하면 에너지가 소실되거나 굴절되는 등 원하는 대로 제어하기 어렵기 때문이다. 전자빔을 사용하여 상을 얻는 전자 현미경에서 전자를 제어하기 어려우면 원하는 상을 얻지 못할 것이다.

③ 전자 현미경에서 렌즈의 중심과 가장자리를 통과한 전자가 같은 점에 도달한다고 볼 수 없다.

3문단에 따르면, 전자 현미경은 렌즈의 중심과 가장자리를 통과하는 전자가 받는 힘을 적절히 조절하여 한 점에 모이도록 하는 것이 어려워 광학 현미경에 비해 초점의 위치가 명확하지 않다.

④ 전자 현미경에서 시료의 표면에 축적되는 전자가 많을수록 상의 왜곡도 늘어난다고 볼 수 있다.

4문단에 따르면, 전자 현미경에서는 절연체 시료를 관찰할 때 전자빔의 전자가 시료에 축적되어 전자빔을 밀어내는 역할을 하게 되므로 이미지가 왜곡될 수 있다.

8. 정답 ② 난이도 ★★★ | 정답률 42%

내용영역 과학기술 문항 유형 정보의 추론과 해석

[정답 풀이]

ㄴ. 전자 현미경에서는 가속 전압이 클수록 전자의 속도가 크다. 그리고 전하를 띤 입자가 자기장 영역을 통과할 때 속도에 비례하는 힘을 받는다고 하였으므로, 가속 전압이 클수록 전자가 전자 렌즈를 지날 때 더 큰 힘을 받을 것이며 초점 거리도 그만큼 줄어들 것이다. 초점 거리가 줄어든다는 것은 해상도가 작아진다는 것을 의미한다. 해상도가 작아진다는 것은 더 가까운 거리에 있는 두 점의 에어리 원반이 겹치지 않고 구분된다는 것을 의미하므로, 에어리 원반의 크기도 더 작아질 것이다.

[오답 풀이]

ㄱ. 전자의 물질파 파장이 길수록 전자가 전자 렌즈를 지날 때 더 작은 힘을 받을 것이다.

전자 현미경에서 전자의 물질파 파장은 입자의 질량과 속도의 곱인 운동량에 반비례한다. 따라서 전자의 물질파 파장과 속도도 반비례할 것이다. 또한 전하를 띤 입자가 자기장 영역을 통과할 때 속도와 자기장의 세기에 비례하는 힘을 받는다. 즉 전자가 전자 렌즈를 지날 때 받는 힘은 속도에 비례한다. 결국 전자가 전자 렌즈를 지날 때 받는 힘은 전자의 물질파 파장에 반비례한다고 볼 수 있다.

ㄷ. 전자 렌즈의 코일에 흐르는 전류를 감소시켜 초점 거리가 늘어나면 상의 해상도를 더 크게 할 수 있을 것이다.

전자 렌즈의 코일에 흐르는 전류를 증가시키면 코일에서 발생하는 자기장의 세기가 커지고 전자가 받는 힘이 커져 전자빔이 더 많이 휘어지면서 초점 거리가 줄어드는 효과를 얻을 수 있다. 따라서 반대로 전자 렌즈의 코일에 흐르는 전류를 감소시키면 초점 거리가 늘어날 것이다. 그런데 해상도는 렌즈의 초점 거리에 비례하므로 초점 거리가 늘어나면 해상도도 커질 것이다.

9. 정답 ④ 난이도 ★★☆ | 정답률 70%

내용영역 과학기술 문항 유형 정보의 평가와 적용

[정답 풀이]

④ 전자 현미경에서 렌즈의 코일에 흐르는 전류를 증가시키면 전자가 받는 힘이 커져 초점 거리가 줄어든다. 초점 거리가 줄어든다는 것은 해상도가 줄어든다는 것을 의미한다. (나)의 해상도는 10 nm

보다 작고 (가)의 해상도는 10 nm보다는 크고 30 nm보다는 작으므로, 결국 (가)의 해상도가 (나)의 해상도보다 크다. 따라서 (나)에서 렌즈의 코일에 흐르는 전류도 (가)의 경우보다 클 것이다.

[오답 풀이]

① (가)의 해상도는 30 nm보다 작을 것이다.
(가)에서는 일정한 간격으로 배치된 미세 물체 사이의 간격이 30 nm보다 짧다.

② (가)에서 전자 현미경 내부의 기압은 대기압보다 작을 것이다.
전자 현미경의 내부는 기압이 대기압의 1/1010 이하인 진공 상태여야 한다.

③ (나)에서 사용된 전자의 물질파 파장은 20 nm보다 작을 것이다.
광학 현미경의 경우 해상도가 파장의 절반보다 작을 수 없다는 내용이 제시되어 있지만, 전자 현미경의 경우는 이러한 정보가 명시적으로 드러나 있지 않다. 다만 2문단에 따르면, 전자 현미경은 렌즈의 성능이 좋지 않아, 전자의 물질파 파장이 대략 0.01 nm일 때 해상도는 보통 수 nm이다. (나)의 해상도는 10 nm보다 작기 때문에 수 nm라고 할 수 있다. 해상도와 물질파 파장은 비례하므로 (나)에 사용된 전자의 물질파 파장도 대략 0.01 nm 수준이라고 유추해 볼 수 있다. 따라서 (나)에서 사용된 전자의 물질파 파장이 20 nm보다 크다고 한다면 전자의 물질파 파장이 오히려 해상도보다 커지게 된다.

⑤ (나)에서 사용된 전자의 속력은 (가)에서 사용된 전자의 속력보다 더 클 것이다.
전자 현미경에서 전하를 띤 입자가 자기장 영역을 통과할 때 속도에 비례하는 힘을 받는다. 그리고 그 힘이 클수록 그만큼 초점 거리가 줄어들고 해상도도 줄어든다. 즉, 해상도와 전자의 속력은 반비례한다. 따라서 10 nm 이하의 해상도인 (나)에서 사용된 전자의 속력은 30 nm 이하의 해상도인 (가)에서 사용된 전자의 속력보다 더 클 것이다.

[10~12] 제재 | 멜랑콜리
난이도 | ★★★

10. 정답 ②
난이도 ★☆☆ | 정답률 85%

내용영역 인문 / 문항 유형 주제, 구조, 관점 파악

[정답 풀이]

② 3문단에 따르면, 벤야민은 멜랑콜리커의 외면적 부동성은 단순한 무기력이 아니라 사물을 꿰뚫어 보는 깊이 있는 사유를 상징한다고 보았다.

[오답 풀이]

① 멜랑콜리의 정신적 무능이 실존적 세계관을 형성하고 절망을 해소하는 요인이 된다는 긍정적 평가는 키르케고르의 관점에 부합하지 않는다.
1문단에 따르면, 키르케고르는 멜랑콜리가 야기하는 정신적 무능을 하나의 질병으로 보고 행동과 희망의 용기를 앗아간다고 부정적으로 평가하고 있다.

③ 프로이트에 따르면, 상실된 대상과 자아가 통합되는 것이 멜랑콜리이고 그렇지 않은 것이 애도이다.

④ 하이데거는 이성에 의해 감정이 억눌려 있는 근대 사회의 이성주의적 특징을 말하고 있을 뿐, 근대인은 근본적으로 능동적 절제를 통해 이렇게 감정을 억눌러야 한다는 주장을 하고 있지 않다.

⑤ 베버는 모든 영역이 숙련된 기술을 갖춘 엘리트들로 채워져야 한다고 주장하는 것이 아니라, 감정 없이 숙련된 기술만을 갖춘 엘리트들로 채워지는 것을 부정적으로 평가하고 있음을 알 수 있다. 베버는 사회적 모더니티가 정신 없는 전문가와 가슴 없는 향락가들을 양산한다고 말한다. 여기서 정신 없는 전문가라는 것은 감정이 없이 기술만 가진 전문가라는 의미이므로 베버는 이처럼 기술만 갖춘 엘리트들을 양산하는 사회적 모더니티를 비판하는 입장임을 알 수 있다.

11. 정답 ②
난이도 ★★★ | 정답률 34%

내용영역 인문 / 문항 유형 정보의 확인과 재구성

[정답 풀이]

② '이성으로부터의 해방' 대신 '감정으로부터의 해방'으로 표현되어야 적절하다. 사회적 모더니티(㉠)는 인간의 내적 자연을 감정의 횡포로부터 해방시켰고, 문화적 모더니티(㉡)는 이러한 해방의 역설적 결과로 나타난 환멸감 속에서, 잃어버린 것들을 우울의 감정으로 보존하려고 한다. 따라서 문화적 모더니티(㉡)는 감정으로부터의 해방이 가져온 역설적 결과로 나타난 환멸감을 근간으로 한다고 볼 수 있다.

[오답 풀이]

① 사회적 모더니티(㉠)의 주체는 계산적 합리성에 근거하여 세계와 대면하고, 규율의 엄격성에 따라 세계에 질서를 부여한다. 따라서 외적 자연을 탈신비화하고 내적 자연을 감정으로부터 해방시키는 것 모두 계산적 합리성에 근거한다고 볼 수 있다.

③ 사회적 모더니티(㉠)의 주체인 부르주아지는 세계에 질서를 부여함으로써 세계의 주인이 된다. 그러나 문화적 모더니티(㉡)의 주체인 멜랑콜리커들은 세계의 주인이 되기보다는 상실한 것을 찾고자 한다. 따라서 사회적 모더니티(㉠)에는 질서를 부여하려는 주체가 존재하지만 문화적 모더니티(㉡)에는 질서를 부여하려는 주체가 존재하지 않는다고 볼 수 있다.

④ 사회적 모더니티(㉠)에서는 계산적 합리성에 근거하여 세계에 질서를 부여하고 세계의 주인이 되려는 공적 영역의 인간상이 나타나는 반면, 문화적 모더니티(㉡)에서는 상실했다고 생각하는 것을 찾는 데 몰두하는 사적 영역의 인간상이 나타난다.

⑤ 사회적 모더니티(㉠)는 과학과 기술의 힘으로 외적 자연을 탈신비화 한다. 그리고 문화적 모더니티(㉡)는 근대 사회에서 상실된 가치와 대상들을 부재하는 현존이라는 역설적 방식으로 보존한다.

12. 정답 ④ 난이도 ★★☆ | 정답률 62%

(내용영역) 인문 (문항 유형) 정보의 평가와 적용

[정답 풀이]

④ 이웃 사내는 멜랑콜리커가 아니므로 감정을 느낄 수 있는 능력이 쇠약해진 상태라고 하기 어렵다.
1문단에 따르면, 감정을 느낄 수 있는 능력이 쇠약해진 상태와 관련된 것은 멜랑콜리의 속성들이다. 그런데 <보기>의 이웃 사내는 돈을 모아 세상살이를 하는 것이 행복이라고 본다는 점에서 멜랑콜리커인 병일과 대조되는 인물이므로 멜랑콜리커로 볼 수 없고, 멜랑콜리의 속성을 가진다고 볼 수 없다.

[오답 풀이]

①, ②, ⑤ <보기>의 병일은 과거의 이상을 잃고 슬퍼하는 청년이다. 자신의 무능력을 인정하면서도 이웃 사내처럼 현실에 적응하지 못하고, 과거처럼 이상에 따라 정치적 저항을 실천하는 것도 불가능한 상황에서 방황하고 있다는 점에서 병일은 한 명의 멜랑콜리커로 볼 수 있다. 따라서 병일은 멜랑콜리커로서의 특징을 모두 가지고 있다. 믿음과 불신 사이에 끼어 있는 우울한 중간자의 모습, 상실한 가치를 여전히 보존하고 있는 탐구자의 모습, 근원적 가치를 부재의 상태로 보존하고 있는 모습이 병일을 통해 드러난다.

③ 멜랑콜리커인 병일이 현실에 적응하지 못하고 우울한 감정을 지니며 생활하는 것과 달리, 이웃 사내는 현실의 가치에 적응하여 살아가는 보통 사람의 모습을 보여주고 있다.

[13~15] 제재 | 동물감정론과 동물권리론
난이도 | ★★☆

13. 정답 ② 난이도 ★★☆ | 정답률 69%

(내용영역) 규범 (문항 유형) 주제, 구조, 관점 파악

[정답 풀이]

② 5문단에 따르면, 동물권리론(㉡)은 윤리 비결과주의를 근거로 의무론에 따라 행위의 도덕성은 행위자의 의무가 적절히 수행되었는지의 여부에 따라 결정된다고 본다. 이에 따르면, 도덕 행위자는 자신의 행동을 조절하고 설명할 수 있는 능력을 지닌 존재이므로 그러한 의무를 지니게 된다. 따라서 ㉡에서는 인간이 동물에 대해 의무가 있는지를 판단할 때 인간의 도덕 행위자 여부를 고려해야 한다고 봄을 알 수 있다.

[오답 풀이]

① 동물감정론(㉠)은 공리주의를 동원하여 행동의 올바름과 그름을 행동의 효용 계산에 따라 평가하여야 한다는 입장이다. 이때 효용이란 발생할 것으로 기대되는 고통의 총량을 차감한 쾌락의 총량이므로, 고통의 총량에는 동물의 포식 때문에 생겨나는 야생의 고통도 포함될 것이다.

③ 포식에 관련한 비판(㉢)은 인간의 육식을 그르다고 보지 않는다. 2문단에 따르면, 인간의 육식이나 실험 등이 고통 유발이나 권리 침해 때문에 그르다면, 야생 동물의 포식이 피식 동물의 고통을 유발하거나 그 권리를 침해하는 것 또한 그르다고 해야 할 것이다. 그른 것은 바로잡아야 한다는 이유로 인간의 포식을 막아야 한다면 동물의 포식까지 막아야 하는데 이는 올바르지 않다고 본다. 따라서 동물감정론과 동물권리론은 이렇게 과도한 의무까지 함축할 수 있으므로 비판할 충분한 이유가 있다고 보는 ㉢은 인간의 육식을 그르다고 보지 않는다.

④ 동물감정론(㉠)에서는 동물의 의무에 대해서는 다루지 않고 있으며, 동물권리론(㉡)에서는 동물에게 포식 금지의 의무가 없다고 본다.
의무론을 동원한 ㉡에서는 의무를 지니려면 그렇게 할 수 있는 능력을 지녀야 한다고 말하는데, 동물은 자신의 행동을 조절할 능력을 갖지 않기에 다른 동물을 잡아먹지 않을 의무도 없다고 말한다.

⑤ 동물감정론(㉠)은 동물의 포식을 방지하는 행동이 그른 까닭을 생명 공동체의 안정성 파괴가 아니라, 그 행동으로 인한 쾌락보다 고통이 더 크다는 것에서 찾는다.
포식에 관련한 비판(㉢)에서는 동물의 포식을 일일이 막는 것은 우리의 능력을 벗어나며, 설령 가능해도 그렇게 하는 것은 자연 질서를 깨뜨리므로 올바르지 않다고 말한다. 즉 포식을 방지하는 행동이 그른 까닭을 생명 공동체의 안정성 파괴에서 찾고 있다. 반면 동물감정론(㉠)은 윤리 결과주의에 근거하여 행동의 결과가 쾌락을 극대화하는지의 여부에 따라 그 옳고 그름이 평가되어야 한다고 본다. 동물감정론(㉠)은 동물의 포식을 방지하는 행동이 그른 까닭을 피식 동물을 보호함으로써 얻을 수 있는 쾌락의 총량보다 이러한 생태계의 변화를 통해 유발될 고통의 총량이 훨씬 크다는 효용 계산에서 찾는다.

14. 정답 ② 난이도 ★★☆ | 정답률 69%

(내용영역) 규범 (문항 유형) 정보의 추론과 해석

[정답 풀이]

ㄱ. 3문단에 따르면, 공리주의에서는 쾌락의 총량을 극대화하는 결과가 더 올바른 행동이다. 따라서 포식 동물의 제거로 늘어날 쾌락의 총량과 포식 동물의 제거로 발생할 고통의 총량을 비교하여, 포식 동물의 제거로 늘어날 쾌락의 총량이 더 커지면 포식 동물을 제거해야 할 것이다.

ㄹ. 5문단에 따르면, 의무론은 행동의 평가가 의무의 수행 등 행동 그 자체의 성격에 의거해야 한다는 윤리 비결과주의의 전형적인 것이다. 따라서 의무론에 따르면, 동물을 대하는 인간 행동의 올바름과 그름 등은 결과가 아닌 행동 그 자체의 성질에서 찾을 수 있을 것이다.

[오답 풀이]

ㄴ. 공리주의에 따르면, 동물에 대한 윤리적 대우의 범위는 야생에 개입할 수 있는 인간의 기술 발전 수준에 반비례한다고 볼 수 없다. 4문단에 따르면, 기술 발전 등으로 인해 포식에 대한 인간의 개입이 더욱 수월해진다면, 그로 인해 기대할 수 있는 쾌락의 총량이 고통의 총량보다 더 커질 수 있다. 그리고 동물감정론에서

의 효용 계산으로 포식 방지의 의무가 산출될 수도 있다. 포식 방지의 의무가 생긴다는 것은 동물에 대한 윤리적 대우의 범위가 늘어남을 의미하는 경우이므로 기술 발전과 윤리적 대우의 범위가 비례하는 경우이다.

ㄷ. 의무론에서는 인간에게 피식 동물을 구출할 수 있는 능력이 있을 때 반드시 그렇게 할 의무가 있다고 말하지는 않을 것이다. 5문단에 따르면, 의무론에서는 의무를 지니려면 그렇게 할 수 있는 능력을 지녀야 한다고 말한다. 이는 능력을 지녔을 때 그에 따른 의무도 지닌다고 할 수 있다는 것이지, 능력이 있다면 반드시 의무가 있다는 것을 의미하지는 않는다.

15. 정답 ① 난이도 ★☆☆ | 정답률 90%

(내용영역) 규범 (문항 유형) 정보의 추론과 해석

[정답 풀이]

① 마지막 문단 후반부에서, 그저 재미로 고양이를 괴롭히는 아이는 도덕 수동자이니 그 행동을 멈춰야 할 의무가 없다고 하더라도 그 부모 또한 이를 막을 의무가 없다고 하겠는가 하는 의문을 제기한다. 이는 도덕 수동자(아이)에게 책임이 없다는 사실로부터 도덕 행위자(부모)에게도 도덕 수동자의 행동에 대한 책임이 없다고 단정한 것에 의문을 제기한 것이다.
동물권리론은 도덕 행위자와 도덕 수동자를 구분하면서, 도덕 수동자인 동물에게는 포식을 하지 않을 의무가 없다고 말한다. 그리고 그로부터 포식을 하지 않을 의무가 없는 동물의 포식을 막을 인간의 의무 또한 없다는 결론에 이른다. 그러자 포식에 관련한 비판 측에서는, 포식 방지에 대한 비판의 핵심은 사자가 사슴을 잡아먹는다고 할 때 우리가 그것을 그만 두게 할 의무가 있는지의 문제이지, 사자가 그만 두어야 할 의무가 있는지의 여부는 아니라고 말한다. 즉 도덕 수동자(사자)에게 책임(포식을 하지 않을 의무)이 없다는 사실로부터 도덕 행위자(인간)에게도 도덕 수동자(사자)의 행동(포식)에 대한 책임(포식을 막을 의무)이 없다고 단정한 것이 문제점이라는 것이다.

[오답 풀이]

② 어린 아이가 도덕 수동자라는 사실로부터 어린 아이에게는 도덕적 책임을 물을 수 없다고 보는 것은 동물권리론이나 포식에 관련한 비판 모두 인정하는 부분이므로 문제점의 내용으로는 적절하지 않다.

③ 포식 동물이 도덕 수동자라는 점은 동물권리론도 인정하는 부분이므로 문제점의 내용으로는 적절하지 않다.
동물권리론에서는 포식 동물이 자신의 행동을 조절할 능력을 갖지 않기에 다른 동물을 잡아먹지 않을 의무도 없다고 말한다. 이때 자신의 행동을 조절할 능력을 갖지 않는다는 것은 어린 아이와 마찬가지로 행동 조절 능력을 결여하였다는 것이다.

④ 야생에서의 권리 침해와 인간 세계에서의 권리 침해가 지니는 잔인성의 정도를 비교하여 지적하는 내용은 제시되지 않았다. 권리 침해의 정도를 비교하는 것이 아니라 도덕 수동자의 의무와 도덕 행위자의 의무를 비교하는 내용이 핵심이다.

⑤ 동물권리론은 피식 동물도 인간과 마찬가지로 쾌락과 고통을 느끼는 능력이 있다고 본다.
동물권리론은 기본적으로 동물도 생명권, 고통받지 않을 권리 등을 지닌 존재이므로 그들도 윤리적으로 대우해야 한다는 입장이기 때문이다. 문제점으로 지적하고 있는 것은 쾌락과 고통을 느끼는 능력의 유무가 아니라 의무를 지니는 존재가 지녀야 할 능력을 갖추었는지 여부이다.

[16~18] 제재 | 전통적 경제학과 행동경제학의 '이상 현상' 해석
난이도 | ★☆☆

16. 정답 ⑤ 난이도 ★☆☆ | 정답률 89%

(내용영역) 사회 (문항 유형) 정보의 확인과 재구성

[정답 풀이]

⑤ 하층부에 있는 자산일수록 인출을 하기 쉬운 계정에 배치된다고 볼 수 있다. 3문단에 따르면, 자산의 피라미드 중 맨 아래층에는 지출이 가장 용이한 형태인 현금이 있는데, 이는 대부분 지출에 사용된다.

[오답 풀이]

① 1문단에 따르면, 경제학은 '이상 현상'을 분석하고 토론하는 과정에서 발전했다.

② 마지막 문단에 따르면, 퇴직 연금이나 국민 연금 제도는 심적 회계라는 기제가 사회적 차원에서 구현된 것이다.

③ 마지막 문단에 따르면, 당장의 유혹을 억누르고 현재의 지출을 미래로 미루는 행위가 곧 저축이다.

④ 마지막 문단에 따르면, 사람들은 미래보다 현재를 더 선호하고 유혹에 빠지기 쉬운데, 이를 제약하기 위해 만들어 낸 자기 통제 기제가 바로 심적 회계이다.

17. 정답 ③ 난이도 ★☆☆ | 정답률 92%

(내용영역) 사회 (문항 유형) 주제, 구조, 관점 파악

[정답 풀이]

③ 2문단과 마지막 문단을 살펴보면 알 수 있다. 전통적 경제학(㉠)은 유동성 제약(이상 현상)의 원인을 금융 시장의 불완전성이라는 외부 환경의 제약에서 찾는다. 반면 행동경제학(㉡)은 그 원인을 사람들이 마음속에 만들어낸 자기 통제 기제(심적 회계)로 보고 있으므로 개인의 심리적 요인에서 찾는다고 할 수 있다.

[오답 풀이]

① 사람들을 유혹에 취약한 존재라고 여기는 것은 행동경제학(㉡)뿐이다. 전통적 경제학(㉠)은 사람들이 최적의 소비 계획을 세우고 이를 불굴의 의지로 실행한다고 본다.

② 전통적 경제학(㉠)과 행동경제학(㉡)의 설명이 서로 바뀌었다. 연령대별 소비의 특성이라는 것은 연령에 따라 소비 패턴이 달라

지는 '이상 현상'을 의미한다. 전통적 경제학(㉠)은 '이상 현상'의 원인을 금융 시장의 불완전성이라는 외부 환경의 제약에서 찾고, 행동경제학(㉡)은 그 원인을 심적 회계라는 자발적 선택으로 이해한다.

④ 유동성 제약이 심화된다는 것은 지출에 사용할 자산이 확보되지 않는다는 것이므로 전통적 경제학(㉠)과 행동경제학(㉡) 모두 유동성 제약이 심화되면 소비가 원활하게 행해지지 않는 결과를 가져온다고 볼 것이다. 전통적 경제학(㉠)과 행동경제학(㉡)의 차이는 유동성 제약의 원인을 외부 환경에서 찾느냐, 개인 심리에서 찾느냐이다.

⑤ 전통적 경제학(㉠)과 행동경제학(㉡) 모두 저축 예금을 인출하는 선택을 긍정적으로 판단할 것이다. 3문단에 따르면, 행동경제학(㉡)은 사람들이 예금을 인출해 지출을 하는 것이 바람직한 행동임에도 불구하고 높은 금리로 돈을 빌리고 낮은 금리로 저축을 하는 비합리적 행동을 한다고 본다. 즉 ㉡은 저축 예금을 인출하는 선택을 긍정적으로 판단함을 알 수 있다. 그리고 전통적 경제학(㉠)도 돈에는 사용 범위가 제한되어 있지 않다고 보고 있으므로 금리를 비교하여 현금 대출 서비스보다 낮은 금리의 저축을 인출하는 선택이 더 이득이 된다고 보고 이를 긍정적으로 판단할 것이다.

18. 정답 ② | 난이도 ★★☆ | 정답률 50%

내용영역 사회 | 문항 유형 정보의 평가와 적용

[정답 풀이]

② <보기>의 금융 위기는 심적 회계와 유동성 제약이 약화되어 발생한 것이므로 금융 위기 이후에는 이를 강화하는 정책을 세워야 한다.
<보기>는 심적 회계가 붕괴하고 유동성 제약이 약화되어 지출이 늘어난 결과로, 경제의 불안정성이 커져서 금융 위기 사태가 발생했던 과정을 보여준다. 그 과정을 요약하면, '정부의 정책 변화와 은행의 다양한 대출 상품 개발과 주택 가격 상승 → 주택을 최후의 보루로 삼던 규범이 붕괴(유동성 제약 약화) → 미실현 이익을 바탕으로 한 지출 상승 → 경제 불안정성이 커짐 → 금융 위기 사태 발생'이다. 다시 말해 <보기>의 금융 위기는 심적 회계와 유동성 제약이 약화되어 발생한 것이므로 금융 위기 이후에는 이를 강화하는 정책을 세워야 한다.

[오답 풀이]

① <보기>에서 주택을 최후의 보루로 삼던 규범이 붕괴했다는 것은 주택 자산을 지출이 가능한 계정에 배치했다는 것이다. 3문단에 따르면, 이것은 주택 자산의 신성한 계정으로서의 성격이 약화된 것으로 볼 수 있다.

③ <보기>를 보면, 주택 자산을 지출 가능한 자산으로 여기게 되었으므로 자산의 전용 가능성이 확대된 것으로 볼 수 있다. 2문단에 따르면, 자산의 전용 가능성은 자유롭고 유연한 선택을 촉진한다. 결국 A 국가에서는 자발적 선택이 확대되어 금융 위기 사태라는 부정적 결과가 나타났다고 볼 수 있다.

④ <보기>에서 2차 대출 상품과 같은 은행의 다양한 대출 상품은 주택 자산을 지출에 용이한 계정에 배치할 수 있도록 만들었다. 이로 인해 주택 자산은 미래를 위해 저축하는 것이 아닌 현재를 위해 소비하는 것이 되었다.

⑤ 전통적 경제학은 소득이 줄어드는 연령대라도 소비가 줄어들지 않고 소득 패턴과 독립적으로 소비 패턴이 유지될 것으로 예측했다. 이러한 예측은 <보기>에서 노인 가구들이 2차 주택 담보 대출을 이용해서 미실현 이익을 향유하며 지출을 늘리는 상황과 일치한다. 따라서 전통적 경제학은 이러한 상황을 보고 자신들의 예측이 실현되었다고 여겼을 것이다.

[19~21] 제재 | 뒤집힌 감각질 사고 실험
난이도 | ★★☆

19. 정답 ③ | 난이도 ★★☆ | 정답률 78%

내용영역 인문 | 문항 유형 주제, 구조, 관점 파악

[정답 풀이]

③ 1문단에 따르면, 정신 상태와 물질 상태가 동일하다고 주장하는 동일론은 인간과 정신 상태는 같지만 물질 상태는 다른 로봇의 등장을 설명할 수 없다는 문제가 있다. 그래서 각광을 받게 된 것이 기능론으로, 기능론은 정신의 인과적 역할이 뇌의 신경세포에서든 로봇의 실리콘 칩에서든 어떤 물질에서도 구현될 수 있음을 보여줌으로써 동일론의 문제점을 해결하였다. 다시 말해, 기능론에서는 인간과 로봇이 물질 상태는 달라도 정신 상태는 같을 수 있음을 설명할 수 있다.

[오답 풀이]

① 동일론은 물질 상태가 같으면 정신 상태도 같다는 것을 설명할 수 있다. 동일론은 정신 상태와 물질 상태가 별개의 것이 아니라 동일한 것이라고 주장하는 입장이기 때문이다.

② 이원론에서는 어떤 사람의 행동과 말을 통해서 그 사람의 감각질이 어떠한지 확인할 수 없다. 이원론은 정신 상태와 물질 상태는 별개의 것이라고 주장하기 때문이다. 하지만 어떤 사람의 행동과 말을 통해서 그 사람의 감각질이 어떠한지 확인하는 것은 정신(감각질)이 물질(행동과 말)에 의해 구현되는 것을 전제하고 있는 것으로, 이는 정신 상태와 물질 상태가 별개의 것이 아니라고 주장하는 기능론에 해당한다.

④ 뒤집힌 감각질 사고 실험은 정신의 기능적 · 인과적 측면만을 설명하는 기능론으로는 정신의 현상적 측면을 설명할 수 없다는 것을 보여 주려고 한 것이다. 기능론은 정신의 기능적 · 인과적 역할을 이야기한다. 이에 뒤집힌 감각질 사고 실험은 감각질이 뒤집힌 사람이 다른 사람과 다른 현상적 경험을 하면서도 같은 기능적 경험을 한다고 사고하는 예를 보여줌으로써, 현상적 감각 경험을 배제하고 기능적 · 인과적 역할만으로 정신 상태를 설명하는 기능론은 잘못된 이론이라고 논박한다.

⑤ 기능론은 정신 상태를 갖는 존재라면 그것의 물질 상태도 인정한다는 점에서 이원론과 차이가 있다. 이원론은 정신 상태와 물질 상태를 별개의 것이라고 주장한다. 그렇기 때문에 정신 상태를

갖는 존재일지라도 그것의 물질 상태를 인정하지 않을 수 있다. 반면 기능론에서는 정신이 물질에 의해 구현되기 때문에 그 둘은 별개의 것이 아니라고 주장한다.

20. 정답 ② 난이도 ★★☆ | 정답률 73%

내용영역 인문 | 문항 유형 정보의 추론과 해석

[정답 풀이]

② 3문단에 따르면, 뒤집힌 감각질 사고 실험은 감각질이 뒤집힌 사람과 그렇지 않은 사람의 정신 상태는 현상적으로 다르지만 기능적으로는 같다는 점을 들어 기능론을 논박한다. 하지만 이에 또 다시 비판을 제기하는 입장에서는 뒤집힌 감각질 사고 실험에 의한 기능론 논박이 성공하려면 감각질이 뒤집힌 사람이 그렇지 않은 사람과 색 경험이 현상적으로는 다르지만 기능적으로는 다르지 않다는 조건이 성립해야 한다고 말한다. 그리고 그 조건이 성립하기 위해서는 두 사람의 색 경험 공간이 대칭적이어야 하는데, 색 경험 공간은 색 외적인 속성들과도 관련되어 있어 비대칭적이기 때문에 결국 색 경험이 현상적으로 다르다면 기능적으로도 다를 것이라고 지적한다. 다시 말해, 색 경험 공간은 비대칭적이어서 감각질이 뒤집힌 사람이 그렇지 않은 사람과 현상적으로 다르고 기능적으로 동등한 경우는 발생할 수 없다는 것이 뒤집힌 감각질 사고 실험의 기능론 논박이 받는 비판의 내용이다.

[오답 풀이]

① 비판의 입장에 따르면, 색 경험 공간은 비대칭적이다.
비판에 따르면, 뒤집힌 감각질 사고 실험의 기능론 논박이 말하는 것처럼, 감각질이 뒤집힌 사람이 그렇지 않은 사람과 현상적으로는 다르지만 기능적으로 다르지 않은 경우는 발생할 수 없다. 왜냐하면 색 경험 공간은 색 외적인 속성들과도 관련되어 있어서 비대칭적이기 때문이다.

③ 감각질이 뒤집히지 않은 사람이 실제 감각질이 뒤집히지 않았다는 사실을 탐지할 수 있는지 여부는 비판의 핵심에서 벗어난 내용이다.
뒤집힌 감각질 사고 실험이나 이 사고 실험에 비판을 제기하는 입장 모두 감각질이 뒤집힌 사람과 감각질이 뒤집히지 않은 사람의 색 경험 공간을 비교하였으며, 다만 두 공간의 대칭성 여부에서 서로 대립하고 있을 뿐이다. 또한 감각질이 뒤집히지 않은 사람이 입력이 같으면 출력도 같다는 점은 두 입장 모두에서 동의하는 것이므로, 비판의 내용으로 적절하지 않다.

④ 감각질이 뒤집힌 사람은 입력이 같아도 출력이 다르므로, 그의 감각질이 뒤집혔다는 사실을 탐지할 수 있다는 것이 비판의 입장이다.
뒤집힌 감각질 사고 실험은 감각질이 뒤집힌 사람이 감각질이 뒤집히지 않은 사람과 입력이 같을 때 출력도 같지만 그 현상적 경험은 다르다는 점을 지적한다. 그리고 이러한 사고 실험에 비판을 제기하는 입장에서는 감각질이 뒤집힌 사람이 감각질이 뒤집히지 않은 사람과 입력이 같더라도 다른 현상적 경험을 한다면 그로 인해 출력이 달라질 것이므로 감각질이 뒤집혔다는 사실을 탐지할 수 있다고 본다.

⑤ 정신 상태의 현상적 감각 경험을 배제할 수 없으므로 기능적 역할만으로 정신 상태를 설명할 수 없다는 것은 뒤집힌 감각질 사고 실험의 입장에 해당하는 내용이다.
뒤집힌 감각질 사고 실험은 감각질이 뒤집힌 사람과 감각질이 뒤집히지 않은 사람의 정신 상태는 현상적으로 다르지만 기능적으로는 같다는 점을 들어, 현상적 감각 경험을 배제하고 기능적·인과적 역할만으로 정신 상태를 설명하는 기능론이 잘못되었다고 논박하였다. 즉, 정신 상태의 현상적 감각 경험을 배제할 수 없으므로 기능적 역할만으로 정신 상태를 설명할 수 없다는 것은 뒤집힌 감각질 사고 실험이 받는 비판이 아니라, 뒤집힌 감각질 사고 실험의 입장에 해당하는 내용이다.

21. 정답 ④ 난이도 ★★☆ | 정답률 54%

내용영역 인문 | 문항 유형 정보의 평가와 적용

[정답 풀이]

④ ㉠이 성공한다는 측은 ㉡이 빨간색 꼭지를 틀 것이라고 설명할 것이지만, ㉠이 실패한다는 측은 ㉡이 빨간색 꼭지를 틀지 않을 것이라고 설명할 것이다.
뒤집힌 감각질 사고 실험에 의한 기능론 논박(㉠)이 실패한다는 측은 감각질이 뒤집힌 사람과 감각질이 뒤집히지 않은 사람의 색 경험 공간이 비대칭적이므로 서로 다른 행동을 보인다고 말한다. 따라서 빨강-초록의 감각질이 뒤집힌 사람(㉡)에게는 빨간색 꼭지가 초록색으로 보일 것이고, 그에 따라 빨간색이 가지는 따뜻함을 지각하지 못해 따뜻한 물로 손을 씻고자 했지만 빨간색 꼭지를 틀지는 않을 것이라고 설명할 것이다. 반면 ㉠이 성공한다는 측은 감각질이 뒤집힌 사람과 감각질이 뒤집히지 않은 사람의 정신 상태가 현상적으로는 다르지만 기능적으로는 같은 출력을 보인다고 말하므로, ㉡이 감각질이 뒤집히지 않은 사람과 마찬가지로 따뜻한 물로 손을 씻고자 빨간색 꼭지를 틀 것이라고 설명할 것이다.

[오답 풀이]

① 뒤집힌 감각질 사고 실험에 의한 기능론 논박(㉠)이 성공한다는 측은 감각질이 뒤집힌 사람과 감각질이 뒤집히지 않은 사람의 정신 상태가 현상적으로는 다르지만 기능적으로는 같다고 말한다. 따라서 빨강-초록의 감각질이 뒤집힌 사람(㉡)은 감각질이 뒤집히지 않은 사람과 현상적으로 다른 경험, 즉 감각질이 뒤집히지 않은 사람과 달리 빨간색 꼭지가 초록색으로 보인다고 설명할 것이다.

② 뒤집힌 감각질 사고 실험에 의한 기능론 논박(㉠)이 성공한다는 측은 감각질이 뒤집힌 사람과 감각질이 뒤집히지 않은 사람의 정신 상태가 현상적으로는 다르지만 기능적으로는 같다고 말한다. 따라서 빨강-초록의 감각질이 뒤집힌 사람(㉡)일지라도 감각질이 뒤집히지 않은 사람과 마찬가지로 기능적으로 같은 경험, 즉 빨간색 꼭지를 보고 "이게 빨간색이구나."라고 말한다고 설명할 것이다.

③ 뒤집힌 감각질 사고 실험에 의한 기능론 논박(㉠)이 실패한다는 측은 감각질이 뒤집힌 사람과 감각질이 뒤집히지 않은 사람의 색 경험 공간이 비대칭적이므로 서로 다른 행동을 보인다고 말한다. 따라서 빨강-초록의 감각질이 뒤집힌 사람(㉡)에게는 빨간색 꼭지가 초록색으로 보일 것이고, 그에 따라 빨간색이 가지는 따뜻함을 지각하지 못하고 초록색이 가지는 생동감을 지각할 것이라고 설명할 것이다.

⑤ 빨강-초록의 감각질이 뒤집힌 사람(㉡)은 빨간색과 초록색만 서로 반대색으로 보는 것이기 때문에 빨간색과 파란색 혹은 초록색과 파란색을 구분하는 것은 아무 문제가 없을 것이다.
뒤집힌 감각질 사고 실험에 의한 기능론 논박(㉠)이 성공한다는 측은 빨강-초록의 감각질이 뒤집힌 사람(㉡)의 경우, 빨간색을 초록색으로 느끼지만 행동은 빨간색을 본 일반 사람들과 똑같을 것이라고 설명한다. 따라서 <보기>의 사람이 빨간색 꼭지와 파란색 꼭지를 본 사람과 동일하게 행동한다고 설명할 것이다. 실패한다는 측은 빨간색을 초록색으로 느끼기 때문에 초록색의 속성에 따른 행동을 보일 것이라고 설명한다. 따라서 <보기>의 사람이 초록색 꼭지와 파란색 꼭지를 본 사람과 동일하게 행동한다고 설명할 것이다. 결국 양측 모두 ㉡이 빨간색 꼭지와 파란색 꼭지를 구별할 수 있다고 설명할 것이다.

[22~24] 제재 | 온톨로지
난이도 | ★★★

22. 정답 ④

난이도 ★★★ | 정답률 36%

내용영역 과학기술 　 문항 유형 정보의 확인과 재구성

[정답 풀이]

④ 2문단에 따르면, 온톨로지에서는 상속 관계를 통해서 개념들이 서로 연결되는 것이지, 개념과 그 개념에 속한 개체들이 연결되는 것이 아니다.

[오답 풀이]

① 온톨로지는 지식 공유 및 재사용을 위해 특정 영역의 합의된 지식을 모델링하여, 기계가 처리할 수 있는 형태로 만든 공학적 구조물이다.

② 온톨로지는 특정 영역에서 사용되는 개념과 개념 간의 논리적 특성을 기록하여 개념 간의 계층 구조를 보여주는 공학적 구조물이다. 따라서 대상 체계의 개념 구조를 명시적으로 드러내고자 한다고 할 수 있다.

③ 1문단에 따르면, 온톨로지의 정의는 '관심 영역 내 공유된 개념화에 대한 형식적이고 명시적인 명세'다. 여기서 '형식적'은 기계가 읽고 처리할 수 있는 형태로 온톨로지를 표현해야 한다는 것을 뜻한다.

⑤ 4문단에 따르면, 의료 영역은 일찍부터 여러 그룹에서 각기 목적에 맞는 온톨로지를 발전시켜 왔다. 이처럼 동일한 영역에서도 종사자들의 관심과 필요에 따라 서로 다른 온톨로지가 구축될 수 있다.

23. 정답 ③

난이도 ★★☆ | 정답률 62%

내용영역 과학기술 　 문항 유형 정보의 추론과 해석

[정답 풀이]

ㄷ. OWL의 표현력 크기는 'OWL Lite < OWL DL < OWL Full' 순으로 크다. 다만 OWL Lite, OWL DL은 계산학적 완전성과 결정 가능성이 보장되지만, OWL Full은 그렇지 못하다는 차이가 있다. 따라서 계산학적 완전성에 대한 보장을 고려하지 않고 최대의 표현력을 가진 온톨로지를 구축하기 위해서는 이 중에서 표현력이 가장 큰 OWL Full을 사용할 것이다.

[오답 풀이]

ㄱ. 동일한 온톨로지라고 해서 반드시 표현력이 동등한 언어로 표현해야 하는 것은 아니다.
OWL의 예를 보면, 동일한 온톨로지라도 표현력이 서로 다른 언어로 표현된다면 계산학적 완전성과 결정 가능성이 달라질 수 있다.

ㄴ. '빵'이 하위 개념이고, '장미'가 상위 개념이다.
'x가 빵이면 x는 장미이다'는 모든 빵은 장미라는 속성을 갖는다는 뜻이다. 즉 '빵'이라는 개념은 모두 '장미'라는 개념의 속성을 물려받는다는 의미이다. 그런데 상속 관계에 의하면 하위 개념은 상위 개념의 모든 속성을 물려받는다. 따라서 속성을 물려받는 '빵'이 하위 개념이고, '장미'가 상위 개념이다.

24. 정답 ②

난이도 ★★★ | 정답률 31%

내용영역 과학기술 　 문항 유형 정보의 추론과 해석

[정답 풀이]

② ⊤는 존재하는 모든 것들이 공유하는 공통된 속성만을 갖고, ⊥는 상위 개념의 모든 속성을 물려받으므로 가장 많은 속성을 가진다.
개념은 공통된 속성을 공유하는 개체(개별자)들의 집합이다. ⊤라는 개념은 존재하는 모든 것들의 집합이므로 ⊤는 존재하는 모든 것들이 공유하는 공통된 속성을 갖는다. 따라서 ⊤가 존재하는 모든 속성을 다 가진다는 설명은 적절하지 않다. 그리고 ⊥는 가장 하위에 있는 개념이므로 상속 관계에 있는 상위 개념의 모든 속성을 물려받는다. 따라서 ⊥는 <보기>에 있는 개념들 중에서 가장 많은 속성을 가진다고 볼 수 있으므로 어떠한 속성도 갖지 않는다는 설명은 적절하지 않다.

[오답 풀이]

① 7개의 원초적 개념과 연결된 하위 개념들은 모두 2개 이상의 원초적 개념과 연결되어 있다. 그리고 상위 개념으로 오직 2개의 원초적 개념을 갖는 개념은 그림의 중단부에 있는 Actuality, Form, Prehension, Proposition, Nexus, Intention 이렇게 6개이다. 이 외에 그림의 하단부에 있는 Object, Process 등은 모두 3개 이상의 원초적 개념을 상위 개념으로 갖는다. 예를 들어 Object의 경우, 원초적 개념 Continuant와 비원초적 개념 Actuality가 상위 개념이지만, 추이성에 따라 Actuality의 상위

개념인 Independent와 Physical도 Object의 상위 개념으로 볼 수 있다. Independent와 Physical은 둘 다 원초적 개념이므로 결과적으로 Object는 Continuant, Independent, Physical이라는 3개의 원초적 개념을 상위 개념으로 갖는다.

③ Continuant와 상속 관계를 맺고 동시에 Occurrent와 상속 관계를 맺는 하위 개념은 ⊥ 외에는 없다. 그러므로 Continuant의 속성과 Occurrent의 속성을 함께 물려받는 개념도 오직 ⊥뿐이다. 그런데 ⊥는 공집합이므로 ⊥에 속한 개체는 없다. 따라서 Continuant의 속성과 Occurrent의 속성을 함께 가진 개체는 존재하지 않는다.

④ Object는 상위 개념인 Continuant와 Actuality와 상속 관계에 있는 하위 개념이다. 그런데 하위 개념은 상위 개념의 모든 속성을 물려받으므로 하위 개념인 Object는 상위 개념인 Continuant와 Actuality의 속성을 모두 물려받는다.

⑤ 추이성은 A가 B의 하위 개념이고 B가 C의 하위 개념이라면, A는 C의 하위 개념이라는 것이다. 이에 따르면, Process는 Actuality의 하위 개념이고 Actuality는 Physical의 하위 개념이므로 Process는 Physical의 하위 개념이라 할 수 있다.

[25~27] 제재 | 극우민족주의
난이도 | ★★☆

25. 정답 ⑤
난이도 ★★☆ | 정답률 75%

내용영역 사회 / 문항 유형 정보의 확인과 재구성

[정답 풀이]

⑤ 신자유주의 시대에서 네이션은 주권자로서의 위상을 강화하지 못했고 직접적 정치 실천을 확대하지도 못했다.
신자유주의 시대에 들어왔다는 것은 국민국가 시기가 아니라 극우민족주의 시기라는 것을 의미한다. 그런데 3문단에 따르면, 극우민족주의에서 네이션은 주권자라는 위상을 잃고 정치적 주체로서보다는 치안과 통치의 대상으로 전락하고 있다.

[오답 풀이]

① 1문단에 따르면, 프랑스 극우민족주의 세력인 국민연합은 공화주의의 핵심적 원칙인 라이시테 원칙을 강조한다. 그런데 프랑스에서는 이 원칙에 의거하여 공공장소에서 종교적 표지를 드러내는 것을 금지하여 결과적으로 무슬림에 대한 억압이 이루어지고 있다. 이를 통해 볼 때, 프랑스 극우민족주의는 공화주의 원칙을 무슬림에 대한 배제의 기준으로 활용하고 있음을 알 수 있다.

② 1문단에 따르면, 통합을 위한 국가의 역할보다는 통합되는 자의 책임과 의지가 중시되기 시작했다. 여기서 통합되는 자에는 이주자도 해당된다고 볼 수 있다.

③ 극우민족주의는 공동의 적을 만들면서 세력화를 추구한다. 이것은 극우민족주의에 대한 지지 세력의 30~40%가 과거 좌파 정당을 지지했던 노동자였다는 사실을 통해 알 수 있다.

④ 국민국가 시기에는 네이션을 문화에 기반한 폐쇄적 '민족' 개념과 정치에 기반한 개방적 '국민' 개념으로 구분하였다. 따라서 국민 개념이 민족 개념보다 개방적이라고 할 수 있다.

26. 정답 ④
난이도 ★★☆ | 정답률 75%

내용영역 사회 / 문항 유형 정보의 추론과 해석

[정답 풀이]

④ 3문단에 따르면, 극우민족주의에서 유색 인종 노동자들은 잠재적 범죄자이자 위험한 계급으로 확정된다. 그리고 안전의 위협이라는 비상 상황이 일상적인 것이라고 강조되면서 이주 노동자에 대한 권력의 예외적인 행사 역시 일상화된다. 이러한 내용과 극우민족주의는 공동의 적을 만들면서 세력화를 추구한다는 내용을 볼 때, 극우민족주의는 이주 노동자 등을 공동의 적으로 만들면서 세력화를 추구하고 안전의 위협을 강조하여 국가 권력의 예외적 행사를 정당화하려 한다고 이해할 수 있다.

[오답 풀이]

① 극우민족주의가 민족 개념과 국민 개념의 차이를 없앤 것은 맞지만, 국민적 동일성에 기반한 정치를 제거하려고 했다고는 보기 어렵다. 극우민족주의도 국민/비국민의 구분 전략을 구사하고 있기 때문이다.

② 연대의 공동체로서 국민국가의 위상을 강조한 것은 극우민족주의 이전의 국민국가 시기이다.

③ 극우민족주의가 근대의 대의제 정치를 폐기한다고 볼 수 없다. 극우민족주의는 근대 대의제의 거부와 인민의 직접적 정치 실천을 목표로 한다는 점에서 포퓰리즘의 한 유형으로 볼 수 있다. 하지만 근대 대의제 정치가 상징적으로 전제하는 대표되는 자의 단일성을 위해 내부의 타자를 부정하고 있다는 점에서 근대의 대의제 정치를 폐기하지 못하고 있음을 알 수 있다.

⑤ '사회적인 것'의 해결, 경제적 안정성 확보, 정치의 회복은 모두 극우민족주의와 대립되는 요소들이다.
극우민족주의는 정치보다 비경제적인 유형의 안전에 중점을 둔다. 따라서 극우민족주의에서 네이션은 주권자로서의 위상을 잃고, 정치적 주체가 아닌 치안과 통치의 대상으로 전락한다. 그리고 시장이 야기한 삶의 불확실성과 불안에 대한 국가의 개입을 중단하며, 사회적인 것을 해결하기 위한 공화주의와 케인즈주의의 사회적 국민국가는 후퇴한다.

27. 정답 ⑤
난이도 ★★☆ | 정답률 45%

내용영역 사회 / 문항 유형 정보의 평가와 적용

[정답 풀이]

⑤ <보기>는 '민주주의적 정치의 확장 가능성(ⓐ)'이라는 포퓰리즘의 긍정적인 측면을 설명하고 있다. 포퓰리즘은 신자유주의 시대의 '사회적인 것'들을 해결하고 편협한 동일성의 정치를 극복하기 위한 방안이 될 수 있다는 것이다. 따라서 <보기>에서 말하는 편협한 동일성의 정치는 곧 극우민족주의로 볼 수 있고, 극우민족주의를 극복할 가능성이 곧 ⓐ에 대한 평가라고 할 수 있다. 즉, 극우민족주의가 해결하려 하지 않는 '사회적인 것'의 해결을 위해, 이전에 사용되었던 사회적 국민국가 방식을 넘어서는 실천을 모색한다면, 극우민족주의라는 배제의 정치를 극복할 수 있다는 설명이 가장 적절하다.

[오답 풀이]

① 대중의 안전을 최우선하는 치안의 정치가 실현된다는 것은 극우민족주의가 유지된다는 것이다. 따라서 극우민족주의의 극복 가능성을 의미하는 ⓐ에 대한 평가로 적절하지 않다.

② 전체주의는 이주민을 포용하지 않으면서, 즉 내부의 타자를 부정하기 때문에 등장한다. 따라서 통합의 장치를 작동시킨다면 전체주의가 등장할 위험이 있다는 설명은 적절하지 않다.

③ 극우민족주의는 동일화될 수 없는 인민을 배제하는 동일성의 정치라 할 수 있다. 그리고 극우민족주의는 상징적 권력과 실재적 권력을 동일시하는 특징이 있다. 따라서 이 둘을 구별한다면 동일화될 수 없는 인민을 배제하는 동일성의 정치가 구현될 가능성이 오히려 낮아질 것이다.

④ 공화주의를 기반으로 네이션을 적극적으로 구성하는 것은 국민국가 시기에 네이션을 구성했던 방식이다. 이러한 방식으로 구성된 네이션을 주체로 삼는다면 과거의 국민국가로 돌아가는 결과를 가져올 것이다. 그런데 <보기>는 새로운 민주주의를 실천할 주체를 모색하고 민주주의를 재구성하는 것을 ⓐ로 보고 있으므로, 민주주의가 과거와 동일하게 복원되는 것은 ⓐ에 대한 평가로 적절하지 않다.

[28~30] 제재 | 근대법의 기획
난이도 | ★★☆

28. 정답 ② 난이도 ★★☆ | 정답률 60%

내용영역 규범 문항 유형 주제, 구조, 관점 파악

[정답 풀이]

② 1문단에 따르면, 법이 정하고 있는 바가 무엇인지를 국민이 이해할 수 있어야 법을 통한 행위의 지도와 평가도 가능하다. 이에 따라 형사법 분야에서는 법규의 내용을 명확히 하고, 확대 해석을 금지한다. 이를 볼 때, 형사법에서도 행위자가 법의 내용을 이해하고도 법을 어긴 경우에 처벌을 한다는 것을 알 수 있다.

[오답 풀이]

① 사법 권력으로 입법 권력을 통제하려 한 것이 아니라, 입법 권력으로 사법 권력을 통제하려 한 것이다. 근대법의 기획은 법관의 자의적 해석의 여지를 없애기 위해 법률을 명확히 기술해야 한다는 것이다. 법관의 자의적 해석을 막는다는 것은 사법 권력의 통제를 의미하기 때문에 입법 권력이 사법 권력을 통제하려 했다는 것을 알 수 있다.

③ 4문단에 따르면, 근대법의 기획은 처음 의도와 달리, 법관의 보충적인 해석을 통해 국민이 법률의 의미를 확인할 수 있다면 문제가 없다고 본다. 즉 법관의 해석 없이 국민 개개인이 법률의 의미를 직접적으로 파악할 수 있어야 한다는 기획은 성공하지 못했다고 볼 수 있다.

④ 근대법의 기획에서 법은 그 적용을 받는 국민 개개인이 이해할 수 있게끔 제정되어야 하므로, 이해 가능성이 없는 법은 근대법의 기획에 부합하지 않는다. 또한 법은 명확히 기술되어야 하지만, 해석의 필요성을 배제할 수는 없고 국민이 법 해석을 직접 하는 것은 무리가 있으므로 법관의 보충적 해석이 필요하다고 본다. 즉 법률에 대한 해석은 국민이 아니라 법관에게 맡기는 입장임을 알 수 있다.

⑤ 근대법의 기획에 따르면, 법이 정하고 있는 바가 무엇인지를 국민이 이해할 수 있어야 법을 통한 행위의 지도와 평가도 가능하다. 따라서 국민이 이해할 수 없는 법률로는 국민의 행위를 평가할 수 없다.

29. 정답 ① 난이도 ★★☆ | 정답률 55%

내용영역 규범 문항 유형 정보의 평가와 적용

[정답 풀이]

① 3문단에 따르면, 법률의 내용은 명확해야 한다는 원리(㉠)를 비판하는 논거 중 하나는 법률이 해석의 필요성을 배제할 수 없기 때문에 법관의 해석 이후에 법문의 의미가 구성된다면 법률이 다의적으로 해석될 수 있다는 것이다. 그런데 만약 법관의 해석 후에 법률의 의미가 구성되지 않는다면, 이는 법관의 해석 없이도 법률의 의미가 구성될 수 있다는 의미이므로 오히려 법관에 의한 자의적 법문 해석을 벗어날 수 있는 가능성을 보여준다. 따라서 이는 ㉠을 비판하는 논거가 될 수 없다.

[오답 풀이]

② 3문단에 따르면, 법관의 해석을 거친 이후에 그 의미가 구성된다면, 법률의 제정과 적용은 각각 입법기관과 사법기관의 영역이라는 권력 분립 원칙이 실현불가능하다. 따라서 이 점을 들어 ㉠을 비판할 수 있다.

③ 2문단에 따르면, 입법자의 의사나 법률 그 자체의 객관적 목적을 고려한 해석은 법문의 의미를 구체화 하는 데 머물지 않고 종종 법문의 한계를 넘어서는 방편으로 활용된다. 따라서 이 점을 들어 ㉠을 비판할 수 있다.

④ 3문단에 따르면, 법관의 해석을 거친 이후에 그 의미가 구성된다면, 국민들이 법률의 의미를 알고 자신의 행동 지침으로 삼는 것은 원천적으로 불가능해진다. 따라서 이 점을 들어 ㉠을 비판할 수 있다.

⑤ 2문단에 따르면, 입법자의 의사나 법률의 객관적 목적을 고려하여 법이 요구하는 바가 무엇인지 파악할 것을 법의 전문가가 아닌 여느 국민에게 기대할 수는 없다. 따라서 이 점을 들어 ㉠을 비판할 수 있다.

30. 정답 ③ 난이도 ★★☆ | 정답률 48%

내용영역 규범 문항 유형 정보의 추론과 해석

[정답 풀이]

③ 입법자의 부담은 '국민 개개인 > 일반인 > 전문가' 순으로 줄어든다. [A]에 따르면, 국민 각자가 법이 요구하는 바를 이해할 수 있어야 된다는 이념은 '일반인'이라는 추상화된 개념의 도입을 통해 한 차례 타협을 겪었다. 이 말은 국민 각자가 이해할 수 있는 법률을 만들기는 어려우므로 평균적인 일반인이 이해할 수 있는 법률을 만들어야 한다는 의미로 타협을 했다는 것이다. 따라서 일반인이 이해할 수 있는 법률을 만드는 것은 국민 각자가 이해할 수 있는 법률을 만드는 것보다 쉬우므로 입법자의 부담을 경감시킬 것이다.

[오답 풀이]

① '일반인'이란 개념은 본래의 의미에서 한 차례 타협을 겪으면서 도입된 것이므로 이상적이라고 할 수 없다. 가장 이상적인 법은 '국민 개개인'이 이해할 수 있는 법이다.

② 법치국가의 이념은 법률의 내용이 명확해야 한다는 것이다. 그런데 법률 전문가의 역할이 확대된다는 것은 법률 전문가의 해석이 많은 비중을 차지한다는 것이다. 따라서 이는 법률의 명확성을 해칠 우려가 있으므로 법치국가의 이념을 구현하기 위한 방법으로 적절하지 않다.

④ 일상적인 의미와는 다른 법률 전문 용어의 도입이 확대되면, 국민 개개인이 법률의 의미를 이해하기 더 어려워지고 법률 전문가의 해석이 많이 필요하게 된다. 따라서 법률의 명확성이 오히려 감소할 것이다.

⑤ 법을 통한 행위의 지도와 평가가 가능하기 위해서는 국민이 법을 이해하고 있어야 한다. 그러므로 법을 이해할 수 있었느냐를 판단할 때는, 입법자와 법률 전문가가 아니라 국민, 즉 행위자를 기준으로 판단해야 한다. 따라서 법관은 금지된 행위임을 알 수 있었는지를 행위자의 입장에서 판단해야 한다.

2018학년도 [홀수형]

[1~3] 제재 | 차별금지법
난이도 | ★★☆

1. 정답 ① 난이도 ★☆☆ | 정답률 91%

내용영역 규범 문항 유형 정보의 확인과 재구성

[정답 풀이]

① 1문단에 따르면, 고용 관계에서 차별 금지 입법은 근로자에 대한 인권 보호의 취지에 부합하지 않는 경우에는 입법의 정당성이 상실된다. 그러므로 고용 관계에서 근로자에 대한 차별 금지 입법에 정당성이 있다면 이는 근로자에 대한 인권 보호의 취지에 부합하는 것으로 볼 수 있다. 이러한 판단은 인권 보호의 취지에서 소수자에 대한 차별을 금지해야 한다고 본 민주 국가의 헌법 질서를 따른 것이다. 그리고 우리 헌법 역시 이러한 질서에 따라 생활의 전 영역에서 성별 · 종교 또는 사회적 신분에 따른 차별을 금지하도록 규정하였다. 종교적 신념에 따른 차별을 금지한 것 역시 우리 헌법 질서, 나아가 민주 국가의 헌법 질서의 테두리 안에 있는 것이므로, 근로자에 대한 인권 보호를 중요시한 고용 관계에서의 판단과 같이 생각해 볼 수 있다. 따라서 종교적 신념의 차별을 금지하는 법규가 정당하다면 그러한 법규는 인권 보호라는 취지를 지닌다고 할 수 있다.

[오답 풀이]

② 2문단에 따르면, 장애인은 그에 대한 차별 금지 법규가 존재함에도 근로의 내용과 관련된 장애의 속성 때문에 근로자로 채용되는데 차별을 받을 수도 있는데, 이는 차별을 금지하는 사유가 어떤 속성을 갖는지에 따라 차별 금지 원칙으로부터 근로자가 보호되는 효과가 달라질 수 있기 때문이다. 이때 장애의 속성은 장애의 유형이라 할 수 있으므로, 장애를 이유로 하는 차별의 금지는 장애의 유형에 따라 보호되는 효과가 달라질 수 있다.

③ 1문단에 따르면, 민주 국가의 헌법 질서에는 인권 보호의 취지에서 성별이나 인종, 사회적 신분 등에 따른 차별을 금지해야 한다는 가치 판단이 포함되어 있다. 우리 헌법도 이러한 헌법 질서에 따라 사회적 신분을 이유로 차별을 하는 것을 금지하도록 규정하고 있다. 따라서 사회적 신분을 이유로 하는 차별의 금지는 우리 헌법 질서에서 가치 판단의 대상에 포함된다.

④ 4문단에 따르면, 같은 근로관계라도 연령이나 학력 · 학벌에 따른 근로자의 차별 금지는 성별 등의 사유에 비하여 차별의 금지로 인한 근로자의 보호 정도가 약하다고 볼 수 있다. 따라서 근로자에 대한 보호의 정도는 성별에 대한 차별 금지 법규가 연령에 대한 차별 금지 법규보다 강하다고 볼 수 있다.

⑤ 3문단에 따르면, 여성 근로자에 대한 차별 금지 법규인 「남녀고용평등과 일 · 가정 양립 지원에 관한 법률」에서 '남녀의 동일 가치 노동에 대한 동일 임금 지급 규정'의 경우 여성이라는 이유로 불리하게 작용하는 임금 체계를 소극적으로 수정하기 위한 것이라면 이는 여성에 대한 차별 금지의 보호 정도가 상대적으로

약하게 적용되는 국면으로 볼 수 있다. 따라서 여성 근로자에 대한 차별 금지 법규는 여성에 대한 차별을 소극적으로 수정하기 위한 경우에도 적용된다.

2. 정답 ③ 난이도 ★★☆ | 정답률 81%

내용영역 **규범** 문항 유형 **정보의 추론과 해석**

[정답 풀이]

③ 2문단에 따르면, 구체적인 고용 관계의 근로 조건은 강행 규정에 의하여 제한되는 경우가 있고, 당사자의 자유로운 의사에 의거하여 결정되는 경우가 있다. 이때, 개별 근로자의 임금 차이가 사용자와 근로자 사이의 자유로운 계약에 따른 것이라면, 동일 조건의 근로자에 대한 임금 차별을 금지하는 강행 규정이 없는 한에서 개별 근로자에 대한 임금 차이가 정당화될 수 있다. 즉 임금의 차이가 당사자들의 자유로운 계약에 따른 것일지라도 그것이 정당화되는 경우는 임금의 차별을 금지하는 강행 규정이 없을 때로 제한되는 것이다. 따라서 동일 조건의 개별 근로자에 대한 임금 차별을 금지하는 강행 규정이 있다면 당사자들의 자유로운 계약에 따른 것일지라도 그러한 임금 차이는 정당화될 수 없다.

[오답 풀이]

① 1문단에 따르면, 우리 헌법은 "누구든지 성별·종교 또는 사회적 신분에 의하여 정치적·경제적·사회적·문화적 생활의 모든 영역에 있어서 차별을 받지 아니한다."라고 규정하고 있다. 기업에 고용되는 것은 경제적 영역이라 할 수 있으므로, 특정 종교를 갖고 있다는 이유로 기업에서 고용을 거부하는 것은 이러한 헌법 질서에 반하는 것이다.

② 4문단에 따르면, 특정 연령대의 근로자를 필요로 하는 사용자의 영업 활동을 과도하게 제한하지 않는 한도 내에서 노동 시장의 정책적 목적을 달성하기 위하여 연령에 대한 차별 금지 법규를 제정하는 것은 가능하다. 따라서 사용자의 영업 활동을 침해하지 않는 경우라면 고령의 전문직 종사자의 노동 시장 참여를 촉진할 목적으로 연령에 대한 차별 금지 법규를 제정하는 것은 가능하다.

④ 4문단에 따르면, 고령자나 저학력자에 대한 차별 금지 법규나 원칙의 취지 역시 성별, 인종, 종교, 사상, 장애 등과 같은 전통적인 차별 금지 사유의 취지인 인권 보호와 다를 바 없다. 그러므로 특정 연령대의 근로자를 필요로 하는 사용자의 영업 활동을 과도하게 제한하지 않는 한 노동 시장의 정책적 목적을 달성하기 위하여 차별 금지 법규를 제정하는 것은 가능하다. 이는 노동 시장의 정책적 목적을 달성하기 위해 연령에 따른 차별을 금지한 법규에 대해 특정 연령대의 근로자를 필요로 하는 사용자의 영업에 대한 자유를 침해하지 않아야만 근로자에 대한 인권 보호의 취지에 부합한다고 본 것이다. 그러므로 근로자에 대한 인권 보호의 취지 및 정책적 목적 없이 연령에 따른 차별을 획일적으로 금지하는 법규는 사용자의 영업에 대한 자유를 침해할 여지가 있다고 할 수 있다.

⑤ 1문단에 따르면, 고용 관계에서의 차별 금지 입법은 근로자에 대한 인권 보호의 취지에 부합하지 않는 경우에는 노동 시장의 공정한 경쟁과 교환 질서의 확립을 위한 정책적 목적에 의존하더라도, 그 정당성이 상실된다. 이는 민주 국가의 헌법 질서에서 인권 보호의 취지에 따라 성별, 인종, 종교, 사상, 장애, 사회적 신분 등에 따라 특정 집단을 차별하는 것을 금지하도록 규정했기 때문이다. 4문단에 따르면, 고령자나 저학력자에 대한 차별 금지 법규나 원칙의 취지 역시 성별 등 전통적인 차별 금지 사유의 취지와 다를 바 없다. 따라서 학력·학벌에 대한 차별 금지 법규가 인권 보호의 취지를 고려하지 않은 경우라면 그 정당성이 보장되지 않는다.

3. 정답 ⑤ 난이도 ★★☆ | 정답률 49%

내용영역 **규범** 문항 유형 **정보의 평가와 적용**

[정답 풀이]

연령을 이유로 한 차별을 금지하는 것은 정당하지 않다는 주장(㉠)은 연령에 따른 노동 능력의 변화는 모든 인간에게 해당되는 일이기 때문에 연령을 이유로 고용을 제한한 규정은 특정 근로자를 차별한 것이 아니며, 따라서 차별 금지 원칙에 위배되는 것이 아니라는 입장이다. 그러므로 ㉠과 부합하는 진술이란, 특정 연령의 고용을 제한하게 된 사례에 대해 차별 금지 원칙에 위배되는 것이 아니라고 보는 것이다.

ㄱ. 결과적으로 60대 이상 고령자의 취업 기회를 상대적으로 제한하게 된 법규는 연령을 이유로 고용을 제한한 규정이므로, ㉠은 이러한 규정에 대해 차별 금치 원칙에 위배되지 않는다고 볼 것이다. 2문단에 따르면, 근로자에 대한 임금 차별을 금지하는 것은 곧 근로자가 평등한 대우를 받을 권리를 보장하는 것이다. 따라서 차별 금지 원칙에 위배되지 않는다는 것은 국민의 평등권을 침해하지 않는다는 것으로 바꾸어 말할 수 있다.

ㄴ. ㉠은 연령을 이유로 고용을 제한하는 것이 차별 금지 원칙에 위배되는 것이 아니라는 입장이다. 그런데 사용자와 근로자가 자유로운 계약을 통해 정년을 45세로 정한 것은 연령을 이유로 고용을 제한하는 경우라 볼 수 있다. 따라서 ㉠의 입장에서 이런 경우는 차별 금지 원칙에 위배되는 경우가 아니라고 볼 것이다.

ㄷ. 50세를 넘은 퇴역 군인의 고용을 제한한 법규는 연령을 이유로 고용을 제한한 규정이므로, ㉠은 이러한 규정에 대해 차별 금지 원칙에 위배되지 않는다고 볼 것이다.

[4~6] 제재 | **폴란드 역사 서술 방식의 변화**
난이도 | ★★☆

4. 정답 ③ 난이도 ★★☆ | 정답률 59%

내용영역 **인문** 문항 유형 **정보의 확인과 재구성**

[정답 풀이]

③ 1문단에 따르면, 1989년 냉전 체제가 해체되면서 당시 동유럽의 '벨벳 혁명'은 과거에 대한 사회적 이해를 크게 바꾸었다. 이에 따라 사회주의 모국을 비판해서는 안 된다는 금기도 사라졌다.

즉 소련-폴란드 전쟁을 거론하지 않을 만큼 소련에 대한 비판을 금기하였던 폴란드 역사 서술이 벨벳 혁명을 계기로 바뀌게 되었다는 것이다. 이는 곧 폴란드 역사 서술에 있어서 그동안 사회주의 모국으로 설정되어 비판이 금지되었던 소련과의 관계를 다시 설정하는 작업이 본격화된 것으로 이해할 수 있다.

[오답 풀이]

① 5문단에 따르면, '민족주의의 적대적 공존 관계'란 상충하는 민족적 기억들이 적대적 갈등 관계를 유지함으로써 서로의 존재 이유를 정당화해 주는 관계이다. 따라서 그러한 관계를 보여주기 위해서는 서로 상충하는 민족적 기억들이 있어야 하고, 그것들은 각각의 민족주의를 정당화시켜야 한다. 하지만 폴란드 공산당이 반독일 감정을 키워 소련에 대한 대중적 반감을 해소하려 한 것은 사회주의 모국에 대한 공격을 용납할 수 없었기 때문이었다. 즉 사회주의를 따르고자 소련에 대한 반감을 반독일 감정으로 해소하려 한 것이지 폴란드의 민족주의를 정당화하고자 한 것이 아니다. 따라서 이는 민족주의의 적대적 공존 관계를 보여 주는 사례로 적절하지 않다.

② 1~2문단에 따르면, 1980년대부터 지하 출판되었던 역사서들에서 폴란드의 역사에 대한 다양한 해석의 움직임을 찾아볼 수 있다. 그리고 1989년 냉전 체제가 해체되면서 동유럽사, 특히 폴란드의 역사 서술은 더 복잡해졌다. 또한 2000년 이후에는 민족과 국가를 넘어선 트랜스내셔널 역사 서술도 등장하였다. 즉 1980년대에 나타난 폴란드의 다양한 역사 해석은 냉전 체제가 해체되면서 일원화된 것이 아니라 더 복잡하고 다양해졌다고 볼 수 있다.

④ 4문단에 따르면, 2000년 스톡홀름 선언에 참여한 유럽 정상들은 홀로코스트 교육의 의무화에 합의했고, 이는 폴란드를 포함한 동유럽 국가들이 나토에 가입하는 전제 조건이 되었다. 다시 말해 폴란드가 나토에 가입한 시기는 2000년 이후가 될 것이다. 그런데 1문단에 따르면, 1989년 냉전 체제가 해체되면서 폴란드에서 사회주의 종주국인 소련에 대한 비판의 금기가 사라졌다. 즉 사회주의 종주국에 대한 폴란드의 신뢰 관계는 1989년에 이미 깨졌다고 볼 수 있다. 따라서 그러한 신뢰 관계가 1989년 이후에도 나토 가입 시기까지 이어졌다는 이해는 적절하지 않다.

⑤ 4문단에 따르면, '트랜스내셔널 역사 서술'은 문화적 서구화의 과정에서 볼 때 전 유럽적 기억의 공간에 과거를 재배치하는 작업이었다. 이는 실제 역사와 충돌하는 민족적, 국가적 기억에 대한 재구성 내지는 수정을 의미하였는데, 폴란드에 있어서는 희생자 의식에 대해 재검토하고 유대인들을 희생시켰던 과거에 대한 비판적 자기 성찰을 뜻했다. 하지만 2000년에 『이웃들』이 출간되자 폴란드 민족주의자들은 민족의 명예가 손상된 것에 크게 분노하며 반론을 내세웠다. 이러한 반응은 과거에 대한 자기반성이 이루어지지 못한 것으로 볼 수 있으므로, 전 유럽적 기억 공간으로의 기억 재배치 작업 또한 완료되지 못했음을 보여 준다.

5. 정답 ②

난이도 ★☆☆ | 정답률 85%

내용영역 인문 | 문항 유형 주제, 구조, 관점 파악

[정답 풀이]

② 1980년부터 지하 출판되었던 역사서들의 다양한 해석 중에서 특히 전투적 반공주의 역사가들은 민족주의를 내세우며 사회주의를 비판했다. 그러면서 이 시기 폴란드 공산당의 국제주의 분파를 소련을 위해 민족을 판 배반자라고 공격한다. 하지만 글쓴이는 그들이 공격의 대상으로 삼았던 국제주의 분파의 상당수가 유대계임을 감안할 때, 전투적 반공주의 역시 반유대주의였음을 알 수 있다고 말한다. 그리고 민족주의와 반유대주의로 엮이는 전투적 반공주의와 폴란드 공산당은 희생자 의식을 공유하고 있었다. 따라서 전투적 반공주의 역사가들이 역사서를 통해 희생자 의식을 전복하려 했다는 것은 글쓴이의 견해로 보기 어렵다.

[오답 풀이]

① 글쓴이는 트랜스내셔널 역사 서술이라고 불리는 새로운 역사 서술 방식에 따를 경우, 일방적으로 희생당했다는 폴란드의 의식이 재검토되어야 했다고 보았다. 이는 나치 점령 당시 폴란드인의 협력이나 방관, 유대인에 대한 공격 등이 어느 정도 자발적이었음에도 폴란드 인들이 비판적 자기 성찰은 고사하고 아예 그에 대한 기억을 말소해버렸기 때문이다. 따라서 글쓴이는 폴란드 인이 '희생자 의식'에서 벗어나 비판적으로 자기 성찰을 해야 한다고 본다.

③ 글쓴이는 19세기부터 21세기 초까지 폴란드의 역사 문화 코드였던 희생자 의식이 트랜스내셔널 역사 서술에서는 재검토되어야 할 부분이라고 본다. 즉 전 유럽적 기억의 공간에서 트랜스내셔널 역사와 충돌하는 민족적, 국가적 기억은 재구성되거나 수정되어야 한다는 것이다. 그런 의미에서 글쓴이는 폴란드가 일방적으로 희생당했다는 의식에서 벗어나 어느 정도 나치에 대해 자발적 협력을 보였다는 사실을 역사 서술의 대상으로 삼아야 한다고 본다.

④ 폴란드의 희생자 의식은 폴란드의 민족적 아픔을 강조한 것이다. 따라서 이차 대전에서 독일의 침공에 의해 오백여만 명이 희생된 사실은 이 의식을 강화한다. 하지만 이 같은 사실이 희생자 의식을 강화할 수 있는 것은 희생된 오백여만 명 중 과반수인 삼백여만 명이 유대계였다는 것이 공식적으로 언급되지 않았기 때문이라고 글쓴이는 지적한다. 즉 글쓴이는 희생된 사람들의 대부분이 폴란드 인이 아니라 유대인이었다는 이 같은 사실의 공표가 희생자 의식을 약화시킬 수 있다고 본다.

⑤ 글쓴이는 19세기부터 21세기 초까지 폴란드의 역사 문화를 아우르는 집단 심성이 희생자 의식이었으며, 폴란드 낭만주의가 내세운 '십자가에 못 박힌 민족'이라는 이미지는 폴란드 인이 공유하는 역사 문화 코드였다고 말한다. 즉 글쓴이는 19세기와 20세기의 폴란드 인의 정서적 기저에 자신들이 십자가에 못 박힌 민족이라는 희생자 의식이 자리 잡고 있었다고 본다.

6. 정답 ③ 　난이도 ★☆☆ | 정답률 82%

내용영역 인문 　문항 유형 정보의 추론과 해석

[정답 풀이]

③ 트랜스내셔널 역사 서술(ⓒ)은 유럽 정상들이 홀로코스트 교육의 의무화에 합의하고 동유럽에 대한 홀로코스트 책임론이 제기되던 흐름에 따라 새롭게 등장한 역사 서술 방식이다. 이에 따라 그동안 민족적, 국가적 입장에서만 기억되어 온 역사에 대해 객관적인 입장에서 재검토가 이루어져야 했다. 그러므로 홀로코스트 교육이 필요하다고 보는 ⓒ는 ㉠에서 나치에 저항하는 봉기가 일어난 폴란드 바르샤바 지역이 유대인 구역이라는 점을 객관적으로 서술할 것이다.

[오답 풀이]

① 공산당의 공식적 역사 서술(ⓐ)은 당시 권력을 장악한 애국주의 분파의 입장에 부합하는 역사 서술 방식으로, 애국주의 분파는 민족주의와 반유대주의를 내세운다. 반면 사회주의를 내세우는 국제주의 분파는 상당수가 유대계이다. 따라서 반유대주의를 내세우는 ⓐ가 국제주의 분파와의 협력이 필요하다고 보지는 않을 것이며, 마찬가지로 ㉠에서 유대계 폴란드 인이 나치에 대한 투쟁을 선도했다고 긍정적으로 서술하지도 않을 것이다.

② 전투적 반공주의 역사 서술(ⓑ)은 민족주의와 반유대주의를 내세우며, 사회주의이자 유대계인 국제주의 분파를 공격한다. <보기>의 ㉡은 가스 저장실 터의 끝자락에 세운 카르멜 수도원이 폴란드 국민의 자부심의 장소가 되었다는 점에서 폴란드 인의 희생자 의식을 보여주는 사례이다. 따라서 민족주의를 내세우는 ⓑ는 이에 대해 비판적으로 서술하지 않을 것이다.

④ 공산당의 공식적 역사 서술(ⓐ)은 민족주의와 반유대주의를 내세우는 입장이므로, 유대인 게토에서 나치에 저항하는 봉기가 일어났다는 ㉠에 대해서는 왜곡하여 서술하고, 폴란드 국민의 자부심을 드러낼 수 있는 ㉡에 대해서는 찬성하는 논조로 서술할 것이다. 반면 트랜스내셔널 역사 서술(ⓒ)은 트랜스내셔널 역사와 충돌하는 민족적, 국가적 기억은 재구성되거나 수정되어야 한다는 입장이다. 따라서 ㉠과 ㉡ 모두에 대해 왜곡하지 않고 객관적으로 서술할 것이다.

⑤ 트랜스내셔널 역사 서술(ⓒ)은 트랜스내셔널 역사와 충돌하는 민족적, 국가적 기억은 재구성되거나 수정되어야 한다는 입장이므로, 역사 서술의 기본 원칙을 준수하기 위하여 ㉠과 ㉡에 대해서 있는 그대로 서술할 것이다. 반면 민족주의와 반유대주의를 내세우는 공산당의 공식적 역사 서술(ⓐ)과 전투적 반공주의 역사 서술(ⓑ)은 ㉠과 ㉡에 대해 반유대주의의 입장에서 민족주의를 강화하는 측면으로 서술할 것이다.

[7~9] 제재 | DNA 컴퓨팅
난이도 | ★★☆

7. 정답 ⑤ 　난이도 ★★☆ | 정답률 71%

내용영역 과학기술 　문항 유형 정보의 확인과 재구성

[정답 풀이]

⑤ DNA 컴퓨팅을 이용하여 HPP를 풀 때, 각 정점은 8개의 염기로 이루어진 한 가닥 DNA 염기서열로 표현하고, 각 간선을 그 간선이 연결하는 정점의 염기서열로부터 취하여 표현한다. 그 예로, 정점 V0(CCTTGGAA)에서 출발하여 V1(GGCCAATT)에 도달하는 간선의 경우 두 정점의 염기서열의 앞쪽 절반과 뒤쪽 절반을 이어 붙인 염기서열의 상보적 코드인 <CCTTCCGG>로 표현하는 방식이다. 이때 상보적 코드 역시 8개의 염기로 이루어져 있다. 따라서 간선을 나타내는 DNA의 염기 개수와 정점을 나타내는 DNA의 염기 개수는 서로 동일하다.

[오답 풀이]

① 1994년 미국의 정보과학자 에이들먼이 『사이언스』에 DNA를 이용한 연산에 대한 논문을 발표함으로써 DNA 컴퓨팅이라는 분야가 열리게 되었다. 따라서 DNA 컴퓨팅의 창시자는 에이들먼이다.

② DNA 컴퓨팅은 정보를 표현하는 수단으로 DNA를 이용한다. 한 가닥의 DNA 염기서열은 4진 코드로 이루어진 특정 정보로 해석될 수 있기 때문이다. 그리고 DNA는 염기들 간 수소 결합으로 서로 붙는 성질을 가지고 있는데, DNA 컴퓨팅은 바로 염기들 간 수소 결합, 즉 DNA 분자들 간 화학 반응을 이용하여 연산을 한다.

③ DNA 컴퓨팅의 기본 전략은, 주어진 문제를 DNA를 써서 나타내고 이를 이용한 화학 반응을 수행하여 답의 가능성이 있는 모든 후보를 생성한 후, 생화학적인 실험 기법을 사용하여 문제 조건을 만족하는 답을 찾아내는 것이다.

④ DNA 컴퓨팅의 창시자인 에이들먼은 분자생물학 기법으로 해밀턴 경로를 찾아나가는 절차를 마련하였다. 이러한 DNA 컴퓨팅은 DNA 분자들 간 화학 반응을 이용하여 기존 컴퓨터의 순차적 연산 방식과는 달리 대규모 병렬 처리 방식을 통해 HPP 해결 방법을 제시하였다. 이는 기존 컴퓨터 기술에 분자생물학적 방법을 접목시켜 정보 처리 방식의 개선을 모색한 것이다.

8. 정답 ④ 　난이도 ★★☆ | 정답률 50%

내용영역 과학기술 　문항 유형 정보의 추론과 해석

[정답 풀이]

④ 에이들먼이 DNA 컴퓨팅을 이용해 해밀턴 경로를 찾는 과정을 보면, V0에서 V1로는 갈 수 있으나 역방향으로는 갈 수가 없다. 따라서 <그림 2>에 표시된 화살표 방향에 따라 정점을 세 개 포함하고 있는 경로를 찾아보면, (V0, V1, V2), (V0, V1, V3), (V0, V2, V3), (V1, V2, V3), (V1, V3, V4), (V2, V3, V4)로 6개가 있다.

[오답 풀이]

① 에이들먼의 해법 [1단계]에 따르면, V0에서 시작하고 V4에서 끝나지 않은 경로는 제거한다. 따라서 (V1, V2, V3, V4) 경로는 해법 [1단계]에서 걸러진다.

② <그림 2>의 그래프에서 각 정점은 8개의 염기로 이루어진 한 가닥 DNA 염기서열로 표현되고, 각 간선은 그 간선이 연결하는 정점의 염기서열로부터 취하여 표현된다. 이에 따라 V3에서 V4로 가는 간선의 경우 V3(<TTCCAAGG>)의 뒤쪽 절반과 V4(<AATTCCGG>)의 앞쪽 절반을 이어 붙인 염기서열 <AAGGAATT>의 상보적 코드로 표현된다. 이때, A는 T와, G는 C와 상보적으로 결합하기 때문에 V3에서 V4로 가는 간선으로 한 가닥의 DNA인 <AAGGAATT>의 상보적 코드 즉, <TTCCTTAA>가 필요하다.

③ 정점을 두 개 이상 포함하고 있는 경로란 정점들의 연속체가 생성된 것을 의미한다. 이때, 정점들의 연속체는 혼성화 반응 즉, DNA 가닥의 상보적 결합에 의한 이중나선이 형성된 결과이다. 이중나선 구조는 두 가닥의 DNA가 결합되어 있는 구조이므로, 정점을 두 개 이상 포함하고 있는 경로는 두 가닥의 DNA 즉, 이중나선 구조로 나타내어진다.

⑤ 혼성화 반응을 통해 경로가 생성될 경우, V0에서 V1로 갈 수는 있으나 역방향으로는 갈 수가 없다. 이 점에 근거할 때, V0에서 시작해서 V4로 끝나고, 경로에 포함된 정점이 5개이며, V0, V1, V2, V3, V4이 모두 포함되어야 하는 경로는 (V0, V1, V2, V3, V4)뿐이다.

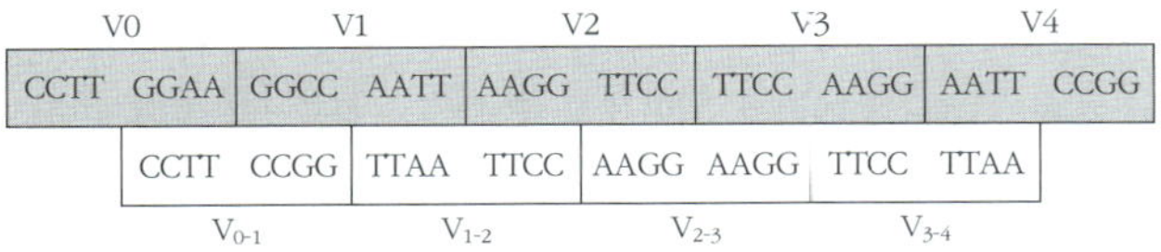

9. 정답 ③ 난이도 ★★★ | 정답률 36%

(내용영역) 과학기술 (문항 유형) 정보의 평가와 적용

[정답 풀이]

ㄱ. 반응 과정상 오류(ⓐ)가 발생하지 않는다면, <그림 2>의 그래프의 경우 에이들먼의 [1단계]에서 제거되지 않는 경로는 (V0, V1, V3, V4), (V0, V1, V2, V4), (V0, V1, V2, V3, V4) 세 가지이다. 이 중 [2단계]에서는 (V0, V1, V3, V4), (V0, V1, V2, V4)의 두 가지가 제거되고 (V0, V1, V2, V3, V4) 한 가지만 남는다. (V0, V1, V2, V3, V4)가 바로 <그림 2>의 그래프의 해밀턴 경로이므로 [3단계]를 거치지 않더라도 해밀턴 경로를 찾을 수 있다.

ㄴ. 혼성화 반응이란 DNA 가닥의 상보적 결합에 의해 이중나선이 형성되는 것을 말한다. <그림 2> 그래프에서는 V0이 V0과 V1 사이의 간선과 혼성화 반응을 하고, 이 간선이 다시 V1과 혼성화 반응을 하도록 DNA 코드를 설계하였다. 즉 V0이 엉뚱하게 V1과 혼성화 반응을 하지 못하도록 설계한 것이다. 정점과 정점, 간선과 간선 등과 혼성화 반응이 많이 일어나도록 DNA 코드를 설계할수록 혼성화 반응에서 엉뚱한 분자들이 서로 붙는 것이 많을 것이다. 그리고 이 과정에서 반응 과정상 오류는 더 많이 발생할 것이다. 따라서 반응 과정상 오류를 최소화하는 방법은 혼성화 반응에서 엉뚱한 분자들이 서로 붙는 것을 방지할 수 있도록 DNA 코드를 설계하는 것이라고 할 수 있다.

[오답 풀이]

ㄷ. <보기>에 제시된 DNA 컴퓨팅의 기술적인 문제점은 DNA 컴퓨팅이 화학 반응에 기반을 두고 있기 때문에 반응 과정상 오류(ⓐ)가 발생할 가능성이 있다는 것이다. 즉 DNA 컴퓨팅의 원리인 분자생물학의 화학 반응은 반응 과정상 오류를 포함하고 있기 때문에 이를 해결해야 하는 과제가 있는 것이다. 그런데 이러한 문제점이 내재된 DNA 컴퓨팅의 원리를 소프트웨어에 적용한다면, 이러한 소프트웨어에서도 화학 반응에 기반한 반응 과정상 오류가 발생할 수 있다. 따라서 DNA 컴퓨팅의 원리를 적용하는 것만으로는 반응 과정상 오류를 방지할 수 없다. 더욱이 DNA 컴퓨팅은 기존의 소프트웨어 알고리즘이나 하드웨어 기술로는 불가능했던 문제들의 해결에 대한 잠재적인 가능성을 보여 주었다. 즉, 기존의 컴퓨터로는 대규모 병렬 처리 방식을 통한 문제 해결이 불가능하다는 것이다. 따라서 DNA 컴퓨팅의 원리를 적용한 소프트웨어를 개발하더라도 기존의 하드웨어 기술에 근거한 컴퓨터로는 대규모 병렬 처리 방식을 통한 문제 해결이 가능하지 않을 것이다.

[10~12] 제재 | 비극적 황홀
난이도 | ★☆☆

10. 정답 ③ 난이도 ★☆☆ | 정답률 89%

(내용영역) 인문 (문항 유형) 정보의 확인과 재구성

[정답 풀이]

③ 예이츠는 비극의 한가운데에서 사람을 환희하게 만드는 행위, 즉 '비극적 황홀'을 시에서 구현하는 것을 시적 계획의 목표로 삼고 실천했다. 이에 글쓴이는 근대 한국시사에서 황매천, 이육사, 윤동주 등도 이에 비길 만한 비극적 황홀을 성취했다고 말한다. 그리고 이 시인들의 공통점으로 시인이 그러한 비극적 순간의 작자일 뿐만 아니라 그들 자신이 비극의 주인공이라는 점을 든다. 따라서 황매천과 이육사는 예이츠가 추구했던 시적 계획을 실제 삶에서 구현했다고 볼 수 있다.

[오답 풀이]

① 시대 현실에 초연하다는 것은 현실 속에서 벗어나거나 혹은 시대 현실에 아랑곳하지 않는 것을 말한다. 하지만 황매천은 소극적 저항의 삶을 살면서 비극적인 최후를 선택하였다. 자신을 '바람 앞의 촛불'이라 하며 시적 성취를 표현하고 자결하였다는 점에서 볼 때, 황매천이 시대 현실에 초연한 덕분에 시적 성취를 성공했다고 보기는 어렵다.

② 이육사의 시가 겉으로는 고전적인 풍격을 보여주면서도 동시에 현대적인 혁명가로서의 이상주의를 품고 있다는 점에서, 전통적인 것과 현대적인 것이라는 대립되는 요소가 갈등한다고 볼 수는 있다. 하지만 이것이 이육사가 인식했던 그의 한계상황은 아니다.

「절정」에서 이육사는 자신이 부딪치게 된 식민지 상황을 한계상황으로 표현한다.

④ 전통적 원칙주의자였던 황매천은 자신의 원칙과 신념에 따라 절명시를 남기고 자결함으로써 능동적으로 죽음을 맞이했다. 하지만 윤동주는 자신의 시대를 괴롭게 살다 죽어간 외롭고 양심적인 문학도로서, 그의 생애는 겉으로 보았을 때 수동적이었다. 따라서 윤동주가 원칙과 신념에 따라 능동적으로 죽음을 맞이했다고 보기는 어렵다.

⑤ 황매천과 이육사의 시 창작에 있어서 종교적 갈등에 관한 것은 찾아볼 수 없다. 또한 기독교 집안에서 자란 윤동주의 경우에도 그 자신이 그리스도와 같은 죽음을 일종의 황홀 가운데서 꿈꿀 정도로 민족주의적이기는 하였으나, 이것이 종교로 인해 빚어진 갈등이라 볼 수는 없다. 따라서 황매천, 이육사, 윤동주 모두 종교로 인해 빚어지는 내적 갈등을 창작에 담아내지는 않았다.

11. 정답 ① 난이도 ★★☆ | 정답률 57%

내용영역 **인문** 문항 유형 **정보의 추론과 해석**

[정답 풀이]

① 6문단에 따르면, 중국에서는 시를 '언지(㉠)'라고 정의한다. 이는 시인의 마음속에 있는 바의 발언으로서, 시인 자신의 삶과 하나가 되었다. 또한 동양에서 시는 전통적으로 수양의 일부이며, 내면생활의 직접적인 음성으로 생각되었다. 이는 결국 시를 시인의 내면에서 수양을 통해 도야된 인격을 담는 언어적 구성물로 본 것이다.

[오답 풀이]

② '언지(㉠)'라는 뜻에서의 시는 작품과 시인 사이의 구별을 용납하지 않는 개인적이며 서정적인 시이다. 그렇기 때문에 허구로서의 포에시스 개념과는 반대된다고 하였다. 이는 시를 시인의 개인적인 서정을 담은 것으로 보기는 하지만, 허구적 표현물로 보지는 않는 것이다.

③ '언지(㉠)'는 허구로서의 포에시스 개념과는 달리 시인 자신의 삶과 하나가 되어 있는 시이다. 즉 현실에 있는 시인의 삶을 그대로 표현한 것이 바로 시이다. 따라서 시에 현실을 초월하려는 시인의 의지가 표현되어 있다고 보지는 않을 것이다.

④ '언지(㉠)'는 마음속에 있는 바의 발언, 즉 시인의 마음속에서 생각하고 느낀 바를 언어적으로 표현해낸 결과물이다. 따라서 시를 통해 시인 자신의 삶을 표현하는 것에 주목할 뿐, 심미적 구조물로서 세련된 언어를 통해 독자들에게 즐거움을 주는 것이 시라고 보지는 않을 것이다.

⑤ '언지(㉠)'는 마음속에 있는 바의 발언으로서, 시인의 내면생활을 직접적인 음성으로 표현해낸 결과물이다. 그렇기 때문에 비극 역시 허구적인 세계에 형상화된 경우로 존재하지 않고, 시인 자신이 주인공이 되는 비극으로 존재한다고 말한다. 이는 곧 시인이 살고 있는 현실 속에서 시인의 내면에 있는 바를 사실적으로 표현해낸 것이 시라는 의미이다. 따라서 시인의 내면생활, 즉 마음속에 있는 바가 결여되고 단순히 시인이 살고 있는 현실만을 사실적으로 형상화한 문화적 창조물이 시라고 보지는 않을 것이다.

12. 정답 ② 난이도 ★☆☆ | 정답률 85%

내용영역 **인문** 문항 유형 **주제, 구조, 관점 파악**

[정답 풀이]

② 동양에는 비극이 없다고 말하는 예이츠에 대해, 글쓴이는 근대 한국시의 몇몇 순간들에서는 예이츠에 비길만한 비극적 황홀의 순간을 볼 수 있다고 주장한다. 동양에서의 비극적 순간은 서양처럼 주인공의 신념에 찬 열정적이거나 야단스러운 행위가 아니라 초연한 관조 속에서 드러나기 때문이다. 또한 '언지'의 정의에 비추어 볼 때 동양에서 시는 시인 자신의 삶과 하나이기 때문에, 동양에서의 비극 역시 단순히 작품 속에 허구적으로만 형상화되어 있지 않고 시인 자신이 그러한 비극적 순간의 작자이자 주인공이 된다고 말한다. 즉 글쓴이는 비극적 황홀을 작품 속에 등장하는 주인공의 삶 외에 작품을 창작하는 작자의 삶에서도 발견할 수 있다고 보는 것이다.

[오답 풀이]

① 글쓴이는 동양에서의 비극이 서양처럼 허구적인 세계에 형상화된 경우로 존재하지 않고, 시인 자신이 주인공이 되는 비극으로 존재한다는 점을 특징으로 지적한다. 그러면서 예이츠가 달성하고자 한 비극적 황홀을 세 명의 한국 시인들은 시뿐만 아니라 그들의 삶에서까지 실현했다는 것을 제시한다. 하지만 이는 예이츠의 주장에 반박하기 위해 서양과 다른 동양만의 시적 특징을 설명하고자 한 것이지, 시인의 비극적 삶이 비극적 황홀에 도달하기 위한 필수조건임을 말하고자 한 것이 아니다.

③ 글쓴이는 서양과 달리 동양의 비극적 황홀은 상황에 대한 시인의 초연한 관조 속에서 드러나며, 시인 자신의 삶과 시에서 모두 실현될 수 있다고 말한다. 이는 동양에서의 시가 작품과 시인 사이의 구별을 용납하지 않는 개인적이고 서정적인 것이기 때문이다. 이처럼 글쓴이가 궁극적으로 말하고자 하는 바는 근대 한국시의 몇몇 순간들에서 예이츠에 비길만한 비극적 황홀을 볼 수도 있다는 점이지, 그러한 비극적 황홀을 통해 독자들의 현실 참여를 이끌어내야 한다는 점이 아니다.

④ 글쓴이는 동양에서의 비극적인 순간은 서양처럼 주인공의 신념에 찬 행위를 통해 열정적이거나 야단스럽게 드러나는 것이 아니라, 상황을 객관적으로 바라보는 초연한 관조 속에서 드러난다고 본다. 즉 예이츠의 주장과 달리 동양에도 그 나름의 비극이 있다는 것이다. 따라서 글쓴이는 비극적 황홀이 서양에서처럼 주인공의 신념에 찬 행위에 바탕을 두고 있다고 보지 않을 것이며, 더욱이 그 때문에 상황에 대한 관조만으로는 비극적 황홀에 도달할 수 없다고 보지도 않을 것이다.

⑤ 예이츠는 동양은 언제나 해결이 있기 때문에 비극에 대해서는 아무것도 모른다고 말한다. 즉 햄릿이나 리어 같은 주인공이 도달한 비극은 해결할 수 없는 절망적 상황이기 때문에 비극적 황홀이라는 것이다. 이에 대해 글쓴이는 세 명의 한국 시인들을 예로 들며 동양에도 그 나름의 비극이 있다고 반박한다. 이때

글쓴이의 반박은 동양에는 비극이 없다는 예이츠의 주장에 대한 것이지, 해결할 수 없기 때문에 비극적 황홀에 도달할 수 있다는 내용에 대한 것이 아니다. 따라서 햄릿이나 리어 등이 도달한 비극적 황홀이 상황을 극적으로 해결함으로써 얻어지는 체험이라고 보지는 않을 것이다.

[13~15] 제재 | 칸트와 헤겔의 윤리 이론
난이도 | ★★☆

13. 정답 ②

난이도 ★☆☆ | 정답률 84%

내용영역 규범 | 문항 유형 정보의 추론과 해석

[정답 풀이]

② 칸트는 우연적 요소들을 모두 제거하고 이성만을 기초로 했을 때 보편적 도덕 법칙이 확립될 수 있다고 본다. 그리고 이러한 법칙에 따른 행위를 강제하는 의무는 '법칙에 대한 존경으로부터 생겨난 행위의 필연성'(㉡)에서 비롯한다고 본다. 이 말은 도덕 법칙은 이성에 따라 제정된 법칙이므로 이러한 법칙에 따른 행위는 이성에 따라 필연적으로 행해져야 한다고 요구되는 행위라는 것이다. 또한 칸트는 '법칙에 대한 존경으로부터 생겨난 행위의 필연성'(㉡)이 도덕적 행위의 유일한 판단 기준이 된다고 본다. 이 말은 ㉡에 따른 행위만을 도덕적 행위로 볼 수 있다는 것이다. 따라서 '법칙에 대한 존경으로부터 생겨난 행위의 필연성'(㉡)에 따른 행위란 이성의 요구에 따라 필연적으로 행해져야 할 행위를 하는 것이고 이러한 행위만이 도덕적 행위가 된다고 볼 수 있다.

[오답 풀이]

① 칸트는 보편도덕을 확립하기 위해 경험 세계의 모든 우연적 요소(㉠)들을 제거하고 이성 이외의 그 어떤 것도 필요로 하지 않는 의지의 개념을 도출한다. 개인적 취향, 전통과 관행은 보편도덕의 확립 과정에서 제거해야 할 우연적 요소로 볼 수 있다. 그러나 추론 능력은 의지의 개념을 도출하는 데 필요한 능력이므로 보편도덕의 확립에 필요한 능력이며, 이성에 포함되는 능력으로 볼 수 있다. 따라서 칸트에 있어서 도덕적 주체가 경험 세계의 모든 우연적 요소들(㉠)을 제거하기 위해 개인적 취향, 전통과 관행과 무관하게 도덕 법칙을 정초한다고는 설명할 수 있지만, 추론 능력과 무관하게 도덕 법칙을 정초한다는 설명은 적절하지 않다.

③ 이성적 주체의 행위 원리인 준칙이 필연적 보편 법칙이 되었을 때 이성적 주체는 도덕적 주체(㉢)가 된다. 그리고 이때 이성적 주체의 준칙은 이성만을 기초로 제정된 것이어야 한다. 그런데 2문단에 따르면, 경향성이라는 것은 감정이나 취향 같은 것을 의미한다. 따라서 이러한 경향성은 이성적 주체가 준칙을 제정하기 전에 제거되어야 하는 것이므로 도덕적 주체의 행위 동기가 될 수 없다.

④ 정언명법(㉣)이란 개인의 준칙이 보편 법칙으로 타당하도록 행위하라는 것을 말한다. 즉, 개인의 준칙이 보편성을 가질 때 그에 따라 행위하라는 것이다. 그리고 이러한 행위를 강제하는 의무는 법칙으로부터 생겨난 행위의 필연성에 의한 것이다. 따라서 정언명법은 개인의 준칙이 보편성을 가질 때 필연적으로 그렇게 행위해야 하는 것이지, 어떤 목적을 달성하기 위해 행위하라는 것을 의미하지 않는다.

⑤ 칸트는 신과 같은 초월적 존재의 권위에 기대지 않고 도덕 법칙을 확립하고자 했다. 따라서 초월적 존재를 상정하여 행위의 도덕성과 연관시키는 것은 칸트의 입장에 어긋난다. 칸트에 따르면, 보편화 가능성(㉤)을 통해 선험적으로 주어진 이성으로부터 행위의 도덕성이 확보된다고 설명해야 적절하다.

14. 정답 ④

난이도 ★★☆ | 정답률 62%

내용영역 규범 | 문항 유형 정보의 평가와 적용

[정답 풀이]

④ 칸트에 따르면, 인간과 도덕으로부터 경험 세계의 모든 우연적 요소를 제거하면, 이성만을 필요로 하는 이성적 의지가 도출된다. 그리고 이 이성적 의지에 기초하여 제정한 법칙은 개인의 법칙인 동시에 보편 법칙이 될 수 있다. 즉, 칸트는 선험적으로 주어진 이성에 기초하면 개인의 법칙이 보편 법칙이 될 수 있다고 설명할 뿐, 별도의 보편의지를 함양하는 과정이 필요하다고 설명하지 않고 있다. 보편을 함양하는 과정이 필요하다고 보는 것은 칸트와 달리, 단계에 따라 인륜이 발전한다고 보는 헤겔의 입장에 가깝다. 따라서 보편의지를 함양하는 과정에 논증이 편중되어 있다는 것은 칸트의 견해와 다른 사실이므로 칸트에 대한 헤겔의 비판으로 적절하지 않다.

[오답 풀이]

① 헤겔은 칸트의 도덕성 개념을 비판하며 윤리적 삶의 가치를 높이 평가한다. 헤겔에 따르면, 칸트의 도덕적 질서와 달리 윤리적 질서는 실재하는 내용을 지닌다. 그리하여 형식적인 이성의 원리에 기초하여 무엇이 의무인지 결정할 수 없는 어려움이 윤리의 수준에서는 사라진다. 여기서 말하는 형식적인 이성의 원리에 기초하여 발생하는 어려움은 칸트의 도덕적 질서에서 나타나는 어려움이라고 볼 수 있다. 따라서 윤리적 질서는 실재하는 내용을 지니지만, 형식적인 이성에 기초한 칸트의 도덕적 질서는 내용을 갖추지 못하고 있다는 것은 칸트에 대한 헤겔의 비판으로 적절하다.

② 헤겔에 따르면, 공동체 속에서 각자가 지닌 특수한 의지가 보편적 의지로서의 윤리적 질서와 일치하게 됨을 확인하면 의무와 권리가 하나가 되어 의무는 강제가 아니게 된다. 이에 반해 칸트는 도덕 원리이자 의무인 정언명법을 내세울 뿐, 개인의 권리에 대한 고려는 하고 있지 않다. 따라서 칸트의 도덕성 개념은 권리를 함께 고려하고 있지 않고 의무만을 부각하고 있다는 것은 칸트에 대한 헤겔의 비판으로 적절하다.

③ 칸트에게 있어 자유란 이성적 의지의 자유를 말하는 것으로, 스스로 법칙으로 제정하고 동시에 자신이 제정한 법칙에 스스로 예속되는 것을 의미한다. 이렇게 제정된 법칙은 도덕 세계의 필연적 법칙이 되기에 칸트의 자유는 보편성이라는 틀을 벗어나지 못한다. 이에 반해 헤겔은 윤리적 삶이 진정한 자유의 실현이라고 본다. 가족, 시민사회, 국가와 같은 윤리적 공동체에 참여함으로써 구성원으로서 특정 역할을 받아들여 그에 따른 의무와 책임

을 인정하게 되고, 이러한 과정을 거쳐 자유가 실현된다고 보는 것이다. 이런 점을 볼 때, 자유를 이성적 존재가 보편적 법칙에 스스로 예속되는 것만으로 한정하여 윤리적 삶에서 나타나는 구체적인 자유를 설명하지 못한다는 것은 칸트에 대한 헤겔의 비판으로 적절하다.

⑤ 헤겔은 윤리적 삶이 진정한 자유의 실현이며, 이는 끝없이 전진하는 자기의식이 도달하는 지점이라고 본다. 그리고 이러한 윤리적 삶의 영역을 인륜이라 부르며, 인륜이 윤리적 공동체의 세 단계를 거쳐 발전한다고 본다는 점에서 자아 형성의 가능성을 제시했다. 이와 반대로 칸트는 다른 사람들과 함께 살아가는 존재라는 사실을 모두 소거하고, 자기입법과 자기예속의 차원에서 보편도덕을 확립한다. 이처럼 공동체의 삶을 모두 제거하고 스스로 법칙을 제정하고 예속된다는 점에서 칸트의 도덕성 개념은 고립적인 자기동일성의 차원에 있다고 볼 수 있다. 따라서 고립적인 자기동일성의 차원에 머무름으로써 자아 형성의 가능성을 도외시하고 있다는 것은 칸트에 대한 헤겔의 비판으로 적절하다.

15. 정답 ② 난이도 ★★☆ | 정답률 80%

내용영역 규범 문항 유형 정보의 확인과 재구성

[정답 풀이]

② 마지막 문단에 따르면, 시민사회에서 개인은 각자의 사회적 지위에 따라 특수하게 구체화된 존재이지만, 법적 체계에서는 모두 동등한 권리를 지닌 존재라고 제시되어 있다. 즉, 법적 체계에서는 동등한 권리를 지니는 것과 달리, 시민사회에서 개인의 사회적 지위는 다를 수 있음을 알 수 있다.

[오답 풀이]

① 가족의 단계에서 개인은 부모와 자식 간에 존재하는 권리와 의무를 받아들인다. 이 권리에는 자녀가 부모에게 양육될 권리가 포함된다고 볼 수 있다. 따라서 가족의 단계에서 자녀들은 부모에게 양육될 권리를 지닌다는 설명은 적절하다.

③ 국가의 단계에서 개인은 진정한 개체성을 지니고 보편을 자기 자신의 실재하는 정신으로 인식하려 한다. 이것은 사유의 측면에서 개체성이 보편성으로 통일됨을 의미한다. 그리고 국가의 단계에서 개인은 자기 이익을 넘어서서 보편의 이익과 일치하려 한다. 이것은 구체적 현실의 측면에서 개체성이 보편성으로 통일됨을 의미한다. 따라서 국가의 단계에서는 사유와 구체적 현실 모두에서 개체성이 보편성으로 통일된다고 볼 수 있다.

④ 윤리적 삶은 진정한 자유의 실현이며, 이러한 윤리적 삶의 영역인 인륜(ⓐ)은 가족, 시민사회, 국가라는 세 단계를 거쳐 발전한다. 즉, 이러한 단계를 거치면서 점차 자유가 실현되어 간다고 볼 수 있다. 이에 따라 시민사회의 단계에서 개인은 자신의 정신이 시민사회에 구체화되어 있음을 발견하여 일정 수준의 자유에 도달한다. 그리고 다음 단계인 국가의 단계에서 개인은 보편을 자신의 정신으로 인식하여 국가가 곧 자유의 실현이 된다. 따라서 시민사회에 비해 국가에서 개인의 자유가 더 고양된 형태로 구현된다고 볼 수 있다.

⑤ 가족, 시민사회, 국가와 같은 윤리적 공동체에 참여한다는 것은 인간 본성의 이성적인 본질이 외적으로 실현되는 것이며, 이러한 윤리적 삶의 영역을 의미하는 인륜이 발전하는 단계는 가족, 시민사회, 국가의 세 단계로 이루어진다. 따라서 가족, 시민사회, 국가는 이성이 외적으로 발현되는 단계들로 볼 수 있다.

[16~18] 제재 | 법 해석의 방법론
난이도 | ★★★

16. 정답 ① 난이도 ★★☆ | 정답률 80%

내용영역 규범 문항 유형 주제, 구조, 관점 파악

[정답 풀이]

① 법문의 가능한 의미 범위를 기준선으로 삼아 '법의 발견'과 '법의 형성'을 구분 짓는 것에는 논란이 있지만, 모든 법의 적용이 해석적 시도의 결과라는 공통점을 지니고 있는 한, 기준선의 어느 쪽에서 이루어지는 것이든 법의 의미 내용을 구체화하려는 활동이라는 본질에는 차이가 없다고 하였다. 즉 기준선 안에서 이루어지는 법의 발견과 기준선 밖에서 이루어지는 법의 형성 사이에 본질적인 차이는 없다는 것은 '해석'에 대한 윗글의 입장과 일치한다.

[오답 풀이]

② 법 해석에 있어서는 법문의 가능한 의미 범위 내에서 이루어지는 경우와, 법의 흠결을 보충하기 위해 불가피하게 그 범위를 넘어서는 경우가 있다. 이때 법문의 가능한 의미 범위 내에서 이루어지는 경우란 법의 발견을 말하며, 법의 흠결을 보충하기 위해 그 범위를 넘어서는 경우란 법의 형성을 말한다. 법 해석은 법의 발견과 법의 형성을 모두 포함하는 개념이다. 따라서 법의 해석이 법의 흠결을 보충하는 활동, 즉 법의 형성에서 비롯한다는 것은 윗글의 입장과 일치하지 않는다.

③ 법의 적용이 법문의 가능한 의미 범위 내에서 이루어지고 있는지 여부가 다투어질 경우, 그러한 범위 내에서 이루어지는 해석적 시도는 당연히 허용되지만, 그것을 넘어선 시도에 대해서는 그것이 정당화될 수 있는지를 따로 살펴봐야 하는 문제가 있다고 하였다. 그러나 애초에 법문의 가능한 의미 범위라는 것이 존재하지 않는다고 볼 수도 있으므로, 결국에는 법의 적용을 위한 해석적 시도란 법문의 가능한 의미 범위 안팎에서 그것이 특정 사례를 규율하는지 여부를 정하려는 것이라고 말한다. 즉 법문의 가능한 의미 범위를 넘어선 해석적 시도 또한 정당화될 수 있다는 입장이다.

④ 법이 명료한 개념들로 쓰인 경우에 벌어지는 가장 단순한 법의 적용조차도 해석의 결과라 할 수 있다고 하였다. 즉 법문이 명료한 개념들로만 쓰인 경우일지라도, 이를 적용하는 것 자체가 해석이라는 것이다. 따라서 이때 해석이 개입할 여지가 없다고 보는 것은 윗글의 입장과 일치하지 않는다.

⑤ 법은 불확정적인 개념이나 근본적으로 규범적인 개념, 혹은 재량적 판단을 허용하는 개념 등을 포함하고 있기 때문에, 그것의 적용이 법문의 가능한 의미 범위 내에서 이루어지고 있는지 여부

가 다투어질 문제가 발생한다고 하였다. 즉 재량적 판단을 허용하는 개념을 법에 도입함으로써 해석적 논란이 일어나는 것이지, 이를 차단할 수 있는 것이 아니다.

17. 정답 ① 난이도 ★★★ | 정답률 43%

내용영역 규범 / 문항 유형 정보의 평가와 적용

[정답 풀이]

① 제시문에서 말하는 법의 발견이란 법문의 가능한 의미 범위를 기준선으로 삼아 당연히 허용되는 법의 해석이다. 그런데 〈보기〉의 입장은 모든 면에서 동일한 두 사례란 있을 수 없기 때문에 결국 법관의 역할은 어느 유사 사례가 관련성이 더 높은지를 정하는 데 있으며, 이는 새로운 사례에 유사 사례를 적용하는 일일 뿐이므로 법의 해석이라는 것도 실상은 유추에 불과하다는 것이다. 즉 〈보기〉는 법의 발견에 대해서는 언급하고 있지 않다. 따라서 법의 발견에 대해 〈보기〉가 추가적 정당화를 요구하고 있다는 평가는 적절하지 않다.

[오답 풀이]

② 〈보기〉는 법관을 구속하는 선례가 없다고 말한다. 이는 반드시 선례가 아니더라도 법관에 의해 관련성이 더 높다고 판단되는 사례가 있다면 이를 유추 적용할 수 있다는 것이다. 따라서 〈보기〉에 대해 법관의 임의적인 법 적용을 사실상 허용하고 있다고 평가할 수 있다.

③ 제시문은 법의 의미 내용을 구체화하는 것을 해석이라고 하는데, 이는 법문의 가능한 의미 범위 안팎에서 법을 줄이거나 늘림으로써 그것이 새로운 사례를 규율하는지 여부를 정하는 것이며, 그 과정에서 이미 의심의 여지없이 그 법의 규율을 받는 것으로 인정된 선례와 비교해 보는 것 또한 해석에 포함된다고 말함으로써 규범 대 사례의 관계를 다루고 있음을 알 수 있다. 반면 〈보기〉는 사례 비교를 통한 법의 구체화, 즉 과거의 유사 사례들 중 새로운 사례에 적용할 수 있는 가장 관련성이 높은 사례를 결정하여 적용하여야 한다고 말함으로써 사례 대 사례의 관계를 다루고 있다. 따라서 〈보기〉에 대해 규범 대 사례의 관계를 사례 대 사례의 관계로 대체하고 있다고 평가할 수 있다.

④ 〈보기〉는 사례 비교를 통한 법의 구체화를 과거의 유사 사례들로부터 새로운 사례에 유추 적용할 지혜를 빌리는 일이라고 말한다. 이때 법관을 구속하는 선례는 없다고 하였으므로, 새로운 사례에 유추 적용할 과거의 유사 사례가 반드시 선례일 필요는 없다는 입장임을 추론할 수 있다. 따라서 〈보기〉에 대해 선례로 확립된 사례들과 단순한 참조 사례들을 구별하지 않는다고 평가할 수 있다.

⑤ 〈보기〉는 법관의 역할을 새로운 사례와 어느 유사 사례가 관련성이 더 높은지를 정하는 것으로 본다. 그렇기 때문에 법의 구체화란 과거의 유사 사례들로부터 새로운 사례에 적용할 지혜를 빌리는 일일 뿐, 법의 해석은 실상 유추에 불과하다고 주장한다. 반면 제시문은 일반적이고 추상적인 형태의 법을 개별 사례에 적용하기 위해서는 해석을 통해 법의 의미 내용을 구체화하는 작업이 필요하다고 주장한다. 그리고 비교 사례들을 제공할 뿐 아니라 구체적으로 어떤 비교 관점이 중요한지를 결정하는 것도 바로 해석의 몫이라고 말한다. 결국 〈보기〉가 주장하는, 관련성이 더 높은 유사 사례를 비교를 통해 결정하는 작업 또한 어떤 비교 관점이 중요한지를 결정한다는 점에서는 법 해석인 것이다. 따라서 〈보기〉에 대해 참조 사례들 간의 차이가 법적으로 의미가 있을지 판단하는 것 또한 해석의 몫임을 간과하고 있다고 평가할 수 있다.

18. 정답 ② 난이도 ★★☆ | 정답률 65%

내용영역 규범 / 문항 유형 정보의 평가와 적용

[정답 풀이]

〈보기〉는 "오로지 공익을 위해 진실한 내용만을 적시했다면, 사람의 명예를 훼손한 자도 처벌하지 않는다."는 법이 ⓐ 언론의 공익적인 활동을 보호하려는 취지로 제정·적용되었다가 ⓑ 점차 일반 시민들에게도 적용되는 변화를 제시한다. ⓐ에서 ⓑ로 변화할 때, 각각의 가벌성 범위, 법규의 적용 범위, 법의 실질적 의미, 입법자의 의사, 법문에 명시된 요건 등의 다양한 측면에서 그 변화 양상이 어떻게 달라졌는지 판단하여야 한다.

② 법의 실질적 의미에 비추어 볼 때 시민적 자유와 권리에 제약을 가하면 법의 축소로, 시민적 자유와 권리를 보다 더 보장할 수 있게 되면 법의 확장으로 본다. 〈보기〉에 제시된 법규는 제정되었을 당시(ⓐ)에는 언론의 공익적인 활동을 제외하고는 사람의 명예를 훼손한 모든 시민들에 대해 처벌하였다. 즉 아무리 공익을 위한 활동일지라도 언론이 아닌 일반 시민은 표현의 자유가 보장되지 않았던 것이다. 하지만 법규가 일반 시민들에게도 적용(ⓑ)되게 바뀌었다는 것은 언론이 아닌 일반 시민의 경우에도 공익을 위해 진실한 내용만을 적시할 표현의 자유가 보장받게 된 것이다. 따라서 시민이 누리는 표현의 자유가 확대되었다는 점에서 법의 확대라고 할 수 있다.

[오답 풀이]

① 가벌성의 범위를 기준으로 삼을 때 처벌의 대상이 줄어들면 법의 축소로, 처벌의 대상이 늘어나면 법의 확대로 본다. 〈보기〉에 제시된 법규는 제정되었을 당시(ⓐ)에는 사람의 명예를 훼손한 자에 대해 언론의 공익적인 활동을 제외하고는 모두 처벌하였다. 그러다 법규가 일반 시민들에게도 적용(ⓑ)되면서 일반 시민의 경우에도 공익을 위해 진실한 내용만을 적시했다면 처벌받지 않게 되었다. 즉 처벌의 대상이 줄어든 것이다. 따라서 가벌성의 범위를 기준으로 삼으면 법의 축소라고 할 수 있다.

③ 법규의 적용 범위를 기준으로 삼을 때 적용 범위가 좁아지면 법의 축소로, 적용 범위가 넓어지면 법의 확장으로 본다. 〈보기〉에 제시된 법규는 제정되었을 당시(ⓐ)에는 언론의 활동만을 대상으로 하여 그것의 처벌 여부를 판단하였지만, 점차 법규가 일반 시민들에게도 적용(ⓑ)되면서 언론 외의 일반 시민들의 활동까지도 대상으로 하여 처벌 여부를 판단하게 되었다. 즉 언론에서 일반 시민으로 법규의 적용 범위가 넓어진 것이다. 따라서 법의 확장이라고 할 수 있다.

④ 입법자가 의도했던 법의 외연을 기준으로 삼을 때 법의 보호를 받는 대상이 줄어들면 법의 축소로, 법의 보호를 받는 대상이 늘어나면 법의 확장으로 본다. <보기>에 제시된 법규는 제정되었을 당시(ⓐ)에는 언론의 공익적인 활동만을 보호하고자 하였지만, 점차 법규가 일반 시민들에게도 적용(ⓑ)되면서 일반 시민들의 활동 중에서도 공익을 위한 활동일 경우 처벌하지 않음으로써 보호하게 되었다. 즉 언론에서 일반 시민으로 법의 보호를 받는 대상이 늘어난 것이다. 따라서 법의 확장이라고 할 수 있다.

⑤ 법문에 명시된 요건을 기준으로 삼을 때 명시되지 않은 요건을 덧붙이게 되면 법의 확장으로 보므로, 요건이 더 이상 적용되지 않으면 법의 축소로 볼 수가 있다. <보기>에 제시된 법규는 제정되었을 당시(ⓐ)에는 언론의 공익적인 활동만을 보호하였다. 이는 법규의 '공공연히 사실을 적시하여 사람의 명예를 훼손한 자'에 대해 '언론의 활동'이라는 명시되지 않은 부가 조건을 추가하여 해석한 것이다. 하지만 법규가 점차 일반 시민들에게도 적용(ⓑ)되면서 '언론의 활동'이라는 부가 조건은 더 이상 적용되지 않게 되었다. 따라서 법의 축소라고 할 수 있다.

[19~21] 제재 | 생물의 성 결정 과정

난이도 | ★★☆

19. 정답 ④

난이도 ★★☆ | 정답률 75%

내용영역 과학기술 | 문항 유형 정보의 확인과 재구성

[정답 풀이]

④ 4문단에 따르면, Y 염색체에 있는 성 결정 유전자는 단일성선을 남성의 고환으로 만드는 역할을 한다. 그리고 5문단에 따르면, 적절한 시기에 고환으로부터 볼프관에 호르몬 신호가 전달되지 않으면 볼프관은 저절로 사라진다고 하였다. 따라서 Y 염색체에 있는 성 결정 유전자가 없다면 단일성선은 고환으로 발달하지 못할 것이고, 그렇게 되면 호르몬 신호를 받지 못한 볼프관은 저절로 퇴화된다.

[오답 풀이]

① 1문단에 따르면, 성염색체에는 X와 Y 염색체가 있으며, X 염색체만을 갖는 여성의 난자에 X 염색체의 정자가 수정되면 XX 염색체인 여성으로, Y 염색체의 정자가 수정되면 XY 염색체인 남성으로 발달할 수 있게 된다. 즉 남성과 여성의 염색체는 Y 염색체의 유무에 따라 차이를 보인다. 또한 인간을 포함한 포유류의 경우 암컷이 기본 모델이며, 수컷은 성염색체 유전자의 지령에 의해 기본 모델로부터 파생되어 만들어진다. 다시 말해 포유류는 암컷이든 수컷이든 기본적으로 모두 X 염색체를 가지며, Y 염색체가 있을 경우에 수컷이 된다.

② 3문단에 따르면, 정자와 난자가 수정된 지 약 6주가 지나면 단일성선 한 쌍과 볼프관, 뮐러관이 모두 생겨난다. 이때 단일성선은 고환 또는 난소가 될 것이다. 즉 사람의 고환과 난소는 단일성선이라는 같은 기관으로부터 발달한다.

③ 5문단에 따르면, 새로 형성된 고환은 항뮐러관형성인자를 분비하여 뮐러관을 없애라는 신호를 보낸다. 그리고 그 다음에 남성 생식기의 발달을 촉진하기 위해 볼프관에 신호를 보내는데, 그 역할을 하는 것이 테스토스테론이다. 고환에서 분비된 테스토스테론은 수용체에 결합하여 볼프관이 부고환 · 정관 · 정낭으로 발달하도록 한다. 다시 말해 항뮐러관형성인자와 테스토스테론은 모두 고환에서 분비되는 것이며, 더욱이 테스토스테론은 항뮐러관형성인자가 분비된 후에 분비되는 호르몬이기 때문에 항뮐러관형성인자의 분비가 테스토스테론에 의해 촉진된다고 볼 수 없다.

⑤ 4~5문단에 따르면, Y 염색체에 있는 성 결정 유전자가 단일성선에 남성의 고환 생성을 명령하는 신호를 보내면서 남성 발달 과정의 첫 단계가 시작된다. 그리고 그렇게 생성된 고환은 먼저 항뮐러관형성인자를 분비하여 뮐러관을 없애라는 신호를 보낸다. 즉 먼저 Y 염색체의 성 결정 유전자에 의해 고환이 생성된 후에 뮐러관이 퇴화되는 것이다.

20. 정답 ①

난이도 ★★☆ | 정답률 58%

내용영역 과학기술 | 문항 유형 정보의 추론과 해석

[정답 풀이]

① 고환은 Y 염색체에 있는 성 결정 유전자가 단일성선에 보낸 명령에 의해 생성된다. <보기>의 '사람'은 XY 염색체를 가지고 있어 항뮐러관형성인자와 테스토스테론을 만들 수 있다고 하였다. XY염색체를 가지고 있다는 것은 고환의 생성을 명령할 수 있는 Y 염색체를 가지고 있다는 뜻이며, 항뮐러관형성인자와 테스토스테론을 만들 수 있다는 것 또한 그것이 분비되는 고환을 가지고 있다는 것을 뜻한다. 따라서 <보기>의 '사람'은 몸의 내부에 고환을 가지고 있을 것이다.

[오답 풀이]

② 부고환과 정관, 정낭은 고환에서 분비된 테스토스테론이 수용체에 결합하면 볼프관이 변화하여 만들어진다. 하지만 <보기>의 '사람'은 테스토스테론이 결합하는 수용체에 돌연변이가 일어나 남성 호르몬인 테스토스테론에 반응하지 못한다고 하였다. 따라서 결합 반응이 일어나야만 생성되는 부고환과 정관, 정낭을 가지고 있지 않을 것이다.

③ 단일성선은 Y 염색체에 있는 성 결정 유전자의 신호를 받으면 고환으로, 안 받으면 난소로 변화한다. <보기>의 '사람'은 XY 염색체를 가지고 있으며, 항뮐러관형성인자와 테스토스테론을 만들 수 있기 때문에 고환도 가지고 있음을 알 수 있다. 따라서 난소는 가지고 있지 않을 것이며, 이에 따라 난소가 수행하는 기능인 배란도 진행되지 않을 것이다.

④ 고환은 Y 염색체의 성 결정 유전자가 발현하여야 형성될 수 있다. <보기>의 '사람'은 항뮐러관형성인자와 테스토스테론을 만들 수 있다고 하였으므로 고환을 가지고 있음을 알 수 있다. 따라서 Y 염색체의 성 결정 유전자가 발현하였을 것이다.

⑤ 뮐러관은 여성 생식기관인 난관과 자궁으로 발달할 기관이다. 즉 뮐러관에서 발달한 여성 내부 생식기관이란 난관과 자궁을 의미한다. <보기>의 '사람'은 항뮐러관형성인자를 만들 수 있는

데, 이는 뮐러관을 없애라는 신호를 보내는 역할을 한다. 따라서 뮐러관이 제거될 것이며, 뮐러관에서 발달한 여성 내부 생식기관도 가지고 있지 못할 것이다.

21. 정답 ④

난이도 ★★☆ | 정답률 65%

(내용영역) 과학기술 (문항 유형) 정보의 평가와 적용

[정답 풀이]

㉠의 이론은 기본 모델이 아닌 성이 성염색체 유전자의 지령에 의해 조절되는 단계를 거쳐 개체 발생 과정 중에 기본 모델로부터 파생된다는 것이다. 따라서 이러한 이론을 강화하는 사례는 '기본 모델이 아닌 성이 기본 모델인 성으로부터 파생되는 과정'이 있어야 하며, 그것은 '개체 발생 과정 중'이어야 하고, 반드시 '성염색체 유전자의 지령'에 의해 조절되어야 한다.

④ 생쥐의 암컷 수정란에 인위적으로 수컷 성 결정 유전자를 삽입하면 수컷 생쥐로 발달한다는 것은 기본 모델인 성, 즉 암컷으로부터 기본 모델이 아닌 성, 즉 수컷이 파생되는 과정이다. 그리고 이는 수정된 이후 개체가 발생되는 수정란에서 일어난 과정이며, 수컷 성 결정 유전자에 의해 조절되었다. 따라서 ㉠의 이론을 강화하는 내용으로 볼 수 있다.

[오답 풀이]

① 한 마리의 수컷과 여러 마리의 암컷으로 이루어진 물고기 집단에서 수컷을 제거할 경우 암컷 중 하나가 수컷으로 성을 전환하는 것은 이미 성이 결정된 후에 일어나는 과정으로, 개체 발생 과정 중에 일어난 파생 과정이 아니다. 또한 성염색체 유전자의 지령에 의해 성이 조절되는 것이 아니라 테스토스테론을 에스트로젠으로 전환하는 효소인 아로마테이즈 유전자의 발현을 줄임으로써 성이 조절되는 것이기 때문에 ㉠의 이론을 강화하는 내용으로 보기 어렵다.

② 붉은귀거북이 특정 온도에 따라 암컷 혹은 수컷으로 태어난다는 것에는 기본 모델인 성과 기본 모델이 아닌 성이 구분되어 있지 않다. 또한 이러한 과정은 성염색체 유전자의 지령에 의한 것이 아니라 온도에 따른 성 결정이라는 점에서 ㉠의 이론을 강화하는 내용으로 보기 어렵다.

③ 제초제 아트라진에 노출될 경우 수컷 개구리의 테스토스테론이 에스트로젠으로 전환되고 이에 따라 암컷 개구리로 성을 전환하는 것은 이미 성이 결정된 후에 일어나는 과정으로, 개체 발생 과정 중에 일어난 파생 과정이 아니다. 또한 성이 조절되는 것 역시 성염색체 유전자의 지령에 의한 것이 아니라 호르몬에 따른 것이다. 따라서 ㉠의 이론을 강화하는 내용으로 보기 어렵다.

⑤ 피리새 암컷에 남성 호르몬인 테스토스테론을 인위적으로 투여할 경우 수컷처럼 노래한다는 것은 단지 수컷의 특성을 보인다는 것이지 성 자체가 변화한 것이 아니다. 또한 이 역시 성염색체 유전자의 지령에 의한 것이 아니라 호르몬에 따른 변화이므로, ㉠의 이론을 강화하는 내용으로 보기 어렵다.

[22~25] 제재 | 베나타의 논증

난이도 | ★★★

22. 정답 ⑤

난이도 ★★☆ | 정답률 78%

(내용영역) 인문 (문항 유형) 주제, 구조, 관점 파악

[정답 풀이]

⑤ 좋은 것들의 부재는 쾌락이 없음을 의미하고, 그 부재를 경험할 사람이 없는 상황은 주체가 존재하지 않는 상황을 의미한다. <표>의 ⑷를 보면, 존재하지 않는 상황에서 쾌락이 없는 경우는 나쁘지 않다는 것을 알 수 있고, 나쁘지 않다는 것은 결국 악이 될 수 없다는 것을 의미한다.

[오답 풀이]

① 출산은 인간 존재에게 본인의 동의를 얻지 않은 부담을 지운다. 그리고 이처럼 다른 인간을 존재하게 하여 위험에 처하게 만들 때는 충분한 이유를 가져야 할 도덕적 책임이 있다. 베나타는 이런 점을 전제로 하여 출산은 태어나지 않으면 받지 않을 고통을 태아에게 주기 때문에 태어나는 것보다 태어나지 않는 것이 더 낫다고 주장한다. 따라서 베나타는 출산과 같이 누군가에게 해를 끼치는 행위에는 윤리적 책임을 물을 수 있다는 점을 전제하고 있다고 볼 수 있다.

② 1문단에 따르면, 출산은 윤리적인가 하는 문제에 대해, 아이를 기르는 즐거움 등에 근거하여 아이를 낳아야 한다고 주장하는 사람도 있다. 그러나 이것은 주관적인 판단에 따른 것이므로 이런 근거로 어느 한 쪽이 낫다고 주장할 수는 없다. 베나타는 이렇게 경험에 의거하는 방법 대신에 논리적 분석을 이용하여 태어나지 않는 것이 더 낫다는 논증을 제시한다. 즉, 베나타는 아이를 기르는 즐거움은 경험에 의거한 주관적인 판단이므로 출산을 정당화하는 근거가 되지 못한다고 볼 것이다.

③ 출산이 윤리적인가 하는 문제에 대해 베나타는 태어나는 것보다 태어나지 않는 것이 더 낫다고 주장한다. 즉, 출산은 윤리적이지 않다는 입장이다. 베나타의 주장은 출산으로 다른 인간을 존재하게 하여 위험에 처하게 만들 때는 충분한 이유를 가져야 한다는 점과 쾌락의 부재와 고통의 부재가 비대칭적이기에 존재하지 않는 것이 더 좋다는 점에 근거한다. 이런 베나타의 입장에서 출산을 윤리적이라고 판단하기 위해서는, 태어나지 않는 것보다 태어나는 것이 더 나은 이유가 있어야 할 것이다.

④ 베나타에 따르면, 존재의 쾌락은 아무리 커도 고통을 능가하지 못한다. 즉, 행복이 더 많을 것 같은 사람도 행복이 고통을 능가하지는 못한다. 그러나 존재하지 않음으로써 좋은 것들이 없어지는 것은 손실이 아니기 때문에 쾌락이 없음은 나쁘지 않으며, 존재하지 않음으로써 고통이 없어지는 것은 반드시 선이기 때문에 항상 좋다. 따라서 고통보다 행복이 더 많을 것 같은 사람도 태어나지 않는 것이 더 낫다.

23. 정답 ③ 난이도 ★★☆ | 정답률 47%

(내용영역) 인문 (문항 유형) 정보의 평가와 적용

[정답 풀이]

③ 베나타는 '아직 태어나지 않은 상황에서 태아에게 동의하지 않은 위험을 주는 출산이 윤리적인가'라는 물음에 대한 답을 제시한다. 즉, 베나타의 주장은 아직 태어나지 않은 상황에서 태어나지 않음이 더 낫다는 것이다. 그런데 첫 번째 비판(㉠)은 고통을 없애기 위해 이미 존재하고 있는 사람들의 생명을 빼앗는 사례를 비판 근거로 제시하고 있다. 따라서 베나타의 입장에서는 자신의 주장이 설정하고 있는 상황과 비판 근거로 제시된 상황이 다르다는 점을 들어 반론할 수 있을 것이다. 즉, 베나타의 입장에서 자신은 삶을 시작하는 것(출산)의 가치에 대한 주장을 했는데, ㉠은 이미 존재하는 삶을 지속할 가치에 대한 사례를 근거로 자신을 비판하고 있으므로 서로 논의하고 있는 가치가 다르다고 재반박할 수 있을 것이다.

[오답 풀이]

① 전적으로 고통에 시달리는 사람도, 전적으로 행복을 누리는 사람도 없다는 것은 고통만 있는 경우와 쾌락만 있는 경우가 없다는 의미이다. 이것이 첫 번째 비판(㉠)에 대한 베나타의 재반박이 되려면, ㉠에 반대되면서 동시에 베나타의 견해에 부합해야 한다. 그런데 <표>에서 시나리오 A를 보면, 베나타는 고통이 있음(1)과 쾌락이 있음(3)을 제시하고 있지만, 고통만이 있는 것이 불가능하다고 전제하고 있는 것은 아니다. 고통만을 겪는 사람이 있다고 해도 베나타는 X가 존재하면서 고통만 있는 경우를 나쁘다고 평가하고, X가 존재하지 않으면서 고통이 없는 경우를 좋다고 평가할 것이므로 X는 존재하지 않는 것이 더 낫다는 주장이 유지된다. 따라서 전적으로 고통에 시달리는 사람과 행복을 누리는 사람이 없다는 것은 베나타의 입장에 부합하지 않으므로 베나타의 재반박으로 적절하지 않다.

② 베나타는 쾌락의 부재와 고통의 부재를 명확히 구분하여 경우에 따라 좋고 나쁨을 설명하고 있다. 만약 고통이나 쾌락이 있는지 없는지를 구분할 객관적인 방법이 없다면 베나타의 주장이 약화된다. 따라서 쾌락으로 가득 찬 삶인지 고통 받는 삶인지 구분할 객관적인 방법이 없다는 것은 베나타의 입장에서 받아들이기 어려우므로 베나타가 할 수 있는 재반박이 될 수 없다.

④ 쾌락의 부재는 쾌락이 없다는 것이다. 그러므로 경험할 개인이 존재하지 않는 경우와 존재하는 경우 모두 쾌락의 부재는 쾌락이 없다는 것이다. 따라서 이 둘을 비교하여 어느 한 경우에 부재하는 쾌락이 다른 경우에 부재하는 쾌락을 능가한다고 말할 수 없다.

⑤ 선택지는 베나타가 다루는 문제와 첫 번째 비판(㉠)이 다루는 문제가 다르다는 점을 지적한다. 따라서 이 내용이 ㉠에 대한 베나타의 재반박으로 적절하기 위해서는 베나타와 ㉠이 다루는 문제가 선택지에 제시된 두 문제와 일치하는지를 판단하면 된다. 베나타의 논증은 본인의 동의를 얻지 않고 인간을 존재하게 하여 위험에 처하게 만드는 출산이 윤리적인가라는 문제에서 시작한다. 따라서 베나타는 '어떤 사람이 다른 잠재적 인간에게 존재에 따를 위험을 안겨주는 문제'를 다루고 있다고 볼 수 있다. 그러나 '어떤 사람이 존재에 따를 위험을 스스로 안는가 하는 문제'는 ㉠이 다루고 있는 문제가 아니다. ㉠에서 고통 받는 오백만 명은 스스로 그런 위험을 안는 것이 아니라, 신이라는 초월적 존재에 의해 결정될 뿐이다. 따라서 선택지의 내용은 재반박의 대상인 ㉠의 문제를 잘못 지적하고 있으므로 ㉠에 대한 재반박으로 적절하지 않다.

24. 정답 ② 난이도 ★★☆ | 정답률 84%

(내용영역) 인문 (문항 유형) 정보의 추론과 해석

[정답 풀이]

베나타는 <표>의 시나리오 B처럼 쾌락과 고통을 경험할 주체가 없는 상황에서도 쾌락과 고통의 부재가 좋음(2)이나 나쁘지 않음(4)이라는 가치를 지닐 수 있다고 본다. 그러나 두 번째 비판(㉡)은 나쁜 일의 부재나 좋은 일의 부재는 경험할 주체가 없는 상황에서조차도 긍정적이거나 부정적인 가치를 지닐 수 있다는 베나타의 전제를 비판한다. ㉡에 따르면, 쾌락과 고통을 경험할 주체가 없는 상황에서 베나타처럼 쾌락과 고통의 부재가 긍정적이거나 부정적인 가치를 지닌다고 말하는 것은 무의미하다. 다시 말해 ㉡은 주체가 존재하지 않는 상황에서는 쾌락과 고통의 부재를 좋다 혹은 나쁘다고 평가할 수 없다는 입장이다. 따라서 ㉡은 경험할 주체가 없는 (2)와 (4)의 상황에서 좋다고 말하는 것도, 나쁘다고 말하는 것도 바람직하지 않으므로 (2)와 (4) 모두 좋지도 않고 나쁘지도 않다고 생각할 것이다.

25. 정답 ② 난이도 ★★☆ | 정답률 86%

(내용영역) 인문 (문항 유형) 정보의 평가와 적용

[정답 풀이]

<보기>의 내용을 정리하면 아래와 같다.

	세계 1	세계 2
상황	갑과 을이 존재함 갑 : 많은 고통과 적은 쾌락 을 : 적은 고통과 많은 쾌락	갑과 을이 존재하지 않음 고통이 없음 → 좋음 쾌락이 없음 → 나쁘지 않음
베나타의 입장	갑과 을 모두 세계 2가 더 좋음	
<보기>의 주장	적어도 을에게는 세계 1이 훨씬 더 좋음	

베나타의 입장과 <보기>의 주장의 차이점은 을의 경우에 드러난다. 베나타는 을이 세계 1에서 쾌락을 고통보다 많이 경험하더라도 고통과 쾌락이 없는 세계 2가 더 좋다는 입장이고, <보기>는 쾌락을 많이 경험하는 세계 1이 더 좋다고 주장한다.

② 베나타는 을에게도 세계 2가 세계 1보다 언제나 더 좋다고 주장한다. 그 이유는 존재의 쾌락이 아무리 커도 고통을 능가하지 못한다고 전제하기 때문이다. 즉 세계 1에서 을이 겪는 엄청난 쾌락은 을이 겪는 약간의 고통에 의해 상쇄되어 버리므로 세계 1은 좋지도 나쁘지도 않고, 세계 2는 쾌락이 없다는 점에서 나쁘지 않으면서 고통이 없다는 점에서 좋으므로 언제나 좋다. 결국 베나타에 따르면, 세계 2가 세계 1에 비해 더 좋다는 결론이

내려진다. 그러나 <보기>는 적어도 을에게는 세계 1이 세계 2보다 훨씬 더 좋다고 생각한다. 이것은 을에게 있어 엄청난 쾌락과 약간의 고통이 있는 세계 1이 쾌락과 고통이 없는 세계 2보다 더 좋다는 의미이다. 이러한 주장에 다르면, 존재의 쾌락이 고통을 능가하지 못한다는 베나타의 전제는 부정된다. 베나타의 전제에 따르면, 세계 1은 언제나 좋지도 나쁘지도 않기 때문에 을에게는 세계 1이 더 좋다는 <보기>의 결론이 나올 수 없다. 따라서 베나타의 전제와 달리, 쾌락이 고통에 의해 상쇄되지 않고 고통을 능가할 수 있다는 점을 근거로 할 때 <보기>와 같은 주장이 나올 수 있다.

[오답 풀이]

① 나쁜 것이 언제나 좋은 것을 능가한다는 것은 고통이 언제나 쾌락을 능가한다는 것을 의미한다. 이런 경우 세계 1은 언제나 나쁘다. 따라서 을에게는 세계 1이 세계 2보다 훨씬 더 좋다는 결론이 나올 수 없다.

③ 세계 1은 쾌락이 고통보다 큰 경우이므로 을에게는 세계 1이 세계 2보다 훨씬 더 좋다는 결론이 나오려면, 쾌락의 있음이 고통의 없음보다 더 좋다는 근거가 필요하다. 따라서 고통의 없음보다 쾌락의 없음이 더 좋다는 것은 적절한 근거로 보기 어렵다.

④ 고통이 쾌락을 능가한다는 것은 베나타의 견해에 가까운 것으로, 고통보다 쾌락이 더 큰 세계 1이 더 좋다는 <보기>와 같은 주장과 반대되는 내용이다.

⑤ 세계 1은 쾌락이 고통보다 큰 경우이므로 을에게는 세계 1이 세계 2보다 훨씬 더 좋다는 결론이 나오려면, 쾌락의 있음이 고통의 없음보다 더 좋다는 근거가 필요하다. 따라서 쾌락의 있음이 아니라 쾌락의 없음과 고통의 없음을 비교하는 것은 <보기>와 같은 주장의 근거로 보기 어렵다.

[26~29] 제재 | 거래 비용 기업 이론
난이도 | ★☆☆

26. 정답 ④ 난이도 ★★☆ | 정답률 67%
내용영역 사회 문항 유형 주제, 구조, 관점 파악

[정답 풀이]

④ 2문단에 따르면, 기업이 내부 생산과 외부 구매를 결정한다고 할 때, 생산 비용만 고려하는 신고전파 기업 이론에서는 자체 생산보다 외부 구매가 합리적인 선택이다. 즉, 신고전파 기업 이론에 따르면, 기업은 외부 구매만을 선택해야 한다. 그러나 코즈(㉠)는 이런 논리가 적용된다면 기업이 존재해야 할 이유를 찾기 어렵다고 비판하며, 기업이 존재하는 이유는 생산 비용이 아닌 거래 비용에서 찾아야 한다고 본다. 그래서 거래 비용이 분업에 따른 이득을 능가하는 경우에는 기업이 내부 생산을 선택할 수 있다고 주장한다. 이를 종합하면, 코즈는 신고전파 기업 이론이 생산 비용만을 고려하기에 기업이 외부 구매만을 선택하게 된다는 점을 비판하고, 거래 비용에 따라 내부 생산과 외부 구매가 선택된다는 결론을 제시했다고 볼 수 있다. 따라서 코즈의 이론은 신고전파 기업 이론의 비판을 통해 거래 비용이라는 해답을 제시하고 있다고 볼 수 있고, 이 해답으로 해결하려고 한 의문으로 적절한 것은 '왜 어떤 활동은 기업 내부에서 일어나고 어떤 활동은 기업 외부에서 일어나는가?'이다.

[오답 풀이]

① 만약 코즈(㉠)가 비판을 통해 '누가 기업의 의사 결정을 담당하는 것이 바람직한가?'라는 의문을 해결하려고 했다면, 기업의 의사 결정 담당자에 대한 신고전파 기업 이론의 견해가 제시되어야 하고 코즈가 이를 비판해야 한다. 그러나 신고전파 기업 이론은 기업의 의사 결정 담당자가 누구인지를 제시하고 있지 않고, 코즈의 이론도 기업의 의사 결정 담당자 문제를 비판하고 있지 않다.

② 신고전파 기업 이론은 생산 비용 등의 조건에서 이윤을 극대화하는 생산량을 선택하는 기업의 행동을 분석한다. 따라서 만약 코즈(㉠)가 비판을 통해 '분석해야 할 기업의 행동에는 생산량의 선택밖에 없는가?'라는 의문을 해결하려고 했다면, 생산량의 선택 외에 다른 행동도 분석해야 한다는 비판을 제시해야 한다. 그러나 코즈의 비판은 생산 비용 외에 기업의 행동을 선택하는 다른 기준(거래 비용)이 있다는 점을 제시하고 있을 뿐, 생산량 선택 외에 다른 행동을 분석해야 한다고 비판하고 있지는 않다.

③ 신고전파 기업 이론은 기업이 이윤을 극대화하는 생산량을 선택한다고 본다. 만약 코즈(㉠)가 비판을 통해 '기업의 모든 사람들이 이윤 극대화를 추구하는가?'라는 의문을 해결하고자 했다면, 이윤 극대화를 추구하지 않는 사람이 있다는 내용으로 신고전파 기업 이론을 비판해야 한다. 그러나 그런 비판은 제시하지 않고 있다. 게다가 거래 비용이 커서 분업에 따른 이득(외부 구매에 따른 이득)을 능가하는 경우에 내부 생산을 선택한다는 내용을 볼 때, 코즈도 기업이 이윤의 극대화를 추구한다는 점을 인정하고 있음을 알 수 있다.

⑤ 만약 코즈(㉠)가 비판을 통해 '다수가 참여하는 기업과 한 사람의 생산자 사이에 생산량의 차이는 없는가?'라는 의문을 해결하려고 했다면, 신고전파 기업 이론은 생산량의 차이가 없다고 주장하고 코즈가 이를 비판해야 한다. 그러나 신고전파 기업 이론은 다수가 참여하는 기업과 한 사람의 생산자가 동일한 선택을 한다고 가정하고 있을 뿐, 생산량의 차이가 없다고 주장하지 않는다. 또한 코즈도 생산량의 차이에 관한 비판은 제기하지 않고 있다.

27. 정답 ③ 난이도 ★★☆ | 정답률 62%
내용영역 사회 문항 유형 정보의 추론과 해석

[정답 풀이]

③ 코즈는 거래 비용(㉡)을 시장 거래에 수반되는 어려움으로 정의했다. 여기에는 계약을 맺거나 계약의 이행을 확인하고 강제하는 과정에서 겪게 되는 어려움이 포함된다. 거래 비용 개념에 입각한 기업 이론을 발전시킨 윌리엄슨에 따르면, 관계특수성이 큰 계약에는 관계특수적 투자에 따른 속박 문제가 나타난다. 이는 계약을 맺거나 계약의 이행을 확인하고 강제하는 과정에서 겪는 어려움으로 볼 수 있다. 이러한 문제는 계약의 불완전성으로 인해 단순한

계약을 통해서는 방지하기 어렵고 복잡한 계약이라는 안전장치를 강구해야 한다. 따라서 복잡한 계약이라는 안전장치가 효과적으로 작용하면, 관계특수적 투자에 따른 속박 문제는 해결된다고 볼 수 있다. 그리고 관계특수적 투자에 따른 속박 문제가 해결되었다는 것은 계약을 맺거나 계약의 이행을 확인하고 강제하는 과정에서 겪는 어려움이 줄었다는 것이므로 결국 거래 비용(㉡)이 감소했다는 것을 의미한다. 따라서 계약 제도의 발달이라는 것은 곧 거래 비용을 감소시킬 수 있는 복잡한 계약이라는 안전장치가 발달한다는 의미이므로 계약 제도의 발달은 거래 비용을 줄일 수 있다.

[오답 풀이]

① 거래 비용(㉡)과 거래량이 반비례 관계라는 것은 거래량이 커지면 거래 비용은 작아진다는 의미이다. 그런데 거래 비용(㉡)은 시장 거래에 수반되는 어려움이며, 여기에는 거래할 의사와 능력이 있는 상대방을 탐색하거나 서로 가격을 흥정하는 과정에서 겪게 되는 어려움이 포함된다. 그리고 거래량이 크다는 것은 대규모의 거래라는 것을 의미하고 대규모의 거래는 소규모의 거래에 비해 판매자나 구매자를 찾기 어려우며 가격 흥정도 신중하게 이루어질 가능성이 있다. 이런 경우 거래량이 클수록 거래자 탐색이나 가격 흥정 과정에서 겪게 되는 어려움은 작아지는 것이 아니라 오히려 커질 것이다. 이런 가능성을 볼 때, 거래 비용(㉡)이 거래량과 반비례 관계라고 단정하는 것은 적절하지 않다.

② 코즈는 거래 비용(㉡)을 시장 거래에 수반되는 어려움으로 정의했다. 그리고 윌리엄슨은 거래 비용 개념에 입각한 기업 이론을 발전시키는 과정에서 코즈가 시장 거래라고 생각한 것을 현물거래와 계약으로 나누어 설명했다. 이를 볼 때 현물거래도 코즈가 생각한 시장 거래에 포함되며, 따라서 현물거래에서 수반되는 어려움도 거래 비용으로 볼 수 있음을 알 수 있다. 더구나 현물거래에서도 거래자를 탐색하거나 가격을 흥정하는 과정에서 겪는 어려움은 발생할 수 있다는 점을 생각할 때, 현물거래의 경우 거래 비용(㉡)이 발생하지 않는다는 설명은 적절하지 않다.

④ 코즈에 따르면, 거래 비용(㉡)은 시장 거래에 수반되는 어려움이다. 시장 거래에서 발생하는 거래 비용(㉡)이 너무 커서 분업에 따른 이득을 능가하는 경우, 기업의 권위에 조정이 이루어져 기업은 내부 조달을 선택한다. 따라서 거래 비용을 기준으로 기업의 권위에 의해 기업의 행동이 선택되는 것이지, 기업의 권위 행사에 따라 거래 비용이 발생하는 것이 아니다.

⑤ 코즈는 거래 비용(㉡)을 시장 거래에 수반되는 어려움으로 정의했다. 여기에는 서로 가격을 흥정하거나 교환 조건을 협상하고 합의하여 계약을 맺는 과정에서 겪게 되는 어려움이 포함된다. 거래되는 재화의 시장 가치가 확실한 경우에는 재화의 시장 가치가 불확실한 경우보다 가격 흥정이나 교환 조건 협상이 쉬워질 가능성이 크다. 따라서 재화의 시장 가치가 확실한 경우에는 시장 거래에 수반되는 어려움이 감소할 수 있으므로 재화의 시장 가치가 확실할수록 거래 비용(㉡)이 더 커진다는 설명은 적절하지 않다.

28. 정답 ④ 난이도 ★☆☆ | 정답률 85%

내용영역 사회 문항 유형 정보의 평가와 적용

[정답 풀이]

④ 코즈는 거래 비용을 시장 거래에 수반되는 어려움으로 정의했다. 여기에는 계약을 맺거나 계약의 이행을 확인하고 강제하는 과정에서 겪게 되는 어려움이 포함된다. 윌리엄슨은 이러한 거래 비용 개념에 입각한 기업 이론을 발전시켰다. 윌리엄슨에 따르면, 상대방이 계약을 이행하지 않을 경우에 계약이 이행될 것이라고 신뢰하고 한 준비(관계특수적 투자)의 가치가 많이 떨어질수록, 즉 관계특수성이 클수록 계약 불이행에 대한 우려가 커져, 안전장치가 마련되지 않을 경우 관계특수적 투자가 이루어지기 어렵다. 이를 관계특수적 투자에 따른 속박 문제라고 부른다. 이러한 문제는 계약의 불완전성으로 인해 단순한 계약을 통해서는 방지하기 어렵고, 복잡한 계약이라는 안전장치를 강구해야 하며, 안전장치로 해결할 수 없다면 자체 조달을 선택한다. 이를 볼 때, 관계특수적 투자에 따른 속박 문제와 계약의 불완전성은 계약을 맺거나 계약의 이행을 확인하고 강제하는 과정에서 겪게 되는 어려움이며, 이러한 어려움이 안전장치로 해결되지 않으면 거래 비용이 너무 커져 기업은 자체 조달을 선택함을 알 수 있다. 따라서 관계특수성이나 계약의 불완전성이 큰 거래일수록 계약 과정의 어려움이 커지므로 결국 그 거래의 거래 비용도 적어지는 것이 아니라 커질 것이다.

[오답 풀이]

① 3문단에는 코즈의 설명이 거래 비용의 발생 원리를 명확하게 제시하지 않았고, 주류적인 경제학 방법론도 '권위'와 같은 개념을 수용할 준비가 되어 있지 않았다고 하여 코즈 이론의 한계가 제시되어 있다. 이러한 한계와 관련하여 거래 비용 개념에 입각한 기업 이론을 발전시킨 윌리엄슨은 계약의 불완전성이나 관계특수성이라는 개념을 통해 거래 비용의 발생 원리를 설명했다는 점에서 코즈 기업 이론의 한계를 보완하였다고 볼 수 있다. 그러나 윌리엄슨의 기업 이론에서 권위의 개념을 받아들이고 발전시켜서 권위의 원천을 제시하는 모습은 보이지 않는다.

② 윌리엄슨은 거래 비용 개념에 입각한 기업 이론을 발전시키기 위해 몇 가지 새로운 개념들을 제시했다. 그중 하나가 기존 이론의 합리성이라는 가정을, 기회주의와 제한적 합리성이라는 가정으로 대체한 것이다.

③ 윌리엄슨은 코즈와 달리 시장 거래를 현물거래와 계약으로 나누었다. 그리고 계약의 경우, 관계특수성의 크기에 따라 단순하거나 복잡한 형태의 다양한 계약이 나타날 수 있고, 복잡한 계약으로 관계특수성의 문제가 해결되지 않으면 자체 생산이 이루어진다고 보았다. 따라서 윌리엄슨의 기업 이론은 코즈의 이론에서는 설명되지 않은 다양한 계약들이 존재하는 이유를 이해하게 해주었다고 볼 수 있다.

⑤ 윌리엄슨은 코즈가 시장 거래라고 뭉뚱그려 생각한 것을 현물거래와 계약으로 나누었다. 그리고 계약의 관계특수성과 불완전성으로 인해 거래 비용이 발생하며, 안전장치의 역할에 따라 거래 비용이 달라질 수 있다는 점을 설명하였으므로 안전장치라는

새로운 측면에서 거래 비용의 속성을 이해하게 해주었다고 볼 수 있다.

29. 정답 ② 난이도 ★★★ | 정답률 30%

내용영역 사회 | 문항 유형 정보의 평가와 적용

[정답 풀이]

② 윌리엄슨에 따르면, 관계특수적 투자에 따른 속박이 심각한 문제를 초래하면 복잡한 계약을 통해 안전장치를 강구할 것이고, 이 방식으로도 해결할 수 없다면 자체 조달을 선택한다. 이를 볼 때, 관계특수적 투자에 따른 속박이 심각한 문제를 초래할 가능성이 가장 높은 경우는 복잡한 계약이라는 안전장치로도 문제가 해결될 수 없는 경우이기 때문에 이러한 경우는 계약을 통한 외부 구매가 아니라 자체 조달을 선택할 것이다. 따라서 ⓑ의 1년 미만의 초단기 계약은 결국 계약을 통해서 외부 구매를 한 경우이므로 관계특수적 투자에 따른 속박이 심각한 문제를 초래할 가능성이 가장 높은 경우에 맺은 것이라 볼 수 없다.

[오답 풀이]

① 코즈에 따르면, 거래 비용이 분업에 따른 이득을 능가하는 경우에는 자체 생산(자체 조달)을 선택한다. 그리고 윌리엄슨은 여기에 안전장치 개념을 도입하여 관계특수성의 문제(거래 비용의 문제)가 복잡한 계약이라는 안전장치로 해결되지 않는 경우에 자체 조달을 선택한다고 본다. 이를 종합해 보면, 복잡한 계약을 사용해도 거래 비용이 분업에 따른 이득을 능가하는 경우에 자체 조달을 선택한다고 볼 수 있다. 따라서 ⓐ에서 전력 회사는 자체 조달을 선택했는데, 이는 분업을 포기하고 직접 경영을 할 때 발생하는 문제보다 복잡한 계약을 사용하더라도 외부 조달을 할 때 발생하는 거래 비용이 더 크기 때문에 거래 비용을 줄이는 방안으로 자체 조달을 선택한 결과라 할 수 있다.

③ 자체 조달 또는 복잡한 장기 계약을 통한 조달을 선택했다는 것은 관계특수적 투자에 따른 속박이 심각한 문제를 초래하는 경우라 할 수 있다. 그리고 이런 경우는 복잡한 계약이라는 안전장치를 사용해서 이를 해결하고자 한다. 즉, 탄광과 복잡한 장기 계약을 맺은 ⓒ의 경우는 계약 불이행에 따라 관계특수적 투자의 가치가 많이 떨어질 가능성이 크기 때문에 복잡한 장기 계약을 통해 이 문제를 해결하고 거래를 보장받으려 한 것이라고 볼 수 있다.

④ 계약 조건이 복잡한 것은 기회주의적으로 활용될 것에 대한 우려가 크며, 단순한 계약으로는 계약의 불완전성을 보완하기 어렵다는 것을 의미한다. 따라서 ⓓ에서 품질과 가격의 계약 조건이 복잡한 것은 품질과 가격에 대한 상황이 기회주의적으로 활용될 것을 우려했으며, 계약의 불완전성 때문에 계약의 이행 정도를 제삼자가 판단하기 어렵다고 우려했기 때문이라고 볼 수 있다.

⑤ 계약 조건이 단순한 것은 예측의 어려움이나 언어의 모호성 등의 계약의 불완전성으로 인한 문제가 크지 않기 때문이다. 즉, ⓓ에서 공급 물량의 계약 조건이 단순한 것은 공급 물량의 경우 계약의 불완전성으로 인한 문제가 크지 않아, 제삼자에게 계약 불이행을 쉽게 입증할 수 있다고 생각했기 때문이라고 볼 수 있다.

[30~32] 제재 | 합의제 민주주의와 다수제 민주주의
난이도 | ★★☆

30. 정답 ⑤ 난이도 ★★☆ | 정답률 57%

내용영역 사회 | 문항 유형 정보의 확인과 재구성

[정답 풀이]

⑤ 1문단에 따르면, 다수제 민주주의(㉡)의 경우 단일 정당에 의한 배타적인 권력 행사가 이루어지는 반면, 합의제 민주주의(㉠)의 경우 권력을 공유하는 정치 주체가 ㉡에 비해 많다. 이에 따라 ㉠은 과도한 권력 분산으로 인해 거부권자의 수가 늘어나 교착이 증가할 위험이 있다.

[오답 풀이]

① 2문단에 따르면, 정당 수가 상대적으로 많고, 의회 구성에서 득표와 의석 간의 비례성이 높을 경우 합의제적 경향을 더 많이 띤다. 또한 합의제 민주주의(㉠)는 권력을 공유하는 정치 주체가 다수제 민주주의(㉡)에 비해 많다. 따라서 ㉠은 양당제 국가보다 다당제 국가에서 더 많이 발견된다.

② 3문단에 따르면, 합의제 민주주의(㉠)는 사회 · 경제적 평등, 정치 참여, 부패 감소 등에서 다수제 민주주의(㉡)보다 우월하다는 평가를 받고 있다. 이러한 가치로 인해 합의제 정치 제도를 채택하기 위한 시도가 신생 독립 국가나 심지어 다수제 민주주의로 분류되던 선진 국가에서도 다양하게 나타났다. 이처럼 ㉠은 선진 국가와 신생 독립 국가 모두에서 주목받고 있다.

③ 3문단에 따르면, 합의제 민주주의(㉠)와 다수제 민주주의(㉡)는 경제 성장에서는 의미 있는 차이를 보이지 않지만, 사회 · 경제적 평등, 정치 참여, 부패 감소 등에서는 합의제 민주주의(㉠)가 더 우월하다는 평을 받고 있다. 즉, 사회 평등 면에서는 ㉠이 ㉡보다 유리하나, 경제 성장 면에서는 ㉠과 ㉡이 큰 차이가 없다.

④ 1문단에 따르면, 합의제 민주주의(㉠)는 권력을 공유하는 정치 주체를 늘려 다수를 최대화한다. 여기서 권력을 공유하는 정치 주체란 정당 등을 의미하는 것일 뿐, 유권자를 의미하는 것이 아니다. 따라서 다수제 민주주의(㉡)와 비교하여 합의제 민주주의(㉠)가 권력을 위임하는 유권자의 수를 최대화한다는 설명은 적절하지 않다.

31. 정답 ⑤ 난이도 ★★☆ | 정답률 44%

내용영역 사회 | 문항 유형 정보의 추론과 해석

[정답 풀이]

⑤ 2문단에 따르면, 합의제와 다수제는 제도에 내포된 권력의 집중과 분산 정도에 따라 대조적인 경향을 보인다. 이때, 사법부의 독립적 위헌 심판 권한이 약한 국가는 다수제적 경향을 더 많이 띠므로, 사법부의 독립적 위헌 심판 권한이 강해진다면 이는 합의제적 경향에 가까워질 것이다. 따라서 의회와 대통령이 지명했던 위헌 심판 재판관을 사법부에서 직선제로 선출한다면 이는 그만큼 사법부의 독립적 위헌 심판 권한이 강해진 것이므로 합의제를 촉진하는 효과를 보일 것이다.

[오답 풀이]

① 1문단에 따르면, 합의제 민주주의에서는 권력을 공유하는 주체가 늘어나고, 반면 다수제 민주주의에서는 배타적인 권력이 행사된다. 그리고 4문단에 따르면, 대통령의 헌법적 권한이 강할수록 대통령이 최후의 정책 결정권자임을 의미하고 소수당의 입장에서는 권력 공유를 통해 정책적 영향력을 확보하기 어렵게 된다. 따라서 의회가 지닌 법안 발의권을 대통령에게도 부여한다면 그만큼 대통령의 권한이 강해지게 되고 이는 권력을 공유하는 정치 주체에서 소수당이 배제되는 효과를 갖게 되므로 다수제를 촉진하는 효과를 보일 것이다.

② 5문단에 따르면, 의회의 단순 다수 소선거구 선거 제도, 동시선거, 대통령과 의회의 지역구 규모의 일치 등은 정부 권력에 다수제적 구심력을 강화한다. 따라서 의회 선거 제도를 비례대표제에서 단순 다수 소선거구제로 변경한다면 다수제를 촉진하는 효과를 보일 것이다.

③ 2문단에 따르면, 지방의 이익집단들의 대표 체계가 중앙으로 집약된 국가는 다수제적 경향보다 합의제적 경향을 더 많이 띤다. 다수제와 합의제는 제도 내에 내포된 권력의 집중과 분산 정도에 따라 대조적인 경향을 보이기 때문에 이익집단 대표 체계의 방식을 중앙 집중에서 지방 분산으로 전환하면 이는 다수제를 촉진하는 효과를 보일 것이다.

④ 2문단에 따르면, 다수제와 합의제는 헌법 개정의 난이도에서 대조적인 경향성을 보이는 가운데, 헌법 개정의 난이도가 일반 법률 개정과 유사하면 다수제적 경향을 더 많이 띤다. 이 점에 비추어볼 때, 정당 수가 많은 합의제의 경우 법률 개정에 정당 간 합의를 도출해 내기 어려울 수 있으므로, 헌법 개정의 난이도가 높으면 합의제적 경향을 띨 것임을 알 수 있다. 만일 헌법 개정안의 통과 기준을 의회 재적의원 2/3에서 과반으로 변경할 경우 과반 규칙에 의해 집권한 단일 정당은 그 구성원만으로도 헌법 개정안을 통과시킬 수 있게 되어 헌법 개정의 난이도가 이전보다 낮아질 것이다. 이에 따라 집권 정당의 배타적인 권력 행사도 수월해질 것이며, 이는 다수제를 촉진하는 효과를 보일 것이다.

32. 정답 ⑤

난이도 ★★★ | 정답률 23%

내용영역 사회 / 문항 유형 정보의 평가와 적용

[정답 풀이]

<보기>에서 문제되는 상황은 정책 결정 과정에서 의회 내 정당 간, 행정부와 의회 간의 교착 상태가 지속되고 있는 것이다. 이러한 교착 상태는 과도한 권력 분산으로 정치 주체들 간의 합의가 원활하게 이루어지지 않을 때 발생하게 된다. 따라서 이를 개선하기 위해서는 정부 권력에 다수제적 구심력을 높이는 방향으로 제도를 개혁하여, 교착 상태를 완화하는 것이 필요하다. 즉, 과반 규칙에 의해 집권한 단일 정당 정부가 권력을 행사하여 정부를 운영하게 됨으로써 효율적인 책임정치가 촉진될 수 있도록 해야 한다.

⑤ 5문단에 따르면, 의회의 단순 다수 소선거구 선거 제도는 다수제적 구심력을 강화하는 요인 중의 하나이다. 그러나 6문단에 따르면, 단순 다수 소선거구 선거 제도가 결합되더라도 정치적 환경에 따라 다른 효과를 낳을 수 있다. 우선 A국의 상황을 보면 4개의 부족이 35%, 30%, 20%, 15%의 인구 비율로 구성되어 있으며, 각 부족은 자신이 거주하는 지리적 경계 내에서 압도적인 다수이고 각 부족들은 자신의 부족을 대표하는 정당을 압도적으로 지지하는 경향을 보이고 있다. 이 경우 부족의 거주 지역에 따라 단순 다수 소선거구제로 의회를 구성하게 된다면 선거구별로 다수인 부족의 지지에 따라 의회가 구성될 것이다. 그런데 4개의 부족이 각각 압도적인 다수를 보이는 지역이 명확히 나누어져 있으므로 의회의 구성은 비례대표제일 때와 마찬가지로 부족의 인구 비율에 따라 이루어지게 될 것이다. 즉, 이러한 경우라면 비례대표제를 폐지하게 된 효과를 얻지 못할 것이고 여전히 대통령이 대표하는 사회적 다수와, 의회가 대표하는 사회적 다수가 달라 목적의 분리성이 증가하는 합의제적 모습을 보일 것이다. 이에 따라 정책 결정이 신속하게 이루어지기는 여전히 어려울 것이다.

[오답 풀이]

① 의회의 과반 동의로 선출한 총리에게 내치를 담당하게 하면, 결과적으로 과반 규칙에 의해 정부를 운영하게 되는 것이며 과반 동의로 총리를 선출하기 위해서는 의회 내 정당 연합이 유도될 수 있다. 이는 의회 내 정당 간 교착 상태를 완화할 수 있으며, 나아가 의회를 통해 선출된 총리가 내치를 담당하게 됨으로써 A국에서 일상화된 행정부와 의회 간 교착 상태 또한 완화할 수 있을 것이다.

② 4문단에 따르면, 대통령의 법적 권한은 의회와의 협력에 영향을 미치는데, 대통령의 법적 권한이 강할수록 의회의 영향력을 덜 받게 되어 다수제적 구심력이 강화된다. 이는 대통령 차원에서 책임정치를 실현할 수 있게 된다는 것을 의미한다. 따라서 대통령령에 법률과 동등한 효력을 부여하면 국가 차원, 즉 행정부 차원에서 책임정치를 효율적으로 실현할 수 있게 되어 행정부와 의회 간에 교착 상태에서 오는 A국의 문제를 해결할 수 있을 것이다.

③ 5문단에 따르면, 동시선거, 대통령과 의회의 지역구 규모의 일치 등은 목적의 일치성을 높이는 경향을 지니며 상호 결합될 때 정부 권력에 다수제적 구심력을 강화한다. 따라서 의회 선거를 대통령 선거와 동시에 실시하게 되면, 대통령 당선자의 인기가 의회 선거에 영향을 미칠 수 있으며 이 경우 대통령이 대표하는 사회적 다수와 의회가 대표하는 사회적 다수가 일치할 수 있다. 그 결과 A국에서 일상화된 행정부와 의회 간에 교착 상태를 완화할 수 있을 것이다.

④ 5문단에 따르면, 대통령 결선투표제는 목적의 일치성을 높이는 경향을 지니며 정부 권력에 다수제적 구심력을 강화하는 요인 중의 하나이다. 따라서 상위 두 후보를 대상으로 한 대통령 결선투표제를 도입하면, 의회에서 4개의 부족을 대표하는 정당들에게 분산되었던 권력이 대통령 결선투표의 과정에서 정당들 간의 연합을 통해 수렴되어, 정치 주체들 간의 과도한 권력 분산을 방지할 수 있다. 이는 A국에서 보이는 정치적 교착 상태를 완화할 수 있을 것이다.

[33~35] 제재 | 유류분 제도
난이도 | ★☆☆

33. 정답 ④
난이도 ★☆☆ | 정답률 75%

내용영역 규범 문항 유형 정보의 확인과 재구성

[정답 풀이]

④ 5문단에 따르면, 우리 민법은 유류분권자의 범위로 피상속인의 직계비속과 배우자, 직계존속, 형제자매까지를 규정하고 있는데, 이때 유류분권자로 인정되는 것은 최우선 순위의 상속권자이다. 따라서 직계비속 및 배우자가 유류분권을 주장할 수 있는 경우라면, 직계비속과 배우자, 직계존속보다 후순위인 형제자매는 유류분권자가 될 수 없다. 우리 민법에서 형제자매가 유류분권자로 인정되는 것은 피상속인에게 직계비속과 배우자, 직계존속이 존재하지 않을 때이다.

[오답 풀이]

① 2문단에 따르면, 프랑스 혁명기의 입법자는 유언의 자유에 대해 적대적인 태도를 취했다. 이에 따라 입법자는 피상속인의 재산을 임의처분이 가능한 자유분과 상속인들을 위해 유보해야 하는 유류분으로 구분하여 자유분을 최소한으로 규정했다.

② 3문단에 따르면, '1804년 나폴레옹 민법전'은 유류분 제도에 대해 피상속인이 가족에 대한 의무를 이행하는 것이며, 젊은 상속인의 생활을 보장하기 위한 것으로 보았다. 이에 따라 피상속인의 생전 행위 또는 유언에 의한 무상처분에 제한을 두었다. 그리고 피상속인의 자녀가 상속을 포기했을지라도 피상속인이 처분할 수 있는 자유분에는 변동이 없도록 하였다.

③ 4문단에 따르면, '2006년 프랑스 민법전'은 유류분의 사전 포기를 허용하고, 직계존속에 대한 유류분을 폐지하였으며 피상속인의 처분의 자유도 증대시켰다. 이는 피상속인의 생전 처분이 고령화로 인해 장기에 걸쳐 진행됨에 따라 유류분 부족분의 반환 시 영향을 받는 제삼자가 많아졌으며, 이혼이나 재혼으로 가족이 재편되는 경우가 많아 기존의 유류분 제도를 고수하기에는 현실에 맞지 않은 부분이 있었기 때문이다. 따라서 '2006년 프랑스 민법전'은 이러한 고령화 및 이혼 · 재혼 가정의 증가 현상에 대처하고자 피상속인의 재산 처분의 자유를 강화한 것이다.

⑤ 6문단에 따르면, 우리의 유류분 제도는 호주 상속인만의 재산 상속 풍조가 만연한 탓에 다른 상속인의 상속권을 보장해 주어야 한다는 점에서 도입이 되었다. 이에 따라 법 적용에서도 배우자와 자녀들에게 유류분권을 보장하는 점이 중시되었다. 즉, 호주 상속인이 단독으로 재산을 상속하여 배우자 등 상속인들의 권익이 보호받지 못하는 문제에 대처하고자 하는 취지에서 유류분 제도의 입법이 이루어진 것이다.

34. 정답 ④
난이도 ★★☆ | 정답률 58%

내용영역 규범 문항 유형 주제, 구조, 관점 파악

[정답 풀이]

6문단에 따르면, 우리의 유류분 제도는 피상속인의 배우자와 자녀들에게 유류분권을 보장하는 점이 중시되었다. 그러나 현재의 실정(호주제 폐지, 장자 단독 상속 현상 감소)을 고려할 때, 우리 대법원은 판례를 통해 피상속인의 자유의사에 따른 재산 처분의 제한 범위를 최소한으로 그치게 함으로써 피상속인의 의사를 존중하는 것이 바람직하다고 보았다. 이에 따라 우리의 유류분 제도는 유류분권자의 권익을 보장하는 데 중점을 두었던 기존의 법에서 피상속인의 자유의사를 존중하는 방향으로 개정을 논의할 수 있을 것이다.

④ 4문단에 따르면, '2006년 프랑스 민법전'은 피상속인의 재산에 대해 상속 포기가 있을 경우 자유분이 증가하도록 해 피상속인의 처분의 자유를 증대시켰다. 그리고 유류분의 부족분을 반환하는 방식에 있어서도 피상속인에게 재산을 증여 받은 제삼자를 고려하는 등 제삼자의 권익을 강화시켜 피상속인의 자유의사를 존중하고자 하였다. 따라서 우리의 유류분 제도가 '2006년 프랑스 민법전'의 입장을 따를 경우 피상속인의 생전 처분으로 증여받은 제삼자의 권익은 현재보다 강화될 것이다.

[오답 풀이]

① 2문단에 따르면, 프랑스 혁명기의 일반적인 사회 관점은 유언에 의한 재산 처분의 자유를 크게 인정하는 것이었다. 이처럼 피상속인의 재산 처분의 자유가 크게 인정된다면 상대적으로 유류분은 보장되기 어려울 것이다. 따라서 프랑스 혁명기의 사회 관념에 따를 경우 유류분권자의 권익은 현재보다 약화될 것이다.

② 3문단에 따르면, '1804년 나폴레옹 민법전'에서는 유류분권자에 배우자와 형제자매를 제외하였다. 따라서 이러한 입장에 따른다면 배우자가 지니는 유류분권자로서의 권익은 현재보다 약화될 것이다.

③ 4문단에 따르면, '2006년 프랑스 민법전'은 직계존속에 대한 유류분을 폐지하였다. 반면 우리의 유류분 제도는 유류분권자의 범주에 피상속인의 직계존속을 포함하고 있으므로 '2006년 프랑스 민법전'의 입장에 따른다면 직계존속이 지니는 유류분권자로서의 권익은 현재보다 약화될 것이다.

⑤ 6문단에 따르면, 우리 대법원 판례에서는 피상속인의 자유의사에 따른 재산 처분의 제한 범위를 최소한에 그치게 하는 것이 피상속인의 의사를 존중하는 의미에서 바람직하다고 보았다. 이러한 입장에 따른다면, 피상속인의 의사를 존중하는 만큼 상대적으로 유류분권자들의 권한은 약화될 수 있을 것이다. 따라서 상속 개시 전에 이해관계를 형성했던 제삼자가 고려해야 하는 유류분권자의 권익은 현재보다 강화되지 않을 것이다.

35. 정답 ①
난이도 ★★☆ | 정답률 68%

내용영역 규범 문항 유형 정보의 평가와 적용

[정답 풀이]

ㄱ. '1804년 나폴레옹 민법전'에 의하면 피상속인의 자녀가 상속을 포기할 경우 그 자녀는 유류분권자에서 배제되나, 유류분 계산 시 피상속인의 자녀 수에는 포함된다. 이에 따라 피상속인 A의 자녀 B는 상속을 포기하더라도 유류분 계산 시 A의 자녀 수에서 제외되지 않는다.

ㄴ. '1804년 나폴레옹 민법전'에 의하면 유류분권은 피상속인의 직계비속 및 직계존속에 한해 인정되었으며, 피상속인의 배우자와 형제자매는 유류분권자에서 배제되었다. 이에 따라 피상속인 A의 동생 D는 유류분권을 주장할 수 없다.

[오답 풀이]

ㄷ. '2006년 프랑스 민법전'에 의하면 피상속인의 자녀가 상속을 포기할 경우 그 자녀는 유류분 계산 시 피상속인의 자녀 수에서 제외되어 상속 포기가 있으면 그만큼 자유분이 증가하였다. 이에 따라 피상속인 A의 자녀 C가 상속을 포기할 경우 자유분은 증가하게 된다.

ㄹ. 우리 민법에 의하면 법정 상속분은 직계비속들 사이에서는 균분이고, 이들의 유류분 비율은 법정 상속분의 반이다. 이에 따라 피상속인 A의 자녀(직계비속)이자, 형제관계인 B와 C가 모두 유류분권자일 경우, 두 사람의 유류분 비율은 균일하게 분배된 법정 상속분의 반으로, 동일하다.

2017학년도(홀수형)

[1~3] 제재 | 카르네아데스의 널
난이도 | ★☆☆

1. 정답 ① 난이도 ★☆☆ | 정답률 89%

내용영역 규범 문항 유형 정보의 확인과 재구성

[정답 풀이]

① 4문단에 따르면, 선원 A와 선원 B가 바다 위에 떠 있는 널판을 잡은 행위는 저마다의 생명을 생각할 때 불가피한 일이었다. 그리고 선원 A가 널판에서 선원 B를 밀어낸 행위 또한 선원 A에게 있어서는 위난을 피하는 데 절실한 것이었다. 선원 A의 입장에서는 두 사람이 계속 붙잡고 있다가는 가라앉을 널판을 선원 B가 함께 잡고 있는 상황이 급박한 위난이었을 것이기 때문이다. 따라서 선원 A나 선원 B의 행위는 모두 위난을 벗어나고자 한 것이라 할 수 있다.

[오답 풀이]

② 지문에 따르면, 선원 A가 선원 B를 밀어 빠져 죽게 하였던 행위는 범죄의 구성요건에 해당하여 일반적으로 위법하지만, 한 사람만 수용할 수 있는 널판에서 선원 B를 밀어내는 행위 말고는 자신의 생명을 위해 다른 행위를 할 수 없는 상황이었으므로 유책한 행위로 볼 수 없어 범죄가 되지 않았다. 이는 같은 상황에서 선원 B가 선원 A를 밀어 빠져 죽게 하는 반대의 경우에도 마찬가지일 것이다. 따라서 선원 B가 만약 선원 A를 밀어 빠져 죽게 하였다면 그 행위 역시 범죄가 되지 않는다.

③ 2문단에 따르면, 구성요건이란 형벌을 부과할 대상이 되는 위법한 행위를 형법에 유형화하여 기술해 놓은 것을 말하는데, 형법에서는 살인죄의 구성요건을 사람을 살해한다는 것으로 규정한다. 사례에서 선원 B의 행위는 사람을 살해한 것이 아니므로 형법상 살인죄의 구성요건에 해당하지 않는다. 하지만 선원 A의 행위는 선원 B를 죽게 하였으므로 형법상 살인죄의 구성요건에 해당한다.

④ 6문단에 따르면, 형법상 책임은 행위자에 대한 법적 비난 가능성의 문제로, 구체적인 상황에서 행위자가 위법한 행위 말고 다른 행위를 할 수 있었겠는가 하는 기대 가능성을 말한다. 사례에서 선원 A는 생명이 위급한 상황에서 선원 B를 밀어내는 행위 말고 다른 행위는 할 수 없었을 것이다. 그러므로 선원 A가 선원 B를 위해 자신의 목숨을 희생하지 않았다고 하여 윤리적인 비판은 몰라도 법적인 비난을 하기는 어렵다고 보았다. 이는 곧 윤리적 타당성의 문제와 법적 비난의 문제가 별개임을 뜻하며, 선원 A의 행위는 형법상 책임이 없는 행위이기 때문에 법적인 비난을 받지 않는 것이다. 따라서 선원 B에 대한 선원 A의 행위가 윤리적으로 타당하기 때문에 형법상 비난받지 않는 것은 아니다.

⑤ 6문단에 따르면, 사례에서 선원 A가 자신의 목숨을 희생하는 쪽을 선택하였다면 숭고한 선행임에 틀림없다고 하였다. 즉 선원 A가 선원 B를 살리는 선택을 하였다면 그것을 윤리적으로 드높은 덕행이라 할 수 있다.

2. 정답 ④

난이도 ★☆☆ | 정답률 88%

내용영역 규범 | 문항 유형 정보의 추론과 해석

[정답 풀이]

④ 2문단에 따르면, 범죄는 '(1) 구성요건에 해당하고, (2) 위법하며, (3) 유책한 행위'라고 정의되는데, 이 세 가지 요소 가운데 하나라도 빠지면 성립하지 않는다. 선원 A의 행위에 대해 긴급피난이 성립하여 위법성이 없다고 파악하는 이(㉡)는 선원 A의 행위가 자기의 법익에 대한 현재의 위난을 피하기 위하여 한 상당한 이유가 있는 행위라고 볼 것이다. 즉 ㉡은 선원 A의 행위가 범죄의 성립요건 중 구성요건에는 해당하지만, 위법하다고 볼 수 없기 때문에 범죄가 성립하지 않는다고 보는 입장이다. 따라서 이미 선원 A의 행위에 위법성이 없어 범죄가 성립하지 않는다고 판단한 ㉡의 입장에서는 범죄 성립 여부를 판단하는 데 있어서 선원 A의 책임에 대한 문제까지 따질 필요가 없을 것이다.

[오답 풀이]

① 선원 A의 행위에 대해 정당방위가 인정된다고 생각하는 이(㉠)는 선원 A의 행위가 자기의 법익을 현재의 위법한 침해로부터 방위하기 위하여 한 상당한 이유가 있는 행위라고 볼 것이다. 따라서 이러한 정당방위의 요건에 따라 ㉠은 두 명을 수용할 수 없는 널판을 선원 A와 함께 계속 붙잡고 있는 선원 B의 행위가 위법한 침해라고 주장할 것이다.

② 3문단에 따르면, 정당방위란 자기 또는 타인의 법익을 현재의 위법한 침해로부터 방위하기 위하여 상당한 이유가 있는 행위를 하는 것이다. 즉 현재 자신에게 닥친 침해를 해결하고자 하는 행위이다. 따라서 ㉠은 선원 A의 행위가 현재 자기에게 닥친 침해를 해결하려 한 것이라고 주장할 것이다.

③ 선원 A의 행위에 대해 긴급피난이 성립하여 위법성이 없다고 파악하는 이(㉡)는 선원 A의 행위가 자기의 법익에 대한 현재의 위난을 피하기 위하여 한 상당한 이유가 있는 행위라고 볼 것이다. 3문단에 따르면, 긴급피난은 꼭 위법한 침해 행위로 일어난 위난에 대하여만 인정하는 것이 아니라는 점에서 정당방위와 다르다. 즉 긴급피난에서 말하는 위난에는 위법하지 않은 침해 행위로 일어난 위난도 포함되는 것이다. 따라서 ㉡은 선원 B의 행위가 위법한 침해라고 주장하지 않아도 된다.

⑤ 선원 A의 행위에 대해 정당방위가 인정된다고 생각하는 이(㉠)와 긴급피난이 성립하여 위법성이 없다고 파악하는 이(㉡)는 모두 선원 A가 현재 자신이 처한 위난을 해결하기 위해서 상당한 이유가 있는 행위를 하였다고 본 점에서 공통적이다. 따라서 ㉠과 ㉡은 모두 선원 A의 행위가 현재 직면한 위난을 해결하는 데 상당한 이유가 있는 것이었다고 볼 것이다.

3. 정답 ③

난이도 ★★☆ | 정답률 73%

내용영역 규범 | 문항 유형 정보의 추론과 해석

[정답 풀이]

③ 사례에서 선원 A는 자신의 생명에 대한 위난을 피하기 위해 선원 B의 생명을 침해하였다.
4~5문단에 따르면, 선원 A의 행위를 정당방위나 긴급피난으로 보아야 한다고 생각하는 이들이 있지만, 글쓴이는 A의 행위가 정당방위나 긴급피난에 해당하지 않는다고 보고 책임의 문제를 판단하였다. 이것은 A의 행위가 위법하다고 인정한 것이다. 만약 선원 A의 행위가 정당방위나 긴급피난에 해당하여 위법성이 없다고 보았다면 책임 유무를 따질 필요가 없었을 것이다. 따라서 선원 A의 책임 유무를 따지는 것은, 자신의 생명에 대한 위난을 피하기 위해 남의 생명을 침해한 행위가 위법하다고 인정되기 때문이다.

[오답 풀이]

① 일반적으로 범죄의 구성요건에 해당하지 않는 행위는 책임을 따질 필요가 없다. 하지만 이것이 선원 A의 책임이 인정되지 않는 이유는 아니다. 지문에 따르면, 선원 A의 행위는 사람(선원 B)을 살해한 행위이므로 범죄의 구성요건에 해당하지만, 그의 행위에 법적 비난의 가능성이 없기 때문에 선원 A의 책임이 인정되지 않는 것이다.

② 6문단에 따르면, 형법상 책임은 행위자에 대한 법적 비난 가능성의 문제로, 이는 구체적인 상황에서 행위자가 위법한 행위 말고 다른 행위를 할 수 있었겠는가 하는 기대 가능성으로 볼 수 있다. 즉 형법상 책임이 있다는 것은 적법한 다른 행위를 할 수 있는 상황임을 전제한다. 하지만 이 때문에 선원 A에게 책임이 있다고 볼 수는 없다. 선원 A는 선원 B를 밀어내는 행위 외에 적법한 다른 행위를 할 수 있는 상황이 아니었기 때문이다. 따라서 이러한 전제하에서 선원 A는 책임이 없다.

④ 6문단에 따르면, 책임은 적법한 행위를 할 수 있었는데도 위법한 행위를 한 데에 대하여 가해지는 법적 비난의 가능성을 말하는데, 이는 곧 책임이 위법성을 전제한다는 의미이다. 그러므로 선원 A의 행위에 대하여 책임의 문제를 검토하는 이유는 선원 B에 대한 선원 A의 행위가 정당방위로 볼 수 없는 위법한 행위이기 때문이다. 또한 유책하지 않은 행위에 대하여는 정당방위가 성립할 수 없다고 보는 것도 적절하지 않다. 6문단에 따르면, 책임의 문제는 위법성과 달리 개인의 특수성을 기준으로 판단된다. 따라서 유책하지 않은 행위라 할지라도 위법성이 있을 수도 있고 없을 수도 있다. 즉 어떤 행위가 행위자 개인의 측면에서 유책하지 않은 행위이더라도 행위의 측면에서는 정당방위가 성립하여 위법성이 인정되지 않을 수도 있고, 정당방위가 성립하지 않아 위법성이 인정될 수도 있는 것이다.

⑤ 6문단에 따르면, 위법성은 개인의 행위를 법질서와의 관계에서 판단하는 것이지만, 형법상 책임은 행위자에 대한 법적 비난 가능성의 문제이다. 즉 위법성은 행위에 대한 법규범적 판단인 데 반하여 책임은 행위자에 대한 법적 비난 가능성을 검토하는 것이다. 따라서 책임이 행위자에 대한 윤리적인 비난 가능성을 검토하는 것이라는 설명은 적절하지 않다.

[4~6] 제재 | 복지에 대한 도덕철학적 입장
난이도 | ★☆☆

4. 정답 ② 난이도 ★☆☆ | 정답률 85%

내용영역 규범 | 문항 유형 주제, 구조, 관점 파악

[정답 풀이]

② '욕구 충족 이론'은 개인이 욕구하는 것이 충족되는 정도에 따라 복지 수준이 결정된다고 본다. 이는 욕구가 충족되는 정도가 더 큰 사람일수록 그의 복지 수준이 높다는 것이다. 또한 많은 경제학자들은 이 이론을 바탕으로 복지 수준의 높고 낮은 정도를 평가할 수 있다고 보았다. 따라서 '욕구 충족 이론'은 개인들 간의 복지 수준을 서로 비교할 수 있다고 본다.

[오답 풀이]

① '쾌락주의적 이론'은 긍정적인 느낌으로 구성된 심리 상태인 쾌락의 정도가 복지 수준을 결정한다는 이론으로, 어떤 개인이 느끼는 쾌락이 증진될 때 그의 복지가 향상된다고 보았다. 따라서 '쾌락주의적 이론'은 개인의 쾌락이 감소하면 복지도 감소한다고 본다.

③ '객관적 목록 이론'은 개인의 삶을 좋게 만드는 목록을 기준으로 그것이 실현되는 정도에 따라 복지 수준이 결정된다고 보았는데, 이러한 목록에 포함되는 것들의 내재적 가치는 그것이 개인에게 쾌락을 주는지 여부와는 직접적 관련이 없다고 하였다. 이는 곧 쾌락과 복지 수준은 무관하다는 것을 의미한다. 따라서 '객관적 목록 이론'은 쾌락이 증가하더라도 복지 수준은 불변할 수 있다고 본다.

④ '객관적 목록 이론'은 개인의 삶을 좋게 만드는 목록을 기준으로 그것이 실현되는 정도에 따라 복지 수준이 결정된다고 본다. 그리고 그러한 목록에는 통상적으로 자율적 성취, 지식, 친밀한 인간관계, 미적 향유 등이 포함되며 그것들은 내재적 가치를 지닌다고 보았다. 따라서 '객관적 목록 이론'은 내재적 가치를 지닌 것들이 복지를 증진할 수 있다고 본다.

⑤ '합리적 욕구 충족 이론'은 개인들이 가진 모든 욕구들의 충족이 아니라, 관련된 정보에 입각하여 타인이 아닌 자기에게 이익이 되는 합리적인 욕구의 충족만이 복지에 기여한다고 보았다. 따라서 '합리적 욕구 충족 이론'은 모든 욕구의 충족이 복지에 기여하는 것은 아니라고 본다.

5. 정답 ⑤ 난이도 ★★☆ | 정답률 73%

내용영역 규범 | 문항 유형 정보의 확인과 재구성

[정답 풀이]

ㄴ. 3문단에 따르면, '욕구 충족 이론'은 우리가 직관적으로 복지의 증가에 해당한다고 믿는 모든 활동과 계기들이 쾌락이라는 심리 상태를 항상 동반하는 것은 아니라고 보았다. 또한 욕구의 대상이 현실에서 구현되는 것이 중요하지 그 구현 사실이 인식되어 개인들이 어떤 느낌을 갖게 되는 것이 필수적이지는 않다고 보았다. 이러한 관점은 복지에 기여하는 행위가 그 전후로 개인의 심리 변화를 유발하지 않아도 된다는 주장과 부합한다.

ㄷ. 2문단에 따르면, '욕구 충족 이론'은 사람들에게 좋은 것들을 찾아내는 방법을 알려주지만 그것들이 무엇인지를 말해 주지 않는다는 점에서 형식적인 복지 이론이다. 욕구하는 대상이 무엇이어야 한다는 것을 말해 주지 않는다는 점에서 그 대상 자체가 좋은 것인지는 고려하지 않았음을 알 수 있다. 또한 욕구한 것이 충족되면 복지 수준이 증진된다고 보는 입장에 따르면, 미적 향유가 복지에 기여했다는 것은 복지 수준의 증진이 미적 향유를 욕구하고 그것이 충족되었기 때문일 것이다. 따라서 이러한 관점은 미적 향유가 복지에 기여한다면 그 자체가 좋은 것이기 때문이 아니라 그것이 내가 원하는 것이기 때문이라는 주장과 부합한다.

[오답 풀이]

ㄱ. 2문단에 따르면, 욕구 충족 이론은 개인이 욕구하는 것이 충족되는 정도에 따라 복지 수준이 결정된다고 보았다. 이때 욕구의 충족 정도가 복지 수준을 '결정'한다는 것은 욕구가 충족되는 것만으로 복지가 증진된다는 것을 의미한다. 즉 욕구를 충족하는 것은 복지 증진의 충분조건이라고 할 수 있다. 따라서 욕구를 충족하는 것은 복지 증진의 필요조건이기는 하지만 충분조건은 아니라는 주장은 '욕구 충족 이론'의 관점과 부합하지 않는다.

6. 정답 ⑤ 난이도 ★★☆ | 정답률 78%

내용영역 규범 | 문항 유형 정보의 평가와 적용

[정답 풀이]

⑤ '욕구 충족 이론'의 관점에서는 개인이 욕구하는 것이 충족되면 복지가 증진된다. (다)에서 병이 흑인보다는 백인에게 의약품을 분배하기를 원한 것은 병이 욕구하는 것에 해당하며, 그래서 병이 백인에게만 그 의약품을 분배한 것은 병의 욕구가 충족된 것에 해당한다. 따라서 (다)는 '욕구 충족 이론'의 관점에서는 병의 복지가 증진된 사례가 될 수 있다.

[오답 풀이]

① '욕구 충족 이론'은 타인의 삶에 대해 내가 원하는 것이 이루어졌다고 할지라도 그것이 나의 복지 증진과는 무관할 수 있기 때문(㉠)에 모든 욕구의 충족이 복지에 기여하는 것은 아니라는 문제가 있다. (가)는 타인의 삶(우연히 만난 낯선 사람의 질병)에 대해 갑이 원하는 것(질병이 낫기를 간절히 원함)이 이루어졌지만 갑에게는 아무런 영향을 주지 않았다고 하여 타인의 삶에 대한 갑의 욕구 충족이 갑의 복지 증진과는 무관하다는 것을 보여준다. 따라서 (가)는 '욕구 충족 이론'의 문제점과 관련하여 ㉠의 사례로 활용할 수 있다.

② '쾌락주의적 이론'은 어떤 개인이 느끼는 쾌락이 증진될 때 그의 복지가 향상된다는 것이다. 하지만 (가)의 사례에서 갑은 자신이 간절히 원하였던 바대로 낯선 사람의 질병이 나았지만 그 사실을 전혀 몰랐으므로 아무런 영향도 받지 않았다. 즉 갑이 느끼는 쾌락이 증진되었다고 볼 수 없다. 또한 '합리적 욕구 충족 이론'은 개인들이 가진 모든 욕구들의 충족이 아니라 타인이 아닌 자기에게 이익이 되는 합리적인 욕구의 충족만이 복지에 기여한다고

본다. (가)에서 갑의 욕구는 자기에게 이익이 되는 합리적인 욕구라기보다는 타인에게 이익이 되는 욕구이다. 따라서 (가)는 '쾌락주의적 이론'과 '합리적 욕구 충족 이론' 모두의 관점에서 갑의 복지가 증진된 사례로 활용할 수 없다.

③ '욕구 충족 이론'은 개인이 일관된 욕구 체계를 갖고 있지 않아서 욕구들 사이에 충돌이 발생할 때 이를 해결하기 어렵다(ⓒ)는 문제가 있다. (나)에서 을은 A학점을 받기 위해 시험 전날 밤에 밤새워 공부하기를 원하는 욕구와 친구들과 어울리는 것이 좋아 밤늦게까지 파티에 참석하기 원하는 욕구 사이에서 충돌이 발생하자 이를 어떻게 해결해야 할지 갈등하고 있다. 따라서 (나)는 '욕구 충족 이론'의 문제점과 관련하여 ⓒ의 사례로 활용할 수 있다.

④ (나)에 나타난 을의 갈등은 A학점을 받기 위해 시험 전날 밤에 밤새워 공부하기를 원하는 것과 친구들과 어울리는 것이 좋아 밤늦게까지 파티에 참석하기 원하는 것 사이의 갈등이다. '객관적 목록 이론'은 개인의 삶을 좋게 만드는 목록을 기준으로 그것이 실현되는 정도에 따라 복지 수준이 결정된다고 보는데, 제시된 목록 중 을이 원하는 것은 각각 자율적 성취와 친밀한 인간관계에 해당한다고 볼 수 있다. 하지만 이러한 항목들 간의 우선순위에 대해서는 언급이 없다. 따라서 (나)에 나타난 갈등은 항목들 간의 우선순위를 설정하지 않은 '객관적 목록 이론'에서는 해결하기 어렵다.

[7~10] 제재 | 이청준, 「가면의 꿈」
난이도 | ★★★

7. 정답 ③

난이도 ★★☆ | 정답률 58%

내용영역 인문 | 문항 유형 주제, 구조, 관점 파악

[정답 풀이]

③ 「가면의 꿈」은 '그렇게 하여 그는 ~ 계단을 내려오곤 했다.', '지연은 보지 않아도 그것을 알고 있었다.'에서 알 수 있듯 3인칭 시점에서 서술되고 있다. 그런데 '명식'의 행동과 변화는 [B]와 같이 아내 '지연'의 시선에서 보이는 모습으로 서술되기도 한다. [B]의 경우 '명식'을 마주하는 상황에 놓인 것은 '지연'이다. 서술자는 이 상황을 서술할 때, '명식은 아직 변장을 풀지 않고 있었다. 그는 목소리가 너무 잔잔했다.'와 같이 '지연'의 관점에서 '명식'을 보고, '명식'의 행동에 대해 '지연'이 느끼는 것을 서술하여 상황을 전달한다. 따라서 [B]에서는 사건을 작중 상황 안에서 목격하는 인물은 '지연'이지만, 그 사건을 전달하는 것은 다른 부분과 마찬가지로 3인칭 시점의 서술자에 의해 서술되고 있다.

[오답 풀이]

① 인물 자신이 보고 들은 사건을 주관적 시각에서 직접적으로 서술하는 것은 1인칭 시점에 해당한다. 1인칭 시점은 서술자가 작품 안에 존재해야 하는데, [A]는 작품 밖의 서술자에 의해 서술되고 있는 3인칭 시점이다. 따라서 [A]는 인물 자신이 보고 들은 사건을 주관적 시각에서 직접적으로 서술한 것이 아니다.

② 독백적 발화란 인물이 혼잣말 하는 것처럼 말하는 것인데, [A]는 '지연'의 독백적 발화라고 볼 수 없다. 따라서 [A]가 지연의 독백적 발화를 통해 다른 인물, 즉 '명식'의 내면 심리를 생생하게 제시한 것이라고 볼 수 없다.

④ 작중 상황 안에 있는 것은 '명식'과 '지연'이고, 서술자는 작중 상황 밖에 위치한다. [B]에서 '변장을 풀지 않고 있었다.', '목소리가 너무 잔잔했다.' 등으로 보았을 때 서술자는 작중 상황을 전달할 뿐 인물의 심리를 추측하여 전달한다고 볼 수 없다. 따라서 [B]는 작중 상황 안의 서술자가 인물의 심리를 추측하여 전달함으로써 독자의 상상력을 제한한다고 볼 수 없다.

⑤ 서술자는 작중 상황 밖에 있고, 작중의 지연이라는 인물의 시선에서 비춰지는 상황에 대하여 서술할 뿐이다. 만약 서술자가 이동하였다면 작중 상황 밖에서 3인칭으로 서술하는 상황에서 서술자가 작중 상황 안으로 이동하여 작중의 인물로 등장해야 하지만 [B]에서는 서술자가 작중 상황 안으로 이동하였다는 정황이 나타나지 않는다. 따라서 [B]에서 서술자가 작중 상황 밖에서 인물의 행동과 심리를 전달하다가 작중 상황 안으로 이동하여 전달한다는 것은 적절하지 않다.

8. 정답 ③

난이도 ★☆☆ | 정답률 82%

내용영역 인문 | 문항 유형 정보의 추론과 해석

[정답 풀이]

③ 밤 외출을 마친 '명식'은 '지연'을 찾아 2층에서 1층의 '지연'이 있는 방으로 내려오고는 했다. '어떤 별난 밤' '지연'은 그녀의 방에서 '명식'을 기다리고 있었는데 그가 계단을 내려오는 기척이 없었다. '지연'은 불쑥 상서롭지 못한 예감이 들어 '명식'에게 변고가 생기지 않았나 싶은 마음에 '명식'을 살피러 2층으로 올라갔다. 즉 '지연'은 명식이 내려오지 않자 2층에서 갑작스러운 사고가 난 것은 아닌지 불길한 마음으로 올라간 것이다. 그런데 '지연'이 '방문 앞까지 다가갔을 때 방안의 반응은 그녀가 예상했던 것과는 너무도 딴판'이라고 하였다. 이는 방 안의 '명식'의 모습이 '지연'의 우려와는 달랐기 때문이다. '명식'은 술에 취해 있지도 않았으며, 목소리는 정연하고 조용했다. 따라서 ⓒ은 '지연'이 밤 외출을 마치고 내려오지 않는 '명식'에 대해 가지고 있던 불길한 예감이 들어맞지 않았음을 보여 주고 있다.

[오답 풀이]

① '지연은 이제 오히려 명식의 맨얼굴 쪽에서 어떤 불편스런 가면이 느껴지고 있을 지경이었다.'(㉠)는 것은 '지연'이 분장을 하지 않은 '명식'의 맨얼굴에서 어떤 불편스런 가면을 느끼고 있음을 의미한다. '지연'은 '명식'이 퇴근 후 '맨얼굴로 대문을 들어설 때의 표정이야말로 가면을 쓰고 있는 것처럼 뻣뻣하고, 변화 없고, 어떤 피곤기 같은 것이 온통 그를 가려 버리고 있는 듯한 느낌'을 받았다. 따라서 귀가할 때 다른 가면을 지어내는 '명식'에게 불편을 느끼고 있는 것이 아니라 귀가할 때 '명식'의 '맨얼굴'이 가면을 쓰고 있는 것처럼 느껴진다는 의미이다.

② '오늘 밤에도 또?'(ⓒ)라고 한 것은 과거에 외출을 마치고 2층으로 올라간 명식이 한참을 기다려도 1층으로 내려오지 않았던 때가

있었음을 의미한다. 즉 '명식'이 계단을 내려오는 기척이 없는 날이 '어떤 별난 밤' 이후 다시 일어난 것으로 보아야 한다. 따라서 ⓛ은 가면을 쓴 '명식'과의 대화가 누차 반복되었음을 나타내는 것이 아니다.

④ 명식은 '대낮은 얼굴이 너무 따가워서'(ⓡ) 자신뿐만 아니라 사람들이 '그 엄청난 대낮의 햇빛을' 견디어 낼 수 있도록 '제각기 자기의 가면을 든든하게 단련'시키고 있다고 보았다. 이때의 '가면'은 대낮을 견뎌야 하는 맨얼굴을 비유적으로 표현한 것이지, '명식'이 밤에 가발과 콧수염으로 하는 '변장'이 아니다. 따라서 ⓡ을 타인들의 시선 때문에 낮에도 변장을 하게 되었음을 의미한다고 보는 것은 적절하지 않다.

⑤ '지연이 보아 온 대로였다.'(ⓜ)는 것은 '명식'이 '지연'이 보아 온 대로 변장한 자신에 대하여 '전혀 이질감을 느끼지 않고 있'음을 의미한다. 지문에는 '명식'의 사회적 지위가 나타나지 않았으며, 이를 '지연'이 부정적으로 인식하는지도 알 수 없다. 따라서 ⓜ을 통해 '명식'의 사회적 지위에 대한 '지연'의 부정적 인식이 드러난다고 보는 것은 적절하지 않다.

9. 정답 ①

난이도 ★★☆ | 정답률 45%

내용영역 인문 | 문항 유형 정보의 추론과 해석

[정답 풀이]

① 2층은 명식의 서재가 있는 곳이자 지연이 쉽게 올라갈 수 없는 명식의 공간이므로 위층 인물은 명식이라 할 수 있다. 그리고 아래층에서 명식을 기다리는 것은 지연이므로 아래층 인물은 지연이다. ⓐ는 2층에서 변장을 하고 밤 외출을 하며 피곤을 씻은 명식이 지연이 있는 아래층 침실로 오는 것이라 할 수 있다. 지문에 의하면 지연은 명식이 밤 외출로 피로를 씻고 새 힘을 얻어 돌아오는 날에야 명식을 속속들이 다 만날 수 있게 되었다. 명식의 밤 외출을 알게되고 '지연에게도 한 가지 변화'가 생겼다. 지연은 '명식의 가면을 사랑하기 시작'했으며, '명식의 가면이 어느새 그렇게 익숙하게 느껴지기 시작'했다. 이러한 내용을 통해 명식을 대하는 지연의 태도가 변화한 것을 알 수 있다. 따라서 ⓐ는 아래층 인물이 위층 인물을 전과 달리 대하는 결과를 낳았다고 볼 수 있다.

[오답 풀이]

② ⓐ는 변장을 하고 밤 외출을 다녀와 휴식을 취한 후 피곤을 씻은 명식이 지연이 있는 아래층 침실로 내려 오는 것이다. 이때 명식은 변장을 벗고 본래의 모습으로 내려온다. 따라서 ⓐ가 위층 인물이 자신의 가면을 보여 주기 위하여 하는 행위라 보는 것은 적절하지 않다.

③ '명식'이 일상의 고단함을 탈피하기 위하여 하는 행위는 '가발과 콧수염으로 변장'을 하는 것이다. ⓐ는 '명식'이 변장을 통해 일상의 고단함을 씻어낸 후의 행동이다. 따라서 ⓐ가 위층 인물이 일상의 고단함을 탈피하기 위하여 하는 행위라 보는 것은 적절하지 않다.

④ ⓑ는 외출을 마친 남편이 평소와 달리 2층에서 아래층 지연이 있는 방으로 내려오지 않자 변고가 생기지 않았나 걱정스러운 마음이 들어 지연이 위층으로 올라가는 것이다. 지연은 위층의 남편에게 가는 것이 여자가 먼저 남편을 찾는 것처럼 보여 쑥스럽게 느껴졌지만 명식을 살피고 와야 한다고 생각했기 때문에 위층으로 올라가는 것이다. 즉 남편에 대한 걱정과 쑥스러움 사이의 갈등을 해소하고 남편을 보러 위층으로 올라가기로 결정한 것이라 볼 수 있다. 따라서 ⓑ를 내적 욕망과 행동의 괴리가 일어나게 하는 것으로 보는 것은 적절하지 않다.

⑤ 지연이 갖는 부부에 대한 전통적 관념은 아내는 남편을 기다리는 것이다. 그래서 지연에게 남편을 먼저 찾아가는 행동은 쑥스러움을 느끼게 하는 것이다. ⓑ의 행동을 하며 지연은 '여간 쑥스럽지 않았'다고 하였는데, 이는 부부에 대한 전통적 관념을 수용하고 있기 때문이다. 따라서 ⓑ를 지연이 부부에 대한 전통적 관념을 비판적으로 인식하게 하는 것으로 볼 수 없다.

10. 정답 ①

난이도 ★★☆ | 정답률 47%

내용영역 인문 | 문항 유형 정보의 평가와 적용

[정답 풀이]

① '지연'은 '변장을 하고 있을' '명식'의 얼굴을 보기가 두려워 멀찌감치 떨어져 있는 의자에 앉았다. 이때 '지연'이 본 것은 변장을 한 '명식'이다. 한편 <보기>에 의하면 '변신'은 갈등의 일시적 해소에 불과할 뿐이며, 갈등을 극복할 수 있는 길은 참된 자아의 진실을 근거로 하여 갈등에 맞서는 것이다. 그러므로 '지연'이 본 변장을 한 '명식'의 모습은 참된 자아의 모습이 아니다. 따라서 '지연'이 '명식'과 멀찌감치 떨어져 있는 의자에 앉은 것이 '명식'의 참된 자아를 발견할까 두려웠기 때문이라는 것은 적절하지 않다.

[오답 풀이]

② <보기>에 의하면 인물의 '변신'은 그가 겪는 갈등의 크기를 드러내고 그것을 해소하려는 깊은 소망을 내보이는 방편이다. 이에 따를 때 변장을 한 '명식'의 밤 외출이 잦아지는 것은 그만큼 갈등이 커진다는 것을 의미한다. 따라서 '명식'의 밤 외출이 잦아지는 것은 현실 세계와의 불화로 인한 갈등이 고조됨을 우회적으로 나타내는 것이라 볼 수 있다.

③ <보기>에 의하면 변신은 갈등을 해소하려는 소망을 내보이는 방편일 뿐, 갈등을 완전히 극복할 수 있는 것은 아니다. 갈등을 극복할 수 있는 길은 참된 자아의 진실을 근거로 하여 그것에 맞서는 것이다. 그런데 '명식'이 가면의 눈물은 속으로만 흐른다고 한 것은 갈등을 해소하려는 소망은 있지만, '명식'은 참된 자아는 가면 뒤에 숨기고 있음을 의미한다. 따라서 이는 '명식'이 참된 자아를 숨긴 채 살아가는 자기 삶에 대한 고백이라 할 수 있다.

④ <보기>에 의하면 '명식'의 변장은 갈등을 해소하려는 깊은 소망을 내보이는 방편으로, 상상적 희망을 나타내는 기호이다. '지연'은 '명식'의 가면을 똑똑히 보지 않고도 '명식의 가면'을 사랑하기 시작했고, 만나고 싶어 했다. 또한 '명식'의 동기까지를 포함하여 명식의 가면을 익숙하게 느끼는 자신을 스스로 수긍하고 있었으며, '명식'의 변장한 모습을 보지 않고도 '그 명식의 얼굴을 자신 속에다 깊이 지녀 버리고' 있었다. 즉 '명식'의 상상적 희망을 나타내는 '변장'한 모습을 '지연'은 받아들이고, 그런 '명식'을 기다

리고 있는 것이다. 따라서 '명식'의 가면을 똑똑히 보지 않고도 그를 기다리는 '지연'의 행동을 통해 '명식'의 상상적 희망을 자기화했다고 볼 수 있다.

⑤ <보기>에 의하면 변신은 가짜 해결의 속임수이다. 즉 변신은 인물이 놓인 갈등을 해결하는 것이 아니라 일시적 해소 효과만 지닌다. 지문에 의하면 '명식'은 변장을 하고서야 휴식을 취하고 편안히 쉬며, 이러한 자신의 모습에 대하여 이질감을 느끼지 않는다. 그러나 변신은 일시적 갈등 해소만 있는 가짜 해결의 속임수에 불과하다. 따라서 '명식'이 변장을 하고 외출을 하거나 휴식에 취하며, 그 모습에 대해 전혀 이질감을 느끼지 않는 것은 변신이라는 일시적 속임수에 도취되었음을 의미한다.

[11~13] 제재 | 공화주의와 헌정주의적 수단
난이도 | ★★☆

11. 정답 ⑤

난이도 ★☆☆ | 정답률 81%

내용영역 규범 문항 유형 정보의 확인과 재구성

[정답 풀이]

⑤ 3문단에 따르면, 통치자의 선출과 정치적 지분의 할당을 통해 경쟁적 사회 집단 사이에 이해관계의 균형을 도모하는 것은 로마의 혼합정체 이래 지속 가능한 공화국의 골자를 이루게 되었다. 여기에서 경쟁적 사회 집단 사이에 이해관계의 균형을 도모하는 것은 곧 공화국의 대내적 균형을 확보하는 것이라 할 수 있다. 이때 로마의 혼합정체는 공화국의 경쟁적 사회 집단 사이에 이해관계의 균형을 도모해 온 정부 형태라는 점에서 공화국의 대내적 균형을 확보해주는 장치라 할 수 있다.

[오답 풀이]

① 1문단에 따르면, 외세의 침략 위험에 맞서 충분한 안전을 시민에게 제공하기 위해서는 공화국의 크기가 커야 한다. 따라서 광대한 영토를 지닌 공화국은 영토가 작은 공화국보다 대외적 방어에 유리할 것이다.

② 4문단에 따르면, 공화주의는 공동체적 삶의 향배를 시민의 손에 맡기고자 하는 사상이다. 반면 자유주의는 국가로부터 개인의 권리를 보호하고자 한다. 즉 공화주의는 개인으로서의 삶을 중시하고 있는 자유주의와는 구분된다고 할 수 있다. 또한 공화주의가 공동선을 추구하는 시민의 정치 참여에 기초하여 공동체적 삶에서 자의적 권력에 의한 지배를 배제하고 자치를 실현하고자 하는 사상이라는 점에서 공화주의자는 시민으로서의 삶보다 개인으로서의 삶을 중시한다고 할 수 없다.

③ 1문단에 따르면, 『페더럴리스트 페이퍼』의 저자들은 연방 공화국의 형태가 파벌 지도자의 영향력이 확산되지 못하게 막는 분할의 이익과 한데 뭉쳐 외부의 적에 대항하도록 하는 결집의 이익을 함께 가져다 줄 수 있으므로 공동체의 형태로 적합하다고 보았다. 파벌이 우정과 연대의 공적 정신을 훼손시킬 수 있다는 점에서 이러한 파벌의 영향력을 통제하는 분할의 이익은 연대를 추구하는 것이라 할 수 있으며, 결집의 이익은 외부의 위협으로부터 공동체를 방어한다는 점에서 안전을 추구하는 것이라 할 수 있다. 이처럼 『페더럴리스트 페이퍼』의 저자들은 분할의 이익과 결집의 이익 모두를 추구하고 있으므로 이들이 안전보다 연대를 더 추구하였다고 할 수 없다.

④ 1문단에 따르면, 연방주의자인 『페더럴리스트 페이퍼』의 저자들은 연방 공화국의 형태가 파벌의 확산을 막는 분할의 이익과 대외적 안전을 도모하는 결집의 이익을 함께 가져다 줄 수 있으므로 공화주의의 이념을 실현하기에 적합하다고 보았다. 따라서 연방 공화국의 형태는 공동체 내부의 부패와 대외적 취약성을 둘러싼 공화주의의 정치적 딜레마를 극복할 수 있는 대안으로 제시된 것이라 할 수 있다. 즉 연방주의자는 공화주의의 딜레마가 지닌 정치적 함의를 간과한 것이 아니라 해결하고자 하였음을 알 수 있다.

12. 정답 ③

난이도 ★★☆ | 정답률 73%

내용영역 규범 문항 유형 주제, 구조, 관점 파악

[정답 풀이]

③ 1문단에 따르면, 파벌의 통제는 공동선을 추구하는 시민적 덕성이 제대로 발휘될 때 가능한 것으로, 이를 위해서는 공화국의 크기가 작아야 한다. 반면 공화국의 크기가 커지면 사람들이 우정과 연대의 공적 정신을 유지하기 더 어려워지고 파벌의 통제 또한 어려워진다. 그리고 이로 인한 파벌의 형성은 공동체 내부의 부패를 초래할 수 있어, 연방주의자들은 연방 공화국의 형태를 통해 공화주의의 이러한 문제를 해결하고자 하였다. 따라서 파벌로 인한 공동체 내부의 위협은 소규모의 파벌이 광대한 영역 기반의 대규모 파벌로 커질 때 오히려 증가한다고 보는 것이 연방주의자들의 생각이라 할 수 있다.

[오답 풀이]

① 3문단에 따르면, 연방주의자들이 연방 공화국의 정부 형태를 출범시키기 위해 구상한 헌법의 개념은 오늘날 지극히 법적인 의미로 이해되는 헌법의 개념과는 달리 정치적인 의미의 것이었다. 법적인 의미의 헌법 개념은 18세기 후반에 비로소 등장하게 되었는데 이러한 헌법 개념은 당시 미국의 공화주의적 헌법을 구상하는 과정에서조차 의도되었던 바가 아니다. 즉 공화주의적 헌법을 구상했던 연방주의자들이 여전히 정치적 의미의 헌법 개념을 취했다는 점에서 연방주의자들은 연방 공화국의 정치 형태를 출범시키기 위해서 헌법의 개념이 변해야 하는 것은 아니라고 생각했다고 할 수 있다.

② 2문단에 따르면, 연방주의자들은 광대한 영토 위에서 공화주의 정부를 유지하기 위해 연방공화국의 형태에 헌정주의적 요소를 가미한, 이른바 연방이라는 헌정체제를 통해 파벌과 전제적 다수의 출현을 방지하고자 했다. 따라서 연방주의자들은 선출된 대표가 파벌 지도자로 변질되는 것을 연방이라는 헌정체제를 통해 견제할 수 있다고 보았을 것이다.

④ 1문단에 따르면, 연방주의자들은 연방 공화국의 형태가 광대한 영토를 기반으로 하지만 파벌 지도자의 영향력이 확산되지 못하게 막는 분할의 이익을 가져다 줄 것이라 생각했다. 이는 공화국의 규모가 커지면 공동체에 대한 시민들의 이해관계가 복잡해지고

구성원들의 사회적 다양성도 커져서 정치적 분열이 초래될 것임을 고려한 것이다. 그리고 이러한 정치적 분열의 상황에서는 다수가 전횡을 일삼는 전제적 다수가 형성되기 어려울 것이라고 여겼기 때문에 연방주의자들은 연방 공화국의 형태를 통해 공화주의의 딜레마를 해결할 수 있다고 본 것이다.

⑤ 2문단에 따르면, 연방주의자들은 파벌과 전제적 다수의 출현을 방지하기 위하여 대의제와 권력분립 등 헌정주의적 요소를 가미해야 한다고 본다. 그런데 4문단에 따르면, 연방주의자들이 공화주의의 가치를 지키기 위해 제안한 헌정주의적 수단들은 역으로 공화주의의 핵심적 목적과 충돌하는 결과를 초래하기도 하였다. 그리고 그 대표적인 예가 시민의 대표들이 다수결로 도출하는 합의를 불신한다는 점이다. 이는 인간이란 원래 공동체 내에서 파벌을 형성하려는 성향이 있으며, 이를 견제하고자 하는 연방주의자들의 입장이 반영된 것이라 할 수 있다. 따라서 연방주의자들은 파벌의 싹이란 근절될 수 없는 인간의 본성임을 인정하고, 연방 제도와 헌정주의적 요소 등의 제도적 장치를 갖추어 이에 대응하고자 했다고 볼 수 있다.

13. 정답 ① | 난이도 ★★☆ | 정답률 47%

(내용영역) 규범 | (문항 유형) 정보의 추론과 해석

[정답 풀이]

4문단의 헌정주의적 수단들(㉠)이란 공화주의를 위하여 제안되는 것인데, 법적인 의미로 헌법을 이해했을 때 이러한 수단들은 시민의 정치 참여에 기초하여 자치를 실현하고자 하는 공화주의의 핵심적 목적과 충돌하게 된다. 그 예로 ㉠의 하나인 법률의 헌법 기속 개념은 기본적으로 시민의 대표들이 다수결로 도출하는 합의를 불신한다. 따라서 ㉠에 대한 진술 또한 다수결로 도출되는 합의를 불신하는 입장을 취해야 한다.

① 정치적 대표를 선출하는 투표 과정은 곧 다수결로 도출하는 합의에 기초한 것이라 할 수 있으며 ㉠은 이러한 합의를 불신한다. 이렇듯 정치적 대표를 선출하는 투표 과정에 대해 불신하고 있다면 공적인 토론의 과정을 정치적 대표를 선출하는 투표 과정으로 대체하지 않을 것이다. 따라서 ㉠에 대한 진술로 적절하지 않다.

[오답 풀이]

② 의회는 시민의 대표들이 다수결로 도출하는 합의에 의해 법률을 제정하는데, 이러한 의회의 결정 권한에 대한 제한을 헌법적 가치 선언을 통해 공식화하는 것은 곧 법률의 헌법 기속 개념이라 할 수 있다. 이는 다수결로 도출하는 합의를 불신하는 것이다. 따라서 ㉠에 대한 진술로 적절하다.

③ 성문화된 헌법이 최고법적 효력으로 인해 민주주의와 긴장 관계에 놓인다는 것은, 헌법이 시민의 대표들이 다수결로 도출하는 합의를 심사하고 이러한 합의의 실현을 제한할 수 있음을 의미한다. 이는 시민의 대표들이 다수결로 도출하는 합의를 불신하는 것이다. 따라서 ㉠에 대한 진술로 적절하다.

④ 대통령의 법률안 거부권을 인정하는 것은 입법부에 대한 행정부의 견제로, 시민의 대표들이 다수결로 도출하는 합의로 이루어진 의회의 결정을 불신하는 것이다. 더욱이 헌정주의적 수단들(㉠)이 전제적 다수의 출현을 방지하여 공화주의의 이상을 실현하기 위한 것이라는 점에서 상호 견제를 통한 권력의 제한을 꾀한 것은 ㉠에 대한 진술로 적절하다.

⑤ 법의 지배는 그 누구의 지배도 아니라는 입장에서는 시민의 대표들이 다수결로 도출하는 합의를 불신할 수 있다. 다수결로 도출된 합의일지라도 특정한 집단의 자의적 권력, 즉 전제적 다수에 의한 것일 수 있기 때문이다. 그리고 이는 자의적 권력의 지배를 거부하는 공화주의의 이념과 연결된다. 따라서 다수결로 도출된 합의를 불신하는 ㉠에 대한 진술로 적절하다.

[14~17] 제재 | 금융위기의 원인
난이도 | ★☆☆

14. 정답 ⑤ | 난이도 ★★☆ | 정답률 71%

(내용영역) 사회 | (문항 유형) 주제, 구조, 관점 파악

[정답 풀이]

⑤ '자기 실현적 예상'이라 불리는 현상을 강조하는 시각(㉠)은 은행의 지불능력이 취약하다고 많은 예금주들이 예상하게 되면 실제로 은행의 지불능력이 취약해지는 현상, 즉 자기 실현적 예상을 강조하는 시각이다. 이에 따르면, 경제 주체들의 예상, 즉 은행의 지불능력이 취약하다는 예상에 따른 경제주체의 행동이 그대로 실현된 결과가 금융위기라고 본다. 한편 이상 과열을 강조하는 시각(㉣)은 이와 달리 경제 주체의 행동이 항상 합리적으로 이루어지는 것은 아니라는 관찰에 기초한 시각이다. 예를 들어 많은 사람들은 자산 가격이 일정기간 상승하면 앞으로도 계속 상승할 것이라고 예상하고 이 경우 부채의 증가를 낳으며 이는 다시 자산 가격의 더 큰 상승을 낳는다. 이러한 상승작용으로 인해 거품이 커지는데, 이 거품이 터지면 금융 시스템이 붕괴하고 금융위기가 일어난다. 즉 ㉣은 경제 주체들의 예상인 자산 가격의 상승이 그대로 실현되지 않은 결과가 금융위기라고 본다.

[오답 풀이]

① 은행이 예금의 일부만을 지급준비금으로 보유하는 부분준비제도에서는 예금주들의 예금 인출이 쇄도하였을 때, 이 예금 인출 요구를 충족시키기 위해 현금 보유량을 늘려야 하므로 은행의 채권이나 주식, 부동산 같은 자산을 매각하려고 한다. 은행들의 자산 매각은 자산 가격의 하락으로 이어지므로 은행들의 지불능력이 실제로 낮아진다. '자기 실현적 예상'이라 불리는 현상을 강조하는 시각(㉠)은 이에 입각하여 금융위기를 설명한다. 따라서 ㉠은 부분준비제도라는 시스템의 제도적 취약성으로 인해 나타나는 예금주들의 행동에 주목하여 금융위기를 설명한다고 볼 수 있다.

② 주식회사의 주주들은 회사의 자산 가치가 부채액보다 커질수록 주주에게 돌아올 이익은 커진다. 반면 유한책임을 지기 때문에, 회사가 파산할 경우에 주주의 손실은 투자한 금액으로 제한된다. 따라서 주주들은 수익에 대해서는 민감하지만 위험에 대해서는 둔감하여 고위험 고수익 사업을 선호한다. 또한 부채비율이 매우

높은 주식회사 형태를 띠는 은행의 경우 자기자본비율이 낮을수록 고위험 고수익 사업을 선호하게 된다. 이는 결과적으로 주주들이 더 높은 수익을 얻기 위해 감수해야 하는 위험을 예금주인 채권자에게 전가하는 것이다. 따라서 은행의 과도한 위험 추구를 강조하는 시각(㉡)은 은행의 경영자들이 예금주들의 이익보다 주주들의 이익을 우선한다는 전제하에 금융위기를 설명한다고 볼 수 있다.

③ 은행가의 은행 약탈을 강조하는 시각(㉢)은 은행가가 자신에게 돌아올 이익을 추구하여 은행에 손실을 초래하는 행위를 선택한 결과 금융위기가 발생했다고 본다. 지배 주주나 고위 경영자의 지위를 가진 은행가가 자신이 경영하는 은행으로부터 남보다 유리한 조건으로 대출을 받는다거나, 장기적으로는 은행에 손실을 입히나 자신의 성과급을 높이기 위해 단기적인 성과만을 추구하는 행위 등이 은행에 손실을 초래하는 행위에 해당한다. 따라서 ㉢은 지배 주주나 고위 경영자와 같은 은행의 일부 구성원들의 이익 추구가 은행을 부실하게 만들 가능성에 기초하여 금융위기를 이해한다고 볼 수 있다.

④ 이상 과열을 강조하는 시각(㉣)은 경제 주체의 행동이 항상 합리적으로 이루어지는 것은 아니라는 관찰에 기초하고 있다. 금융위기 발생 원인을 밝히기 위해 관찰 사실들로부터 보편적인 원리를 정립한 이러한 관점은 귀납적 접근에 기초하였다고 볼 수 있다. 따라서 ㉣은 경제 주체의 행동에 대한 귀납적 접근에 기초하여 금융위기를 이해한다고 볼 수 있다.

15. 정답 ⑤ 난이도 ★☆☆ | 정답률 82%

내용영역 사회 문항 유형 정보의 확인과 재구성

[정답 풀이]

⑤ 주식회사에서 주주들은 회사의 모든 부채를 상환하고 남은 자산의 가치에 대한 청구권을 갖는 존재이다. 따라서 회사의 자산 가치와 부채액 사이의 차이가 커질수록 주주에게 돌아올 이익은 커진다. 한편 주주들은 회사에 유한책임을 지므로 회사가 파산한다고 해도 주주의 손실은 그 회사의 주식에 투자한 금액으로 제한된다. 그러므로 주주들은 수익을 높일 수 있는 고위험 고수익 사업을 선호하게 된다. 따라서 주주들은 고위험 고수익 사업이 회사의 자산 가치와 부채액 사이의 차이를 커지게 할 가능성을 높이기 때문에 선호한다.

[오답 풀이]

① 회사가 파산할 경우, 주주의 손실은 그 회사의 주식에 투자한 금액으로 제한된다. 즉 파산한 회사의 자산 가치보다 부채액이 커도 주주들은 유한책임을 질 뿐이므로, 자신이 투자한 금액만큼의 손실만 진다. 따라서 파산한 회사의 자산 가치가 부채액에 못 미칠 경우에 주주들이 져야 할 책임은 한정되어 있다.

② 주식회사에서 주주들은 회사의 모든 부채를 상환하고 남은 자산의 가치에 대한 청구권을 갖는 존재이다. 즉 회사의 자산 가치에서 부채액을 뺀 값이 0보다 클 경우, 주주들은 그 값에 대해 청구권을 갖는다. 따라서 이 경우에, 남은 자산은 원칙적으로 주주의 몫이 된다.

③ 회사가 파산할 경우에 주주의 손실은 그 회사의 주식에 투자한 금액으로 제한된다. 즉 주주들은 회사가 파산한다 하더라도 주식에 투자한 금액 이외에 추가적인 책임을 지지 않아도 된다. 따라서 회사가 자산을 다 팔아도 부채를 갚지 못할 경우에, 남은 부채액에 대해서는 주주들의 이해와 무관하다.

④ 주식회사의 경우 회사의 자산 가치가 부채액보다 더 커질수록 주주에게 돌아올 이익도 커지지만, 회사가 파산할 경우 주주의 손실은 그 회사의 주식에 투자한 금액으로 제한된다. 이러한 이익구조로 인해 주주들이 선호하는 고위험 고수익 사업이 성공한다면 회사의 수익이 크게 늘어나며 주주에게 돌아올 이익도 커진다. 반면 실패할 경우 주주의 손실은 회사에 투자한 금액으로 제한되지만, 회사의 경우 큰 손실을 입을 가능성이 높다.

16. 정답 ⑤ 난이도 ★★☆ | 정답률 86%

내용영역 사회 문항 유형 정보의 평가와 적용

[정답 풀이]

⑤ <보기>의 사례에서 경제 주체들은 가격 상승이 지속될 것을 예상하고 빚을 얻어 자산을 구입하였고, 정부 역시 자산 가격의 상승 상황이 지속될 것이라 보고 규제를 완화하였으며, 저축대부조합 역시 거품이 터질 것이라 예상하지 않고, 상황을 낙관적으로 보아 고위험채권에 투자하였다. 이상 과열을 강조하는 시각(㉣)은 자산 가격 상승으로 인한 부채의 증가, 이로 인한 더 큰 자산 가격의 상승으로 인해 거품이 커지는 과정에서 경제 주체들의 부채가 증가해 금융 시스템을 취약하게 만들어 거품이 터졌을 때 금융 시스템이 붕괴하고 금융위기가 일어난다고 본다. 따라서 ㉣은 <보기>의 사례에 대하여, 차입을 늘린 투자자들, 고위험채권에 투자한 저축대부조합들, 규제를 완화한 정부 모두 낙관적인 투자 상황이 지속될 것이라고 예상한 점을 들어 그 경제 주체 모두를 비판할 것이다.

[오답 풀이]

① '자기 실현적 예상'이라 불리는 현상을 강조하는 시각(㉠)은 예금주들의 예상이 바뀌어 예금 인출이 쇄도하는 사태로 인해 금융위기가 발생한다고 본다. 이에 의하면 고위험채권에 투자한 정도와 고위 경영자들에게 성과급 형태로 보상을 지급한 정도가 비례했다는 점을 들어 은행의 고위 경영자들을 비판하는 것은 적절하지 않다. 이는 오히려 은행가가 장기적으로 은행에 손실을 초래할 것을 알면서도 자신의 성과급을 높이기 위해 단기적인 성과만을 추구하는 행위를 한 것이므로, 은행가의 은행 약탈을 강조하는 시각(㉢)에서 <보기>의 사례를 평가한 것으로 적절하다.

② 은행의 과도한 위험 추구를 강조하는 시각(㉡)은 주주들의 이익을 위해 은행이 고위험 고수익 사업을 선호하고, 이에 대한 위험을 채권자인 예금주에게 전가한다는 입장이다. 따라서 ㉡이 부동산 가격 상승에 대한 기대 때문에 예금주들이 빚을 늘려 은행이 위기에 빠진 점을 들어 예금주의 과도한 위험 추구 행태를 비판하는 것은 적절하지 않다. 부동산 가격 상승에 대한 기대 때문에 예금주들이 빚을 늘려 은행이 위기에 빠진 점을 들어 <보기>의 사례를 평가하는 것은 이상 과열을 강조하는 시각(㉣)에 더 적합하다.

③ <보기>를 통해 예금주들이 주인이 되는 상호회사 형태였던 저축대부조합들 중 다수가 주식회사 형태로 전환하였고, 이들은 고위험채권투자를 감행하였음을 알 수 있다. 또한 파산 전 대주주와 경영자들에 대한 보상이 대폭 확대되었다는 것도 알 수 있다. 이러한 사실들은 결국 저축대부조합들의 파산으로 연결된다. 이때 주주들은 유한책임을 지므로 주식에 투자한 금액으로 손실이 제한되지만, 예금주는 예금을 지급받지 못하게 되므로 주식회사로 전환하여 고위험채권투자를 감행한 것이 예금주의 이익을 더욱 증가시켰다고 볼 수 없다. 따라서 은행가의 은행 약탈을 강조하는 시각(㉢)은 저축대부조합들이 주식회사로 전환한 것이 예금주의 이익을 더욱 증가시켰다고 은행을 옹호할 것이라 보는 것은 적절하지 않다.

④ 은행가의 은행 약탈을 강조하는 시각(㉢)은 은행가가 자신에게 돌아올 이익을 추구하여 은행에 손실을 초래하는 행위를 선택하는 것이다. 이 입장에 의하면 <보기>의 사례에 대하여 은행가의 행위에 대한 비판을 해야한다. 따라서 ㉢이 저축대부조합이 고위험채권에 투자하는 공격적인 경영을 한 점을 들어, 예금주들을 비판하는 것은 적절하지 않다.

17. 정답 ② 난이도 ★★☆ | 정답률 68%

내용영역 사회 문항 유형 정보의 평가와 적용

[정답 풀이]

② 예금은 만기가 없고 선착순으로 지급하는 독특한 성격의 채무이므로, 지불능력이 취약해져서 은행이 예금을 지급하지 못할 것이라고 예상하게 된 사람이라면 남보다 먼저 예금을 인출하려 한다. ㉠은 예금주들의 인출 요구를 충족시키기 위해 은행이 자산을 매각하려고 하면 자산 가격이 하락하게 되므로 은행들의 지불능력은 실제로 낮아져 금융위기로 이어질 수 있다고 본다. 그런데 예금주들의 예금을 보호하여 인출 쇄도를 막기 위한 예금 보험 제도의 보장 대상에서 일정 금액 이상의 고액 예금을 제외한다면, 지불능력이 취약해질 것을 우려한 고액 예금주들의 인출요구가 있을 경우, 은행은 이를 충족시키기 위해 매각해야 할 자산이 더 많아질 것이고, 결과적으로 은행들의 지불능력이 낮아져 은행 위기가 오고 이는 금융위기로 이어질 수 있다. 따라서 일정 금액 이상의 고액 예금을 예금 보험 제도의 보장 대상에서 제외하는 정책은 ㉠에 따른 대책이라고 볼 수 없다.

[오답 풀이]

① ㉠은 예금주들의 인출 요구를 충족시키기 위해 은행이 자산을 매각하려고 하면 자산 가격이 하락하게 되므로 은행들의 지불능력은 실제로 낮아져 금융위기로 이어질 수 있다고 본다. 예금 지급을 보장하는 예금 보험 제도가 있다면, 은행의 지불능력이 취약해 진다고 해도 보험을 통해 예금이 보장되므로 예금주들의 예금 인출이 쇄도하지 않을 것이다. 따라서 은행이 파산하는 경우에도 예금 지급을 보장하는 예금 보험 제도는 ㉠에 따른 대책이다.

③ ㉡은 은행의 자기자본비율이 낮을수록 고위험 고수익 투자를 감행하게 되고 이는 금융위기로 이어질 수 있다고 본다. 은행들로 하여금 자기자본비율을 일정 수준 이상으로 유지하도록 하는 건정성 규제는 과도한 고위험 고수익 사업을 막고 부채비율을 줄여 금융위기 발생 가능성을 낮춘다. 따라서 건전성 규제는 ㉡에 따른 대책이다.

④ ㉢은 은행가가 은행에 대한 지배력을 사적인 이익을 위해 사용하여 은행의 위기가 발생할 수 있다고 본다. 그런데 금융 감독 기관이 은행 대주주의 특수 관계인들의 금융 거래에 대해 공시 의무를 강조하는 정책은 은행가들이 자신이 지배하는 은행으로부터 남보다 유리한 조건으로 대출을 받는다거나, 지배 주주나 고위 경영자의 지위를 가진 은행가가 은행에 대한 지배력을 사적인 이익을 위해 사용하지 못하게 하는 약탈 방지의 효과가 있다. 따라서 금융 감독 기관이 은행 대주주의 특수 관계인들의 금융 거래에 대해 공시 의무를 강조하는 정책은 ㉢에 따른 대책이다.

⑤ ㉣은 경제 주체의 행동이 항상 합리적으로 이루어지는 것은 아니어서, 자산 가격의 상승은 부채의 증가를 낳고 이는 다시 자산 가격의 더 큰 상승을 낳아 거품을 형성한다고 본다. 과도하게 늘어난 부채는 금융 시스템을 취약하게 만들게 되므로, 거품이 터졌을 때 금융 시스템이 붕괴하고 위기가 일어날 가능성을 높인다. 따라서 주택 가격이 상승하여 서민들의 주택 구입이 어려워질 때 담보가치 대비 대출 한도 비율을 줄이는 정책은 부채를 줄임으로써 자산 가격의 더 큰 상승을 막으므로 ㉣에 따른 대책이라 할 수 있다.

[18~20] 제재 | 지구와 성운 사이의 거리 측정
난이도 | ★★☆

18. 정답 ② 난이도 ★★☆ | 정답률 78%

내용영역 과학기술 문항 유형 정보의 확인과 재구성

[정답 풀이]

② 성운이 우리 은하 내에 존재하는 먼지와 기체들이고 별과 그 주위의 행성이 생성되는 초기 모습이라고 주장한 가설이 있었다. 그런데 1920년대에 허블이 안드로메다 성운에 속한 세페이드 변광성을 찾아내어 그 거리를 계산한 결과 지구와 안드로메다 성운 사이의 거리가 우리 은하 지름의 열 배에 이른다는 것이 밝혀져, 성운이 우리 은하 바깥에 존재하는 독립된 은하임이 분명해졌다. 따라서 안드로메다 성운은 별 주위에 행성이 생성되는 초기의 모습이 아니라 독립된 은하이다.

[오답 풀이]

① 지구와 성운과의 거리를 계산한 결과에 의하면 성운은 우리 은하 바깥에 존재하는 독립된 은하로 밝혀졌다. 이를 주장한 학자들에 따르면 성운은 우주 전체에 고루 퍼져 있다. 따라서 성운은 우주 전체에 고루 퍼져 분포한다.

③ 2문단에 따르면, 성운이 은하의 납작한 면 바깥에서는 많이 관찰되지만 정작 그 면의 안에서는 거의 관찰되지 않는다는 사실을 알 수 있다. 따라서 밤하늘을 관찰할 때 은하수 안, 즉 은하 안보다 밖에서 성운이 더 많이 관찰됨을 알 수 있다.

④ 지구와 별들의 거리를 대략적으로 측정한 결과 별들이 전체적으로 납작한 원반 모양이지만 가운데가 위아래로 볼록한 형태를 이루며 모여 있음을 알게 되었다. 지구는 원반의 내부에 위치해 있는데, 이 때문에 지구에서 사방을 바라본다면 원반의 납작한 면과 나란한 방향으로는 별이 많이 관찰되고 납작한 면과 수직인 방향으로는 별이 적게 관찰된다. 이는 밤하늘에 보이는 은하수의 특징과 일치한다. 따라서 밤하늘에 은하수가 관찰되는 이유는 우리 은하가 원반 모양이기 때문임을 알 수 있다.

⑤ 성운이 별이 형성되는 초기의 모습이 아니라 독립된 은하라고 주장한 학자들은, 원반 모양의 우리 은하를 멀리서 비스듬한 방향으로 보면 타원형이 되는데, 많은 성운들도 타원 모양을 띠고 있으므로 우리 은하처럼 독립적인 은하일 것이라고 생각하였다. 따라서 타원 모양의 성운은 성운이 독립된 은하라는 가설을 뒷받침하는 증거라 할 수 있다.

19. 정답 ②

난이도 ★★☆ | 정답률 47%

내용영역 과학기술 | 문항 유형 정보의 추론과 해석

[정답 풀이]

ㄴ. 지구와 별들의 거리를 측정하기 위해서는 별의 '고유 밝기'와 '겉보기 밝기'를 이용한다. 지구에서 관측되는 '겉보기 밝기'는 거리의 제곱에 비례하여 어두워진다는 사실을 이용하여 별들의 거리를 대략적으로 측정하는 것이다. 이를 바탕으로 하나의 세페이드 변광성의 거리를 알 때 다른 세페이드 변광성의 거리는 그 밝기 변화 주기로부터 고유 밝기를 밝혀내어 이를 겉보기 밝기와 비교함으로써 알 수 있다. 따라서 우리 은하 밖의 어떤 성운과 지구 사이의 거리를 알아내기 위해서는 별의 겉보기 밝기는 거리가 멀수록 어둡다는 사실이 이용된다.

[오답 풀이]

ㄱ. 지구와 별 사이의 거리를 알아내는 데 필요한 사실은 별의 '고유 밝기'와 '겉보기 밝기'이다. 또한 성운과 지구 사이의 거리를 측정할 때는 성운 내의 세페이드 변광성을 찾아내어 그 변광성의 고유 밝기를 밝혀내어 이를 겉보기 밝기와 비교하여 거리를 알 수 있다. 따라서 성운의 모양이 원반 형태인 것은 거리를 측정하는 데 이용되는 사실이라 볼 수 없다.

ㄷ. 지구와 성운 간의 거리를 측정할 때는 세페이드 변광성을 이용한다. 세페이드 변광성의 밝기는 시간에 따라 비대칭적으로 변화한다. 따라서 밝기가 시간에 따라 대칭적으로 변하는 변광성이 성운 안에 존재한다는 점은 지구와 성운 사이의 거리를 측정하는 데 이용되는 사실이라 할 수 없다.

20. 정답 ③

난이도 ★★☆ | 정답률 47%

내용영역 과학기술 | 문항 유형 정보의 확인과 재구성

[정답 풀이]

지구와 성운 간의 거리를 측정하는 방법은 밝기가 변하는 별인 변광성의 연구로부터 나왔다. 두 종류의 변광성이 있는데, 먼저 쌍성으로 이루어진 변광성은 별의 밝기가 시간에 따라 대칭적으로 변화한다. 또 다른 변광성은 밝기가 시간에 따라 비대칭적으로 변화하는 세페이드 변광성이다. <보기>에서 그래프가 대칭인 A는 쌍성으로 이루어진 변광성의 밝기 변화 그래프이고, 그래프가 비대칭인 B는 세페이드 변광성의 밝기 변화 그래프이다.

③ 밝기가 다른 두 별이 서로의 주위를 도는 쌍성은 지구에서 볼 때 1) 두 별이 서로를 가리지 않는 시기, 2) 밝은 별이 어두운 별 뒤로 가는 시기, 3) 어두운 별이 밝은 별 뒤로 가는 시기로 구분되어 관측된다. 이 시기마다 각각 관측되는 밝기에 차이가 생긴다. 1)일 때는 두 별이 서로를 가리지 않는 시기이므로 지구에서 관측했을 때 밝기가 최대이며, 2)는 어두운 별이 밝은 별을 가리므로 세 시기 중 밝기가 최저일 것이다. 3)은 밝은 별이 어두운 별을 가리므로 1)보다는 어둡지만 2)보다는 훨씬 밝을 것이다. A의 그래프를 보았을 때 ⓐ는 최대보다 밝기가 조금 어두워질 때이다. 밝은 별과 어두운 별이 서로를 가리지 않는 시기보다는 어둡지만 어두운 별만 관측되는 시기보다는 밝다. 따라서 ⓐ는 어두운 별이 밝은 별 뒤로 가서 밝은 별이 어두운 별을 가리는 시기라 할 수 있다.

[오답 풀이]

① A는 그래프가 시간에 따라 대칭적으로 변화하고 있으므로 쌍성으로 이루어진 변광성이다. 따라서 세페이드 변광성이 아니다.

② 세페이드 변광성은 밝기가 시간에 따라 비대칭적으로 변화한다. 세페이드 변광성의 밝기 변화는 별의 중력과 복사압 사이의 불균형으로 인하여 별이 팽창과 수축을 반복할 때 방출되는 에너지가 주기적으로 변화하며 발생한다. 그러므로 그래프로 밝기 변화를 나타낼 때 B와 같이 주기적인 변화를 보이지만, 그래프 모양은 비대칭적이다. 따라서 B는 세페이드 변광성이다. 지문에 따르면, 세페이드 변광성은 크기와 밝기가 비슷한 두 별로 이루어져 있지 않다.

④ ⓑ는 쌍성으로 이루어진 변광성의 밝기 변화의 한 주기이다. 즉 두 별이 서로를 가리지 않는 시기, 밝은 별이 어두운 별 뒤로 가는 시기, 어두운 별이 밝은 별 뒤로 가는 시기에 대한 주기이다. 지문에 따르면, 지구와 성운 간의 거리는 세페이드 변광성의 밝기 주기를 측정함으로써 알 수 있다. 따라서 쌍성으로 이루어진 변광성의 밝기 변화 주기를 측정한다고 해서 A의 거리를 알 수 있다고 할 수 없다.

⑤ 세페이드 변광성의 밝기 변화는 별이 팽창과 수축을 반복할 때 방출되는 에너지가 주기적으로 변화하여 발생한다. ⓒ는 밝기 변화를 관측한 세페이드 변광성의 밝기 변화 주기로, 이를 통해 알 수 있는 것은 고유 밝기이다.

[21~23] 제재 | 조선시대 재가 관련 규정
난이도 | ★☆☆

21. 정답 ②

난이도 ★★☆ | 정답률 48%

내용영역 인문 · 문항 유형 정보의 확인과 재구성

[정답 풀이]

② 성종 16년에 수정된 <경국대전>에서는 재가한 여자의 아들과 손자는 과거에 응시하지 못하고 어떤 관직에도 임용되지 못하도록 규정되어 있다. 그런데 수정 이전의 <경국대전>에는 세 번 시집간 자는 실행한 자와 한가지로 아들과 손자에게 과거 응시와 현관(특정한 요직) 제수를 허락하지 않는다고 규정되어 있다. 즉 수정 이전의 <경국대전>의 규정에 따르면 세 번 시집간 여자의 자손들은 관직 중에서 특정한 요직에 제수되는 것이 허락되지 않은 것이지 어떠한 관직에도 임용될 수 없었던 것은 아니다. 따라서 수정된 <경국대전>은 세 번 시집간 여자에 대한 제재 규정을 두 번 시집간 여자에게 그대로 적용한 것이라 할 수 없다.

[오답 풀이]

① 기존의 <경국대전>에서는 이심의 처 조 씨와 같이 재가한 경우에 대해서는 작위를 주지 않는다는 것 이외에 별도의 처벌 규정이 없었다. 그러나 이심의 처 조 씨와 김주는 <대명률>의 "화간한 자는 장 80에 처한다."라는 조항에 따라 처벌을 받고 이혼을 하게 되었다. 이러한 점에서 당시에는 <경국대전>에 직접적인 처벌 조항이 없어도 다른 법률을 이용하여 처벌하는 것이 가능하였음을 알 수 있다.

③ <경국대전>에서 재가를 규제하는 조항을 보면 재가한 부녀자에게는 작위를 주지 않는다는 것만 있고 부녀자가 재가하는 것 자체를 금하지는 않았다. 그리고 이러한 규정 외에는 별다른 규정이 없으므로 <경국대전>에 의해 재가가 규제되는 대상은 작위를 받을 가능성이 있는 부녀자에게만 한정되어 있다고 할 수 있다. 즉 애초에 관직에 오를 자격이 없는 신분의 사람의 경우 재가를 규제하는 조항의 적용을 받지 않으므로 이들에게는 <경국대전>의 재가 규제 조항이 실효성이 없었을 것이다.

④ 유자광은 부녀자의 재가와 관련하여 금후로는 부녀자들의 재가를 금지하고 이를 어길 경우 실행한 것으로 처벌하고 그 자손도 관직에 오르지 못하게 해야 한다고 주장하였다. 이러한 주장에 동조한 사람은 46명 중 세 명뿐으로, 유자광의 의견은 소수 의견이라 할 수 있다. 한편 성종은 사족의 여자가 예의를 돌보지 않고 스스로 중매하여 다른 사람을 따르는 행위, 즉 재가는 가풍을 무너뜨릴 뿐 아니라 유학의 가르침을 더럽히는 것이라 여겨 재가한 여자의 자손은 관직에 임용되지 못하게 함으로써 풍속을 바로잡고자 하였다. 그에 따라 수정된 <경국대전>에서는 재가한 여자의 아들과 손자는 과거에 응시하지 못하고 어떤 관직에도 임용되지 못하도록 규정되었다. 이는 성종이 소수 의견인 유자광의 의견을 받아들인 것으로 볼 수 있다.

⑤ 예조참판 이극돈의 발언에 따르면 <경국대전>에 세 번 시집간 자는 실행한 자와 한가지로 아들과 손자에게 과거 응시와 현관 제수를 허락하지 않는다고 규정되어 있다. 즉 세 번 시집간 자의 자손들은 실행의 경우와 마찬가지로 불이익을 받게 되는 것이다.

22. 정답 ③

난이도 ★☆☆ | 정답률 84%

내용영역 인문 · 문항 유형 주제, 구조, 관점 파악

[정답 풀이]

③ 지중추부사 구수영(㉡)은 부녀자가 스스로 재가한 경우에 한해서는 <경국대전>에 명시된 재가의 규정을 적용하지 않고 세 번 시집간 사례로 적용하자고 주장하고 있다. 이는 개인의 정욕을 못 이겨 재가한 사례를 부당한 것으로 보고 이러한 경우에 대해서는 세 번 시집가는 것에 대해 금지한 <경국대전>의 규정에 따르자고 한 것이다. 즉 <경국대전>의 세 번 시집간 사례와 관련한 규정을 재가의 사례에도 적용한 것이므로 ㉡은 부득이하지 않은 재가에 대해 기존 법률을 확대 적용하자는 의견으로 볼 수 있다. 반면에 예조참판 이극돈(㉢)은 지금의 <경국대전>의 규정이 풍속을 경계하고 장려하기에 충분하고 국가에서 개인의 사정을 일일이 논하기는 어려우므로 <경국대전>에 따라 부녀자의 재가 사건을 다루어야 한다고 주장하고 있다. 따라서 ㉢은 기존 법률의 확대 적용에 반대하는 의견이다.

[오답 풀이]

① 영돈녕부사 노사신(㉠)은 젊은 나이에 과부가 된 자에게 재가를 허락하지 않는다면, 부모와 자식이 없어 의지할 곳이 없는 사람은 오히려 절개를 잃게 될 것이라며 국가에서 재가를 금지하지 않는 이유를 설명하고 있다. 따라서 ㉠은 재가를 금지할 경우 과부들이 절개를 잃는 일이 더 많아질 것이라고 보는 입장이다. 그런데 지중추부사 구수영(㉡)은 생계가 막막하여 부득이 재가한 경우나 부모의 명으로 재가한 경우는 형세상 어쩔 수 없는 재가이므로 이러한 재가에 한해 국가가 허용하는 것인데, 개인의 정욕을 이기지 못해 스스로 재가한 자에게는 비록 재가일지라도 세 번 시집 간 사례로 간주하여 <경국대전>에 따라 처벌할 것을 주장하고 있다. 즉 개인의 정욕을 채우기 위한 재가에 대해서는 부정적인 입장으로, 이를 통해 재가를 금지할 경우 과부들이 절개를 잃는 일이 더 많아질 것이라고 보는지는 알 수 없다. 따라서 ㉠과 ㉡의 입장은 일치하지 않는다.

② 영돈녕부사 노사신(㉠)은 부녀자의 재가 문제는 기존의 규정대로 하는 것이 편하겠다고 주장하고 있어 새로운 법령을 만드는 것에 대해 긍정적인 입장은 아니다. 반면에 무령군 유자광(㉣)은 국가의 금령이 없으니 금령을 만들어 재가를 금지하여 풍속을 교정하자고 주장하고 있다. 따라서 ㉣은 새로운 법령을 만드는 것에 대해 긍정적인 입장이다.

④ 지중추부사 구수영(㉡)은 형세상 부득이한 재가와 정욕을 이기지 못해 재가한 경우를 구분하여, 정욕을 이기지 못해 이루어진 재가의 경우에는 <경국대전>의 재가 규정을 적용하지 말고 세 번 시집간 사례로 적용하자고 주장하고 있다. 즉 재가가 이루어진 상황에 따라 <경국대전>의 규정을 달리 적용하자는 것이다. 이는 재가의 정황을 참작하여 법률을 그에 따라 유연성 있게 적용한 것이라 할 수 있다. 반면에 예조참판 이극돈(㉢)은 기존의 <경국대전> 자체가 정상을 참작하여 법령을 규정한 것이며 국가에서 어떠한 사건에 대해 일일이 논죄하는 것의 어려움을 들어 <경국대전>에 따라 부녀자의 재가 문제를 처리할 것을

주장하고 있다. 즉 ⓒ은 ⓛ과 달리 법률을 일률적으로 적용해야 한다고 보는 입장이다.

⑤ 예조참판 이극돈(ⓒ)은 <경국대전>이 정상을 참작하여 만들어졌으며 이를 통해 풍속을 경계하고 장려하기에 족하다고 주장한다. 즉, 지금의 법률로도 충분히 풍속을 지킬 수 있다고 보고 있으므로 ⓒ은 국가의 풍속을 지키기 위해 형벌을 강화해야 한다는 입장이 아니다. 반면 무령군 유자광(ⓡ)은 재가란 후세에 굶어 죽을 것을 두려워하여 하는 것이며, 절개를 잃는 것은 지극히 큰일이고, 굶어 죽는 것은 지극히 작은 일이라고 하여 생계가 막막한 부녀자의 현실을 고려하기보다는 절의를 지키는 것을 더욱 중요시 여기고 있다. 이에 따라 재가를 허용해 왔던 기존의 <경국대전>과 달리 금후로는 국가에서 금령을 만들어 부녀자들의 재가 자체를 금지하고, 재가한 부녀자의 자손은 관직에 임용될 수 없도록 하는 등 재가에 대한 형벌을 강화할 것을 주장하고 있다. 이러한 조치는 절의를 숭상하는 유교(정자)의 풍속을 지키고자 한 것으로, ⓡ은 ⓒ과 달리 국가가 현실을 고려하기보다 형벌을 강화함으로써 풍속을 지키는 데 적극 개입해야 한다는 입장이다.

23. 정답 ④

난이도 ★☆☆ | 정답률 88%

내용영역 인문 | 문항 유형 정보의 평가와 적용

[정답 풀이]

④ 성종은 부녀자가 재가한 경우에 따로 금지 규정을 두지 않은 <경국대전>을 수정하여 재가한 여자의 아들과 손자는 과거에 응시하지 못하고 어떤 관직에도 임용되지 못하도록 하고 있는데 이러한 결정은 부녀자의 도리를 중요시한 삼종지의를 따른 것으로, 따로 예외의 규정을 두고 있지 않다. 따라서 <경국대전>이 수정된 뒤에 목 씨는 나이와 형편에 상관없이 재가를 이유로 <경국대전>에 따라 유죄로 판정될 것이다.

[오답 풀이]

① 이심의 처 조 씨는 친척이 혼인을 주선하지 않았음에도 스스로 시집간 죄로 <대명률>의 화간 규정에 따라 처벌을 받게 되었다. 그런데 <보기>의 목 씨는 오빠 목인수의 중매로 남예건과 혼례를 올렸기 때문에 스스로 재가한 경우로 볼 수 없어 <대명률>의 화간 규정에 따른 처벌을 받지 않을 것이다.

② 수정되기 전의 <경국대전>에는 재가한 부녀자의 경우 작위를 주지 않는다는 규정만 있을 뿐 그 자손의 관직 진출에는 법령상 제한을 두지 않았다. 자손의 관직 진출을 규제하는 것은 부녀자가 세 번 결혼한 경우부터이다. <보기>의 목 씨는 재가한 경우에 해당하므로 수정 전의 <경국대전>에 따른다면 재가한 당사자인 목 씨에게만 작위가 주어지지 않을 뿐 태어날 아들은 관직 진출에 법령상 제한을 받지 않을 것이다.

③ 수정된 <경국대전>에는 재가한 여자의 아들과 손자는 과거에 응시하지 못하고 어떤 관직에도 임용되지 못하도록 규정되어 있다. <보기>의 목 씨는 재가한 경우에 해당하므로 목 씨와 남예건의 손자는 과거에 응시하는 것이 불가능할 것이다.

⑤ 수정되기 전의 <경국대전>에는 재가한 부녀자의 경우 작위를 주지 않는다는 규정이 있고, 수정된 이후에는 재가한 여자의 아들과 손자는 과거에 응시하지 못하고 어떤 관직에도 임용되지 못한다고 규정하고 있다. 수정 전과 수정 후의 <경국대전> 모두 재가의 상대가 된 남성이나 재혼한 남성에 대한 처벌은 언급조차 되지 않는 점에서 <경국대전>이 수정된 뒤에도 목 씨의 남편 남예건 본인에게 적용될 처벌 규정은 생겨나지 않았을 것이다.

[24~26] 제재 | 새로운 전쟁

난이도 | ★☆☆

24. 정답 ⑤

난이도 ★☆☆ | 정답률 87%

내용영역 사회 | 문항 유형 주제, 구조, 관점 파악

[정답 풀이]

⑤ 4문단에 의하면 새로운 전쟁의 양상에는 네트워크전, 비대칭전, 게릴라전, 테러 등의 전쟁 형태가 있다. 그런데 게릴라전의 경우 전선이 불분명하지만 정교하게 조직되어 있다는 특징이 있다. 따라서 새로운 전쟁의 형태가 전후방 없는 전투와 게릴라전 등으로 네트워크에 의존한다는 것은 적절하지만 비조직적으로 전개된 것은 새로운 전쟁의 양상이라 할 수 없다.

[오답 풀이]

① 2문단에 의하면 새로운 전쟁은 현대 사회에서의 용병이라고 할 수 있는 민간 군사 기업이 군사 훈련에서 전후 처리까지 거의 모든 군사 서비스를 제공하는 양상을 보인다. 이러한 전쟁 양상에서는 전쟁 시 민간 군사 업체들이 전쟁 수행에 관여하는 정도가 높아진다.

② 3문단에 의하면 새로운 전쟁은 다양한 원인에 의해 발발하는 양상을 보인다. 그리고 전후방 구분 없이 전투가 발생하고 전투원과 민간인의 구분이 사라진다는 특징이 있다. 이는 새로운 전쟁의 양상으로 전쟁의 원인이 다양해지고 전쟁 행위자들은 전투원에 한정되지 않는다고 할 수 있다.

③ 2문단에 의하면 국민국가 시기에는 국가들 간에 전쟁이 발생하면 전쟁이 끝난 후 국제법을 통해 평화를 안착시키는 것으로 전쟁이 마무리되었다. 그런데 새로운 전쟁은 전후방 구분 없이 전쟁이 발생하고 전투원과 민간인, 공과 사의 구분이 사라지며 전쟁의 시작과 끝이 불명확해진 경우가 많다. 전쟁이 발생했을 때 국제법을 통해 평화를 안착시키기 위해서는 전쟁이 끝이 분명해야 하는데 새로운 전쟁은 애초에 전쟁의 시작과 끝이 불명확하기 때문에 국제법을 통한 평화의 안착이 어려워진다.

④ 5문단에 의하면 새로운 전쟁은 국가의 통제하에 놓이는 공식 경제와 조세를 통한 국가 수입뿐만 아니라 비공식 경제를 통해서도 전쟁 자금을 조달한다. 비공식 경제를 통해 전쟁 자금을 조달하는 방법에는 약탈, 납치 등과 무기 · 마약 · 자원 등의 불법 거래, 국외 이주자의 송금, 인도적 원조에 대한 '과세', 타국 정부의 후원 등이 있다. 이는 새로운 전쟁이 국가 공식 경제 이외에도 다양한 전쟁 자금 마련 방식을 통해 전쟁을 수행함을 보여준다.

25. 정답 ④

난이도 ★☆☆ | 정답률 76%

(내용영역) 사회 (문항 유형) 정보의 평가와 적용

[정답 풀이]

㉠은 새로운 전쟁에서 '새롭다'고 제시되는 현상들이 새로운 것이 아니라 기존 전쟁에서도 존재했었다는 주장이다. 따라서 ㉠이 활용할 수 있는 근거란 ⅰ) 새로운 전쟁의 양상으로 제시되었던 현상이, ⅱ) 기존에도 존재했음을 표방하는 것이어야 한다. 즉 이 두 가지 조건을 만족시키는 선지가 ㉠이 활용할 수 있는 근거가 된다.

④ 2문단에 의하면 새로운 전쟁은 민간 군사 기업이 군사 훈련에서 전후 처리까지 거의 모든 군사 서비스를 제공하는 양상을 보인다. 이는 민간이 주도하여 전쟁을 수행하는 것이 새로운 전쟁의 형태임을 의미한다. 따라서 국가 주도하에 수행되는 총력전은 새로운 전쟁의 형태라 할 수 없다. 즉 국가 주도의 총력전의 전쟁 형태는 새로운 전쟁의 양상으로 제시되었던 전쟁 형태에는 애초에 포함되지 않는 사례이므로 조건 ⅰ)를 충족시킬 수 없다. 따라서 새로운 전쟁을 주장하는 연구들이 제시한 자료를 반박하고자 하는 ㉠이 활용할 수 있는 근거라 할 수 없다.

[오답 풀이]

① 2문단에 의하면 현대 사회에서 용병이라고 할 수 있는 민간 군사 기업이 거의 모든 군사 서비스를 제공한다는 점이 새로운 전쟁의 양상으로 제시되었다(ⅰ 충족). 그런데 이러한 용병을 활용한 전쟁이 근대 국가의 경우에도 있었다면(ⅱ 충족) 이는 '새롭다'고 제시되는 현상이라 할 수 없으므로 ㉠이 활용할 수 있는 근거로 적절하다.

② 2문단에 의하면 새로운 전쟁은 전후방 구분 없이 전투가 발생하는 등 경계가 불분명한 양상을 띤다. 내전 또한 경계가 분명한 국가 간 전쟁이 아니라는 점에서 새로운 전쟁의 양상으로 제시한 것에 포함된다고 할 수 있다(ⅰ 충족). 그런데 이러한 내전이 근대 국가의 경우에도 빈번하게 발생하였다면(ⅱ 충족) 이는 새로운 전쟁 형태로 볼 수 없으므로 ㉠이 활용할 수 있는 근거로 적절하다.

③ 4문단에 의하면 네트워크전, 비대칭전, 게릴라전, 테러 등이 새로운 전쟁 형태로 제시되었다(ⅰ 충족). 그런데 게릴라전이 제2차 세계 대전 이전에도 활용되었다면(ⅱ 충족) 게릴라전은 새로운 전쟁 형태로 볼 수 없으므로 ㉠이 활용할 수 있는 근거로 적절하다.

⑤ 2문단에 의하면 새로운 전쟁은 경계가 불분명한 양상을 띠며 이에 따라 전투원과 민간인, 공과 사의 구분이 사라지는 전쟁의 형태를 보인다. IS가 민간인과 전투원을 구별하지 않고 무차별적으로 공격한 사례(ⅰ 충족)가 기존 전쟁에도 이미 있었다면(ⅱ 충족) 이는 새로운 전쟁 형태로 볼 수 없으므로 ㉠이 활용할 수 있는 근거로 적절하다.

26. 정답 ④

난이도 ★★☆ | 정답률 73%

(내용영역) 사회 (문항 유형) 주제, 구조, 관점 파악

[정답 풀이]

④ [A]는 다중적 정체성을 지닌 세계시민들이 동등한 시민권을 바탕으로 공존하는 글로벌 시티를 지향한다는 점에서 새로운 공동체는 정체성을 근거로 사람을 차별하지 않는다는 입장이라 할 수 있으며 (가) 또한 어디에서 온 누구인지에 상관없이 절대적 환대를 한다는 점에서 정체성을 근거로 사람을 차별하지 않는 입장이라 할 수 있다. 그리고 [A]의 경우 민주주의는 국민국가의 한계와 틀을 벗어나 그것들을 가로지르는 방향으로 추구되어야 한다고 보았다. 국민국가의 한계의 틀을 벗어나기 위해서는 국가에 대해 기존의 관점이 변화되어야 할 것이다. 또한 EU와 같은 초국가적 공동체에 이르는 다층적 공간에 대해 민주주의를 위한 새로운 공간이 될 수 있다고 보았으므로 이는 공동체에서 국가를 대하는 관점이 바뀌어야 한다고 보는 관점을 지닌 것이라 할 수 있다. (다) 역시 새로운 시대의 애국주의는 결코 기존의 사례처럼 지배적인 문화 양식이나 특정한 윤리적 지향과 결합되어서는 안 된다고 주장하고 있다. 이 역시 국가를 바라보는 시각이 기존과는 달라야 함을 보여준다. 따라서 [A]와 (다)는 공동체에서 국가를 대하는 관점이 바뀌어야 한다고 보는 점에서 공통된다고 할 수 있다.

[오답 풀이]

① (가)는 절대적 환대를 주장하는데 이러한 환대는 어디에서 온 누구인지를 묻지 않고 절대적으로 이루어진다는 점에서 특정 공동체가 자기 사회에 새로 편입된 이주민의 정체성에 상관없이 환대, 수용하는 것이라 할 수 있다. 이는 이주민의 정체성을 존중하는 것이지 그 사회에 동화시키는 것이라 할 수 없다. [A] 또한 다중적 정체성을 지닌 세계시민들이 동등한 시민권을 바탕으로 공존하는 공동체를 지향하므로 새로 편입된 이주민의 정체성을 유입된 사회에 맞게 동화시키는 것을 중요한 요소로 고려한다고 할 수 없다.

② (나)는 새로 이주한 사람의 종교적 관습이 이주한 국가의 보편적 가치를 해칠 우려가 있을 경우 그 관습의 표출을 금지해야 한다고 주장하는데, 이는 이주민의 종교적 정체성을 특정한 조건하에서 표출하는 것을 금지하는 것이지 그러한 종교적 정체성을 보유하는 것 자체를 막는 것은 아니다. 따라서 (나)는 공동체의 구성원들이 단일한 문화적 정체성을 가져야 한다고 판단한 것이라 할 수 없다. 그리고 [A]의 경우에도 다중적 정체성을 지닌 구성원들이 동등하게 공존하는 것을 지향하므로 공동체의 유지와 발전을 위해서는 공동체의 구성원들이 단일한 문화적 정체성을 가져야 한다고 보지 않는다.

③ [A]의 경우 민주주의는 국민국가의 한계와 틀을 벗어나 그것들을 가로지를 방향으로 추구되어야 한다고 본다. 이는 국민국가 시대에 성취된 민주주의를 새로운 시민과 공동체에 맞게 변화, 확장시키는 것을 의미하므로 기존에 명확하게 정해져 있는 정치적 규범과 질서를 그대로 준수한다고 할 수 없다. 또한 (다)는 애국주의가 민주주의적 헌정 질서의 가치와 원리 및 제도에 대한 사랑과

충성에서 성립해야 규범적으로 정당하다는 점을 제시하고 있으나 이는 새로운 시대에 맞춰 애국주의가 지향해야 할 태도를 의미하는 것이지 민주주의 실현의 전제 조건을 제시하는 것이라 할 수 없다. 더욱이 애국주의가 기존의 사례처럼 지배적인 문화 양식이나 특정한 윤리적 지향과 결합되어서는 안 된다고 주장한다는 점에서 기존에 명확하게 정해져 있는 정치적 규범과 질서를 준수하는 것을 민주주의 실현의 전제 조건이라고 판단한다고 할 수 없다.

⑤ [A]의 경우 다중적 정체성을 지닌 세계시민들이 동등한 시민권을 바탕으로 공동체를 이루어야 한다고 본다는 점에서 이주민의 종교적 관습을 존중한다고 할 수 있다. 그러나 (나)는 이주한 국가의 보편적 가치를 해칠 우려가 있다고 판단되는 종교적 관습에 대해서는 표출 금지의 입장을 보이고 있으므로 [A]와 (나)가 공통적으로 이주민의 종교적 관습을 존중한다고 할 수 없다. 그리고 (다)의 경우 애국주의가 기존의 사례처럼 지배적인 문화 양식이나 특정한 윤리적 지향과 결합되어서는 안 된다고 보고 있으므로 구성원들이 지닌 윤리적 지향의 차이를 용납하고 있다고 할 수 있다. [A] 역시 다중적 정체성을 지닌 세계시민들이 동등한 시민권을 바탕으로 공존하는 공동체를 지향한다는 점에서 구성원들이 지닌 윤리적 지향의 차이를 용납한다고 할 수 있다.

[27~29] 제재 | 개념주의와 비개념주의
난이도 | ★★☆

27. 정답 ②

난이도 ★★☆ | 정답률 70%

내용영역 인문 문항 유형 주제, 구조, 관점 파악

[정답 풀이]

② 1문단에 따르면, 비개념주의는 감각 경험에 대한 판단과 추론은 고차원의 인지 과정이며 개념적 절차라고 하였다. 또한 4문단에 따르면, 개념주의는 우리의 시각 경험에 이미 판단 작용이 들어와 있기 때문에, 시각 경험과 판단 작용은 구분되지 않는다고 보았다. 즉 시각 경험에 이미 인지적 요소들이 개입되어 해석한다는 것이다. 따라서 판단 과정에 개념적 내용이 들어간다는 것에는 비개념주의와 개념주의가 모두 동의할 것이다.

[오답 풀이]

① 2문단의 예에 따르면, 비개념주의는 아내의 노란 머리를 단지 알아차리지 못했을 뿐이지 보지 못했다고 말할 수는 없다고 하였다. 이는 알아채지 못하는 감각이 가능하다는 것이다. 반면 5문단의 개념주의에 따르면 나의 감각의 변화를 내가 알아보지 못한다고 주장하는 것은 말이 되지 않는다. 이는 변화를 알아볼 수 있을 때에야 감각하기 때문이다. 따라서 알아채지 못하는 감각은 불가능하다는 것에는 개념주의만 동의할 것이다.

③ 1문단에 따르면, 비개념주의는 비개념적인 감각 경험이 먼저 주어진 후에 판단과 추론이 이어지는 것이 정상적이라고 보았다. 반면 3문단에 따르면, 개념주의는 시각 경험과 판단이 별개의 절차가 아니며, 우리가 무엇인가를 볼 때 여기에는 배경 지식이나 판단 및 추론 같은 고차원의 인지적 요소들이 이미 개입하고 있다고 보았다. 따라서 무엇인가를 본 뒤에야 믿는 것이 가능하다는 것에는 비개념주의만 동의할 것이다.

④ 2문단에 따르면, 비개념주의는 새로운 시각 경험이 주어져도 이를 인지하지 못하여 판단과 추론으로 이어지지 못할 수 있다고 보았으며, 그러한 현상을 변화맹이라고 불렀다. 즉 감각 경험이 제대로 주어지더라도 판단 및 추론에서 오류를 범할 수 있다는 것이다. 반면 5문단에 따르면, 개념주의는 판단이나 추론과 달리 나의 감각에 대해서는 나 자신이 특권을 가지므로 내가 나의 감각에 대해서 오류를 범할 수 없어야 한다고 말한다. 즉 감각 경험과 동시에 이루어지는 판단 및 추론에 대해서도 오류를 범할 수 없는 것이다. 따라서 판단 및 추론에 대해 오류를 범하지 않는다는 것에는 개념주의만 동의할 것이다.

⑤ 2문단에 따르면, 비개념주의는 우리가 알아채는 것보다 실제로 더 많은 것을 본다는 점에 주목하며, 변화맹을 새로운 시각 경험이 주어져도 이를 인지하지 못하여 판단과 추론으로 이어지지 못한 것으로 설명한다. 이는 감각 경험을 통해 획득한 정보가 판단 작용으로 전환될 때 손실될 수 있다고 본 것이다. 반면 5문단에 따르면, 개념주의는 나의 감각 경험에 주어진 두 장면 사이의 차이를 알아채지 못하는 변화맹은 불합리하다. 이는 감각 경험과 판단 작용은 동시에 이루어지므로 정보의 손실은 있을 수 없다고 보기 때문이다. 따라서 감각 경험이 판단 작용으로 전환될 때 정보의 손실이 발생한다는 것에는 비개념주의만 동의할 것이다.

28. 정답 ③

난이도 ★★☆ | 정답률 65%

내용영역 인문 문항 유형 주제, 구조, 관점 파악

[정답 풀이]

③ 1문단에 따르면, 비개념주의는 보는 것이 믿는 것에 대한 선행 조건이며, 비개념적인 감각 경험이 먼저 주어진 후에 판단과 추론이 이어진다고 보았다. 이때 비개념적인 감각 경험이란 해석이 되지 않은 감각 경험을 말하며, 여기서는 〈엘베 강 오른편 둑에서 본 드레스덴〉(㉠)에 그려진 다리 위 무엇인가를 보는 것을 뜻한다. 따라서 비개념주의는 ㉠에 그려진 다리 위 무엇인가를 사람으로 인지하는 데에 해석이 되지 않은 감각 경험이 필요하다고 설명할 것이다.

[오답 풀이]

① 1문단에 따르면, 비개념주의는 보는 것이 믿는 것에 대한 선행 조건이며, 비개념적인 감각 경험이 먼저 주어진 후에 판단과 추론이 이어진다고 보았다. 만일 ㉠에 그려진 다리 위의 무언가에 대해 사람임을 알고서 확대경으로 들여다볼지라도 그것은 사람의 형태가 아닌 물감 방울과 얼룩일 것이므로, 이를 경험한 이후 다시 판단과 추론 과정을 거칠 것이다. 따라서 여전히 사람으로 보이는 것이 아니라 물감 방울과 얼룩으로 보인다고 설명할 것이다.

② 1문단에 따르면, 비개념주의에 있어서 판단과 추론이 개입하기 이전의 감각 경험은 비개념적 내용을 가질 뿐이다. 그러므로 비개념적 내용을 가지는 무언가를 경험한 이후 판단과 추론 과정

을 거치는데, 이를 '비개념적으로 인지하는 것'이라 할 수 있다. 또한 4문단에 따르면, ㉠의 다리 위에 그려진 사람들은 확대해서 보면 물감 방울과 얼룩이다. 즉 다리 위의 사람과 물감 방울과 얼룩은 같은 것을 지시한다. 따라서 비개념주의는 다리 위의 사람과 물감 방울과 얼룩을 둘 다 비개념적으로 인지해야 한다고 설명할 것이다.

④ 4문단에 따르면, ㉠은 적당히 먼 거리에서 바라볼 때 다리 위에 조금씩 다른 모습의 여러 사람들이 보인다. 하지만 확대경을 이용하여 가까이서 보면 그것은 사람의 형태가 아닌 물감 방울과 얼룩이다. 비개념주의는 가까이서 본 감각 경험을 통해 다리 위의 사람들을 물감 방울과 얼룩으로 알아차릴 것이다. 즉 비개념주의에 있어서 무엇으로 알아차린다는 것은 그에 관련한 감각 경험을 통해서이지, 두 가지 감각 경험의 차이를 통해서라고 설명하지는 않을 것이다.

⑤ 1문단에 따르면, 비개념주의는 보는 것이 믿는 것에 대한 선행 조건이라고 하였다. 그러므로 다리 위 무엇인가를 인지하기 위해서는 그에 대한 감각 경험, 즉 다리 위 무엇인가를 보는 것이 선행되어야 한다. 또한 무엇인가를 사람으로 인지한다는 것은 그것이 사람임을 알아차린다는 것이다. 따라서 비개념주의에 있어서 다리 위 무엇인가를 사람으로 인지하기 위해서는 다리 위 무엇인가를 보고 그것이 사람임을 알아차려야 하는 것이지, 물감 방울과 얼룩으로 이루어진 것임을 알아차려야 하는 것이 아니다.

29. 정답 ④ 난이도 ★★☆ | 정답률 60%

내용영역 인문 / 문항 유형 정보의 평가와 적용

[정답 풀이]

④ 비개념주의는 판단 및 추론에서 독립된 감각 경험이 존재한다고 주장(5문단)하며, 판단 및 추론을 위한 감각 경험이 반드시 선행해야 한다고 말한다. 그리고 판단이나 추론과 달리 나의 감각에 대해서는 나 자신이 특권을 가지므로 내가 나의 감각에 대해서 오류를 범할 수 없어야 한다고 하였다. 그런데 (다)에서는 오타가 있는 단어를 볼 때 무엇이 잘못되었는지 알아채지 못하고 제대로 읽었다. 만일 비개념주의의 주장에 따른다면, 단어의 어느 부분이 잘못되었는지 알아채지 못하였는데 이를 오타대로 읽지 않고 제대로 읽는다는 것은 불가능하다. 이는 나의 감각(오타가 있는 단어를 본 것)에 대해서 오류를 범한 것(제대로 읽은 것)이기 때문이다. 따라서 비개념주의는 (다)를 추론 및 판단에서 독립된 감각 경험이 존재한다는 주장을 지지하는 근거로 삼을 수 없다. 오히려 (다)는 감각 경험과 판단 및 추론이 동시에 이루어진다는 것을 지지하는 사례이다.

[오답 풀이]

① 3문단에 따르면, 개념주의는 시각 경험과 판단이 별개의 절차가 아니며, 시각 경험에 이미 판단 작용이 들어와 있다고 보았다. 그러므로 (가)에서 관객이 조수가 바뀐 것을 알아차리지 못한 것은 그러한 판단은 물론 이와 동시에 이루어져야 할 시각 경험 또한 없었기 때문이라고 할 것이다. 따라서 개념주의는 (가)에서 관객이 조수가 바뀌는 것을 보지 못했다고 말할 것이다.

② 4문단에 따르면, '채워 넣기'란 몇몇 단서를 가지고서 세부 사항을 채워 넣는 판단 작용이다. (다)에서 오타가 있는 단어를 볼 때 무엇이 잘못되었는지 알아채지 못하면서도 제대로 읽는 것은 몇몇 단서를 가지고서 오타 부분을 채워 넣어서 판단한 것이므로, 개념주의에서 말하는 채워 넣기에 해당한다. 따라서 개념주의는 (다)에서 제대로 읽은 까닭을 채워 넣기가 있었기 때문이라고 설명할 것이다.

③ (나)에서 개념적 일반화나 언어적 조작은 개념적 절차에 해당할 것이다. 하지만 이러한 개념적 절차를 거치지 못하는 갓난아이나 동물도 감각 경험을 한다는 것은 판단과 추론이 개입하기 이전의 감각 경험이라는 것이다. 그리고 1문단에 따르면, 비개념주의에서는 판단과 추론이 개입하기 이전의 감각 경험은 비개념적 내용을 가질 뿐이라고 하였다. 따라서 비개념주의는 (나)가 감각 경험에 비개념적 내용이 존재함을 보여 주는 사례라고 말할 것이다.

⑤ 2문단에 따르면, 비개념주의는 우리가 알아채는 것보다 실제로 더 많은 것을 본다는 점에 주목한다. (라)는 같은 상황에서 변화를 알아차린 사람과 알아차리지 못한 사람의 뇌의 시각 영역이 활성화되는 정도가 유사하다고 말한다. 이는 뇌의 시각 영역이 유사하게 활성화되더라도 변화를 알아차리지 못할 수 있다는 것으로, 똑같이 보았으나 알아차리지 못할 수도 있다는 것이다. 따라서 비개념주의는 (라)를 사람들이 알아채는 것보다 실제로는 더 많은 것을 본다는 사례로 활용할 것이다.

[30~32] 제재 | 상피세포와 성체장줄기세포
난이도 | ★★☆

30. 정답 ④ 난이도 ★★☆ | 정답률 58%

내용영역 과학기술 / 문항 유형 정보의 확인과 재구성

[정답 풀이]

④ 1문단에 의하면 융모는 상피세포로 이루어져 있으며 이 상피세포들은 융모의 말단 부위에서 지속적으로 떨어져 나가고 이 공간은 융모의 양쪽 아래에서 새롭게 만들어져 밀고 올라오는 세포로 채워진다. 이때 새로운 세포를 만드는 역할은 소낭의 성체장줄기세포가 담당한다. 소낭의 성체장줄기세포가 분열하면서 생긴 세포가 나중에 생긴 세포에 밀려 판네스세포에서 멀어지면 상대적으로 Wnt 자극을 덜 받게 되어 그 결과 융모를 구성하는 상피세포로 분화한다(4문단). 따라서 융모를 이루는 세포(상피세포)는 소낭의 성체장줄기세포가 분화하여 만들어지는 것임을 알 수 있다.

[오답 풀이]

① 1문단에 의하면 양분을 흡수하는 창자의 벽은 작은 크기의 수많은 융모로 구성되어 있고 이러한 융모는 창자 내부의 표면적을 넓혀 영양분의 효율적인 흡수를 돕는다. 이는 많은 융모가 구성되어 있을수록 창자 내부의 표면적은 넓어짐을 의미한다. 따라서 창자 내부의 표면적은 융모의 개수와 비례한다.

② 1문단에 의하면 성체장줄기세포는 소낭에 존재하고 있으며 이 성체장줄기세포가 분화하여 생성된 상피세포가 융모를 구성한

다. 즉 성체장줄기세포의 위치는 소낭이며, 성체장줄기세포가 분열하면서 생긴 세포가 상피세포로 분화하여 융모의 빈 공간을 채우는 것이다. 따라서 성체장줄기세포의 위치는 소낭으로 변함이 없다.

③ 2문단에 의하면 Wnt 신호전달의 특이한 점은 Wnt를 분비하는 세포와 그 단백질에 반응하는 세포가 서로 다르다는 것이다. 이때, Wnt 수용체를 가진 세포가 Wnt와 결합하는데, 판네스세포는 Wnt를 분비하고 그 주변에 있는 성체장줄기세포는 Wnt 수용체를 가진다. 즉 소낭에서 Wnt를 분비하는 것은 판네스세포이고 이러한 Wnt에 반응하는 세포가 Wnt 수용체를 지닌 성체장줄기세포인 것이다. 따라서 성체장줄기세포가 Wnt를 분비한다는 것은 지문과 일치하지 않는다.

⑤ 1문단에 의하면 융모의 상피세포를 만드는 역할을 하는 것은 소낭의 성체장줄기세포이다. 이러한 성체장줄기세포는 판네스세포를 비롯한 주변 세포로부터 자극을 받아 지속적으로 자신과 동일한 성체장줄기세포를 복제하거나 새로운 상피세포로 분화하는 과정을 거치는데 이때 성체장줄기세포가 분열하면서 생긴 상피세포가 융모의 양쪽 아래부터 새롭게 채워나가며 융모를 구성하는 것이다. 즉 융모를 이루는 세포인 상피세포는 융모에서 만들어지는 것이 아니라 융모와 융모 사이에 움푹 들어간 모양으로 존재하는 소낭에서 생성되는 것이며 성체장줄기세포에서 전환된 것이다.

31. 정답 ④

난이도 ★★★ | 정답률 35%

내용영역 과학기술 · 문항 유형 주제, 구조, 관점 파악

[정답 풀이]

소낭의 성체장줄기세포는 지속적으로 자신과 동일한 성체장줄기세포를 복제하거나, <u>새로운 상피세포로 분화하는 과정(㉠)</u>을 거친다. 세포는 신호전달 과정을 거쳐 복제나 분화가 되는데 Wnt 신호전달은 배아 발생 과정과 성체 세포의 항상성 유지에 영향을 준다. Wnt 수용체를 가진 세포가 Wnt와 결합하면 GSK3β의 활성이 억제되어 β-카테닌의 인산화가 일어나지 않아 β-카테닌의 농도가 높게 유지되고 Wnt 수용체를 가진 세포는 자신과 똑같은 세포를 지속적으로 복제하게 된다. 반면 Wnt 수용체를 가진 세포가 Wnt 자극을 덜 받아서 낮은 농도의 β-카테닌을 갖게 되면 자신의 세포를 복제하지 않고 새로운 세포로 분화하게 된다. 즉 ㉠을 유도하는 현상의 조건은 Wnt와 결합이 어렵거나, GSK3β가 활성화되어 결과적으로 β-카테닌의 농도가 낮아지는 것이다. 따라서 성체장줄기세포가 분화하기 위해서는 β-카테닌의 농도가 낮아지는 조건을 찾아야 한다.

④ 성체장줄기세포에 GSK3β의 활성을 억제하는 물질을 첨가하면 β-카테닌의 인산화가 일어나지 않는다. 인산화되지 않은 β-카테닌은 분해되지 않아 세포 내의 β-카테닌의 농도가 높게 유지된다. 이렇게 세포 내에 축적된 β-카테닌의 영향으로 성체장줄기세포는 자신과 똑같은 세포를 지속적으로 복제하게 된다. 따라서 이 경우는 새로운 상피세포로 분화하는 과정이 아니다.

[오답 풀이]

① 판네스세포는 Wnt를 분비하는데, 이러한 판네스세포에 돌연변이가 생겨 Wnt 분비가 중지되면 Wnt 수용체를 가진 성체장줄기세포는 Wnt를 인식하지 못한다. Wnt 자극을 받지 못하면 낮은 농도의 β-카테닌을 갖게 된다. 따라서 성체장줄기세포는 상피세포로 분화(㉠)하게 된다.

② 성체장줄기세포가 분열하면서 생긴 세포가 나중에 생긴 세포에 밀려 판네스세포에서 멀어지면 상대적으로 Wnt 자극을 덜 받아서 낮은 농도의 β-카테닌을 갖게 된다. 따라서 성체장줄기세포는 상피세포로 분화(㉠)하게 된다.

③ β-카테닌의 인산화가 활발하게 일어나면 세포 내의 β-카테닌의 농도는 낮게 유지된다. 따라서 성체장줄기세포는 상피세포로 분화(㉠)하게 된다.

⑤ 성체장줄기세포의 Wnt 수용체에 돌연변이가 생겨 Wnt와 결합하지 못하게 되면 Wnt 자극을 받지 못하므로 낮은 농도의 β-카테닌을 갖게 된다. 따라서 성체장줄기세포는 상피세포로 분화(㉠)하게 된다.

32. 정답 ②

난이도 ★★☆ | 정답률 42%

내용영역 과학기술 · 문항 유형 정보의 추론과 해석

[정답 풀이]

② 2문단에 의하면 Wnt 신호전달이 불활성화될 경우 뼈의 형성을 저해하여 골다공증을 유발한다. Wnt 신호전달이 불활성화된다는 것은 곧 Wnt 분비 세포의 주변 세포가 Wnt의 자극을 받지 않는 경우이므로 이때에는 GSK3β가 β-카테닌에 인산기를 붙여주는 인산화 과정이 그 주변 세포 내에서 수행되어 결과적으로 세포 내의 β-카테닌의 농도는 낮게 유지된다. 반면 Wnt 분비 세포의 주변에 있는 세포 표면의 Wnt 수용체에 Wnt가 결합하게 되면 GSK3β의 활성이 억제되어 β-카테닌의 인산화가 일어나지 않아 결과적으로 세포 내 β-카테닌의 농도가 높게 유지된다. Wnt 신호전달을 조절하여 골다공증을 치료하는 약물은 Wnt 신호전달을 활성화시킬 것이다. Wnt 신호전달이 일어나면 GSK3β의 활성이 억제되어 β-카테닌의 인산화가 일어나지 않아 세포 내 β-카테닌의 농도가 약물 투여 전보다 높아질 것이다. 즉 Wnt 신호전달을 조절하여 골다공증을 치료하는 약물은 β-카테닌의 양을 증가시킬 것임을 추론할 수 있다.

[오답 풀이]

① 1문단에 의하면 융모를 구성하는 상피세포를 만드는 것은 소낭의 성체장줄기세포가 담당한다. 융모가 창자 내부의 표면적을 넓혀 영양분의 효율적인 흡수를 돕는다는 점에서 성체장줄기세포의 수가 감소하면 결과적으로 상피세포의 생성 또한 감소할 것이므로 융모의 수도 적어져 창자 내부의 표면적을 넓혀 영양분의 효율성을 돕는 것 또한 약화될 것이다. 따라서 성체장줄기세포의 수가 감소하면 창자에서 양분의 흡수가 감소하게 될 것이라 추론할 수 있다.

③ 3문단에 의하면 APC 단백질이 들어 있는 단백질 복합체 안에서 GSK3β가 β-카테닌에 인산기를 붙여주는 인산화 과정이 그 주변 세포 내에서 수행된다. 그리고 이러한 인산화로 인해 β-카테닌은 분해되어 세포 내의 β-카테닌의 농도는 낮게 유지된다. 이를 통해 GSK3β의 활성을 위해 필요한 APC 단백질은 인산화된 β-카테닌 단백질의 분해를 막는 것이 아닌 유도한다고 할 수 있다.

④ 3문단에 의하면 대장암 환자들은 APC 단백질을 만드는 유전자에 돌연변이가 생긴 경우가 많은데 이는 β-카테닌을 인산화하는 복합체가 형성되지 않아 β-카테닌이 많아지고 그에 따라 세포 증식이 과도하게 일어나기 때문이다. β-카테닌의 인산화 작용에 영향을 주는 것은 APC 단백질이 들어 있는 단백질 복합체 안의 GSK3β이고, 이 GSK3β의 활성이 억제되면 β-카테닌의 인산화가 일어나지 않아 세포 내 β-카테닌의 농도는 높아지게 된다. 농도가 높아진다는 것은 β-카테닌 단백질의 양이 늘어남을 의미한다. 세포에 Wnt를 처리한다는 것은 곧 Wnt 신호전달이 일어날 수 있게 한다는 것인데 Wnt 분비 세포의 주변에 있는 세포 표면의 Wnt 수용체에 Wnt가 결합하게 되면 GSK3β가 억제된다. 따라서 APC에 돌연변이가 일어난 대장암 세포에 Wnt를 처리하면 β-카테닌 단백질의 양은 늘어날 것이다.

⑤ 4문단에 의하면 성체장줄기세포가 Wnt를 인식하면 세포 내 β-카테닌의 농도가 높아져 이 단백질에 의존하는 유전자가 발현됨으로써 자신과 똑같은 세포를 지속적으로 복제하게 된다. β-카테닌 유전자에 돌연변이가 일어나서 β-카테닌 단백질에 GSK3β에 의한 인산화가 일어나지 않으면 결과적으로 세포 내 β-카테닌의 농도가 높아져 성체장줄기세포는 자신과 같은 세포를 지속적으로 복제할 것이고 이에 따라 성체장줄기세포의 수는 증가하게 될 것이다.

[33~35] 제재 | 변호인의 성실 의무
난이도 | ★☆☆

33. 정답 ① 난이도 ★☆☆ | 정답률 82%
(내용영역) 규범 (문항 유형) 정보의 확인과 재구성

[정답 풀이]

① 3문단에 따르면, 미국에서는 변호인이 불성실한 변호를 하면 징계를 받는다. 또한 6문단에 따르면, 우리나라 역시 변호인의 성실 의무 위반이 재판에 영향을 미치면 변호인 개인에 대한 징계나 손해 배상의 문제로 취급하고 있다. 이는 국선 변호인의 경우에도 마찬가지이다. 따라서 국선 변호인이 받은 보수가 매우 적어서 성실하지 않은 변호를 하였더라도 징계를 받는다고 볼 수 있다.

[오답 풀이]

② 3문단에 따르면, 변호인의 성실 의무에는 성실한 업무 처리뿐만 아니라 법률 전문가다운 유능한 업무 수행이 포함된다고 하였다. 즉 변호인의 성실 의무에는 변호인이 전문가로서 변호 기술을 충분히 발휘하는 것도 포함된다.

③ 2문단의 미란다 판결(1965)에서는 기소된 피고인뿐 아니라 기소 전에 수사를 받는 피의자도 국선 변호인의 조력을 받을 권리가 있다고 하여 조력을 받는 대상의 확대를 다루고 있었다. 그리고 그 후에는 변호의 효과와 관련하여 변호인의 성실 의무 위반이 효과적인 변호를 받을 피고인의 권리를 침해하는 것인지에 대해서 논란이 있어 왔다. 그러다 5문단의 메이켐슨 판결(1986)에서는 정부가 효과적인 변호를 받을 권리를 보장하기 위해 국선 변호인의 보수를 지원하여야 한다고 하며 변호의 질 보장을 다루었다. 따라서 변호인의 조력을 받을 권리는 조력을 받는 대상의 확대에서 변호의 질 보장으로 발전하여 왔다고 볼 수 있다.

④ 1문단에 따르면, 형사절차에서 변호인은 검사에 비하여 열악한 지위에 있는 피고인의 정당한 이익을 보호하는 자이다. 그리고 공정한 재판을 위해서는 검사와 피고인이 실질적으로 대등해야 하기 때문에 변호인은 형식적인 존재가 아니라 효과적인 변호를 수행하는 존재이어야 한다. 따라서 형사절차에서 변호인은 피고인이 실질적으로 검사와 대등한 지위에서 재판을 받을 수 있도록 돕는다고 할 수 있다.

⑤ 1문단에 따르면, 미국의 형사절차는 당사자인 검사와 피고인이 증거를 신청하지 않는 한 법관이 직권으로 증거 조사를 할 수 없는 당사자주의 소송 구조로 되어 있다고 하였다. 즉 당사자주의 소송 구조에서 법관은 검사나 피고인의 증거 신청 없이 직권으로 증거 조사를 할 수 없다.

34. 정답 ① 난이도 ★★☆ | 정답률 68%
(내용영역) 규범 (문항 유형) 주제, 구조, 관점 파악

[정답 풀이]

① 2문단에 따르면, 미란다 판결(㉠)에서 미국의 연방대법원은 국선 변호인의 조력을 받을 권리가 있는 대상을 기소된 피고인뿐 아니라 기소 전에 수사를 받는 피의자까지로 확대했지만, 그 변호가 효과적이어야 한다는 데까지는 이르지 않았다. 따라서 ㉠에서 효과적이지 않은 변호로 피의자가 국선 변호인의 조력을 받을 권리를 침해당하는 것을 방지하고자 하였다고 이해하는 것은 적절하지 않다. 오히려 이는 메이켐슨 판결(㉣)에 대한 이해로 보는 것이 더 적절하다.

[오답 풀이]

② 4문단에 따르면, 미첼 판결(㉡)에서 연방대법원은 변호의 효과가 변호를 받을 권리의 내용에 포함되지 않는다고 보았으며, 재판이 끝난 후에 변호인의 성실 의무 준수 여부를 다른 재판부가 평가하는 것은 문제가 있다고 하였다. 즉 ㉡에서는 변호인이 소송 과정에서 성실했는지의 여부를 상급 법원의 재판부가 판단하기 어렵다고 본 것이다.

③ 5문단에 따르면, 스트릭랜드 판결(㉢)에서 연방대법원은 변호인이 성실 의무를 위반하였다는 점과 그 위반이 재판의 결과에 영향을 주었다는 점, 이렇게 두 가지를 피고인이 입증해야 유죄 판결을 파기할 수 있다고 하였다. 즉 ㉢에서는 변호가 불성실했다는 것을 피고인이 입증하는 것만으로는 유죄 판결이 파기되지 않는다고 한 것이다.

④ 5문단에 따르면, 메이켐슨 판결(㉣)에서 플로리다 주 대법원은 변호의 질이 변호인의 보수에 영향을 받는다고 하면서, 정부가 효과적인 변호를 받을 권리를 보장하기 위해 국선 변호인의 보수를 더욱 적극적으로 지원하여야 한다고 하였다. 즉 ㉣에서는 변호와 보수의 관계를 고려하여 국선 변호인에 대한 정부의 재정 지원 의무와 노력을 강조한 것이다.

⑤ 5문단의 스트릭랜드 판결(㉢)에서는 만일 변호인의 조력을 받을 권리가 침해되었다면 피고인의 입증을 통해 유죄 판결을 파기할 수 있다고 하였는데, 이때 피고인이 입증해야 할 침해의 내용은 변호인의 변호가 효과적이었는지 여부이며, 이는 객관적 합리성의 기준에 따라 판단할 수 있는 것이라고 보았다. 또한 메이켐슨 판결(㉣)에서는 정부가 국선 변호인의 보수를 적극적으로 지원하여 효과적인 변호를 받을 권리를 보장해야 한다고 하였다. 즉 ㉢과 ㉣에서 변호인의 조력을 받을 권리라는 말의 '조력'은 효과적인 변호에 따른 조력임을 전제한 것이다.

35. 정답 ② 난이도 ★★☆ | 정답률 79%

내용영역 규범 문항 유형 주제, 구조, 관점 파악

[정답 풀이]

② 3문단에 따르면, 미국에서는 변호인이 불성실한 변호를 하면 징계를 받거나 위임 계약 위반에 따른 배상 책임을 진다. 또한 6문단에 따르면, 우리나라도 성실 의무의 위반이 재판에 영향을 미치면 변호인 개인에 대한 징계나 손해 배상의 문제로 취급하고 있다. 따라서 불성실한 변호를 할 경우 그 변호인이 민사상 손해 배상 책임을 질 수 있다는 것은 우리나라와 미국의 공통점이다.

[오답 풀이]

① 5문단에 따르면, 미국의 연방대법원은 스트릭랜드 판결에서 변호인이 성실 의무를 위반하였다는 점과 그 위반이 재판의 결과에 영향을 주었다는 점을 피고인이 입증하면 유죄 판결을 파기할 수 있다고 하였다. 하지만 6문단에 따르면, 우리나라는 이 문제를 변호인 개인에 대한 징계나 손해 배상의 문제로만 취급할 뿐이어서, 불성실한 변호로 인해 효과적인 변호를 받을 권리가 침해당한 경우 피고인에 대한 유죄 판결을 파기할 수 있어야 한다고 글쓴이는 주장한다. 이를 통해 우리나라의 경우 변호인의 불성실한 변호를 이유로 하여 유죄 판결을 파기한 사례가 없다는 것을 알 수 있다.

③ 2문단에 따르면, 미국의 연방대법원은 미란다 판결에서 기소된 피고인뿐 아니라 기소 전에 수사를 받는 피의자도 국선 변호인의 조력을 받을 권리가 있다고 하였다. 하지만 6문단에 따르면, 우리나라의 헌법재판소는 헌법상 국선 변호인의 조력을 받을 권리가 피고인에게만 인정된다고 좁게 해석하였다. 따라서 기소되기 전의 모든 피의자가 국선 변호인의 조력을 제공받을 권리가 있다는 것은 미국에만 해당되는 점이다.

④ 6문단에 따르면, 우리나라의 경우 변호사법 등에 변호인의 성실 의무가 규정되어 있고, 따라서 성실 의무를 지키지 않는 것은 윤리 규범뿐만 아니라 실정법을 위반하는 행위이다. 미국의 경우에도 우리나라와 마찬가지로 변호인이 불성실한 변호를 하면 징계를 받거나 위임 계약 위반에 따른 배상 책임을 진다는 점에서, 성실 의무를 지키지 않는 것이 윤리 규범뿐만 아니라 실정법을 위반한 행위라고 볼 수 있다. 따라서 우리나라와 미국 모두 불성실한 변호는 윤리 규범을 위반한 것이며, 실정법 또한 위반한 것이다.

⑤ 2문단에 따르면, 효과적이지 못해 논란을 일으키는 변호의 유형 중 '(1) 변호인과 피고인의 이익이 충돌하는 변호'의 경우, 미국 판례는 물론 우리 판례도 피고인의 권리 침해를 인정하고 유죄 판결을 파기하였다고 하였다. 따라서 국선 변호인과 피고인의 이익이 충돌하는 변호의 경우 유죄 판결을 파기할 수 없다는 것은 우리나라와 미국 모두 해당되지 않는 점이다.

2016학년도 [홀수형]

[1~3] 제재 | 언론 보도의 자유와 공정한 재판
난이도 | ★★☆

1. 정답 ③
난이도 ★☆☆ | 정답률 90%

내용영역 규범 / 문항 유형 정보의 확인과 재구성

[정답 풀이]

③ 2문단의 네브래스카 기자협회 사건 판결에 따르면, 연방대법원은 공판 전 보도금지명령에 대하여 침해의 위험이 명백하지 않은데도 가장 강력한 사전 예방 수단을 쓰는 것이라 보고 위헌이라고 판단하였다. 이 판결에서도 알 수 있듯이 예단을 방지하기 위하여 보도 자체를 사전에 금지해버리는 것은 강력한 사전 예방 수단이므로, 이를 공정한 형사재판을 위한 최소한의 사전 예단 방지 수단이라고 이해한 것은 적절하지 않다.

[오답 풀이]

① 1문단에 따르면, 피의자의 자백이나 전과, 거짓말탐지기 검사 결과 등에 관한 언론 보도는 유죄판단에 큰 영향을 미친다는 실증적 연구가 있다. 유죄판단에 영향을 미친다는 것은 곧 유죄의 예단을 심어준다는 것이므로, 피의자의 범죄와 관련된 언론 보도를 접한 사람들은 그 피의자를 범죄자라고 생각하기 쉽다.

② 4문단에 따르면, 일반적으로 변호인이 피고인을 위하여 사건에 대해 발언하는 것은 수사기관으로부터 얻은 정보에 근거한 범죄 보도의 경우보다 적법절차를 침해할 위험성이 크지 않다. 즉 적법절차를 침해할 위험성이 상대적으로 더 큰 것은 수사기관으로부터 얻은 정보에 근거한 범죄 보도이다. 1문단에 따르면, 공정한 형사재판은 적법절차에 근거하므로, 언론에 제공된 변호인의 발언은 수사기관으로부터 얻은 정보에 근거한 범죄 보도보다 공정한 형사재판을 침해할 우려가 상대적으로 적다.

④ 1문단에 따르면, 언론의 범죄 관련 보도는 범죄사실이 인정되는지 여부를 백지상태에서 판단하여야 할 법관이나 배심원들에게 유죄의 예단을 심어줄 우려가 있다. 따라서 언론의 범죄에 관한 보도가 재판에 영향을 미칠 가능성은 배심원뿐만 아니라 법관 재판의 경우에도 존재한다.

⑤ 4문단에서 5문단에 따르면, 변호인은 적극적으로 피고인 측의 주장을 보도기관에 전하여 보도가 일방적으로 편향되는 것을 방지할 필요가 있으며, 언론이 검사 측 못지않게 피고인 측에게도 대등한 보도를 할 수 있도록 실질적 조력을 해야 한다. 만일 보도 내용이 수사기관으로부터 얻은 정보에 근거한다면 이는 검사와 피고인 양측에게 대등한 보도가 아니므로, 법관이나 배심원들에게 예단을 심어주어 공정한 형사재판을 받을 피고인의 권리를 침해할 위험이 생길 것이다. 따라서 소송 당사자 양측, 즉 검사 측과 피고인 측에게 보도 기관에 대한 정보 제공 기회를 대등하게 주어 피고인이 공정한 형사재판을 받을 권리를 보장하여야 한다.

2. 정답 ④
난이도 ★☆☆ | 정답률 90%

내용영역 규범 / 문항 유형 주제, 구조, 관점 파악

[정답 풀이]

2문단에 제시된 미국 연방대법원의 네 가지 판결 내용을 정리하면 다음과 같다.

㉠ 어빈 사건 판결	언론 보도가 예단을 형성시켜 실제로 재판에 영향을 주었다는 사실이 입증되면 그 유죄판결을 파기하여야 함
㉡ 리도 사건 판결	보도의 내용이나 행태 등에서 예단을 유발할 수 있다고 인정되면, 개개의 배심원이 실제로 예단을 가졌는지의 입증 여부를 따지지 않고, 적법절차의 위반을 들어 유죄판결을 파기하여야 함
㉢ 셰퍼드 사건 판결	'침해 예방'이라는 관점을 제시하여, 배심원 선정 절차에서 예단을 가진 후보자의 배제, 배심원이나 증인과의 격리, 재판 연기, 관할 변경 등의 사전적 예방 수단을 언급함
㉣ 네브래스카 기자협회 사건 판결	'공판 전 보도금지명령'에 대하여 침해의 위험이 명백하지 않은데도 가장 강력한 사전 예방 수단을 쓴 것이므로 위헌임

④ 리도 사건 판결(㉡)은 보도의 내용이나 행태 등에서 예단을 유발할 수 있다고 인정되면 실제로 예단을 가졌는지의 입증 여부를 따지지 않고 유죄판결을 파기하여야 한다고 했다. 반면에 셰퍼드 사건 판결(㉢)은 '침해 예방'이라는 관점을 제시하여 예단의 사전적 예방 수단을 언급한다. 즉 ㉡은 예단이 재판에 영향을 미친 이후의 처리를 논하고 있으며, ㉢은 예단이 재판에 영향을 미치기 전의 예방을 논하고 있다. 1문단에 따르면, 예단은 공정한 형사재판을 받을 피고인의 권리를 침해할 위험이 있다고 하였으므로, 예단을 심어줄 우려가 낮을수록 더 공정한 재판이라 할 수 있다. ㉡에서 ㉢으로 이행은 형사재판의 공정성을 높이기 위해 예단을 심어줄 우려를 더 낮춘 것에 해당한다. 따라서 공정한 형사재판의 측면에서 볼 때 후퇴한 것이라는 진술은 적절하지 않다.

[오답 풀이]

① 어빈 사건 판결(㉠)은 언론 보도가 예단을 형성시켜 실제로 재판에 영향을 주었다는 사실이 입증되면 그 유죄판결을 파기하여야 한다고 했으며, 리도 사건 판결(㉡)은 배심원들이 실제로 예단을 가졌는지의 입증 여부를 따지지 않고 유죄판결을 파기할 수 있다고 하였다. 방법의 차이는 있으나, 두 판결 모두 예단이 헌법상 적법절차 보장에 근거하여 공정한 형사재판을 받을 피고인의 권리를 침해할 위험이 있다고 보고, 이를 방지해야 한다는 입장에서는 공통된다. 따라서 ㉠과 ㉡ 모두 공정한 형사재판을 통해서 진실이 발견되어야 한다고 보았다는 진술은 적절하다.

② 언론 보도가 예단을 형성시켜 실제로 재판에 영향을 주었다는 사실을 입증해야 하는 어빈 사건 판결과 달리, 리도 사건 판결(㉡)은 배심원들이 실제로 예단을 가졌는지의 입증 여부를 따지지는 않는다. 즉, 어빈 사건 판결에서는 피고인에게 있었던 입증 책임이 리도 사건 판결에서는 없어진 것이다. 따라서 ㉡이 예단에 대한 피고인의 입증 책임을 완화하였다고 한 진술은 적절하다.

③ 셰퍼드 사건 판결(㉢)은 '침해 예방'이라는 관점을 제시하여, 형사 절차 과정에서 배심원 선정 시 예단을 가진 후보자를 미리 배제하고 배심원이나 증인을 격리하며, 재판을 연기하거나 관할을 변경하는 등의 수단을 언급한다. 예단은 헌법상 적법절차 보장에 근거하여 공정한 형사재판을 받을 피고인의 권리를 침해하므로, ㉢은 형성된 예단이 재판에 영향을 미치는 것을 예방하겠다는 것이다. 따라서 ㉢이 적법절차를 보장하기 위하여 형사절차 내에서 예단의 사전 방지 수단을 제시하였다고 한 진술은 적절하다.

⑤ 네브래스카 기자협회 사건 판결(㉣)은 법원이 보도기관에 내린 '공판 전 보도금지명령'이 침해의 위험이 명백하지 않은데도 가장 강력한 사전 예방 수단을 쓴 것으로 보아 위헌이라고 판단했다. 이는 보도 제한이 헌법에 보장된 표현의 자유에 대한 침해가 된다는 입장이 반영된 판결이다. 즉 ㉣은 '공판 전 보도금지명령'이 기자나 언론이 지닌 표현의 자유에 대한 과도한 제한이라고 보고 이를 경계한 것이므로, 적절한 진술이다.

3. 정답 ④ 난이도 ★☆☆ | 정답률 93%

내용영역 규범 문항 유형 정보의 평가와 적용

[정답 풀이]

예단 방지 수단들의 실효성을 의심하는 견해(ⓐ)를 뒷받침하는 경우란, 예단 방지 수단을 시행했으나 그 결과가 예단을 방지하지 못한 경우를 말한다. 2문단에서 3문단에 따르면, 예단 방지 수단에는 '배심원 선정 절차에서 상세한 질문을 통하여 예단을 가진 후보자 배제', '배심원이나 증인 격리', '재판 연기', '관할 변경', '형사재판 비공개', '형사소송 관계인의 언론에 대한 정보제공금지' 등이 있다.

④ 검사가 피의자의 진술거부권 행사 사실을 공개하려고 한 것은 형사소송 관계인인 검사가 유죄판결에 있어서 피의자에게 불리하게 작용할 수 있는 정보, 즉 수사기관에 유리한 예단을 형성시킬 가능성이 있는 정보를 언론에 제공하고자 한 것이다. 이에 법원이 검사에게 그 사실에 대한 공개 금지명령을 내린 경우라면, 이는 예단 방지 수단인 '형사소송 관계인의 언론에 대한 정보제공금지'가 시행되어 예단을 방지하고자 한 것이다. 따라서 ⓐ를 뒷받침하는 경우로 보기 어렵다.

[오답 풀이]

① 법원이 배심원을 격리한 것은 예단을 사전에 방지하고자 '배심원이나 증인 격리' 수단을 시행한 것이다. 하지만 이처럼 예단 방지 수단을 시행했음에도 격리 전에 보도가 있었던 경우라면, 이미 예단을 가지고 있는 배심원을 격리한 것과 마찬가지이므로 수단을 시행한 의미가 없어진다. 즉 예단 방지 수단을 시행했으나 그 결과가 예단을 방지하지 못한 경우이므로, 예단 방지 수단의 실효성을 의심하는 견해를 뒷받침할 수 있다.

② 법원이 관할 변경 조치를 취한 것은 예단을 사전에 방지하고자 '관할 변경' 수단을 시행한 것이다. 하지만 이처럼 예단 방지 수단을 시행했음에도 이미 전국적으로 보도가 된 경우라면, 변경된 관할에서 재판할 때에도 이미 예단이 형성되어 있을 가능성이 있으므로 수단을 시행한 의미가 없어진다. 즉 예단 방지 수단을 시행했으나 그 결과가 예단을 방지하지 못한 경우이므로, 예단 방지 수단의 실효성을 의심하는 견해를 뒷받침할 수 있다.

③ 법원이 재판을 장기간 연기한 것은 예단을 사전에 방지하고자 '재판 연기' 수단을 시행한 것이다. 하지만 이처럼 예단 방지 수단을 시행했음에도 재판 재개에 임박하여 다시 언론 보도가 이어진 경우라면, 재판 재개 시점에 다시 예단이 형성되어 있을 것이므로 수단을 시행한 의미가 없어진다. 즉 예단 방지 수단을 시행했으나 그 결과가 예단을 방지하지 못한 경우이므로, 예단 방지 수단의 실효성을 의심하는 견해를 뒷받침할 수 있다.

⑤ 변호사가 배심원 후보자에게 해당 사건에 대한 보도를 접했는지에 대해 질문한 것은 예단을 사전에 방지하고자 '배심원 선정 절차에서 상세한 질문을 통하여 예단을 가진 후보자 배제' 수단을 시행한 것이다. 하지만 이처럼 예단 방지 수단을 시행했음에도 후보자가 정직하게 답변하지 않은 경우라면, 예단을 가진 후보자가 배제되지 않고 포함될 가능성이 있으므로 수단을 시행한 의미가 없어진다. 즉 예단 방지 수단을 시행했으나 그 결과가 예단을 방지하지 못한 경우이므로, 예단 방지 수단의 실효성을 의심하는 견해를 뒷받침할 수 있다.

[4~6] 제재 | 신채호, 「조선역사상 일천년래 제일대사건」에서
난이도 | ★★☆

4. 정답 ① 난이도 ★☆☆ | 정답률 82%

내용영역 인문 문항 유형 정보의 확인과 재구성

[정답 풀이]

① 5문단에 의하면 거병의 소식이 처음 송도에 이르렀을 때에 윤언이는 고사하고 묘청의 친당들도 묘청이 거병했을 것이라고 믿지 않았으며, 거병한 사실이 차차 분명해지자 칭제북벌론자들은 모두 와해되었다. 따라서 묘청이 거병하자 송도의 칭제북벌론자들도 호응해 봉기하였다는 진술은 지문 내용과 일치하지 않는다.

[오답 풀이]

② 6문단에 의하면 신채호는 정치, 종교, 학술이나 기타 모두가 사대주의의 노예가 되어 갑오 · 을미개혁의 시기를 만날지라도 외세를 따라 바뀌는 사회가 될 뿐이라고 하였다. 외세를 따라 바뀐다는 것은 자주적으로 바뀌는 것과는 대치되므로, 갑오 · 을미개혁은 자주적인 근대화 개혁으로 나아가지 못하였다는 진술은 지문 내용과 일치한다.

③ 6문단에 의하면 조선은 창업이 곧 유가의 사대주의로 성취되었고, 1문단에 의하면 조선 근세에 종교나 학술이나 정치나 풍속이 사대주의의 노예가 되었다. 또한 2문단에 의하면 조선사가 사대적, 보수적, 속박적 사상 즉 유교사상에 정복되고 말았다고 했으므로, 조선 왕조는 건국 초부터 근세에 이르기까지 유교사상에 의한 사대주의로 일관하였다는 진술은 지문 내용과 일치한다.

④ 4문단에 의하면 신라 말엽부터 평양 임원역은 대화(大華)의 세이므로 여기에 천도하면 36국이 와서 조공을 바치리라는 비결이 유행하였다. 또한 비결과 풍수설로 평양 천도를 주장함은 묘청으로 시작된 것이 아니라고 하였다. 따라서 묘청 이전에도 평양에 천도하면 36국이 조공을 바칠 정도로 국운이 흥성한다는 비결이 퍼져 있었다는 진술은 지문 내용과 일치한다.

⑤ 5문단에 의하면 칭제북벌론에 경향(傾向)한 자가 거의 전국인의 반이 지났으며 군주 인종도 10의 9분은 묘청을 믿었다고 하였다. 이는 칭제북벌에 찬성하는 사람이 그만큼 많았음을 강조하고자 한 표현이다. 따라서 묘청의 거병 당시 칭제북벌에 찬성하는 사람이 반대하는 사람보다 많았다는 진술은 지문 내용과 일치한다.

5. 정답 ③ 난이도 ★☆☆ | 정답률 82%

내용영역 인문 | 문항 유형 주제, 구조, 관점 파악

[정답 풀이]

③ 4문단에 의하면 평양을 도읍으로 삼음은 역대 왕조에서 기도하던 바이나 기실은 평양에 천도하면 북쪽 오랑캐에 가까워지니 만일 적기(敵騎)가 압록강을 건너는 때에는 도성이 먼저 병화의 요충(要衝)이 되므로 글쓴이는 평양(서경)이 당시 도성될 지점에 결코 마땅치 않다고 하였다. 이는 칭제북벌론자들의 '서경 천도'를 당대 상황에 맞지 않은 것이라 평가한 것이다. 또한 글 전체 내용으로 볼 때, 글쓴이는 칭제북벌에 관하여 뚜렷한 평가를 내리고 있지 않다. 다만 4문단에서 윤언이가 칭제북벌을 주장하고 서경 천도에 부동의한 것을 탁견이라고 이른 점을 보아 칭제북벌에 대해서 비판적인 입장은 아님을 짐작해볼 수 있다. 따라서 칭제북벌이 당대 상황을 오판한 것이라고까지는 판단하지 않을 것이므로, 정지상이 칭제북벌을 꿈꾼 것이 당대 상황을 오판한 결과였다는 내용은 글쓴이의 평가로 적절하지 않다.

	칭제북벌	서경 천도
윤언이	찬성	반대
묘청	찬성	찬성
정지상	찬성	찬성

〈칭제북벌론자들의 견해 차 비교〉

[오답 풀이]

① 5문단에 의하면 글쓴이는 성숙한 시기를 선용치 못하고 서경에서 거병한 묘청의 행동을 발호(跋扈)한 행동, 즉 '권세나 세력을 제멋대로 부리며 함부로 날뛴 것'이라 말하고, 이같이 행동할 것 같으면 반드시 그 내부가 공고하고 실력이 웅후한 뒤에 발표할 것이 아닌가하는 안타까움을 드러내고 있다. 따라서 묘청이 서경에서 군사를 일으킨 것은 성급한 행동이었다는 내용은 글쓴이의 평가로 적절하다.

② 4문단에 의하면 글쓴이는 칭제북벌론자가 매양 평양 천도를 전제로 함은 비상한 실책이니 윤언이가 전자(칭제북벌)를 주장하고 후자(서경 천도)에 부동의함은 과연 탁견(卓見, 뛰어난 의견)이라 하였다. 이는 평양에 천도하면 북쪽 오랑캐에 가까워지니 도성이 오랑캐의 침입에 취약해지므로, 평양이 도성될 지점으로는 적절하지 않았기 때문이다. 따라서 윤언이가 서경 천도에 동의하지 않은 것은 탁월한 판단이었다는 내용은 글쓴이의 평가로 적절하다.

④ 5문단에 의하면 글쓴이는 묘청이 성숙한 시기를 선용치 못하고 서경에서 거병하여 국호를 대위라 하고 연호를 천개라 하고 인종에게 서경으로 천도하여 그 국호와 연호를 받기를 요구한 것을 그 시대 신하의 예로 볼 때 발호한 행동이자 광망한 거동이라 말하고 있다. 따라서 묘청이 국호와 연호를 세운 것은 신하로서 잘못된 행동이었다는 내용은 글쓴이의 평가로 적절하다.

⑤ 4문단에 의하면 음양가의 풍수설로 평양 천도를 앞장서 주장하였다는 이유로 『고려사』에 묘청을 요적(妖賊)이라 하였는데, 글쓴이는 비결과 풍수설로 평양 천도를 주장함은 묘청으로 시작된 것이 아니니 이로써 묘청을 요적이라 함은 너무 억울한 판결이라고 하고 있다. 따라서 풍수설로 서경 천도를 주장했다고 해서 묘청을 요적이라고 하는 것은 지나친 비판이라는 내용은 글쓴이의 평가로 적절하다.

6. 정답 ④ 난이도 ★☆☆ | 정답률 91%

내용영역 인문 | 문항 유형 주제, 구조, 관점 파악

[정답 풀이]

④ 글쓴이는 묘청이 김부식에게 패한 서경의 전역(戰役)을 '조선역사상 일천년래 제일대사건'이라고 말한다. 이는 김부식의 유가가 패하고 묘청 등의 낭가와 불가가 이겼더라면 조선사가 독립적, 진취적 방면으로 진전하였을 것이나, 그렇지 못하여 조선이 사대주의의 노예가 된 것에 대한 안타까움을 드러내고자 한 것으로 볼 수 있다. 따라서 서경 전역이 낭가의 독립적이고 진취적인 사상이 소멸하는 계기가 되었기 때문이라는 것이 ㉠과 같이 주장한 핵심적인 이유로 가장 적절하다.

[오답 풀이]

① 2문단에 의하면 서경 전역은 낭가(娘家)·불가(佛家) 대 유가(儒家)의 싸움이라 할 수 있다. 즉 윤관의 아들로 유일한 낭가의 계통인 윤언이(낭가)와 서경 승도인 묘청(불가)이 힘을 합쳐 보수사상의 대표인 김부식(유교사상)에 대한 저항을 표출한 것을 이른다. 여기서 글쓴이는 낭가와 불가가 패함으로써 유가의 사대주의가 득세하게 된 것에 초점을 두고 있지, 이러한 저항 표출 시도 자체에 의의를 두었다고 보기는 어렵다. 따라서 ㉠과 같이 주장한 핵심적인 이유로 적절하지 않다.

② 황제를 칭하고 북쪽으로 금나라를 정벌하기를 강경히 주장한 칭제북벌론은 강토의 확대를 모색하는 북진 정책의 하나로 볼 수 있다. 서경 전역은 이에 따라 비롯된 사건이며, 서경 전역, 즉 묘청이 김부식에게 패한 것에 대한 안타까움을 글쓴이는 ㉠과 같이 표현하고 있다. 하지만 글쓴이가 서경 전역에 초점을 둔 것은 그것이 조선이 사대주의의 노예가 된 원인이라고 보았기 때문이며, 이는 강토의 확대를 통한 고구려의 옛 영토 회복과는 관련이 없다. 따라서 ㉠과 같이 주장한 핵심적인 이유로 적절하지 않다.

③ 4문단에 의하면 『고려사』에 묘청을 요적(妖賊)이라 한 것은 묘청이 음양가의 풍수설로 평양 천도(서경 천도)를 앞장서 주장하였기 때문이다. 하지만 지문을 통해서는 묘청의 평양 천도가 실패한 것과 음양가의 풍수설이 쇠퇴한 것 사이의 연관성을 찾을 수 없다. 따라서 서경 천도가 풍수설이 쇠퇴하는 계기가 되었다는 것은 ㉠과 같이 주장한 핵심적인 이유로 적절하지 않다.

⑤ 3문단에 의하면 서경 전역은 서경에 천도하고 제호(帝號)를 칭한 후 북으로 금을 치자는 칭제북벌론의 주장에서 비롯된 사건이다. 이에 따라 묘청은 서경에서 거병하여 국호를 대위라 하고 연호를 천개라고 하였다. 즉 칭제하고 연호를 세운 사건이라 볼 수 있다. 하지만 지문을 통해서 서경 전역이 우리 역사상 처음으로 칭제하고 연호를 세운 사건인지 여부는 알 수 없으며, 글쓴이가 이러한 역사적 사건 자체에 의의를 두었다고 보기도 어렵다. 따라서 ㉠과 같이 주장한 핵심적인 이유로 적절하지 않다.

[7~10] 제재 | 김춘수와 김수영의 시론
난이도 | ★★★

7. 정답 ①

난이도 ★★☆ | 정답률 65%

내용영역 인문 / 문항 유형 정보의 확인과 재구성

[정답 풀이]

① 2문단에 의하면 무의미시론(㉠)의 김춘수는 언어와 이미지의 유희, 즉 기의(記意) 없는 기표(記標)의 실험을 시도하여 비유와 상징은 물론 특정한 대상을 떠올리게 하는 이미지까지 시에서 배제하는 기법을 사용했다. 따라서 언어유희를 활용했다고 볼 수 있다. 하지만 김춘수에게 시 쓰기는 단지 현실 도피의 길이었으며, 6문단에 의하면 그는 세계에 대한 허무감에서 끝내 벗어날 수 없었다고 했다. 따라서 ㉠이 언어유희를 활용하여 세계에 대한 허무 의식을 극복했다고 볼 수는 없다.

[오답 풀이]

② 2문단에 의하면 무의미시론(㉠)의 김춘수는 자신의 1950년대 시가 추상적인 관념을 전달하는 이미지 · 비유 · 상징과 같은 수사에 집착했다고 반성한다. 그리고 관념이나 개인의 실존을 짓누르는 이데올로기로 인해 느꼈던 공포에서 벗어나기 위해 새로운 시 쓰기 방법을 시도하게 되는데, 그것이 바로 언어와 이미지의 유희, 즉 기의(記意) 없는 기표(記標)의 실험이었다. 이는 비유와 상징은 물론 특정한 대상을 떠올리게 하는 이미지까지 시에서 배제하는 기법 및 형식을 사용하는 것을 이르는데, 이때 '기의 없는 기표'란 언어가 가진 내용이나 의미를 배제하고 형식에만 치중하는 것을 말한다. 따라서 ㉠은 시에서 중요한 것을 내용이나 의미가 아니라 형식이나 기법이라 여겼음을 알 수 있다.

③ 무의미시론의 김춘수는 해체시 실험을 통해 시어의 무의미성을 추구하며, 현실을 도피함으로써 시의 무의미성에 도달하고자 하였다. 반면에 참여시론(㉡)의 김수영은 시의 무의미성에 도달하기 위해 시어의 의미성을 적극 수용함으로써 세계 변혁을 꾀하는 현실 참여의 길로 나아갔다. 여기서 세계 변혁을 꾀한다는 것은 현실에 맞섬으로써 당대 현실을 비판하고, 자유와 실존이 위협받던 1960년대의 시대 현실을 극복하는 것을 말한다. 이처럼 김춘수와 김수영은 시의 무의미성에 도달하고자 한다는 점에서는 공통되지만, 그 무의미성에 도달하는 방법론 면에서 차이를 보인다. 그리고 이러한 차이는 시인이 시어의 무의미성을 추구하는 해체시 실험에 치중한다면 현실 극복은 불가능할 것이라는 김수영의 인식에 기인한다고 할 수 있다.

④ 5문단에 의하면 참여시론(㉡)의 김수영은 시와 예술의 본질 혹은 존재 방식으로서의 무의미성까지 도달하기 위해, 오히려 시어의 범위를 적극적으로 확대하고 시와 현실의 접촉을 늘려 세계 변혁을 꾀하는 현실 참여의 길로 나아갔다. 시와 산문의 언어적 경계를 허물고, 일상어 · 시사어 · 관념어, 비속어와 욕설까지도 폭넓게 시어로 활용한 점에서 시어의 범위를 확장하였음을 알 수 있고, 시에 산문적 의미까지 담아내려고 한 점에서 시의 내용을 확장하였음을 알 수 있다. 그리고 이러한 시어의 범위와 시의 내용 확장을 통해 김수영은 당대 현실을 비판할 수 있었다. 이는 그만큼 시에 비판의 대상인 현실적 요소, 즉 시대 상황이나 현실의 문제 등이 반영될 수 있었기 때문에 가능했다. 시에 현실적 요소가 반영되고 이를 통해 현실에 참여하는 등 시와 현실의 접촉이 늘어난다는 것은 곧 시의 현실성이 강화되는 것을 의미한다. 따라서 ㉡은 시어의 범위와 시의 내용을 확장하여 시의 현실성을 강화했다고 볼 수 있다.

⑤ 1문단에 의하면, 무의미시론(㉠)으로 새로운 해체시를 연 김춘수와 참여시론(㉡)으로 현실참여시의 태두가 된 김수영은 개인의 자유와 실존이 위협받던 1960년대의 시대 현실을 비판적으로 인식하고, 각자의 실존 의식과 윤리관을 예각화하면서 시적 언어와 창작 방법에 대한 성찰을 제시한 모더니스트들이다. 즉 그들의 시와 시론에는 시와 예술에 대한 인식이 담겨 있다. 따라서 두 시인의 시론인 ㉠과 ㉡은 모더니스트였던 시인의 예술관과 현실 대응 방식을 보여준다고 할 수 있다.

8. 정답 ⑤

난이도 ★☆☆ | 정답률 94%

내용영역 인문 / 문항 유형 주제, 구조, 관점 파악

[정답 풀이]

⑤ 5문단에 의하면 김수영은 '의미를 포기함으로써 무의미를 추구'하고자 한 김춘수의 실험적 기법을 혐오한 것이라고 여겼다. 그러고는 의미를 껴안고 들어가서 그 의미를 구제함으로써 무의미에 도달하는 길, 즉 '시어의 의미성을 적극적으로 수용함으로써 시의 무의미성에 도달'하는 것을 더 바람직한 시인의 태도로 제시한다. 또한 4문단에 의하면 시의 현대성은 실험적 기법의 우열보다는 현실에 대해 고민하는 시인의 양심에서 찾아야 한다고 보았다. 따라서 김수영의 참여시론의 핵심인 ⓐ는 실험적 기법이 시의 현대성을 성취하는 하나의 방법이 될 수는 있으나, 이를 시의 현대성을 성취하는 근본 요건이라고 인식하지는 않았을 것이다.

[오답 풀이]

① 김수영의 참여시론의 핵심인 '온몸으로 온몸을 밀고나가는 것(ⓐ)'이란, 5문단에 의하면 '의미'를 껴안고 들어가서 그 '의미'를 구제함으로써 무의미에 도달하는 길을 말한다. 즉 동일한 존재인 '온몸(의미)'이 밀고나가는 행위의 수단이자 대상이 됨을 의미한다고 설명할 수 있다.

② 4문단에 의하면 김춘수에게 시 쓰기란 현실로 인해 빚어진 내면의 고뇌와 개인적 실존의 위기를 벗어던지고 자신의 생을 구원하는 현실 도피의 길이었던 것과 달리, 김수영에게 시 쓰기란 자유를 억압하는 군사정권과 대결하고 정치적 자유의 이행을 촉구하며

공동체의 운명을 노래하는 것이었다. 따라서 김수영의 참여시론의 핵심인 ⓐ는 현실 도피 대신에 현실 참여를 시인의 윤리로 받아들이는 태도를 보인다고 설명할 수 있다.

③ 4문단에 의하면 김수영에게 시 쓰기란 자유를 억압하는 군사정권과 대결하고 정치적 자유의 이행을 촉구하며 공동체의 운명을 노래하는 것이었다. 그리고 진정한 자유의 이행을 위해 ⓐ를 제시하며, 현실에 대해 고민하는 시인의 양심에서 시의 현대성을 찾아야 한다고 말한다. 따라서 김수영의 참여시론의 핵심인 ⓐ는 정치 현실로 인해 억압된 자유를 되찾으려 했던 시인의 고뇌를 담고 있다고 설명할 수 있다.

④ 4문단에 의하면 김수영의 참여시론의 핵심인 '온몸으로 온몸을 밀고나가는 것(ⓐ)'이란 내용과 형식이 별개가 아니며 시인의 사상과 감성을 생활(현실) 속에서 언어로 표현할 때 그것이 바로 시의 형식이 된다는 의미이다. 이에 따라 ⓐ의 행위 자체가 형식이 된 시라면, 그 시의 내용은 시인이 느끼는 사상과 감성에 관련된다고 설명할 수 있다.

9. 정답 ①

난이도 ★★☆ | 정답률 61%

내용영역 인문 | 문항 유형 주제, 구조, 관점 파악

[정답 풀이]

① 4문단에 의하면 김수영에게 시 쓰기란 자유를 억압하는 군사정권과 대결하고 정치적 자유의 이행을 촉구하며 공동체의 운명을 노래하는 것이었다. 자유와 실존이 위협받던 시대였으므로 그 당시 시인들에게 실존의식을 통한 자아의 보존은 중요한 과제였을 것이다. 더욱이 김수영은 현실에 적극적으로 맞섬으로써 자유를 이행하는 데 있어 개인의 운명보다는 공동체의 운명을 고려했다. 그러므로 김수영은 '공동체적인 삶의 지향을 통한 자아의 보존'을 인식하고 있었다고 볼 수 있다. 그러나 김춘수에게 시 쓰기는 현실로 인해 빚어진 내면의 고뇌와 개인적 실존의 위기를 벗어던지고 자신의 생을 구원하는 지극히 개인적인 현실 도피의 길이었다. 그러므로 김춘수는 자아를 보존하는 데 있어 공동체적인 삶을 고려하였다고 볼 수 없다. 따라서 김춘수와 김수영의 공유된 인식에 해당하지 않는다.

[오답 풀이]

② 1문단에 의하면 김춘수와 김수영은 개인의 자유와 실존이 위협을 받던 1960년대의 시대 현실을 비판적으로 인식하고 각자의 실존의식과 윤리관을 예각화하면서 시적 언어와 창작 방법에 대한 성찰을 제시하였다. 두 모더니스트가 선택한 미학적 실험의 방향은 사뭇 달랐지만, 둘 모두 '개인의 실존을 억압하는 현실의 부조리성'에 대해서는 공유된 인식을 가지고 있음을 알 수 있다.

③ 2~3문단에 의하면 김춘수는 비유와 상징은 물론 특정한 대상을 떠올리게 하는 이미지까지 시에서 배제하는 기법을 통해 중심 대상을 붕괴시키고, 마침내 대상이 없는 이미지 그 자체가 대상이 되게 함으로써 무의미 상태에 도달하고자 했다. 그리고 5문단에 의하면, 김수영은 김춘수처럼 시어의 무의미성에 대한 추구로 시의 무의미성에 도달하는 것도 현대시가 선택할 수 있는 유효한 실험이라고 보았다. 즉 의미를 포기하는 것이 무의미의 추구가 된다는 김춘수의 방법을 일부 인정하고 있는 것이다. 따라서 김춘수와 김수영 모두 '의미가 제거된 시어의 활용 가능성'에 대해서 공유된 인식을 가지고 있음을 알 수 있다.

④ 5문단에 의하면 김춘수와 김수영에게 '무의미'란 의미 너머를 지향하는 욕망, 즉 우리 눈에 보이는 것 이상을 보려는 것이었다. 따라서 이 무의미를 추구하기 위해 김춘수는 시어의 의미를 포기하는 방법을, 김수영은 시어의 의미성을 적극적으로 수용하는 방법을 제시한 것이다. 그 미학적 실험의 방향은 달랐지만, 두 시인 모두 '시의 존재 방식으로서의 무의미성'에 대해서는 공유된 인식을 가지고 있음을 알 수 있다.

⑤ 2문단에 의하면 김춘수는 기의에서 해방된 기표의 유희를 통해 역사 현실과 화해할 수 없는 자율적인 시를 만들고자 했다. 즉 시와 현실(세계)의 화해 불가능성을 인식한 것이다. 5문단에 의하면 김춘수와 김수영에게 '무의미'란 의미 너머를 지향하는 욕망, 즉 시와 세계의 화해 불가능성을 드러내려는 것이었으므로, 김수영 역시 이를 인식했다고 볼 수 있다. 그리하여 김춘수는 시어의 의미를 포기하는 방법을, 김수영은 시어의 의미성을 적극적으로 수용하는 방법을 제시한 것이다. 따라서 방법에서는 차이를 보이지만, 두 시인 모두 '시와 세계의 화해 불가능성'에 대해서 공유된 인식을 가지고 있음을 알 수 있다.

10. 정답 ④

난이도 ★★★ | 정답률 41%

내용영역 인문 | 문항 유형 정보의 평가와 적용

[정답 풀이]

<보기>는 3문단에서 언급된 김춘수의 『처용단장』 제2부로, 김춘수의 시적 실험들의 진면목이 드러난 작품이다. 따라서 김춘수가 제시한 해체시 실험의 시 쓰기 방법들을 바탕으로 선지의 평가 내용을 판단해야 한다.

④ 5문단에 의하면 결국 김춘수가 시의 무의미성에 도달하기 위해 선택한 방법은 의미를 포기함으로써 무의미를 추구하는 것이다. 그러므로 김춘수의 이러한 기법이 잘 드러나 있는 <보기>의 무의미성은 시어의 의미를 포기한 결과로 볼 수 있다. 하지만 김수영은 김춘수의 방법이 너무 협소한 것이라고 여기며, 시어의 의미성을 적극적으로 수용함으로써 시의 무의미성에 도달하는 것이 더 바람직한 시인의 태도라고 보았다. 그러한 시인의 태도가 집약된 것이 참여시론이며, 참여시론의 핵심은 4문단에 의하면 진정한 자유의 이행이다. 그리고 진정한 자유의 이행을 위해서 현대 사회의 비극적 운명에 온몸으로 맞서야 한다고 주장한다. 따라서 김수영은 <보기>의 무의미성이 시어의 의미를 포기한 결과이므로 진정한 자유의 이행이 어려울 것이라고 평가했을 것이다.

[오답 풀이]

① 5문단에 의하면 김수영의 참여시는 시와 산문의 언어적 경계를 허물어 산문적 의미까지 시에 담아내려 했다. 이를 통해 그는 일상어 · 시사어 · 관념어, 심지어 비속어와 욕설까지도 폭넓게 시어로 활용하여 세계의 의미를 개진하고 당대 현실을 비판할 수 있었다. 따라서 <보기>의 김춘수의 시 쓰기 방법에 대하여

외래어와 관념어를 사용하면 시적 언어를 확장하고 시와 산문의 경계를 허물 수 있다고 평가할 수 있는 것은 김춘수가 아니라 김수영일 것이다.

② 3문단에 의하면 김춘수는 언어 기호를 음소 단위로까지 분해하거나 시적 언어를 주문이나 염불 소리 같은 리듬 혹은 소리 이미지에 근접시키기도 하였는데, 그 대표작이 <보기>에 제시된 『처용단장』 제2부이다. 하지만 2문단에 의하면, 김춘수는 비유와 상징은 물론 특정한 대상을 떠올리게 하는 이미지까지 시에서 배제한다. 따라서 김춘수는 <보기>의 염불 소리 같은 강렬한 청각 영상과 리듬감은 무의미 상태에 도달하고자 한 일종의 기법일 뿐, 현실이 초래했던 고뇌와 공포를 상징하는 것이라고 여기지는 않았을 것이다.

③ 2문단에 의하면 김춘수는 비유와 상징은 물론 특정한 대상을 떠올리게 하는 이미지까지 시에서 배제한다. <보기>는 이러한 기법이 잘 드러나 있는 김춘수의 작품이므로, '사바다'를 비하하여 '말더듬이 일자무식'에 비유했다고 볼 수 없다. 또한 김수영과 달리 김춘수는 현실로부터 도피하고자 했을 뿐 현실 비판이나 극복에는 이르지 못했다. 따라서 <보기>가 당대 현실을 풍자, 즉 비판한다고도 볼 수 없다. 김수영 역시 김춘수의 시적 인식에 대해 인지하고 있었을 것이므로, <보기>의 시 쓰기 방법에 대해 김수영이 이러한 평가를 한다는 것은 적절하지 않다.

⑤ 3문단에 의하면 김춘수는 이미지를 끊임없이 새로운 이미지로 대체하여 의미를 덧씌울 중심 대상을 붕괴시키고, 마침내 대상이 없는 이미지 그 자체가 대상이 되게 함으로써 무의미 상태에 도달하고자 했다. <보기>는 이러한 기법이 잘 드러나 있는 김춘수의 작품이므로, 의미를 덧씌울 대상을 붕괴시켰다는 것은 적절한 설명이다. 하지만 이렇게 중심 대상을 붕괴시키는 것은 무의미 상태에 도달하기 위함이지 새로운 내용적 요소를 담을 여지를 만들고자 함이 아니다. 새로운 내용적 요소를 담는다는 것과 의미를 포기하는 것은 대치되기 때문이다. 따라서 김춘수와 김수영 모두 이러한 평가를 하는 것은 적절하지 않다.

[11~13] 제재 | 선은 객관적으로 존재하는가?
난이도 | ★★☆

11. 정답 ④
난이도 ★☆☆ | 정답률 93%

내용영역 규범 / 문항 유형 정보의 확인과 재구성

[정답 풀이]

④ 3문단에 의하면 무어는 선을 최대로 산출하는 행동이 도덕적으로 옳은 행동이라고 보았다. 즉 도덕적으로 옳은 행동을 판별하는 기준으로 선을 최대로 산출하는지를 제시한 것이다. 이를 통해 무어는 도덕적으로 옳은 행동을 판별한 기준을 제시하고 있음을 알 수 있다.

[오답 풀이]

① 2문단에 의하면 플라톤은 이데아의 세계를 이성으로 인식할 수 있다고 하였으며 최고의 이데아인 선의 이데아를 인식하는 것이 인간 이성의 최고 목표라고 하였다. 따라서 플라톤은 선의 이데아를 이성을 통해 인식할 수 있다고 보았다.

② 2문단에 의하면 플라톤은 현실 세계는 이데아 세계를 모방한 것이기에 현실 세계에서 이루어지는 인간들의 행위도 불완전할 수밖에 없다고 하였다. 인간이 행한 선 또한 불완전한 인간 행위의 하나이므로 이러한 행위는 불완전한, 즉 완전히 선한 것으로 볼 수 없다.

③ 3문단에 의하면 무어는 선이란 노란색처럼 단순하고 분석 불가능한 것이기에 선이 무엇인지에 대해 정의를 내릴 수 없으며 그것은 오직 직관을 통해서만 인식될 수 있다고 보았다.

⑤ 4문단에 의하면 '선이 객관적으로 존재하는가?'에 대해 '주관주의'의 입장을 보이는 페리는 선이란 욕구와 관심에 의해 창조된다고 주장했다. 그는 대상에 가치를 부여하는 것은 관심이며 인간이 관심을 가지는 대상은 무엇이든지 가치의 대상이 된다고 보았다. 그리고 어떤 대상에 대한 관심이 깊으면 깊을수록 그것은 그만큼 더 가치가 있는 것이라 주장했다.

12. 정답 ⑤
난이도 ★★☆ | 정답률 78%

내용영역 규범 / 문항 유형 정보의 평가와 적용

[정답 풀이]

⑤ 고전적 객관주의(㉠)는 인간의 관심 여부와는 상관없이 선이 독립적으로 존재한다고 보았다. 반면에 주관주의(㉡)는 선을 의식적 욕구의 산물에 불과한 것으로 간주하며 인간이 관심을 가지는 대상은 모두 가치 있는 것이므로 누가 어떤 것을 욕구하든지 간에 그것은 선으로서 가치를 지니게 된다고 보았다. 이러한 주장에 대해 고전적 객관주의자는 우리가 욕구하는 것과 선을 구분해야 한다고 비판한다는 점에서 ㉠과 ㉡은 선이 인간의 욕구와 관계없이 객관적으로 존재하는가에 대한 태도를 달리하고 있음을 알 수 있다. 이러한 논쟁과 관련하여 두 입장을 절충한 온건한 객관주의(㉢)는 선을 인간의 욕구와 사물의 객관적 속성이 결합하여 생기는 것이며 욕구를 가진 존재가 없다면 선은 존재하지 않을 것이라고 보았다. 다만 욕구를 지닌 존재에 대하여 ㉡이 모든 욕구를 선이라고 본 것에 비해 '적절한 욕구'의 개념을 제시함으로써 ㉡이 비판 받는 부분을 보완하고자 하였다. 이를 통해 ㉡과 ㉢은 공통적으로 선의 존재에 인간의 욕구, 즉 욕구를 가진 존재가 필요함을 인정하고 있음을 알 수 있다. 이러한 점에서 선이 인간의 욕구와 관계없이 객관적으로 존재한다고 본 ㉠의 입장에 대해 ㉡과 ㉢은 선을 향유하는 존재가 없다면 그것이 무슨 가치가 있는지에 대한 문제제기를 할 수 있을 것이다.

[오답 풀이]

① 주관주의(㉡)는 누가 어떤 것을 욕구하든지 간에 그것은 선으로서 가치를 지니게 된다고 보았으며 사람들이 선호하는 모든 것을 선으로 간주한다. 반면 온건한 객관주의(㉢)의 경우엔 '적절한 욕구'의 개념을 제시하여 모든 욕구를 선으로 본 주관주의의 입장과는 차이를 보인다. 따라서 사람들이 선호한다고 그것이 항상 선이라고 할 수 있는가에 대해서는 ㉡과 ㉢의 의견이 다르기 때문에 이는 공통된 문제 제기로 적절하지 않다. 오히려 사람들이 선호하는 것을 항상 선이라고 간주하고 있는 것은 ㉡의 의견이며, 이에 대해 ㉠은 우리가 욕구하는 것과 선을 구분해야 한다고

비판하고 있고 ㉢ 역시 선을 인간의 욕구와 사물의 객관적 속성이 결합하여 생기는 것으로 보아 욕구하는 모든 것이 선이 될 수는 없다고 본다. 따라서 선지의 내용은 ㉡에 대한 ㉠과 ㉢의 공통된 문제 제기로 볼 수 있다.

② 주관주의(㉡)는 선이 욕구와 관심에 의해 창조되며 누가 어떤 것을 욕구하든지 간에 그것은 선으로서 가치를 지니게 된다고 보아 선은 욕구하는 주관에 전적으로 의존하여 형성된다고 여기고 있다. 반면에 온건한 객관주의(㉢)는 선이란 선을 욕구하는 주관에 전적으로 의존하여 형성되는 것이 아닌 인간의 욕구와 사물의 객관적 속성이 결합하여 생기는 것으로 보았다. 선지의 내용은 ㉡과 ㉢이 입장 차이를 보이는 내용으로, 이는 공통된 문제 제기로 볼 수 없다. 오히려 선이 인간의 욕구와는 상관없이 그 자체로 존재하는 것이라고 본 ㉠의 입장과 선을 인간의 욕구와 사물의 객관적 속성이 결합하여 생기는 것으로 본 ㉢의 입장에서 선이란 욕구하는 주관에 전적으로 의존하여 형성되지 않는다는 공통된 인식을 발견할 수 있다. 이러한 ㉠과 ㉢의 공통된 입장에 대해 ㉡은 선을 의식적 욕구의 산물에 불과한 것으로 간주하고 있으므로 선이란 욕구하는 주관에 전적으로 의존하여 형성되는 것이라고 문제 제기를 할 수 있을 것이다.

③ 고전적 객관주의(㉠)는 선과 같은 가치가 객관적으로 실재한다고 보며 선한 세계와 악한 세계가 있을 때 전자가 후자보다 더 가치 있다고 믿었다. 즉 ㉠은 선과 악을 분명히 구분하고 있는 것이다. 따라서 선과 악을 구분할 수 없다고 본 것을 ㉠의 입장으로 제시한 선지의 내용은 지문에 부합하지 않으므로 ㉠에 대한 문제 제기로 적절하지 않다.

④ 고전적 객관주의(㉠)를 따르는 무어는 선이 객관적으로 존재한다고 본 플라톤적 전통을 계승하였다. 플라톤은 인간이 이성으로 인식할 수 있는 이데아 중 최고의 이데아인 선의 이데아를 인식하는 것이 인간 이성의 최고 목표라고 보았다. 즉 플라톤은 선을 인간 이성을 통해 인식할 수 있다고 본 것이다. ㉠은 이러한 플라톤적 전통을 계승하였으므로 사람들이 선을 인식할 수 있다고 여길 것이다. 따라서 사람들이 선을 인식할 수 없다고 본 것을 ㉠의 입장으로 제시한 선지의 내용은 지문에 부합하지 않으므로 ㉠에 대한 문제 제기로 적절하지 않다.

13. 정답 ④

난이도 ★☆☆ | 정답률 86%

내용영역 **규범** 문항 유형 **정보의 추론과 해석**

[정답 풀이]

④ 주관주의의 경우 선을 의식적 욕구의 산물에 불과한 것으로 간주하여 인간이 관심을 가지는 대상은 무엇이든지 가치의 대상이 되며 누가 어떤 것을 욕구하든지 그것은 선으로서 가치를 지니게 된다고 보았다. 이러한 주관주의의 주장에 대해 선이 객관적으로 실재한다고 본 고전적 객관주의자는 우리가 욕구하는 것과 선을 구분해야 한다고 비판했다. 이와 같은 논쟁을 해결하기 위해 온건한 객관주의는 두 입장을 절충하여 선이란 인간의 욕구와 사물의 객관적 속성이 결합하여 생기는 것이라고 보았다. 다만 온건한 객관주의의 입장에서는 인간의 모든 욕구가 객관적 속성과 결합하여 선이 되는 것이 아니라 여러 욕구 중 적절하다고 여겨지는 욕구들과 사물의 객관적 속성이 결합하여 선이 만들어진다고 보았다. 이는 무엇을 욕구하더라도 모두 선이라고 간주해야 하는 주관주의의 한계를 해결하려는 시도로써 선이 될 수 있는 적절한 욕구와 선이 될 수 없는 부적절한 욕구를 분명히 구분하고 있는 것이다. 그런데 이러한 온건한 객관주의의 입장 또한 사물의 객관적 속성과 결합하여 선이 되는 적절한 욕구가 어떤 것인지를 구분할 기준을 제시해야 하는 문제에 봉착한다. 이러한 문제점을 해결하고자 제시한 방법이 바로 이상적 욕구자(ⓐ)를 상정하는 것이다. 이상적 욕구자는 잘못된 욕구를 가지고 있지 않기 때문에 그가 선택하는, 즉 욕구하는 것은 선으로서 가치를 지니게 되는 적절한 욕구 그 자체가 된다. 결국 이상적 욕구자의 상정을 통해 욕구하는 모든 것이 그 자체로 곧 선이 되는 주관주의의 문제점을 해결할 수 있는 것이다.

[오답 풀이]

① 3문단에 의하면 고전적 객관주의는 선이 오직 직관을 통해서만 인식될 수 있다고 본다. 따라서 고전적 객관주의가 선을 직관할 수 없다고 본 선지는 지문의 내용에 부합하지 않는다.

② 이상적 욕구자를 상정하여 그가 선택하는 것을 선으로 본다는 것은 선의 존재에 욕구의 주체가 있어야 함을 전제로 한 것이다. 따라서 ⓐ를 상정하는 것은 욕구의 주체가 없어도 선이 존재한다는 주장과는 상충되는 개념이므로 오히려 고전적 객관주의의 주장을 약화시킬 것이다.

③ 이상적 욕구자를 상정하는 것은 결국 선의 존재에 욕구의 주체가 있어야 함을 전제로 하고 있다. 이는 욕구하는 사람이 존재해야만 선이 형성된다고 보는 주관주의와 의견의 일치를 보이므로 이 점에 대해서는 주관주의의 주장을 약화한다고 볼 수 없다. 다만 이상적 욕구자를 상정함으로써 주관주의의 주장을 약화시키는 부분은 어떠한 욕구라도 선으로 보는 주관주의와 달리 적절한 욕구와 적절하지 않은 욕구를 구분하여 이상적 욕구자가 선택하는 것만을 선으로 보고 있다는 것이다. 따라서 ⓐ를 상정함으로써 주관주의의 주장을 약화시키려면 선이 형성되는 데에 욕구하는 주체가 반드시 존재해야 하는가에 대한 문제 제기가 아닌 모든 욕구를 선으로 간주하는 것에 대한 문제 제기가 있어야 할 것이다.

⑤ 4문단에 의하면 주관주의는 선을 의식적 욕구의 산물에 불과한 것으로 간주하여 누가 어떤 것을 욕구하든지 간에 그것은 선으로서 가치를 지닌다고 본다. 즉 선의 형성에는 욕구하는 주관만이 필수적이라고 본 것이다. 인간과 사물의 상호 통합 작용이 선을 형성한다고 본 것은 고전적 객관주의와 주관주의의 입장을 절충한 온건한 객관주의의 주장이므로 선지의 내용은 지문과 부합하지 않는다.

[14~16] 제재 | 형태발생물질의 농도 구배
난이도 | ★★☆

14. 정답 ⑤ 난이도 ★★☆ | 정답률 62%
내용영역 과학기술 문항 유형 정보의 확인과 재구성

[정답 풀이]

⑤ 마지막 문단에 따르면, 우리 몸을 구성하는 각 기관의 세포 조성이 다르고 서로 다른 발생 단계에서 각 세포가 처해 있는 환경이 다르므로 형태발생물질 농도 구배의 형성을 한 가지 모델로만 설명하는 것은 불가능하다. 즉 우리 몸의 세포를 결정하는 형태발생물질 농도 구배의 형성은 단순한 확산 형태와 비대칭적 확산 형태가 복합적으로 이루어진다는 것이다. 따라서 형태발생물질의 농도 구배는 한 신체 내부에서도 세포의 발생 단계에 따라 다르게 형성되는 것이므로 단순히 척색의 유무에 따라 단순 확산과 비대칭적 확산 중의 어느 한 가지 형태가 주로 이루어진다고 할 수 없다.

[오답 풀이]

① 형태발생물질은 세포나 특정 조직으로부터 분비되는 단백질로서 대부분의 경우에 그 단백질의 농도 구배에 따라 주변의 세포 운명이 결정된다. 그런데 우리 몸을 구성하는 각 기관의 세포 조성이 다르고 서로 다른 발생 단계에서 각 세포가 처해 있는 환경이 다르므로 특정 발생 단계에서는 단순한 확산에 의해서 농도 구배를 형성하고 다른 환경이나 발생 단계에서는 비대칭적 이동에 의해 형태발생물질의 농도 구배가 형성된다. 따라서 구형의 수정란 또한 특정 발생 단계에서는 단순한 확산에 의해서 농도 구배를 형성하고 다른 발생 단계에서는 비대칭적 이동에 의해 형태발생물질의 농도 구배가 형성될 것이므로 결국 신체 구조의 전후좌우가 비대칭적인 성체로 발생하게 된다고 할 수 있다.

② <그림 1>로 제시되어 있는 척색에서 분비되는 Shh가 단순 확산으로 전달되는 형태발생물질인데, 척색으로부터 멀어질수록 Shh의 농도는 점차 낮아진다. 따라서 단순 확산으로 전달되는 형태발생물질(Shh)의 농도는 형태발생물질 분비 조직(척색)과의 물리적 거리에 반비례한다.

<u>척색</u>으로부터 거리 ↑ → <u>Shh</u> 농도 ↓
(형태발생물질 분비 조직) (형태발생물질)

③ 2문단에 따르면, 한 개체의 세포가 모두 동일한 유전자를 갖고 있음에도 불구하고 서로 다른 세포 운명을 택하게 되는 것은 농도 구배에 대응하여 활성화되는 전사인자의 종류가 다르기 때문이다. 전사인자는 특정 부분의 DNA로부터 mRNA를 만드는 작용을 하고 이 mRNA의 정보를 바탕으로 단백질이 만들어진다. Shh의 농도가 특정 역치 이상이 되면 A 전사인자가 활성화되고 역치 이하인 경우는 B 전사인자가 활성화된다고 할 때, A 전사인자에 의해 바닥판세포의 형성에 필요한 mRNA와 단백질이 합성되고 B 전사인자에 의해 운동신경세포로 분화하는 데 필요한 mRNA와 단백질이 만들어지게 되어 서로 다른 세포 운명이 결정된다. 이를 통해 모든 세포가 동일한 유전자를 가지고 있더라도 특정 전사인자의 활성화 여부에 따라 서로 다른 단백질을 만들어 냄을 알 수 있다.

④ 초파리 배아를 통해 형태발생물질이 단순한 확산에 의하여 농도 구배를 형성하지 않고 특정 형태의 매개체를 통하여 비대칭적으로 이동한다는 사실을 알 수가 있다. 이때 이러한 비대칭적인 전달을 설명하는 모델로서 '수용체에 의한 전달', '세포막에 둘러싸인 소낭의 흡수에 의한 전달'이라는 두 가지 가설이 제시되었다. 이와 같은 가설을 통해 형태발생물질을 전달하는 매개체가 형태발생물질 분비 조직의 주변 세포에 있는 '수용체'와 '소낭'이며 이들의 작용으로 형태발생물질의 비대칭적 확산이 이루어짐을 알 수 있다.

15. 정답 ① 난이도 ★★☆ | 정답률 64%
내용영역 과학기술 문항 유형 정보의 추론과 해석

[정답 풀이]

ㄱ. 뇌의 발생 초기 형태인 신경관을 이루는 세포들의 운명은 신경관의 위쪽에서 아래쪽으로 지붕판세포, 사이신경세포, 운동신경세포, 신경세포, 바닥판세포가 순서대로 발생하여 서로 다른 세포로의 분화가 이루어지면서 결정되는데 이때 세포의 분화는 신경관 아래쪽에 위치한 척색에서 분비되는 형태발생물질인 Shh의 농도 구배에 의해 결정된다. 바닥판세포의 경우 분화되는 신경관 세포 중에서 척색의 가장 근처에서 발생된다. 그런데 세포의 운명을 결정하는 형태발생물질의 분비 조직인 척색을 제거하게 되면 결국 형태발생물질이 분비되지 않을 것이기 때문에 이에 따라 바닥판세포 또한 형성되지 않을 것이다.

ㄷ. 역치란 생물체가 자극에 대한 반응을 일으키는 데 필요한 최소한도의 자극의 세기를 나타내는 수치를 의미한다. 2문단에 의하면 Shh의 농도가 특정 역치 이상이 되면 A 전사인자가 활성화되어 바닥판세포가 형성되고 역치 이하인 경우는 B 전사인자가 활성화되어 운동신경세포가 형성된다. 따라서 바닥판세포를 형성하는 Shh의 역치보다 높은 농도의 Shh와 함께 배양하면 Shh의 농도는 전체적으로 높아져 결국 바닥판세포를 형성하는 Shh의 역치 이하가 되기 전까지는 A 전사인자가 활성화되고 B 전사인자는 활성화되지 않아 A 전사인자에 의해 바닥판세포가 형성될 것이므로 이러한 경우에는 사이신경세포보다 바닥판세포가 더 많이 형성될 것이다.

[오답 풀이]

ㄴ. 척색은 형태발생물질의 분비 조직으로, 척색 근처의 신경관에 있는 세포는 바닥판세포로, 그 다음 세포는 신경세포 및 운동신경세포로 세포 운명이 결정된다. <그림 1>에서 알 수 있듯이 지붕판세포는 척색에서 가장 먼 거리에서 생성되는 것으로, 척색의 가장 가까운 곳에서는 바닥판세포가 생길 것이다.

ㄹ. 척색에서 Shh가 분비될 때, 척색으로부터 멀어질수록 Shh의 농도가 점차 낮아지게 되어 그 농도의 높고 낮음에 따라 척색 근처의 신경관에 있는 세포는 바닥판세포로, 그 다음 세포는 신경세포 및 운동신경세포로 세포 운명이 결정된다. <그림 1>을 보면 Shh 농도의 역치는 높은 순서대로 바닥판세포, 신경세포,

운동신경세포, 사이신경세포, 지붕판세포의 순서를 이루며 이를 통해 운동신경세포를 결정짓는 Shh 농도의 역치는 사이신경세포를 결정짓는 Shh 농도의 역치보다 높음을 알 수 있다.

16. 정답 ⑤ 난이도 ★★☆ | 정답률 64%

내용영역 과학기술 문항 유형 정보의 추론과 해석

[정답 풀이]

⑤ 초파리 배아의 특정 발생 단계에서 합성되는 Wg라는 형태발생물질은 합성되는 장소를 기점으로 앞쪽으로만 비대칭적으로 전달된다. 이를 통해 일부의 형태발생물질이 단순한 확산에 의하여 농도 구배를 형성하지 않고 특정 형태의 매개체를 통하여 이동한다는 사실을 알 수 있으며 이때의 매개체는 '수용체'와 '소낭'이라는 가설이 제시되었다. 초파리 배아의 발생 과정에서 Wg는 뒤쪽으로는 이동하지 않고 앞쪽으로만 분포하고 있으므로 Wg 수용체 유전자 또는 소낭을 통해 Wg 수송을 촉진하는 유전자는 Wg 합성 장소 앞쪽에서 발현할 것이다.

[오답 풀이]

① 초파리 배아에서 형태발생물질 Wg가 비대칭적 분포를 보이는 현상을 설명하기 위해 제시된 가설의 하나인 '수용체에 의한 전달' 가설에 따르면, 수용체의 양이 이미 비대칭적으로 분포하고 있으므로 수용체가 전달하는 형태발생물질의 농도 구배 또한 비대칭적으로 분포할 수밖에 없다고 보고 있다. 즉 Wg 수용체의 비대칭적 분포가 Wg의 농도 구배 또한 비대칭적으로 만든다는 것이다. 선지의 경우 Wg 수용체의 비대칭적 분포가 Wg의 농도 구배로 인한 것으로 보고 있어 이는 원인과 결과를 반대로 진술한 것이다. 따라서 적절한 추론이라고 볼 수 없다.

② 초파리 배아의 특정 발생 단계에서 합성되는 Wg라는 형태발생물질은 합성되는 장소를 기점으로 앞쪽으로만 비대칭적으로 전달된다. 이러한 현상을 나타낸 것이 <그림 2-1>로, Wg의 합성 장소에서 앞쪽으로 멀어질수록 Wg 농도는 낮아지고 있음을 알 수 있다. '수용체에 의한 전달' 가설에 따르면 Wg의 농도 구배가 이렇듯 비대칭적으로 이루어지는 것은 형태발생물질을 전달하는 수용체의 양이 이미 비대칭적으로 분포하고 있기 때문이라고 가정하고 있으므로 Wg 수용체의 분포 또한 <그림 2-1>과 같은 분포를 보일 것이라 추론해 볼 수 있다. 따라서 Wg 수용체의 농도는 Wg를 발현하는 세포로부터 앞쪽으로 멀어질수록 농도가 낮아진다.

③ 매개체를 통해 비대칭적으로 전달되는 형태발생물질 Wg의 분포를 나타낸 <그림 2-1>을 보면, Wg의 합성 장소를 기점으로 앞쪽으로 갈수록 Wg의 농도가 낮아지고 있다. 이러한 비대칭적 전달을 설명하는 모델의 가설 중 하나인 '세포막에 둘러싸인 소낭의 흡수에 의한 전달'에 의하면 Wg는 소낭에 싸여 앞쪽의 세포로만 전달되고 이 과정에서 <그림 2-1>과 같은 비대칭적 농도 구배가 이루어진다. <그림 2-1>에서 Wg를 발현하는 세포, 즉 Wg의 합성 장소에서 멀어질수록 Wg의 농도가 낮아지고 있으므로 이에 따라 Wg의 양 또한 적어질 것이다.

④ 초파리 배아의 특정 발생 단계에서 합성되는 형태발생물질 Wg는 합성되는 장소를 기점으로 '앞쪽'으로만 비대칭적으로 전달되어 <그림 2-1>과 같은 분포를 보인다. 형태발생물질의 농도 구배에 따라 주변 세포가 달라진다는 점에서 Wg에 의해 결정된 세포 또한 Wg 합성 장소의 앞쪽에만 분포할 것이다. 따라서 Wg 합성 장소의 뒤쪽에 위치한 세포에서는 앞쪽에서처럼 mRNA가 만들어지지 않을 것이다.

[17~19] 제재 | 대의 민주주의에서 정당의 기능 변화

난이도 | ★★☆

17. 정답 ③ 난이도 ★★☆ | 정답률 57%

내용영역 사회 문항 유형 정보의 확인과 재구성

[정답 풀이]

③ 조직으로서의 정당 기능이란 정당이 당원을 확충하고 정치 엘리트를 충원하고 교육하는 조직으로서 역할함을 의미한다. 5~6문단에 따르면, 20세기 중반 이후 정당의 변화 과정에서 정당 지도부의 권력이 강화된 것과 반대로 평당원의 권력은 약화되고 당원 수는 감소하였다. 또한 이와 같이 당원이 감소하는 상황에서 선출자나 후보자들을 정당 밖에서 충원함으로써 고전적 의미의 정당 기능은 약화되었다. 이는 곧 조직으로서의 정당 기능이 약화되었다고 할 수 있다.

[오답 풀이]

① 정부 속의 정당 기능이란 정당이 의회의 정책 결정과 행정부의 정책 집행을 통제하는 것을 의미한다. 5문단에 의하면 20세기 중반 이후 정당의 변화 과정에서 정치 엘리트들의 자율성은 증대되었고, 정당 지도부의 권력이 강화되어 정부 내 자당 소속의 정치인들에 대한 통제력이 증가되었다. 이러한 통제는 결국 정당의 의원으로 구성된 의회와 행정부를 통제하는 것이 되기 때문에 이러한 통제력이 증가되었다는 것은 정부 속의 정당 기능이 강화된 것으로 볼 수 있다.

② 유권자 속의 정당 기능이란 정당이 지지자들의 이익을 집약하고 표출하는 것을 의미한다. 5문단에 따르면, 20세기 중반 이후 정당의 변화 과정에서 정당은 지지 계층 및 집단과의 유대를 잃어가기 시작하였으므로 결국 20세기 중반 이후에는 유권자 속의 정당 기능이 약화된 것으로 볼 수 있다.

④ 6문단에 따르면, 정당 조직과 당원들이 수행했던 기존의 정치적 동원은 소셜 네트워크 내 시민들의 자기 조직적 참여로 대체되었다. 심지어 정당을 우회하는 직접 민주주의의 현상도 나타났다. 이와 같은 현상을 통해 20세기 중반 이후에는 유권자를 정치적으로 동원하는 정당의 기능이 약화된 것으로 볼 수 있다.

⑤ 7문단에 따르면, 20세기 중반 이후 정당 체계들이 여전히 책임정당정치를 일정하게 구현하고 있다는 주장이 제기되었는데 그 예로 최근의 정당들이 구체적인 계급, 계층 집단을 조직하고 동원하지는 않지만 일반 이념을 매개로 정치 영역에서 유권자들을 대표하는 기능을 강화했음을 보여주는 연구를 들고 있다. 이를 통해 20세기 중반 이후 정당이 유권자의 일반 이념을 대표하는 기능은 강화되었다고 볼 수 있다.

18. 정답 ② 난이도 ★★☆ | 정답률 54%

내용영역 사회 | 문항 유형 정보의 평가와 적용

[정답 풀이]

ㄴ. 카르텔정당 모형이란 정당들이 자신의 기득권을 유지하기 위해 공적인 정치 자원의 과점을 통해 신생 혹은 소수 정당의 원내 진입이나 정치 활동을 어렵게 하는 것을 뜻한다. 이러한 카르텔을 형성하기 위한 수단에는 득표 대비 의석 비율을 거대정당에 유리하도록 만드는 다수대표제가 있다. 즉 카르텔 정당 모형에서는 거대정당에 유리한 정책들을 통해 과점(카르텔)을 형성하는 것이다. 의석수에 비례해 배분했던 선거보조금의 50%를 전체 의석의 30% 이상의 의석을 지닌 정당에게 우선적으로 배분하고, 나머지는 각 정당의 의석수에 비례해 배분하자는 B당의 제안에 따른다면 결국 전체 의석의 30% 이상의 의석을 지닌 정당은 선거보조금의 50%와 더불어 의석수에 비례한 선거보조금을 배분받게 되어 전체 의석의 30% 미만의 의석을 지닌 정당에 비해 총 두 번의 선거보조금을 받게 된다.
가령, 선거보조금이 100이고 정당의 의석수가 다음과 같을 때 배분되는 선거보조금을 비교해보면 아래와 같다.

	의석수비	의석수에 비례해 배분	B당의 제안
○○당	35%	100×35/100=35	50/2+50×35/100=42.5
□□당	30%	100×30/100=30	50/2+50×30/100=40
△△당	20%	100×20/100=20	50×20/100=10
◇◇당	10%	100×10/100=10	50×10/100=5
:	:	:	:

즉 선거보조금을 의석수에 비례해 배분할 때보다 거대정당에게 지급되는 선거보조금은 증가하고, 소수정당의 선거보조금은 감소하게 되는 것이다. 이러한 B당의 제안은 결국 거대정당에 유리하며 상대적으로 선거보조금을 적게 받는 소수정당의 정치 활동을 어렵게 하므로 이는 카르텔정당 모형으로 가장 잘 설명될 수 있다.

[오답 풀이]

ㄱ. 선거전문가정당 모형은 선거 승리라는 목표가 강조될 때 외부 선거 전문가로 당료들을 구성하는 정당 체계를 의미한다. A당과 같이 지나치게 진보적인 노선을 가진 정당이 선거 패배를 만회하기 위해 차기 선거의 핵심 전략으로 중도 유권자도 지지할 수 있는 노선을 채택한 것은 선거전문가정당 모형으로 설명하기 어렵다. 이러한 A당의 사례는 3문단에 제시된, 특정 계층을 뛰어넘어 보다 광범위한 유권자 집단으로부터 지지를 획득하는 의미에 상응하는 것이므로 이는 포괄정당 모형에 가장 가까운 것으로 볼 수 있다.

ㄷ. 네트워크정당은 어떠한 정당이 비록 일반 유권자들을 당원으로 유입시키지 못할지라도 온라인 공간에서 인지적 시민과 유대를 강화하는 것을 의미한다. 지지율이 급감한 C당이 차기 총선에도 집권을 이어가기 위해 개방형 국민참여경선제를 도입한 사례는 온라인 공간에 대한 언급이 없으므로 네트워크정당 모형을 설명하기에는 적합하지 않다. 오히려 원내 의석을 과점하여 집권했던 C당이 국민참여경선제를 도입한다는 점에서 6문단에서 제시한, 정당이 카르텔 구조를 유지하면서도 공직후보 선출권을 일반 국민에게 개방하는 포스트카르텔정당 전략으로 가장 잘 설명할 수 있을 것이다.

19. 정답 ① 난이도 ★★☆ | 정답률 77%

내용영역 사회 | 문항 유형 정보의 평가와 적용

[정답 풀이]

① ㉠에서 복원하기를 주장하는 정당의 전통적인 기능과 역할은 1문단에 제시된 책임정당정부 이론을 따르는 대중정당 모형에 해당하는 것으로, 이 모형에서 정당은 당의 정책과 후보를 당원 중심으로 결정하고, 당내 교육과정을 통해 정치 엘리트를 충원하며, 정치인들이 정부 내에서 강한 기율을 지닌다. 따라서 이러한 정당의 모습을 강화하자고 주장하는 것이 ㉠의 주장에 해당된다. 선지에서 '당원의 자격과 권한을 강화'하는 것은 당원 중심의 운영 구조를 지향하는 대중정당 모형에 해당하는데 이에 대해 탈산업화 시대에 다변된 계층적 이해를 제대로 대표하지 못한다는 문제점을 제시하고 있으므로 이는 오히려 ㉠을 비판하는 주장이다.

[오답 풀이]

② 공직후보 선출권을 일반 시민들에게 개방하는 것은 당의 정책과 후보를 당원 중심으로 결정하는 전통적인 정당의 모습에 위배되는 것이다. 이러한 전략을 당원 노선에 충실한 정치 엘리트를 원활하게 충원할 수 없다고 부정적으로 인지한 것은 당내 교육과정을 통해 정치 엘리트를 충원하는 대중정당의 입장에 근거한 것이다. 따라서 선지의 내용은 ㉠의 내용으로 적절하다.

③ 신생 정당의 원내 진입을 제한하는 규칙은 전통적인 대중정당이 20세기 중반 이후 탈산업사회의 도래와 함께 변화를 겪어 만들어진 카르텔정당 체계에서 다수당이 자신들의 기득권을 유지하기 위해 활용한 것이다. 대의 민주주의에서 대중정당의 출현 이후 정당이 지지자들의 이익을 집약하고 표출하는 유권자 속의 정당 기능을 해왔다는 점을 고려할 때 이처럼 정당의 카르텔화를 촉진하는 규칙이 이익을 집약하고 표출할 수 없는 유권자들을 발생시킨다는 문제점을 지적하는 것은 곧 대중정당론에 근거한 반론이라고 볼 수 있다. 따라서 선지는 전통적인 정당의 기능과 역할을 긍정하는 ㉠의 내용으로 적절하다.

④ ㉠은 정당의 이념적 대표성을 긍정적으로 평가하는 주장에 대해 전통적인 대중정당론에 근거하여 반론을 제기한다. 정당의 외연을 과도하게 확장하면 당의 계층적 정체성이 약화될 것이라고 문제를 제기하는 것은 곧 정치에 참여하는 각각의 정당이 자신의 지지 계급과 계층을 대표한다는 책임정당정부 이론에 근거한 반론이다. 책임정당정부 이론을 뒷받침하는 대표적인 정당 모형이 곧 전통적인 대중정당 모형이므로 당의 계층적 정체성 약화를 우려하는 선지는 ㉠의 내용으로 적절하다.

⑤ 온라인 공간에서 인지적 시민들과 유대를 강화하는 것은 20세기 중반 이후 등장한 네트워크정당 전략에 해당한다. 이러한 전략에 대해 당의 근간을 이루는 당원 확충에 어려움을 겪게 될 수 있다고 문제를 제기하는 것은 당원 중심의 운영 구조를 지향하는 전통적인 대중정당, 곧 책임정당정부 이론에 근거한 반론이라고

할 수 있으며 이는 정당의 전통적인 기능과 역할의 복원에 대해 긍정하는 것으로 볼 수 있다. 따라서 선지는 ㉠의 내용으로 적절하다.

[20~22] 제재 | 재판에 대한 국가배상 책임
난이도 | ★★☆

20. 정답 ②
난이도 ★★☆ | 정답률 65%

내용영역 규범 문항 유형 정보의 확인과 재구성

[정답 풀이]

② 5문단에 따르면, 재판에 대한 불복 절차가 마련되어 있는 경우에는 이러한 절차를 거치지 않고 국가배상 책임을 묻는 것은 인정되지 않는다. 재판에는 심급 제도가 마련되어 있어 재판에 불만이 있는 경우 상위 등급의 법원에서 다시 재판을 받을 수가 있기 때문에 원칙적으로 최하위 등급의 법원이 한 판결에 대해서는 불복 절차를 거치지 않고 국가배상에 의한 보호를 받을 수 없는 것이다. 다만 불복 절차를 거치지 않은 것 자체가 법관의 귀책사유로 인한 것과 같은 특별한 사정이 있으면 최하위 등급의 법원이 한 판결이라도 예외적으로 국가배상 책임을 물을 수 있다.

[오답 풀이]

① 1문단에 따르면, 국가배상 제도는 19세기 후반 프랑스에서 법원의 판결 곧 판례에 의해 도입된 이래, 여러 나라에서 법률 또는 판례에 의해 인정되었다. 즉 프랑스에서 국가배상 제도는 '판례'에 의해 도입된 것이지 선지와 같이 '법률'로 도입된 것이 아니다.

③ 2문단에 의하면 재판은 그 공정성을 위하여 법관의 직무상 독립이 보장되고 있다는 점에서 특수성이 있으며 따라서 재판에 대한 국가배상 책임을 제한할 필요성이 있다. 법관이 재판을 함에 있어서 사실관계의 파악, 법령의 해석, 사실관계에 대한 법령의 적용에 잘못을 범하였다는 이유로 국가가 손해 배상 책임을 지게 되면 법관은 소신껏 재판 업무에 임할 수 없게 된다는 점에서 '사실관계의 파악, 법령의 해석, 사실관계에 대한 법령의 적용'은 곧 독립이 보장되는 법관의 직무를 의미함을 알 수 있다. 따라서 이러한 사실관계 파악이 법관의 직무가 아니라는 선지의 내용은 지문과 일치하지 않는다.

④ 5문단에 의하면 독일에서는 법관의 직무상 의무 위반이 형사법에 의한 처벌의 대상이 되는 경우에만 국가배상 책임이 인정된다고 '법률'에 명시하고 있다. '법률'로서 명시된 것과 '판례'를 통해 인정된 것은 명확히 구분되는 다른 의미이다. 따라서 독일이 '판례'를 통해서만 재판에 대한 국가배상 책임의 인정 범위를 제한한다는 선지의 내용은 지문과 일치하지 않는다.

⑤ 5문단에 의하면 법관의 직무상 의무 위반이 형사법에 의한 처벌이 되는 경우에만 국가배상 책임이 인정된다고 법률에 명시한 독일과 달리 우리나라의 국가배상법에는 재판에 대한 국가배상 책임을 부정하거나 제한하는 명문의 규정이 없다. 따라서 별도의 규정으로 재판에 대한 국가배상 책임을 제한한다는 진술은 독일에 해당하는 경우이고 우리나라에는 해당하지 않으므로 선지는 지문과 일치하지 않는다.

21. 정답 ③
난이도 ★★☆ | 정답률 70%

내용영역 규범 문항 유형 주제, 구조, 관점 파악

[정답 풀이]

③ 우리 대법원(㉠)은 비록 확정 판결이라고 하더라도 법관이 그에게 부여된 권한의 취지에 명백히 어긋나게 이를 행사하였다고 인정할 만한 특별한 사정이 있는 경우에는 재판의 위법성을 인정한다. 즉 판결이 확정되어 기판력이 발생하더라도 판결 과정에서 뇌물을 받고 재판한 것과 같이 법관이 법을 어길 목적을 가지고 있었다거나 소를 제기한 날짜를 확인하지 못한 것과 같이 법관의 직무 수행에서 요구되는 법적 기준을 현저하게 위반했을 때에는 국가배상 책임을 인정하는 것이다. 이와 같은 사항을 고려하지 않고 단지 기판력이 발생했을 경우에는 국가배상 책임의 대상이 되지 않는다고 서술한 선지의 내용은 ㉠의 입장과는 다르며, 따라서 이에 대한 판단은 ㉠의 입장에 대한 적절한 판단이 될 수 없다.

[오답 풀이]

① 심급 제도는 법원의 재판에 대하여 불만이 있는 경우 상위 등급의 법원에서 다시 재판을 받을 수 있도록 하는 제도로 우리 대법원(㉠)에 따르면 재판에 대한 불복 절차(심급 제도)가 마련되어 있는 경우에는 이러한 절차를 거치지 않고 국가배상 책임을 묻는 것이 인정되지 않는다. 따라서 이러한 ㉠의 입장에 대해 국가배상 청구가 심급 제도를 대체하는 불복 절차로 기능하는 것을 허용하지 않는다고 판단할 수 있다.

② 재판에 대한 국가배상 책임을 제한해야 할 필요성으로 제시된 재판의 특수성에는 심급 제도가 마련되어 있다는 것을 들 수 있다. 일반적으로 재판에서는 잘못된 재판 결과를 심급 제도와 다른 방식으로 시정하는 것은 인정되지 않는데 이는 재판에 대한 국가배상 책임을 넓게 인정하면 심급 제도가 무력화되어 법적 안정성을 해치게 되기 때문이다. 즉, 재판에서 심급 제도의 존재를 이유로 국가배상 책임을 제한하는 것은 법적 안정성을 위해서임을 알 수 있다. 우리 대법원(㉠)에 따르면 재판에 대한 불복 절차가 마련되어 있는 경우에는 이러한 절차를 거치지 않고 국가배상 책임을 묻는 것은 인정하지 않는다. 이는 법적 절차를 거치지 않은 피해자에 대해서도 국가배상 책임을 인정하면 법적 안정성이 흔들릴 수 있다는 판단에 따른 것이며 곧 법적 안정성의 유지를 위해서는 피해자의 권리가 희생될 수 있다고 보는 입장이다.

④ 우리 대법원(㉠)에 따르면 비록 확정된 판결이라고 하더라도 뇌물을 받고 재판한 것과 같이 법관이 법을 어길 목적을 가지고 있었다거나 소를 제기한 날짜를 확인하지 못한 것과 같이 법관의 직무 수행에서 요구되는 법적 기준을 현저하게 위반했을 때에는 재판의 위법성을 인정하여 이러한 재판에 대해서는 국가배상 책임을 청구할 수 있도록 허용한다. 2문단에 제시되어 있듯이 법관의 직무상 독립이 보장되는 것은 재판의 공정성을 위한 것이다. 그런데 위법성이 인정된 재판은 공정한 재판이라 할 수 없으므로 이러한 재판을 국가배상 책임의 대상에서 제외한다면 이는 곧 법관의 직무상 독립을 보장하는 취지에 어긋나게 될 것이다. 따라서 우리 대법원은 법적 기준인 공정성을 위반한 재판에 대해

서는 그 위법성을 인정하여 국가배상 책임을 청구할 수 있도록 한 것이다.

⑤ 우리 대법원(㉠)에 따르면 법관이 직무상 독립에 따라 내린 판단에 대해서 법관의 직무 수행에서 요구되는 법적 기준을 현저하게 위반했을 때를 제외하고는 이후에 상급 법원이 다른 판단을 하였다는 사정만으로는 재판의 위법성을 인정하지 않는다. 이는 법관의 직무상 독립을 보장하는 재판의 특수성을 고려한 것으로 볼 수 있다.

22. 정답 ④

난이도 ★☆☆ | 정답률 89%

내용영역 규범 | 문항 유형 정보의 평가와 적용

[정답 풀이]

ㄱ. <보기>의 사례를 보면 A는 적합한 청구 기간 내인 1994년 11월 4일에 심판 청구서를 제출하였으나, 헌법재판소는 청구서에 찍힌 접수 일자를 같은 달 14일로 오인하여 적합한 청구 기간이 지났음을 이유로 A의 심판 청구를 받아들이지 않았다. 지문에 따르면 소를 제기한 날짜를 확인하지 못한 것과 같이 법관의 직무 수행에 요구되는 법적 기준을 위반한 사례에 대해서는 법관의 직무상 독립에 따라 내린 재판이라도 그 재판의 위법성이 인정된다. 헌법재판소가 청구서에 찍힌 접수 일자를 오인한 것은 이와 같은 사례에 해당하므로 이 사건에서는 재판의 국가배상 책임을 부인할 수 없다.

ㄴ. 대법원에서는 소를 제기한 날짜를 확인하지 못한 사례에 대해 법관의 직무 수행에 요구되는 법적 기준을 위반하였다고 판단하여 재판의 위법성을 인정하고 있다. <보기>에서 헌법재판소는 적법한 청구 기간이 지났음을 이유로 A의 청구를 받아들이지 않는다는 결정을 하였는데 이는 청구서에 찍힌 접수 일자를 오인한 것에서 나온 결정이다. 그러므로 대법원은 A가 심판 청구서를 적법한 청구기간 내에 헌법재판소에 제출되었다고 보아 헌법재판소 결정의 위법성을 인정할 수 있다.

[오답 풀이]

ㄷ. 5문단에 의하면 재판에 대한 불복 절차가 마련되어 있는 경우에는 이러한 불복 절차를 따르지 않은 탓에 손해를 회복하지 못한 사람은 원칙적으로 국가배상에 의한 보호를 받을 수 없다. 바꾸어 말하면 불복 절차를 모두 거치거나 불복 절차가 처음부터 마련돼 있지 않은 경우에는 국가배상 책임을 물을 수 있다는 것이다. A는 불복 절차를 따르지 않은 탓에 손해를 회복하지 못한 것이 아니라 애초에 헌법재판소의 결정에 대한 불복 절차가 마련되어 있지 않아 재판 결과를 시정하지 못하였으므로 재판으로 인해 입은 손해를 회복하기 위해 국가배상 청구를 하였다. 즉 A와 같은 경우 헌법재판소의 결정에 대한 불복 절차가 마련되어 있지 않아 거쳐야 할 불복 절차 자체가 없었으므로 이 또한 국가배상 책임의 대상이 될 수 있는 것이다. 따라서 헌법재판소의 결정에 대한 다른 불복 절차가 존재하지 않았기 때문에 법원은 A의 국가배상 청구를 받아들일 수 있다.

[23~25] 제재 | 컨스터블의 풍경화

난이도 | ★☆☆

23. 정답 ②

난이도 ★☆☆ | 정답률 93%

내용영역 인문 | 문항 유형 정보의 확인과 재구성

[정답 풀이]

② 컨스터블의 그림은 당시 풍경화의 주요 구매자였던 영국 귀족의 취향에서 어긋나 그다지 인기를 끌지 못했다. 당시 유행하던 화풍은 도식적이고 이상화된 풍경 묘사에 치중한 픽처레스크 풍경화였는데, 컨스터블의 그림은 이와 다르게 자연에 대한 과학적이고 객관적인 관찰을 바탕으로 아무도 눈여겨보지 않았던 평범한 농촌의 아름다운 풍경을 포착하여 표현하였다. 즉 컨스터블의 풍경화는 사실적 화풍으로 제작되어 당시 유행하던 픽처레스크 풍경화와 달랐기 때문에 영국 귀족들에게 선호되지 못했다.

[오답 풀이]

① 컨스터블은 평범한 시골 풍경을 그렸지만 시골의 전원 풍경을 객관적으로 관찰하고 사실적으로 묘사하였다. 즉 컨스터블의 풍경화는 목가적이기보다는 사실적이었다고 볼 수 있다. 이러한 컨스터블의 그림은 당대 유행에 따르지 않아 그다지 인기를 끌지 못했으며, 큰 명성을 안겨 주지 못했다.

③ 2문단에 의하면 당대 유행하던 픽처레스크 풍경화는 도식적이고 이상화된 풍경 묘사가 주를 이루었지만 컨스터블은 평범한 시골의 전원 풍경을 사실적으로 묘사하였다. 즉 컨스터블은 당대의 전형적인 픽처레스크 풍경화가 아닌 독창적인 화풍을 추구하였다고 볼 수 있다. 따라서 컨스터블의 풍경화를 서정적인 농촌 정경을 담고 있는 전형적인 픽처레스크 풍경화라고 볼 수 없다.

④ 3문단에 의하면 컨스터블은 풍경화에 있는 그대로의 자연을 포착하려 했으나 농민들의 모습만은 구체적으로 표현하지 않았다. 지문에서는 컨스터블의 풍경화에서 인물의 세부 묘사가 결여된 것이 인물 표현에 재능이 없었기 때문이 아니라 풍경의 관찰자인 컨스터블과 풍경 속 인물들 간의 일정한 심리적 거리 때문일 것이라고 보았다. 지주의 아들이었던 그는 19세기 전반 영국 농촌 사회의 불안한 모습을 애써 외면했고, 그 결과 농민들을 화면에서 떨어져 있도록 배치하여 그들의 일그러지고 힘든 얼굴을 볼 수 없게 한 것이다. 즉 지주의 아들이었던 컨스터블과 농민의 계급 간의 거리 때문에 인물의 세부 묘사가 결여된 것이다.

⑤ 2문단에 의하면 컨스터블은 자연에 대한 과학적이고 객관적인 관찰에 기초하여 그림을 그렸다. 그러나 그가 19세기 전반 영국 농촌의 현실을 가감없이 그린 것은 아니었다. 3문단에 의하면 컨스터블이 활동하던 19세기 전반 영국은 산업혁명과 더불어 도시화가 급속히 진행되어 전통적 농촌 사회가 와해되면서 농민 봉기가 급증하던 때였다. 그런데 그의 풍경화에 등장하는 인물들은 거의 원경으로 포착되어 얼굴이나 표정을 알아보기 어렵다. 그 이유는 ④에서 설명하였듯이 계급 간의 거리 때문이다. 따라서 컨스터블이 객관적 관찰에 기초하여 19세기 전반 영국 농촌의 현실을 가감 없이 그려냈다고 볼 수 없다.

24. 정답 ⑤

난이도 ★☆☆ | 정답률 80%

내용영역 인문 | 문항 유형 정보의 추론과 해석

[정답 풀이]

ⓛ에 따르면 작품의 의미는 작품을 만들어 낸 생산자나 작품 그 자체에 있는 것이 아니라 수용하는 소비자와의 상호 작용에 의해 결정된다고 보는 입장이다. 이때 수용자는 이해와 수용의 과정을 통해 특정 작품의 의미를 끊임없이 재생산하는 능동적 존재이다. 이 문제는 ⓛ의 입장을 바탕으로 컨스터블이 영국의 국민 화가가 된 이유(㉠)로 적절한 것을 찾는 것이다.

⑤ 1문단에 의하면 컨스터블의 작품을 수용하는 현대 영국인들은 그의 풍경화를 통해 영국의 전형적인 농촌 풍경을 떠올린다. 현대 영국인들은 고향에 대한 향수를 지닌 도시인들(수용자)로 컨스터블의 작품에 자신이 경험한 고향의 이미지를 투영하여 자신이 마음속에 그리는 고향의 모습을 발견한다. 이는 수용자가 컨스터블 그림을 감상하면서 자신만의 의미를 생산해내는 능동적 감상이라 할 수 있다. 따라서 고향에 대한 향수를 지닌 도시인들이 자신의 마음속에 그리는 고향의 모습을 컨스터블의 풍경화에서 발견했기 때문에 영국의 국민 화가가 됐다는 내용은 소비자와 작품의 상호 작용에 의해 작품의 의미가 결정된다는 ⓛ에 부합하므로 ㉠에 대해 답한 내용으로 가장 적절하다.

[오답 풀이]

① 컨스터블의 풍경화는 평범한 농촌의 아름다운 풍경이 주를 이룬다. 그런데 그의 작품에는 농민들의 모습은 구체적으로 표현되어 있지 않다. 이는 풍경의 관찰자인 컨스터블과 풍경 속 인물들 간에 심리적 거리가 유지되고 있기 때문이다(3문단). 지주의 아들이었던 컨스터블은 19세기 전반 영국 농촌 사회의 불안한 모습을 애써 외면했고, 그 결과 작품에서 농민들의 모습을 화면에 떨어져 있도록 배치하여 그들의 힘든 모습, 즉 구체적인 삶의 모습을 담지 않은 것이다. 따라서 현대 영국인들이 컨스터블의 작품을 보며 연대감을 느낀 것은 수용자의 경험, 기대를 투사하여 의미를 해석한 능동적 감상이라고 볼 수 있으나 컨스터블의 풍경화에는 농민의 구체적인 삶이 담겨있다고 할 수 없으므로 적절하지 않다.

② 3문단에 의하면 컨스터블은 당대의 농촌 현실을 비판적으로 그려 내지 않았다. 19세기 전반 영국은 산업혁명과 더불어 도시화가 급속히 진행되어 농촌 사회가 와해되면서 농민 봉기가 급증하였다. 그러나 지주의 아들이었던 그는 농촌 사회의 불안한 모습을 애써 외면했고, 그 결과 농민들을 작품의 화면에서 멀리 떨어져 있도록 배치하여 그들의 힘든 얼굴을 볼 수 없게 하였다. 또한 작가의 의도에 공감했다는 것은 작품의 의미 생산자를 작가로 본 해석이므로 ⓛ에 해당하지 않는다. 따라서 컨스터블이 농촌 현실을 비판적으로 그려 내려 하지 않았으며 ⓛ에도 해당하지 않으므로 이는 ㉠에 대해 답한 내용으로 적절하지 않다.

③ 3문단에 의하면 컨스터블은 풍경 속 인물들과 일정한 심리적 거리를 유지한다. 따라서 화가가 인물과 풍경에 대해 심리적 거리를 제거하여 고향의 모습을 담아냈다고 볼 수 없다. 또한 선지의 내용은 생산자가 만들어낸 의도에 초점을 맞추어 작품의 의미를 찾는 수동적 감상에 해당하므로 ⓛ의 입장과도 맞지 않다.

④ 컨스터블의 풍경화에 나타난 재현의 기법과 현대 풍경화의 기법 중 감상자의 입장에서 어느 것이 이해하기 쉬운지 지문만으로 판단하기 쉽지 않다. 또 컨스터블의 풍경화에 나타난 재현의 기법을 이해한다는 것은 생산자가 만들어낸 작품의 의미를 가지고 감상한다는 것이므로 ⓛ의 입장과도 맞지 않다.

25. 정답 ②

난이도 ★☆☆ | 정답률 91%

내용영역 인문 | 문항 유형 정보의 평가와 적용

[정답 풀이]

컨스터블 작품에 대한 비판적 해석(ⓐ)은 작품이 제작될 당시의 구체적인 사회적 상황을 중시하며 작품에서 지배 계급의 왜곡된 이데올로기를 읽어내는 데 중점을 둔다. 이에 따르면, 컨스터블은 지주의 아들이었기 때문에 19세기 전반 농촌 사회의 불안한 모습을 애써 외면했고, 그 결과 그는 그림 속 농민들을 화면에서 떨어져 있도록 배치하여 결코 그들의 힘든 얼굴을 볼 수 없게 하였다고 비판한다. 즉 컨스터블의 작품에서 작자와 작품 속 인물들 간에는 항상 심리적 거리가 유지되는데, 이 거리는 계급 간의 거리이다. 이러한 해석은 유행을 거부하고 남들이 보지 못한 평범한 농촌의 아름다움을 발견한 '천재' 화가라는 기존의 해석 대신 지배-피지배 계급 구도의 대립과 지배 계급의 왜곡된 이데올로기를 반영한다는 점에 입각한 비판적 해석에 해당한다.

② 고갱의 그림 <타히티의 여인>을 비서구 식민지-서구인이라는 피지배-지배자의 계급 구도에 입각하여 작품에 비서구 식민지에 대한 서구인의 우월적 시각, 즉 지배 계급의 왜곡된 이데올로기가 반영되었다고 해석한 ②가 ⓐ의 시각에 따른 작품 해석에 가장 가깝다고 할 수 있다.

비판적 해석(ⓐ)	지배 - 피지배 계급 구도	지배 계급의 왜곡된 이데올로기 반영
컨스터블의 작품	지주의 아들과 농민	농민들의 힘든 얼굴을 볼 수 없게 원경으로 배치하여 농촌 사회의 불안한 모습을 외면함
고갱 <타히티의 여인>	서구인 화가 로댕과 비서구 식민지 타히티 여인	작품 밑바탕에 서구인의 우월적 시각이 자리함

[오답 풀이]

① <칼레의 시민>이 인간의 내면적 고뇌를 독창적으로 표현하려는 작가 정신의 소산이라고 본 해석은 작품을 만든 제작자의 창작의도에 입각한 해석이다. 이 해석에는 지배-피지배의 계급 구도가 드러나 있지 않으며, 지배 계급의 왜곡된 이데올로기가 반영되지 않았으므로 ⓐ에 해당하지 않는다.

③ <세인트 폴 대성당>에 대한 해석은 성당 설계가 건물의 하중을 지탱하는 과학적 원리를 도입했다는 객관적 사실에 기반한 해석이다. 바로크 양식을 충실하게 구현하였으며 설계에 과학적 원리를 도입했다는 선지의 내용에는 계급 구도가 드러나 있지 않으며 지배 계급의 왜곡된 이데올로기가 반영되었다고 할 수 없으므로 ⓐ에 해당하지 않는다.

④ <시민 케인>에 대한 해석은 작품의 내용-형식적 측면에 입각한 해석이다. 이에는 계급 구도가 드러나 있지 않으며 지배 계급의 왜곡된 이데올로기도 나타나 있지 않으므로 ⓐ에 해당하지 않는다.

⑤ 뒤샹의 사진 <모나리자>가 레오나르도 다빈치의 <모나리자>에 대한 풍자의 의도가 깔려 있다는 해석은 작자의 작품 기획 의도에 입각한 해석이다. 계급 구도가 드러나 있지 않으며 지배 계급의 왜곡된 이데올로기도 나타나 있지 않으므로 ⓐ에 해당하지 않는다.

[26~28] 제재 | 교육과 기술의 경주 이론
난이도 | ★★☆

26. 정답 ③

난이도 ★☆☆ | 정답률 90%

내용영역 사회 　 문항 유형 정보의 확인과 재구성

[정답 풀이]

③ 2문단에 의하면 신기술 도입이 생산성 상승과 경제 성장으로 이어지려면 노동자들이 새로운 기계를 익숙하게 다룰 수 있어야 한다. 이러한 능력은 정규 교육기관 곧 학교에서 보낸 수년간의 교육 시간들을 통해 얻을 수 있으며, 학교를 졸업한 노동자는 그렇지 않은 노동자에 비해 생산성이 더 높다. 이때 학교를 졸업한 노동자를 숙련 노동자라고 한다. 한편, 3문단에 의하면 기술은 숙련 노동자들에 대한 상대적 수요를 늘리는 방향으로 변화했고, 숙련 노동자에 대한 수요의 증가율은 20세기 내내 대체로 일정하게 유지됐다고 하였다. 이를 통해 20세기 초와 말 모두 숙련 노동자를 선호했음을 알 수 있다.

[오답 풀이]

① 4문단에 의하면 20세기 초인 1910년대를 기점으로 중 · 고등학교 교육 대중화운동이 본격화되었다. 지방 정부가 독자적으로 재산세를 거두어 공립 중등 교육기관을 신설하고 교사를 채용해 양질의 일자리를 얻는 데 필요한 교육을 무상으로 제공하게 되었다. 즉 숙련 노동자 공급을 공교육에서 주도하게 된 것이다. 이러한 대중 교육 시스템의 확립에 힘입어 신생 국가인 미국은 부자 나라로 성장하였다. 따라서 20세기 초에는 강화된 공교육이 미국의 경제 성장에 기여했다고 할 수 있다.

② 2문단에 의하면 노동자에게 요구되는 숙련의 내용은 신기술의 종류에 따라 달라진다. 이에 따라 20세기 초반에는 기본적인 계산을 할 줄 알고 기계 설명서와 도면을 읽어내는 독해 능력이 요구되었다.

④ 2문단에 의하면 20세기 초의 숙련 노동자에게 요구되는 것은 기본적인 계산, 기계 설명서와 도면을 읽어내는 능력이었다. 이는 중 · 고등학교를 기반으로 하는 중등교육으로 가능했다. 그러나 20세기 말 기계가 한층 복잡해지고 IT기술의 응용이 중요해지면서 중등교육으로는 이에 맞는 숙련 노동자를 양성할 수 없게 됐다. 20세기 후반부터는 추상적으로 판단하고 분석할 수 있는 능력의 함양, 과학, 공학, 수학 등의 분야에 대한 학위 취득이 요구되었고, 이는 대학 이상의 고등교육을 통해 가능했다. 따라서 20세기 말에는 숙련 노동자의 공급이 대학 이상의 고등교육에 의해 주도되었다고 할 수 있다.

⑤ 1문단에 의하면 미국 경제는 1930년대 이후 1970년대 말까지는 소득 불평등이 완화되었다. 특히 제2차 세계 대전 직후 30년 가까이는 성장과 분배 문제가 동시에 해결된 시기였다. 그러나 20세기 말인 1980년 이후로는 소득 불평등이 급속히 심화되었고, 경제 성장률도 하락하였다. 따라서 20세기 말에는 소득 분배의 악화 및 경제 성장의 둔화 현상이 동시에 발생했다고 할 수 있다.

27. 정답 ⑤

난이도 ★☆☆ | 정답률 83%

내용영역 사회 　 문항 유형 정보의 추론과 해석

[정답 풀이]

'교육과 기술의 경주 이론'에 따른 20세기 미국의 경제를 정리하면 다음과 같다.

	숙련 노동자에 대한 수요 증가 속도 (기술)	숙련 노동자의 공급 (교육)	기술과 교육의 관계	숙련 프리미엄	소득 불평등 (교육에 따른 임금 격차)
20세기 초	일정	수요 증가율 상회	기술 < 교육	축소	완화
20세기 말	일정	수요 증가율 하회	기술 > 교육	확대	심화

⑤ 3문단에 의하면 숙련 노동자들에 대한 수요의 증가 속도는 20세기 내내 대체로 일정하게 유지된 반면, 숙련 노동자의 공급은 부침을 보였다. 20세기 초는 숙련 노동자들의 공급은 크게 늘어나 그 증가율이 수요 증가율을 상회하였다. 숙련 프리미엄의 축소는 숙련 노동자들의 공급이 더 빠르게 늘어난 결과, 곧 교육이 기술을 앞선 결과이다. 그러나 20세기 말 대졸 노동자의 공급 증가율이 수요 증가율을 하회하게 되었다. 이에 따라 숙련 프리미엄이 확대되어 교육에 따른 임금 격차의 확대가 일어났다. 즉, 교육이 기술을 앞서지 못한 결과이다. 따라서 교육의 속도가 기술의 속도를 앞서면 소득 불평등은 심화되는 것이 아니라 완화된다고 보아야 한다.

[오답 풀이]

① 2문단에 의하면 신기술 도입이 생산성 상승과 경제 성장으로 이어지려면 노동자들에게 새로운 기계를 익숙하게 다룰 능력이 있어야 하는데, 이를 가능하게 하는 것이 바로 학교에서 보낸 교육 시간들이다. 학교를 졸업한 노동자는 그렇지 않은 노동자에 비해 생산성이 더 높으며 그로 인해 상대적으로 더 높은 임금, 곧 숙련 프리미엄을 얻게 된다. 즉 숙련 프리미엄은 숙련 노동자가 신기술을 활용하여 생산성 상승과 경제 성장에 기여한 것에 대한 보상이라 할 수 있다.

②, ③ 2문단에 의하면 신기술 도입이 생산성 상승과 경제 성장으로 이어지려면 새로운 기계를 익숙하게 다룰 능력이 요구되는데, 이를 가능케 하는 것이 바로 정규 교육기관 곧 학교에서 보낸 수년간의 교육 시간들이다. 즉 신기술 도입에 따른 새로운 기계를 능숙하게 다룰 수 있는 능력이 곧 숙련이며, 학교에서 신기술에 적합한 숙련을 제공한다고 할 수 있다. 학교를 졸업한 노동자는

그렇지 않은 노동자에 비해 생산성이 더 높으며 이들을 숙련 노동자라 할 수 있다. 따라서 기술 진보가 경제 성장에 미치는 효과를 높이기 위해서는 신기술에 적합한 숙련 노동자의 공급이 필요하다.

④ 3문단에 의하면 숙련 프리미엄의 축소와 확대는 임금 격차의 변화에 영향을 미친다. 1915년부터 1980년까지 진행되었던 숙련 프리미엄의 축소는 소득 불평등을 완화하였고 1980년 이후 숙련 프리미엄의 확대는 임금 격차의 확대 즉 소득 불평등을 심화하였다. 따라서 숙련 프리미엄의 변화는 소득 불평등 변화의 주요 지표가 된다.

28. 정답 ③

난이도 ★★☆ | 정답률 68%

내용영역 사회 | 문항 유형 정보의 평가와 적용

[정답 풀이]

③ '교육과 기술의 경주 이론'은 미국의 경제 성장과 소득 불평등을 교육과 기술의 '경주'로 설명한다. 기술을 숙련 노동자에 대한 수요로, 교육을 숙련 노동자의 공급으로 규정하여 새로운 기계를 다룰 수 있는 숙련 노동자의 증가는 생산성 상승과 경제 성장으로 이어지며, 공급 증가율이 수요 증가율을 상회할 경우 소득 불평등은 완화되고 공급 증가율이 수요 증가율에 못 미칠 경우 소득 불평등이 심화된다고 보았다. 대학 졸업자의 증가로 노동자 간의 임금 격차가 줄어든 경우는 '교육과 기술의 경주 이론'에 대한 한계(㉠) 사례라기보다는 '교육과 기술의 경주 이론'에 적합한 사례에 해당한다.

[오답 풀이]

① '교육과 기술의 경주 이론'에서는 숙련이 정규 교육기관에서 이루어진다고 본다. 따라서 학교 외의 장소에서 이루어지는 숙련에 대해서는 설명하지 못한다. 그러나 숙련은 직장 내에서 이루어지는 경우도 있으므로 이는 '교육과 기술의 경주 이론'의 한계를 보여주는 사례라고 할 수 있다.

② '교육과 기술의 경주 이론'은 임금이 숙련의 정도 즉 교육의 여부에 의하여 결정된다고 본다. 이 이론에 따르면 학교를 졸업한 노동자는 그렇지 않은 노동자에 비해 생산성이 더 높으며 그로 인해 상대적으로 더 높은 임금을 받게 된다. 그러나 임금이 생산성 이외의 요인에 의해서도 결정된다면 이는 '교육과 기술의 경주 이론'의 한계를 보여주는 사례라고 할 수 있다.

④ '교육과 기술의 경주 이론'에 따르면 노동자에게 요구하는 기술이 동일하고 대학에서 그 기술을 취득한 숙련 노동자 간에는 임금 격차가 크지 않다고 본다. 그러나 숙련 노동자 간 동일한 조건하에 임금 격차가 크다면 이는 '교육과 기술의 경주 이론'의 한계 사례라고 할 수 있다.

⑤ '교육과 기술의 경주 이론'은 기술을 숙련 노동자에 대한 수요로 보고 있다. 이에 의하면 신기술은 숙련 노동자를 필요로 하는데 신기술에 의한 자동화로 숙련 노동자에 대한 수요가 줄어들었다면 이는 '교육과 기술의 경주 이론'으로 설명할 수 없는 한계 사례에 해당한다.

[29~32] 제재 | 레이저 냉각

난이도 | ★★★

29. 정답 ②

난이도 ★★☆ | 정답률 68%

내용영역 과학기술 | 문항 유형 주제, 구조, 관점 파악

[정답 풀이]

② 레이저 냉각은 절대 온도 0K에 근접한 온도를 얻기 위한 방법 중 하나로, 일정한 진동수의 광자로 이루어진 레이저 빛을 원자에 쏘아 원자들의 평균 운동 속도를 감소시켜 그 원자 집단의 온도를 낮춘다. 레이저 냉각은 도플러 효과와 원자가 빛을 선택적으로 흡수하는 성질을 이용한다. 원자가 레이저 빛을 흡수할 때 모든 진동수의 빛을 흡수하는 것이 아니고 공명 진동수의 빛만을 흡수한다. 원자가 광자를 선택적으로 흡수하고 방출하는 과정이 반복되면, 원자의 속도가 줄어들면서 원자의 평균 운동 속도가 줄고 그에 따라 원자 집단 전체의 온도가 내려가게 된다. 이를 통해 레이저 냉각이 공명 진동수에 해당하는 광자를 선택적으로 흡수하는 원자의 성질을 이용한 것임을 알 수 있다.

[오답 풀이]

① 도플러 효과를 레이저와 원자에 적용하면 레이저 광원은 파동원이고 원자는 관측자에 해당한다. 도플러 효과에 따르면 레이저 광원에 다가가는 원자에게 레이저 빛의 진동수는 더 높게 감지되고, 레이저 광원에서 멀어지는 원자에게 레이저 빛의 진동수는 더 낮게 감지된다. 따라서 도플러 효과로 인해 더 크게 감지되거나 더 적게 감지되는 것은 원자의 속도가 아니라 빛의 진동수이다.

③ 2문단에 의하면 어떤 원자의 집단에서 원자들의 평균 운동 속도를 감소시키면 그 원자 집단의 온도가 내려간다고 하였다. 레이저 냉각은 빠르게 움직이는 원자에 레이저 빛을 쏘아 충돌시켜 원자의 속도를 줄어들게 한다. 즉 레이저 냉각은 원자와 레이저 빛을 충돌시켜 광자가 아닌 원자를 냉각시키는 것이다.

④ 1문단에 의하면 레이저 빛을 이용하여 물체의 온도를 절대 온도 0K까지 낮출 수는 없지만 그에 근접한 온도를 얻을 수 있다고 하였다. 따라서 레이저 빛을 이용하여 원자 집단을 절대 온도에 도달하게 할 수 없다.

⑤ 3문단에 의하면 레이저 냉각은 원자에 레이저 빛을 쏘아 여러 개의 광자를 연이어 원자에 충돌시켜 원자를 거의 정지시키는 방법을 이용한다. 하지만 문제는 원자가 정지한 순간 레이저를 끄지 않으면 원자가 오히려 반대 방향으로 밀려날 수도 있다는 데 있다. 그런데 원자를 하나하나 따로 관측할 수 없고 각 원자의 운동 속도에 맞추어 각 원자와 충돌하는 광자의 운동량을 따로 제어할 수 없어 실제 레이저를 이용하여 원자의 온도를 내리는 것은 간단하지 않다. 이를 해결하는 방법은 도플러 효과와 원자가 빛을 선택적으로 흡수하는 성질을 이용하는 것이다. 이로 미루어 보면 개별 원자의 운동 속도 즉 원자의 운동 상태를 파악하여 각각의 원자마다 적절한 진동수의 레이저 빛을 쏠 수 없다는 것을 알 수 있다.

30. 정답 ①

난이도 ★★★ | 정답률 17%

내용영역 과학기술 | 문항 유형 정보의 확인과 재구성

[정답 풀이]

① <그림>은 도플러 효과를 이용한 레이저 냉각 원리이다. 6문단에 의하면 도플러 효과를 이용하여 원자를 냉각할 때는 어떤 원자의 집단을 사이에 두고 양쪽에서 레이저 빛을 원자에 쏘되 그 진동수를 원자의 공명 진동수보다 작게 한다. 도플러 효과에 의해 파동원을 향해 다가오는 원자에는 파동의 진동수가 원래보다 더 크게 감지되기 때문이다. 즉 도플러 효과를 이용한 레이저 냉각 원리에 의하면 원자의 공명 진동수보다 작은 진동수의 레이저 빛을 쏘아야 다가오는 원자 내부의 전자가 E_1에서 E_2로 이동한다. 따라서 다가오는 원자에 공명 진동수의 레이저 빛을 쏘면 그 값이 원자의 공명 진동수보다 크게 감지되어 레이저 빛을 흡수하지 못해 E_1에서 E_2로 이동하지 않는다.

[오답 풀이]

② 원자가 광자를 흡수할 때 광자의 에너지만큼 원자의 내부 에너지가 커지면서 광자의 운동량이 원자에게 전달된다. 5문단에 의하면 원자는 공명 진동수의 빛만을 흡수하는데, 원자 내부의 전자는 특정 에너지 준위 E_1에서 그보다 더 높은 특정 에너지 준위 E_2로 옮겨가는 것만 허용되기 때문이다. 이때 흡수된 광자의 에너지는 두 에너지 준위의 에너지 값의 차인 ΔE에 해당한다. 따라서 원자의 공명 진동수와 일치하는 진동수를 갖는 광자라면 원자 내부의 전자를 E_1에서 E_2로 옮기는 ΔE의 에너지를 갖는다.

③ <그림>은 도플러 효과를 이용한 레이저 냉각 수행 과정이다. 원자가 한쪽 레이저 빛의 방향과 반대 방향으로 움직이면 도플러 효과에 의해 원자에서 감지되는 레이저 빛의 진동수가 커지는데, 그 값이 자신의 공명 진동수에 해당하면 원자는 레이저 빛을 흡수하게 된다. 이때 흡수된 광자의 에너지는 <그림> a처럼 ΔE보다 작지만, 원자는 도플러 효과 때문에 공명 진동수와 일치하는 진동수를 갖는 광자를 받아들이는 것처럼 전자를 E_1에서 E_2로 옮긴다. 그러면 불안정해진 원자는 전자를 E_2에서 E_1로 내려놓으며 광자를 방출하는데, 이때 광자의 에너지는 ΔE이다. 이 과정을 반복하면서 원자가 일정하게 ΔE의 에너지를 방출하여 원자의 속도는 줄어들고 원자 집단 전체의 온도는 내려가게 된다. 따라서 원자가 흡수했다가 방출하는 광자의 에너지는 ΔE로 일정하다.

④ 5문단에 의하면 정지한 원자는 공명 진동수의 빛만을 흡수한다. 또한 ②에서 살펴본 것처럼 원자가 공명 진등수의 광자를 흡수할 때 광자의 에너지는 ΔE이다. 따라서 정지한 원자가 흡수하는 광자의 에너지는 ΔE이다.

⑤ 원자가 광자를 흡수할 때 원자가 특정 에너지 준위 E_1에 있던 전자를 허용된 준위 E_2로 올려 놓는다. 이 상태에서 전자를 E_2에서 E_1로 내려놓을 때는 에너지 준위 차 ΔE의 에너지를 갖는 광자를 방출한다.

31. 정답 ①

난이도 ★★☆ | 정답률 48%

내용영역 과학기술 | 문항 유형 정보의 평가와 적용

[정답 풀이]

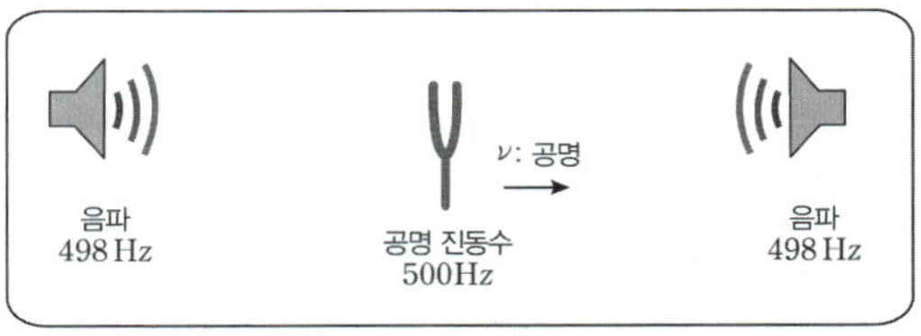

• |소리굽쇠가 감지하는 음파의 진동수 − 스피커의 원래 음파 진동수|는 속도에 비례

(1) 속도가 v일 때 공명함

|소리굽쇠가 감지하는 음파의 진동수 − 스피커의 원래 음파의 진동수|

= |소리굽쇠의 공명 진동수 − 스피커의 원래 음파의 진동수|

= |500Hz − 498Hz| = 2Hz

(2) 속도가 $2v$일 때 공명하지 않음

|소리굽쇠가 감지하는 음파의 진동수 − 스피커의 원래 음파의 진동수| > 2Hz

⇨ |소리굽쇠가 감지하는 음파의 진동수 − 498Hz| > 2Hz

∴ 소리굽쇠가 감지하는 음파의 진동수 < 496Hz

or 소리굽쇠가 감지하는 음파의 진동수 > 502Hz

ㄱ. 도플러 효과에 의하면 소리굽쇠를 우측으로 이동할 경우 소리굽쇠는 우측 스피커에서 나오는 음파를 원래의 음파보다 더 크게 감지할 것이고, 좌측 스피커에서 나오는 음파를 원래의 음파보다 더 작게 감지할 것이다. 그리고 소리굽쇠가 감지하는 음파의 진동수와 원래 음파의 진동수의 차이는 가까워지거나 멀어지는 속도에 비례한다. 소리굽쇠의 공명 진동수가 500Hz이므로 소리굽쇠가 음파의 진동수를 500Hz로 감지하면(소리굽쇠의 공명 진동수 = 소리굽쇠가 감지하는 음파의 진동수) 소리굽쇠는 공명할 것이다. 그런데 소리굽쇠를 중앙에서 오른쪽으로 v의 속도로 움직였더니 소리굽쇠가 공명했다. 이는 소리굽쇠가 우측 스피커에서 나오는 음파를 원래의 음파(498Hz)보다 2Hz만큼 더 크게 감지하여 500Hz로 감지하였다는 의미이다. 이로써 소리굽쇠를 v의 속도로 좌우로 움직일 때, |소리굽쇠가 감지하는 음파의 진동수(=소리굽쇠의 공명 진동수) − 스피커의 원래 음파 진동수| = 2Hz라는 것을 알 수 있다. 그렇다면 같은 방법으로 소리굽쇠를 v의 속도로 왼쪽으로 움직일 때에는 소리굽쇠가 좌측 스피커에서 나오는 음파를 원래의 음파(498Hz)보다 2Hz만큼 더 크게 감지하여 500Hz로 감지할 것이다. 따라서 소리굽쇠의 공명 진동수와 소리굽쇠가 감지하는 좌측 스피커 음파의 진동수가 500Hz로 같으므로 소리굽쇠에서 공명이 일어난다.

[오답 풀이]

ㄴ. ㄱ에서 살펴보았듯이, 소리굽쇠를 v의 속도로 좌우로 움직일 경우 |소리굽쇠의 공명 진동수 − 스피커의 음파 진동수| = 2Hz였다. 그리고 소리굽쇠가 감지하는 음파의 진동수와 원래 음파의 진동수의 차이는 가까워지거나 멀어지는 속도에 비례한다. 따라

서 소리굽쇠를 $2v$의 속도로 좌우로 움직인다면, |소리굽쇠가 감지하는 음파의 진동수 − 스피커의 원래 음파 진동수| > 2Hz가 됨을 알 수 있다. 그렇다면 소리굽쇠가 오른쪽으로 $2v$의 속도로 움직일 경우 소리굽쇠가 감지하는 우측 스피커 음파의 진동수는 500Hz보다 클 것이고, 좌측 스피커 음파의 진동수는 500Hz보다 작을 것이다(소리굽쇠가 왼쪽으로 $2v$의 속도로 움직일 경우에도 마찬가지이다). 따라서 소리굽쇠를 중앙에서 오른쪽으로 $2v$만큼 움직이든 왼쪽으로 $2v$만큼 움직이든 소리굽쇠의 공명 진동수와 소리굽쇠가 감지하는 좌측 또는 우측 스피커 음파의 진동수가 일치하지 않으므로 소리굽쇠에서 공명이 일어나지 않는다.

ㄷ. 좌측 스피커를 끄고 소리굽쇠를 중앙에서 왼쪽으로 v의 속도로 움직였다면, 우측 스피커 음파와 더 멀어지는 것이다. 좌측 스피커는 껐으므로 소리굽쇠는 좌측 스피커로부터는 음파의 진동수를 감지하지 않을 것이고, 우측 스피커에서 멀어지는 것이므로 소리굽쇠는 우측 스피커 음파의 진동수를 498Hz보다 더 작게 감지할 것이다. 따라서 소리굽쇠의 공명 진동수와 소리굽쇠가 감지하는 우측 스피커 음파의 진동수가 일치하지 않으므로 소리굽쇠에서 공명이 일어나지 않는다.

32. 정답 ② 난이도 ★★★ | 정답률 28%

내용영역 과학기술 문항 유형 정보의 평가와 적용

[정답 풀이]

② 광자의 운동량은 빛의 파장에 반비례하는 관계이다. 〈보기〉에 따르면 정지 상태의 루비듐 원자가 흡수하는 빛의 파장은 780nm, 정지 상태의 리튬 원자가 흡수하는 빛의 파장은 670nm이다. 따라서 루비듐 원자가 흡수하는 빛의 파장은 리튬 원자가 흡수하는 빛의 파장보다 크므로, 원자가 흡수하는 광자의 운동량은 루비듐 원자가 리튬 원자보다 작다.

[오답 풀이]

① 정지해 있는 특정 원자는 공명 진동수의 빛만 흡수하므로 정지 상태의 특정 원자가 흡수하는 빛의 진동수가 곧 그 원자의 공명 진동수이다. 그리고 빛의 파장과 진동수는 반비례 관계이다. 그런데 〈보기〉에 따르면 정지 상태의 원자가 흡수하는 빛의 파장(이를 '공명 파장'이라고 하자. 공명 진동수와 공명 파장은 반비례 관계이다)은 루비듐 780nm, 리튬 670nm이다. 따라서 리튬 원자의 공명 진동수가 루비듐 원자의 공명 진동수보다 크다.

③ 원자의 운동량은 원자의 속도와 원자의 질량의 곱이다. 이로써 원자의 운동량은 속도가 같다면 원자의 질량이 클수록 운동량도 커짐을 알 수 있다. 그런데 〈보기〉에 따르면 리튬 원자의 질량이 루비듐보다 작다. 따라서 리튬 원자와 루비듐 원자가 같은 속도로 움직인다면 질량이 작은 리튬 원자의 운동량이 루비듐 원자의 운동량보다 작다.

④ 원자가 감지하는 빛의 진동수와 원래 빛의 진동수의 차이는 가까워지거나 멀어지는 속도에 비례한다. 따라서 리튬 원자의 속도와 루비듐 원자의 속도가 같다면, '|루비듐 원자가 감지하는 빛의 진동수 − 원래 빛의 진동수| = |리튬 원자가 감지하는 빛의 진동수 − 원래 빛의 진동수|'가 된다. 만약 루비듐 원자에 레이저 냉각이 일어났다면 루비듐 원자가 감지하는 빛의 진동수가 곧 루비듐 원자의 공명 진동수에 해당한다. 그리고 루비듐 원자의 공명 진동수가 곧 리튬 원자가 감지하는 빛의 진동수가 되는데, ①에서 살펴본 바와 같이, 리튬 원자의 공명 진동수가 루비듐 원자의 공명 진동수보다 크다. 즉, '루비듐 원자가 감지하는 빛의 진동수 = 루비듐 원자의 공명 진동수 = 리튬 원자가 감지하는 빛의 진동수 ≠ 리튬 원자의 공명 진동수'이다. 따라서 리튬 원자가 감지하는 빛의 진동수와 리튬 원자의 공명 진동수가 일치하지 않으므로 리튬 원자에게는 냉각 효과가 없다.

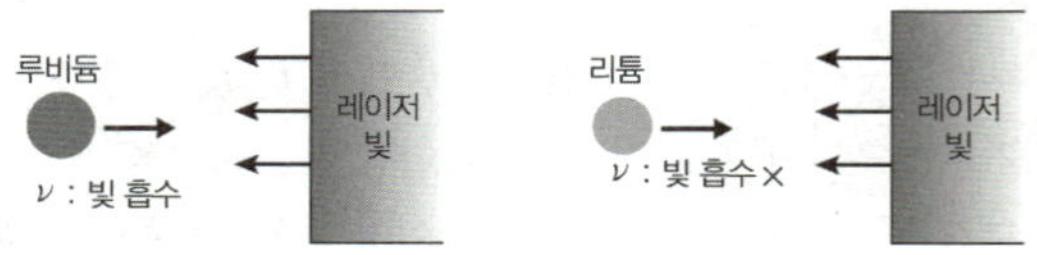

• '루비듐 원자 속도 = 리튬 원자 속도 = v'일 때 루비듐 원자가 빛 흡수(레이저 냉각)

|원자가 감지하는 빛의 진동수 − 원래 빛의 진동수|
= |루비듐 원자가 감지하는 빛의 진동수 − 원래 빛의 진동수|
= |리튬 원자가 감지하는 빛의 진동수 − 원래 빛의 진동수|
= |루비듐 원자의 공명 진동수 − 원래 빛의 진동수|

∴ 루비듐 원자의 공명 진동수 = 리튬 원자가 감지하는 빛의 진동수

루비듐 원자의 공명 진동수 < 리튬 원자의 공명 진동수

∴ 리튬이 감지하는 빛의 진동수 < 리튬 원자의 공명 진동수

∴ 리튬 원자는 빛을 흡수하지 못함 ➪ 리튬 원자는 냉각 효과 없음

⑤ ①에서 살펴본 바와 같이, 리튬 원자의 공명 파장은 670nm이다. 리튬 원자에 레이저 냉각을 일으키려면 리튬 원자가 레이저 빛을 흡수해야 하고, 리튬 원자가 레이저 빛을 흡수하려면 레이저 빛의 진동수를 리튬 원자의 공명 진동수보다 작게 해야 한다. 진동수는 파장과 반비례 관계에 있다. 그러므로 리튬 원자에 레이저 냉각을 일으키려면 레이저 빛의 파장은 리튬 원자의 공명 파장보다 크게 해야 한다. 따라서 레이저 빛의 파장은 670nm보다 큰 값으로 조정해야 한다.

[33~35] 제재 | <로마법대전>에 대한 연구
난이도 | ★★☆

33. 정답 ① 난이도 ★★☆ | 정답률 67%

내용영역 규범 문항 유형 정보의 확인과 재구성

[정답 풀이]

① 1문단에 의하면 『로마법대전』에 대한 연구는 12세기에 볼로냐를 중심으로 시작되었다. 이 당시 『로마법대전』은 '기록된 이성'이라 부를 만큼 절대적인 권위가 인정되었다. 그 가운데 파울루스의 글을 포함한 로마 시대의 저명한 법학자들의 저술에서 발췌한 학설들이 수록되어 있는 「학설휘찬」 부분이 학자들의 관심을 끌었다. 초기의 법학은 이를 정확히 이해하는 데 치중하였고

로마법을 비판적으로 바라보는 것은 금기시되었다. 즉 『로마법대전』이 로마 시대에 쓰여졌음에도 12세기의 법학자들은 이의 절대적 권위를 인정하여 비판적으로 바라보지 않았다. 따라서 12세기 법학자들은 파울루스의 학설에 대하여 시대적 간극을 초월하여 받아들일 수 있는 이성적 결과물로 여겼다고 할 수 있다.

[오답 풀이]

② 1문단에 의하면 「학설휘찬」은 『로마법대전』의 한 부분으로 「학설휘찬」보다 『로마법대전』이 앞서 편찬되었다고 볼 수 없다. 또 13세기는 12세기 『로마법대전』에 수록된 학설을 정확히 이해하는 데 치중하였던 학풍이 이어졌다.

③ 1문단에 의하면 17세기는 「학설휘찬」에 대한 맹신에서 벗어나 그것을 역사적 사료로 보면서 주석서의 허석에 얽매이지 않고 새롭게 접근하려는 16세기의 경향이 이어졌다. 17세기의 학자인 라이프니츠도 로마법 자료에 대해 비판적으로 접근하여 새로운 논의를 이끌어 내려 하였다. 이를 통해 17세기 이후의 법학이 로마법에 대한 연구를 버렸다고 볼 수 없으므로 선지는 지문의 내용과 일치하지 않는다.

④ ③에서 살펴본 것처럼 라이프니츠가 활동하던 17세기에는 「학설휘찬」에 대한 비판이 금기시되지 않았다. 「학설휘찬」에 대한 비판이 금기시되고, 시공을 뛰어 넘어 적용할 수 있는 보편적인 법전으로 본 것은 12세기 연구 경향에 가깝다. 따라서 「학설휘찬」에 대한 비판이 금기시되었다는 내용은 지문의 내용과 일치하지 않는다.

⑤ 1문단에 의하면 16세기부터 「학설휘찬」에 대한 맹신에서 벗어나, 그것을 역사적 사료로 보면서 주석서의 해석에 얽매이지 않고 새롭게 접근하는 시도가 나타났으며, 이후에도 이런 경향이 이어졌다. 즉 17세기에 활동한 라이프니츠는 16세기부터 이어진 연구 경향에 따라 로마법을 역사적 사료로 보았을 것이다.

34. 정답 ③

난이도 ★☆☆ | 정답률 84%

내용영역 규범 | 문항 유형 정보의 추론과 해석

[정답 풀이]

<[가]의 내용>

- 농장에 대한 저당권 설정 순서 : 에우티치아나(A) > 투르보(B) > 티티우스(C) (실질적 법률관계)
- 로마법 원칙 : 동일한 부동산에 대한 저당권은 설정한 순서에 따라 우선권이 주어짐 A > B > C
- A와 C의 저당권 소송에서 A가 패소하여 둘 사이의 저당권은 C가 A에 우선함 (판결로 확정된 법률관계)
  이때 B와 C의 저당권 순위는?
  i) 어떤 이들(㉠) : C > A > B
  ii) 나(파울루스 ㉡) : C와 A 사이의 관결은 B에게 효력을 미치지 못함

③ [가]에 의하면 어떤 이들(㉠)은 A를 상대로 승소한 C가 B에 우선한다고 본다. 즉 ㉠은 C의 순위가 A에 우선한다는 판결이 B에게도 효력을 미치므로 저당권 순위는 C > A > B로 설정된다고 보는 입장이다. 만약 효력이 없다고 본다면, C와 A의 저당권 순위는 B에 영향을 주지 않는다고 볼 것이다. 그렇다면 C와 A사이의 저당권 순위는 정해졌으나 C와 B의 저당권 순위는 알 수 없다고 판단할 것이다. 그러나 ㉠은 저당권 순위가 C > B라고 보므로 ㉠은 C의 순위가 A에 우선한다는 판결이 B에게도 효력이 있다는 입장임을 알 수 있다.

[오답 풀이]

① B와 C사이의 저당권 순위에 관한 소송에서 B는 C가 A에 우선한다 하더라도 로마법 원칙에 의할 때 본인(B)이 C보다 먼저 설정되어 있으므로 자신이 선순위자라고 주장할 것이다. 즉 B는 자신에게 유리한 방향으로 저당권 순위를 설정하기 위해 자신의 권리를 C보다 앞에 둘 것이다.

② 실질적 법률관계에 의하면 A는 B보다 먼저 저당권이 설정(A > B)되어 있는데, C가 A와의 소송에서 승소하였으므로(C > A) 그 결과 C > A > B의 저당권 순위가 설정된다고 주장할 것이다. 즉 C는 B보다 저당권 순위가 앞서는 A에게 승소하였으므로, B보다 앞선다고 주장할 것이다.

④ [가]에서 ㉡은 첫 번째 소송(A와 C의 저당권 순위에 대한 소송)의 관결이 모든 것을 해결하는 것은 아니고, 다른 저당권자의 권리는 손대지 않은 채 남겨져 있다는 입장이다. 즉 A와 C 사이의 판결은 B에게 효력을 미치지 못하며, A와 B, B와 C의 순위에도 영향을 미치지 않는다고 본다. 그러므로 ㉡은 A와 C 사이의 판결이 A, B, C 모두의 순위를 바꾸는 것으로 판결한 것은 아니라는 입장을 취한다.

⑤ ㉠과 ㉡ 모두 A와 C 사이에 내려진 판결의 효력을 인정한다. ㉠과 ㉡은 이를 전제로 A와 C의 소송에 대한 판결 효력이 B에게 영향을 미치는지에 대하여 논의하고 있다. 만약 이를 전제하지 않는다면 판결 여부와 상관없이 판결 전 실질적 법률관계에 의해 저당권 순위는 A > B > C가 된다. 그런데 ㉠은 A를 상대로 승소한 경우 그 효력이 C와 B 사이에도 미친다고 보아 C가 B보다 우선한다고 주장한다. ㉡은 A와 C 사이의 소송이므로 소송에 관여하지 않은 이에게 유리하게도 불리하게도 작용하지 않는다고 본다. 이를 통해 둘 모두 A와 C 사이에 내려진 판결의 효력을 인정하고 있음을 알 수 있다.

35. 정답 ③

난이도 ★★☆ | 정답률 68%

내용영역 규범 | 문항 유형 주제, 구조, 관점 파악

[정답 풀이]

<라이프니츠(ⓐ)의 논증 과정>

- 로마법 원칙 : 동일한 부동산에 대한 저당권은 설정한 순서에 따라 우선권이 주어짐
  (1) 가장 먼저 설정한 A의 권리는 최우선권을 가지므로 B의 권리에 우선함(A > B)
  (2) 저당권을 설정한 B의 권리는 C의 권리에 우선함 (B > C)
  (3) 판결로 확정된 법률관계를 진실한 것으로 취급 : C의 저당권은

A의 저당권에 우선함(C > A)

(1)과 (3)은 모순
A가 최우선권을 갖는다는 것과 C가 A에 우선한다는 것은 모순 → 확정 판결의 효력 때문에 (3)이 우선

∴ 유효하게 고려하여야 하는 (2)와 (3)을 가지고 저당권 순위를 정리하면 B > C > A의 순서

③ 라이프니츠(ⓐ)는 저당권을 설정한 순서에 따라 우선권이 주어지는 로마법의 원칙에 기반하여 [가]의 사안을 정리하였다. 이후 유효하게 고려하여야 하는 사항 (2)와 (3)을 가지고 순위를 정리하였다. 그 결과 (2)에 의해 B > C이고, (3)에 의해 C > A이면 B는 A보다 앞서는 것이 당연하다고 보았다. 즉 B > C > A로 저당권 순위를 설정한 것이다. 이는 로마법의 원칙이 부당하다는 것을 확인한 것이 아니라, 로마법의 원칙을 기반으로 한 (2)를 유효하게 고려하여 결론을 내린 것이라 할 수 있다.

[오답 풀이]

① 4문단에 의하면 라이프니츠는 B가 C보다 앞설 경우에 C가 A보다 앞선다면, B는 A보다 앞서는 것이 당연하다고 보았다. 즉 B > C > A로 저당권 순위를 설정한 것이다.

② 라이프니츠는 (1)과 (3)이 충돌하는 상황에서 판결로 확정된 법률관계를 실질적 법률관계보다 우선하는 것으로 보아 (3)을 우선 고려하였다. 이를 통해 확정 판결의 효력이 실질적 법률관계에 우선함을 전제로 삼았다는 것을 알 수 있다.

④ 라이프니츠가 파울루스 논의를 정리한 것에 의하면 (1)과 (3)이 모순된 내용으로 서로 충돌하였다. 라이프니츠는 이를 확정 판결의 효력 때문에 (3)이 우선할 수밖에 없다는 점을 들어 해결하였다. 즉 로마법 원칙에 의해 설정된 (2) B > C와 확정된 판결인 (3) C > A를 가지고 순위를 정리하여, A를 3순위로 정리하여 모순을 해결하였다.

⑤ 라이프니츠는 B가 C보다 앞설 경우에 C가 A보다 앞선다면, B는 A보다 앞서는 것이 당연하다고 보았다. 즉 B > C >A의 결론을 내렸다. 라이프니츠는 이러한 결론이 한 번의 패소로 A의 순위가 두 개나 밀리게 만들지만 부당한 것은 아니라고 본다. 소송을 잘못한 이(A)에게 두 번 불이익을 주는 것이 잘못이 없는 이(B)에게 한 번 불이익을 주는 것보다 낫기 때문이다. 즉 B > C > A의 순위가 C > A > B보다 낫다고 본 것이다. 따라서 ⓐ의 논증 과정에는 권리를 입증하지 못하여 패소한 이(A)가 이후에 자신이 당사자가 아닌 판결(B와 C의 저당권 설정) 때문에 1순위에서 3순위로 설정되는 거듭 불이익을 받을 수 있다는 결론이 도출되지만, 그것이 부당하지 않다고 봤음을 알 수 있다.

2015학년도(홀수형)

[1~3] 제재 | 유종원, 「복수에 대한 건의를 논박함」
난이도 | ★★☆

1. 정답 ① 난이도 ★★☆ | 정답률 60%

내용영역 규범 문항 유형 정보의 확인과 재구성

[정답 풀이]

① 1문단에 의하면, 진자앙은 서원경을 사형에 처하되 정문(旌門)을 세워 주자고 건의하였다. 이에 대해 유종원은 사형에 처하는 일은 형의 근본에 의하면 무질서를 초래하는 일이고, 정문을 세우는 일은 예에 합치하는 일이므로 정문과 사형이 결코 함께할 수 없다는 점을 들어 진자앙의 건의 내용의 모순점을 드러내 보였다. 이러한 유종원의 말에 의하면, 진자앙은 한 사건에 대해 형과 예를 구분하여 적용하였으며 서원경의 행위를 형에 의해 처벌받기는 해야 하지만 예에 어느 정도 합치하는 일이라고 보았음을 알 수 있다. 따라서 진자앙이 서원경의 행위가 예를 어긴 것이라고 보았다는 선택지의 서술은 지문의 내용과 부합하지 않는다.

[오답 풀이]

② 3~4문단에 의하면, 유종원은 서원경의 아버지가 공적인 죄를 지었을 경우와 아닐 경우를 구분한 뒤 서원경의 행위를 평가하고자 한다. 유종원에 따르면 만일 서원경의 아버지가 공적인 죄를 지은 것이 아닌데도 조사온이 죽였다면 서원경의 행위는 예를 지키고 의를 실행한 것이다. 왜냐하면 서원경의 아버지가 무고하게 죽었는데도 '고을 수령과 형관은 이를 알아볼 줄도 모르고 위아래로 모두 몽매하여 울부짖는 호소를 듣지 않았'기 때문에 그 스스로 복수할 수밖에 없었기 때문이다. 또한 유종원은 예에서 이야기하는 복수를 말할 때에도 '사무치는 억울함이 있는데도 호소할 곳이 없는 경우'라는 표현을 하고 있다. 이를 통해 유종원은 억울한 일을 당했더라도 호소할 곳이 없는 상황이 생길 수 있음을 인정하고 있으며, 이러한 상황에 처한 백성에 대해 염려하고 있음을 알 수 있다.

③ 5문단에 의하면 진자앙은 "사람은 자식이 있고 자식은 반드시 어버이가 있으니, 어버이를 위한 복수가 이어진다면 그 무질서는 누가 구제하겠습니까."라고 하였다. 진자앙이 서원경의 행위를 처벌해야 한다는 주장의 근거로 이러한 말을 한 것을 보면, 진자앙은 서원경의 행위가 정문을 세워줄 일이기는 하지만 이를 처벌하지 않으면 어버이를 위한 복수가 이어질 가능성이 있기 때문에 그를 사형에 처하게 해야 한다고 주장하는 것임을 알 수 있다. 즉, 진자앙은 보복 살인의 악순환을 경계하고 있다.

④ 1문단에 의하면, 진자앙은 아버지의 원수를 죽인 서원경을 사형에 처하되 정문을 세워주자고 건의하였다. 그러나 유종원은 정문과 사형은 결코 함께 할 수 없다고 주장하면서, 그 근거로 예와 형의 근본이 같음을 들고 있다. 예와 형의 근본은 무질서를 막고자 하는 것이다. 따라서 사형에 처할 일은 곧 무질서한 일이고,

예를 적용해서 정문을 세울 일이 아니다. 반대로 정문을 세워줄 일은 무질서하지 않은 일로, 형을 적용해서 사형에 처할 일이 아닌 것이다. 즉, 유종원은 예와 형의 근본이 같음을 근거로 진자앙의 건의 내용이 갖는 자체 모순을 분석하였다.

⑤ 6문단에 의하면, 유종원은 서원경의 아버지가 무고하게 죽었다고 판단하고 있으며, 따라서 서원경의 복수를 '예에 합치'한다고 보고 있다. 또한 유종원은 '예를 저버리지 않고 효를 지켜 의롭게 죽으려 했으니, 이는 바로 이치를 깨치고 도를 들은 것'이라고 서원경의 행위를 높이 평가하고 있다.

2. 정답 ⑤ 난이도 ★☆☆ | 정답률 92%

내용영역 규범 문항 유형 정보의 추론과 해석

[정답 풀이]

⑤ 2문단에 의하면 예의 근본은 무질서를 막고자 하는 것으로, 형의 근본과 다르지 않다. 즉 예가 혼란을 방지하려는 목적이 있다는 선택지의 서술은 적절하지만, 예가 처벌 법규인 형과 서로 근본을 달리하는 규범이라는 서술은 적절하지 않다.

[오답 풀이]

① 유종원은 진자앙의 건의가 형과 예의 적용을 바르게 하지 않은 것이라 보고 있으며, 복수에 따른 무질서를 염려하는 진자앙을 두고 예를 잘못 이해하였다고 논한다. 그는 이 사건의 진위와 근본을 따지는 데 있어 경전과 성인의 가르침을 인용한다. 그리하여 유종원은 『주례』와 『춘추공양전』의 내용을 근거로 아버지가 무고하게 죽은 경우 그의 자식은 복수할 수 있으며 이것이 예에 합치한다고 주장한다. 이를 통해 예를 이해하고 적용하는 데는 성인의 가르침과 제도가 훌륭한 전거가 됨을 알 수 있다.

② 2문단에 의하면 유종원은 진자앙의 건의가 예의 근본을 무너뜨리는 것이며, 이러한 건의 내용을 법으로 삼으면 의를 좇는 이가 나아갈 곳을 모르게 한다고 하였다. 이를 통해 예는 의를 좇는 이가 나아가야 할 바임을 알 수 있다. 또한 '성인의 제도에서 도리를 밝혀 상벌을 정하도록 한 것(예)과 사실에 터 잡아 시비를 가리도록 한 것(형)은 모두 하나로 통하는 것'이라고 표현하며 예와 형의 근본이 같음을 강조하고 있다. 이를 통해 예는 의를 좇는 이가 나아갈 바이자, 도리를 밝혀 상벌을 정하는 기준이 됨을 알 수 있다.

③ 2문단에 의하면 유종원은 진자앙의 건의가 형의 근본을 무너뜨리는 것이며, 이러한 건의 내용을 법으로 삼으면 해를 피하려는 이가 설 곳을 알지 못하도록 한다고 하였다. 이를 통해 형은 해를 피하려는 이에게 의지가 됨을 알 수 있다. 또한 '성인의 제도에서 도리를 밝혀 상벌을 정하도록 한 것(예)과 사실에 터 잡아 시비를 가리도록 한 것(형)은 모두 하나로 통하는 것'이라는 표현을 통하여 형은 해를 피하려는 이에게 의지가 되며, 사실을 기반으로 시비를 가리는 수단이 됨을 알 수 있다.

④ 형에서 해악을 저지르지 말라고 하는데 관리 된 이가 사람을 죽였다면 이는 용서할 수 없는 일이므로(2문단), 형은 범죄 행위를 규정하고 그것을 강제력으로 금지하고 있음을 알 수 있다. 또한 잘못된 형의 적용을 법으로 삼아 후대에 전하면 해를 피하려는 이가 설 곳을 알지 못하게 되므로(2문단), 형은 해를 피하려는 이가 의지할 곳을 알려주는, 즉 합당한 행위를 알려주는 규칙이 됨을 알 수 있다. 따라서 형은 범죄 행위를 규정하고 그것을 강제력으로 금지하여 합당한 행위를 유도하는 규칙이 된다는 선택지의 서술은 적절하다.

3. 정답 ③ 난이도 ★☆☆ | 정답률 89%

내용영역 규범 문항 유형 주제, 구조, 관점 파악

[정답 풀이]

③ 1문단에 의하면, 진자앙은 서원경을 사형에 처하되 정문(旌門)을 세워 주자고 건의한다. 이를 통해 진자앙은 예에 합당하여 정문을 세워줄 일도 사형을 적용할 수 있다고 생각함을 알 수 있다. 반면 유종원은 예와 형의 근본을 같다고 보았기 때문에 정문을 세워 줄 일을 사형에 처하게 할 수는 없다고 주장하며(2문단), 진자앙의 주장과 같이 사형에 처하는 것은 형의 남용이며 예의 훼손이라고 하였다(6문단). 즉 유종원은 진자앙의 입장과 대립하여, 예에 합당한 행위에 대하여 형을 부과할 수 없다고 본다.

[오답 풀이]

① 1문단에 의하면, 진자앙은 아버지의 원수를 죽인 서원경을 사형에 처하되 정문을 세워 주자고 건의한다. 예와 형의 근본이 동일하다는 유종원의 견해에 따르면, 진자앙의 건의내용은 한 사건에 예와 형의 적용을 달리 한 것이다. 즉 진자앙은 한 사건에서 죄에 대한 처벌과 예에 대한 포상을 동시에 할 수도 있다고 본 것이다. 따라서 선택지의 서술은 진자앙의 견해로 유종원의 입장과 대립하는 것이다.

② 3~4문단에 의하면, 유종원은 서원경의 아버지가 무고하게 죽은 경우와 죄를 지어 죽은 경우를 구분하고 있다. 만약 서원경의 아버지가 죄를 지어 죽은 경우에 서원경이 조사온을 죽였다면 이는 '패악하여 임금을 능멸'한 것으로, 이 경우에는 서원경을 처벌해야 한다. 유종원은 억울함이 있는데도 호소할 곳이 없는 경우에 행하는 복수만을 예에서 이야기하는 복수로 보고 있으므로, 모든 복수가 허용되는 것은 아니라는 입장이다. 따라서 선택지의 서술은 유종원의 견해로 적절하지 않다.

④ 1문단에 의하면, 진자앙은 아버지의 원수를 죽인 서원경을 사형에 처하되 정문을 세워 주자고 건의한다. 이는 진자앙이 한 사건에 대해 형을 적용하여 사형을 처하게 하고, 예를 적용하여 정문을 세워 주자고 한 것이라 할 수 있다. 이에 대하여 유종원은 예와 형의 근본이 같기 때문에 정문과 사형이 함께 하는 것은 모순이라는 점을 밝히고 있다. 즉, 유종원과 진자앙은 형과 예의 적용에 관하여 상반된 입장을 가지고 있을 뿐, 예와 형이 모두 존중되어야 할 규범이라는 점에 있어서는 동일한 견해를 가지고 있다.

⑤ 유종원은 예에서 이야기하는 복수를 사무치는 억울함이 있는데도 호소할 곳이 없는 경우(5문단)만으로 한정하였으며, 살인이라도 의에 부합하는 경우에는 그에 대한 복수를 금지해야 한다(6문단)고 보았다. 따라서 유종원이 복수를 일반적으로 허용하는 것에 대해 찬성했다고 보기는 어렵다.

[4~6] 제재 | 경제학에서의 차선의 문제
난이도 | ★★☆

4. 정답 ⑤ 난이도 ★★☆ | 정답률 78%

내용영역 사회 문항 유형 주제, 구조, 관점 파악

[정답 풀이]

⑤ 1문단에 의하면, 하나 이상의 효율성 조건이 이미 파괴되어 있는 상태에서는 충족되는 효율성 조건의 수가 많아진다고 해서 경제 전체의 효율성이 더 향상된다는 보장이 없다. 예컨대 자유무역을 주장하는 이들은 모든 국가에서 관세를 폐지하는 경우를 최적의 상황으로 보았으며, 동맹국끼리의 관세를 폐지하는 관세동맹은 항상 세계 경제의 효율성을 증대시킬 것이라고 주장해왔다. 이는 관세를 비합리적인 측면으로 보고 이러한 비합리적인 측면이 많이 제거될수록 이에 비례하여 경제의 효율성이 제고된다고 보는 입장이라 할 수 있다. 그러나 바이너에 의하면, 관세동맹을 통해 비합리적인 측면이 제거된다고 해서 경제의 효율성이 제고되는 것은 아니다. 오히려 관세동맹은 무역전환 효과로 인해 이전보다 효율이 감소할 수 있는 가능성이 있기 때문이다. 또한 직접세와 간접세는 각각 비합리적인 측면이 존재하지만 이를 모두 제거함으로써 경제의 효율성을 제고하는 것이 아니라, 상품마다 차등적인 간접세 부과를 통해 효율성을 높일 수 있다. 이와 같은 사례를 볼 때, 파레토 최적 상태가 아닌 경우에 경제의 효율성은 새로운 조건을 찾음으로써 제고될 수 있는 것이지, 비합리적인 측면들이 많이 제거될수록 이에 비례하여 경제의 효율성이 제고되는 것이 아님을 알 수 있다.

[오답 풀이]

① 1문단에 의하면, 가장 효율적인 자원배분 상태인 파레토 최적 상태를 달성하려면 모든 최적 조건들이 동시에 충족되어야 한다. 립시와 랭거스터는 하나 이상의 효율성 조건이 이미 파괴되어 있는 상태에서는 충족되는 효율성 조건의 수가 많아진다고 해서 경제 전체의 효율성이 더 향상된다는 보장이 없다고 주장하였다. 따라서 파레토 최적 조건들 중 하나가 충족되지 않을 때라면, 나머지 조건들이 충족된다고 하더라도 차선의 효율성이 보장되지 못한다.

② 1문단에 의하면, 현실에서는 파레토 최적 조건의 일부는 충족되지만 나머지는 충족되지 않고 있는 경우가 일반적이기 때문에, 최적 조건의 일부가 항상 충족되지 못함을 전제로 하여 그러한 상황에서 가장 바람직한 자원배분을 위한 새로운 조건을 찾아야 한다. 예컨대 경제학에서는 아무런 세금도 부과되지 않는 것이 파레토 최적 상태이지만 현실에서 세금 부과는 불가피하다. 그리하여 세금을 부과하면서도 시장의 왜곡을 줄일 수 있는 방법을 찾기 위해 많은 학자들은 직접세나 간접세, 혹은 여러 상품에 차등적 세율을 부과하는 방안을 제시하였다(3문단). 이를 통해 전체 파레토 조건 중 일부가 충족되지 않은 상황에서 차선의 상황을 찾으려면 나머지 조건들의 재구성을 고려해야 함을 알 수 있다.

③, ④ 1문단에 의하면, 현실에서는 모든 최적 조건들을 충족시키기가 어려우며, 하나의 왜곡을 시정하는 과정에서 새로운 왜곡이 초래되는 것이 일반적이다. 예컨대 세금을 부과하면서도 시장의 왜곡을 줄일 수 있는 방법 중 하나로 직접세가 제시되었지만 이는 여가와 다른 상품들 사이의 파레토 최적 조건의 달성을 방해하며, 다른 하나로 제시된 간접세는 그 상품과 다른 상품들 사이의 파레토 최적 조건의 달성을 방해한다(3문단). 이처럼 주어진 전체 경제상황을 개선하는 과정에서 기존에 최적 상태를 달성했던 부문의 효율성이 저하되기도 하는데(③), 이는 여러 경제부문들이 독립적이지 않고 서로 긴밀히 연결되어 있기 때문이라 할 수 있다(④).

5. 정답 ② 난이도 ★☆☆ | 정답률 82%

내용영역 사회 문항 유형 정보의 평가와 적용

[정답 풀이]

2문단에 의하면, 기존의 자유무역을 주장하는 이들은 관세동맹이 항상 세계 경제의 효율성을 증대시킬 것이라고 주장해왔다. 그러나 바이너(ⓐ)는 관세동맹이 무역전환 효과로 인해 세계 경제의 효율성을 떨어뜨릴 수 있음을 지적하였다. 무역전환은 비동맹국들과의 교역이 동맹국과의 교역으로 전환되는 것으로, 생산비용이 낮은 국가에서 생산비용이 높은 국가로 공급원이 바뀌므로 효율이 감소된다. 관세동맹이 세계 경제의 효율성을 떨어뜨릴 수 있음을 주장한 바이너의 입장을 지지하는 사례는 곧, 이러한 (1)<u>무역전환 효과</u>가 일어나 (2)<u>효율성이 감소</u>한 사례를 의미한다.

② A국과 B국이 관세동맹을 맺은 이후, A국은 본래 비동맹국 C와 교역했던 X재를 동맹국인 B국과 교역하였다. 그런데 X재의 최저비용 생산국은 C이므로, A국의 X재 공급원은 생산비용이 낮은 국가에서 생산비용이 높은 국가로 바뀌었다고 할 수 있다(1). 따라서 더 저렴한 비용으로 X재를 수입해오던 A국은 B국과의 관세동맹으로 인해 효율이 감소하였으므로(2) ⓐ의 입장을 지지하는 사례로 적절하다.

[오답 풀이]

① 관세동맹 이후에도 A, B국은 관세동맹 이전과 동일하게 X재를 C국에서 수입하고 있다. 이는 새로운 무역이 창출되거나 전환된 것이 아니며, 공급원의 생산비용도 변화가 없기 때문에 효율이 증가하거나 감소했다고 볼 수 없다. 즉, 선택지 ①은 무역전환 효과가 일어난 사례가 아니므로 ⓐ의 입장을 지지하는 사례로 적절하지 않다.

③ 관세동맹 이후 A국은 X재의 생산을 중단하고 B국으로부터 X재를 수입하고 있다. 이는 동맹국 사이에 새롭게 무역이 창출되는 것으로, 무역창출이 발생한 사례이다. 그런데 X재의 생산비는 비동맹국인 C국보다 A, B국이 더 높으므로, A국이 B국과의 관세동맹을 통해 X재의 생산비용을 감소하고 효율을 증가시켰는지는 알 수 없다. 다만 지문에 따르면 무역창출은 상품의 공급원을 생산비용이 높은 국가에서 생산비용이 낮은 국가로 바꾸는 것(2문단)을 의미하므로, 관세동맹 이후 효율이 증가했을 가능성이 크다는 것을 추측할 수 있다. 즉, 선택지 ③은 무역전환 효과가 일어나 효율성이 감소한 사례가 아니므로 ⓐ의 입장을 지지하는 사례로 적절하지 않다.

④ 관세동맹 이후에도 A국은 관세동맹 이전과 동일하게 X재를 B국에서 수입하고 있다. 이는 관세동맹으로 인해 본래 비동맹국 사이였던 A국과 B국의 관계가 동맹국으로 바뀐 경우로, 무역전환 사례라고 보기 어렵다. 무역전환은 생산비용이 낮은 국가에서 생산비용이 높은 국가로 공급원을 바꾸는 것인데, 공급 국가가 바뀌지 않았을 뿐더러 B국의 생산비용 또한 변화하지 않았기 때문이다. 다만 B국이 비동맹국에서 동맹국으로 전환됨에 따라 관세 제거를 통한 효율 증가가 발생할 것임을 추측할 수 있다. 즉, 선택지 ④는 무역전환 효과가 일어나 효율성이 감소한 사례가 아니므로 ⓐ의 입장을 지지하는 사례로 적절하지 않다.

⑤ 관세동맹 이후 B국은 X재의 생산을 중단하고 A국으로부터 X재를 수입하고 있다. 이는 동맹국 사이에 새롭게 무역이 창출되는 것으로, 무역창출이 발생한 사례이다. 또한 A국은 세 국가 중 최저비용으로 X재를 생산하는 국가이므로, B국은 생산비용 감소와 관세 제거를 통해 효율이 증가하였음을 알 수 있다. 즉, 선택지 ⑤는 무역전환 효과가 일어나 효율성이 감소한 사례가 아니므로 ⓐ의 입장을 지지하는 사례로 적절하지 않다.

	①	②	③	④	⑤
발생효과 (1)	없음	무역전환 (C국 → B국)	무역창출	없음	무역창출
세계경제 (2)	유지	효율 감소	알 수 없음	효율 증가 (관세 제거)	효율 증가 (생산비용 감소 +관세 제거)

6. 정답 ②

난이도 ★★☆ | 정답률 54%

(내용영역) 사회 (문항 유형) 정보의 평가와 적용

[정답 풀이]

인물	주장	항목과의 관련
㉠ 핸더슨	한 가지 상품에 부과되는 간접세 부정	㉯ 부정
	직접세 부과가 더 효율적	㉰ 긍정
㉡ 리틀	직접세와 간접세 효율성 비교 불가	㉯, ㉰ 비교 불가
	여러 상품에 차등적 세율 부과를 통해 효율 상승 가능성	㉱ 긍정
㉢ 콜레트와 헤이그	간접세 부과하되, 여가와 보완관계가 높은 상품에 높은 세율 부과	㉰ 부정
		㉱ 긍정
립시와 랭커스터	하나 이상의 효율성 조건이 파괴된 상태*에서는 충족되는 효율성의 조건의 수가 많아진다고 해서 경제 전체의 효율성이 더 향상되지는 않는다.	㉯, ㉰, ㉱*

② 경제학에서는 아무런 세금도 부과되지 않는 것이 파레토 최적 상태이지만 세금 부과는 불가피하므로 세금을 부과하면서도 시장의 왜곡을 줄일 수 있는 방법을 찾고자 하였다. 그리하여 리틀(㉡)은 직접세(㉰)와 간접세(㉯) 중 어느 것이 효율성이 높은지 판단할 수 없으며, 여러 상품에 차등적 세율을 부과하는 것이 직접세만 부과하거나 한 가지 상품에 간접세를 부과하는 것보다 효율성을 더 높일 수 있다고 주장하였다. 즉, ㉡은 ㉯와 ㉰의 효율성을 비교할 수 없다는 점을 보였으며, 세금이 부과되지 않은 상황(㉮)이 파레토 최적의 상태임을 전제로 삼았을 것이기 때문에 ㉮와 ㉰의 효율성 차이를 보였다고 할 수 없다. 오히려 ㉡은 ㉯와 ㉰의 효율성을 비교할 수 없다는 점을 보임으로써 립시와 랭커스터의 주장을 뒷받침했다고 볼 수 있다. <보기>의 표에서 ㉯와 ㉰의 충족되는 효율성 조건은 각각 1개로 동일한데, ㉡은 ㉯와 ㉰의 효율성을 비교할 수 없다고 보았다. 이는 '하나 이상의 효율성 조건이 파괴된 상태에서는 충족되는 효율성의 조건의 수가 많아진다고 해서 경제 전체의 효율성이 더 향상되지는 않는다.'는 립시와 랭커스터의 주장을 뒷받침할 수 있다.

[오답 풀이]

① 핸더슨(㉠)은 한 가지 상품에 부과되는 간접세는 그 상품과 다른 상품들 사이의 상대적 가격에 왜곡을 발생시키므로, 직접세가 더 나을 것이라고 주장한다. 리틀에 따르면 이는 직접세가 노동 시간과 여가에 영향을 미치지 않는다는 가정 아래서만 성립하는 것이다. 이를 통해 ㉠은 직접세가 여가에 미치는 효과를 고려하지 않고 직접세(㉰)가 간접세(㉯)보다 효율적이라고 보는 것임을 알 수 있다.

③ 핸더슨(㉠)은 간접세보다 직접세가 더 나을 것이라 주장하지만, 리틀(㉡)은 간접세는 그 상품과 다른 상품들 사이의 파레토 최적 조건의 달성을 방해하게 되고, 직접세는 여가와 다른 상품들 사이의 파레토 최적 조건의 달성을 방해하게 되므로, 직접세와 간접세의 효율성을 비교할 수 없다고 주장한다. 즉, ㉡은 ㉯와 ㉰의 효율성을 비교할 수 없다는 점을 보임으로써 ㉠을 비판한다.

④ 콜레트와 헤이그(㉢)는 직접세를 간접세로 대체하면서 여가와 보완관계가 높은 상품에 높은 세율을 부과함으로써 효율성을 증가시킬 수 있다고 보았다. 이를 통해 ㉢은 여가와 보완관계가 높은 상품에 차등세율의 간접세를 부과하는 것(㉱)이 직접세를 부과하는 것(㉰)보다 더 효율적이라고 생각함을 추론할 수 있다. 그런데 <보기>의 표에서 ㉰는 충족되는 효율성 조건이 1개인 반면, ㉱는 충족되는 효율성 조건이 하나도 없다. 충족되는 효율성 조건의 수가 적음에도 ㉢은 ㉱가 ㉰보다 효율적이라고 생각하므로, 이는 '하나 이상의 효율성 조건이 파괴된 상태에서는 충족되는 효율성의 조건의 수가 많아진다고 해서 경제 전체의 효율성이 더 향상되지는 않는다.'는 립시와 랭커스터의 주장을 뒷받침한다고 볼 수 있다.

⑤ 콜레트와 헤이그(㉢)는 직접세를 간접세로 대체하면서 여가와 보완관계가 높은 상품에 높은 세율을 부과함으로써 효율성을 증가시킬 수 있다고 보았다. 이를 통해 ㉢은 여가와 보완관계가 높은 상품에 차등세율의 간접세를 부과하는 것(㉱)이 직접세를 부과하는 것(㉰)보다 더 효율적이라고 생각함을 추론할 수 있다. 특히 직접세를 동일한 액수의 간접세로 대체해야 한다고 보았으므로, ㉢은 차등세율과는 별도로, 간접세가 직접세보다 더 효율적이라고 생각하였음을 알 수 있다.

[7~10] 제재 | 예술사에 대한 헤겔의 구분
난이도 | ★★☆

7. 정답 ③

난이도 ★★☆ | 정답률 74%

내용영역 인문   문항 유형 주제, 구조, 관점 파악

[정답 풀이]

③ 헤겔에 의한 예술사의 구분은 인간 문명의 구분, 종교의 유형적 구분과 대응 관계를 이루는데, 이는 헤겔의 예술사의 단계 구분이 근본적으로 순수한 개념적 사유를 향해 점증적으로 발전하는 지성 일반의 발전 법칙에 의거(1문단)하여 설정되었기 때문이다. 즉, 예술의 역사는 인간의 지성과 밀접하게 관련된 문명의 역사, 종교적 역사와 연계된 것이다. 헤겔의 예술론은 이러한 대응 관계에 초점을 맞춰 논의를 진행하고 있으므로 선택지의 서술은 헤겔의 입장에 부합한다.

[오답 풀이]

① 헤겔에 의한 예술사의 단계적 설정은 신이라는 '내용'과 그것의 외적 구현인 '형식'의 일치 정도에 의거한다(1문단). 내용과 형식의 일치 여부에 따라 예술사의 단계가 구분된다는 것인데, 헤겔의 예술론에 따르면 상징적 단계는 내용보다 형식이 앞서는 단계이고, 고전적 단계는 내용과 형식이 일치하는 단계이며, 낭만적 단계는 형식보다 내용이 앞서는 단계이다. 이에 따르면, 내용과 형식이 불일치하는 단계 또한 예술의 한 단계이므로, 내용과 형식이 불일치한다고 해서 그 자체가 예술이 아닌 것은 아니다. 따라서 예술이 내용과 형식의 합일이라는 구체적 방식으로 구현된다는 선택지의 서술은 적절하지 않다. 또한 헤겔은 예술사를 거시적 차원의 보편적 정신사 및 그 발전 법칙에 의거한다고 보며(1문단), 구체적 작품들을 예술사의 단계적 개념을 대응시켜 이해하기 때문에 작품의 해석에서 일반 개념에 앞선 개별 작품의 파악을 가장 중요한 것으로 생각했다고 보기는 어렵다.

② 헤겔은 지성 일반의 발전 법칙에 의거하여 예술사의 단계를 설정하는 한편, 구체적으로 내용과 형식의 일치 정도에 따라 예술사의 단계와 전형적 장르를 구분하고 미학적 차원의 발전 순서를 제시하였다. 따라서 헤겔의 입장에서 예술의 단계적 변천은 인간 정신의 보편적 발전에 의해 추동된다고 볼 수 있다. 그러나 예술사의 단계에 따라 장르를 구분하고 미학적 차원의 발전 순서를 제시했다고 하였으므로, 작품들의 미적 수준의 차이는 그것들의 장르적 상이성과 무관하다고 볼 수 없다.

④ 헤겔에 의한 예술사의 단계적 설정은 인간 지성 일반의 발전 법칙에 의거하므로 예술은 인간 정신의 심층적 차원을 표출한 것이라고도 볼 수 있다. 헤겔은 또한 내용과 형식의 일치 정도에 따라 예술사를 세 단계로 구분하였는데, 순수 미학적 차원에서는 이 단계가 출발 - 완성 - 하강의 순서로 이행된다고 보았다. 특히 내용과 형식의 불일치가 극복된 고전적 단계의 예술은 미학적으로 가장 높이 평가되는데, 이처럼 예술미의 성취 여부는 형식과 내용의 일치 여부에 따라 판단되는 것이다. 따라서 예술미의 성취 여부는 형식이 아니라 내용에 의해 판단되어야 한다는 선택지의 서술은 헤겔의 입장과 부합하지 않다.

⑤ 예술사 각 단계에 대응하는 전형적 장르의 특성은 내용과 형식의 일치 정도에 의거하며, 이는 근본적으로 신에 대한 인식, 즉 인간 지성의 발전 법칙에 의거한다. 따라서 예술 양식 변화의 근원은 인간 내면의 보편적인 정신적 욕구에 있다는 선택지의 서술은 어느 정도 헤겔의 입장에 부합한다고 볼 수 있다. 그러나 헤겔은 고전적 단계의 예술을 내용과 형식이 완전한 일치를 이룬 미의 극치로 평가(3문단)하거나, 내용과 형식의 불일치가 동일하게 일어났음에도 낭만적 단계는 상징적 단계와 질적으로 다르다(4문단)라고 하였으므로, 헤겔은 모든 시대의 작품들이 동등한 가치를 지닌다고 보지 않았음을 알 수 있다.

8. 정답 ③

난이도 ★☆☆ | 정답률 77%

내용영역 인문   문항 유형 정보의 확인과 재구성

[정답 풀이]

③ 헤겔은 예술사를 '상징적', '고전적', '낭만적' 단계로 구분하고 각각의 단계에 대응하는 지역과 종교, 장르를 규정하였다. 그는 역사의 특정 단계에 여러 장르가 공존하는 것을 인정하면서도 각 단계에 대응하는 전형적 장르는 특정 장르로 한정한다고 보았다(1문단). 따라서 헤겔의 예술사 구분에서는 각각의 단계와 전형적 장르와의 연관성이 중요함을 알 수 있다. 그 중 '낭만적' 단계에 대응하는 지역 · 문명사적 개념은 중세부터의 유럽이며, 종교의 유형적 단계는 계시 종교이고, 전형적 장르는 회화 · 음악 · 시문학이다. 선택지에서 '중세', '기독교 회화'는 모두 '낭만적' 예술사 단계에 대응하는 것으로 중세의 기독교 회화는 낭만적 단계의 전형적인 예술이라고 할 수 있다.

예술사 단계	상징적	고전적	낭만적
지역 · 문명사	태고 오리엔트	고대 그리스	중세 유럽
종교 유형	자연 종교	예술 종교	계시 종교
전형적 장르	건축	조각	회화 · 음악 · 시문학

[오답 풀이]

① 헤겔은 역사의 특정 단계에 여러 장르가 공존하는 것을 인정하면서도 각 단계에 대응하는 전형적 장르는 특정 장르로 한정하고 있다(1문단). 태고 오리엔트의 지역 · 문명사적 개념은 상징적 단계에 대응하지만 조각은 고전적 단계의 전형적 장르로, 상징적 단계와 대응하지 않는다.

② 헤겔은 역사의 특정 단계에 여러 장르가 공존하는 것을 인정하면서도 각 단계에 대응하는 전형적 장르는 특정 장르로 한정하고 있다(1문단). 고대 그리스의 지역 · 문명사적 개념은 고전적 단계에 대응하지만 서사시는 시문학으로, 낭만적 단계의 전형적 장르이다.

④ 낭만적 단계의 지역 · 문명사적 개념은 중세부터의 유럽이지만, 이 단계는 새로운 더 높은 단계가 존재하지 않는 정신과 역사의 최종 지점이기 때문에 이후에 벌어지는 국면들은 모두 낭만적 단계에 해당한다(4문단). 따라서 근대의 문명사적 개념은 낭만적 단계에 해당한다고 볼 수 있으며, 고전주의 음악 또한 음악의 한 사조로서 낭만적 단계의 전형적 장르이기 때문에 근대의 고전

주의 음악은 낭만적 단계의 전형적인 예술이라고 할 수 있다.

⑤ 낭만적 단계의 지역 · 문명사적 개념은 중세부터의 유럽이지만, 이 단계는 새로운 더 높은 단계가 존재하지 않는 정신과 역사의 최종 지점이기 때문에 이후에 벌어지는 국면들은 모두 낭만적 단계에 해당한다(4문단). 따라서 현대의 문경사적 개념은 낭만적 단계에 해당한다고 볼 수 있다. 그런데 건축은 상징적 단계의 전형적 장르로, 낭만적 단계와 대응하지 않으므로 현대의 건축은 낭만적 단계의 전형적인 예술이 아니다.

9. 정답 ③

난이도 ★☆☆ | 정답률 91%

내용영역 인문 　 문항 유형 정보의 추론과 해석

[정답 풀이]

③ 헤겔은 순수 미학적 차원에서는 출발 - 완성 - 하강의 이행 모델을, 근본적인 정신사적 차원에서는 출발 - 상승 - 완성의 이행 모델을 따른다(5문단). 이러한 세 단계의 순서적 배열은 완전히 일치하지 않기 때문에, 순수 미학적 차원에서 예술미의 정점이 두 번째 단계에서 이루어진다면 정신사적 차원에서는 지성의 정점이 세 번째 단계에서 이루어진다. 즉 정신사적 차원에서의 정점이 예술미의 차원에서는 오히려 퇴보를 이룰 수 있고, 예술미의 차원에서 정점을 이룬다고 해서 정신사적 차원에서도 완성되었다고 할 수 없는 것이다. 따라서 '가장 아름다우면서도 가장 지성적인 예술은 없다'는 선택지의 추론은 적절하다.

[오답 풀이]

① 가장 앞 단계의 예술은 상징적 단계의 예술로, 미학적 차원과 정신사적 차원에서 모두 '출발' 단계에 속한다. 이 단계의 예술은 순수 미학적 차원에서 완성의 단계에 도달하지 못한 것으로, 가장 아름다운 예술이라고 보기 어렵다.

② 가장 뒷단계의 예술은 낭만적 단계의 예술로, 미학적 차원에서 '하강'의 단계이자 정신사적 차원에서는 '완성'의 단계에 속한다. 이 단계의 예술은 정신사적 차원에서는 정점이지만 예술미에서는 오히려 퇴보를 의미하므로(5문단), 가장 아름다운 예술이라고 보기 어렵다.

④ 가장 비지성적인 예술은 정신사적 차원에서 가장 미약한 단계를 의미한다고 할 수 있다. 그렇다면 정신사적 차원에서 '출발' 단계인 상징적 단계의 예술이 가장 비지성적인 예술이라고 할 수 있는데, 이 단계의 예술은 순수 미학적 차원에서도 '출발' 단계에 속한다. 따라서 가장 비지성적인 예술인 상징적 단계의 예술이 가장 아름다운 예술이라고 보기 어렵다.

⑤ '추한 예술'과 '아름다운 예술'이라는 것은 모두 순수 미학적 차원에서 평가할 수 있는 것으로, 선택지의 서술 자체가 모순이다. 낭만적 단계에 와서는 추(醜)도 새로운 미적 가치로 인정되기 시작했지만(5문단), 그렇다고 해서 가장 추한 예술이 오히려 가장 아름다운 예술이라고까지 볼 수는 없다.

10. 정답 ⑤

난이도 ★★☆ | 정답률 47%

내용영역 인문 　 문항 유형 정보의 평가와 적용

[정답 풀이]

⑤ 헤겔의 예술사 구분에 있어 정신사적 차원에서는 지성의 정점이 세 번째 단계에서 이루어진다(5문단). 이는 낭만적 단계의 예술로 중세부터의 유럽에 대응된다. 헤겔은 이처럼 낭만적 단계의 예술(중세부터의 유럽)을 지성의 완성 단계에 둠으로써 이전의 상징적 단계(태고 오리엔트)와 고전적 단계(고대 그리스)의 예술을 상대적으로 미성숙한 지성적 단계에 위치시킨다. 따라서 헤겔의 예술론은 중세부터의 유럽 이외의 문화를 상대적으로 미성숙한 지성적 단계에 위치시킴으로써 이론적으로 근대 서구의 자기 우월적 태도를 드러내고 있다고 평가할 수 있다.

[오답 풀이]

① 헤겔의 예술론은 전형적인 철학적 미학에 속하며(1문단), 예술사를 '상징적', '고전적', '낭만적' 등의 개념을 통해 구분하고 미학적 차원과 정신사적 차원의 이행 모델을 제시한다. 이처럼 헤겔은 다양한 개념과 그것들 간의 관계를 통해 각 단계별 예술의 특징부터 새로운 미학적 결론까지 논리적으로 도출한다. 또한 헤겔의 예술론은 각 단계에 대응하는 전형적인 장르를 소개하고 있으며, 구체적 작품들에 대한 풍부하고 수준 높은 진술을 포함(1문단)한다. 따라서 개념에 주로 의존하는 전형적인 철학적 미학이기 때문에 논증적 수준이 높다는 선택지의 서술은 적절하지만, 실질적 사례를 언급한 경우가 많지 않다는 평가는 적절하지 않다.

② 헤겔은 예술사를 구분하는 데 있어 지역 · 문명사적 개념으로 태고의 오리엔트, 고대 그리스, 중세부터의 유럽을 대표로 삼았다. 그의 예술론은 미학적 차원과 정신사적 차원에서의 이행 모델을 통해, 예술사의 지성화가 진행된 오늘날의 상황까지 예견하여 설명할 수 있는 포섭력(5문단)을 갖추게 되었다. 따라서 당대까지의 예술 현상에 대한 제한된 경험에 기초하기 때문에 이후 시대의 예술적 상황에 대해서는 설명력을 결여하고 있다는 선택지의 평가는 적절하지 않다.

③ 헤겔에 의한 예술사의 세 단계 시대 구분은 종교의 유형적 단계에 각각 대응하는데, 이는 근본적으로 지성 일반의 발전 법칙에 의거한다(1문단). 그리하여 인간의 신에 대한 인식은 출발 - 상승 - 완성의 이행 모델을 따르는 정신사적 차원과 일치하는 경향을 보인다(2~4문단). 따라서 헤겔은 정신사적 차원에서의 설명과 종교사적 차원에서의 설명을 분리하였다고 볼 수 없으며, 정신사적 차원과 종교사적 차원이 밀접한 관련을 맺고 있기 때문에 양자 간에 결론상의 모순이 발생하였다고 할 수도 없다.

④ 헤겔의 예술론에서 예술사의 시대 구분은 지역 개념을 수반하는 문명사적 개념으로, 태고의 오리엔트, 고대 그리스, 중세 유럽으로 대표된다. 이 세 범주는 장르들에도 적용되어, 각각 건축, 조각, 회화 · 음악 · 시문학이라는 전형적 장르와 대응한다. 이러한 대응 관계의 단계적 설정은 서로 무관한 논리와 개념에 의한 것이 아니라, 신이라는 '내용'과 그것의 외적 구현인 '형식'의 일치 정도에 의거한다(1문단). 즉, 예술사의 구분은 시대, 종교, 장르의 구분과 밀접하게 연결되어 있으므로, 이론의 전체적 정합성이 떨어진다는 선택지의 평가는 적절하지 않다.

[11~13] 제재 | 남극 대륙의 빙붕 질량 변화
난이도 | ★★☆

11. 정답 ④ 난이도 ★☆☆ | 정답률 91%

내용영역 과학기술 | 문항 유형 정보의 확인과 재구성

[정답 풀이]

④ 빙붕의 바닥에서 녹는 질량(D)은 A, B, C, E를 모두 고려하여, 즉 얼음의 유속과 두께, 얼음 코어와 기후 예측 모델, 빙산의 면적과 두께, 빙붕의 면적과 두께를 모두 고려한 후 간접적으로 구할 수 있는 값이기 때문에 직접 측정된 값이라고 볼 수 없다. 따라서 D는 해수의 온도와 해수 속에서 녹는 얼음의 양을 직접 측정하여 구한다고 볼 수 없다.

[오답 풀이]

① 육지에서 흘러내려와 빙붕이 되는 얼음의 질량(A)은 빙붕과 육지가 만나는 경계선에서 얼음의 유속과 두께를 측정하여 계산한다. 이때 얼음의 유속은 인공위성 레이더로 촬영된 두 영상 자료의 차이를 이용하여 구하고, 얼음의 두께는 인공위성 고도계를 통해 물 위에 떠 있는 얼음의 높이를 구한 후 해수와 얼음의 밀도 차에 따른 부력을 고려하여 계산한다. 따라서 A는 수면 위의 빙붕의 높이에 관한 정보를 활용하여 구한다고 볼 수 있다.

② 빙붕 위로 쌓이는 눈의 질량(B)은 빙붕 표면에서 시추하여 얻은 얼음 코어와 기후 예측 모델을 통해 구할 수 있다. 따라서 B는 빙붕에서 직접 채취한 시료를 이용하여 추정한 값으로 구한다고 볼 수 있다.

③ 빙산으로 부서져 소멸되는 질량(C)은 떨어져 나오는 빙산의 면적과 두께를 이용하여 측정할 수도 있으나, 빙산의 움직임이 빠를 경우 그 위치를 추적하기 어렵고 해수의 작용으로 빙산이 빠르게 녹기 때문에 이 방법으로는 정확한 측정이 쉽지 않다. 따라서 C는 떨어져 나온 빙산 양을 추적하는 방식으로는 정확하게 구하기 쉽지 않다고 볼 수 있다.

⑤ 빙붕 전체 질량의 변화량(E)은 빙붕의 면적과 두께를 통해 구하기 때문에, E는 빙붕의 두께 변화에 대한 정보를 얻어야 측정할 수 있다.

12. 정답 ⑤ 난이도 ★★☆ | 정답률 55%

내용영역 과학기술 | 문항 유형 정보의 추론과 해석

[정답 풀이]

• $R=\frac{D}{C+D}$, R은 남극 대륙 질량 감소 요인(C, D) 중 D가 차지하는 비율

→ 실제 R 값 : 남극 전체 평균은 52%, 지역에 따라 큰 차이. 소형 빙붕 평균은 74%(4문단), 나머지 지역은 40% 내외.

• $S=\frac{D}{\text{단위면적}}$, S는 단위면적당 D 값

→ 실제 S 값 : 지역에 따라 큰 편차가 존재. 서남극의 소형 빙붕은 매우 큰 값, 타지역의 대형 빙붕은 작은 값을 보임(6문단).

• 남극 전체 D 값의 50%는 남극 전체 빙붕의 91%의 면적을 차지하는 상위 10개의 대형 빙붕들에서, 또 D 값의 나머지 50%는 남극 전체 빙붕의 9% 면적을 차지하는 소형 빙붕들에서 발생한다(5문단).

• ㉠은 대형 빙붕들 위주로 조사한 데이터를 면적 비율에 따라 남극 전체에 확대 적용해 왔기 때문에, 소형 빙붕들과 관련된 데이터가 남극 전체의 D 값에 반영되지 않아 생긴 오차이다.

→ R, S 모두 소형 빙붕에서는 실제 값보다 작은 값, 대형 빙붕에서는 실제 값보다 큰 값이 도출.

⑤ 남극 전체의 D 값은 대형 빙붕 위주의 데이터로 도출된 것이고, R 값은 대형 빙붕에서 상대적으로 작은 값으로 나타난다. 그런데 선택지에 제시된 로스 빙붕은 대형 빙붕이기 때문에, 로스 빙붕의 R 값이 실제 값보다 작게 도출되었다고 보기 어렵다.

[오답 풀이]

㉠은 남극 전체 빙붕의 91%의 면적을 차지하는 상위 10개의 대형 빙붕들 위주로 조사한 데이터를 면적 비율에 따라 남극 전체에 확대 적용해 왔기 때문에, 남극 전체 빙붕 면적의 9%를 차지하지만 남극 전체 D 값의 50%를 차지하는 소형 빙붕들과 관련된 데이터가 남극 전체의 D 값에 반영되지 않아 생긴 오차이다. 이 오차로 인해 남극 전체의 R 값과 S 값은 실제 값보다 작게 파악되는 결과를 초래했다고 볼 수 있다(①, ②). 이때 소형 빙붕들의 R, S 값 역시 실제 값이 아닌 면적 비율에 따른 값을 도출해 냈을 것이므로, ㉠은 소형 빙붕인 파인 아일랜드와 크로슨 빙붕의 R, S 값이 실제 값보다 작게 파악된 것과 같은 이유 때문에 발생했다고 볼 수 있다(③, ④).

13. 정답 ② 난이도 ★★☆ | 정답률 70%

내용영역 과학기술 | 문항 유형 정보의 평가와 적용

[정답 풀이]

② <보기>에는 서남극에 위치한 아문센 해의 해수가 빙붕을 녹이는 데 용이한 조건을 구비하고 있어 아문센 해에 녹아 들어가는 빙붕의 양이 계속 증가할 것이라는 내용이 제시되었다. 또한 지문에는 소형 빙붕들이 상대적으로 수온이 높은 서남극 해역에 많이 분포하고 있으며(5문단), 빙붕의 단위면적당 D 값은 소형 빙붕에서 매우 크다는 내용(6문단)이 서술되어 있다. 이를 종합해 보면 빙붕의 두께가 줄어드는 속도는 남극 대륙에서보다 소형 빙붕에서 더 빠를 것임을 추론할 수 있다. 따라서 남극 대륙 전체에서 빙붕의 두께가 줄어드는 속도의 평균보다, 서남극 해역에 위치한 아문센 해의 빙붕의 두께가 줄어드는 속도가 더 빠를 것이라고 추론할 수 있다.

[오답 풀이]

① <보기>에서는 아문센 해가 서남극에 위치한다는 내용이 제시되고 있는데, 4~5문단에 따르면, 상대적으로 수온이 높은 서남극 해역에 많이 분포하는 것은 파인 아일랜드 빙붕과 크로슨 빙붕 같은 소형 빙붕들이다. 반면 대형 빙붕인 로스 빙붕은 남남극에, 필크너-론 빙붕은 북남극과 서남극에 걸쳐서 위치한다. 따라서

서남극에 위치한 아문센 해의 인근 해안에는 대형 빙붕보다 소형 빙붕이 더 많이 분포할 것이라고 볼 수 있다.

③ S 값은 서남극의 소형 빙붕에서 매우 큰 값을 보인다고 하였고(6문단) <보기>에서는 해수가 빙붕을 녹이는 데 용이한 아문센 해의 조건이 제시되었으므로, 아문센 해 인근의 빙붕 바닥이 빠르게 녹는다는 것은 추론할 수 있는 내용이다. 그러나 지문에서는 빙붕의 얼음 증가 요인으로 육지에서 흘러내려와 빙붕이 되는 얼음의 질량(A)과 빙붕 위로 쌓이는 눈의 질량(B)이 제시되고 있으며(2문단), <보기>에서는 해수에 녹아 들어가는 빙붕의 양이 계속 많아질 것이라는 전망이 제시되고 있기 때문에 선택지 내용은 옳지 않다고 판단할 수 있다. 게다가 <보기>에서는 서남극에서 녹는 얼음이 '몇 세기에 걸쳐' 해수면 상승을 일으킨다고 제시되어 있는데 선택지에서는 '수년 내'의 변화가 예측되고 있으므로, 이를 종합해 보면 아문센 해와 인접한 빙상이 수년 내에 고갈될 것이라고 보기 어렵다.

④ 남극 전체 D 값의 50%는 남극 전체 빙붕의 91%의 면적을 차지하는 상위 10개의 대형 빙붕들에서, 또 D 값의 나머지 50%는 남극 전체 빙붕의 9% 면적을 차지하는 소형 빙붕들에서 발생한다(5문단). 이는 얼음의 높이 비교를 통해서도 알 수 있는데, 지문에 따르면 남극 대륙에는 모두 녹을 경우 해스면을 57미터 높일 정도의 얼음이 쌓여 있고(1문단), <보기>에 따르면 서남극에는 모두 녹으면 해수면을 5미터 상승시킬 얼음이 분포한다. 이를 통하여 소형 빙붕이 주로 분포하고 있는 서남극의 얼음 양(5미터)은 남극 전체 얼음 양(57미터)의 약 9%라는 것을 확인할 수 있다. 따라서 서남극의 얼음 총량이 다른 남극 지역보다 더 많다고 볼 수 없으므로 해수면 상승 효과가 더 클 것이라고 보기 어렵다.

⑤ 1문단에 따르면, 빙붕에서 얼음의 양이 줄어드는 요인으로서 빙산으로 조각나 떨어져 나오는 얼음의 양은 비교적 잘 측정되고 있다고 하였다. 그리고 남극 빙붕에서 생성되고 소멸되는 얼음의 질량을 측정함에 있어 얼음의 유속은 A의 측정에, 떨어져 나오는 빙산의 면적과 두께는 C의 측정에 관여하며, 빙산의 빠른 이동 속도는 C의 측정을 어렵게 하는 요소(3문단)임을 알 수 있다. 이를 종합해 보면 떨어져 나가는 빙산을 통해서 빙붕에서 줄어드는 얼음의 양은 측정할 수 있지만, 이를 통해 빙상의 이동 속도 증가를 알 수 있을 것이라고 판단하기는 어렵다.

[14~16] 제재 | 통치에 따른 교착 해소 방안
난이도 | ★★☆

14. 정답 ⑤ 난이도 ★☆☆ | 정답률 86%

내용영역 사회 문항 유형 주제, 구조, 관점 파악

[정답 풀이]

- 대통령제에서의 교착 : 대통령의 소속 당이 의회에서 과반 의석을 얻지 못하였을 때, 즉 대통령이 소수당에서 선출된 경우(분점정부 시) 발생(2문단).
- 내각제에서의 교착 : 총리가 의회 다수당에서 임명되지 않았을 때 발생(3문단).

⑤ 대통령제에서의 교착을 해소하기 위하여 프랑스는 이원집정부제를 도입하였는데, 이 제도하에서는 직접 선거로 대통령을 선출하지만 정부는 내각제처럼 운영된다. 즉 대통령이 존재하지만, 대통령의 소속 당이 의회의 과반을 얻지 못하면 대통령은 의회에서 선출된 야당 대표를 총리로 임명하고 총리가 정국 운영을 주도한다. 이러한 경우를 동거정부라고 부르는데, 이때 대통령과 총리 사이의 권한을 둘러싼 분쟁으로 교착이 발생하기도 한다(4문단). 따라서 이원집정부제하의 동거정부의 상황에서 대통령이 정국을 주도하려고 한다면, 권한을 둘러싼 대통령과 총리 간 분쟁으로 교착이 발생할 가능성이 높아진다고 할 수 있다. 즉 ㉠을 해결하기 위한 시도로 적절하지 않다.

[오답 풀이]

① 대통령제하에서 분점정부의 교착을 완화하는 제도적 방안으로 남미 국가들은 소수파 대통령이 야당들과의 협상을 통해 공동 내각을 구성하여 의회 과반의 지지를 확보할 수 있는 연립정부를 구성하였다(7문단). 이에 의하면 대통령제에서 대통령이 의회 다수당과 연립정부를 구성하려는 것은 행정부와 의회의 선호가 일치하지 않는 상황의 해결을 위한 시도가 될 수 있다.

② 대통령제를 채택하고 있는 미국의 경우에는, 대통령이 야당 의원들을 설득하여 법안마다 과반의 지지를 확보해야 할 때 대통령이 의회에서 로비를 할 필요성을 더 느끼게 된다(8문단)고 하였다. 이러한 방법은, 특히 의회가 양당제로 운영되고 의원들의 정치적 자율성이 높은 미국과 같은 경우에 대통령이 의원들을 설득하는(=교착을 완화하는) 효과적인 방법이 될 수 있다고 서술되어 있다. 따라서 대통령이 의회 과반의 지지를 얻으려고 의회에 로비를 하는 것은 행정부와 의회의 선호가 일치하지 않는 상황의 해결을 위한 시도가 될 수 있다.

③ 내각제에서 다수당이 과반 의석을 얻지 못한 경우 다른 소수당과 연립정부를 구성하여 의회의 과반을 형성하면 교착을 피할 수 있다는 내용이 제시되어 있다(3문단). 따라서 내각제에서 총리가 소수당과 연립정부를 구성하려는 것은 행정부와 의회의 선호가 일치하지 않는 상황의 해결을 위한 시도가 될 수 있다.

④ 내각제에서의 교착은 총리가 의회 다수당에서 임명되지 않았을 때 발생하기 쉬운데, 이때 내각제에서 총리가 의회를 해산하고 조기 총선을 치러 새 내각을 구성하면 교착을 피할 수 있다(3문단). 따라서 내각제에서 총리가 조기 총선을 요구해 새로운 내각을 구성하려는 것은 행정부와 의회의 선호가 일치하지 않는 상황의 해결을 위한 시도가 될 수 있다.

15. 정답 ② 난이도 ★★☆ | 정답률 77%

내용영역 사회 문항 유형 정보의 추론과 해석

[정답 풀이]

② 5문단에 따르면, 의회와 대통령 선거를 동시에 실시하는 경우 대통령 당선 유력 후보의 후광효과가 일어나 분점정부의 발생 가능성을 낮추는 효과가 생기고, 7문단에 따르면 비례대표제를 의회선거에, 결선투표제를 대통령선거에 각각 적용해 동시에 선거를 치르면 연립정부 구성이 쉬워진다는 연구 결과가 제시되

고 있다. 두 선거를 같은 시기에 치르면 정당 난립을 억제할 수 있고, 대통령선거가 결선투표로 갈 때 일차 선거와 결선투표 시기 사이에 연립내각을 구성하기 위한 정당 간 협상이 활발하게 일어날 수 있다는 것이다. 따라서 비례대표제를 채택한 의회선거를 대통령선거와 동시에 치르면, 시기를 달리해 두 선거를 치를 때보다 분점정부가 발생할 확률이 낮아질 것임을 알 수 있다.

[오답 풀이]

① 6문단에 따르면, 다수당이 강행하려는 의제를 소수당이 지연시킬 수 있을 때 단점정부라고 해도 교착이 생길 수 있다. 즉 소수당이 필리버스터(의사진행 방해 발언)를 진행하고, 여기에 필리버스터의 종결에 요구되는 의결정족수까지 높게 규정되어 있으면 교착이 해소되기 어려워지는 것이다. 또한 사회적 합의가 어려운 쟁점이 법안으로 다루어질 경우에도 교착이 일어날 확률이 높다. 따라서 다수당이지만 필리버스터를 종결할 만큼 의석을 차지하지 못한 야당에 소속된 의장이 갈등 법안을 본회의에 직권 상정하면, 교착이 심화될 수 있음을 알 수 있다.

③ 5문단에 따르면, 양원제에서는 상원 다수당과 하원 다수당 중 하나가 대통령의 소속 당과 다를 때 분점정부가 나타난다. 그런데 비례대표제는 다당제를 유도하고 의회 다수파 형성을 어렵게 하기 때문에 상대적으로 분점정부가 형성되기 쉬운 조건을 만든다고 볼 수 있다. 한편 8문단에서는 단순다수 소선거구제를 채택한 미국의 예시가 제시되고 있는데, 의회가 양당제이면서 의원들의 정치적 자율성이 높은 이러한 경우에는 대통령이 로비를 통해 의원들을 설득하기 쉬워져 교착 완화의 가능성이 높아진다. 따라서 양원제 의회를 비례대표제로 구성하면, 단순다수 소선거구제로 구성할 때보다 분점정부가 발생할 확률이 높아지고 교착이 심화될 수 있음을 알 수 있다.

④ 5문단에 따르면, 분점정부라도 야당이 대통령의 거부권을 막을 수 있는 의석수를 확보하고 있다면 교착이 발생하지 않을 수 있다. 이를 통하여 야당이 대통령의 거부권 행사를 무력화할 만큼의 의석을 가진다면 교착이 완화될 수 있음을 알 수 있다.

⑤ 6문단에 따르면, 교섭단체 제도처럼 원내 다수당과 소수당 간 합의를 강조하는 제도가 있으면 단점정부 상황이라고 해도 교착이 생길 수 있다. 이를 통하여 양극화된 정당 체계에서 교섭단체 간 합의 요건을 강화하면 교착이 심화될 수 있음을 알 수 있다.

16. 정답 ② 난이도 ★★☆ | 정답률 63%

내용영역 사회 문항 유형 정보의 평가와 적용

[정답 풀이]

지문과 <보기> 내용으로 판단하였을 때, ㉮는 프랑스식 이원집정부제, ㉯는 남미식 대통령제, ㉰는 미국식 대통령제를 염두에 두고 설계한 방안이라는 것을 알 수 있다.

	대통령의 입법 권한	의회선거 제도	정당 기율 관련 법제		영향
㉮	약	결선투표제	강	←	프랑스식 이원집정부제
㉯	유지 (강)	비례대표제	강	←	남미식 대통령제
㉰	약	단순다수 소선거구제	약	←	미국식 대통령제

② 4문단에 따르면, 프랑스식 이원집정부제가 적용된 분점정부의 경우, 의회는 결선투표제로 구성되고 정부는 총리가 정국 운영을 주도하는 내각제처럼 운영되는데, 내각제가 제대로 작동하기 위해서는 대체로 정당 기율이 강할 것이 요구된다. 또한 이러한 제도하의 분점정부 상황에서는 대통령과 총리 간 권한을 둘러싼 분쟁으로 교착이 발생할 가능성이 있다. 따라서 대통령과 총리 간 분쟁을 방지하기 위하여 대통령의 입법 권한을 축소하고 의회 선거 제도를 결선투표제로 변경하면서, 정당 기율은 강한 상태로 유지하는 방향으로 K가 제시한 ㉮는 프랑스식 이원집정부제를 염두에 둔 방안이라고 할 수 있다.

	대통령의 입법 권한	의회선거 제도	정당 기율 관련 법제
1. 프랑스식 이원집정부제	약할수록 교착 완화	결선투표제	강할수록 교착 완화
2. ㉮의 적용 결과	약	결선투표제	유지 (강)
1과 2 내용 일치 여부	○	○	○

[오답 풀이]

① ㉮는 미국식 대통령제를 염두에 둔 방안이라고 할 수 없다(8문단).

	대통령의 입법 권한	의회선거 제도	정당 기율 관련 법제
1. 미국식 대통령제	약	단순다수 소선거구제	약
2. ㉮의 적용 결과	약	결선투표제	유지 (강)
1과 2의 내용 일치 여부	○	×	×

③ ㉯는 미국식 대통령제를 염두에 둔 방안이라고 할 수 없다(8문단).

	대통령의 입법 권한	의회선거 제도	정당 기율 관련 법제
1. 미국식 이원집정부제	약	단순다수 소선거구제	약
2. ㉯의 적용 결과	유지 (강)	비례대표제	유지 (강)
1과 2의 내용 일치 여부	×	×	×

④ ㉰는 남미식 대통령제를 염두에 둔 방안이라고 할 수 없다(7문단).

	대통령의 입법 권한	의회선거 제도	정당 기율 관련 법제
1. 남미식 대통령제	강할수록 교착 완화	비례대표제	강할수록 교착 완화
2. ㉰의 적용 결과	약	단순다수 소선거구제	약
1과 2의 내용 일치 여부	×	×	×

⑤ ㉰는 프랑스식 이원집정부제를 염두에 둔 방안이라고 할 수 없다(4문단).

	대통령의 입법 권한	의회선거 제도	정당 기율 관련 법제
1. 프랑스식 이원집정부제	약할수록 교착 완화	결선투표제	강할수록 교착 완화
2. ㉰의 적용 결과	약	단순다수 소선거구제	약
1과 2의 내용 일치 여부	○	×	×

[17~20] 제재 | 소월 시로 대표되는 한국 낭만주의의 허무
난이도 | ★★☆

17. 정답 ② 난이도 ★☆☆ | 정답률 94%

내용영역 인문 문항 유형 주제, 구조, 관점 파악

[정답 풀이]

② 필자는 소월의 시에서 깊은 허무주의가 발견된다고 하며, 허무주의는 소월이 보다 큰 시적 발전을 이루는 데 커다란 장애물이 되고 있다고 언급하였다(2문단). 필자는 이러한 허무주의의 배경으로 당시 한국인의 모든 활동을 힘없고 병든 것으로 만든 일제 점령의 중압감을 지적(6문단)하며, 소월의 시에 내재된 부정적 감정주의는 이러한 배경으로 인하여 밖으로 향하는 에너지를 가지고 있지 않다고 서술하였다(3문단). 이러한 견해에 따르면 필자는 소월의 시가 시대상황 때문에 어둠의 세계 바깥으로 나가는 것을 포기하였다고 여기고 있음을 알 수 있다.

[오답 풀이]

① 필자는 소월의 시에서 드러나는 수동적인 허무주의가 시적 인식을 몽롱하게 만든다고 하며(4문단), 이러한 허무주의로 인해 소월은 산다는 것이 무엇을 위한 것인가에 대한 물음을 진정한 탐구의 충동으로 변화시키지 못했다고 평가하였다(6문단). 따라서 필자는 소월의 시가 어둠에 대한 합리적 인식을 통하여 삶의 의미를 탐구하고 있다고 보지 않았음을 알 수 있다.

③ 필자는 시에서의 부정적 감정의 표현이 자기 연민의 감미로움과 체념의 평화로써 사람을 위로하는 측면은 있으나, 이러한 부정적 감정주의는 밖으로 향하는 에너지를 가지고 있지 않다는 문제를 지닌다고 지적하였다(3문단). 또한 필자는 소월의 시가 시적 인식을 몽롱하게 만든다고 비판하며(4문단), 여기에는 바르게 보려는 에너지가 결여되어 있다고 판단하였다(7문단). 이에 따르면, 필자는 소월의 시가 자기 연민과 체념의 감미로움을 부정하고 어둠 자체를 지향하고 있다고 보지 않았음을 알 수 있다.

④ 필자는 김소월에게서 생에 대한 깊은 허무주의를 발견할 수 있다고 하며, 이러한 허무주의로 인해 소월은 보다 넓은 데로 향하는 생의 에너지를 상실하고(2문단) 산다는 것이 무엇을 위한 것인가에 대한 물음을 진정한 탐구의 충동으로 변화시키지 못했다고 평가하였다(7문단). 따라서 필자는 소월의 시가 어둠의 세계에 대한 깊은 절망을 생의 에너지로 전환하여 표출하고 있다고 보지 않았음을 알 수 있다.

⑤ 필자는 생의 잠재적 가능성에 대한 갈망이 표현된 주요한의 시가 실현되지 않은 가능성의 슬픔이라면, 소월의 슬픔은 차단되어 버린 가능성을 깨닫는 데서 오는 슬픔이라고 보았다(1문단). 또한 필자는 허무주의가 소월의 시를 자족적인 것, 자기 탐닉의 도구로 만든다고 하며 이러한 경향이 생의 에너지를 상실하게 한다고 보았다(2문단). 따라서 필자는 소월의 시가 생의 잠재적 가능성을 통해 밝음이 사라진 세계의 슬픔을 극복하고 있다고 보지 않았음을 알 수 있다.

18. 정답 ③ 난이도 ★☆☆ | 정답률 91%

내용영역 인문 문항 유형 정보의 확인과 재구성

[정답 풀이]

③ 필자는 소월의 시에서 드러나는 시적인 몽롱함이 밖에 있는 세계나 정신적인 실체의 세계를 분명한 현상으로 파악할 수 없게 만든다고 하였다(4문단). 즉 필자는 수동적인 허무주의를 드러내는 소월의 시는 시적 인식을 불분명하게 한다고 보고, 소월이 그의 절망의 배경에 있는 것을 분명하게 이야기할 수 있을 때 그의 시가 조금 선명해진다고 평가하였다(7문단). 반면 필자는 서구 낭만주의 시인들이 리얼리티를 인식하는 새로운 수단, 즉 진실을 아는 데 보다 적절한 수단으로 감정과 직관을 선택하였기 때문에 이들의 시는 '바르게 보려는' 에너지를 지니고 있다고 생각하였다(4문단). 따라서 필자는 ㉡이 ㉠과 달리 선명한 시적 인식에 도달하였다고 보았음을 알 수 있다.

[오답 풀이]

① 필자는 소월의 시에서 드러나는 슬픔을 자족적인 것, 자기 탐닉의 도구로 보고 이러한 슬픔을 통해 표현된 허무주의가 밖으로 향하는 에너지를 상실하게 한다고 여겼다(2문단). 즉 필자는 한국 낭만주의에서 드러나는 허무주의가 슬픔에서 벗어나는 힘을 지니지 못하고 있다고 보았다. 반면 필자는 서구 낭만주의에서는 수동적인 허무주의가 부정되고 사물의 핵심에까지 꿰뚫어 보고야 말겠다는 형이상학적 전율이 드러난다고 보아(5문단), 서구 낭만주의의 이러한 특성을 자신이 제시한 한국 낭만주의의 특성과 대비하였다. 따라서 필자는 ㉡이 내적인 고통과 절망에서 벗어나지 못하고 있다고 보지 않았음을 알 수 있다.

② 필자는 서구 낭만주의가 '보려는' 에너지와 '물어보는' 에너지를 지니고 있으나 한국 낭만주의는 이를 결여하고 있는 것으로 평가함으로써(7문단), 지문 안에서의 문학적 '성공'에 있어 한국 낭만주의에 대한 서구 낭만주의의 우위를 분명히 하고 있다. 또한 필자는 수동적 허무주의가 한국 낭만주의 시를 자족적인 자기 탐닉의 도구로 만든다고 보았기 때문에(2문단), 한국 낭만주의에 특정한 목표가 있었을 것이라고 보지 않았을 것이며 이를 향한 열정이 있다고 여기지도 않았을 것이다.

④ 필자는 소월의 시에서 나타나는 부정적 감정주의는 밖으로 향하는 에너지를 갖지 못했다고 평가하고 이러한 특성을 한국 낭만주의의 일면으로 일반화하는 한편, 서구 낭만주의가 지녔다고 언급되는 '형이상학적 전율'은 감정의 침례를 다양하고 새로운 가능성에 대한 직관으로 변용하게 하는 역할을 한다고 주장하였다.

그가 제시한 랭보의 예시는 이를 지지하는 예로, 필자에 따르면 랭보의 시에서 어둠에로의 하강은 '보려는' 에너지와 불가분의 것이며 이 에너지에 있어 수동적 허무주의는 부정되어 있다(4문단). 즉 필자는 서구 낭만주의가 허무주의에서 벗어날 수 있는 가능성을 가지고 있다고 보았음을 알 수 있다.

⑤ 필자는 서구 낭만주의 시에는 '보려는' 에너지가 존재한다고 보고 있는 반면, 한국 낭만주의 시는 부정적 감정주의로 인해 '보려는' 에너지, '물어보는' 에너지, 그리고 밖으로 향하는 에너지 등을 지니지 못했다고 평가하고 있다(7문단). 이를 통하여 필자는 한국 낭만주의가 서구 낭만주의와는 달리 밖으로 향하는 에너지를 가지고 있지 않다고 생각하였음을 알 수 있다.

19. 정답 ① | 난이도 ★☆☆ | 정답률 83%

내용영역 인문 | 문항 유형 주제, 구조, 관점 파악

[정답 풀이]

① 필자에 따르면 형이상학적 전율은 사물의 핵심까지 꿰뚫어 보겠다는 충동으로서, 감정의 침례를 보다 다양하고 새로운 '가능성'에 대한 직관으로 변용시키는 역할을 한다(5문단). 따라서 감정과 직관을 위안으로 삼기보다 리얼리티를 인식하는 수단으로 삼는 형이상학적 전율이 현실 너머의 이상세계를 지향한다고 보기는 어려우며, 자연히 이에 대한 '뚜렷한 전망'을 제시한다고도 볼 수 없다.

[오답 풀이]

② 필자에 따르면 서구 낭만주의의 가장 근원적인 충동의 하나는 사물의 핵심까지 꿰뚫어 보겠다는 충동인 형이상학적 전율로, 이 전율은 감정의 침례를 보다 다양하고 새로운 가능성에 대한 직관으로 변용시키는 역할을 한다. 그는 서구의 낭만 시인들이 리얼리티를 인식하는 새로운 수단으로 감정과 직관을 선택했다고 서술하고 있으므로, 이 선택지의 진술은 옳은 것이라고 할 수 있다.

③ 필자에 따르면 형이상학적 전율은 사물의 핵심까지 꿰뚫어 보겠다는 충동으로서(5문단) 이는 '보려는' 에너지에서 비롯된다. 형이상학적 전율의 결여는 곧 '보려는' 에너지의 결여를 의미하며(7문단), '보려는' 에너지는 '밖으로 향하는' 에너지와 표리일체를 이룬다(4문단). 따라서 형이상학적 전율은 자기 밖으로 향하는 의지를 전제로 하고 있다고 할 수 있다.

④ 필자에 따르면 서구의 낭만주의의 근원적 충동의 하나는 형이상학적 전율에서 찾을 수 있는데, 이 전율은 감정의 침례를 보다 다양하고 새로운 가능성에 대한 직관으로 변용시키는 역할을 한다(5문단). 따라서 지문에서 형이상학적 전율은 가능성에 대한 직관적 통찰을 가능하게 하는 것으로 서술되었음을 알 수 있다.

⑤ 필자에 따르면 형이상학적 전율은 '보려는' 에너지에서 비롯되며(5문단), 바르게 본다는 것은 가치의 질서 속에서 본다는 것을 의미한다(4문단). 필자는 한국 낭만주의 시가 '보려는' 에너지, 즉 형이상학적 전율을 결여함으로써 삶의 가치나 의미에 대한 진정한 탐구의 충동으로 변화시킬 수 없었다고 보았다(7문단). 따라서 필자는 형이상학적 전율이 가치와 의미에 대한 진정한 탐구의 충동을 바탕으로 한다고 주장하였음을 알 수 있다.

20. 정답 ④ | 난이도 ★★☆ | 정답률 75%

내용영역 인문 | 문항 유형 정보의 추론과 해석

[정답 풀이]

④ 필자는 시에서 가장 중요한 것을 '바르게 보는 것'이라고 언급하며(4문단) 한국 낭만주의에 대한 서구 낭만주의의 우위를 문맥을 통해 파악할 수 있게 하였다. 즉 서구 낭만주의는 리얼리티를 인식하기 위한 수단으로 감정과 직관을 사용하였기 때문에 진정한 탐구의 충동으로서의 '보려는' 에너지와 '물어보는' 에너지를 가지고 있지만(5문단), 한국 낭만주의는 허무주의로 인하여 슬픔을 넘어서는 능동적 에너지를 결여하고 있다고 평가한 것이다. 또한 필자는 소월의 시적 인식이 불분명하다는 것을 비판하고(4문단) 소월이 그의 절망의 배경에 있는 것을 분명하게 말할 수 있을 때 그의 시적 인식이 선명해진다고 언급함으로써 현실을 바르게 인식하는 것의 중요성을 강조하였다. 따라서 필자가 지향하는 시는 '보려는' 에너지와 '물어보는' 에너지를 지니고 현실의 진면모를 파악하려는 열의를 담은 시라고 할 수 있다.

[오답 풀이]

① 필자가 시에서 가장 중요한 것을 '바르게 보는 것'으로 언급하였는데(4문단), 이는 시각적 이미지를 의미하는 것이 아니라 그가 사물의 핵심에까지 꿰뚫어보려는 노력으로 현실을 인식하는 시를 지향한다는 것을 의미한다. 따라서 이 내용을 통하여 필자가 시각적 이미지를 통해 일상을 명징하게 표현한 시를 지향하였을 것이라고 보기 어렵다.

② 필자는 세계에 대한 맹렬한 반항을 드러내는 휠덜린과 릴케의 시를 긍정적으로 평가한다. 이때 필자가 긍정하는 반항이란 시인들의 절망을 만들어내는 세계를 향한 '보려는 에너지'를 일컫는 것이므로 이를 정치적인 반항이라고까지 확대하기는 어렵다. 또한 필자는 소월의 시 가운데 「바라건대는 우리에게 우리의 보습 대일 땅이 있었더면」을 정치적인 답변을 보이고 있다는 이유로 드물게 긍정적으로 평가하고 있는데, 이때의 '정치적인 답변' 역시 정치적인 반항으로까지 보기는 어렵다. 필자는 시에서 가장 중요한 것을 '바르게 보는 것'이라고 언급하고 있기 때문에(4문단) 세계에 대해 바르게 인식하는 행위에 대해서는 동의한다고 볼 수 있으나, '정치적으로 반항하는 시'를 지향하였다고 보기는 어렵다.

③ 필자는 부정적 감정의 표현은 자기 연민의 감미로움과 체념의 평화로써 사람을 위로하는 역할을 한다는 것을 인정하고는 있지만(3문단), 허무주의로 인한 부정적 감정주의에 빠진 소월의 시는 결국 자족적인 자기 탐닉의 도구밖에 되지 못했다고 평가하고 있다(2문단). 따라서 필자는 한(恨)을 통해 직접적으로 감정을 위로하는 시를 지향하였을 것이라고 보기 어려우며, 그는 오히려 이러한 시를 오히려 부정적 감정주의에 매몰된 시로 비판했을 가능성이 높다.

⑤ 필자는 소월의 시에서 드러나는 슬픔이 자족적인 자기 탐닉의 도구가 되었을 뿐(2문단) 새로운 가능성을 위한 수단이 되지는 못하였다고 평가하고 있다(5문단). 따라서 필자가 슬픔을 지향하고 있다는 진술은 적절하지 않으며, 지문에는 '집단적 슬픔'과 '개인적 슬픔'에 대한 언급이 전혀 이루어지지 않고 있다. 따라서 필자는 집단적 슬픔으로써 개인적 슬픔을 초월하는 것을 지향하였을 것이라고 보기 어렵다.

[21~23] 제재 | 프리모 레비의 '회색 지대'
난이도 | ★★☆

21. 정답 ①
난이도 ★★☆ | 정답률 71%

내용영역 인문 | 문항 유형 정보의 확인과 재구성

[정답 풀이]

① 아우슈비츠 수감자들 중 가장 높은 생존율을 보인 소수의 사람들은 특권층이 되어 그들 자신의 특권을 방어하고 보호하였다. 그들이 고함과 욕설, 그리고 주먹 등으로 '신참'을 길들이려 하고, 자신은 잃었지만 상대는 아직 간직하고 있을 존엄의 불씨를 꺼뜨리고자 한 것도 특권을 방어하고 보호하기 위한 것이었다(2문단). 따라서 아우슈비츠에서 '신참'에 대한 가혹 행위는 신참을 상황에 적응하게 하려는 위악적 행동이 아니라, 소수의 특권층이 자신들의 특권을 방어하고 보호하기 위한 행동이었다고 보아야 한다.

[오답 풀이]

② 아우슈비츠 수감자들 중에서도 겉으로 협력하면서 실은 저항 운동에 참여하는 소수는 구역장이 갖는 특권층으로서의 일정한 권한을 이용하기도 하였다(3문단). 따라서 아우슈비츠 수감자 중 일부는 일정한 특권을 가지면서 동시에 저항 운동을 하였다고 볼 수 있다.

③ 아우슈비츠 수감자들 중에는 특권층이 아니지만 생존 본능에 의지한 채 '정글'에 적응하여 살아남은 사람들도 있었으며, 이들은 도덕률에 대하여 적지 않은 일탈과 타협을 할 수밖에 없었다(2문단)고 하였다. 따라서 생환자 중 일부는 생존이라는 목적을 위하여 도덕률에 대한 일탈과 타협, 즉 비윤리적 행동을 하는 것도 감수하였다고 볼 수 있다.

④ 아우슈비츠에 수감자들은 대부분 포기와 순응이라는 삶의 방식을 택하였는데, 그들 중 살아남은 극소수의 사람들은 크거나 작은 특권을 얻어 특권층이 되거나 생존 본능에 의지한 채 체면과 양심을 버리고 그곳에 적응한 사람들이라고 하였다(2문단). 즉, 아우슈비츠에서의 극한 상황에 순응한 일부가 살아남았고, 그러한 상황에서 살아남기를 포기한 사람들은 거의 다 살아남지 못하였다는 것이다. 그리고 레비는 이들을 '끊임없이 교체되면서도 늘 똑같은, 침묵 속에 행진하고 힘들게 노동하는 익명의 군중/비인간'이라고 묘사하였다. 따라서 생존 투쟁을 포기한 사람들은 침묵하는 익명의 군중이 되어 거의 다 사망하였다고 볼 수 있다.

⑤ 레비는 아우슈비츠를 '회색 지대'라는 용어로 표현하며, 그곳에 악과 무고함이 뒤섞여 있다고 보았다(3문단). 즉, 아우슈비츠의 수감자들은 기본적으로 무고하지만 어느 정도 자발적으로 다른 이에게 악을 행할 수 있다는 것이다. 그리하여 '모호성'을 그 본질로 하는 회색 지대에서는 가해자와 희생자가 갈라지면서도 모인다고 하였다. 따라서 아우슈비츠 수감자 중 일부는 무고한 자이면서 가해자이기도 하였다고 볼 수 있다.

22. 정답 ①
난이도 ★☆☆ | 정답률 94%

내용영역 인문 | 문항 유형 주제, 구조, 관점 파악

[정답 풀이]

① 레비는 아우슈비츠에서도 '일상'이 존재했음에 주목하며, 그곳에서 공격당하며 무너지고 파멸로 치달아 가는 인간성을, 그러한 인간성이 어떻게 살아남고 소생할 수 있는지를 낱낱이 기록하고 분석하였다(1문단). 그런데 가해자와 피해자라는 이분법적 구분으로는 그런 '비상한 일상'의 양태를 제대로 묘사할 수 없었기 때문에 레비는 '회색 지대'라는 용어를 사용하였다. 악과 무고함이 뒤섞여 가해자와 희생자가 갈라지면서도 모이는 모호한 곳을 '회색 지대'라 지칭하면서 이분법적 사고 경향에 문제를 제기한 것이다(2문단). 그리고 레비는 이러한 단순 이분법을 넘어서 '모호성'을 본질로 지닌 '회색 지대'라는 용어를 사용함으로써 인간과 인간성에 대한 끊임없는 성찰을 요구하였다(4문단). 따라서 '회색 지대'라는 개념은 단순한 이분법적 통념에 의문을 제기하여 인간 존재와 본성에 대한 성찰을 유도하는 데 그 의의가 있다고 할 수 있다.

[오답 풀이]

일상사의 관심은 사람들 사이의 상호 작용이 어떤 역사적 구체를 생산하고 변형하는지에 맞추어져 있기 때문에 '아우슈비츠의 일상사' 또한 가능한 것이며(1문단), 레비는 '회색 지대'라는 용어를 사용하면서 '비상한 일상'에서의 삶의 양태를 묘사함으로써 인간과 인간성에 대한 분석을 하였다(2문단). 즉, 레비는 아우슈비츠가 무고하면서도 무고하지 않은 행위를 하는 '회색인'이 있는 '회색 지대'라고 보면서 단순히 가해자와 피해자를 구분하였던 기존의 이분법적 분류를 넘어서(⑤) 역사적 구체들을 분석하고 정의하였으며(④), 수감자들 사이에서의 억압자와 피억압자의 심리를 규명하였다(②). 그리고 그러한 '회색 지대'가 만들어지는 동인 중 하나는 나치가 피억압자들을 장악하고자 그들을 더럽혀 공모의 유대를 확립하는 전략을 사용한 데 있다고 보아, '회색 지대'라는 개념을 통하여 가해자와 피해자 간에 공모의 유대가 있었음을 드러내었다. 이로부터 '회색인'이었던 피해자들 간에도 어느 정도 그러한 유대가 있었을 것이라고 짐작할 수 있다(③).

하지만 '회색 지대'의 본질이 억압자와 피억압자가 뒤바뀌고 뒤섞이는 '모호성'에 있음에 따라 아우슈비츠 문제와 같은 경우에서는 도리어 누구에게도 책임의 소재를 묻기가 어려울 수 있다는 점에서 '회색 지대'라는 개념이 책임의 소재를 분명하게 하거나(②), 적극적 협력자에 대한 능동적 단죄를 요청하는 의의를 지닌다고 보기 어렵다(⑤). 또한 마지막 문단에서 레비가 던지는 화두는 확실한 답변을 얻기 어려운 문제들을 끊임없이 되묻고 통념을 그 토대에서부터 문제시하는 데 있다고 하였으므로, '회색 지대'라는 개념의 의의가 역사적 진실을 규명하거나(③) 어떤 사회적 합의를 이끌어 내는 데 기여하는 것이라고 볼 수 없다(④).

23. 정답 ④ 난이도 ★☆☆ | 정답률 81%

내용영역 인문 문항 유형 정보의 평가와 적용

[정답 풀이]

<보기>에서는 레비의 글이 아우슈비츠 문제의 본질을 왜곡했다는 평가를 받을 수 있으며, 레비가 아우슈비츠를 '회색 지대'로 본다면 기존의 이분법적 사고에 의해서는 아우슈비츠 문제에서 악한 가해자라고 인식되었던 독일인을 용서했는지 의문이 제기될 수 있고, 그곳에서 함께 생존한 사람에 의하여 생존자들에게 너무 많은 죄의식을 강요한다는 지적을 받을 수 있다는 내용을 제시하고 있다.

④ 레비에 따르면, 아우슈비츠와 같은 '회색 지대'에는 무고하면서도 무고하지 않은 행위를 하는 '회색인'들이 존재하며, 이로 인하여 아우슈비츠 문제에서 가해자와 희생자가 누구였는지, 또 책임의 소재는 누구에게 있는지 등을 명확히 판단하는 것이 어려워진다. 이러한 레비의 견해는 <보기>에 따르면, 아우슈비츠에 수감된 피해자들 간의 관계에만 주목함으로써 나치 독일에 의하여 고통받은 피해자들을 수용소 동료들에 대한 가해자로 파악하고, 회색인으로서 그들이 나치 독일에 협력한 부분을 강조함에 따라 나치 독일이 수감자들을 강제로 수용하여 억압하였다는 아우슈비츠 문제의 본질을 왜곡하는 것이라고 할 수 있다. 즉, <보기>에서는 레비의 글이 '나치 독일에 의하여 행해진 억압과 횡포'라는 아우슈비츠 문제의 본질을 왜곡하고 그 문제에서 보다 근본적이고 중심적인 '가해자-피해자' 관계를 형성한 '나치 독일-수감자'를 도리어 부수적으로 형성된 관계라고 오인하게 하여 생존자들의 죄의식을 지나치게 강요한다는 비판을 제기할 수 있다.

[오답 풀이]

① <보기>에서는 아우슈비츠 문제에 대한 레비의 접근 방식과 분석 내용이 갖고 있는 한계 내지 문제점을 부정적 반응과 더불어 언급하고 있으므로, 레비의 분석 대상이 수용소라는 점 자체를 문제 삼고 있다고 보기는 어렵다. 그리고 <보기>에서는 역사 서술이 거시적 차원에서 이루어져야 한다는 관점이 제시되어 있지 않으므로, 레비의 분석이 '비상한 일상'에 대한 역사, 즉 '일상사'라는 점에서 한계를 가진다는 비판은 <보기>를 바탕으로 한 것이라 볼 수 없다.

② 레비는 아우슈비츠 수용소에 갇힌 수감자들의 행동과 상호 작용 등을 기록함으로써 '극한 상황 속의 일상', 즉 '비상한 일상'에서의 인간과 인간성을 분석하였다. 하지만 이러한 분석 내용은 단순히 아우슈비츠라는 특수한 공간과 상황에서의 일상을 통하여 역사적 사건의 가해자와 희생자를 구분하거나 그 책임의 소재를 묻는 문제 등을 새롭게 논의하는 차원을 넘어, 인간과 인간성에 대한 끊임없는 성찰의 필요성을 제기하는 차원으로 확장된다(4문단). 그리하여 지문에서는 레비의 글이 확실한 답변을 얻기 어려운 문제들을 되묻고 통념을 그 토대에서부터 문제시하는 태도를 지녀야 한다는 점을 시사한다고 결론을 맺는다. 따라서 레비의 글에 대하여, 극한 상황에서의 일상에만 집중하게 함으로써 일상사가 갖는 본연의 의미를 왜곡한다고 비판하는 것은 적절하지 않으며, 이는 <보기>를 바탕으로 한 비판이라고도 볼 수 없다.

③ 기존의 이분법적 사고 경향에 따르면 아우슈비츠 문제는 단순히 가해자인 나치 독일과 피해자인 수감자들 간의 문제로 파악할 수 있다. 그런데 레비는 이러한 이분법적 사고에서 벗어나 모호성을 그 본질로 하는 '회색 지대' 개념을 사용함으로써 새로운 시각에서 수감자들 간의 관계를 분석한다. 하지만 이것이 다층적 차원에서 수감자들을 분석한 것은 아니며, 그러한 접근 방식을 통하여 수감자들에 대한 역사적 평가를 유보하게 한다는 비판 내용은 <보기>를 바탕으로 한 비판이라고도 볼 수 없다.

⑤ 레비는 기존에 피해자라고만 여겨졌던 아우슈비츠 수감자들 역시 내부적으로 각기 다른 관계를 맺고 다양한 상호 작용을 한다고 본다. 가령, 친위대의 선택으로 권한을 얻어 특권을 누리고, 그 특권을 지키기 위하여 다른 수감자들에게 악을 행하는 특권층이 있었다고 보는 것이다. 이때 특권층은 수감자들 내부의 관계에서 관리자 역할을 하였던 사람들이며, 레비가 수감자들과 구분하여 관리자, 즉 기존에 아우슈비츠 문제에서 가해자로 인식되었던 억압자들을 따로 언급하며 그들과 수감자들 간의 관계를 분석하지는 않았다. 따라서 레비의 글에 대하여, 관리자와 수감자의 관계로만 접근하였다고 비판하는 것은 적절하지 않다. 또한 유태인에 대한 유럽의 민족 감정 문제에 관하여는 지문에 언급되어 있지 않다.

[24~26] 제재 | 인격체의 살생에 관한 논변

난이도 | ★☆☆

24. 정답 ① 난이도 ★☆☆ | 정답률 83%

내용영역 규범 문항 유형 정보의 확인과 재구성

[정답 풀이]

① 1문단에 따르면, 인격체는 인간이나 유인원과 같은 동물처럼 자기의식을 지닌 합리적 존재로서 자율적 판단 능력을 가지고 있고 자신의 삶이 미래에도 지속될 것을 인식할 수 있지만, 물고기와 같은 동물은 비인격체로서 자기의식이 없으며 단지 고통과 쾌락을 느낄 수 있는 감각적 능력만을 갖고 있다고 하였다. 이때 유인원과 같은 동물도 인격적 특성과 자율적 판단 능력을 지닌 존재라고 하였으므로, 자율성의 존재 여부는 인간과 동물을 구분하는 기준이 되는 것이 아니라, 인격체와 비인격체를 구분하는 기준이 된다고 할 수 있다.

[오답 풀이]

② 1문단에 따르면, 인간이나 유인원과 같은 동물은 자율적 판단 능력을 지니며 자신의 삶이 미래에도 지속될 것을 인식할 수 있는 합리적 존재이지만, 물고기와 같은 동물은 비인격체로서 오직 고통과 쾌락을 느낄 수 있는 감각적 능력만을 지닌다고 하였다. 즉, 유인원과 같이 인격적 특성을 지닌 동물만 인간이 지니는 미래 지향성을 갖는다는 것이다.

③ 2문단에서 4문단에 따르면, 자기의식을 지닌 합리적 존재로서의 인격체와 자기의식을 지니지 않은 비인격체를 구분하면서, 인격체를 죽이는 것이 비인격체를 죽이는 것보다 더 심각한 문제가 되는 근거를 다양한 관점에서 제시한다. 즉, 인간이나 유인원과

같이 인격적 특성을 지닌 존재를 죽이는 것이 그렇지 않은 존재를 죽이는 것보다 나쁜 행위라는 데 동의하면서, 죽음과 관련하여 모든 동물의 생명이 동일한 가치를 지니는 것은 아니라고 보는 것이다.

④ 1문단에 따르면, 인격체는 자기의식을 지닌 합리적 존재이지만, 비인격체는 자기의식이 없다고 하였다. 따라서 자기 존재에 대한 의식은 인격체와 비인격체를 구분하는 중요한 기준이 된다.

⑤ 마지막 문단에 따르면, 유인원과 같이 인격적 특성을 지닌 존재를 단지 종이 다르다고 해서 차별적으로 대하는 것은 옳지 않으며, 그런 존재를 죽이는 것은 인간을 죽이는 것과 마찬가지로 나쁜 일이라고 하였다. 즉, 인간이 특별한 생명의 가치를 지닌다면 인격적 특성을 가진 동물의 생명 역시 그와 비교하여 차별되어서는 안 된다고 보는 것이다.

25. 정답 ④ 난이도 ★★☆ | 정답률 79%

(내용영역) 규범 (문항 유형) 정보의 추론과 해석

[정답 풀이]

④ 고전적 공리주의와 선호 공리주의, 그리고 자율성론은 기본적으로 인격체를 죽이는 것이 비인격체를 죽이는 것보다 더 심각한 문제가 되는 이유를 제시하는 견해들이라는 점에서 인격체 살생에 대한 찬반 문제에서 상반되는 입장을 취하지는 않는다. 이와 관련하여 4문단에서도 공리주의는 자율성의 존중이 대체로 더 좋은 결과를 가져온다는 점에서 통상적으로 그것을 옹호할 가능성이 높다고 하였는데, 이를 통하여 공리주의와 자율성론 모두 자기의식과 자율적 판단 능력을 지닌 존재, 즉 인격체를 살생하는 것에 반대한다는 것을 알 수 있다. 따라서 인격체 살생에 대한 찬반 문제에서 공리주의와 자율성론은 상반되는 입장이 아니라 유사한 입장을 취할 가능성이 높다고 할 수 있다.

[오답 풀이]

① 선호 공리주의는 어떤 인격체를 죽이는 행위가 그 인격체의 선호를 좌절시키는 행위라는 점에서 나쁜 것이라고 평가한다. 이러한 견해에서는 선호 자체를 갖지 않는 존재를 죽이는 경우, 그 행위로 인하여 좌절되는 선호가 없으므로 그것을 나쁜 행위라고 비판하기 어려울 것이다.

② 고전적 공리주의는 어떤 사람을 죽이는 경우 그 존재의 죽음을 알게 된 다른 사람들의 고통이 증가한다는 '간접적 이유'를 들어 인격체 살인을 나쁘다고 평가한다. 이러한 견해에서는 아무도 모르게 살인을 하는 행위에 대하여 다른 사람들의 고통을 증가시켰다는 근거를 들어 비판을 제기하기 어려울 것이다.

③ 고전적 공리주의는 어떤 행위로 인한 쾌락과 고통의 양에 따라 그 행위의 가치를 평가한다고 보고, 살해당하는 사람에게 고통을 준다는 '직접적 이유'를 들어 인격체 살인을 나쁜 행위로 평가한다. 이러한 견해에서는 아무런 고통을 느낄 수 없는 존재를 죽이는 행위에 대하여 그 존재에게 고통을 주었다는 근거를 들어 비판하기는 어려울 것이다.

⑤ 자율성론은 인격체가 여러 가능성을 고려하여 스스로 선택하고, 그 선택에 따라 행동하는 능력을 지닌 자율적 존재라는 점에 주목하여, 삶과 죽음에 대한 인격체의 선택을 존중하지 않는 행위가 곧 그 인격체의 자율성을 침해하는 나쁜 행위라고 본다. 따라서 자율성론에서는 불치병에 걸린 환자가 스스로 죽기를 원하였다면 그 환자의 선택, 즉 자율성을 존중하여 안락사를 허용하는 것이 가능하다고 볼 것이다.

26. 정답 ② 난이도 ★★☆ | 정답률 53%

(내용영역) 규범 (문항 유형) 정보의 평가와 적용

[정답 풀이]

ㄴ. 선호 공리주의는 어떤 행위로 인하여 좌절되는 선호가 많을수록 더 나쁜 행위라고 평가한다. <보기>에서 갑은 미래에 대한 다양한 기대, 삶의 욕망 등을 갖고 행복하게 살던 고릴라를 죽였고, 을은 눈앞에 있는 먹이를 먹으려는 욕구만을 지닌 채 별 어려움 없이 살아가던 물고기를 죽였다. 이때 물고기보다 고릴라의 경우에 죽임을 당함으로써 좌절된 선호가 더 많았다는 점에서 선호 공리주의는 고릴라를 죽인 갑의 행위가 물고기를 죽인 을의 행위보다 더 나쁘다고 볼 것이다.

[오답 풀이]

ㄱ. 고전적 공리주의는 어떤 행위로 인하여 고통의 양이 증가하면 그 행위는 나쁜 행위라고 평가하는데, 이때 고통을 느끼는 대상은 그 행위를 직접 당한 존재일 수도 있지만 그 행위로 인하여 간접적으로 고통을 느끼는 존재일 수도 있다고 본다. <보기>에서 갑은 고릴라를 죽임으로써 다른 고릴라들이 커다란 슬픔과 죽음의 공포를 느끼게 하였으며, 을은 고통을 주는 도구를 사용하여 물고기를 죽임으로써 피살 대상이 직접 고통을 느끼게끔 하였다. 이에 대하여 고전적 공리주의는 갑의 경우 살생을 함으로써 다른 인격체의 고통을 증가시켰다는 간접적 이유를 근거로 하여, 을의 경우 비인격체를 살생하면서 고통을 주는 방식을 택하여 해당 존재의 고통을 증가시켰다는 직접적 이유를 근거로 하여 그들의 행위가 모두 나쁘다고 볼 것이다.

ㄷ. 자율성론은 스스로 선택하고 그 선택에 따라 행동하는 능력을 지닌 자율적 존재의 자율성을 침해하는 행위, 즉 인격체의 선택에 어긋나는 행위를 나쁜 행위라고 평가한다. <보기>에서 갑이 죽인 고릴라는 미래 지향적인 인격체였으며, 을이 죽인 물고기는 자기의식 없이 감각적 능력만을 지닌 비인격체였으므로, 자율성론은 갑의 살생을 나쁘다고 평가하는 반면, 을의 살생을 나쁘다고 평가하지는 않을 것이다.

[27~29] 제재 | CPU의 정보 처리 원리
난이도 | ★★★

27. 정답 ③

난이도 ★★☆ | 정답률 68%

내용영역 과학기술 | 문항 유형 정보의 확인과 재구성

[정답 풀이]

③ 지문의 네 번째 문단에 제시되어 있듯이, 순차 논리 회로에서 조합 회로는 외부 입력 C와 저장 회로의 출력 B를 입력하여 내장된 논리 함수를 통해 논리 상태를 변환한다. 이때 B와 C가 동일한 값이 조합 회로에 입력되면 조합 회로에서는 1이 출력되고, 서로 다른 값이 조합 회로에 입력되면 조합 회로에서는 0이 출력된다. 예를 들어 B와 C가 모두 0이거나 1이면 조합 회로에서는 1이 출력되고 조합 회로의 출력 1은 저장 회로의 입력이 되어 인버터를 거쳐 B에서는 0이 출력된다. 반대로 B와 C의 값이 서로 달라 조합 회로의 출력이 0일 경우, 저장 회로의 출력인 B는 1로 바뀐다. 따라서 순차 논리 회로에서 저장 회로의 출력은 조합 회로의 출력 상태와 동일하지 않다.

[오답 풀이]

① 컴퓨터의 CPU가 어떤 작업을 수행한다는 것은 CPU의 논리 상태가 시간에 따라 변화한다는 것을 가리킨다. 이는 CPU가 수행할 수 있는 기능은 특정한 CPU의 논리 상태와 일대일로 대응되어 있음을 의미한다(1문단). 즉 CPU가 수행할 수 있는 기능과 그에 해당하는 논리 상태는 정해져 있는 것이다.

② 논리 상태는 2진수로 표현되고 논리 함수를 통해 다른 상태로 변환된다. 논리 소자가 연결된 조합 회로는 논리 함수의 기능을 가지는데(2문단), 인버터는 입력이 0일 때 1을, 1일 때 0을 출력하는 논리 소자이다(3문단). 즉, 인버터는 입력되는 2진수 논리 값과 반대되는 값을 출력하는 논리 소자이다.

④ 컴퓨터의 CPU가 어떤 작업을 수행하는 것은 CPU의 '논리 상태'가 시간에 따라 바뀌는 것을 말한다(1문단). 회로 외부에서 입력되는 정보는 컴퓨터 프로그램의 '명령 코드'가 된다. 명령 코드를 CPU의 외부 입력으로 주고 신호를 주면 CPU의 현재 논리 상태는 특정 논리 상태로 바뀐다. 이때 출력에 연결된 회로가 바뀐 상태에 해당하는 기능을 수행하게 된다(6문단). 즉, CPU는 프로그램 명령 코드에 의한 논리 상태 변경을 통해 작업을 수행한다.

⑤ 논리 상태는 2진수로 표현되며 논리 함수를 통해 다른 상태로 변환된다(2문단). 조합 회로는 외부 입력 C와 저장 회로의 출력 B를 입력하여 내장된 논리 함수를 통해 논리 상태를 변환하는데, 이때 외부 입력 C와 저장 회로의 출력 B가 같을 때는 1을, 같지 않을 때는 0을 출력한다(4문단). 따라서 조합 회로는 2진수 입력에 대해 내부에 구현된 논리 함수의 결과를 출력한다.

28. 정답 ④

난이도 ★★☆ | 정답률 64%

내용영역 과학기술 | 문항 유형 정보의 추론과 해석

[정답 풀이]

④ 저장 회로인 ㉠은 인버터와 스위치를 통해 0과 1의 두 가지 논리 상태 중 0 또는 1이라는 1개의 논리 상태를 저장할 수 있다(3문단). 반면 조합 회로인 ㉡은 논리 연산은 가능하지만 논리 상태를 저장할 수는 없다(2문단). 조합 회로인 ㉡은 입력된 논리 상태를 내장된 논리 함수를 통해 변환한 뒤 출력하는 기능을 한다(4문단). 따라서 ㉠은 정보를 저장하기 위한 구조이며, ㉡은 논리 상태를 변경하기 위한 구조라고 할 수 있다.

[오답 풀이]

① ㉠은 저장 회로의 인버터를 통해서 피드백 기능이 구현되며, ㉡은 조합 회로를 통해서 피드백 기능이 구현된다. 따라서 ㉠은 조합 회로를 통해서, ㉡은 인버터를 통해서 피드백 기능이 구현된다는 선택지의 내용은 지문의 내용과 상반된다.

② 1비트의 저장 회로에서는 A를 통해 0 또는 1이 입력된다. 이와 연결된 조합 회로에서는 저장 회로에서 출력되는 B에서 0 또는 1이 입력되고, 외부의 C에서도 0 또는 1이 입력된다. 따라서 저장 회로인 ㉠에서 피드백 기능을 위해 입력하는 정보의 개수는 하나이며, 조합 회로인 ㉡에서 피드백 기능을 위해 입력하는 정보의 개수는 둘이다. 즉 ㉠과 ㉡의 각 회로에서 피드백 기능을 위해 입력하는 정보의 개수는 같지 않다.

③ 논리 상태를 저장하기 위해서는 입력된 정보를 회로 속에 시간적으로 유지할 수 있어야 한다. ㉠에서는 논리 상태, 즉 비트를 저장할 수 있지만(3문단), 조합 회로인 ㉡은 논리 연산은 가능하지만 논리 상태를 저장할 수는 없다(2문단). 따라서 ㉠과 ㉡ 모두 외부에서 입력되는 논리 상태를 그대로 저장하는 기능이 있다는 선택지의 내용은 ㉠과 ㉡에 대해 적절하게 이해한 것이라 할 수 없다.

⑤ 저장 회로인 ㉠에서는 첫 번째 스위치 S_1은 연결되어 있고 두 번째 스위치 S_2는 끊어진 상태에서 A에 정보가 입력되고, 이후 연결된 S_2를 통하여 A와 반대되는 값이 B로 출력되도록 함으로써 피드백 기능이 작동한다. 즉 ㉠은 스위치 S_1이 끊어지고 S_2가 연결될 때 피드백 기능을 할 수 있다. 반면 조합 회로인 ㉡에서는 B를 통해 출력된 값과 C에 주는 입력 값과의 일치 여부에 따라 출력 값을 다르게 A에 전달함으로써 피드백 기능을 수행하므로 S_2의 연결 여부와 무관하다.

29. 정답 ④

난이도 ★★★ | 정답률 37%

내용영역 과학기술 | 문항 유형 정보의 평가와 적용

[정답 풀이]

④ CPU의 상태 변경 속도를 결정하는 것은 순차 논리 회로에서 저장 회로 내의 스위치를 동작시키는 CPU 클록 신호이다. 명령 코드를 CPU의 외부 입력으로 주고 스위치를 동작시키는 클록 신호를 주면 CPU의 현재 논리 상태는 특정 논리 상태로 바뀌고, CPU는 변경된 논리 상태에 대응하는 기능을 수행하게 된다(6문단). 클록 신호의 주어지는 시간 간격이 ⓐ에서 N의 증감에 달려 있는 것은 아니므로, CPU에서 진행되는 상태 변경의 속도 증가는 ⓐ에서 N을 증가시켰을 때의 변화에 따른 결과라고 보기에 적절하지 않다.

[오답 풀이]

① ⓐ는 CPU가 순차 논리 회로에서 1비트 저장 회로를 N개로 병렬하고 외부 입력을 N비트로 확장한 것임을 의미한다. 저장 회로의 출력과 외부 입력, 조합 회로의 출력이 모두 N비트로 확장된 순차 논리 회로에 외부 입력을 바꾸고 스위치를 동작하게 하면 외부 입력에 따른 특정한 논리 상태가 순차적으로 출력된다. 회로 외부에서 입력되는 정보는 컴퓨터 프로그램의 '명령 코드'가 되므로(6문단), 외부 입력이 N비트로 증가하면 프로그램에서 사용할 수 있는 명령 코드의 종류 역시 증가한다.

② 1비트 저장 회로를 N개로 증가시키면 2N가지의 논리 상태 중 1개의 논리 상태를 출력할 수 있다(3문단, 5문단). 즉 저장 회로가 출력할 수 있는 논리 상태의 가짓수가 증가하고, 출력 값도 N비트로 확장된다. 따라서 N개의 1비트 저장 회로를 병렬로 두어 출력을 N비트로 확장하고, 조합 회로의 의부 입력도 N비트로 확장하면 조합 회로는 2N비트(현재 출력 N비트+외부 입력 N비트)를 입력받고 N비트를 출력한다(5문단). 예를 들어 1비트 저장 회로 2개를 병렬하면 저장 또는 출력 가능한 논리 상태의 가짓수는 22인 4개(00, 01, 10, 11)가 되고 출력 값은 1비트의 0 또는 1이 아닌 2비트의 00~11 중 하나가 된다. 이때 외부 입력 역시 00~11로 확장하면 이를 입력받은 조합 회로는 내장된 논리 함수에 따라 다시 00~11 중 하나의 값을 만들어 출력하게 된다. 이는 곧 조합 회로가 출력하는 논리 상태의 가짓수도 증가함을 의미한다.

③ CPU가 수행할 수 있는 기능은 특정한 CPU의 논리 상태와 일대일로 대응되어 있으며, 프로그램은 수행하고자 하는 작업의 진행에 맞도록 CPU의 논리 상태를 변경한다. ⓐ에서 N을 증가시키게 되면, 프로그램에서 사용 가능한 명령 코드의 종류가 증가하고, 따라서 CPU의 수행 가능 기능에 대응되는 논리 상태의 가짓수 역시 증가하게 된다.

⑤ ⓐ에서 N을 증가시켜 CPU가 가지는 논리 상태의 개수가 많아지면, 한 번에 처리할 수 있는 기능이 다양해지고 처리할 데이터의 양이 같다면 이를 완료하는 데 걸리는 시간을 단축시키게 된다(1문단). 따라서 ⓐ에서 N을 증가시키면 동일한 양의 데이터를 처리하는 속도가 증가한다.

[30~32] 제재 | 경업금지약정
난이도 | ★★☆

30. 정답 ② 난이도 ★☆☆ | 정답률 81%

내용영역 규범 문항 유형 정보의 확인과 재구성

[정답 풀이]

② 영업양도는 영업의 가치를 이전하는 거래이므로 이때 양도인의 경업을 허용하는 것은 계약의 목적에 반할 수 있다는 점에서 경업금지약정의 효력이 인정되었고, 심지어는 당사자가 따로 약정을 하지 않아도 경업금지 의무를 지니는 것으로 보게 되었다. 이와 같이 반드시 경업금지가 필요하다고 판단되는 계약에 관해서는 계약당사자 간의 경업금지약정 없이도 경업을 합법적으로 제한할 수 있다.

[오답 풀이]

① 산업화 초기에는 경업금지약정을 일반적으로 무효라고 보았으나, 산업화가 본격적으로 진행되면서 기업의 지식 재산 보호, 연구개발 촉진, 공정한 경쟁 등이 중요한 과제로 대두됨에 따라 영업양도나 가맹계약에서 경업금지의 필요성이 인정되었다. 영업양도는 영업의 가치를 이전하는 거래이므로 여기서 양도인의 경업을 허용하는 것은 계약의 목적에 반할 수 있다는 점에서, 가맹계약도 브랜드 간 경쟁을 촉진하고 가맹점주의 이익을 보호해야 하므로 권역별로 한 가맹점만 영업하도록 해야 할 필요가 있다는 점에서 경업금지약정의 효력이 인정된 것이다. 이는 곧 경업금지약정의 효력에 대한 해석이 계약의 내용이나 목적 등에 따라 달라질 수 있다는 것을 의미한다.

③ 산업화가 본격적으로 진행되면서 기업의 지식 재산 보호 등을 위하여 근로관계에 있어서도 경업금지약정의 효력이 인정되었다. 그러나 근로관계에서의 경업금지약정은 직업선택의 자유 및 근로권을 제한하거나 자유로운 경쟁을 저해할 수 있다는 지적이 있어 왔으며, 특히 첨단기술 분야에서는 경업금지약정의 효력을 제한하는 것이 노동의 자유로운 이동을 통한 지식의 생산과 혁신을 촉진하고 산업 발전에 기여할 것이라는 주장이 활발히 제기되고 있다. 바꿔 말하면, 첨단기술 분야 등에서의 근로관계상 경업금지약정은 도리어 지식의 생산과 혁신, 산업 발전 등을 저해할 것이라고 주장하는 이들도 있다는 것이다.

④ 근로관계에서 경업금지약정의 효력을 인정하여 근로자의 퇴사 후 경업을 일정 기간 금지한 것은 기업이 투자를 통하여 확보한 영업비밀을 보호하기 위해서였으며, 실제 판례에서도 해당 약정의 유효성 여부를 판단할 때 보호할 가치가 있는 사용자의 이익을 고려한다. 이와 같이 기업의 정당한 이익을 보호할 필요성이 있을 경우에는 경업금지약정의 효력이 인정될 수 있다.

⑤ 산업화 초기에는 봉건적인 경쟁제한을 철폐하고 영업의 자유 등 근대적인 경제적 자유를 확립하기 위하여 경업금지약정을 일반적으로 무효라고 보았다. 즉, 산업화가 시작되면서 영업의 자유 등 경제적 자유를 보장하는 것이 중시됨에 따라 자유로운 경쟁을 저해할 수 있는 경업금지약정의 효력이 인정되지 않았던 것이다.

31. 정답 ① 난이도 ★☆☆ | 정답률 83%

내용영역 규범 문항 유형 정보의 평가와 적용

[정답 풀이]

① 경업금지약정의 유효성을 판단할 때는 그 약정의 내용이 객관적으로 균형을 갖추고 있는지를 확인해야 하는데, 이때 근로자의 퇴직 경위뿐 아니라, 퇴직 이후에 효력이 발생할 약정에 관하여 계약 당시에는 신중하고도 합리적인 판단을 하기가 쉽지 않다는 점들을 고려해야 한다고 하였다. 이에 따르면, 근로자가 회사의 일방적인 구조조정으로 인해 부득이하게 퇴직을 한 경우, 이는 근로자 스스로 소속되어 있던 회사를 떠나 다른 회사로 옮기겠다는 결정을 내린 것이 아니므로 회사에 의하여 근로자의 자기 결정 능력이 제약되었다고 보아 그 약정을 무효로 볼 수 있을 것이다. 즉,

해당 사례는 근로자의 자기 결정 능력이 제한되어 있는 상황에서 경업금지약정이 객관적 균형을 갖추지 못할 수 있다는 것을 보여주는 사례라 할 수 있다.

[오답 풀이]

근로관계에서 경업금지약정의 효력을 긍정적으로 평가하는 입장에서는, 근로자가 업무에 필요한 기술 정보를 습득하는 데에 회사가 많은 비용과 노력을 투입한 경우나(③) 새로 취업한 경쟁 회사에서 근로자가 수행하게 된 업무가 퇴직 전에 근무하던 회사에서의 업무와 상당히 유사한 경우에(④) 기업이 투자를 하여 얻은 지식 재산을 보호해야 할 필요가 있다고 볼 것이다. 또한 해당 분야에서 별다른 실적이 없던 경쟁 회사가 퇴직 근로자의 전직을 계기로 하여 그 근로자가 근무했던 회사와 유사한 수준의 기술적 성과를 단기간에 거둔 경우에는(⑤) 급격히 성장한 경쟁 회사가 자체적인 연구개발보다는 타기업의 지식 재산 활용에 의존하여 그러한 성과를 거두었다고 볼 여지가 있으며, 이때 기업 간 경쟁은 공정하게 이루어진 것이라고 보기 어렵다는 점에서 경업금지약정의 필요성이 부각될 것이다. 한편, 경업금지약정의 유효성을 판단할 때는 경업 제한의 기간을 고려하는데, 경업금지약정의 효력을 폭넓게 인정하는 측에서는 경업 제한에 대한 대가가 근로자에게 주어지지 않는다 하더라도 경업을 제한한 기간과 장소 등이 비합리적으로 과도하지 않다면 근로자는 경업금지의 제한을 감수할 수도 있다고 볼 것이다. 이러한 견해에서는 경업금지의 기간이 경쟁 회사의 기술 개발에 소요되는 시간보다 짧게 설정된 경우, 경업금지약정의 내용이 객관적으로 균형을 갖추지 못했다는 이유만으로 그 약정을 무효라 할 수는 없다고 주장할 것이다(②). 따라서 ②, ③, ④, ⑤는 경업금지약정의 효력에 부정적인 영향을 주는 경우라고 할 수 없다.

32. 정답 ①

난이도 ★★☆ | 정답률 65%

내용영역 규범 | 문항 유형 정보의 추론과 해석

[정답 풀이]

① ㉠은 근로자에 대한 보상조치가 경업금지약정에 반드시 포함되어 있어야만 그 약정이 유효하다고 보는 견해이다. 근로자의 권리가 제한되는 것에 대한 대가 제공 등의 보상조치가 있어야만 그 약정이 객관적으로 균형을 갖춘다고 보는 것이다. 따라서 ㉠은 계약 자유의 원칙에 따라 근로자와 회사가 경업금지약정을 체결하였더라도, 그 약정에 적당한 보상조치가 포함되어 있지 않다면 그 약정의 효력을 인정할 수 없다고 볼 것이며, 오히려 ㉡이 '자기 결정 능력의 제약 여부'를 약정의 유효성 판단 기준으로 삼는다는 점에서 계약 자유의 원칙에 따라 근로자와 회사가 체결한 약정을 존중해야 한다고 볼 것이다.

[오답 풀이]

② ㉠은 근로관계에서의 경업금지가 근로자의 권리와 기업의 재산권이 충돌하는 문제라고 본다. 그리하여 충돌하는 두 권리 사이에서 경업금지약정이 객관적인 균형을 갖추기 위해서는 근로자가 경업을 하지 않는 것에 대하여 적절한 보상조치가 이루어져야 한다고 주장한다. 즉, ㉠은 회사가 퇴사한 근로자의 취업을 자사의 이익 보호라는 목적에서 제한하고자 한다면 그에 상응하는 대가를 제공해야 한다고 본다.

③ ㉡은 ㉠과 달리, 경업금지약정에 의한 근로자의 경업 제한 기간과 장소가 비합리적으로 과도하지 않다면 약정 내용에 보상조치가 포함되어 있지 않다는 이유만으로 약정의 효력을 부정할 수 없으며, 당사자 간의 교섭력 차이나 기타 자기 결정 능력의 제약이 있었는지까지 고려하여야만 그 약정이 무효가 될 수 있다고 본다. 즉, ㉡은 경업금지약정을 체결할 때 당사자 간에 교섭력 차이가 있었거나 근로자의 자기 결정 능력에 제약이 있었던 것이 아니라면 그 약정의 효력을 인정할 수 있다고 볼 것이다.

④ ㉡은 경업금지약정의 유효성을 판단할 때 퇴직 이후 효력이 발생하는 약정에 관하여 계약 당시에는 합리적으로 판단하기가 쉽지 않다는 점을 고려해야 한다고 본다. 즉, 약정을 체결한 시기와 퇴직 시기에 차이가 있다면, 그 사이에 근로자의 지위, 사용자 이익의 보호 가치, 근로자와 회사 간의 교섭력 차이 등이 달라질 수 있고, 약정 체결 당시 예상하지 못하였던 근로자의 퇴직 경위나 공공의 이익 및 기타 사정 등이 발생할 수 있다는 점 등을 고려하여 약정의 유효성을 판단해야 한다고 보는 것이다. 따라서 ㉡은 경업금지약정이 체결된 시점이 퇴직 시인지 아니면 입사 시나 재직 중인지에 따라 그 효력 여부가 달라질 수 있다고 본다.

⑤ ㉡은 경업금지약정의 유효성이 부정되는 요건으로 당사자 간의 교섭력 차이나 기타 자기 결정 능력의 제약 등을 제시한다. 즉, 경제적 약자의 지위에 있는 근로자가 경업금지약정의 체결을 거부하였으나 회사 측에서 근로자와의 교섭력 차이를 이용하여 경업금지약정을 체결하도록 하였을 경우에는 그 약정의 효력이 부정될 수 있다고 보는 것이다.

[33~35] 제재 | 유물 분류에 대한 두 가지 입장
난이도 | ★★☆

33. 정답 ④

난이도 ★★☆ | 정답률 79%

내용영역 인문 | 문항 유형 정보의 확인과 재구성

[정답 풀이]

④ 인지 가능한 형태적 특질과 중심적 경향을 바탕으로 유물의 유형을 분류하는 유형론자들과 달리, 개체군론자들은 유물의 본질적 특징이란 실재하는 것이 아니며 중심적인 경향 또한 경험적 관찰의 결과일 뿐이라고 주장한다. 이들의 관점에서 특정한 유형을 대표할 수 있는 형식이란 존재하지 않으며, 유형은 단지 연구자가 자신의 연구 목적에 따라 고안한 도구일 뿐이다(3문단). 개체군론적 사고가 실재한다고 보는 것은 사물의 상태를 의미하는 현상과 변이이며, 개체군론자가 강조하는 것은 변이들의 빈도 변화와 특정 변이들의 차별적인 지속이다. 따라서 개체군론적 사고가 실재하는 형식을 발견해 내고자 노력한다는 선택지의 내용은 지문에 제시된 내용과 부합하지 않는다.

[오답 풀이]

① 유형론자들은 특정한 하나의 형식을 공통적으로 가진 여러 유물 가운데에서 원형이 되는 유물을 확인하고 이 유물을 이상적인

기준으로 삼아 다른 유물들과 비교하는 과정을 거쳐 하나의 유형을 만들어낸다. 이들은 개별 유물 간의 차이인 변이가 새 유형을 설정할 수 있을 정도로 본질적이라고 판단되지 않는 한 그 가치를 인정하지 않는다(2문단). 즉, 유형론적 사고에서는 유형이 본질적인 것이라고 생각한다.

② 유형이 유물을 분류하고 구분하는 본질이라고 생각하는 유형론자들은 유물의 변화 역시 유형이 바뀌는 것이라고 인식한다(2문단). 따라서 유형론적 사고에서 가리키는 변화란 본질, 즉 유형이 바뀌는 것으로 파악한다.

③ 유형론자들은 하나의 유형 안에 존재하는 개별 유물들 사이의 차이는 유형 자체를 별도로 설정해야 하는 경우를 제외하고는 편차 정도로만 인식하여 설명할 가치가 없다고 본다(2문단). 즉, 유형론적 사고에서 편차는 유형을 설정할 때 중요시되지 않는다.

⑤ 개체군론자들은 '변이'에 관심을 집중하고, 변이의 빈도 변화를 '선택'이라는 개념으로 설명한다. 개체군론자들이 말하는 '선택'이란, 변이들 가운데 특정한 환경에 잘 적응한 변이들이 그렇지 못한 변이들에 비해 양적으로 증가하는 것을 가리킨다(3문단). 따라서 개체군론적 사고에서 '선택'은 특정한 변이의 빈도수 증가를 의미한다.

34. 정답 ② 난이도 ★★☆ | 정답률 78%

내용영역 인문 | 문항 유형 주제, 구조, 관점 파악

[정답 풀이]

② 글쓴이는 고고학자들이 새롭게 발견된 유물의 유형을 배정하거나 설정하는 실제 과정을 살펴보면 자신들의 연구 목적에 따라 유형론적 방식과 개체론적 방식을 적절하게 활용하고 있음을 발견할 수 있다고 본다. 즉, 고고학자들 사이에 유물 분류에 대한 관점의 차이가 존재함에도 불구하고 연구자의 목적이 대상 유물들의 시간적 선후 관계나 사용 집단의 차이를 확인하는 것이 목적이냐, 각 유형 간의 변화 과정을 구체적으로 확인하는 것이 목적이냐에 따라 유형론적 방식과 유형론적 방식 중 하나를 선택하거나 두 가지 방식을 혼용할 수도 있다는 것이다(4문단). 따라서 글쓴이는 실제 조사 과정에서는 유형론적 기준과 개체군론적 기준이 연구자들의 연구 목적에 따라 서로 보완적으로 활용되고 있다는 데 동의할 것이다.

[오답 풀이]

① 근대적 의미의 고고학이 시작된 이래, 고고학자들은 수집과 발굴 조사를 거쳐 유물들을 분류하고, 유물들 사이의 시공간적 관계와 그 변화 과정을 추정해 왔다(1문단). 새로운 유물들이 발견되었을 경우, 직접적 관찰을 통해 형태적 특징을 파악하고 기존의 사례를 검토하여 유형의 배정이나 설정에 필요한 중요 속성들을 선별하는 것은 고고학자들이 일반적으로 수행하는 과정이다(4문단). 즉 구체적 유물을 연구 대상으로 하여 발굴과 직접적 관찰 조사를 수행하는 고고학에서는 기본적으로 경험적 증거를 중시한다고 볼 수 있다. 그러나 어떤 사고에서 경험적 증거를 더 중시하는지에 대해서는 지문에 언급되어 있지 않다. 따라서 유형론적 사고가 개체군론적 사고보다 경험적 증거를 더 중시하는 이론이라는 선택지의 내용은 글쓴이의 견해에 부합하다고 할 수 없다.

③ 글쓴이는 유형론적 사고가 초기 고고학 연구를 주도하며 기본적인 분류 체계를 세우는 데 결정적인 기여를 하였다고 본다. 그러나 한편으로 유형론적 사고는 실제 관찰되는 개별 유물의 형태 변화가 지니는 연속성을 설명하기 어렵고, 발굴 조사된 유물들 사이의 상사성과 상이성만을 단순 비교할 수밖에 없다는 단점이 존재하기 때문에(2문단), 개체군론적 사고가 시도되었다고 지적한다(3문단). 또한 글쓴이는 대부분의 고고학자들이 실제 조사 과정에서 유형론적 사고와 개체론적 사고 중 어느 하나를 선택하거나 혼용하여 사용한다고 언급하고 있다. 따라서 글쓴이는 개체군론적 사고의 등장에도 불구하고 유형론적 사고가 여전히 지배적인 연구 태도라는 선택지의 내용에 동의하지 않을 것이다.

④ 개체군론적 사고가 유형론적 사고의 한계를 보완하기 위해 등장했다고 하여 이것이 유형론적 사고가 개체군론적 사고에 흡수되어야 함을 의미하는 것은 아니다. 글쓴이는 고고학자들이 유물을 분류하는 실제 과정에서는 유형론과 개체군론의 방식을 연구 목적에서 따라 적절히 선택하여 활용하거나 혼용하고 있다고 지적한다(4문단). 따라서 유물 분류에 있어서 개체군론자의 기준이 유형론자의 기준을 포괄하도록 보완되어야 한다는 선택지의 내용은 글쓴이의 생각과 일치한다고 보기 어렵다.

⑤ 유물들 사이의 시공간적 관계를 제시하는 것은 고고학 본연의 임무이므로(1문단), 유물 분류에 대한 시각 차이에 따른 선택적 기능이라 볼 수 없다. 유형론자들은 유형이 본질이라고 생각하기 때문에 유형의 단속적 변화로 유물의 시간적 선후 관계를 제시하고, 변이의 빈도 변화와 차별적 지속을 강조하는 개체론자들은 연속적 변화에 주목하여 유물의 시간적 선후 관계를 제시한다. 유형론적 사고와 개체군론적 사고는 유물을 분류하는 데 있어 본질적인 가치가 무엇인지에 대한 시각 차이에서 비롯된 것이므로, 글쓴이는 유물의 시간적 선후관계를 보여주기 위해서는 개체군론적 사고 대신 유형론적 사고를 적용해야 한다는 선택지 내용에 동의하지 않을 것이다.

35. 정답 ⑤ 난이도 ★★☆ | 정답률 68%

내용영역 인문 | 문항 유형 정보의 평가와 적용

[정답 풀이]

⑤ 개체군론자들은 특정한 유형을 대표할 수 있는 원형이란 실재하지 않는다고 보고 변이에 관심을 집중한다(3문단). 따라서 개체군론자라면 <보기>에서 제시된 지역에서 새로 발견된 유물이 A유형 및 B유형과 어떠한 차이를 가지는지에 주목할 것이다. 반면 유형론자들은 각각의 유형 안에 존재하는 개별 유물 간의 차이가 새 유형을 설정할 수 있을 정도로 본질적이라고 판단하지 않는 한, 그 차이를 설명할 가치가 없다고 본다(2문단). 어떤 고고학자가 새로운 토기의 발견 빈도수가 충분히 많지 않다면 중요한 의미가 없다고 보아 새로운 토기를 A유형과 B유형 중 한쪽으로 분류한다면 그 고고학자는 개체군론자가 아니라 유형론자일 것이다.

[오답 풀이]

① 유형론자들은 개별 유물 간의 차이가 새 유형을 설정할 수 있을 정도로 본질적이라고 판단하지 않는 한, 그 차이를 편차 정도로만 인식하여 설명할 가치가 없다고 본다(2문단). 따라서 어떤 유형론자가 <보기>의 지역에서 새로 발견된 토기의 특징이 A유형 토기나 B유형 토기와의 편차 정도로 인식했다면, 그 유형론자는 새로 발견된 토기의 각진 입구에 주목하여 A유형 토기로 분류하거나 손잡이가 있는 것에 주목하여 B유형 토기로 분류할 것이다.

② 유형론자들은 유물의 모든 변화를 한 유형에서 다른 유형으로 바뀌는 '변환'이라고 인식한다(2문단). 따라서 어떤 유형론자가 <보기>의 지역에서 새로 발견된 토기가 지닌 특징이 변이가 아닌 A유형과 B유형과 확연히 구분되는 변화라고 인식했다면, 그 유형론자는 새로 발견된 토기의 바닥 형태에 주목하여 새로운 유형의 설정을 고려할 것이다.

③ 유형론자들은 유형의 변화를 단속적이라고 파악하여 자체적이고 내부적인 진화의 과정에 대한 고려를 배제한 채 외부로부터의 유입이나 새로운 발명 등의 요인으로만 설명한다(2문단). 따라서 <보기>의 지역에서 새로 발견된 토기가 새로운 유형의 변화를 보여준다고 본 유형론자라면 새로운 토기의 특이성에 주목하여 그 토기가 외부에서 들어온 이주민들이 사용했던 것이라고 추정할 수 있을 것이다.

④ 변이에 관심을 집중하는 개체군론자들은 변이가 최초로 등장한 이후 점차적으로 많아지다가 서서히 소멸한다고 보고 이러한 과정으로 통해 연속적인 변화가 일어난다고 파악한다(3문단). <보기>에 따르면 토기의 형태가 A유형에서 B유형으로, 즉 입구가 각진 것에서 둥근 것으로, 손잡이가 없는 것에서 손잡이가 두 개 있는 것으로, 바닥이 편평한 것에서 바닥이 뾰족한 것으로 변화했다는 것이 고고학계의 통설이다. 이 같은 통설을 바탕으로 할 때 개체군론자들은 <보기>에서 새롭게 발견된 토기가 A유형에서 B유형으로의 점진적인 변이를 보여주는 사례들로 판단할 것이다.

2014학년도 [홀수형]

[1~3] 제재 | 서브프라임 모기지 사태의 원인 분석
난이도 | ★★☆

1. 정답 ⑤

난이도 ★☆☆ | 정답률 81%

(내용영역) 사회 (문항 유형) 분석

[정답 풀이]

⑤ '정부 주범론'은 소득 분배의 불평등 심화 문제를 포퓰리즘으로 해결하려 했던 것을 금융 위기의 원인으로 지적한다. 반면 '규제 실패론'을 주장하는 사람들은 금융 위기의 원인으로 금융기관들의 무분별한 차입 및 증권화를 언급하며, 이를 가능하게 했던 것은 정치권에 대한 금융기관의 적극적 로비였다고 주장한다. 정치권에 대한 금융기관들의 로비가 무분별한 차입과 증권화를 야기해 실물 경제의 안정적 성장을 저해했다는 것이다. 즉, '정부 주범론'과 '규제 실패론'은 금융 위기의 발생 원인에 대해 근본적인 차이를 보이고 있다. 따라서 '정부 주범론'과 '규제 실패론'이 모두 소득 불평등 문제를 해결하려는 과정에서 금융 위기가 발생했다는 데 의견을 같이 한다고는 볼 수 없다.

[오답 풀이]

① '정부 주범론'을 주장하는 사람들은 금융 위기의 원인이 정부의 잘못된 개입에 있다고 보며, 이 문제와 관련한 대표적인 정책 실패로 '지역재투자법'을 거론한다. 지역재투자법이란 저소득층의 금융 이용 기회를 확대할 목적으로 은행들로 하여금 낙후 지역에 대한 대출이나 투자를 늘리도록 유도하는 제도이다. 정부가 지역재투자법을 시행했다는 것은 곧 정부가 시장에 개입했다는 것을 의미한다. '정부 주범론'을 주장하는 이들은, 이 법으로 인해 은행들이 상환 능력이 떨어지는 저소득층에게로까지 주택 자금 대출을 늘려야 했고, 이것이 결국 서브프라임 모기지 사태로 이어졌다고 주장한다. 즉 '정부 주범론'에 따르면 정부가 지역재투자법을 통해 금융기관이 저소득층에게 주택 자금 대출을 확대하도록 하였고 그 결과 저소득층이 빚을 늘려 집을 구매하는, 경제 주체의 잘못된 판단을 이끌었다. 따라서 '정부 주범론'의 입장에서는 '정부의 시장 개입이 경제 주체들의 판단을 오도했다'고 볼 수 있다.

② 시장의 자기 조정 능력을 긍정하는 '정부 주범론'은 소득 분배의 불평등 심화 문제의 근본 원인은 기술 변화와 세계화이므로, 그 해결책은 저소득층의 교육 기회 확대 등의 정책에서 찾아야 한다고 주장한다. 그러나 이들은, 정치권이 소득 분배의 불평등으로 인한 저소득층의 불만을 '포퓰리즘'으로 무마하려고 했기 때문에 금융 위기가 발생했다고 분석한다. 포퓰리즘은 일반 대중의 인기에만 영합하여 목적을 달성하려는 정치 행태를 이르는데, 지문에서는 포퓰리즘에 의한 대표적인 정책 실패로 '지역재투자법'이 거론되고 있다. '지역재투자법'은 저소득층의 금융 이용 기회 확대를 골자로 하는 정책이므로, 이는 결국 정치권이 저소득층 유권자들의 표를 획득하기 위한 목적의 정책이라고 할 수 있다. 따라서 '정부 주범론'의 입장에서는 '정치권이 재역재투자법으로 저소득층의 표를 얻으려 했다'고 볼 수 있다.

③ '정부 주범론'을 반박하는 논거로 제시된 '규제 실패론'은 정치권에 대한 금융기관들의 적극적인 로비가 무분별한 차입 및 증권화를 가능하게 했고, 이러한 흐름이 실물 경제의 안정적 성장을 저해했다고 주장한다. 정치권에 대한 금융기관들의 적극적인 로비는 금융과 정치권의 유착 관계를 의미하고, 이러한 흐름이 실물 경제의 안정적 성장을 저해했다는 주장은 이 유착 관계에 대한 비판에 해당한다. 따라서 '규제 실패론'은 '금융과 정치권의 유착 관계를 비판한다'고 볼 수 있다.

④ '규제 실패론'을 주장하는 사람들은 소득 분배가 계속 불평등해지는 과정에서, 부유층이 금융에 대한 투자와 감세를 통해 부를 증대해 왔다고 말한다. 저소득층의 부채는 부유층과 금융권이 자신들의 이익을 극대화하는 과정에서 늘어났다는 것이다. 따라서 가계 부채의 증가가 고소득층의 투자 기회 확대와 관련이 있다는 지적은 '규제 실패론'의 관점과 부합한다.

2. 정답 ① 난이도 ★☆☆ | 정답률 85%

내용영역 사회 문항 유형 분석

[정답 풀이]

① 서브프라임 모기지 사태가 발생했을 때, 비우량 모기지의 규모 자체는 크지 않았지만 이로부터 파생된 신종 유가증권들이 대형 투자은행 등 다양한 투자자들에 의해 광범위하게 보유 · 유통되었다(2문단). 따라서 증권화에서 서브프라임 모기지에 연계된 증권의 투자자가 고수익을 추구하는 일부 투자자에 한정되었다고 볼 수 없다.

[오답 풀이]

② 증권화는 금융 위기 이전까지만 해도 경제 전반의 리스크를 줄이고 새로운 투자 기회를 제공하며 금융시장의 효율성을 높여주는 금융 혁신으로 평가되었다(1문단). 그러나 금융 위기가 일어나면서, 증권화가 금융 위기의 원인으로 작용했다는 부정적 의견이 제기되었다. 당시 모기지 대출기관들의 대출 기준 완화에 따라 비우량 모기지 대출이 증가했는데, 그동안 계속 상승해 왔던 부동산 가격이 폭락하고 채무 불이행 사태가 본격화되면서 금융기관들의 연쇄 도산 사태가 발생했다는 것이다. 이에 따르면, 금융 위기 이전까지만 해도 증권화는 개별 금융기관의 위험을 낮추어 주는 혁신처럼 보였지만, 실제로는 비우량 모기지 대출의 증가를 야기함으로써 전체 금융권의 위험을 높였다고 볼 수 있다.

③ 증권화는 현금화가 쉽지 않은 자산을 시장성이 높은 유가증권으로 전환하는 행위로, 당시 미국의 금융기관들은 증권화의 안정성을 과신하여 대출 기준을 완화했다. 증권화가 금융 위기의 원인이라고 보는 사람들은, 비우량 모기지 대출이 증가하면서 주택 시장에 유입된 자금이 주택 가격을 '계속 상승'시키면서 거품을 키웠다고 주장한다. 그렇기 때문에 부동산 가격의 폭락에 이은 채무 불이행 사태가 금융 위기를 발생시켰다는 것이다(2문단). '정부 주범론'을 주장하는 사람들도 정치권이 저소득층이 빚을 늘려 집을 보유할 수 있게 하여 주택 가격 거품이 발생했고 이것이 금융 위기로 연결되었다고 지적한다. 따라서 모기지 채권의 증권화는 대출 기준 완화를 통해 보다 많은 자금이 주택 시장에 유입되도록 함으로써 주택 가격의 거품을 키웠을 것이라고 볼 수 있다.

④ 증권화는 금융 위기 이전까지만 해도 경제 전반의 리스크를 줄이고 새로운 투자 기회를 제공하며 금융시장의 효율성을 높여주는 금융 혁신으로 평가되었다. 이에 따라 미국의 대형 투자은행 등 다양한 투자자들은 투자 안정성이 높아졌다는 과신 속에서 과도한 차입을 통해 투자를 크게 늘렸는데, 비우량 모기지로부터 파생된 신종 유가증권들은 대형 투자은행 등 '다양한 투자자들에 의해 광범위하게 보유 · 유통'되었다. 따라서 부동산 시장과 유동화 증권의 현금화 가능성에 대한 투자자들의 낙관적 전망으로 인해 증권화가 확대되었다고 볼 수 있다.

⑤ 지난 2008년의 미국발 금융 위기와 관련해 '증권화'의 역할이 재조명되었다. 2문단에 따르면, 증권화는 금융기관들의 낙관적 전망에 의해 대출 기준 완화를 야기했고, 완화된 대출 기준은 비우량 모기지 대출을 증가시켰다. 대출을 통한 자금은 부동산으로 유입되어 주택 시장에 거품을 발생시켰는데, 부동산 가격이 폭락하여 채무 불이행이 본격화되면서 금융 위기가 발생했다. 이 관점에 따라 금융 위기를 발생시킨 대출 기준 완화의 원인을 증권화로 본다면, 증권화에 대한 규제를 강화해야 할지를 판단하기 위해서는 대출 기준 완화의 원인을 규명하는 것이 중요하다고 볼 수 있다.

3. 정답 ① 난이도 ★★☆ | 정답률 69%

내용영역 사회 문항 유형 비판

[정답 풀이]

① '정부 주범론'은 정치권이 포퓰리즘의 일환으로 저소득층에 빚을 늘려 집을 보유할 수 있게 한 것이 금융 위기의 원인이었다는 주장으로, 정부의 정책 실패 예로 '지역재투자법'을 거론하고 있다. '지역재투자법'은 저소득층의 금융 이용 기회를 확대할 목적으로 은행들로 하여금 낙후 지역에 대한 대출이나 투자를 늘리도록 유도하는 제도이다. 지역재투자법을 서술한 부분에서는 다른 계층과 저소득층의 '대출 한도' 설정에 대한 언급은 찾아볼 수 없다. 물론 '상환 능력이 떨어지는 저소득층에게로까지' 주택 자금 대출을 늘린다는 언급으로 보아, 이 법으로 인해 저소득층에 대한 대출 기회가 확대되었다고 볼 수는 있다. 그러나 만약 선택지와 같이 저소득층에 대해 '다른 계층보다' 집값 대비 대출 한도를 더 '높게' 설정하도록 유도하는 내용이 있다면, 이는 오히려 '정부 주범론'을 강화하는 내용이기 때문에 ㉠에 포함된다고 할 수 없다.

[오답 풀이]

② '정부 주범론'에서는 정치권이 저소득층에게 빚을 늘려 집을 보유할 수 있게 한 것이 금융 위기의 원인이었다고 주장한다. 하지만 서브 프라임 모기지 대출의 연체율이 지역의 소득 수준에 상관없이 일반 대출의 연체율보다 높았다면 이는 '정부 주범론'을 반박할 수 있는 근거가 될 수 있다. 지역의 소득 수준과 관계없이 모기지 대출의 연체율이 일반 대출의 연체율보다 높다는 것은 곧, 상환 능력이 부족한 저소득층에게 모기지 대출이 이루어져 금융 위기

가 초래된 것이 아니라는 주장을 뒷받침할 수 있기 때문이다. 따라서 이는 ㉠에 포함되는 논거라고 볼 수 있다.

③ '정부 주범론'에서는 정치권이 저소득층에게 빚을 늘려 주택을 보유할 수 있게 한 것이 금융 위기의 원인이었다고 주장한다. 즉, 정부가 주택 보유를 위한 저소득층의 대출 기준을 완화한 것이 주택 가격 거품의 원인이 되었다는 것이다. 그러나 부동산 가격 거품을 가져온 주된 요인이 '주택' 가격의 상승보다는 '상업용 부동산' 가격의 상승이라면 '정부 주범론'을 반박할 수 있을 것이다. 따라서 이는 ㉠에 포함되는 논거라고 볼 수 있다.

④ 정부의 잘못된 개입이 금융 위기를 촉발했다고 주장하는 '정부 주범론'은 대표적 정책 실패 예로 '지역재투자법'을 제시한다. 상환 능력이 부족한 저소득층에게 주택 자금 대출을 확대한 것이 금융 위기의 원인이 되었다는 것이다. 그러나 지역재투자법의 적용을 받는 대출들 중 서브프라임 모기지 대출의 비중이 낮았다면, 저소득층에 대한 대출 기준 완화가 금융 위기의 원인이라는 '정부 주범론'의 주장을 약화하게 된다. 따라서 이는 ㉠에 포함되는 논거라고 볼 수 있다.

⑤ '정부 주범론'은 지역재투자법으로 인해 대출 기준이 완화되어 상환 능력이 없는 저소득층에게까지 대출이 확대된 것이 금융 위기를 야기했다고 본다. 하지만 지역재투자법과 유사한 규제가 없는 나라에서도 금융 위기가 발생하였다면, 지역재투자법은 금융 위기의 주요한 원인이 될 수 없다는 반박이 가능하다. 따라서 이는 ㉠에 포함되는 논거라고 볼 수 있다.

[4~7] 제재 | 사회 현상 설명 모형으로서의 상전이 이론
난이도 | ★★★

4. 정답 ④ 난이도 ★☆☆ | 정답률 90%

내용영역 사회 / 문항 유형 분석

[정답 풀이]

④ 1문단에서는 물을 예로 들어 특정 조건에서 계의 상태가 급격하게 변하는 상전이 현상을 설명하고 있다. 보통 1기압하의 물은 0℃에서 얼고 100℃에서 끓는데, 응결핵 구실을 할 불순물이 없는 순수한 물은 어는점 아래에서도 어느 온도까지는 얼지 않는 과냉각 상태로 존재할 수 있다. 이처럼 물질계에서는 계의 구성 요소에 따라 상전이가 일어나는 전이점이 달라질 수 있는데, 이는 사회의 경우에도 마찬가지이다. 빈곤한 구성원의 비율, 범죄자의 수 등이 사회에 따라 다를 것이고 이는 사회마다 상전이가 일어나는 지점을 다르게 할 것이다. 즉, 한 계의 상태가 어떤 조건에서 나타나는 급격한 변화인 상전이는 계를 구성하는 요소의 종류와 유관하다.

[오답 풀이]

① 지문에서는 특정 조건에서 계의 상태가 급격하게 변하는 현상인 상전이 이론을 적용하여 사회 현상을 설명하고 있다. 예컨대 한 사회의 범죄율이 그 사회의 궁핍의 정도에 좌우된다고 가정할 때, 낮은 범죄율 상태에 있는 사회는 사회의 궁핍도가 어느 정도 더 커져도 범죄율은 별로 증가하지 않지만 특정 지점에 이르면 궁핍이 조금만 더 심화되어도 범죄율이 급격한 상승을 일으킨다. 이를 통해 한 사회의 특성은 상전이 이론과 같이 특정 조건에서는 다른 조건에서와 달리 급격하게 변화한다는 것을 알 수 있다.

② 경제학자인 캠벨과 오머로드는 물리학 이론인 상전이 이론을 적용하여 범죄율의 변화 같은 사회 현상을 설명하는 모형을 제시했으며(3문단), 이들이 제시한 모형은 실제 통계 자료에 나타난 사회 현상을 잘 설명해 주었다(6문단). 이를 통해 지문에서는 물리적 현상을 설명하는 이론을 응용하여 사회 현상을 설명하는 것이 가능하다는 것을 알 수 있다.

③ 물리학 이론인 상전이 이론을 적용하여 사회 현상을 설명하는 캠벨과 오머로드의 모형은, 사회가 수많은 개체들과 그것들 간의 상호 작용으로 구성되었다는 점에서 수많은 입자들과 그것들 간의 상호 작용으로 구성되어 있는 물질계와 상당한 유사성을 갖는다. 이를 바탕으로 지문에서는 캠벨과 오머로드의 시도가 임의적인 유비를 넘어 의미 있는 결론을 도출할 만하다고 평가한다. 이는 유비적 사고의 타당성이 유비를 통해 연결되는 두 대상의 구조가 서로 유사할 때 강화된다는 것을 전제하고 있으므로 선택지의 견해는 지문의 내용과 부합한다고 할 수 있다.

⑤ 2문단에 의하면, 특정한 조건에서 계의 상태가 급격하게 변하는 상전이 현상은, 직전에 어떤 상태에 있었는가 하는 이력에 영향을 받는 경우가 많다. 이는 사회 현상에서도 유사하게 나타나는데, 한 사회의 범죄율과 같은 특성에서도 '사회의 궁핍도'와 같은 변수만으로는 범죄율을 추정할 수 없고, 그 사회가 직전에 높은 범죄율 상태였는지 낮은 범죄율 상태였는지에 대한 정보가 필요하다(5문단). 따라서 하나의 계가 드러내는 특성은 현재 그것을 제약하는 변수들만으로 결정되지 않고, 그것이 지나온 역사적 경로에 의해서 좌우될 때가 많다.

5. 정답 ③ 난이도 ★★☆ | 정답률 72%

내용영역 사회 / 문항 유형 분석

[정답 풀이]

ㄱ. 1~2문단에 의하면, 물은 어는점과 녹는점이 똑같이 0℃로 상전이에서 이력 특성이 나타나지 않는 물질인데, 불순물이 없는 순수한 물은 어는점 아래에서도 얼지 않고 있는 과냉각 상태로 존재할 수 있다. 즉, 상전이에서 이력 특성이 나타나지 않는 물질인 물은 과냉각 상태의 액체로 존재할 수 있다.

ㄴ. 1~2문단에 의하면, 이력 특성이 나타나지 않는 물의 경우 어는점과 녹는점이 같지만, 이력 특성을 갖는 우무의 경우 어는점과 녹는점이 뚜렷이 다르다. 액체 상태의 우무는 1기압에서 온도가 대략 40℃ 이하로 내려가면 응고하기 시작하는 반면, 고체 상태의 우무는 80℃가 되어야 녹는다. 이처럼 액체 상태의 물질이 어는점과, 고체 상태의 물질이 녹는점이 다르다면, 어는점과 녹는점의 중간인 40℃~80℃에서는 이전 상태의 이력을 몰랐을 경우 그 물질의 상태를 알 수 없게 된다. 그러므로 이력 특성을 갖는 물질은 온도와 압력을 알아도 그 물질의 상태를 알 수 없는 경우가 있다.

[오답 풀이]

ㄷ. 1문단에 의하면, 불순물이 전혀 없는 순수한 물은 어는점 아래로 내려가도 얼지 않고 계속 액체 상태에 머무르는 과냉각 상태로 존재할 수 있다. 그러나 이것이 상전이 현상이 일어나지 않는다는 것을 의미하는 것은 아니다. 불순물이 전혀 포함되지 않은 순수한 물은 일반 물과 달리 상전이 현상이 일어나는 온도, 즉 어는점이 다르다는 것이지 상전이 현상 자체가 일어나지 않는다고는 할 수 없다.

6. 정답 ④

난이도 ★☆☆ | 정답률 87%

내용영역 사회 | 문항 유형 추론

[정답 풀이]

④ <그림 2>에서 범죄율이 낮은 상태의 G 지점에서 제재의 강도가 조금만 약해지면 범죄율의 급격한 상승, 즉 그림의 점선 부분에 해당하는 상전이가 일어나게 되고 제재의 강도가 α인 지점에서 범죄율이 높은 사회에 속하게 된다. 따라서 α는 낮은 범죄율 상태에 있는 사회를 높은 범죄율 사회로 변화시킬 수 있는 제재의 강도에 해당한다. 반면 높은 범죄율 사회를 낮은 범죄율 사회로 변화시킬 수 있는 제재의 강도는 β로, 선택지의 서술은 <그림 2>에 대한 분석으로 옳지 않다.

[오답 풀이]

① 사회가 점 E에 해당하는 상태에 있다면 이 사회는 높은 범죄율 상태에 있는 것이고, 이 경우 제재의 강도가 어느 정도 더 커져도 범죄율이 급격하게 변화하는 지점, 즉 그래프에서 점선 부분에 해당하는 곳까지 도달하지 못하므로 범죄율이 크게 줄어들지는 않는다. 따라서 E 상태에서 범죄에 대한 제재가 어느 정도 강화되더라도 범죄율의 변화는 미미할 것이다.

② 사회가 점 F에 해당하는 상태에 있다면 이 사회는 높은 범죄율 상태에 있는 것이고, 이 경우 제재의 강도가 조금만 더 심해지면 범죄율의 급격한 하강, 즉 그림의 점선 부분에 해당하는 상전이가 일어나게 된다. 따라서 F 상태에서 범죄에 대한 제재를 조금 더 강화하면 범죄율은 급감할 것이다.

③ 사회가 점 G에 해당하는 상태에 있다면 이 사회는 범죄율이 낮은 상태에 있는 것이고, 이 경우 제재의 강도가 조금만 줄어도 범죄율이 급격히 증가하는, 즉 그림의 점선 부분에 해당하는 상전이가 일어나게 된다. 따라서 G 상태에서 범죄에 대한 제재가 조금 더 약해질 경우 범죄율이 급증할 소지가 있다.

⑤ 범죄율이 높은 사회인 F 지점에서 제재의 강도가 조금만 더 강해지면 범죄율의 급격한 하락, 즉 그림의 점선 부분에 해당하는 상전이가 일어나게 되고, 제재의 강도가 β인 지점에 도달하면 범죄율이 낮은 사회에 해당하게 된다. 범죄율이 낮은 사회에서도 제재의 강도가 β일 때는 계속 범죄율이 낮은 상태를 유지하였다. 그렇다면 β보다 더 강한 제재가 가해지는 사회에서 범죄율은 낮은 상태를 유지할 것이다.

7. 정답 ②

난이도 ★★☆ | 정답률 60%

내용영역 사회 | 문항 유형 비판

[정답 풀이]

② <보기>의 ⓐ를 반박할 근거 자료가 되려면 '출산율의 변화에 이력 특성이 나타난다'는 ⓐ의 서술이 맞지 않다는 것, 즉 출산율의 변화에 이력 특성이 나타나지 않는다는 서술이어야 한다. 지문에 의하면 이력 특성은 직전에 어떤 상태에 있었는가 하는 '이력'이 현재 상태에 영향을 준다는 것으로, <보기>에서는 출산율의 변화에 '경제적 유입'과 '경제적 압박의 심화'라는 요소가 영향을 미친다고 하였다. 따라서 출산율의 변화에 이력 특성이 나타난다면, 같은 변수 요소를 적용하더라도 저출산율 사회와 고출산율 사회의 변화는 각기 다르며, 저출산율 사회에서 고출산율 사회로, 고출산율 사회에서 저출산율 사회로 급격한 변화를 야기하는 시점이 다르게 제시될 것이다. 그런데 선택지의 서술은 저출산율 사회를 탈피하는 시점과, 고출산율 사회에서 저출산율 사회로 변화하는 시점의 육아 지원 규모가 같다는 것으로, 이력 특성으로 설명할 수 없는 결과이다. 따라서 선택지의 서술은 출산율의 변화에 이력 특성이 나타난다는 ⓐ를 반박한 근거 자료로 적절하다.

[오답 풀이]

① 출산율의 변화에 이력 특성이 나타난다면, 고출산율 사회에서는 경제적 압박이 심화되더라도 즉각 출산율이 줄어들지는 않을 것이다. 선택지의 서술은 이러한 출산율 변화의 이력 특성을 설명하는 것으로, ⓐ를 반박할 근거 자료라기보다는 ⓐ를 강화할 수 있는 근거 자료라 할 수 있다.

③, ④ 이력 특성은 '상태가 변화하는 시점'이 이전의 상태에 영향을 받는 특성을 뜻하는 것으로, <보기>에서는 출산율의 변수로 '경제적 유인'과 '경제적 압박의 심화'를 들고 있다. 그런데 상태의 변화에 영향을 끼치는 각 요소의 영향력 차이에 대해서는 지문에서 다루지 않고 있다. '경제적 유인'과 '경제적 압박의 심화'라는 각 변수 요소가 출산율에 각각 얼마만큼의 영향을 끼치는지 서로 비교하는 것은 이력 특성을 설명하는 것과 관련이 없다.

⑤ 이력 특성이란 직전에 어떤 상태에 있었는지에 대한 '이력'이 현재 상태에 영향을 준다는 것으로, 처음에는 변수 요소에도 '이력'에 의해 변화가 미미하지만 일정 시점에서 급격한 변화가 일어난다. 선택지에서 '자녀 교육에 드는 비용의 증대'라는 요소가 어느 순간 출산율의 급격한 변화를 야기한다는 것은 이력 특성을 설명하는 것이 되며, 그러한 변화를 야기한 교육비 수준을 명확한 금액으로 제시하기 어려웠다고 해서 이력 특성이 아니라고 할 수는 없다. 따라서 선택지의 서술은 ⓐ를 반박한 근거 자료로 적절하지 않다.

[8~10] 제재 | 쾌락주의와 쾌락주의적 공리주의
난이도 | ★☆☆

8. 정답 ② 난이도 ★☆☆ | 정답률 91%

내용영역 인문 문항 유형 분석

[정답 풀이]

② 쾌락주의는 모든 쾌락이 그 자체로서 가치가 있다고 보는 입장이다. 이 입장에 따르면 쾌락만이 내재적 가치를 지니며 모든 것은 이러한 쾌락을 기준으로 가치 평가되어야 한다(1문단). 이를 통해, 쾌락주의에서는 단기적이고 말초적인 쾌락을 포함한 모든 쾌락이 내재적 가치를 지닌다고 보고 있다는 것을 알 수 있다.

[오답 풀이]

① 쾌락주의가 쾌락만을 가치 있는 것으로 보는 것은 아니다. 세상에는 쾌락 말고도 가치 있는 것들이 있으며, 심지어 고통조차도 가치 있는 것으로 볼 수 있다(3문단). 그러나 쾌락주의는 고통을 도구가 아닌 목적으로 추구하는 것을 이해할 수 없다고 언급하고 있다. 금욕주의자가 감내하는 고통조차도 종교적 · 도덕적 성취와 만족을 추구하기 위한 도구인 것이지 고통 그 자체가 목적인 것은 아니라는 것이다(4문단). 따라서 쾌락주의의 입장에서는, 고통을 그 자체로서 목적적 가치를 지니지 않는다고 여긴다는 것을 알 수 있다.

③ 쾌락주의에서는 고통조차도 가치 있는 것으로 볼 수 있다고 언급한다. 물론 이때 고통이 가치 있다는 것은 도구적인 의미일 뿐, 고통 그 자체가 목적이라는 의미는 아니다(3문단). 따라서 쾌락주의의 입장에서는 쾌락이 아닌 다른 것도 도구적 의미에서 가치를 지닐 수 있다고 여긴다는 것을 알 수 있다.

④ 쾌락주의는 금욕주의자가 기꺼이 감내하는 고통도 종교적 · 도덕적 성취와 만족을 추구하기 위한 도구인 것이지 고통 그 자체가 목적인 것은 아니라고 본다. 즉, 쾌락주의의 입장에서 금욕주의자가 감내하는 고통은 그것이 사회적 성취이든 내세적 성취이든 모두 광의의 쾌락을 추구하고 있는 것이다(4문단). 따라서 쾌락주의의 입장에서는, 금욕주의자가 고통을 감내하는 행위를 광의의 쾌락을 위한 것이라고 본다는 것을 알 수 있다.

⑤ 쾌락주의는 모든 쾌락이 그 자체로서 가치가 있으며 쾌락의 증가와 고통의 감소를 통해 '최대의 쾌락'을 산출하는 행위를 올바른 것으로 간주하는 윤리설이다(1문단). 따라서 쾌락주의의 입장에서는, 두 행위 중 결과적으로 더 큰 쾌락을 산출하는 행위를 옳은 것으로 판단한다는 것을 알 수 있다.

9. 정답 ⑤ 난이도 ★☆☆ | 정답률 86%

내용영역 인문 문항 유형 추론

[정답 풀이]

⑤ <보기>는 사디스트가 쾌락을 얻기 위해 가학적 행위를 하는 것도 옳다고 보기 때문에 쾌락주의에 문제가 있다고 진술하고 있다. ㉠은 쾌락주의적 공리주의의 입장이므로, 모든 쾌락이 그 자체로 가치가 있으며 쾌락의 증가와 고통의 감소를 통해 최대의 쾌락을 산출하는 행위를 올바르다고 전제함과 동시에, 개인의 쾌락보다 사회 전체의 쾌락을 중시한다는 것을 알 수 있다. 이 관점을 <보기>에 적용해 보면, 사디스트가 가학적 행위로 얻는 쾌락보다 그로 인한 희생자의 고통이 더 큰 경우는 사디스트가 얻는 쾌락의 양보다 희생자의 고통의 양이 더 크기 때문에 결국 사회 전체의 쾌락은 감소한다. 따라서 쾌락주의적 공리주의자는 사회 전체의 쾌락 감소를 근거로 들어 가학적 행위를 옳지 않다고 판단할 수 있을 것이다.

[오답 풀이]

쾌락주의는 기본적으로 모든 쾌락이 그 자체로 가치가 있으며 쾌락의 증가와 고통의 감소를 통해 최대의 쾌락을 산출하는 행위를 올바르다고 전제하기 때문에, 결과적인 쾌락을 산출하기 위한 '동기'의 옳고 그름을 판단의 근거로 삼지는 않을 것이다(①). 또한 쾌락주의적 공리주의자는 결과적으로 사회 전체의 쾌락이 증가했는지의 여부를 판단하기 위해 가해자가 얻는 쾌락과 희생자가 받는 고통의 크기를 모두 고려할 것이다. 그렇기 때문에 쾌락주의적 공리주의자는 희생자의 고통의 크기를 고려하지 않고 가학적 행위가 그 자신의 쾌락을 증진해 주기 때문에 옳다고 판단하지 않을 것이고(②), 마찬가지로 피해로 인한 고통 발생 여부와 관계없이 가학적 행위 자체를 그른 것이라고 판단하지도 않을 것이다(③). 이와 같은 맥락에서 모든 쾌락을 가치 있는 것으로 여기며 쾌락의 증가와 고통의 감소를 모두 고려하는 쾌락주의적 공리주의자는, 가학적 행위로 얻는 쾌락이 타인에게 고통을 주기 때문에 그 자체로 무가치하다고 여기지도 않을 것(④)이다. 이는 쾌락주의가 쾌락만을 가치 있는 것으로 보는 것은 아니며, 어떤 경우에는 고통도 가치 있는 것으로 볼 수 있다(2문단)는 진술에서도 확인할 수 있는 내용이다.

10. 정답 ② 난이도 ★★☆ | 정답률 76%

내용영역 인문 문항 유형 비판

[정답 풀이]

② ㉡은 '밀이 쾌락주의의 입장을 저버렸다는 비판'을 나타내며, 문제는 이 비판의 이유로 가장 적절한 것이 무엇인지 요구하고 있다. 따라서 우선 선택지의 내용이 밀의 견해와 일치하는지를 확인한 후, 이것이 쾌락주의자들의 주장과 상충하는지를 따져 보아야 한다. 쾌락주의는 모든 쾌락이 그 자체로서 가치가 있다는 입장으로, 모든 대상의 가치 평가 기준을 쾌락으로 삼는다(1문단). 그러나 밀은 만족한 돼지보다 불만족한 인간이 더 낫고, 만족한 바보보다는 불만족한 소크라테스가 더 낫다고 주장하며 쾌락의 질적 차이를 인정했다. 이는 곧 모든 대상을 쾌락을 기준으로 가치 평가해야 한다는 본래의 쾌락주의와는 다르게, 쾌락의 질을 고급과 저급으로 판단하는 또 다른 기준이 존재한다는 것을 의미한다. 밀은 이 '또 다른 기준'으로 양자를 모두 경험한 다수 사람들의 선호도와, 인간의 자유와 존엄성의 실현에 기여하는 정도를 제시한다. 따라서 이 선택지는 밀이 쾌락주의의 입장을 저버렸다는 비판의 근거로 가장 적절하다.

[오답 풀이]

① 쾌락주의는 모든 쾌락이 그 자체로 가치가 있으며 최대의 쾌락을 산출하는 행위를 올바른 것으로 간주하는 윤리설이다. 쾌락주의에 따르면 쾌락만이 내재적 가치를 지니며, 모든 것은 이러한 쾌락을 기준으로 가치 평가되어야 한다. 이러한 쾌락주의는 근대의 벤담과 밀에 의해서 쾌락을 중시하는 쾌락주의적 공리주의로 체계화되었다고 언급되어 있으므로(1문단), 밀은 쾌락주의의 전제를 받아들이면서 동시에 사회 전체의 쾌락을 중시하는 쾌락주의적 공리주의자였다는 것을 알 수 있다. 즉 밀은 쾌락만이 내재적 가치를 지닌다는 쾌락주의의 전제에 동의할 것이므로, 기본적으로 쾌락이 '도구적 가치'를 지닌다는 입장을 취하고 있지 않았다. 따라서 이 선택지는 밀이 쾌락주의의 입장을 저버렸다는 비판의 이유가 될 수 없다.

③ 5문단에 따르면, 쾌락주의는 쾌락의 정의나 쾌락의 계산 등과 관련한 비판을 받았다. 쾌락의 원천은 다양한데, 과연 서로 다른 쾌락을 같은 것으로 볼 수 있느냐는 것이다. 이에 대해 벤담은 쾌락이 질적으로 동일하며 양적으로 다를 뿐이라고 했지만, 밀은 쾌락 간의 질적 차이를 인정하였다. 즉, 벤담과 밀은 '쾌락이 원천은 다양하다'는 전제에 대해서는 동의했지만 서로 다른 쾌락을 같은 것으로 볼 수 있는가에 대해서 의견 차이를 보였다. 따라서 쾌락의 원천이 단일하지 않고 다양하다는 점은 쾌락주의자들도 동의하는 전제이므로, 이 선택지는 밀이 쾌락주의의 입장을 저버렸다는 비판의 이유가 될 수 없다.

④ 밀은 저급 쾌락과 고급 쾌락을 구분할 수 있다고 하였다. 즉, 밀은 쾌락을 양뿐만 아니라 질을 고려하여 구분할 수 있기 때문에, 모든 쾌락을 '하나의 기준'으로 환원하여 계산할 수 없다고 보았다. 따라서 이 선택지는 밀의 견해와 부합하지 않기 때문에, 밀이 쾌락주의의 입장을 저버렸다는 비판의 근거가 될 수 없다.

⑤ 밀은 쾌락을 고급 쾌락과 저급 쾌락으로 구분할 수 있다고 언급하였다. 그러나 선택지는 밀이 질적 차이가 있는 쾌락을 서로 비교하여 평가할 수 없다는 내용으로, 밀의 견해와 상반되는 진술이라고 할 수 있다. 따라서 이 내용은 밀이 쾌락주의의 입장을 저버렸다는 비판의 근거가 될 수 없다.

[11~13] 제재 | 독점규제 및 공정거래에 관한 법률
난이도 | ★★☆

11. 정답 ④ 난이도 ★☆☆ | 정답률 96%

내용영역 규범 문항 유형 분석

[정답 풀이]

④ 미국의 카르텔 규제 법리는 '당연 위법의 원칙'과 '합리성의 원칙'으로 나뉜다. '당연 위법의 원칙'을 적용한다면 법을 집행하는 정부나 거래 제한으로 인해 피해를 입은 당사자인 원고가 경쟁에 미치는 부정적인 효과를 입증하거나 시장 점유율 등의 시장 지배력을 입증할 필요가 없어, 사법적 자원이 절약될 수 있다. 이와 같은 이분법적 구분은 거래 제한의 부당성에 대한 심사 방식을 유형화함으로써 위법성 판단에 대한 뚜렷한 기준을 제시해 주므로 법 집행의 효율성과 예측 가능성을 높여준다. '당연 위법의 원칙'에 따라 법을 집행하는 과정에서 예외적인 판단의 오류가 있을 수 있으나, 이는 '합리성의 원칙'에 따라 모든 행위를 분석하는 데 소요되는 막대한 비용을 감안할 때 충분히 감수할 수 있는 것이라고 제시된 부분에서도 선택지에 대한 근거를 찾을 수 있다. 따라서 미국의 카르텔 규제 법리에 따른 법 집행 시 전체적으로 비용의 소요가 많아진다고 할 수 없다.

[오답 풀이]

① 미국의 카르텔 규제 법리는 '당연 위법의 원칙'과 '합리성의 원칙'으로 나뉜다. 3문단에 따르면, 이와 같은 이분법적 구분은 거래 제한의 부당성에 대한 심사 방식을 유형화함으로써 위법성 판단에 대한 뚜렷한 기준을 제시해 주므로 법 집행의 효율성과 예측 가능성을 높여준다. 따라서 미국의 카르텔 규제 법리는 법 집행의 예측 가능성을 높여준다고 할 수 있다.

② 미국의 카르텔 규제 법리는 '당연 위법의 원칙'이 적용되는 행위를 그 자체로 위법하다고 판단하고, 이 원칙이 적용되지 않는 나머지 유형의 행위에 대해서만 정부나 원고가 '합리성의 원칙'을 적용하여 그 위법성을 엄밀히 입증하는 이원적 심사 방식으로 구성되어 있다. 따라서 미국의 카르텔 규제 법리는 이원적 심사 방식으로 구성되어 있다고 할 수 있다.

③ 미국에서 판례법으로 형성된 카르텔 규제 법리는 '당연 위법의 원칙'과 '합리성의 원칙'으로 나뉜다. '당연 위법의 원칙'은 판례법주의를 취하고 있는 미국에서 법적 판단의 기본이 되는 '합리성의 원칙'에 근거한 법 집행 과정을 거치면서 귀납적으로 발전해 나온 것이다. 따라서 미국의 카르텔 규제 법리는 판례법주의에 기초한 귀납적 결과물이라고 할 수 있다.

⑤ 미국의 카르텔 규제 법리에 따르면, 어떤 행위에 대해 정부나 원고는 '당연 위법의 원칙'이 적용되지 않는 나머지 행위에 대해서만 '합리성의 원칙'을 적용하여 위법성을 입증하면 된다. 즉 정부는 '당연 위법의 원칙'에 따라 그 자체로 위법하다고 판단되는 행위에 대해서는 입증 책임을 지지 않아도 되기 때문에, 모든 행위를 '합리성의 원칙'에 따라 판단할 때보다 상대적으로 적은 입증 책임을 진다. 따라서 미국의 카르텔 규제 법리하에서 정부는 위법성에 대한 입증 책임을 상대적으로 적게 진다고 할 수 있다.

12. 정답 ① 난이도 ★★☆ | 정답률 74%

내용영역 규범 문항 유형 분석

[정답 풀이]

① '당연 위법의 원칙'의 적용은 가격 합의와 같이 부당하게 경쟁을 제한하는 거래 제한 행위가 발생했을 때 그 목적이나 경제적인 효과에 대한 면밀한 분석 없이 그 자체로 위법하다고 판단하는 원칙이고, '합리성의 원칙'은 거래 제한의 목적이나 의도, 경쟁에 미치는 긍정적 효과나 부정적 효과 등을 면밀히 검토한 다음 이를 종합적으로 고려하여 개별적으로 위법 여부를 판단하는 원칙이다. 따라서 '당연 위법의 원칙'보다 '합리성의 원칙'이 시장 경제의 효율성을 더 고려한 원칙이라고 볼 수 있다. 만약 '당연 위법의 원칙'과 '합리성의 원칙'이 모두 시장 경제의 효율성을

높이기 위한 제도라고 가정하더라도, 둘 중 어느 원칙이 시장 경제의 효율성을 더 고려했는지에 대한 내용은 추론할 수 없다.

[오답 풀이]

② '당연 위법의 원칙'은 그 목적이나 경제적인 효과에 대한 면밀한 분석 없이 그 자체로 위법하다고 판단하는 원칙이고, '합리성의 원칙'은 거래 제한의 목적이나 의도, 경쟁에 미치는 효과 등을 검토한 다음 이를 고려하여 개별적으로 위법 여부를 판단하는 원칙이다. 따라서 어떤 행위의 위법성을 '당연 위법의 원칙'에 따라 판단한다면, '합리성의 원칙'에 따라 개별적으로 위법성을 판단할 때보다 법 집행 기관의 자의적 판단이 개입할 여지가 줄어든다고 할 수 있다.

③ 거래 제한의 목적이나 경제적인 효과에 대한 면밀한 분석 없이 그 자체로 위법하다고 판단하는 '당연 위법의 원칙'과는 달리, '합리성의 원칙'은 거래 제한의 목적이나 의도, 경쟁에 미치는 긍정적 효과나 부정적 효과 등을 검토한 다음 개별적으로 위법 여부를 판단하는 원칙이다. 따라서 개별적 행위를 분석하여 법을 적용하는 '합리성의 원칙'에 비하면, '당연 위법의 원칙'은 환경 변화에 따른 유연성이 부족하다고 할 수 있다.

④ 3문단에 따르면, 위법성을 엄밀히 입증하는 '합리성의 원칙'에 비해, '당연 위법의 원칙'에 따라 법이 적용될 때 예외적인 판단의 오류가 있을 수 있다고 서술되어 있다. 이때 '예외적인 판단의 오류'는 '당연 위법의 원칙'에 의한 판단과 개별적인 심사 이후의 판단이 다를 가능성을 나타내고 있다. 따라서 '당연 위법의 원칙'은 '합리성의 원칙'에서라면 합법으로 판단할 행위를 위법으로 판단할 우려가 있다고 할 수 있다.

⑤ '당연 위법의 원칙'에 따라 개별 심사 없이 위법으로 판단되는 행위에는 가격 담합, 물량 담합, 입찰 담합, 시장 분할 등이 있고, '합리성의 원칙'에 따라 개별 심사 과정을 거치는 행위에는 합작 투자 협정이나 공동 연구 개발 협정 등이 있다. 이를 근거로 판단해 보면, '당연 위법의 원칙'에 따라 그 자체가 위법인 행위가 규정되어 있다는 것은, 개별 심사 과정을 거치지 않아도 될 정도로 해당 사안에 대한 위법성 판단이 상대적으로 용이하다는 전제가 포함되어 있다. 따라서 '당연 위법의 원칙'의 배경에는, 일반적으로 가격 담합 같은 행위가 합작 투자 협정 같은 경우보다 시장에 미치는 해악 여부가 분명히 드러난다는 판단이 깔려 있다고 할 수 있다.

13. 정답 ③

난이도 ★★☆ | 정답률 66%

내용영역 규범 | 문항 유형 창의

[정답 풀이]

③ 미국에서는 '합리성의 원칙'에 따라 위법성을 판단할 때, 거래 제한의 목적이나 의도, 경쟁에 미치는 긍정적 효과나 부정적 효과 등을 검토할 수 있다. 그러므로 미국에서 (나)에 이 원칙이 적용된다면, 사업자들은 자신들의 행위에 경쟁을 제한할 '의도'가 없었으므로 위법하지 않았다고 주장할 수 있다. 가격 경쟁을 하지 않기로 한 것은 과잉 입찰 경쟁을 막아 업계의 경쟁력을 향상시키고 경제적 발전을 이루고자 하는 목적이었기 때문에, 업체 간 공정한 경쟁까지 제한할 의도는 없었다고 주장할 가능성이 있는 것이다. 따라서 미국에서 (나)에 '합리성의 원칙'이 적용된다면, 사업자들은 자신들의 행위에 경쟁을 제한할 의도가 없었으므로 위법하지 않았다고 주장할 수 있을 것이다.

[오답 풀이]

① 미국에서 (가)에 '당연 위법의 원칙'이 적용된다면, 이 행위는 '가격 담합'에 해당하므로 행위에 대한 목적이나 경제적 효과가 고려되지 않고 즉각 위법으로 판단될 것이다. 즉, '당연 위법의 원칙'에 따르면 이 행위에 대한 대형 정유사들의 입증 자료는 위법성 판단 과정에 반영될 수 없다. 따라서 대형 정유사들은 자신들의 시장 점유율이 낮아 경쟁에 영향을 미치지 않았으므로 위법하지 않다고 주장할 수 없을 것이다.

② 한국에서는 사업자들의 공동 행위를 가격 담합 등 명백히 경쟁 제한 효과만을 발생시키는 경성(硬性) 공동 행위와, 시장의 경제적 효율성 증대 효과와 경쟁 제한 효과를 동시에 발생시키는 연성(軟性) 공동 행위의 두 유형을 구분하기도 하는데, (가)에서 대형 정유사들의 행위는 명백히 경쟁 제한 효과를 발생시킨 것이라고 볼 수 있다. 그런데 선택지 내용과 같이 (가)에 경제적 효율성을 증대하는 효과가 없다고 판단된다면, 이 행위는 경성 공동 행위로 구분될 수 있다. 한국의 법 실무에서 공정거래법을 적용할 때, 경성 공동 행위에 대해서는 시장 점유율 분석과 같은 '간단한 입증 방식'으로 경쟁 제한성을 판단한다. 따라서 이 경우에는 대형 정유사들의 공동 행위가 그 자체로 위법하다고 판단할 수 없다.

④ (나)에서 자동차 부품 개발 사업자들은 '업계의 경쟁력 향상과 경제적 발전'을 위하여 '가격 경쟁을 하지 않기로 결정하고 이를 실행'했다. 즉 이들의 행위는 시장의 경제적 효율성 증대 효과와 경쟁 제한 효과를 동시에 발생시키는 연성 공동 행위라고 할 수 있다. 그런데 어떤 행위의 위법성을 판단할 때 경성 공동 행위에 대해서는 시장 점유율을 고려하는 등의 간단한 입증 방식이, 연성 공동 행위에 대해서는 보다 복잡한 분석을 통한 엄격한 입증 방식이 채택된다고 하였다. 따라서 한국에서 (나)의 위법성 여부를 판단한다면, 사업자들의 시장 점유율을 고려하는 것만으로 충분하다고 볼 수 없다.

⑤ 한국의 법 실무에서는 사업자들의 어떤 공동 행위가 '부당한 공동 행위'에 해당하는지 여부를 판단할 때 '부당하게 경쟁을 제한하는'이라는 법률 요건에 따라 경쟁 제한성을 가지는지 여부를 개별적으로 판단하고 있다. 즉 한국에서 (가)와 (나)는 모두 공동 행위의 위법성에 대한 개별 심사를 받아야 하기 때문에, (가)는 개별 심사의 대상이 되지 않지만 (나)는 개별 심사의 대상으로 분류된다고 볼 수 없다.

[14~16] 제재 | 음악의 재현성에 대한 논의
난이도 | ★★☆

14. 정답 ③
난이도 ★☆☆ | 정답률 95%

내용영역 인문 문항 유형 분석

[정답 풀이]

③ 지문의 글쓴이는 음악에서도 제목에 대한 참조 없이 명백히 재현으로 지각되는 사례가 드물게 있다고 하면서, 베토벤 <전원 교향곡>의 새소리가 그러한 경우에 해당한다고 하였다. 그러므로 지문의 내용에 따르면, <전원 교향곡>에서 자연의 소리를 닮은 부분은 제목과 함께 고려해야만 재현으로 볼 수 있는 것이 아니라, 제목과 함께 고려하지 않아도 재현으로 볼 수 있는 것이라 할 수 있다.

[오답 풀이]

① 2문단에 의하면 회화적 재현의 핵심적 조건은 그림의 지각 경험과 그림에 재현된 대상을 실제로 지각할 때의 경험 사이에 닮음이 존재해야 한다는 것이다. 예를 들어 사과를 재현한 회화에서 재현된 대상인 사과는 작품의 제목이 무엇이든 상관없이 그림 속에서 인식이 가능한데, 음악 작품은 재현 대상에 대한 즉각적인 인식을 불러일으키지 못하기 때문에 음악은 재현적일 수 없다는 것이다. 이 주장에 의하면 드뷔시의 <바다>의 경우, 감상자가 표제적 제목을 참조하지 않으면 그 곡을 바다의 재현으로 듣지 못한다고 본다(2문단). 그러나 지문의 글쓴이는 이러한 주장이 일반화되기는 어려우며, 회화 작품에서도 제목을 모르면 비재현적으로 보이는 사례가 있다고 주장한다. 즉, <바다>의 경우 제목을 모르면 비재현적으로 보이는 것은 사실이지만 다른 음악 작품들도 모두 그렇다고 할 수 없으며, 회화에도 <바다>와 같은 사례가 있다고 주장하는 것이다. 그러므로 표제적 제목 없이는 <바다>를 재현으로 볼 수 없다는 내용은 지문과 일치한다.

② 지문의 글쓴이는 음악과 마찬가지로 그림도, 제목을 알면 재현적 회화이지만 제목을 알지 못하면 비재현적으로 보이는 경우가 있다고 하면서 <브로드웨이 부기우기>를 그 사례로 제시하였다(2문단). 이에 따르면, 몬드리안의 <브로드웨이 부기우기>는 감상자가 그 제목을 알 경우 뉴욕 거리를 내려다 본 평면도로 볼 수 있지만, 제목을 알지 못할 경우에는 추상화로 보게 될 것이다. 그러므로 <브로드웨이 부기우기>를 제목과 함께 고려할 때 재현으로 볼 수 있다는 내용은 지문과 일치한다.

④ 지문의 글쓴이는 제목을 작품의 일부로 본다면, 예술 작품의 재현성은 제목을 포함하는 전체로서의 작품을 대상으로 판단해야 한다고 주장하면서, 슈베르트의 <물레질하는 그레첸>에서 주기적으로 반복되는 단순한 반주 음형이 제목과 함께 감상될 때 물레의 반복적 움직임을 효과적으로 묘사한 것으로 들린다는 것을 그 사례로 제시하였다(4문단). 그러므로 <물레질하는 그레첸>의 주기적으로 반복되는 반주 음형을 제목과 함께 고려할 때 재현으로 볼 수 있다는 내용은 지문과 일치한다.

⑤ 지문의 글쓴이는 작품의 제목이 무시된 채 순수한 음악적 측면만 고려된다면 작품의 완전한 이해가 불가능한 경우가 있다고 하면서, 표제적 제목과 주제를 알지 못하는 감상자가 차이콥스키의 <1812년 서곡>을 듣는다면 왜 '프랑스 국가'가 갑작스럽게 출현하는지 이해할 수 없을 것이라는 사례를 제시하였다(6문단). 그러므로 <1812년 서곡>에 포함된 '프랑스 국가'는 순수하게 음악적인 관점에서는 그 등장을 이해할 수 없는 부분이라는 내용은 지문과 일치한다.

15. 정답 ⑤
난이도 ★★☆ | 정답률 70%

내용영역 인문 문항 유형 분석

[정답 풀이]

⑤ 지문에 따르면, 음악이 재현적이기 위한 조건들을 갖추지 못한다고 주장하는 견해에서는 그림의 지각 경험과 그림에 재현된 대상을 실제로 지각할 때의 경험 사이에 닮음이 존재하는 것이 회화적 재현의 핵심적 조건인데, 음악 작품은 이를 충족시키지 못한다고 본다(2문단). 이에 대하여 글쓴이는 베토벤 <전원 교향곡>의 새소리와 같이 음악에서도 제목에 대한 참조 없이 명백히 재현으로 지각되는 사례가 있다고 반박한다(3문단). 그러므로 재현에 대한 지각적 경험과 재현 대상에 대한 지각적 경험 사이에 닮음이 존재해야 한다는 조건을 만족시키는 음악 작품이 존재한다는 것은 글쓴이의 견해와 일치하는 것이라 할 수 있다.

[오답 풀이]

① 글쓴이는 제목에 대한 참조 없이도 명백히 재현으로 지각되는 사례는 드물며(3문단), 작품의 제목이나 표제가 무시된 채 순수한 음악적 측면만이 고려된다면 작품의 완전한 이해에 도달하기 어렵다는 데 동의한다(6문단). 순수하게 음악적인 근거만으로는 작품을 구성하는 요소들의 출현을 설명할 수 없으며 이는 오직 음악이 재현하고자 하는 이야기에 의해서만 해명될 수 있다는 것이다(6문단). 그러므로 순수한 음악적 측면만으로 재현 대상에 대한 인식을 불러일으킬 수 있는 음악 작품이 흔히 존재한다는 선택지의 내용은 글쓴이의 견해와 일치한다고 볼 수 없다.

② 지문에 따르면, 대개 회화적 재현의 핵심적 조건은 그림의 지각 경험과 그림에 재현된 대상을 실제로 지각하는 경험 사이의 '닮음'이라고 본다(2문단). 이와 관련하여 글쓴이는 회화에서도 작품의 제목을 모른 채 순수하게 회화적인 부분만 감상할 경우 비재현적으로 보이는 작품이 있다고 하면서(2문단), 예술 작품의 재현성을 판단할 때는 제목을 포함하는 전체로서의 작품을 대상으로 삼아야 한다고 주장한다(4문단). 예술 작품에서는 작품의 모티브가 되는 표제나 제목까지도 작품의 일부이므로 재현성 판단 대상에 포함된다고 본 것이다. 이때 글쓴이는 회화와 음악의 구분 없이 '예술 작품'이라면 모두 적용될 수 있는 견해를 제시한 것이므로, 글쓴이가 회화적 재현과 음악적 재현의 판단 기준을 각기 다르게 구분하였다고 볼 수는 없다. 그러므로 음악적 재현 가능성을 옹호하기 위해서 회화적 재현을 판단하는 기준을 대신할 별도의 기준이 마련되어야 한다는 것은 글쓴이의 견해와 일치하는 것이라 할 수 없다.

③ 3문단에서는 어떤 재현적 예술 작품의 제목을 알지 못하는 경우, 그 작품이 비재현적으로 보이기도 하는 사례가 회화에서는 비전

형적인 반면 음악에서는 전형적이라고 보는 학자들이 있다고 하였다. 이러한 견해에 대하여 글쓴이는 음악에서 제목에 대한 참조 없이도 명백히 재현으로 지각되는 사례가 드문 것은 사실이지만, 이것이 음악의 재현 가능성을 부정해야 하는 이유가 될 수는 없다고 하였다. 즉, 글쓴이도 제목의 도움 없이 재현 여부를 알 수 없는 사례가 회화에서는 비전형적이지만 음악에서는 전형적이라는 점은 인정한 것이다. 그러므로 제목의 도움 없이는 재현 여부를 알 수 없다는 점이 음악과 전형적인 회화에서 공통적으로 발견되는 특성이라는 것은 글쓴이의 견해와 일치하는 것이라 할 수 없다.

④ 3문단에서 글쓴이는 제목을 알지 못하면 재현적 작품이라고 보기 어려운 사례가 회화에서는 비전형적인 반면 음악에서는 전형적이라는 데는 동의하지만, 그것이 음악의 재현 가능성을 부정할 이유가 되지는 않는다고 주장한다. 예술 작품의 재현성을 판단할 때는 작품의 제목이나 모티브가 되는 표제까지도 포함된 작품 전체를 대상으로 삼아야 한다고 본 것이다(4문단). 이를 통해 글쓴이는 감상자가 어떤 음악 작품의 의도를 아는 것이 작품에 따라 그 작품을 충분히 이해하는 데 필수적일 수도 있고 그렇지 않을 수도 있기 때문에 음악적 재현성을 판단하는 기준이 되지는 않는다고 보고 있음을 알 수 있다.

16. 정답 ⑤

난이도 ★★☆ | 정답률 77%

내용영역 인문 / 문항 유형 창의

[정답 풀이]

⑤ 지문에 따르면, ㉢은 작품의 제목이나 표제를 무시한 채 순수하게 음악적인 부분만 고려한다면 작품을 완전하게 이해하는 것이 불가능한 경우도 있다고 보는 견해이다. <보기>에서 슈만은 자신이 듣고 있던 <스코틀랜드>라는 곡을 <이탈리아>라는 곡으로 착각하였는데, 이 경우 2악장에 파, 솔, 라, 도, 레의 다섯 음만 사용된 이유를 이해할 수 없었을 것이라고 하였다. 이에 대하여 ㉢의 관점에서는, 슈만이 그 곡의 음악적 구조, 즉 5음 음계가 사용되었다는 것은 파악할 수 있었지만, 제목을 잘못 앎으로써 그 곡에서 이탈리아의 풍경과 이질적인 5음 음계가 사용된 이유를 이해하지는 못하였기 때문에 작품을 완전하게 이해하는 데 실패하였다고 볼 것이다.

[오답 풀이]

① ㉠은 음악 작품의 가사는 물론 작품의 제목이나 작품의 모티브가 되는 표제까지도 작품의 일부로 보는 견해이다. <보기>에서는 슈만이 멘델스존의 교향곡 <스코틀랜드>를 들으면서 <이탈리아>를 듣고 있다고 착각하는 경우, 2악장의 주제에 왜 파, 솔, 라, 도, 레의 다섯 음만이 사용되었는지를 이해할 수 없었을 것이라고 하였다. ㉠의 관점에서 <보기>와 같은 사례는 작품의 제목을 알지 못한 채 음악을 감상하는 경우 작품의 내용을 바르게 인식하지 못할 수 있다는 것을 보여주는 사례가 될 수 있다. 그러므로 ㉠은 이것을 예술 작품의 일부로서 제목이 갖는 중요성을 입증하는 사례로 이용할 수 있다고 볼 것이다.

②, ③ ㉡은 음악 작품의 경우 그것이 재현하고자 하는 바가 무엇인지 모르는 감상자도 충분히 그 음악을 이해할 수 있다고 보는 견해이다. 이와 관련하여 <보기>에서는 슈만이 멘델스존의 교향곡을 감상할 때 그 곡의 제목을 <이탈리아>로 착각하였음에도, 즉 멘델스존이 그 곡에서 의도하고자 했던 바를 모르고 있었음에도 곡에 쓰인 음계와 전체적인 조합 등 순수한 음악적 측면은 파악할 수 있다는 것을 보여주었다. 물론 이때 슈만은 왜 그 곡의 2악장에 파, 솔, 라, 도, 레의 5음 음계만이 사용되었는지를 이해할 수는 없었을 것이라고 하였다. 이를 통해 감상자 자신이 감상하고 있는 곡의 재현 대상을 모른다 하더라도(②), 즉 그 곡이 의도하는 바를 알지 못한다 하더라도(③) 그 곡을 이루는 음의 조합, 구조와 같은 순수한 음악적 측면은 파악할 수 있음을 알 수 있다. 그러므로 ㉡의 관점에서는 <보기>에 대하여 어떤 음악 작품의 순수한 음악적 구조나 조합을 파악하는 데 그 곡의 재현 대상이나 의도 등을 아는 것이 반드시 필요하지는 않다는 것을 보여주는 사례라고 볼 것이다.

④ ㉢은 작품의 제목이나 표제를 무시한 채 순수하게 음악적인 부분만 고려한다면 작품을 완전하게 이해하는 것이 불가능한 경우도 있다고 보는 견해이다. 즉, 어떤 경우에는 음악 작품의 특정 요소를 설명해 줄 수 있는 것이 음악이 재현하고자 하는 이야기일 수 있다고 본다. 이러한 관점에서는, <보기>의 슈만이 멘델스존의 교향곡을 이해하지 못했던 까닭은 <스코틀랜드>라는 곡을 <이탈리아>라는 곡으로 착각하여 들었기 때문이라고 볼 것이다.

[17~19] 제재 | 근대 역사학의 역사주의적 사유 방식

난이도 | ★☆☆

17. 정답 ②

난이도 ★☆☆ | 정답률 94%

내용영역 인문 / 문항 유형 분석

[정답 풀이]

② 3문단에 의하면, 근대 역사학에서 사용한 '공간의 시간화' 전략은, 이질적인 지역의 다양한 역사적 현상들을 비서구의 역사와 서구의 역사로 구분하여 '진보'라는 개념으로 연속되는 전근대와 근대의 시간에 각각 이들을 배치하는 것이었다. 그리고 여기에는 서구와 비서구 모두 단선적 시간 위에서 동일한 역사적 진보 과정을 밟는다는 역사주의적 사유 방식이 깔려 있었다. 그러므로 근대 역사학의 '공간의 시간화' 전략은 서로 다른 지역의 역사적 사건들을 단선적으로 비교한다고 할 수 있다.

[오답 풀이]

①, ④, ⑤ 3문단에 의하면, 제국주의의 '문명화 사명' 주장을 정당화하는 도구였던 근대 역사학에서는 단선적 시간 위에서 서구와 비서구가 모두 동일한 역사적 진보 과정을 밟는다는 역사주의적 사유 방식에 따라 이질적인 지역의 다양한 역사적 현상들을 동질적인 시간상에 배치하였다. 이러한 역사적 시간의 위계적 구조로 인하여 물리적으로 동일한 '지금'의 시간을 살아가는 사회 집단들 간에 '발전의 불균등'이 재생산되어, 전근대를 살아가는 후진적

존재로 간주되면서 주변화되고 배제되는 집단이 생겨난 것이다(4문단). 그리하여 근대 역사학을 극복하고자 하는 관점에서는 이질적인 지역의 다양한 역사적 현상들이 '환원 불가능한' 역사적 시간들로서 '지금' 그리고 '같이' 존재한다는 것을 인식해야 한다고 주장한다. 그러므로 한 사회 내부의 전근대적 계층을 주변화하고 배제하는 결과를 가져온 것은 근대 역사학의 한계를 극복하려는 시도가 아니라, 근대 역사학에 핵심적으로 깔려 있는 역사주의적 사유 방식이라고 할 수 있으며(①), 공간의 차이와 시간의 추이를 환원 불가능한 별개의 것으로 상정한 것은 역사주의적 사유가 아니라, 그 사유를 극복하고자 하는 관점이라고 할 수 있다(④). 또한 '문명화 사명' 이론은 역사적 시간을 위계적으로 보는 시각을 바탕으로 하여 등장한 것이지, 그러한 시각에 대한 반성으로 등장한 것이라 할 수 없다(⑤).

③ 1문단에 의하면, 제국주의는 서구 중심주의적 이데올로기들을 통해 식민지의 문화와 정신까지 수탈하였는데, 이때 '근대 역사학' 역시 서구의 역사적 경험을 토대로 생산된 담론들을 식민지의 근대적 교육 기관을 통해 유포하며 식민 지배를 정당화하는 도구가 되었다. 그러므로 근대 역사학은 이데올로기와 무관하다고 할 수 없다.

18. 정답 ③ 난이도 ★☆☆ | 정답률 89%

내용영역 인문 문항 유형 추론

[정답 풀이]

③ 5문단에 의하면 서구 중심주의적 근대 역사학, 즉 역사주의적 사유를 극복하기 위해서 비서구적 공간도 문화적 고유성을 갖고 있음을 강조하거나, 사회적 · 경제적 측면에서 서구와 동일한 역사적 진보 과정을 밟아 나갈 수 있음을 강조하는 것은 본질적 대책이 되지 못한다. 글쓴이가 말하고자 하는 본질적 대책은 근대적 시간으로 포섭할 수 없는 '이질성'이 역사적으로 현존함을 인정하고, 근대가 갖는 보편성이나 동질성을 균열시킬 수 있는 그 이질성을 적극적으로 끌어안는 것이다. 그런데 <보기>의 차토파댜이는 인도가 서구적 합리성이 결여되어 식민지가 되었으나, 후진적 문화를 변형하여 진보의 길로 나아갈 수 있다고 주장한다. 이후 인도의 민족주의 역사학 역시 인도 역사가 인류의 보편적 진보 과정을 따라왔으며, 인도가 독립이 된다면 자력으로 근대화할 수 있다고 주장하였다. 이러한 주장은 인도가 서구와 동일한 역사적 진보 과정을 밟아 나갈 수 있음을 강조하는 것으로, 인도가 추구할 역사적 미래를 근대의 서사와 권력 관계에 편입되는 것으로 보는 견해이다. 이는 역사주의적 사유를 극복하기 위한 본질적인 대책이 될 수 없다.

[오답 풀이]

①, ② <보기>에서는 인도의 차토파댜이가 조상의 과거를 과학적으로 연구할 필요성을 제기하면서 인도인에 의한 과거의 재현을 강조함에 따라 민족주의 역사학의 디딤돌을 놓았다고 하였다. 하지만 지문에서는 역사주의적 사유를 극복하기 위한 대책으로 과학적 연구의 필요성(①)이나 과거의 재구성 등(②)을 언급하지 않았다. 과학적 연구에 관해서는 오히려 제국주의의 서구 중심주의적 이데올로기들이 식민 지배 과정에서 과학적인 지식의 형태로 전파되었으며 역사학 분야도 예외는 아니었다고 하였으므로, 역사에 대한 과학적 연구의 필요성을 언급하는 것은 근대가 갖는 보편성이나 동질성을 따르는 것에 가깝다고 볼 수 있다.

④ <보기>에 따르면, 차토파댜이 이후 인도의 민족주의 역사학에서는 민족을 능동적 역사 주체로 내세우며 독립이 된다면 즉시 자력으로 근대화할 수 있다고 주장하는 등 정신적 자주성을 강조하였다. 하지만 이 같은 주장은 인도 역사가 인류의 보편적 진보 과정을 따라가고 있으며 이를 자력으로 완성할 수 있다고 함으로써 본질적으로는 근대가 갖는 보편성이나 동질성에 편입되어 가고 있음을 인정한 것이기 때문에 역사주의적 사유를 극복하는 데 성공적이지 못하였다. 따라서 인도가 정신적 자주성을 강조하기 위해 서구 문명과 인도 문명이 다름을 주장하였기 때문에 역사주의적 사유를 극복하지 못한 것이라고 볼 수는 없다.

⑤ 차토파댜이는 인도가 서구적 합리성이 결여되어 식민 지배를 받게 되었으나 후진적 문화를 변형하여 진보의 길로 나아갈 힘이 있다고 주장하였다. 즉, 인도 문화의 비합리성은 인정하였으나 자체적으로 이를 해결하여 근대화할 수 있다고 주장한 것이다. 따라서 인도가 인도 문화의 비합리성을 부정하고 자체적 문제 해결이 가능하다고 주장했기 때문에 역사주의적 사유를 극복하지 못한 것이라고 볼 수는 없다.

19. 정답 ③ 난이도 ★☆☆ | 정답률 82%

내용영역 인문 문항 유형 추론

[정답 풀이]

ㄱ. 3문단에 의하면 서구 사회의 '문명화 사명' 주장의 바탕에는 서구와 비서구 모두 단선적 시간 위에서 동일한 역사적 진보 과정을 밟는다는 역사주의적 사유 방식이 깔려 있다. 이러한 서구 중심주의적 근대 역사학은 이질적인 지역의 다양한 역사적 현상들에 대한 연구를 동질적인 시간상의 위치 측정 기술로 만들었다. 그리고 전근대와 근대를 진보라는 개념으로 연속시키면서 각각의 시간에 비서구의 역사와 서구의 역사를 배치하여 서구 사회가 비서구 사회를 문명 상태로 전환하려 하였다. 즉, 서구 사회가 제시하는 근대성 담론에 비서구 사회가 맞추도록 한 것이다. 이에 대해 마지막 문단에서 글쓴이는 근대적 시간으로 포섭할 수 없는 이질성이 역사적으로 현존함을 인정하고, 이를 통해 근대가 갖는 보편성이나 동질성을 균열시킬 수 있어야 서구 중심주의적 근대 역사학을 극복할 수 있다고 하였다. 따라서 비서구 지역에 대해 근대성 담론이 강요하는 강압적 획일화를 받아들이지 말아야 한다는 것은 글쓴이의 주장이라 볼 수 있다.

ㄴ. 서구 중심주의적 근대 역사학은 전근대와 근대를 진보라는 개념으로 연속시키면서 각각의 시간에 비서구의 역사와 서구의 역사를 배치하였다. 지문의 마지막 문단에서 글쓴이는 근대적 시간으로 포섭할 수 없는 '이질성'이 역사적으로 현존함을 인정하고, 근대가 갖는 보편성이나 동질성을 균열시킬 수 있는 그 이질성을 적극적으로 끌어안아야 한다고 주장하였다. 즉, 글쓴이는 '근대성'과 '진보' 중심의 위계 구조에 편입되지 않는 상이하고 이질적

이며 환원 불가능한, 전근대적이라고 간주되었던 역사 주체들의 시간을 인정하는 것이 서구 중심주의적 근대 역사학을 극복하는 본질적 대책이라고 주장한 것이다. 따라서 전근대적이라고 간주되었던 역사 주체들을 기반으로 하는 역사적 시간을 승인해야 한다는 것은 글쓴이의 주장이라 볼 수 있다.

[오답 풀이]

ㄷ. 지문에 의하면, 역사주의적 사유 방식을 바탕으로 한 근대 역사학에서는 근대가 갖는 보편성이나 동질성에 따라 이질적인 지역의 다양한 역사적 현상들을 단선적 시간 위에 배치함으로써 서구와 비서구가 모두 동일한 역사적 진보 과정을 밟는 것으로 보았다. 그리고 지문에서 글쓴이는 이러한 서구 중심주의적 근대 역사학을 극복해야 한다고 주장하였다. 따라서 보편적 기준을 바탕으로 이질적인 역사적 시간들을 치환하여 객관적으로 제시해야 한다는 것은 글쓴이의 주장이 아니라, 글쓴이가 비판하고 있는 근대 역사학의 관점이라 볼 수 있다.

[20~22] 제재 | 빈곤에 대한 대응과 그 문제점
난이도 | ★☆☆

20. 정답 ⑤
난이도 ★☆☆ | 정답률 97%

내용영역 사회 문항 유형 분석

[정답 풀이]

⑤ 2문단에서는 빈곤에 대한 개입이 전 지구적 프로젝트로 확장됨에 따라 그 규모가 확대되고 활동 주체가 다양해졌으나, 이러한 개입 방식도 여전히 '받는 자'의 입장을 고려하지 않는 '주는 자' 중심의 억압적 증여 관계를 낳는다는 문제가 남아있다고 하였다. 그리고 3문단에서는 빈민 구제라는 순수한 목적을 실현하는 수단으로 국제적 네트워크나 조직 등이 성립하고 빈곤 산업이 대두됨에 따라 오히려 그 자체의 유지나 확장을 위해 빈민 구제를 내세우는 본말 전도의 형국이 되어 비대칭적 증여 관계가 단절되지 않고 있다고 하였다. 그러므로 지문에 따르면, 빈곤에 대한 개입이 다각화되었음에도 불구하고 '주는 자'와 '받는 자'의 비대칭적 증여 관계는 줄어들지 않고 있다고 할 수 있다.

[오답 풀이]

① 1문단에서는 빈곤에 대한 개입이 정부 차원을 넘어 다국적 기업, 국제 기구, NGO와 대학, 종교 단체가 참여하는 전 지구적 교류의 장이 되었으며, 인터넷을 통한 국제적 모금 활동도 활발해지면서 빈곤에 대한 대중의 관심도 글로벌화하고 있다고 하였다. 그러므로 지문에 따르면, 오늘날 매체의 발달에 따라 빈곤에 대한 대응 양상도 변화하고 있다고 할 수 있다.

② 2문단에서는 빈곤에 대한 개입이 세계 각지의 빈곤을 개선하려는 전 지구적 프로젝트로 확장되고 있으며, 이러한 전 지구적 대응은 규모의 확대 혹은 활동 주체의 다양성을 놓고 볼 때 정부 차원에 치우친 기존 방식보다 진일보한 것처럼 보인다고 하였다. 그러므로 지문에 따르면, 전지구화에 따라 빈곤에 대한 국제적 대응의 규모가 확대되는 경향이 있다고 할 수 있다.

③ 1문단에서는 20세기 중반 이후, 빈곤에 대한 국제적 개입은 식민 본국과 식민지의 관계에서 선진국과 저개발국의 관계로 재편됨에 따라 전자가 개발 원조를 통해 후자를 돕는 방식이 주를 이루었다고 하였다. 이를 두고 2문단에서는 기존 방식보다 진일보한 것처럼 보이는 이러한 개입 방식에서도 여전히 '받는 자'의 입장을 고려하지 않는 '주는 자' 중심의 억압적 · 일방적 증여 관계가 만들어진다고 하였다. 그러므로 지문에 따르면, 식민본국과 식민지의 관계는 개발 원조에서 '주는 자'와 '받는 자'의 관계로 이어졌다고 할 수 있다.

④ 4문단에서는 빈곤 개입의 문제에 대한 비판이 '받는 자'의 '원조 의존성'에 중점을 두고 있다고 하면서 그 대표적인 사례로 '임파워먼트'를 둘러싼 최근의 논의를 제시하였다. 이는 서구 사회가 지난 50년 동안 막대한 해외 원조를 제공하고도 빈곤 문제를 해결하지 못한 데 대한 반성을 담고 있으며, 장기적으로 빈곤 지역이 문제를 자체적으로 해결할 수 있도록 외부 원조의 역할을 부수적인 것으로 국한해야 한다고 보는 것이다. 그러므로 지문에 따르면, '임파워먼트'에 대한 논의는 원조 의존성의 해결책을 강구하기 위하여 시작되었다고 할 수 있다.

21. 정답 ④
난이도 ★☆☆ | 정답률 90%

내용영역 사회 문항 유형 추론

[정답 풀이]

④ 글쓴이는 '받는 자'의 '원조 의존성'을 중심으로 한 비판이 한계를 지닌다고 지적하면서 '주는 자'가 '받는 자'의 어장을 빼앗아 놓고 그들에게 낚싯대를 쥐어 주기만 하는 것이 '빈곤 산업'의 무분별한 확대를 초래한 것이라고 주장하였다(5문단). 이를 통해 글쓴이는 전 지구적 차원의 빈민 구제 사업이 펼쳐질 수밖에 없는 데에는 '받는 자'보다 '주는 자'가 보다 더 큰 책임을 지닌다고 보고 있음을 알 수 있다. 따라서 전 지구적 차원의 빈민 구제 사업이 진행되는 것에 대한 원인이나 책임이 '주는 자'와 '받는 자' 모두에게 비슷한 수준으로 있다고 보는 것은 글쓴이의 문제의식이라 할 수 없다.

[오답 풀이]

① 5문단에서 글쓴이는 '주는 자'가 주도하는 '빈곤 산업'의 무분별한 확대를 가져온 구조적 문제에 의문을 제기할 필요가 있다고 하면서, 이러한 문제에 의문이 제기되지 않는다면 '빈곤 산업'으로 인해 빈민들이 끊임없이 양산되고 있다는 구조적 문제가 은폐되거나 고착될 것이라고 하였다. 따라서 빈곤이 일어나는 사회 구조에 대한 근본적인 문제 제기가 이루어지지 않는다면 빈곤의 양산과 고착화 문제를 해결하기 어렵다는 것은 글쓴이의 문제의식이라고 볼 수 있다.

② 3문단에서 글쓴이는 '빈곤 산업'이 대두되면서 빈민 구제라는 순수 목적을 실현하고자 성립된 국제적 네트워크나 조직 등이 그 자체의 유지나 확장을 위해 빈민 구제를 내세우는 본말 전도의 형국을 드러냄으로써 비대칭적 증여 관계를 단절시킬 수 없게 되었다고 하였다. 또한 5문단에서는 '빈곤 산업'이 일방적 증여 관계가 고착된 전 지구적 차원의 구조에 대한 근본적인 문제를 은폐하거나 고착한다는 또 다른 차원의 문제를 갖고 있다고 지적

하였다. 따라서 현재 전 지구적 차원으로 진행되고 있는 빈곤 퇴치 활동이 산업화되어 가는 것 자체가 새로운 문제를 일으킨다는 것을 직시해야 한다는 것은 글쓴이의 문제의식이라고 볼 수 있다.

③, ⑤ 5문단에서 글쓴이는 빈민들이 자체적으로 빈곤 문제를 해결할 수 있도록 원조하는 방식을 개발하기에 앞서 일방적이고 억압적인 증여 관계가 고착된 전 지구적 차원의 구조적 문제에 의문을 제기해야 한다고 하였다. 즉, 근본적으로 전 지구적 차원의 정치경제적 구조와 국제정치적 편제 구조에 문제가 있기 때문에 '주는 자'들이 대부분의 자원을 소유하게 되어 '받는 자'들은 자체적으로 빈곤 문제를 해결하는 방법을 알게 되더라도 이를 실현할 수 없다는 것이다. 그리하여 글쓴이는 빈곤 개입에 대한 문제에서 일방적이고 억압적인 증여 관계를 개선하는 것이 원조 방식을 개발하는 것보다 선행되어야 한다고 주장한다. 따라서 빈곤 퇴치 활동의 대상이 되는 저개발 지역 주민들과 원조 제공자 사이의 억압적 증여 관계를 개선하는 것이 긴요하다는 것을 인식해야 한다는 것(③)이나 전 지구적 차원의 반(反)빈곤 활동을 제대로 평가하기 위한 출발점은 '받는 자'의 자생력을 키울 기반을 '주는 자'가 이미 빼앗았다는 것을 인식하는 데서 시작해야 한다는 것(⑤)은 글쓴이의 문제의식이라고 볼 수 있다.

22. 정답 ① 난이도 ★★☆ | 정답률 68%

내용영역 **사회** 문항 유형 **추론**

[정답 풀이]

① ㉠에서 지칭한 원조 방식에는 두 가지가 있는데, 하나는 스스로 사회경제적, 정치적 역량을 강화함으로써 빈곤을 해결할 가능성이 있는 빈곤 지역을 선별하여 원조하는 것이고, 다른 하나는 좀 더 효율적인 역량 강화를 위해 각 빈곤 지역의 문화적 특성에 걸맞은 원조 방식을 개발하는 데 초점을 맞추는 것이다. 하지만 중앙아프리카 지역 주민들에게 주식인 옥수수보다 수확량이 더 많은 밀을 재배하도록 홍보하고 개량된 다수확 밀 품종을 보급하는 원조 방식(①)에서 주식이 아닌 곡물의 재배를 권장하고 그 곡물의 개량된 품종을 보급하는 것은 빈곤 지역의 문화적 특성에 걸맞은 원조 방식을 개발한 것이라고 볼 수 없다. 또한 중앙아프리카 지역이 사회경제적, 정치적 역량을 강화함으로써 빈곤을 해결할 가능성이 있는 빈곤 지역으로 선별된 것이라는 내용이 드러나지도 않으므로, 선택지 ①은 ㉠에 해당하는 사례라고 할 수 없다.

[오답 풀이]

광물 자원의 판매 수입을 사회적 인프라에 투자하는 곳에 원조를 집중하거나(②) 자생적인 빈민 구제 활동을 펼쳐 온 곳에 원조 기구가 지원하는 것(③), 책임감이 강한 사람들을 선별하여 돈을 빌려줌으로써 지속가능한 서민 금융으로 자리 잡은 사업을 지원하는 것(④), 그리고 빈민이 기업가 정신을 지닌 적극적 경제 활동 주체가 될 가능성을 보여 준 곳의 개발 사업을 지원하는 것(⑤) 등은 모두 자체적인 능력으로 빈곤을 해결할 가능성이 있는 빈곤 지역을 선별하여 원조하는 것으로 ㉠에 해당하는 사례라고 볼 수 있다. 이때 선택지 ③의 경우에는 구체적으로 태국의 사원이 빈민 대상의 직업 교육 및 아동 교육 프로그램을 운영할 수 있도록 지원한다는 내용이었는데, 이는 태국이 불교 문화권에 속하는 국가임을 고려하여 그 문화적 특성에 걸맞은 방식으로 효율적 역량 강화를 원조하는 것이라고도 볼 수 있다.

[23~25] 제재 | 위임 행위의 발생 원인에 대한 이론들
난이도 | ★★☆

23. 정답 ④ 난이도 ★☆☆ | 정답률 85%

내용영역 **사회** 문항 유형 **분석**

[정답 풀이]

④ 지문에서는 대의 민주주의에서 선출된 대표자가 관료 또는 기타 독립 기구에 권한의 일부를 다시 위임하는 것은 선출되지 않은 권력을 창출한다는 점에서 대의 민주주의와 충돌할 소지가 있다고 하며, 이러한 위임 행위가 발생하는 이유를 두 가지 이론의 관점에서 각기 다르게 설명하고 있다. 그런데 이때 지문에서는 기능주의 이론이 아니라 정치적 거래 비용 이론의 관점으로 위임 문제에 접근해야 그 문제를 제대로 다룰 수 있다고 보고 있으므로 지문의 주장은 '정치적 거래 비용 이론'을 옹호하는 견해라 할 수 있다. 정치적 거래 비용 이론은 위임이 정치 행위자들의 간섭과 통제로부터 어떤 정책을 분리하여 정책의 안정성을 얻는 행위라고 이해한다. 그리고 위임 설계 시 대리인에 대한 정치적 간섭을 배제하고 정책 안정성을 보장할 수 있도록 하면서 새로운 형태의 거래 비용인 '정치적 거래 비용'이 창출 · 증가된다고 본다(6문단). 이와 달리 위임이 거래 비용을 절감하려는 합리적 선택이라고 보는 것은 기능주의 이론에 해당한다(2문단). 그러므로 위임이 정치적 거래 비용의 절감을 위한 합리적 선택의 결과라는 것은 지문의 주장으로 적절하지 않다.

[오답 풀이]

①, ② 정치적 거래 비용 이론은 위임의 설계 과정에서 일어나는 경쟁과 갈등에 주목하여, 위임을 정치적 불확실성과 분배의 갈등에 기초한 정치적 경쟁의 산물로 이해한다(5문단). 그러므로 위임이 정치적 경쟁 구조의 산물이라는 것(①)과 정치적 불확실성으로부터 발생한다는 것(②)은 지문의 주장으로 적절하다.

③ 기능주의 이론은 주인-대리인 모델에 의거하여 정치 행위자들이 대리인에게 권한을 위임하는 것이 정보의 불완전성과 집합 행동의 딜레마로부터 발생하는 거래 비용을 절감하려는 합리적 선택이라고 설명한다(2문단). 하지만 위임이 정보의 불완전성을 해결하기 위한 선택이라고 보는 논리는 위임의 설계 단계에 적용하기 어렵고, 위임이 집합 행동의 딜레마를 해결하기 위한 대안이라고 보는 논리에 따르면 집합 행동의 문제는 처음부터 존재하지 않았던 것이 된다(4문단). 이와 같이 지문에서는 기능주의 이론이 위임 행위를 설명하는 데 한계가 있다고 보아 정치적 거래 비용 이론의 관점에서 이를 설명해야 한다고 주장하므로, 위임을 주인-대리인 모델로 설명하는 데 한계가 있다는 것은 지문의 주장으로 적절하다.

⑤ 기능주의 이론과 정치적 거래 비용 이론은, 대의 민주주의가 연쇄적인 권한 위임에 기초하여 작동하지만, 유권자로부터 선출되어 주권의 일부를 위임받은 대표자가 관료 또는 기타 독립 기구에 권한의 일부를 다시 위임하는 것은 대의 민주주의와 충돌할 소지가 있다는 점에 주목하여 위임 행위가 발생하는 원인을 설명하고자 하는 이론이다(1문단). 그러므로 위임은 대의 민주주의의 기본 작동 방식이지만 그 원리와 충돌할 소지가 있다는 것은 지문의 주장으로 적절하다.

24. 정답 ⑤

난이도 ★★☆ | 정답률 69%

내용영역 사회 / 문항 유형 분석

[정답 풀이]

⑤ 지문에 따르면, ㉠에서 대리인의 선호와 배반은 사후적으로만 관찰되기 때문에 위임의 설계 단계에 ㉠을 적용하기는 어려우며(4문단), ㉡에서는 집합 행동의 딜레마를 해결하기 위한 대안으로 주인들이 대리인을 임명하여 권한을 위임한다고 보기 때문에(2문단) 집합 행동의 딜레마는 위임 설계 이전에 고려된 것이라고 할 수 있다. 그러므로 ㉠에서 발생하는 대리인의 배반은 위임 설계 후에 확인된다고 설명할 수 있지만, ㉡에서 발생하는 집합 행동의 딜레마는 위임 설계 후에 확인된다고 설명할 수 없다.

[오답 풀이]

① 3문단에 따르면, 정보의 논리(㉠)는 대리인이 더 많은 전문 지식과 정보를 가질수록, 또 주인과 대리인의 선호가 일치할수록 대리인에게 보다 많은 권한을 위임하는 방향으로 제도를 설계한다고 본다. 그러므로 ㉠은 선호하는 결과를 낳기 위한 주인들의 전문 지식이 부족할수록 대리인에게 많은 권한이 위임된다고 보는 것이라 설명할 수 있다.

② 2문단에 따르면, 신뢰의 논리(㉡)는 위임 행위가 주인들이 상호 불신으로 인해 전체의 합의에 따른 공동의 장기적 이익 대신 자신의 단기적 이익을 추구하기 위해 합의를 이행하지 않게 되는 문제를 해결하기 위한 대안이라고 본다. 그러므로 ㉡은 주인들 각자의 단기적 이익과 공동의 장기적 이익 사이에서 발생하는 딜레마를 해결하기 위해 권한을 위임한다고 보는 것이라 설명할 수 있다.

③ 2문단에 따르면, 기능주의 이론에서는 위임 행위가 거래 비용을 절감하려는 합리적 선택이라고 보는데, 이때 거래 비용이 정보의 불완전성으로부터 발생한다고 보는 것이 ㉠, 집합 행동의 딜레마로부터 발생한다고 보는 것이 ㉡이다. 그러므로 ㉠과 ㉡ 모두 합리성과 효율성의 관점에 기초하지만, 거래 비용의 상이한 측면에 주목한다고 설명할 수 있다.

④ 3문단에 따르면, 위임 제도 설계 단계에서 ㉠은 대리인이 지닌 정보량에 따라, 또 주인과 대리인의 선호 일치도에 따라 대리인에게 위임하는 권한의 정도를 결정하고, ㉡은 대리인이 주인으로부터 얼마나 독립된 선호를 가졌는지에 따라 대리인에게 위임하는 권한의 정도를 결정한다고 본다. 그러나 ㉠과 ㉡으로 위임의 문제를 다루는 데는 한계가 있기 때문에 위임 문제를 제대로 다루려면 ㉠, ㉡이 아니라 정치적 거래 비용 이론의 관점에서 접근해야 하며(4문단), 이때 정치적 거래 비용 이론이란 위임 설계 과정에서 일어나는 경쟁과 갈등을 고려하여 위임을 정치적 경쟁의 산물이라고 이해하는 이론이다(5문단). 그러므로 ㉠과 ㉡ 모두 위임 제도 설계 단계에서 정치적 경쟁 속에 있는 정치 행위자들의 관계를 고려하지 못하고 있다고 설명할 수 있다.

25. 정답 ①

난이도 ★★★ | 정답률 38%

내용영역 사회 / 문항 유형 추론

[정답 풀이]

① 2문단에 따르면, 신뢰의 논리에서는 '위임 행위'를 주인들이 전체의 합의에 따른 공동의 장기적 이익 대신 자신의 단기적 이익을 추구하기 위해 합의를 이행하지 않게 되는 문제, 즉 '집합 행동의 딜레마'를 해결하는 대안으로 이해한다. 신뢰의 논리에 따르면, 정치인들이 모두 긴축적인 통화 정책이 갖는 장기적 효용에 동의함에도 불구하고 단기적으로 정치적 이익을 극대화하려는 유혹에 빠져 급격한 통화 팽창을 유도하게 되는 것은 '집합 행동의 딜레마'가 발생한 것이며, 정치인들이 독립적인 중앙은행으로 통화 정책의 권한을 위임하는 것은 딜레마 발생을 방지하고자 위임 행위를 한 것으로 이해할 수 있다. 따라서 이는 정치적 거래 비용 이론을 적용한 설명이 아니라, 기능주의 이론 중 신뢰의 논리를 적용한 설명이라 할 수 있다.

[오답 풀이]

②, ③ 정치적 거래 비용 이론에 따르면, 위임 행위는 정치적 지속성, 안정성을 보장하기 위해 이루어진다. 그 과정에서 대리인에게 위임된 정책의 방향이나 내용을 변경하거나 대리인을 감시하는 데 정치적 거래 비용이 소요되며, 이 비용이 커질수록 정책 안정성은 더 많이 보장된다(5문단). 특히 정치 세력들 사이의 정책 선호 차이가 클수록, 정치 권력의 교체가 빈번할수록 정책이 바뀔 가능성이 높아져서 정책의 안정성을 위한 정치적 거래 비용은 증가하게 된다(6문단). 따라서 정치적 거래 비용 이론을 적용하면, 각국 정치 행위자들의 정책적 선호 차이가 큰데도 초국가적 기구를 만들어 그 기구에 많은 권한을 위임하는 것(②)과 의회와 행정부 간의 정책 선호 불일치가 증가할 가능성이 있음에도 미국 행정부가 의회로부터 위임된 일정한 재량권을 항상 확보하고 있는 것(③)은 각각 정책적 선호 차이나 의회 내 세력의 변화로 정책이 바뀔 가능성이 높아짐에 따라 정책의 안정성과 지속성을 확보하고자 하는 것이라고 설명할 수 있다.

④ 정치적 거래 비용 이론에 따르면, 정치적 거래 비용이 커질수록 대리인은 정치적 간섭으로부터 자유로워지고 정책의 안정성은 더 커진다(5문단). 그리하여 위임을 설계하는 세력은 정책의 안정성을 보장하기 위하여 정치적 거래 비용을 증가시킴에 따라 대리인에 대한 통제 가능성을 스스로 봉쇄하게 된다(6문단). 따라서 정치적 거래 비용 이론을 적용하면, 민주주의의 결핍을 야기할 위험에도 불구하고 유럽중앙은행이 유럽연합의 통화 정책 결정 및 집행에서 거의 전권을 행사하는 것은, 각 회원국 정치 행위자들의 간섭을 봉쇄하여 정책의 안정성을 보장하고자 하는 정치적 행위의 결과라고 설명할 수 있다.

⑤ 정치적 거래 비용 이론에 따르면, 위임은 해당 정책을 정치 행위자들의 간섭과 각축에서 분리, 독립시키고자 이루어지는 행위로서 정치적 불확실성하에서 정책의 지속성을 보장하는 방안이 된다(5문단). 이러한 위임 과정에서 소요되는 모든 비용을 정치적 거래 비용이라 하는데, 이는 정치 권력을 중심으로 각축하는 정치 세력들 사이의 정책 선호 차이가 현저할수록, 경합을 벌이는 정치 세력이 다수일수록 정책의 안정성을 위해 증가한다(6문단). 따라서 정치적 거래 비용 이론을 적용하면, 국제 협력을 위한 초국가적 기구를 구성하는 것은 위임 설계 행위라 볼 수 있으며, 이때 국내 반대자들에 대한 보상 방안을 협상 의제에 포함함으로써 국제 협력의 안정성을 제고하려는 것은 해당 정책을 정치 행위자들의 각축으로부터 분리하는 데 소요되는 정치적 거래 비용의 증가를 감수함으로써 정책의 안정성을 보장하려는 것이라고 설명할 수 있다.

[26~29] 제재 | 박형서, 「아르판」
난이도 | ★★☆

26. 정답 ① 난이도 ★☆☆ | 정답률 91%
내용영역 인문 문항 유형 분석

[정답 풀이]

① 지문에서 이야기를 전달하는 서술자는 '나'로 제시되어 있으며, 인물이 처한 상황과 심리가 '아르판은 아무런 대답을 하지 않았다.', '나는 힘겹게 말을 이었다.'라는 식으로 주인공 '나'의 시각을 통해 전달되고 있다. 따라서 인물이 처한 상황과 심리가 인물 자신의 시각을 통해 전달되고 있다는 설명은 적절하다.

[오답 풀이]

② 선택지의 설명이 적절한 것이기 위해서는, 현실로부터 소외된 인물이 작품 속에 구체적으로 드러나고 이러한 인물들이 만들어 나가는 사건이 상징적 의미를 가져야하는데, '나'와 아르판이 현실로부터 소외된 인물인지는 구체적으로 드러나 있지 않다. 또한 '나'와 아르판의 대화를 통해 드러나는 사건('나'가 아르판의 책을 번역하여 자신의 작품인 것처럼 출판한 것)은 상징적 의미를 지닌다고 볼 수 없으며, 이 사건이 현실로부터 소외된 인물을 통해 강조되고 있다고 할 수도 없다. 따라서 현실로부터 소외된 인물을 통해 사건의 상징적 의미를 강조하고 있다는 설명은 적절하지 않다.

③ 지문에서는 '나'가 아르판에게 자신의 생각을 말하는 내용이 주로 나타나고 있으며, 이들의 대화가 일어나는 배경 공간은 '음악이 흘러나오는 스피커', '곱창볶음' 등 어느 정도 짐작할 수 있을 정도로만 제시되어 있을 뿐 객관적이고 치밀하게 묘사되지는 않았다. 따라서 배경 공간을 객관적이고도 치밀하게 묘사함으로써 사실성을 높이고 있다는 설명은 적절하지 않다.

④ '나'와 '아르판'의 대화에서, '나'는 처음에 감정을 최대한 지운 채 이야기를 꺼내지만 나중에는 거의 화를 내듯이 대드는 심정으로 말한다. '아르판' 또한 처음에는 '가만히 나를 노려보기만' 하다가 '나'의 이야기가 끝난 후 '복잡한 빛'을 띠고, 이후에는 '부드럽게 미소 지으며' 표정의 변화를 보이고 있다. 이러한 서술은 등장인물들의 심적 변화를 어느 정도 드러내는 부분이며, 이 같은 변화를 통해 이야기의 긴장감이 조성된다고 볼 수도 있다. 그러나 인물의 심적 변화가 성격 변화를 의미하는 것은 아니며, 지문에서는 '나'와 '아르판'의 성격이 극적으로 변화하는 모습은 제시되어 있지 않다. 따라서 인물의 성격 변화를 극적으로 제시함으로써 이야기의 긴장감을 조성하고 있다는 설명은 적절하지 않다.

⑤ 지문에서는 과거 '나'가 아르판의 작품을 번역하던 일과 현재 '나'와 아르판의 대화가 순차적으로 구성되었을 뿐, 사건들을 원래 발생 순서와 다르게 제시하여 사건들 간의 인과성을 드러내고 있지는 않다.

27. 정답 ② 난이도 ★☆☆ | 정답률 89%
내용영역 인문 문항 유형 추론

[정답 풀이]

② '나'는 아르판이 화를 내거나 주먹을 들어 '내 곪은 영혼'에 매질을 해 주기를 바란다. '나'의 구체적인 과오는 아르판의 작품을 표절한 것으로, '나는 당신의 것을 훔쳤습니다.' 등의 대목을 통해 드러난다. 따라서 ㉡은 '나'가 아르판의 것을 '훔쳐, 덧칠하여 살려냈다'는 개인의 부도덕을 의미하는 것으로, 사회의 부정적 현실을 직시하지 못하고 그에 타협하는 부도덕을 의미하지는 않는다.

[오답 풀이]

① '나'는 자신에게도 뛰어난 이야기를 감별할 수 있는 안목이 있음을 증명하고 싶어 한다. ㉠은 이러한 '나'의 심정을 비유적으로 표현한 문장으로, 창작할 수 있는 능력은 부족하더라도 느끼고 평가할 수 있는 능력은 존재한다는 것을 의미한다.

③ ㉢은 뛰어난 예술성을 갖추고 있지만 그 존재조차 인정받지 못한 채 잊히고 말 상황에 처해 있는 아르판의 작품을 비유적으로 표현한 것으로, 훌륭하지만 세상에 널리 알려지지 않은 채 인정받지 못하는 상태를 가리킨다.

④ ㉣은 '나'가 아르판에게 윽박지른 논리를 가리키는 것으로, 이 논리란 '나'가 스스로 생각하더라도 '옳지 않은 것'을 설득하기 위해 만들어낸 것이다. 따라서 ㉣은 자신의 옳지 않은 행동을 변명하기 위해 애써 만들어낸 궤변을 뜻한다.

⑤ ㉤은 와카의 땅에서 '나'와 함께 불살라졌을지 모를 것으로, '취향도 뭣도 아닌'이라는 부분은 선택지의 '별 가치가 없는'과 대응하고, '대중성으로 요란히 장식된'은 '대중이 애호하는 것들로 구성'과 대응하여 대중이 애호하는 것들로 구성되었지만 실상 별 가치가 없는 상품을 뜻한다.

28. 정답 ①

난이도 ★★☆ | 정답률 70%

내용영역 인문 | 문항 유형 추론

[정답 풀이]

① '나'는 자신의 논리를 통해 아르판을 설득하는 일이 '불가능한 것도 아니'라고 생각한다. 그리하여 나는 '아르판의 눈빛이 맥없이 풀리리라는 것을, 제 피조물과 이야기를 영원히 살리는 쪽으로 동의하리라는 것을', 그리하여 자신이 '이기리라는 것을' 확신한다. 결국 아르판은 어떠한 생각 끝에 '여러 가지로 수고해 주셔서 고맙'다는 인사를 하고 돌아선다. 겉으로 보이는 아르판의 행동에서 아르판이 '나'의 논리에 승복했다는 것을 완전히 부정하기는 어렵다. 그러나 만약 아르판이 '나'의 논리에 승복했더라도 '나'와 아르판이 만날 때 들리는 음악이 승복하는 데 중요한 근거가 된다고는 할 수 없다. 음악이 '나'의 논리의 근거가 되기는 했지만, 이를 들은 직후 아르판의 반응을 '대답하지 않았다', '속내를 짐작할 수 없는 시커먼 눈동자' 등으로 표현한 것을 보아 음악 자체가 아르판의 마음을 움직였다고는 보기 어렵기 때문이다. 따라서 '나'와 아르판이 만날 때 들리는 음악이 아르판이 '나'의 논리에 승복하는 데 중요한 근거가 된다는 해석은 적절하지 않다.

[오답 풀이]

② '나'는 표정을 읽어 낼 수 없는 아르판을 보면서 '힘겹게 말을 이어'가고, '쫓기듯' 말하며 '무슨 생각을 하는지 알려달라고 부탁하고 싶었다.' 이렇듯 '나'는 아르판의 반응에 계속 신경을 쓰는데 그것은 스스로 아르판이 '매질을 해 주기를' 바랄 정도로 자신의 행동 자체가 '옳지 않은 것'이라는 것을 알기 때문이다. 따라서 '나'는 자신이 먼저 괴로움을 깊이 느끼고 있기 때문에 아르판의 반응에 계속 신경을 쓴다고 해석할 수 있다.

③ 처음에 아르판은 '나'를 가만히 노려보기만 했고 '나'를 천천히 관찰했다. 이후 아르판은 '눈을 몇 번 깜짝이더니 눈을 그윽하게 감고', '복잡한 눈빛을 띠며 눈을 뜬' 후 처음으로 입을 열어 결심한 바를 말한다. 이를 통해 아르판이 '나'에게 보인 시선 변화는 그가 처음에는 사태를 관찰하고, 이후 생각을 하며 결심하는 과정을 암시하고 있다고 해석할 수 있다.

④ '나'는 '와카의 땅에서라면 이런 짓을 한 나는 그의 거친 손에 붙잡혀 죽'을 지도 모르지만, '이곳은 문명 세계고 나는 이곳의 주민이어서, 어느 순간 아르판이 제 피조물과 이야기를 영원히 살리는 쪽으로 동의하리라는 것을, 내가 이기리라는 것을 알고' 있었다. 이를 통해 '나'가 아르판이 '와카'가 아닌 한국에서는 '나'의 행위를 인정할 수밖에 없을 것으로 기대한다고 해석할 수 있다.

⑤ 아르판이 일어나는 모습이 '나'에게는 고급 승용차의 자동 안테나처럼 계속해서 위로 올라가는 것처럼 보인다. '저주받을 욕망과 열정', '죄의식' 등에서 '나'의 지난 행동에 대한 자책과 '자신이 얼마나 더 커질 수 있는지 아냐고 묻는 듯'이라는 표현에서 '나'가 아르판에게서 느낀 심리적 위압감이 드러난다. 따라서 '나'에게 아르판이 일어나는 동작이 길고 크게 보인 것은 불안과 자책을 불러일으킨 그에게 압도되었기 때문이라고 해석할 수 있다.

29. 정답 ④

난이도 ★☆☆ | 정답률 83%

내용영역 인문 | 문항 유형 추론

[정답 풀이]

④ '나'가 자신의 행위를 '기만'이라고 표현한 것은, '나'가 아르판을 설득하기 위해 펼친 이야기에 허점이 있다는 사실을 스스로가 잘 알면서도 이를 숨기고 있기 때문인데, 이를 '문화와 예술의 차이를 구분하지 않은 내 논리의 허점'이라고 표현하고 있다. '나'가 아르판에게 한 말에 따르면, 인간이 벌이는 모든 창조는 기존의 견해에 대한 각주와 수정을 통해 나오는 것으로, 문화가 그러하듯 차곡차곡 쌓이는 것이다. 이는 문화와 예술이 순수하게 창조된 것이라기보다는 모든 것이 쌓이고 혼용된 것이라는 입장이다. 그러나 이것은 문화와 예술의 차이를 '일부러 무시'한 것이고 '어떻게든 동일시하기 위해 애'쓴 것으로 실상은 예술에 있어 창조성이 중요한 본질이라는 것을 도외시한 것이다.

[오답 풀이]

① '나'는 다른 문화권에 살고 있는 아르판의 작품을 표절하기는 했지만 이것이 자기 문화의 발전을 저해한다고 생각하는지는 알 수 없다.

② '나'는 아르판을 향해, 인간이 벌이는 모든 창조, 즉 예술은 기존의 견해에 '각주와 수정'을 쌓아가는 것이라고 말한다. 즉 '나'는 문화 도입 과정에서 생기는 창조적 요소가 새로운 예술의 원천이라는 것을 아르판에게 주장하며 자신의 행위를 정당화하고 있다. 그러나 이는 문화와 예술의 차이를 구분하지 않고 말한 것으로, '나'는 이것이 '논리의 허점'을 가지고 있음을 알고 있다. 따라서 '나'가 자신의 행위를 기만이라고 생각한 이유는 스스로 문화와 예술을 구분하고 있으면서도 마치 문화와 예술이 구분되지 않은 것처럼 아르판을 속였기 때문이지, 문화 도입 과정에서 생기는 창조적 요소가 새로운 예술의 원천임을 간과해서는 아니다.

③ '나'는 예술과 문화를 구분하고 있으므로 문화에 예술이 포함되어 있다고 보지도 않으며, '인간의 예술은 단 한 번도 순수했던 적이 없습니다. 우리가 벌이는 모든 창조는 기존의 견해에 대한 각주와 수정을 통해 나옵니다.'라는 표현을 통해 '나'가 문화에 고유성이 필수적 요건이라는 것을 고려했다고는 볼 수 없다. 그러나 이 같은 사실 때문에 '나'가 자신의 행위를 '기만'이라고 보는 것은 아니다. '나'는 사실 예술의 고유성이 필수적 요건이라고 생각하고 있지만 아르판에게 이를 숨기고 있기 때문에 자신의 행위를 '기만'이라고 생각하고 있다.

⑤ '나'는 외견상 달리 보이는 음악들도 그 기원은 동일한 경우가 있다는 것을 외면한 것이 아니라, 이러한 논리를 적극적으로 차용하여 자신의 행위가 정당하다고 주장하고 있다. 따라서 '나'가 이러한 이유로 자신의 행위를 '기만'이라고 한 것은 아니다.

[30~32] 제재 | 근대적인 계약 이해 방식의 변화
난이도 | ★☆☆

30. 정답 ② 난이도 ★★☆ | 정답률 78%

내용영역 규범 문항 유형 분석

[정답 풀이]

② 의사주의적 관점은 계약의 핵심을 의사의 합치에서 찾으려 한다. 이에 따르면, 내심의 의사 내용과 외부로 표시된 내용이 일치하지 않는 경우에는 전자에 따른 법적 효과를 인정해야 한다. 즉, 의사주의적 관점은 '내심의 의사 내용'과 '외부로 표시된 내용이 일치하지 않는 경우'가 있을 수 있음을 인정하고, 이 경우 의사표시 주체의 의사 내용에 따라 법적 효과가 인정된다고 주장하고 있다. 따라서 의사주의적 관점은 의사표시의 주체에게 자신의 의사와 일치된 표시를 할 부담을 부과한다고 볼 수 없다.

[오답 풀이]

① 근대적 법제는 중세의 신분적 제약을 타파하고 만인이 자유롭고 평등한 존재로서 자신이 처하게 될 법률 관계를 스스로 결정할 수 있음을 선언했다(5문단). 계약의 본질을 당사자들의 자유로운 의사의 합치로 보는 사비니 이래의 근대적인 계약 이해 방식에 따르면 특정한 내용의 계약을 체결한 당사자들이 그 계약을 준수해야 하는 까닭은 바로 스스로가 그 계약 내용의 실현을 원했기 때문이며, 많은 법률가들 역시 계약을 당사자들 사이의 자유로운 의사의 합치로 이해한다(1~2문단). 이를 이어받아, 전통적인 의사주의적 관점은 계약의 핵심을 어디까지나 의사의 합치에서 찾는다. 이에 따르면, 내심의 의사 내용과 외부로 표시된 내용이 일치하지 않는 경우에는 전자에 따른 법적 효과를 인정해야 한다(3문단). 즉, 사람이 자유로운 의사 결정의 권리를 가지고 있기 때문에, 각 개인의 자유로운 의사 합치에 따른 계약은 법적 효력을 갖는다는 것이다. 따라서 의사주의적 관점에서는 모든 사람이 자유로운 의사 결정의 권리를 가지고 있음을 전제하고 있다고 볼 수 있다.

③, ④ 의사주의적 관점에 따르면 내심의 의사 내용과 외부로 표시된 내용이 일치하지 않는 경우 내심의 의사 내용에 따른 법적 효과가 인정된다. 그러나 이때 표시된 내용만을 믿고 계약한 상대방은 예기치 못한 손해를 입을 수 있다. 이 점을 고려하여 내심의 의사 내용보다는 외부로 표시된 내용을 기준으로 법적 효과를 인정해야 한다는 표시주의적 관점이 등장하게 되었다. 즉 의사주의적 관점으로 침해당할 수 있는 '계약 당사자들 사이의 신뢰'와 '거래질서의 안정성'을 보호하기 위하여 표시주의적 관점이 대두한 것이다(④). 따라서 표시주의적 관점은 의사표시의 주체보다는 그 의사표시를 신뢰한 상대방을 보호하기 위한 것이라고 볼 수 있다(③).

⑤ 어떤 개인이 자신의 의사와 다른 내용의 계약을 체결 · 이행할 경우도 있다고 여기는 급진적 관점에서는, 계약에 따른 책임의 본질이 당사자들이 진정 무엇을 원했는가가 아닌 법이 무엇을 승인했는가에 있다(3문단)고 본다. 즉 계약에 따른 책임은 의사의 내용에 기초한 책임(약정 책임)이 아니라 궁극적으로 법률에 기초한 책임(법정 책임)에 있다고 보는 것이다. 따라서 급진적 관점에서는 계약상 채무의 불이행으로 인한 책임을 궁극적으로 법정 책임의 일종이라고 볼 것이다.

31. 정답 ④ 난이도 ★★☆ | 정답률 73%

내용영역 규범 문항 유형 비판

[정답 풀이]

ㄴ. 근대적 법제는 만인이 자유롭고 평등한 존재로서 자신이 처하게 될 법률 관계를 스스로 정할 수 있음을 선언했지만, 얼마 지나지 않아 인간의 자유와 평등은 실질적인 목표가 되어야 한다는 실천적 반성을 불러일으키게 된다. '계약 당사자들 사이의 자발적인 의사의 합치'는 곧 취약한 사회 · 경제적 지위를 갖는 한쪽 당사자의 의사를 자유와 평등으로 상대방의 의사에 종속시키는 결과를 초래했기 때문이다. 이러한 상황에서 사회 정의와 공정성을 확보하기 위해 각종 규제 입법들이 출현하게 된다. 이를 통해 근대적인 계약 이해 방식에서는 개인의 자유보다 계약의 공정성 문제가 소홀히 여겨졌다고 볼 수 있다.

ㄷ. 근대적 법제는 중세의 신분적 제약을 타파하고 만인이 자유롭고 평등한 존재로서 자신이 처하게 될 법률 관계를 스스로 결정할 수 있음을 선언했다. 그러나 '계약 당사자들 사이의 자발적인 의사의 합치'는 곧 취약한 사회 · 경제적 지위를 갖는 한쪽 당사자의 의사를 자유와 평등으로 상대방의 의사에 종속시키는 결과를 초래했고, 이에 따라 사회 정의와 공정성을 확보하기 위해 각종 규제 입법들이 출현하게 되었다. 그러나 계약이 '당사자들 사이의 자유로운 의사의 합치'라고 보는 근대적인 계약 이해 방식을 고려하면, 계약의 자유에 대한 국가의 개입은 자유에 대한 침해로 여겨질 소지가 있다. 즉, 사회 정의나 공정성을 보호하려는 규제 입법을 통해 계약의 자유를 제한해야 할 경우가 있음에도 불구하고, 근대적인 계약 이해 방식을 고려하면 이러한 개입은 정당화하기 어렵다고 볼 수 있다.

[오답 풀이]

ㄱ. 의사주의적 관점은 '내심의 의사 내용'과 '외부로 표시된 내용이 일치하지 않는 경우'가 있을 수 있음을 인정하고, 이 경우 의사표시 주체의 의사 내용에 따라 법적 효과가 인정된다고 주장하고 있다. 이에 따른 문제를 보완하기 위해 등장한 표시주의적 관점은 내심의 의사 내용보다는 외부로 표시된 내용을 기준으로 법적 효과를 인정해야 한다고 주장한다. 즉, 근대적인 계약 이해 방식에 속하는 의사주의적 관점과 표시주의적 관점 모두 '의사'와 '표시'가 일치하지 않을 수 있다고 전제하지만, '의사'와 '표시'가 일치하지 않는다는 것을 당연시하고 있지는 않다고 볼 수 있다.

32. 정답 ⑤ 난이도 ★★☆ | 정답률 77%

내용영역 규범 문항 유형 창의

[정답 풀이]

⑤ E는 을이 평당 10만 원의 가격이 합당하다고 생각하여 계약을 체결한 것이므로 폭리 취득을 금지하는 규정의 유무와 상관없이 그 대금만 지급하면 된다고 언급하고 있다. 그러나 급진적 관점에

서 계약에 따른 책임의 본질은 당사자들이 진정 무엇을 원했는가가 아닌 법이 무엇을 승인했는가에 있다(3문단). 즉 계약에 따른 책임은 의사의 내용에 기초한 책임(약정 책임)이 아니라 궁극적으로 법률에 기초한 책임(법정 책임)에 있다고 보는 것이다. 따라서 '규정의 유무와 상관없이' 대금을 지급하면 된다는 E의 진술은 급진적 관점에 부합하지 않는다.

[오답 풀이]

① 갑의 의사는 토지를 m^2당 10만 원에 팔고자 하는 것이었으나, 을과의 계약은 평당 10만 원에 체결하였다. 이에 대해 A는 갑이 평당 10만 원에 팔고자 하는 의사를 가지고 있지 않았을 것이므로, 을에게 평당 10만 원에 토지를 넘겨줄 의무가 없다고 주장한다. 이것은 갑의 '의사'에 기준을 둔 판단이므로, A의 진술은 의사주의적 관점에 부합한다.

② B는 '갑이 평당 10만 원에 팔고자 한다는 말'을 을이 '신뢰'하여 계약을 체결한 행위에 판단의 기준을 두고 있다. 따라서 B의 진술은 표시주의적 관점에 부합한다.

③ C는 갑이 평당 10만 원에 팔고자 하는 의사를 가지고 있지 않았을 것이라도 '스스로 그렇게 말했으므로' 그 가격에 팔아야 한다고 주장하고 있다. 즉 이것은 내심보다 외부 표시를 중시하는 관점이기 때문에, C의 진술은 표시주의적 관점에 부합한다.

④ D는 갑이 평당 10만 원에 팔고자 하는 '의사를 가지고 있지 않았다는 것을 스스로 입증'하면 그 가격에 토지를 넘기지 않아도 된다고 주장한다. 즉, 갑이 평당 10만 원에 팔고자 하는 '의사'를 가지고 있었는지의 여부를 책임의 기준으로 삼고 있으므로, D의 진술은 의사주의적 관점에 부합한다.

[33~35] 제재 | 모바일 무선 통신
난이도 | ★★★

33. 정답 ③ 난이도 ★★☆ | 정답률 56%
내용영역 과학기술 문항 유형 분석

[정답 풀이]

③ 2문단에서 주파수가 높은 전자기파일수록 직진성이 강해진다고 하였으므로, 직진성이 강한 전파는 곧 주파수가 높은 전파임을 알 수 있다. 3문단에 의하면, 극초단파는 모바일 무선 통신에서 주로 사용되는데, 주파수가 높아 초당 많은 파동을 발생시켜 주파수가 낮은 전파보다 더 많은 자료를 전송할 수 있기 때문이다. 이를 통해 주파수가 높을수록, 즉 직진성이 강한 전파일수록 단위 시간당 정보 전송량이 많아진다는 것을 알 수 있다. 따라서 직진성이 약한 전파일수록 단위 시간당 정보 전송량이 많아진다는 서술은 옳지 않다.

[오답 풀이]

① 1문단에 의하면 1초 동안의 진동수를 말하는 주파수와 파동 한 개의 길이를 말하는 파장은 서로 반비례 관계에 있기 때문에 주파수가 높을수록 파장은 짧아지며, 낮을수록 파장은 길어진다. 따라서 전파의 파장이 길수록 주파수가 낮다.

② 극초단파는 주파수가 높은 전자기파로서, 모바일 무선 통신에서 주로 사용하고 있다. 2문단에서 '모바일 무선 통신에서 가시광선이나 X선보다 주파수가 낮은 전파'를 쓴다고 하였으므로 모바일 무선 통신에서 쓰이는 극초단파는 주파수가 높은 대역의 전파이지만 가시광선이나 X선보다는 상대적으로 주파수가 낮은 전파임을 알 수 있다. 따라서 극초단파는 가시광선보다 주파수가 낮다.

④ 2.3GHz 대의 전파는 800MHz 대의 전파보다 주파수가 약 3배 높은 전파이다. 그런데 주파수와 파장은 반비례 관계에 있으므로, 주파수가 2.3GHz의 $\frac{1}{3}$에 해당하는 800MHz 대의 전파 파장은 2.3GHz 대의 전파 파장보다 약 3배 길다. 4문단에 의하면, 전파의 효율적 수신을 위한 안테나의 유효 길이는 수신하는 전파 파장의 $\frac{1}{2} \sim \frac{1}{4}$ 정도라고 하였으므로, 안테나의 유효 길이는 전파 파장에 비례함을 알 수 있다. 따라서 2.3GHz 대 전파보다 파장이 약 3배인 800MHz 대의 전파는 안테나 유효 길이 또한 2.3GHz 대 것의 약 3배에 해당한다.

⑤ 800~900MHz 대와 1.8GHz 대 전파는 모두 극초단파이지만, 1.8GHz 대의 전파가 800~900MHz 대의 전파보다 주파수가 높고, 파장은 짧다. 2문단에 의하면, 주파수가 낮은 전파는 회절성과 투과성이 뛰어나다고 하였으므로, 1.8GHz 대의 전파보다 상대적으로 주파수가 낮은 800~900MHz 대 전파가 회절성과 투과성 면에서 더 뛰어나다는 것을 알 수 있다. 따라서 1.8GHz 대 전파는 800~900MHz 대 전파보다 회절성과 투과성이 약하다.

34. 정답 ② 난이도 ★★★ | 정답률 37%
내용영역 과학기술 문항 유형 분석

[정답 풀이]

ㄷ. 2~3문단에 의하면, 지상파 아날로그 TV 방송은 0.3~800MHz 대역의 주파수를 사용하며, 지상파 디지털 TV는 모바일 무선 통신과 더불어 극초단파를 사용한다. 극초단파는 0.3~800MHz 대역보다 주파수가 높으므로 지상파 디지털 TV 방송은 지상파 아날로그 TV 방송보다 높은 주파수 대역을 사용한다는 서술은 옳다.

[오답 풀이]

ㄱ. 2문단에서 3GHz 이상 대역의 전파는 직진성이 매우 강해져 인공위성이나 우주 통신 등과 같이 중간에 장애물이 없는 특별한 경우에 사용된다고 하였으므로, 3GHz 이상 대역이 우주 통신에 이용된다는 선택지의 내용을 확인할 수 있다. 그러나 3GHz 이상 대역이 정보의 원거리 전송 능력이 크다는 부분은 옳지 않다. 3GHz 이상의 대역은 주파수가 높은 대역으로, 주파수가 높은 전자기파일수록 대기 중의 먼지나 수증기에 의해 흡수되거나 산란되기 쉬워 정보의 원거리 전달에 취약하기 때문이다. 따라서 3GHz 이상 대역은 정보의 원거리 전송 능력은 낮지만 직진성이 강해 우주 통신에 이용되므로 ㄱ은 옳지 않다.

ㄴ. 2~3문단에 의하면, 극초단파는 주파수가 높은 전파로 원거리 정보 전송 능력이 취약하다. 주파수가 낮은 전파는 회절성과

투과성이 뛰어나 멀리 퍼져 나갈 수 있는 반면, 주파수가 높은 전파일수록 대기 중의 먼지나 수증기에 의해 흡수·산란되기 쉽기 때문이다. 따라서 극초단파, 즉 주파수가 높은 전파를 쓰는 모바일 무선 통신에서는 원거리 정보 전송 능력의 취약성을 극복하기 위해 반경 2~5km 정도의 좁은 지역의 전파만을 송수신하는 무선 기지국들을 가능한 한 많이 설치해 통화 사각지대를 최소화하고 있다. 그러므로 모바일 무선 통신에서 낮은 주파수를 사용할수록 더 많은 기지국이 필요하다는 서술은 옳지 않다.

35. 정답 ③

난이도 ★★☆ | 정답률 69%

내용영역 과학기술 | 문항 유형 추론

[정답 풀이]

③ <보기>에 의하면 정부 주도 방식은 공익 보호 등을 목적으로 정부가 주파수를 직접 관리하는 방식이고, 시장 기반 방식은 주파수의 효율적 이용을 위해 시장의 경쟁을 유도하는 방식이다. 2문단에서 0.3MHz 이하의 대역은 해상 통신, 표지 통신, 선박이나 항공기의 유도 등과 같은 공공적 용도에 주로 사용된다고 하였으므로, 0.3MHz 이하 대역은 무엇보다 공익 보호가 우선시되어 정부 주도 방식으로 관리되어야 함을 알 수 있다. 따라서 0.3MHz 이하 대역은 공익 보호의 목적보다는 경제적 효율성의 가치가 더 중요하므로 정부 주도 방식이 아닌 시장 기반 방식으로 관리될 것이라는 판단은 적절하지 않다.

[오답 풀이]

① <보기>에 의하면, 황금 주파수 대역은 초기 모바일 무선 통신 시대의 800~900MHz 대역에서 오늘날 4세대 스마트폰 시대의 1.8GHz 대와 2.1GHz 대로 변화하였다. 즉, 황금 주파수는 주파수가 높은 대역으로 변화하였는데, 3문단에서 극초단파, 즉 주파수가 높은 전파는 단시간에 더 많은 정보의 전송이 가능하다고 하였으므로 오늘날 변화한 황금 주파수 대역에서는 이전의 황금 주파수 대역보다 더 많은 정보의 전송이 가능함을 알 수 있다. 따라서 황금 주파수 대역의 변화는 모바일 무선 통신 기술의 발달뿐 아니라, 4세대 스마트폰 시대에 전송해야 하는 정보량의 급격한 증가와도 관계가 있을 것이라고 판단할 수 있다.

② 4문단에 의하면, 모바일 무선 통신에서 극초단파와 같은 높은 주파수를 사용하면서 작아진 길이의 안테나만으로도 효율적인 전파의 수신이 가능해져 휴대 편의성도 개선되었다. <보기>에 의하면, 황금 주파수 대역은 점차 높은 주파수 대역으로 옮겨 갔으므로 통신 기기도 점차 작아졌음을 알 수 있다. 따라서 모바일 무선 통신 기술의 지속적인 발달과 함께 소형화된 통신 기기에 대한 소비자의 욕구가 커질수록 황금 주파수는 더 높은 대역으로 옮겨갈 것이라고 판단할 수 있다.

④ 2문단에 의하면, 스마트폰 시대에 들어서면서 모바일 무선 통신에 쓰이는 극초단파 대역의 효율적인 주파수 관리의 중요성이 더욱 커지고 있다. <보기>에서 오늘날 4세대 스마트폰 시대에는 1.8GHz 대와 2.1GHz 대가 황금 주파수로 자리 잡게 되었다고 하였으므로 이 대역의 주파수 분배와 할당에 있어 경쟁이 생길 것이고, 이에 대한 관리의 중요성이 더욱 커질 것이다. 따라서 1.8GHz 대와 2.1GHz 대의 주파수를 차지하기 위한 경쟁이 심화되어 이에 대한 주파수 관리의 중요성이 부각될 것이라고 판단할 수 있다.

⑤ 2문단에서 0.3~800MHz 대역의 주파수는 단파 방송, 국제 방송, FM 라디오, 지상파 아날로그 TV 방송 등에 사용되는데, 이러한 사용은 사적이라기보다 공공적 용도에 가깝다. <보기>에 의하면, 주파수의 분배와 할당에 있어 표현의 자유, 민주적 가치, 공익 보호 등을 고려할 때, 전적으로 시장에 일임하지 않고 정부가 주파수를 직접 관리하는 정부 주도 방식을 사용하므로 방송의 공공성을 고려한다면, 0.3~800MHz 대역의 주파수 관리에는 정부 주도 방식이 적합할 것이라고 판단할 수 있다.

2013학년도(홀수형)

[4~6] 제재 | 노비가 상전을 모해한 사건에 대한 처벌 논의
난이도 | ★★☆

4. 정답 ①
난이도 ★☆☆ | 정답률 86%

내용영역 규범 문항 유형 추론

[정답 풀이]

① 노비가 상전을 모해한 데 대한 규정이 없었던 까닭에 의금부에서는 노비들의 죄를 벌하기 위해 명률에 있는 두 조문의 적용을 따지게 되었다. 이는 꼭 맞는 율문이 없는 경우, 가장 가까운 율문을 끌어다 따져 보고 적용할 죄명을 정한다는 전제가 있었기 때문일 것이다.

[오답 풀이]

② 상전을 모해한 노비들의 행위를 처벌하기 위하여 의금부에서는 명률에 있는 조문을 적용하여 처결하기로 하였다. 이는 노비들의 행위를 죄라고 규정해 놓은 율문이 없었기 때문이다. 막동과 끝동의 죄에 대하여도 적용 조문이 바뀌었을 뿐 새 율문을 따른 것은 아니었다. 만약 노비들의 행위를 죄라고 정한 새 율문이 있었다면 임금과 대신들이 논의를 할 필요도 없었을 것이다.

③ 임금은 막동과 끝동에게 사형을 선고해야 한다고 믿고 있음에도 대신들과 논의를 거쳐 형을 결정하였다. 막동과 끝동을 참형의 율로 처결하도록 한 것은 국왕이 특별히 처단한 사례라고 볼 수 없으므로, "국왕이 특별히 처단한 사례라도 법조문화되지 않았을 경우, 그것을 율문으로 삼아 끌어들이지는 못한다"는 규정은 노비들의 죄를 논한 일과는 무관하다.

④ 상전을 모해한 노비들의 행위는 마땅히 벌로 다스려야 할 일이나 이들의 행위에 해당하는 율문이 존재하지 않았으므로, 의금부에는 적용 가능한 조문을 율문에서 찾아 계본을 올렸다. 의금부가 노비들의 죄에 대하여 율문을 제시하지 않고서도 처벌할 수 있다는 규정을 전제로 삼았다면 적용 조문을 찾아 따져 볼 일도 없었을 것이다.

⑤ 막동과 끝동의 행위를 두고 '모반'과 '모반대역'이 거론된 것은 막동과 끝동이 이 두 율문에 모두 해당하는 죄를 범해서가 아니라 두 율문 가운데 어느 것을 적용하는 것이 더욱 합당한가를 따져야 했기 때문이다. 따라서 "하나의 행위로 두 율문의 죄를 범했을 경우, 그 가운데 무거운 죄로 처벌하며, 두 죄의 경중이 같으면 그 하나로 처벌한다"는 규정은 막동과 끝동의 행위에 대한 의금부의 논의와 무관하다.

5. 정답 ⑤
난이도 ★★★ | 정답률 36%

내용영역 규범 문항 유형 추론

[정답 풀이]

⑤ 막동과 끝동의 행위가 모해를 공모한 것으로 판정됐다면 막동과 끝동은 적용 조문을 바꾸지 않더라도 사형에 처해진다. 막동과 끝동의 죄가 모반이라 간주되면 참형에 처해질 것이며, 모반대역이라 간주되면 능지처사될 것이기 때문이다. 적용 조문이 바뀌어 막동과 끝동이 사형에 처하게 된 것은 막동과 끝동의 행위가 모해를 공모한 것으로 판정되었기 때문이 아니라 김 씨를 해하려는 모의의 내용과 실정을 알면서도 고의로 숨긴 것으로 판정되었기 때문이다.

[오답 풀이]

① 모반이나 모반대역을 적용하는 논의는 노비가 상전을 모해한 데 대한 규정이 명률에 존재하지 않아 비롯된 것이다. 따라서 노비가 아닌 간아에게는 모반이나 모반대역을 적용할 수 없다.

② 금동과 노덕의 죄에 대하여는 참형을 처결하는 것이 좋겠다는 의금부의 계본대로 결정되었다. 공모자인 금동과 노덕이 능지처사가 아닌 참형을 처결 받았다는 것은 이들이 주인인 김 씨를 배반하고 간아를 몰래 따르려 한 죄가 모반의 조문에 적용되었기 때문이라 할 수 있다.

③ 모반은 본국을 배반하고 타국을 몰래 따르려 모의하는 것이며, 모반대역은 사직을 위태롭게 하는 것이다. 막동의 죄가 모반에 해당한다고 보는 이들은, 막동의 행위가 김 씨를 위태롭게 하려는 의도보다 주인인 김 씨를 배반하고 간아를 따르려 했다는 의도에서 비롯된 것이라 생각하기 때문일 것이다.

④ 끝동의 죄가 모반에 적용되었을 때 끝동은 장 100과 유 3,000리에 처해질 것이었으나, 모반대역에 적용되었을 때에는 참형에 처하게 되었다. 따라서 끝동의 죄가 모반대역이라 보는 이들은 끝동의 행위가 '알면서 자수하지 않은' 것이 아니라, '실정을 알면서 고의로 숨겨 준' 것에 해당한다고 판단했기 때문이라 할 수 있다.

6. 정답 ③
난이도 ★☆☆ | 정답률 81%

내용영역 규범 문항 유형 추론

[정답 풀이]

③ 성종이 막동과 끝동의 죄에 대해 시종일관 사형의 입장을 견지하고 있는 것은 사실이나, 이는 여러 반론에도 불구하고 소수 의견을 수용했기 때문이 아니다. 많은 신료들이 서거정의 의견을 따랐고 서거정의 의견은 성종의 입장과 일치하므로 성종이 취한 의견은 다수의 의견에 해당한다.

[오답 풀이]

① 성종은 막동과 끝동의 죄가 사형에 해당한다고 확신하면서도, 이에 대한 신료들의 논의를 듣고자 한다. 이는 다수 신료들의 동의를 확보함으로써 자신의 결정에 대한 정당성을 강화하려고 하였기 때문이라 할 수 있다.

② 성종은 막동들이 상전을 모해한 일은 사직을 뒤흔들려는 모의에 가담한 것과 다를 바 없다고 본다. 이처럼 노비의 상전을 사직에까지 견주려 하는 것으로 볼 때, 성종은 한 집안의 위계질서를 한 나라의 위계질서에 준하는 것으로 여기고 있음을 알 수 있다.

④ 성종은 막동과 끝동의 죄가 어느 조문에 더욱 가까운지를 따져 의금부가 처음 계본에 올렸던 모반이 아닌 모반대역으로 적용

조문을 바꾸어 다시 계본을 올리도록 한다. 이는 성종이 법의 집행은 법규에 근거해야 한다는 원칙을 따르고 있기 때문이라 할 수 있다.

⑤ 성종은 막동과 끝동의 죄가 모반에 적용된다고 본 이경동의 관점을 지적하고 막동과 끝동의 행위가 사직을 위태롭게 하려 한 모반대역에 적용된다며 반론한다. 이로 미루어 볼 때 성종은 모반과 모반대역의 차이를 정확하게 알고 있음을 알 수 있다.

[7~9] 제재 | 최적통화지역 이론 소개
난이도 | ★★★

7. 정답 ① 난이도 ★★★ | 정답률 23%

내용영역 사회 문항 유형 분석

[정답 풀이]

① 2문단에 의하면, 최적통화지역 이론은 고정환율 제도가 어떤 조건에서 대내외 균형을 효과적으로 이룰 수 있는지를 고려하여 단일 통화 사용에 따른 비용-편익 분석을 하였다. 이에 따르면, 비용보다 편익이 클 때 최적통화지역의 조건이 충족되며 단일 통화를 형성할 수 있는데, 단일 통화 사용의 편익은 거래 비용이 줄고, 환율 변동의 위험이 없어지며, 가격 비교가 쉬워진다는 점에서 시장 통합에 따른 교환의 이익을 증대시킨다는 점에 있다(4문단). 하지만 지문에서 시장 통합에 따른 편익을 계산하는 방식에 대해서는 언급하고 있지 않다. 그러므로 최적통화지역 이론과 관련하여 시장 통합으로 인한 편익의 계산 방식을 고려하였다고 볼 수 없다.

[오답 풀이]

② 3문단에 의하면, 초기 최적통화지역 이론은 노동의 이동성, 금융시장 통합, 재정 통합 등 최적통화지역을 규정하는 가장 중요한 경제적 기준을 찾으려 하였다. 특히 금융시장 통합을 그 기준으로 제시한 잉그램은 '금융시장이 통합되어 있으면 지역 내 국가들 사이에 경상수지 불균형이 발생했을 때 자본 이동이 쉽게 일어날 수 있을 것이며 이에 따라 조정의 압력이 줄어들게 되므로 지역 내 환율 변동의 필요성이 감소하게 된다.'고 보았다. 이는 곧 고정환율 제도 아래에서도 특정한 경제적 기준이 충족되어 있다면 대내외 균형을 달성할 수 있다고 보는 것이다. 그러므로 최적통화지역 이론과 관련하여 환율 변동을 배제한 경상수지 조정 방식을 고려하였다고 볼 수 있다.

③ 4문단에 의하면, 최적통화지역의 조건이 충족되면 단일 통화를 형성할 수 있으며, 단일 통화 사용의 편익은 화폐의 유용성이 증대된다는 데 있다. 단일 통화를 사용하면 거래 비용이 줄고, 환율 변동의 위험이 없어지며, 가격 비교가 쉬워진다는 점에서 시장 통합에 따른 교환의 이익이 증대되는 것이다. 즉, 단일 통화를 사용하면 화폐의 유용성이 증대되며, 이는 곧 시장 통합에 따른 교환의 이익 증대와 이어진다. 그러므로 최적통화지역 이론과 관련하여 화폐의 유용성과 시장 통합 사이의 관계를 고려하였다고 볼 수 있다.

④ 최적통화지역 이론에 따르면, 단일 화폐를 사용할 경우 단일 통화 유지를 위해 대내 균형을 포기해야 하는 경우가 발생하기 때문에, 통화정책 독립성의 상실로 인한 비용이 발생한다. 이 비용은 가격과 임금이 경직될수록, 전체 통화지역 중 일부 지역들 사이에 서로 다른 효과를 일으키는 비대칭적 충격이 클수록 증가한다(4문단). 그러므로 최적통화지역 이론과 관련하여 단일 화폐 사용에 따른 비용을 증가시키는 조건을 고려하였다고 볼 수 있다.

⑤ 최적통화지역 이론에 따르면, 단일 통화를 유지하기 위해서는 대내 균형을 포기해야 하는 경우가 발생하기 때문에 통화정책의 독립성을 상실하게 된다. 이를 단일 통화 사용에 따른 주요 비용으로 간주하는데, 이 비용은 가격과 임금이 경직될수록, 전체 통화지역 중 일부 지역들 사이에 비대칭적 충격이 클수록 증가한다. 그런데 이때 노동 이동 등의 조건이 충족되면 비대칭적 충격을 완화하기 위한 독립적 통화정책의 필요성은 감소한다(4문단). 즉, 노동의 이동성, 금융시장 통합, 재정 통합 등 고정환율 제도 하에서 대내외 균형을 달성할 수 있는 조건들이 충족되면 독립적 통화정책 없이 대내 균형을 달성할 수 있다. 그러므로 최적통화지역 이론과 관련하여 독립적 통화정책 없이 대내 균형을 달성하는 조건을 고려하였다고 볼 수 있다.

8. 정답 ⑤ 난이도 ★★★ | 정답률 29%

내용영역 사회 문항 유형 추론

[정답 풀이]

⑤ ㉠은 단일 통화를 사용하는 유로 지역 내에서 주변국의 경제 상황이 악화되어 국가 간 불균형이 발생한 것과 밀접한 관련이 있다. 먼델은 노동의 이동이 자유롭다면 외부 충격이 발생할 때 대내외 균형 유지를 위한 임금 조정의 필요성이 크지 않을 것이라고 보았다. 하지만 유로 지역 내 노동 이동이 일국 내의 이동만큼 자유롭지 않다. 이때 유로 지역 내에서 노동 이동을 활성화하는 것은 대내외 불균형을 해소하여 ㉠을 해결하는 데 기여할 것이다. 하지만 선지의 경우 유로 지역 '내'가 아닌 유로 지역 '외부'로부터 유럽의 핵심국으로 노동 이동을 활성화하는 것을 유로 지역의 경제 위기에 대한 해결 방안으로 제시하고 있다. 이는 지문에 제시된 유로 지역 내의 노동 이동의 자율성과는 관련이 없는 내용이다. 만약 선지와 같이 유로 지역 외부로부터 핵심국으로 노동 이동을 활성화한다면 오히려 주변국의 노동 이동 가능성을 낮추게 되어 유로 지역 내 핵심국과 주변국의 불균형은 해소되기 어려울 것이며 결국 ㉠을 해결할 수 없을 것이다.

[오답 풀이]

① ㉠의 상황에서 유로 지역은 지역 내 노동 이동이 일국 내의 이동만큼 자유롭지 않다는 점 등으로 인하여 최적통화지역 조건을 충족하지 못한 상태에서 단일 통화인 유로화를 사용하였다. 단일 화폐 사용에 따른 주요 비용은 가격과 임금이 경직될수록 증가하며, 이때 임금이 경직되었다는 것은 임금의 유동성이 경직되었다는 것을 의미한다. 글로벌 금융 위기 이후 유럽의 주변국은 경제 상황이 악화되면서 실업을 경험하게 되었다. 실업이 발생한

국가에서는 확대 통화정책을 사용하여 대내 균형을 달성해야 하나, 단일 화폐를 사용하는 유로 지역에서는 서로 다른 통화정책을 시행하는 것이 어렵다. 그러므로 주변국의 임금을 인하함으로써 경직된 임금의 유동성을 완화하여 ㉠을 해결할 수 있을 것이다.

② ㉠은 최적통화지역 조건을 충족하지 못한 유로 지역 내 국가 간 불균형을 분명히 드러낸 계기로서, 주변국은 경제 상황이 악화되면서 실업과 경상수지 적자를 경험하게 되었다. 더구나 국가가 은행 채무를 떠맡으면서 GDP 대비 공공 부채의 비율도 증가하였다. 즉, 공공 부채의 비율 증가 등 주변국의 경제 악화로 인하여 유로 지역 내 핵심국과 주변국 사이의 불균형이 해결되고 있지 않은 것이다. 그러므로 장기적으로 주변국의 공공 부채 비율을 줄여 나감으로써 유로 지역 내 국가 간 불균형을 해소하여 ㉠을 해결할 수 있을 것이다.

③ ㉠은 최적통화지역 조건을 충족하지 못한 유로 지역 내 국가 간 불균형을 드러내는 계기로서, 유로 지역은 최적통화지역 조건을 충족하지 못한 채 단일 통화를 사용하였으며, 이로 인하여 핵심국과 주변국 사이의 불균형을 쉽게 해결하지 못하고 있다. ㉠을 해소하기 위해서는 유로 지역이 최적통화지역의 조건을 충족하여야 하는데, 이와 관련하여 케넨은 재정 통합에 주목하며 초국가적 재정 시스템을 공유하는 국가들은 일부 국가의 경제적 어려움에 재정 지출로 대응할 수 있다고 보았다. 그러므로 유로 지역 전체에 초국가적 재정 시스템을 구축함으로써 주변국의 악화된 경제 상황에 대응하고 국가 간 불균형을 해소하여 ㉠을 해결할 수 있을 것이다.

④ ㉠은 환율 조정 수단을 상실한 유로 지역에서 핵심국과 주변국 사이의 불균형이 해결되지 않는 것과 밀접한 관련이 있다. 유로화 등장 이후 유럽의 핵심국에서 주변국으로 엄청난 자본 이동이 발생하였는데, 글로벌 금융 위기 이후 자본 이동이 중단되면서 주변국의 경제 상황이 악화되었다. 이와 관련하여 잉그램은 지역 내 국가들 사이에 경상수지 불균형이 발생했을 때 자본 이동이 쉽게 일어날 수 있다면 조정의 압력이 줄어들게 될 것이라고 하였다. 그러므로 핵심국으로부터 주변국으로의 자본 이동을 활성화함으로써 유로 지역 내 국가 간 불균형을 해소하여 ㉠을 해결할 수 있을 것이다.

9. 정답 ②

난이도 ★★☆ | 정답률 67%

내용영역 **사회** | 문항 유형 **추론**

[정답 풀이]

② 최적통화지역을 규정할 때 필요한 최적통화지역의 조건에는 노동의 이동성, 금융시장 통합, 재정 통합 등이 있다. 그리고 이러한 조건들을 종합적으로 판단하여 단일 통화 사용에 따른 비용-편익을 분석하고 비용보다 편익이 크다면 최적통화지역의 조건이 충족되어 단일 통화를 형성할 수 있다. 이때 두 국가에 유사한 충격이 발생하는 경우는 독립적 통화정책을 포기하는 비용을 감소시키므로 이 또한 최적통화지역을 구성할 수 있는 조건이다. <보기>의 A국과 C국에는 모두 실업이라는 유사한 충격이 발생하여 독립적 통화 정책의 포기에 따른 비용이 감소하기 때문에 이 점에 대해서는 최적통화지역의 조건을 충족하고 있다. 또한 노동 이동의 가능성은 최적통화지역을 규정할 때 필요한 조건이다. 따라서 최적통화지역의 조건을 충족시키는지 판단할 때 노동의 이동 여부는 무관한 것이 아닌 반드시 고려해야 할 조건인 것이다. 따라서 노동의 이동 여부를 고려하지 않고 A와 C국에 대한 최적통화지역의 조건 충족 여부를 판단한 것은 적절하지 않으며 더욱이 A와 C국에는 서로 유사한 충격이 발생하였으므로 최적통화지역의 조건을 충족하지 못하는 것이 아니라 충족한다고 할 수 있다.

[오답 풀이]

① A국에서는 실업이 발생하고, B국에서는 인플레이션이 발생한 것은 전체 통화 지역 중 일부 지역들 사이에 서로 다른 효과를 일으키는 비대칭적 충격이 발생한 것이다. 이때 A와 B국 사이에는 노동 이동이 가능한데, 먼델은 최적통화지역을 규정하는 가장 중요한 경제적 기준으로 노동의 이동성을 제시하였다. 노동의 이동이 자유롭다면 외부 충격이 발생할 때 임금 조정의 필요성이 크지 않을 것이고 결국 환율 변동의 필요성도 작을 것이라고 본 것이다. 그러므로 A와 B국에는 비대칭적 충격이 발생하였으나 노동의 이동이 가능하므로 최적통화지역의 조건을 충족한다고 할 수 있다.

③ A국과 D국에는 각각 실업과 인플레이션이라는 비대칭적 충격이 발생하였으며, 국가 간의 노동 이동이 불가능하므로, 독립적 통화 정책의 필요성은 높아질 것이다. 이는 단일 통화 사용에 따른 비용이 편익보다 커질 수 있다는 것을 의미하므로, 최적통화지역의 조건을 충족하였다고 볼 수 없다. 그러므로 A와 D국에는 비대칭적 충격이 발생하였고 노동의 이동도 불가능하므로 최적통화지역의 조건을 충족하지 못한다고 할 수 있다.

④ B국과 D국에는 동일하게 인플레이션이 발생하였으므로, 독립적 통화정책의 포기에 따른 비용이 거의 발생하지 않는다. 단일 통화 사용에 따른 비용보다 편익이 크다면 최적통화지역의 조건이 충족되며 단일 통화를 형성할 수 있다. 그러므로 B와 D국에는 서로 유사한 충격이 발생하여 독립적 통화정책의 포기에 따른 비용이 없으므로 최적통화지역의 조건을 충족한다고 할 수 있다.

⑤ C국과 D국에서는 단일 통화를 사용하고 있으나, 각각 실업과 인플레이션이라는 비대칭적 충격이 발생하였다. 노동 이동 등의 조건이 충족되면 비대칭적 충격을 완화하기 위한 독립적 통화정책의 필요성은 감소하지만, C국과 D국 간의 노동 이동은 불가능하므로 단일 통화 사용에 따른 비용이 증가한다. 그러므로 C와 D국은 단일 통화를 사용하고 있으나 비대칭적 충격을 해소할 수 없으므로 최적통화지역의 조건을 충족하지 못한다고 할 수 있다.

[10~12] 제재 | 의회의 입법 과정에 관한 상임위원회 중심의 역동성 이론
난이도 | ★★★

10. 정답 ①

난이도 ★★☆ | 정답률 44%

내용영역 사회 문항 유형 분석

[정답 풀이]

① 3문단에 의하면, 이익분배 이론은 본회의에서 상임위원회 간 혜택 교환의 약속이 투표 거래로 실현되는 것이 갈등 상황을 해소하는 주요 기제가 된다고 본다. 그러므로 이익분배 이론이 '정당 간'의 투표 거래를 강조한다는 설명은 지문의 내용과 일치하지 않는다.

[오답 풀이]

② 3문단에 의하면, 이익분배 이론은 의원들의 지역구 대표성에 주목한다. 이때 의원들은 자신의 지역구 이해관계를 가장 잘 대변하는 상임위원회를 자율적으로 선택하기 때문에, '지역구 이해의 강한 수요자'가 된다. 또한 4문단에 의하면, 정보확산 이론은 발의된 의안이 집행될 때 국민 전체의 이익에 미치게 될 영향에 대한 불확실성을 줄이기 위하여, 상임위원회가 축적된 전문적 정보를 본회의의 심사 과정에 제공하는 역할을 해야 한다고 본다. 그러므로 이익분배 이론은 이해관계의 수요자 측면을 강조하고, 정보확산 이론은 정책 정보의 공급자 측면을 강조한다고 볼 수 있다.

③ 3문단에 의하면, 이익분배 이론은 의원들이 자신의 지역구 이해관계를 가장 잘 대변하는 상임위원회를 자율적으로 선택한다고 본다. 또한 4문단에 의하면, 정보확산 이론은 상임위원회 배정 단계에서부터 본회의 주도로 각 정당의 협조를 이끌어 내는 정당 간 협의회의 역할이 중요하다고 본다. 그러므로 의원의 상임위원회 배정 문제에 관하여, 이익분배 이론은 의원들의 자율적 선택을 강조하고, 정보확산 이론은 정당 간 협의회의 역할을 강조한다고 볼 수 있다.

④ 3문단에 의하면, 이익분배 이론은 의원들의 지역구 대표성에 주목한다. 또한 5문단에 의하면, 정당이익 이론은 의원이 정당 지지자를 대표하게 하는 정당의 역할을 중시한다. 그러므로 의원의 정치적 대표성에서 이익분배 이론은 지역구 대표성을 강조하고, 정당이익 이론은 정당 지지자 대표성을 강조한다고 볼 수 있다.

⑤ 4문단에 의하면, 정보확산 이론은 발의된 의안이 입법화되어 집행될 경우 국민 전체의 이익에 미치게 될 영향이 매우 불확실하며, 이때 상임위원회가 이러한 불확실성을 줄이는 역할을 해야 한다고 본다. 또한 5문단에 의하면, 정당이익 이론은 정당이 의정 활동 결과를 최대화하여 자신의 입법 성과를 지지자들에게 제시함으로써 대표성을 실현하고자 한다고 본다. 그리하여 정당 지도부는 정당의 핵심 프로그램을 담당하는 상임위원회의 활동을 지속적으로 감독한다. 그러므로 상임위원회 활동에 관하여 정보확산 이론은 정책의 불확실성을 줄이는 것을 강조하고, 정당이익 이론은 정당의 입법 성과를 최대화하는 것을 강조한다고 볼 수 있다.

11. 정답 ④

난이도 ★★★ | 정답률 24%

내용영역 사회 문항 유형 추론

[정답 풀이]

ㄴ. 정보확산 이론에 의하면, 의회는 지역구 수요를 위한 이익의 할당 차원을 넘어 국민 전체를 위한 본회의 중심의 입법 활동을 원활하게 할 목적을 지닌다. 그리하여 상임위원회는 그 배정 단계부터 의회 다수가 원하는 방향으로 조직되어야 하고, 본회의의 대리인이 되어 본회의에서 의결할 정책에 대한 구체적인 정보를 생산해야 한다. 정보확산 이론은 발의된 의안이 집행될 경우 국민 전체의 이익에 미치게 될 영향을 확실하게 알 수 없기 때문에 상임위원회가 이러한 불확실성을 줄이기 위해 전문적 정보를 심사 과정에 제공하는 역할을 한다고 보는 것이다. 그러므로 정보확산 이론은, 본회의에 상정된 의안을 전혀 수정하지 못하고 바로 가부 표결하게 되는 것보다는 수정이 허용되어 국민 전체를 위한 정책을 더 많이 생산하게 만들 수 있을 것임을 알 수 있다.

ㄷ. 정당이익 이론에 의하면, 정당은 의정 활동 결과를 최대화해 자신의 입법 성과를 지지자들에게 제시함으로써 대표성을 실현하고자 한다. 그런데 상임위원회 활동은 입법 과정 초기에 일어나는 반면, 본회의에서는 소수당의 수정안 제출 등 반대 활동이 활발하게 제기될 수 있다. 그래서 정당 지도부는 상임위원회 구성과 운영에서부터 주도권을 행사하려 하고, 이는 곧 상임위원회를 다수당의 대리인으로 만드는 결과를 가져온다. 그러므로 정당이익 이론은, 수정허용 규칙이 적용될 경우보다 수정안 제출 등의 반대 활동이 아예 차단되는 수정불가 규칙이 적용될 경우에 정당 지도부의 의정 활동 결과가 좋을 것이라고 볼 것이다. 즉, 정당이익 이론의 관점에서는 수정불가 규칙이 수정허용 규칙보다 본회의에서 다수당 지지자들을 위한 정책을 더 많이 생산할 수 있게 하는 방안이 될 것임을 알 수 있다.

[오답 풀이]

ㄱ. 이익분배 이론에 의하면, 본회의에서 의안을 발의한 자는 다른 상임위원회 소속 의원들의 지지를 받기 위해 혜택 교환의 약속을 하게 된다. 이때 규칙위원회에서 의안에 수정허용 규칙을 부여하였을 경우에는 본회의 의결 과정에서 의안이 무제한 수정될 수 있다. 그러므로 이 경우에는 투표 거래가 이루어졌다 하더라도, 본회의 의결 과정에서 발의자가 지지를 부탁한 의안 자체가 수정되어 그 거래가 무의미해질 수 있다. 하지만 의안에 수정불가 규칙을 부여하였을 경우에는 본회의 의결 과정에서 의안 수정이 전혀 허용되지 않는다. 그리하여 투표 거래가 이루어져 있었다면, 본회의에서 지역구를 위한 발의자의 의안이 다른 상임위원회 소속 의원들의 지지를 얻어 채택될 가능성이 높아진다. 그러므로 이익분배 이론의 관점에서 본회의에서 상임위원회 간 투표 거래를 활성화하여 지역구에 혜택을 주는 정책을 더 많이 생산하게 만들 수 있는 것은 수정허용 규칙이 아니라, 수정불가 규칙이라 볼 수 있다.

12. 정답 ④ 난이도 ★★☆ | 정답률 62%

내용영역 사회 문항 유형 추론

[정답&오답 풀이]

㉠ [A]에 의하면, 본회의 의장에게는 발의된 의안을 관련 상임위원회에 회부하는 것을 거부할 수 있는 문지기 권한이 있다. <보기>에 의하면, 본회의 의장은 '정책2'를 선호한다. 그러므로 <그림>과 같이, 본회의 의장이 문지기 권한을 행사한다면 '정책1'을 관련 상임위원회에 회부하는 것을 거부하고, 본래 시행되던 '정책2'를 고수할 것임을 알 수 있다.

㉡ [A]에 의하면, 상임위원회를 통과한 의안은 규칙위원회를 통과해야 한다. 이때 규칙위원회가 의안에 규칙을 부여하지 않으면, 그 의안은 사장된다. <보기>에 의하면, 현재 '정책2'가 시행되고 있으며, 의원 갑이 발의한 의안은 '정책1'이다. 그러므로 <그림>과 같이, 규칙위원회에서 규칙이 부여되지 않을 경우, 의원 갑이 발의한 '정책1'은 사장되고, '정책2'의 시행이 유지될 것임을 알 수 있다.

㉢ [A]에 의하면, 규칙위원회는 본회의 의결 과정에서 수정을 전혀 허용하지 않는 수정불가 규칙을 부여할 수 있다. <보기>에 의하면, 본회의에서 '정책3'을 선호하는 의원이 가장 많으며, 그 다음으로 많은 것이 '정책2', 가장 적은 것이 '정책1'이다. 수정불가 규칙이 부여된 경우에는, 본회의에서 의안을 수정할 수 없고, 상정된 의안의 가부 표결만 한다. 이때 표결은 대개 과반 표결로 하고, 총 245명의 본회의 의원 중 50명만이 '정책1'을 선호하고 있으므로, '정책1'은 채택될 수 없다. 그러므로 '정책2'의 시행이 유지될 것임을 알 수 있다.

㉣ [A]에 의하면, 규칙위원회는 본회의 의결 과정에서 무제한 수정을 허용하는 수정허용 규칙을 부여할 수 있다. <보기>에 의하면, 본회의에서 '정책3'을 선호하는 의원이 가장 많으며, 그 다음으로 많은 것이 '정책2', 가장 적은 것이 '정책1'이다. 수정허용 규칙이 부여된 경우에는, 본회의에서 의안을 수정할 수 있으며, 최종 수정안부터 제출된 순서의 역순으로 가부 표결을 하게 된다. 이때 표결은 대개 과반 표결이고, 총 245명의 본회의 의원 중 반이 넘는 125명이 '정책3'을 선호하고 있으므로, '정책3'이 채택될 것임을 알 수 있다.

[13~15] 제재 | 주희의 심통성정론
난이도 | ★★★

13. 정답 ④ 난이도 ★☆☆ | 정답률 81%

내용영역 인문 문항 유형 분석

[정답 풀이]

④ 주희는 희로애락과 같은 감정이 심(心)에서 드러나기 이전을 미발, 드러난 이후를 이발로 나누어 설명하였다. 그리고 감정이 드러나기 이전인 미발일 때 심은 성이 온전한 모습을 유지하도록 주재한다고 하였다. 따라서 심이 미발일 때 희로애락의 본성은 본래의 상태로부터 벗어나 있다는 선택지의 설명은 옳지 않다.

[오답 풀이]

① 주희의 심통성정론에 따르면 정(情)은 성(性)이 드러난 것이며, 성은 정의 근거이다. 따라서 희로애락과 같은 감정은 희로애락의 본성에서 비롯된 것이라 할 수 있다.

② 주희는 감정의 문제를 체용의 논리로 설명하였다. 체용에서 체는 본체, 용은 작용을 이르는데, 주희는 심의 본체를 '성', 심의 작용을 '정'으로 규정한다. 따라서 희로애락의 본성은 본체를 이르는 체이고, 희로애락이라는 감정은 작용을 이르는 용이다.

③ 주희는 인간이 천명지성과 기질지성을 타고난다고 보았다. 천명지성은 하늘의 이치와 일치하는 것으로 악 없이 순선한 것인데 반해 기질지성은 주어진 기질의 차이에 따라 악한 감정의 뿌리가 될 수도 있는 것이다. 따라서 기질지성으로부터 나오는 희로애락이라는 감정이 언제나 순선하다고 할 수는 없다.

⑤ 감정이 드러나기 이전인 미발일 때 심은 성이 온전한 모습을 유지하도록 주재하고, 감정이 드러나는 이발일 때 심은 정이 올바르게 드러나도록 주재한다. 따라서 이발 상태의 심은 희로애락이라는 감정이 올바르게 드러나도록 주재한다.

14. 정답 ② 난이도 ★★☆ | 정답률 61%

내용영역 인문 문항 유형 추론

[정답 풀이]

② 주희가 진리를 탐구하는 방법으로 경전의 학습을 중시한 것은 사실이지만, 이는 이발일 때의 격물에 해당한다. 주희에 따르면, 경전을 학습하여 진리를 탐구하는 것은 경을 통해서가 아니라 격물을 통해 가능한 것이다. 또한 주희는 명리를 좇아가는 세상을 도덕적 사회로 바꾸고자 하였으나, 이 같은 사회적 실천은 경의 함양과 격물을 통한 수양이 전제되어 있어야 한다고 주장하였으므로 사회적 실천을 우선시했다고 볼 수 없다.

[오답 풀이]

① 주희는 마음이 성과 정을 주재하여 도덕적 행위가 가능하다고 주장하였다. 즉 인간의 행동거지는 마음의 주재에 따른 것이며 인간은 이 주재로 인해 윤리적 규범에 따라 행동하고자 한다.

③ 주희는 '정'이 드러나기 이전 단계에서 경(敬)을 통해 '성'을 주재함으로써 심이 본성을 발휘하여 도덕적 감정을 실현할 수 있다고 주장하면서, 미발일 때의 함양과 이발일 때의 격물이라는 수양론을 제시하였다. 품성을 함양하는 경의 단계는 심이 미발일 때이며, 사물의 원리를 궁구해 가는 격물의 과정은 심이 이발일 때이므로, 주희의 수양론에 따른다면 사물의 이치를 궁구하기 위해서는 품성의 도야에 힘써야 한다.

④ 주희는 천리와 일치하는 천명지성을 보존하기 위해서는 경을 통해 품성을 함양해야 한다고 주장한다. 경은 항상 깨어 있으라는 상성성과 엄숙한 자세인 정제엄숙 등의 방식으로 심을 한곳에 잡아 두는 것이다. 따라서 주희의 수양론에 따라 타고난 마음의 선한 뿌리인 천명지성을 사라지지 않도록 하기 위해서는 항상 깨어 있는 자세를 유지하여 기질지성을 변화시켜야 한다.

⑤ 주희가 제시한 성즉리의 철학은 심의 원리인 성이 천리와 합일하는 것이다. 만물의 원리를 일관하는 천리와의 합일은 격물을 통한 원리의 깨달음이 누적되고 확장됨으로써 가능해진다. 주희의 격물론은 조수초목과 같은 자연과 윤상 규범과 같은 사회 현상을 대상으로 도덕의 원리를 탐구하는 지적인 과정이므로 주희는 자연 및 사회 현상의 원리에 대한 탐구를 통해 궁극적으로 도덕 원리의 파악에 이르고자 하였음을 알 수 있다.

15. 정답 ④

난이도 ★★☆ | 정답률 79%

내용영역 인문 문항 유형 추론

[정답 풀이]

④ 주희가 제시한 성즉리의 철학은 심의 원리인 성이 천리와 합일하는 것이었다. 주희는 성즉리의 철학을 통해 심성에 관한 인격의 완성과 도덕적 실천이라는 당시의 철학적 문제를 해결하고자 하였고 심성에 관한 치밀한 분석을 통해 천리에 따르는 인간의 길을 제시하였다. 즉 천리에 따르는 인도를 제시하였을 뿐 그 위상을 바꾸고자 한 것은 아니다. 주희가 가졌던 문제의식은 "천리와 인도가 합일하여 도덕적인 삶을 영위하는 방법은 무엇인가?"일 것이다. 따라서 주희가 "천리와 인도의 위상을 바꾸어 주체적인 삶을 영위하는 방법은 무엇인가?"라는 문제의식을 가지고 있었다고 보기 어렵다.

[오답 풀이]

① 주희는 격물을 통한 수양을 통해 인격의 완성이라는 최종 목표에 도달하고자 하였다. 주희가 격물을 통한 수양 방법으로 주로 제시한 것은 경전의 학습이었으므로, "경전 학습이 도덕적 인간에 이르는 방법이 될 수 있을까?"라는 물음은 주희가 가진 문제의식이라고 볼 수 있다.

② 주희는 인간이 이익의 추구나 감각적 욕구에 빠져 드는 등 악한 감정의 뿌리가 되는 기질지성을 타고 난다고 보았다. 이로 미루어 볼 때, "인간이 악한 행동이나 나쁜 감정을 보이는 이유는 무엇일까?"라는 문제의식을 가졌을 것이라 짐작할 수 있다.

③ 주희는 격물치지를 통해 누적된 지식은 만물의 원리를 일관하는 천리와 합일한다고 하였다. 이는 그가 "세상 만물을 관통하는 근본적 원리를 어떻게 파악할 수 있을까?"에 대한 문제의식을 가지고 그에 대한 답을 찾은 결과라 할 수 있다.

⑤ 주희는 수양론을 완성하여 명예와 이익을 좇아가는 세상을 도덕적 사회로 바꾸고자 하였다. 이로 미루어볼 때 주희가 수양론을 완성하는 과정에서 "이익을 좋아하는 경향이 있는 세상을 어떻게 도덕적 사회로 만들 수 있을까?"라는 문제의식을 가졌을 것이라 짐작할 수 있다.

[16~18] 제재 | 윌리엄 셰익스피어, 『맥베스』
난이도 | ★☆☆

16. 정답 ①

난이도 ★☆☆ | 정답률 91%

내용영역 인문 문항 유형 추론

[정답 풀이]

① ㉠이 포함된 문장은 '암살로 후환을 얽어매고 왕을 죽여 성공을 포획할 수 있다면, 이 일격이 모든 것이고 모든 것의 끝이라면, 여기, 바로 여기, 시간의 강둑과 여울에서 내세를 걸고 모험하리라.'이다. 즉, '이 일격이 모든 것이고 모든 것의 끝이라면,(㉠)' 왕을 암살하는 모험을 할 수 있다는 것이다. 그러므로 ㉠의 의미는 '거사에 실패해서 목숨을 잃는다면'이 아니라, '거사에 성공하고 그 후환을 없앨 수 있다는 확신이 있다면' 정도로 풀이하는 것이 적절하다.

[오답 풀이]

② ㉡의 앞부분을 살펴보면, 맥베스는 부인에게 왕을 암살하려는 일을 그만두자고 말하면서, '폐하는 최근에 나에게 영예를 내리셨소. 나도 온갖 사람들에게서 금빛 여론을 사들였으니'라고 하였다. 그러므로 ㉡은 최근에 폐하께서 내리신 영예와 온갖 사람들의 금빛 여론을 유지하고 싶다는 의미로 풀이할 수 있다.

③ ㉢이 포함된 맥베스 부인의 대사를 살펴보면, 맥베스 부인은 그에게 '속담 속의 불쌍한 고양이처럼 "하고 싶어."라고 하고는 "감히 못해."라고 토를 달면서 스스로 보기에도 겁쟁이로 살겠다는 건가요?'라고 묻고 있다. 그러므로 ㉢은 어떤 희망이 있으면서도 이를 두려워하고 겁내며 소극적인 태도를 취할 것이냐고 묻는 의미로 풀이할 수 있다.

④ ㉣의 앞, 뒷부분을 살펴보면, 멕베스 부인은 '덩컨이 잠들면 — 종일 힘든 여행을 했으니 곯아떨어질 수밖에요 — 내가 그의 시종 두 명에게 술을 진탕 먹일 텐데.', '돼지처럼 잠에 빠져 술에 전 그자들의 이성이 죽은 듯 누워 있으면, 당신과 내가 무방비 상태인 덩컨에게 무엇인들 못하겠어요? 술 취한 시종들에게는 또 무엇인들 못하겠어요?'라고 하였다. 그러므로 ㉣은 덩컨이 잠에 빠지고 그의 시종 두 명에게 술을 진탕 먹이면, 그들은 이성을 잃고 사태 판단을 전혀 할 수 없는 상태가 될 것이라는 의미로 풀이할 수 있다.

⑤ ㉤의 바로 앞부분에서 맥베스는 '가서 가장 그럴 듯한 외양으로 세상을 속이시오.'라고 하였다. 또한, 제시된 글의 앞부분에서 맥베스의 부인도 '세상을 속이려면 세상처럼 보이세요. 눈과 손과 혀에 환영을 담으세요. 순수한 꽃처럼 보이면서 그 밑에 숨은 뱀이 되라는 말이에요.'라고 같은 의미의 말을 한 적이 있었다. 그러므로 ㉤은 왕을 암살하려는 진실을 숨기고 왕에게 충성하는 모습을 보여야 한다는 의미로 풀이할 수 있다.

17. 정답 ② 난이도 ★☆☆ | 정답률 91%

내용영역 인문 문항 유형 분석

[정답 풀이]

② 맥베스 부인은 맥베스에게 '(맥베스 등장) 위대하신 글래미스 영주님! 훌륭하신 코도어 영주님! 그 둘보다 위대해지셔서 장차 만인의 환영을 받으실 분!', '그러면 앞으로 올 모든 낮과 밤에 오로지 우리 두 사람이 주권과 지배권을 누릴 거예요.', '그리고 당신이 타고난 것 이상이 되기 위해 더욱더 남자다운 남자이고 싶어 했죠.'라는 등의 말을 하였다. 이를 통해 맥베스 부인은 현재 맥베스가 누리는 지위가 위협받을 것을 우려하는 것이 아니라, 앞으로 맥베스가 얻게 될 더 큰 지위를 기대하고 이를 얻기 위해 노력하고 있다는 것을 알 수 있다.

[오답 풀이]

① 지문의 후반부에 제시된 맥베스 부인의 대사에 '돼지처럼 잠에 빠져 술에 전 그자들의 이성이 죽은 듯 누워 있으면, 당신과 내가 무방비 상태인 덩컨에게 무엇인들 못하겠어요? 술 취한 시종들에게는 또 무엇인들 못하겠어요? 우리의 대역죄를 뒤집어씌울 자들인데요.'라는 말이 있다. 이는 곧 덩컨을 시해한 후 술 취한 시종들에게 그 죄를 뒤집어씌우겠다는 맥베스 부인의 계획을 암시한다. 그러므로 맥베스 부인이 덩컨 시해의 혐의를 떠넘길 복안을 갖고 있는 것으로 볼 수 있다.

③ 맥베스 부인은 맥베스에게 '여보, 당신 얼굴은 책과 같아서 낯선 것이 있으면 읽을 수 있어요. 세상을 속이려면 세상처럼 보이세요.', '평온한 표정을 지어요. 안색을 계속 바꾸는 건 두려워한다는 거예요. 나머지는 다 나한테 맡기세요.'라는 당부를 한다. 이를 통해, 맥베스가 그의 마음을 잘 숨기지 못하는 것에 대해서 맥베스 부인이 걱정하고 있음을 알 수 있다.

④ 맥베스가 왕을 암살하는 일을 그만두자고 말하자 맥베스 부인은 '당신이 입고 있던 희망은 술에 취했었나요? 그 이후로 쭉 잠을 잤어요? 그러다 이제 깨어나서 한때 호탕하게 한 일을 얼굴이 노래지고 창백해져서 쳐다보나요? 앞으로 당신 사랑은 그 정도라고 생각하겠어요. 욕망에 대해서나 행동과 용기에 대해서나 같은 사람이 되는 게 두려운 건가요?'라고 말한다. 이를 통해, 맥베스 부인은 맥베스가 왕이 되겠노라고 했던 과거의 맹세를 지키지 않는 것에 실망하고 있음을 알 수 있다.

⑤ 맥베스 부인은 맥베스와 왕이 함께 자신의 집으로 오고 있다는 소식을 기쁜 소식이라고 하면서, '내 성벽 안으로 덩컨이 죽으러 오는 것을 알리려고 까마귀도 목이 쉬었구나.'라고 말한다. 또한 왕을 암살하는 계획을 그만두려는 맥베스에게 '그때는 시간과 장소가 맞지 않아도 억지로 맞추려 하더니 이제 둘 다가 맞으니까 당신이 맞지 않네요.'라고 말한다. 이를 통해, 맥베스 부인은 덩컨이 자신의 집에 방문한 때가 그를 죽이는 절호의 기회라고 생각하고 있음을 알 수 있다.

18. 정답 ⑤ 난이도 ★☆☆ | 정답률 91%

내용영역 인문 문항 유형 비판

[정답 풀이]

⑤ 맥베스는 결국 '오직 치솟는 야망'을 제어하지 못하고 부인의 지원에 힘입어 왕을 암살하기로 결심한다. 또한 <보기>에서는 셰익스피어의 비극에서는 '주인공이 자신의 성격과 행동의 결과로 비극적 운명에 처한다. 그의 비극적 특성은 그를 파멸로 이끄는 성격이나 행동상의 결함이면서 그를 위대하게 만드는 요인이기도 하다.'라고 하였다. 그러므로 맥베스가 자신의 야망을 제어하지 못하는 것은 그의 비극적 운명을 초래하는 성격적 특성이 된다고 볼 수 있다.

[오답 풀이]

① 지문에서 맥베스는 '덩컨 왕은 왕권을 온화하게 행사하고 왕의 직분을 잘못 없이 수행해서 그의 덕행이 그를 살해하려는 이 저주받을 일에 맞서 나팔 혀를 단 천사처럼 그를 옹호할 것이다.'라고 말하며 왕을 암살하려는 일을 그만두려 하고 있다. 그러므로 맥베스가 덩컨을 적으로 삼아 암살하고자 하였을 때, 덩컨에 대한 정치적 평판이 중요한 원인이 되었다고 볼 수는 없다.

② 맥베스의 부인이 맥베스의 악행을 부추기고 있다는 것은 알 수 있지만, 맥베스 역시 왕을 암살하고 자신이 직접 왕이 되고자 하는 희망을 품고 있다. 또한 <보기>에서는 셰익스피어 비극의 주인공이 '스스로의 판단에 의해 파국에 이르는 길을 선택하고 그에 대한 책임을 진다'고 하였으므로, 맥베스가 파멸에 대한 책임에서 자유롭다고 볼 수는 없다.

③ 맥베스는 왕을 암살하려는 일을 주저하면서 '왕은 나를 두 겹으로 신뢰한다. 우선 나는 그의 친척이자 신하이므로 두 입장에서 모두 암살을 막아야 한다. 또한 나는 집주인으로서 암살자를 막으면 막았지 스스로 칼을 들 수는 없다.'고 하였다. 또한 <보기>에서는 셰익스피어 비극이 '운명의 예기치 못한 변전과 추락의 정도만을 강조하는' 중세 비극들과는 다른 특성을 지닌다고 하였으므로, 맥베스가 도덕적 의무를 의식하지 않는다는 감상과 이것이 그가 운명의 변전을 예측하지 못하기 때문이라는 감상은 모두 적절하지 않다.

④ 맥베스는 '일이 끝나고 나서 그걸로 끝이라면' 내세를 걸고 모험하겠다고 말한다. 하지만 '공평한 정의의 여신은 우리의 독배에 든 술을 우리 입술에 갖다' 댈 것이라는 두려움과 왕의 신하로서, 친척으로서 지녀야 하는 의무감 등으로 인해 내적 갈등을 겪고 있다. 그러므로 내세의 구원을 선뜻 포기할 수 없기 때문에 맥베스가 내적 갈등을 겪는다고 볼 수는 없다. 이는 또한 <보기>와도 관련이 없는 내용이다.

[19~21] 제재 | 수성의 내부 구조
난이도 | ★★☆

19. 정답 ② 난이도 ★★★ | 정답률 25%
내용영역 과학기술 문항 유형 분석

[정답 풀이]

② ㉠은 '지각', ㉡은 '맨틀'이며, ㉠과 ㉡을 '외곽층'이라 한다. 6문단에서 '외곽층의 밀도는 3,650kg/m³로 지구의 상부 맨틀(3,400kg/m³)보다 높다.'고 하였다. 하지만 메신저의 엑스선 분광기가 수성의 화산 분출물에 무거운 철이 거의 없음을 밝혀냈고, 이는 곧 맨틀에도 철의 양이 적다는 것을 의미한다. 철의 양이 적을 경우 외곽층의 높은 밀도를 설명할 수가 없다. 그리하여 과학자들은 수성의 하부 맨틀에 밀도가 높은 황화철로 이루어진 '반지각(㉢)'이 존재할 것이라는 새로운 가설을 제기하고 있다. 이 가설에 의하여 수성의 내부 구조를 설명한다면, '반지각(㉢)'이 제외된 ㉠, ㉡은 철의 양이 적기 때문에, 지구의 상부 맨틀보다 밀도가 높다고 할 수 없다. ㉢이 포함된 '외곽층'의 밀도가 지구의 상부 맨틀보다 높은 것이다.

[오답 풀이]

① ㉠은 '외곽층' 중 '지각'에 해당한다. ㉠의 표면 높낮이는 곧 지형의 높낮이를 의미한다. 6문단에서 '지형의 높낮이는 9.8km로서 다른 지구형 행성에 비해 작다'고 하였으므로, ㉠의 표면은 지구에 비해 높낮이가 작다고 할 수 있다.

③ 과학자들이 새롭게 제기하는 가설에 의하면, ㉢은 '반지각'이다. 이는 메신저의 엑스선 분광기가 수성의 화산 분출물에 무거운 철이 거의 없음을 밝혀냄으로써 외곽층의 높은 밀도를 설명할 방법이 없어지자 과학자들이 새롭게 제기한 것이다. 그러므로 ㉢의 존재는 메신저의 탐사로 새롭게 제기된 것이라 할 수 있다.

④ ㉢은 '반지각', ㉣은 '액체 핵'에 해당하는 부분이다. '반지각' 존재 가설에 의하면, '반지각'은 밀도가 높은 황화철로 이루어져 있다. 또한 '액체 핵' 존재 가설에 의하면, 수성 내부는 '철 성분의 고체 핵을 철 - 황 - 규소 화합물로 이루어진 액체 핵이 감싸고' 있는 구조이다. 그러므로 ㉢, ㉣의 존재 가설들에 의하면, ㉢, ㉣은 황 성분을 포함하고 있다고 볼 수 있다.

⑤ 수성의 핵의 일부가 액체일 것이라고 추측한 지질학자들에 의하면, ㉣은 '철 - 황 - 규소 화합물로 이루어진 액체 핵', ㉤은 '철 성분의 고체 핵'이다. 또한 외곽층의 높은 밀도를 설명하기 위해 새로운 가설을 제기한 과학자들에 의하면, ㉢은 '밀도가 높은 황화철로 이루어진 반지각'이다. 그러므로 ㉢, ㉣, ㉤의 존재 가설들에 의하면, ㉢, ㉣, ㉤은 철 성분을 포함하고 있다고 볼 수 있다.

20. 정답 ④ 난이도 ★★☆ | 정답률 75%
내용영역 과학기술 문항 유형 분석

[정답 풀이]

④ 2문단에서는 철로만 이루어진 액체 핵이 고체화된 이후에도 암석 속에 자기가 남아 있게 되어, 수성에서 자기장을 감지할 수 있었다고 보았다. 따라서 '암석 속 잔류자기의 존재'는 수성의 핵이 고체화되었다고 보는 것이므로, '수성에 액체 상태의 핵이 존재한다는 가설'을 지지하지 않는다.

[오답 풀이]

①, ② 2문단에서 '지구 자기장이 전도성 액체인 외핵의 대류와 자전 효과로 생성된다는 다이나모 이론에 근거하면, 수성의 자기장은 핵의 일부가 액체 상태임을 암시한다.'고 하였다.

③ 매리너 10호가 수성에 자기장이 있음을 밝혀냈고, 이로 인해 핵의 일부가 액체 상태일 것이라고 추측할 수 있다. 하지만 수성은 크기가 작아 철로만 이루어진 핵이 액체일 가능성은 희박하고, 만약 그랬다 하더라도 오래전에 식어서 고체화되었을 것이다. 그리하여 '지질학자들은 철 성분의 고체 핵을 철 - 황 - 규소 화합물로 이루어진 액체 핵이 감싸고 있다고 추측하였다'고 하였으므로, '철 - 황 - 규소 층의 존재'는 '수성에 액체 상태의 핵이 존재한다는 가설'을 지지한다.

⑤ 5문단에서는 '액체 핵이 존재할 경우 경도칭동의 크기는 수성 전체의 관성모멘트 C가 아닌 외곽층 관성모멘트 Cm에 반비례한다. 현재까지 알려진 수성의 경도칭동 측정값은 외곽층의 값 Cm을 관성모멘트로 사용한 이론값과 일치하고 있어, 액체 핵의 존재 가설을 강력히 뒷받침하고 있다.'고 하였다.

21. 정답 ③ 난이도 ★★☆ | 정답률 65%
내용영역 과학기술 문항 유형 추론

[정답 풀이]

ㄱ. 4문단에서는 '정규관성모멘트(C/MR^2)는 수성의 밀도 분포를 알려 준다. 행성의 전체 크기에서 핵이 차지하는 비율이 클수록 정규관성모멘트가 커진다.'고 하였다. <가정>에서는 '수성 전체의 정규관성모멘트(C/MR^2) 증가'를 제시하고 있으며, 이는 행성의 전체 크기에서 핵이 차지하는 비율이 현재보다 더 커진다는 것을 의미한다. 수성의 질량 M과 반지름 R은 변화가 없다고 하였으므로, 행성의 전체 크기에서 핵이 차지하는 비율이 커진다는 것은 곧, 현재 제시된 모델에서보다 핵의 크기가 더 크게 수정될 것임을 의미한다.

ㄷ. 6문단에서는 외곽층의 높은 밀도를 설명하기 위하여 과학자들이 '하부 맨틀에 밀도가 높은 황화철로 이루어진 반지각이 존재하며 그 두께는 지각보다 더 두꺼울 것이라는 새로운 가설을 제기하고 있다.'고 하였다. <가정>에서는 '외곽층의 밀도(ρ m) 증가'를 제시하고 있다. 그러므로 <가정>에 따라 수정된 모델에서는 현재 모델에서보다 황화철로 이루어진 반지각의 두께가 더 두껍다고 볼 것임을 추론할 수 있다.

[오답 풀이]

ㄴ. 5문단에서는 '액체 핵이 존재할 경우 경도칭동의 크기는 수성 전체의 관성모멘트 C가 아닌 외곽층 관성모멘트 Cm에 반비례한다.'고 하였다. <가정>에서는 '외곽층의 관성모멘트(Cm) 감소'를 제시하고 있으며, 이는 곧 경도칭동의 크기가 반비례하여 커진다는 것을 의미한다. 그러므로 <가정>에 따라 수정된 모델에서는 현재 모델에서보다 경도칭동이 더 클 것임을 추론할 수 있다.

[22~24] 제재 | 조선의 지방관 제도
난이도 | ★☆☆

22. 정답 ⑤
난이도 ★☆☆ | 정답률 82%

내용영역 인문 / 문항 유형 분석

[정답 풀이]

⑤ 성종 때는 『경국대전』이 편찬되면서 지방 수령 평가 제도에 대한 사항들이 명확히 정비되었다. 수치화된 결과와 실적으로 수령의 업무를 평가하는 방식은 태종 이후 지속적으로 강화되어 『경국대전』에 명문화되었으며, 평가 결과에 대한 조치도 분명해져서 정기적으로 시행되는 평가에서 '상'을 10회 받으면 품계를 올려 주고, '중'을 3회 받으면 파직, '중'을 2회 받으면 녹봉이 없는 관직으로 임명하도록 명시하였다. 그러므로 표준화된 고과 시행에 근거한 정기 평가는 성종 대의 수령 평가 방식이라 할 수 있다.

[오답 풀이]

① 태조는 관찰사에게 지방관을 평가하는 권한뿐 아니라 지방 사족 출신자들을 대상으로 한 적임자 발탁 권한을 주고, 30개월 임기로 공명(公明), 염근(廉謹) 등 덕행 항목에 우선권을 두어 지방관을 평가하는 지방 수령 평가 · 임용 제도를 시행하였다. 이는 중앙에서 파견되거나 관찰사에 의하여 발탁된 지방의 수령들을 덕행 항목 위주로 평가하는 방식이었다. 그러므로 지역 출신 수령을 대상으로 한 실적 위주의 평가는 태조 대의 수령 평가 방식이라 할 수 없다.

② 태종은 수령들의 전문성이 떨어진다는 이유에서 덕행에 의한 평가와 관찰사에 의한 현지 발탁을 폐지하고, 수치화된 결과와 실적만으로 수령들의 업무를 평가하였다. 그러므로 현지 파견 관리에 의한 덕성과 전문성 평가는 태종 대의 수령 평가 방식이라 할 수 없다.

③ 세종은 수치화된 결과와 실적만으로 수령의 업무를 평가하는 태종 대의 평가 방식을 보완하여 평가 횟수를 10회로 늘렸다. 그리고 10회의 평가에서 '상'을 3~5회 받으면 등급을 올려주고, '중'을 5회 받더라도 관품을 유지하게 하는 등 평가 방식을 포상 위주로 변경하여 수령의 업무 의욕을 고취하고 부정을 방지하도록 하였다. 이러한 평가 방식은 '상호 평가'와는 관련성이 없으므로 지방 수령들 간의 수치화된 기준에 따른 상호 평가는 세종 대의 수령 평가 방식이라 할 수 없다.

④ 세조는 세종 대의 평가 방식을 계승하면서도, 수령의 장기 근무로 인한 심각한 적체 현상을 해결하고자 우수한 평가를 받는 수령을 파격적으로 승진시키고, 불법 행위를 한 수령은 즉각 징계하는 방식의 평가를 실시하였다. 그러므로 관례와 연공서열에 따른 연도별 평가는 세조 대의 수령 평가 방식이라 할 수 없다.

23. 정답 ⑤
난이도 ★★☆ | 정답률 62%

내용영역 인문 / 문항 유형 분석

[정답 풀이]

⑤ 세종 대에 이르러 지방 수령의 임기가 늘어나자 지방 수령의 자질 저하와 경 · 외관의 분화라는 부작용이 나타났다. 그리하여 분화 현상 자체를 막을 수는 없으나, 중요 거점에라도 유능한 수령을 확보하여 분화 현상을 보완하고자 하는 의도에서 ㉠이 시행되었다. 이러한 내용을 통하여 ㉠은 경 · 외관의 분화 현상이 완화되도록 할 수 있으나, 이를 해결하여 없애는 데까지 나아가지는 못할 것임을 알 수 있다. 그러므로 ㉠이 서울과 지방 관원의 차별화 현상을 해소하였다고 할 수는 없다.

[오답 풀이]

① 기존에 30개월이었던 수령의 임기는 세종 대에 60개월로 연장되었는데, 이는 지방 수령의 자질 저하와 경 · 외관의 분화라는 부작용을 초래하였다. 이러한 문제를 해결하고자, 공신 및 대신의 자제를 수령으로 파견하는 조치와 ㉠이 단행되었다. 즉, ㉠은 임기 연장의 시행으로 문제점이 초래되자 이를 해결하기 위하여 뒤이어 도입된 방안이다. 그러므로 ㉠은 임기 연장의 후속 조치로 시행되었다고 할 수 있다.

② 세종 대에는 지방 수령의 임기가 늘어나면서 수령의 자질이 저하되고 경 · 외관이 분화되는 부작용이 나타났다. 그리하여 우수한 자원을 일정 기간 외직으로 파견함으로써 중요 거점에라도 유능한 수령을 확보하고자 ㉠이 시행되었다. 그러므로 ㉠은 중요 거점의 효율적 통치를 의도하였다고 할 수 있다.

③ 지방 수령의 장기 근무로 인하여 경 · 외관이 분화되는 문제점이 발생하자, 세종은 ㉠을 시행함으로써 중요 거점에라도 유능한 수령을 확보하고자 하였다. ㉠의 시행으로 지방에 파견된 우수한 인재들은 수령직을 성공적으로 수행하였을 뿐 아니라, 재판과 같은 전문적 업무나 대규모 토목 공사 등이 발생할 때 관찰사가 활용할 수 있는 유용한 자원이 되었다. 그러므로 ㉠은 관찰사가 책임지는 주요 업무에 유용하였다고 할 수 있다.

④ ㉠이 시행됨에 따라 지방 수령으로 파견된 인재들은 수령직을 성공적으로 수행하여 경 · 외관이 분화되는 문제점을 보완하였을 뿐 아니라, 통상적으로 대간을 역임하기도 하였기에 주변 수령들의 비리를 예방하는 효과도 가져왔다. 그러므로 ㉠은 인근 수령의 공정한 업무 수행을 유도하였다고 할 수 있다.

24. 정답 ① 　 난이도 ★★☆ | 정답률 46%

내용영역 인문 　 문항 유형 추론

[정답 풀이]

① 태조 대에는 서울의 이전들이 지방 수령으로 진출하는 것을 봉쇄하고, 중앙에서 직접 수령을 파견하거나 지방 사족 출신자들을 대상으로 관찰사가 적임자를 발탁하는 방식으로 지방 수령 임용 제도를 시행하였다. 태종 대에는 근무 기한을 채운 서울의 이전 중 10% 정도를 선발하여 잡직에 임명될 수 있도록 하고, 그 임기가 만료되면 수령직 대기자가 되도록 하였으며, 세종 대에 이르러서는 공신 및 대신의 자제나 문과 출신의 우수한 인재를 지방 수령으로 파견하기도 하였다. 즉, 초기에는 중앙에서 파견된 자와 지방 사족 출신자 중 관찰사에게 발탁된 자만이 지방 수령직에 임명되었으나, 차츰 공신 및 대신의 자제나 문과 출신의 우수한 인재도 지방 수령이 될 수 있었다. 그러므로 지방 수령의 출신 배경별 구성이 다양화되는 변화가 있었음을 알 수 있다.

[오답 풀이]

② 태조 대에는 서울의 이전들이 지방 수령으로 진출하는 것을 봉쇄하였으나, 태종 때에는 근무 기한을 채운 서울의 이전 중 10% 정도의 인원을 선발하여 잡직에 임명하고, 그 임기를 다 마친 자만이 수령직 대기자가 될 수 있도록 하였다. 즉, 초기에는 중앙의 이전들이 지방의 수령으로 진출하는 것을 금지하였으나, 태종 대에는 수령들의 전문성을 확보하기 위하여 이전 출신의 수령 진출을 일부분만 허용하였다. 따라서 태조 대와 태종 대를 비교해 볼 때는 중앙 이전의 지방관 진출이 확대되었다고 볼 수 있다. 그러나 세종 대의 경우는 수령직 대기자인 이전을 대상으로 수령취재법을 실시하였다고만 되어 있어서 중앙 이전의 지방관 진출이 '지속적'으로 확대되었다고는 할 수 없다.

③ 태조 대에는 중앙에서 직접 수령을 파견하면서 그 직급을 6품 참상관으로 높여 자질과 권위를 확보하려 하였다. 그러나 세종 대에 지방 수령의 임기가 늘어나면서 지방 수령의 자질 저하와 경·외관 분화라는 부작용이 발생하였고, 이를 해결하고자 공신 및 대신의 자제를 수령으로 파견하였다. 하지만 이로 인해 수령직은 과거를 통하여 문반직에 진출하지 못한 세력가 자제의 관직 진출로로 활용되었으며, 수령직의 열등화는 오히려 더욱 분명해졌다. 그러므로 고위직 자제의 수령 진출로 수령직의 위상이 높아지는 변화가 있었다고 할 수 없다.

④ 태조 대에는 전국을 330여 개의 군현으로 편제하고 중앙에서 직접 지방으로 수령을 파견하였으며, 서울의 이전들이 지방 수령으로 진출하는 것을 봉쇄하고 관찰사가 지방관을 평가하고 발탁할 수 있도록 하였다. 이를 통하여 조선시대의 관리는 건국 초기부터 중앙직인 경직(京職)과 지방직인 외직(外職)으로 이원화되어 있었음을 알 수 있다. 또한 성종 때 편찬된 『경국대전』에서는 4품의 관직에 승진하려면 외관직을 거쳐야 한다고 규정함으로써 서울과 지방 관원의 교류 원칙을 분명히 하였다는 내용을 통하여 관리의 이원화가 지속되었다는 것을 확인할 수 있다. 그러므로 중앙과 지방의 관리에 대한 인사 제도가 이원화되는 변화가 있었다고 할 수 없다.

⑤ 세종 대에는 무관이 배정되었던 약 80여 곳의 수령 자리 중 국방상 중요한 50여 곳을 제외한 지역에는 행정 능력과 인품을 고려하여 수령을 임명하였으며, 지방 수령의 자질 저하와 경·외관의 분화라는 부작용이 나타나자 공신 및 대신의 자제나 문과 출신의 우수한 인재를 수령으로 파견하는 조치를 단행하였다. 하지만 이러한 내용만으로 지방관 중에서 문관이 차지한 비율과 무관이 차지한 비율이 어떠하였는지를 확인할 수는 없다. 그러므로 문·무 관원의 지방관 임명 비율이 균형을 이루게 되는 변화가 있었다고 할 수 없다.

[25~27] 제재 | 속세포덩어리의 형성 과정
난이도 | ★★★

25. 정답 ④ 　 난이도 ★★☆ | 정답률 55%

내용영역 과학기술 　 문항 유형 분석

[정답 풀이]

④ 16-세포 상실배아는 표층 세포와 내부 세포로 분화되고 이 분화된 세포들은 32-세포 상실배아기에서 다시 분열하여 각각 영양외배엽 세포와 속세포덩어리 세포로 분화된다. 지문에서는 이 과정을 설명하는 가설로 '내부-외부 가설'과 '양극성 가설'을 들고 있으며, 이 중 '양극성 가설'에서는 표층 세포와 내부 세포가 각각 영양외배엽 세포와 속세포덩어리 세포로 분화하는 것은 양극성 결정 물질의 분포 유지 여부 차이에서 비롯되는 것이라 설명한다. 또한 영양외배엽 세포가 되는 표층 세포와 속세포덩어리 세포가 되는 내부 세포의 분화와 관련해서는 영양외배엽 세포 형성 물질 CDX2와 다능성-유도 물질인 OCT4의 발현과 관련하여 설명한다. 따라서 지문의 내용을 통해서 속세포덩어리가 될 세포의 유형을 결정하는 물질의 종류를 알 수는 있지만 속세포덩어리가 될 세포의 수를 결정하는 물질의 종류는 알 수 없다. 다능성-유도 물질이나 양극성 세포 물질 등은 속세포덩어리가 될 세포의 수를 결정하는 물질은 아니다.

[오답 풀이]

① 지문에서는 단일 세포인 접합체 단계에서 8-세포 상실배아기와 16-세포 상실배아기, 32-세포 상실배아기를 거쳐 영양외배엽 세포들과 속세포덩어리 세포들이 분화되는 과정을 보여주며, 이러한 분화의 기전을 주변 세포나 외부 환경과의 접촉에 달려있다고 보는 입장과 양극성 결정 물질의 분포에 달려있다고 보는 입장으로 나누어 설명하고 있다.

② 속세포덩어리 세포로 분화되는 세포는 내부 세포인데, 4문단에서 언급하고 있는 바처럼 '양극성 가설'에 따르면 내부 세포에는 분열 이전에 바깥쪽에 쏠려 분포했던 양극성 결정 물질이 존재하지 않는다. 따라서 지문의 내용을 통해 속세포덩어리로 분화될 세포에 양극성이 존재하는지 여부를 확인할 수 있다.

③ 지문의 1~2문단에 따르면, 포유류의 경우 접합체의 세포 분열로 형성되는 초기 배반포 단계에서 나중에 태반의 일부가 되는 영양외배엽 세포와 그에 둘러싸인 속세포덩어리가 형성된다. 이는 32-세포 상실배아가 분화되는 과정에서 나타나는 현상이다.

영양외배엽 세포로 분화되는 표층 세포와 속세포덩어리 세포로 분화되는 내부 세포들은 16-세포 상실배아에서 처음으로 나타난다고 했으므로, 속세포덩어리로 분화될 세포가 최초로 형성되는 시기는 16-세포 상실배아기임을 알 수 있다.

⑤ 지문의 내용에 따르면, 8-세포 상실배아가 분열하여 16-세포 상실배아를 구성할 때 나타나는 표층 세포와 내부 세포는 32-세포 상실배아기를 거치면서 각각 영양외배엽 세포들과 속세포덩어리 세포들로 분화된다. 하나의 세포가 어떻게 서로 다른 성질의 표층 세포와 내부 세포로 분열하는지를 지문의 3문단에서는 분화를 하나의 세포가 주변 세포와의 접촉 정도와 외부 환경에의 노출 여부에 따라 서로 다르게 분화된다고 보는 '내부-외부 가설'를 통해 설명하고 있으며, 지문의 4문단과 5문단에서는 양극성 결정 물질의 분포에 따라 서로 다른 성질의 세포로 분화된다고 보는 '양극성 가설'을 통해 설명한다. 이러한 설명들을 통해 속세포덩어리가 될 세포, 즉 내부 세포를 형성하기 위한 세포 분열이 어떻게 일어나는지를 확인할 수 있다.

26. 정답 ⑤

난이도 ★★★ | 정답률 39%

내용영역 과학기술 | 문항 유형 분석

[정답 풀이]

⑤ '양극성 가설'에 따르면, 8-세포 단계에서 세포 내에 고르게 분포했던 양극성 결정 물질은 밀집 과정에서 바깥이나 안쪽 중 한쪽으로 쏠려 분포하게 되고 결과적으로 각 세포는 두 부분으로 구분되어 서로 다른 성질의 세포로 분화된다(4문단). 이때 8-세포 상실배아의 모든 세포에서 OCT4는 고르게 분포하는 데 반해 CDX2는 세포 바깥쪽에 집중적으로 분포한다(5문단). 8-세포 상실배아의 세포가 분화 분열되면서 형성된 16-세포 상실배아의 표층 세포는 원래 가지고 있던 양극성 결정 물질의 분포를 유지하지만, 분열로 만들어진 내부 세포에는 분열 이전에 바깥쪽에 쏠려 분포했던 양극성 결정 물질이 없다(4문단). 즉 16-세포 상실배아가 되면 표층 세포에서는 CDX2가 존재하지만 내부 세포에서는 CDX2가 점차 없어진다(5문단). 이는 16-세포 상실배아기에는 표층 세포와 내부 세포 간에 CDX2의 분포를 결정하는 양극성 결정 물질의 양에 차이가 생긴다는 것을 보여준다.

[오답 풀이]

① 16-세포 상실배아가 되면 내부 세포에서는 다능성-유도 물질 OCR4가 영양외배엽 세포 형성 물질 CDX2의 발현을 억제하므로, 내부 세포에서는 CDX2가 점차 없어진다. 따라서 내부 세포에서 CDX2를 발현시키는 물질의 기능이 활성화된다는 선택지의 내용은 지문의 내용과 일치하지 않는다.

② 보존 분열에 의해 형성된 세포는 16-세포 상실배아의 표층을 형성하는 세포들이 된다(2문단). 그리고 '히포' 신호 전달 기전은 16-세포 상실배아의 모든 세포에 존재하는 기전으로서 주변 세포와의 접촉이 커지면 활성화되어 CDX2를 발현시키는 물질의 기능을 억제한다. 즉 '히포' 신호 전달 기전이 활성화되면 CDX2의 양이 감소한다. 16-세포 상실배아기에서는 표층 세포에서 OCT4가 억제되고 내부 세포에서 CDX2가 억제되므로 표층 세포에서보다 내부 세포에서 '히포' 신호 전달 기전이 활성화될 가능성이 크다(5문단). 또한 16-세포 상실배아의 내부 세포가 표층 세포보다 주변 세포와의 접촉 정도가 더 크다는 점을 고려하더라도(3문단), 주변 세포와의 접촉에 영향을 받는 '히포' 신호 전달 기전의 활성화는 표층 세포보다는 내부 세포에서 이루어질 가능성이 높다. 따라서 보존 분열에 의해 형성된 세포, 즉 표층 세포에서는 '히포' 신호 전달 기전이 활성화되기 어렵다.

③ 16-세포 상실배아가 되면 표층 세포에서는 CDX2가 OCT4의 발현을 억제하고 내부 세포에서는 OCT4가 CDX2의 발현을 억제한다. 따라서 CDX2의 발현을 억제하는 OCT4의 영향력이 증가하는 것은 표층 세포의 바깥쪽 부분에서가 아니라 내부 세포에서이다.

④ 16-세포 상실배아가 되면 표층 세포에서는 CDX2가 OCT4의 발현을 억제하여 OCT4가 점차 없어지고, 내부 세포에서는 OCT4가 CDX2의 발현을 억제하여 CDX2가 점차 없어진다. 따라서 분화된 표층 세포에서는 CDX2 양에 대한 OCT4 양의 비율이 감소하고, 분화된 내부 세포에서는 CDX2 양에 대한 OCT4 양의 비율이 증가한다.

27. 정답 ②

난이도 ★★★ | 정답률 36%

내용영역 과학기술 | 문항 유형 추론

[정답&오답 풀이]

㉠ 32-세포 상실배아의 표층 세포들은 초기 배반포의 영양외배엽 세포들로 분화되고, 내부 세포들은 속세포덩어리 세포들로 분화된다. '내부-외부 가설'에 따르면 세포의 분화는 주변 세포와의 접촉 정도와 외부 환경에의 노출 여부에 따라 달라지므로, 32-세포 상실배아의 내부에 있는 세포가 속세포덩어리 세포로 분화되는 것은 주변 세포와의 접촉 정도가 더 크고 바깥 환경에 노출되지 못하기 때문이다. 따라서 32-세포 상실배아의 내부 세포를 인위적인 방법으로 사용하여 표층으로 옮겨 배양하게 되면 주변 세포와의 접촉 정도가 줄고 바깥 환경에 노출되어 속세포덩어리 세포가 아니라 영양외배엽 세포가 배양된다.

㉡ 16-세포 상실배아의 내부에 있는 세포는 32-세포 상실배아의 내부에 있는 세포와 마찬가지로 속세포덩어리 세포들로 분화된다. '내부-외부 가설'에 따를 경우, 이를 채취하여 단독으로 배양하게 되면 주변 세포가 존재하지 않아 주변 세포와의 접촉 정도가 줄고, 바깥 환경에 노출 가능해지므로 속세포덩어리가 아닌 영양외배엽 세포가 배양된다.

㉢ 양극성 가설에 따르면, 8-세포 상실배아에 있는 세포들은 양극성 물질이 밀집하면서 서로 다른 성질의 두 부분으로 분화되어 16-세포 상실배아가 된다. 8-세포 상실배아의 모든 세포에 고르게 분포되어 있는 OCT4와 달리 CDX2는 세포의 바깥쪽에만 집중적으로 분포되어 있는데, 이는 CDX2를 분포하게 하는 양극성 결정 물질이 세포의 바깥 부분에만 존재하기 때문이다. 따라서 8-세포 상실배아를 채취하여 바깥쪽에 쏠려 있는 양극성 결정 물질의 기능을 억제하는 물질을 주입한 후 단독으로 배양하면 바깥쪽에 쏠려 분포했던 양극성 결정 물질이 존재하지 않으므로

이 세포는 CDX2가 점차 없어지고 OCT4가 더 많이 존재하는 내부 세포의 성격을 띠게 될 것이고, 내부 세포는 속세포덩어리 세포들로 분화된다(2문단).

[28~29] 제재 | 대상에 대한 유사성 판단과 범주 판단
난이도 | ★★★

28. 정답 ③
난이도 ★★☆ | 정답률 52%

내용영역 사회 / 문항 유형 추론

[정답 풀이]

③ 원형 모형에서는 해당 범주에 속하는 사례들이 갖는 속성들의 평균으로 구성된 추상적 집합체인 단일한 원형이 사용된다. '사람이 취미로 키울 수 있다'는 속성 자체는 '애완동물'이라는 범주에 속하는 사례들이 갖는 속성들의 평균이자 추상화된 요약 정보에 해당할 수 있을 것이나, 햄스터나 이구아나는 맥락에 따라 '애완동물'이 될 수도 있는 일종의 본보기에 해당하므로 이는 본보기 모형을 지지하는 예라고 할 수 있다.

[오답 풀이]

① 본보기 모형에서는 사물이 어떤 범주에 속하는지를 판단할 때, 구체적 사례가 그대로 기억된 심적 표상들이 본보기로 사용된다고 본다. 따라서 숙련된 의사가 환자를 진단할 때 환자의 증상과 유사한 증상을 보이는 과거의 구체적 사례를 본보기로 활용했다면, 이는 본보기 모형을 지지하는 예라고 할 수 있다.

② 유사성 기반 접근은 새로운 대상의 범주 판단이 기억에 저장된 심적 표상과 그 대상과의 지각적 유사성에 근거한다고 가정한다. 따라서 어린이가 '얼굴을 가리고 검은 옷을 입은 사람'이라는 대상을 겉모습만으로 '도둑'이라는 범주에 포함하였다면, 이는 어린이가 자신의 기억에 저장되어 있는 '도둑'에 대한 심적 표상과 '얼굴을 가리고 검은 옷을 입은 사람'이 유사하다는 지각을 바탕으로 한 것이므로, 유사성 기반 접근을 지지하는 예라고 볼 수 있다.

④ 대상의 범주를 판단할 때 범주의 전형성은 맥락에 따라 달라지기도 한다. 일반적으로는 '아침 식사'라는 범주를 판단할 때 그 전형적 사례로 '밥'을 들겠지만, '설날'이라는 다른 맥락에서는 '아침 식사'의 전형적 사례가 '떡국'으로 달라질 수 있다. 따라서 이러한 예는 범주의 전형성이 맥락에 따라 바뀔 수 있음을 보여준다고 할 수 있다.

⑤ 설명 기반 접근은 범주 판단이 단순히 기억 속의 표상과 사례를 비교하는 데 그치는 것이 아니라, 즉 대상에 대한 지각성 유사성만을 기반으로 하는 것이 아니라 사례들을 하나의 범주로 묶을 수 있는 기저 본질을 기준으로 삼아 이루어진다고 주장한다. 이에 따르면, 오리의 털 색상이 오리를 오리로 판단하게 하는 데 주요한 기저 본질이 아닌 경우 털 색상의 변화는 오리라는 대상의 범주를 파악하는 데 큰 지장을 주지 않을 것이다. 반대로 오리라는 대상의 속성 가운데 '헤엄치기'라는 속성이 오리라는 대상의 범주 판단에 관여하는 기저 본질에 해당한다면, 헤엄을 치는 데 가장 직접적이고 결정적으로 연결되는 물갈퀴의 유무는 대상을 오리의 범주에 넣을 것인가에 크게 영향을 줄 수 있다.

29. 정답 ③
난이도 ★★★ | 정답률 43%

내용영역 사회 / 문항 유형 추론

[정답 풀이]

③ 가상 동물의 외형이 환경 조건에 의해 변한 경우는 환경적 요인이라는 우연에 의한 것으로 일시적 변화에 지나지 않는다. 이는 환경으로 인해 외형이 변화한 솔프가 새끼를 낳았을 때 그 새끼의 외형이 원래의 솔프와 같았다는 데서도 증명되는 바다. 따라서 립스의 이러한 설계는 기저 본질 변화와는 거리가 멀다. 만약 이러한 설계가 기저 본질이 변한 것으로 판단하게 하기 위한 것이었다면 <글 A>의 둘째 부분까지 모두 읽은 실험 집단의 피험자들 중 솔프의 범주 판단과 관련된 점수가 지문에서 언급한 실험의 결과보다 낮아야 할 것이다.

[오답 풀이]

① 유사성 기반 접근이 아닌 설명 기반 접근을 지지하는 립스는 유사성 판단과 범주 판단이 반드시 일치해야 할 이유는 없다고 보고, 유사성 판단과 범주 판단이 같은 과정이 아니라는 것을 입증하기 위해 실험을 시도하였다. 따라서 립스의 실험은 일상적 범주 판단이 유사성에만 기초하는 것인지 아닌지를 확인하기 위해 설계된 것이라 할 수 있다.

② 지문의 5문단을 통해 확인할 수 있듯이, 립스의 실험에 쓰인 글은 두 부분으로 구성되었으며 첫째 부분은 묘사된 가상 동물 솔프가 새의 범주에 속한다고 피험자들이 쉽게 판단할 수 있도록 만들어졌다. 따라서 글의 첫째 부분만을 읽는 통제 집단은 가상 동물이 새와 유사하며 새의 구성원인 것으로 판단하도록 설계되었다고 할 수 있다. <글 A>를 읽은 통제 집단과 <글 B>를 읽은 통제 집단이 모두 솔프가 새와 유사하며 새의 범주에 포함된다는 공통된 판단을 한 것도 이러한 의도적 설계 때문이라 할 수 있다.

④ <글 B>를 읽은 통제 집단은 유사성 판단과 범주 판단에서 모두 평균 9.5점을 부여하였다. 한편 <글 B>를 읽은 실험 집단은 유사성 판단에서 평균 7.6점, 범주 판단에서 평균 5.2점을 부여하였다. 두 집단의 실험 결과 가운데 주목해야 할 부분은 <글 B>의 두 번째 부분까지 읽었을 경우, 솔프의 범주가 새에 속한다고 판단했던 피험자의 절반 정도가 솔프의 범주가 곤충에 속한다고 판단을 바꾼다는 것이다. 통제 집단과 실험 집단이 범주 판단에 있어 큰 차이를 보이는 것은 <글 B>의 두 번째 부분을 통해 피험자들이 기저 본질의 변화에 큰 영향을 받았음을 의미한다. 이러한 변화는 <글 B>의 실험 집단이 유사성 판단의 평균점을 다소 떨어뜨리는 데도 영향을 미쳤을 것이다. 따라서 <글 B>의 통제 집단과 실험 집단이 유사성 판단에서 다른 결과를 보여주었다는 것은 기저 본질에 대한 지식이 유사성 판단에도 영향을 주었기 때문이라 볼 수 있다.

⑤ 실험 결과에 따르면 범주 판단은 외형의 변화보다 기저 본질의 변화에 더 큰 영향을 받고, 유사성 판단은 기저 본질의 변화보다 외형의 변화에 더 큰 영향을 받는다. 이는 곧 범주 판단과 유사성 판단이 동일한 과정이 아니라는 것이며, 이를 입증하고자 했던 립스의 가설을 지지하는 것으로 해석된다.

[30~32] 제재 | **칸트의 법 이론적 기획에 대한 들뢰즈의 해석**
난이도 | ★★☆

30. 정답 ①

난이도 ★★☆ | 정답률 55%

(내용영역) 규범 (문항 유형) 분석

[정답 풀이]

① 고전적 자연법론은 존재의 본질에 대하여 동질적인 이해가 확보된 조건하에서만 유용할 수 있었다. 칸트는 이러한 자연법론에 닥친 위기를 돌파하고자 인간의 실천이성에 선험적으로 내재하는 도덕법칙에 주목하였다. 이 같은 칸트의 기획은 자연법론에서 규정한 법과 선의 관계를 재규정하는 것이었으므로 고전적 자연법론의 전통을 연장한 것이라 할 수 없다.

[오답 풀이]

② 오랫동안 선에 비해 부차적인 것으로 이해되었던 법은 칸트의 기획에 따라 그 위상을 달리하게 되었다. 칸트의 기획으로 법은 더 이상 선에 의하여 규정되지 않게 되었고, 스스로를 정당화하게 되었다.

③ 서양의 지적 전통에서 최상의 원리는 선이었고, 선의 이데아를 따르기 위해 현상계의 인간들이 할 수 있는 것은 선의 모방이었다. 이때의 모방이란 선의 유사물이자 모조품인 법을 따르는 것이었다. 법과 선의 고전적인 관계에서 법에 대한 복종은 현상계에서 선을 실현하기 위한 수단이었던 것이다.

④ 근대적 법 이론가로서 칸트는 인간의 실천이성에 선험적으로 내재하는 도덕법칙에 주목하였다. 윤리적 행위를 규정하는 칸트의 도덕법칙은 무조건적인 준수를 요구하는 명령이자 보편적 입법의 원리이다. 법과 선의 전통적 관계를 전도시키며 하나의 신기원을 이룬 칸트의 기획은 법의 근거를 선이라는 이데아, 즉 객관적 실재가 아니라 선험적 도덕법칙에서 찾았다는 데 그 특징이 있다.

⑤ 존재의 본질에 대한 동질적 이해를 조건으로 보편적 적용 가능성을 확보해야 하는 자연법론은, 서로 다르고 모순적인 세계관들이 등장하자 위기를 맞을 수밖에 없었다.

31. 정답 ⑤

난이도 ★★☆ | 정답률 52%

(내용영역) 규범 (문항 유형) 분석

[정답 풀이]

⑤ 칸트는 인간의 자유를 인격적 자율과 그에 따른 책임으로 이해하면서 윤리적 행위를 규정하는 도덕법칙으로 정언명령을 제시한다. 칸트가 도덕법칙을 명령으로 상정하고 무조건적인 준수를 요구하는 까닭은 인간의 자연적 경향이 항상 선을 지향하고 있지는 않기 때문이다. 칸트의 정언명령은 도덕법칙을 준수할 의무를 부과하지만 인간의 본성이 선을 지향한다고 전제하지는 않는다.

[오답 풀이]

① 들뢰즈가 볼 때 칸트의 정언명령은 구체적인 내용이 없는 순수 형식이므로, 오로지 구체적인 상황 속에서만 인식될 수 있다. 그런데 정언명령은 그것을 위반하지 않는 한 구체적으로 인식될 수 없다. 즉 인간은 법을 위반한 결과로 주어지는 형벌을 통해서 비로소 그 법을 구체적으로 알게 된다. 따라서 들뢰즈의 관점에서는 칸트의 정언명령은 판결과 집행이라는 법적인 심판 구조 속에서 법의 위반 행위를 사후적으로 단죄하는 것이다.

② 들뢰즈는 칸트의 정언명령에서 법이 선의 주위를 맴돈다는 종래의 생각을 전도시켜 선이 법의 주위를 맴돌게 하려는 기획을 발견한다. 칸트의 기획에 따르면 법은 더 이상 선에 의하여 규정되지 않는다. 따라서 칸트의 정언명령은 선의 형식을 규정하는 보편 법칙으로서 도리어 법의 입장에서 선을 규정한다.

③ 자기 자신에게 강제적으로 부과하는 규범이자 무조건적인 준수를 요구하는 정언명령은 순수 형식의 표상으로서 그 속에는 구체적인 행위를 지시하는 내용이 전혀 들어 있지 않다. 인간의 실천이성에 선험적으로 내재한 정언명령은 오로지 행위가 순응해야 하는 형식적 법칙만을 무조건적으로 명령할 뿐이다.

④ 칸트는 "너의 의지의 준칙이 항상 동시에 보편적 입법의 원리로서 타당할 수 있도록 행하라."라는 정언명령을 인간에게 스스로의 내면에 강제적으로 부과하고 무조건적인 복종과 준수를 요구한다. 이에 대해 들뢰즈는 정언명령이 인간에게 선의지에 대한 무조건적 추궁이 되고 인간은 자신의 선의지를 입증해야 한다는 강박 관념에 휩싸이게 된다고 분석한다. 들뢰즈가 보기에 칸트의 기획은 법에 대한 엄격한 복종을 통해 인간에게 죄의식을 증대시키는 과정이며, 정언명령은 법을 명령하는 자와 그 명령을 따라야만 하는 자로 인간의 내면을 분열시킨다.

32. 정답 ⑤

난이도 ★★☆ | 정답률 71%

(내용영역) 규범 (문항 유형) 비판

[정답 풀이]

⑤ 칸트는 실천이성이 명령하는 법에 대해 무조건적으로 복종하라고 요구하며, 들뢰즈는 이 요구가 인간에게 죄의식을 증대시키는 기능을 한다고 본다. 들뢰즈는 법의 실행을 다르게 이해하지 않는 한 이 죄의식으로부터 벗어나는 방법은 칸트의 기획을 거부하는 것뿐이라고 주장한다. 따라서 인간의 실존이 죄의식에 사로잡혀 있음을 알면서도 법에 대한 무조건적 복종을 계속 요구하는 것이 보편적 입법의 원칙에 비추어 정당화되기 어렵다는 것은 칸트가 취할 수 있는 입장과 상충한다.

[오답 풀이]

① 정언명령은 인간의 실천이성에 선험적으로 내재하는 선의 이념에 따른 것으로, 구체적인 행위를 지시하는 내용이 전혀 들어 있지 않은 순수 형식이자 보편적 법칙이다. 따라서 칸트는 ㉠과 같은 죄의식은 주관적인 심리 현상에 지나지 않으며, 인격적 자율과 책임 즉 인간의 자유와는 관련이 없다고 반론할 것이다.

② 칸트의 정언명령은 인간의 자연적 성향이 항상 선을 지향하고 있지는 않기 때문에 등장한 것이다. 정언명령에 대한 복종은 선 그 자체이며 정언명령은 선의지를 가질 의무를 부과하는 것이다. 따라서 칸트의 입장에서는 정언명령으로 인해 죄의식을 갖게 되더라도 정언명령 자체를 거부해서는 안 된다고 역설할 수 있을 것이다.

③ 들뢰즈는 법의 실행을 판결과 집행으로 이해할 경우, 칸트의 기획이 ㉠을 초래하게 된다고 비판하였다. 이에 대해 칸트는 인간의 자유를 인격적 자율과 그에 따른 책임으로 이해하면서 윤리적 행위를 규정하는 도덕법칙으로 정언명령을 제시하였기 때문에, 법의 실행을 도덕법칙에 따른 입법 행위로 이해하면 인격적 자율이 더 잘 구현되고 이에 따른 책임으로 죄의식도 예방할 수 있다고 반론하였을 것이다.

④ 칸트의 관점에서 도덕법칙은 인간의 실천이성에 선험적으로 내재하는 것이며 개인의 행위 준칙은 항상 보편적 입법의 원리로서 타당할 수 있어야 한다. 따라서 칸트의 관점에서 범죄 행위는 그 행위 준칙을 보편화할 수 없다는 점에서 불법성이 명백하다. 또한 칸트가 언급한 인간의 자유란 인격적 자율에 따른 책임을 포함하므로 개인의 의지가 보편적 입법의 원리에 어긋난 것이라면 이에 대한 책임감을 느껴야 한다.

[33~35] 제재 | 대중문화 텍스트 수용에 대한 이해
난이도 | ★★★

33. 정답 ①

난이도 ★★★ | 정답률 30%

내용영역 인문 | 문항 유형 분석

[정답 풀이]

① 아도르노는 대중문화의 산물, 즉 텍스트 자체의 특질에 집중한다. 그러므로 아도르노는 내용과 형식면에서 대중문화의 산물이 갖고 있는 특질을 두고 더 이상 예술인 척할 필요조차 없게 되었다고 표현하며 대중문화를 예술의 범주에서 배제한다. 그에게 대중문화는 지배 계급의 이데올로기를 대중에게 전파하여 대중을 기만하는 대중 조작 수단에 지나지 않는 것이다. 따라서 아도르노는 대중문화 산물에 대한 질적 가치 판단을 통하여 그것이 예술로서의 지위를 가지지 않는다고 간주했다는 선택지의 내용은 지문에 대한 이해로 적절하다.

[오답 풀이]

② 알튀세의 이데올로기론을 수용한 초기 스크린 학파는 텍스트의 특정 형식이나 장치를 통해 텍스트의 지배적 의미가 수용되는 기제의 해명에 집중한다. 그럼으로 인해 이들은 텍스트가 지배적으로 규정하는 의미에 반하는 여타 수용자의 다양한 해석 가능성에 대해서는 충분히 설명하지 못했다는 한계를 지닌다. 따라서 이들이 텍스트가 수용자에게 미치는 일면적 규정을 강조하는 시각을 지양하였다는 선택지의 내용은 지문의 내용과 배치된다.

③ 대중문화 텍스트에서 피스크가 중시하는 것은 대중들 각자의 상황에 적절하게 기능하는, 다양한 의미 생산 가능성이다. 피스크의 관점에서 볼 때, 상업적으로 제작된 대중문화 텍스트는 그 자체로 대중문화라기보다는 그것을 이루는 하나의 자원에 지나지 않으며, 그 자원의 소비 과정에서 대중이 자신의 이해에 따라 새로운 의미와 쾌락을 생산할 때 비로소 대중문화가 완성되는 것이다. 따라서 피스크가 대중 스스로 자신의 문화 자원을 직접 만들어 내기 때문에 대중문화를 긍정적으로 평가했다는 선택지의 내용은 지문의 내용과 일치하지 않는다. 피스크가 대중문화를 수용하는 대중들의 의미 생산을 긍정적으로 평가한 것은 맞지만, 대중들이 생산하는 텍스트의 의미 자체를 문화 자원으로 보지는 않는다. 피스크에게 대중문화 자원이란 대중문화 텍스트를 의미하며, 대중들 스스로가 이 텍스트를 생산하는 것은 아니다.

④ 피스크가 볼 때 홀은, 대중문화 텍스트에 대한 해석의 구분을 통해 대안적 의미 해석 가능성을 시사하기는 했지만 텍스트의 지배적 의미를 그대로 수용하는 선호된 해석을 인정하는 한계를 지닌다. 이는 수용자의 의미 생산을 강조하는 수용자 중심적 대중문화와는 다소 거리를 지니는 것으로, 수용자 중심적 연구를 대표하는 피스크와 입장을 달리 하는 것이다. 따라서 홀이 텍스트의 내부에 존재하는 지배적 의미를 그대로 수용하는 선호된 해석을 인정한다는 것은 수용자 중심적 연구의 관점이라 볼 수 없다.

⑤ 대중문화 수용자의 의미 생산에 주목하였던 피스크는 정치 미학에서 대중 미학으로 초점을 전환하면서 대중을 사회적 이해관계에 따라 다양한 주체 위치에서 유동하는 행위자로 규정한다. 그는 이러한 관점에서 텍스트가 규정한 의미를 벗어나는 대중들의 게릴라 전술을 강조하는 드 세르토와 같은 입장을 취한다. 따라서 정치 미학에서 대중 미학으로의 발전이 대중문화를 게릴라 전술로 보는 시각을 극복할 수 있다는 선택지의 내용은 지문의 내용에서 벗어나는 것이다.

34. 정답 ①

난이도 ★★☆ | 정답률 60%

내용영역 인문 | 문항 유형 분석

[정답 풀이]

① 피스크는 '퀴즈 쇼'가 일상 규범으로부터의 일탈 욕망을 가상적으로 충족하게 함으로써 기존의 질서를 유지하는 데 일조하는 측면도 있지만, 한편으로는 기존의 사회 규범을 폭로하고 와해하는 계기로 작용할 수 있다는 측면도 있다고 본다. 따라서 피스크의 논의에 따르면 퀴즈 쇼는 기존 질서의 유지와 전복이라는 이중적 기능을 지닐 수 있다.

[오답 풀이]

② 상품 가격을 맞히는 '퀴즈 쇼'에서는 남성의 돈벌이에 비해 하찮게 여겨졌던 여성의 소비 기술이 갈채를 받고 공적 재미의 대상이 된다. 피스크는 퀴즈 쇼의 수용자인 여성들이 퀴즈 쇼의 수용을 통해 자신의 일상 지식과 기술의 가치를 확인하고 기존 체제의 경제적, 성적 억압에 주목하게 된다고 본다. 또한 피스크는 여성 방청객의 열광에서 가부장적 담론을 폭로하고 와해하는 계기로 작용할 수 있는 바흐친의 카니발적 요소를 읽어내기도 한다. 따라서 퀴즈 쇼의 방청객이 여성과 관련된 집안일의 하찮음을 깨닫고 이를 부정하는 의지를 가질 수 있다는 선택지의 내용은 피스크의 논의와 거리가 멀다.

③ 피스크도 '퀴즈 쇼'가 자본주의의 가부장적 담론을 중심 코드로 사용하고 있다는 점은 인정하고 있다. 대신 피스크는 대중이 퀴즈 쇼를 소비하는 과정에서 이 중심 코드를 폭로하고 와해하며 저항적 · 회피적 의미와 쾌락을 얻을 수 있게 된다는 데서 그 의미와 가치를 찾는다. 따라서 퀴즈 쇼에 설정된 중심적 코드가 기존의 여성상을 넘어서 새로운 의미를 지닌 여성상을 보여 주는

것이라는 선택지의 내용은 피스크의 논의와 일치하지 않는다.

④ 피스크가 볼 때, 퀴즈 쇼는 여성 방청객들이 지니는 일탈 욕망은 가상적으로 충족할 뿐이므로 기존 질서와 체제를 유지하는 데 일조하기도 한다. 따라서 퀴즈 쇼가 여성 수용자의 일탈 욕망을 가상적으로 만족시킴으로써 여성 수용자가 정치 변혁에 참여하도록 유도한다는 선택지의 내용은 피스크의 논의에서 벗어난 것이다.

⑤ 피스크가 볼 때 기존의 체제는 여성을 억압하고 있으며 퀴즈 쇼가 설정하고 있는 중심 담론 역시 가부장적이다. 그러나 피스크가 자신의 대중문화이론을 뒷받침하기 위해 퀴즈 쇼의 여성 수용자를 예로 삼고 있는 것은 여성 수용자들의 수용 태도로부터 카니발적 요소를 읽어냈기 때문이다. 이는 피스크가 퀴즈 쇼에 대한 여성 수용자들의 열광이 기존의 질서와 체제, 즉 지배적 가치와 담론에 대한 저항적·회피적 의미와 쾌락이라는 의미를 생산하고 있다고 보았음을 의미한다. 그러므로 퀴즈 쇼의 카니발적 특성은 여성들이 가부장제가 규정한 여성다움에서 벗어나고 일상의 진보적 변화를 꾀할 수 있는 주체로 만들 수 있다. 만약 선택지의 내용대로 퀴즈 쇼의 카니발적 특성이 여성 수용자들로 하여금 지배적 가치를 내면화하게 한다면 피스크가 주장했던 대중문화 수용의 결과와는 상당한 거리를 두게 되는 셈이다. 개인들이 자신의 물질적 상황을 해석하고 경험하는 이데올로기들이 개인을 자율적 행위자로 오인하게 하여 지배적 가치를 스스로 내면화하는 주체로 만든다는 지적은 피스크가 아니라 초기 스크린 학파의 논의에 해당한다.

35. 정답 ②

난이도 ★★☆ | 정답률 56%

내용영역 인문 | 문항 유형 추론

[정답 풀이]

② 초기 스크린 학파는 텍스트의 특정 형식이나 장치를 통해 대중문화 텍스트의 관점을 자명한 진리와 동일시하게 하는 이데올로기 효과를 분석하였다. 이들의 분석은 텍스트의 지배적 의미가 수용되는 기제의 해명에 집중되었고, 수용자의 다양한 해석 가능성에 대해서는 충분히 설명하지 못했으므로 이들이 <보기>에 제시된 마돈나의 뮤직 비디오에서 텍스트 형식이 다층적인 기호학적 의미를 생산한다는 점을 높게 평가하였을 것이라고 추론하기 어렵다.

[오답 풀이]

① 아도르노는 대중문화가 지배 관계를 은폐하거나 정당화하는 지배 계급의 이데올로기를 전파하면서 대중을 기만한다고 주장한다. 대중문화 텍스트를 통해 대중들이 생산해 내는 의미의 다양성보다 텍스트 자체의 특질에 집중하면서 대중문화를 극단적으로 부정하는 아도르노가 볼 때, 내용과 형식면에서 표준화되고 도식화된 대중문화는 예술이 아니라 일종의 문화 산업에 지나지 않는 것이다. 따라서 아도르노의 관점에서는 <보기>에 제시된 마돈나의 뮤직 비디오 역시 대중 조작의 산물이며, 대중을 현실의 문제에 본질적이고 근원적으로 접근하게 하기보다 일시적인 즐거움을 느끼게 함으로써 현실 문제를 망각하는 바보로 만드는 수단이 된다. 결국 아도르노는, 마돈나의 뮤직 비디오라는 대중을 향한 문화 산업의 산물로부터 수용자가 얻는 쾌락이란 현실의 문제를 직시하지 못한 채 지배 계급의 이데올로기에 기만당한 결과라고 설명했을 것이다.

③ <보기>에 제시된 뮤직 비디오는, 남성 중심적 질서와 담론을 극단적으로 집약화한 스트립 댄서가 역동적인 춤을 추면서 남성의 관음증적 시선을 조롱하는 등 일견 모순되어 보이는 이미지들로 구성되어 있다. 이 뮤직 비디오의 수용자들은 이러한 이미지들을 보면서 자신의 사회적 위치에 따라 상이한 반응들을 보이는데, 이는 대중문화 텍스트의 수용 과정에서 대중이 자신의 이해에 따라 새로운 의미와 쾌락을 생산한다는 피스크의 논의를 뒷받침하는 사례라 할 수 있다. 따라서 수용자의 의미 생산을 강조하는 피스크는 모순적 이미지들로 구성된 마돈나의 뮤직 비디오가 서로 다른 사회적 위치에 있는 수용자들에게 다른 의미로 해석된 점에 주목하였을 것이다.

④ 피스크는 대중문화 자원인 텍스트에 내재된 지배적 이데올로기를 대중들이 수용하고 소비하는 과정에서 자신의 이해에 따라 새로운 의미와 저항적·도피적 쾌락을 생산할 때 비로소 대중문화가 완성된다고 보았다. 이러한 점들로 미루어 볼 때 피스크는 마돈나의 뮤직 비디오가 갖는 의의를 수용자가 대중문화 자원의 지배적 이데올로기로부터 벗어날 수 있는 가능성에서 찾았을 것이다.

⑤ 켈러는 수용자 자체도 문화 생산 체계의 산물이므로 대중문화 수용자들이 보이는 선호나 기대 역시 대중문화의 효과를 통해 생겨나는 것이라고 본다. 따라서 켈러는 마돈나의 뮤직 비디오에서 수용자들이 느끼는 쾌락이 대중문화에 대한 경험과 문화 산업의 기획에 의해 만들어진 결과라고 분석했을 것이다.

2012학년도 [홀수형]

[4~6] 제재 | 이민행, 「연조귀감 서」
난이도 | ★☆☆

4. 정답 ② 난이도 ★☆☆ | 정답률 85%
내용영역 인문 | 문항 유형 분석

[정답 풀이]

② 연조귀감은 본관이 월성인 사과 벼슬의 이진흥이 자신의 부친 이경번이 지은 글들 앞에 관감록을 덧붙인 것이며, 이진흥의 후손 이명구에 의해 간행되었다. 따라서 연조귀감은 여러 가문이 함께 간행한 것이 아니라 한 가문에서 간행한 것이다.

[오답 풀이]

① 글쓴이는 연조귀감을 두고 힘써 선함을 권하고 악함을 깨우치는 기록이 연이어져 있어 가히 읽을 만하다고 하였으며, 향리들뿐 아니라 사대부 또한 거울로 삼아야 한다고 하였다. 따라서 연조귀감은 교화적 가치를 지니고 있다.

③ 이진흥은 신라와 고려 이래로 이서로서 가문을 일으킨 인물을 널리 고찰하였다고 하였다. 따라서 연조귀감은 여러 시대의 사례를 다루고 있다.

④ 연조귀감에 실린 글들은 이진흥이 지은 록(錄), 이경번이 지은 해(解), 시(詩), 소(疏) 등 다양한 형식을 취하고 있다.

⑤ 연조귀감 중 관감록은 이서로서 가문을 일으킨 인물을 널리 고찰한 글이며, 연조귀감서는 그 가운데서 서기나 황무진과 같이 신분이 높지 않고 맡은 직무가 낮아 묻힌 인재들의 행적을 드러내 밝히고 있다. 따라서 연조귀감은 널리 알려지지 않은 인물들의 행적을 발굴해 알렸다.

5. 정답 ② 난이도 ★☆☆ | 정답률 96%
내용영역 인문 | 문항 유형 추론

[정답&오답 풀이]

㉠은 인재의 등용을 오직 문지로써만 하면 능력을 지닌 자가 미천한 집안의 출신일 경우 벼슬할 수 없으므로 문지만으로는 인재를 제대로 등용할 수 없다는 내용을 담고 있다. 따라서 이러한 취지에서 글쓴이가 임금께 요청할 수 있는 사안은 인재 등용 문제와 관련하여 출신의 제약을 두지 말자는 내용일 것이다. 이러한 내용을 가장 적절하게 드러내고 있는 선택지는 ②번의 "버림받은 집안의 사람이라도 뛰어난 자는 등용하는 데 구애됨이 없게 하소서."이다. 그 밖의 선택지는 모두 글쓴이가 지문을 통해 의견을 낸 바 없는 내용을 다루고 있으므로 적절하지 않다.

6. 정답 ④ 난이도 ★☆☆ | 정답률 95%
내용영역 인문 | 문항 유형 추론

[정답 풀이]

④ 재와 덕으로 기준을 삼았던 과거와 달리 오직 문지로만 사람을 등용하는 후세의 제도는 향리가 조정에 나아가는 길을 막았다. "주현에서 벼슬살이하던 사람은 연자방앗간에서 맷돌을 돌리는 당나귀와 같아서 종신토록 벗어날 수가 없다"는 내용을 통해 뛰어난 능력을 가진 향리라 할지라도 그 지위를 벗어나 승진할 수 없었음을 알 수 있다. 따라서 향리의 지위가 시대에 따라 점차로 높아질 수 없었을 것이다.

[오답 풀이]

① 『연조귀감』의 내용은 힘써 선함을 권하고 악함을 깨우치는 것으로, 향리뿐만 아니라 사대부까지도 귀감으로 삼을 만하다. 또한 『연조귀감』에는 황무진과 같이 수신과 충효에 뛰어난 가리의 기록도 있다. '선함을 권하고 악함을 깨우치는 것', '수신', '충효' 등은 유교의 가치로, 이를 향리들이 귀감으로 삼아야 한다는 것은 당대의 향리가 유교 가치를 수용하였음을 의미한다.

② 옛적의 등용 제도는 재와 덕으로 기준을 삼았으며, 주현에서 벼슬살이하던 사람을 관부의 책임자로 조정에 등용하는 것은 어렵지 않은 일이었다. 따라서 향리 중에는 조정에 등용된 자도 있었음을 알 수 있다.

③ 조정의 여러 관직과 주현의 향리는 그 명칭이 같지 아니하고 지위의 높고 낮음에 차등이 있었을지언정 백성을 다스리는 일을 나누어 맡는다는 점에서는 다를 바가 없다. 따라서 향리도 백성을 다스리는 계층의 하나였음을 알 수 있다.

⑤ 1문단에 의하면 조선의 관제는 주나라의 육전 제도를 근본으로 삼고 있으며, 주현의 향리는 조정의 여러 관직을 모범으로 삼아 본뜬 것이다. 즉 향리 조직은 중앙 조직을 모방하여 만들어졌음을 알 수 있다.

[7~8] 제재 | 헌법위원회의 성격
난이도 | ★☆☆

7. 정답 ③ 난이도 ★☆☆ | 정답률 84%
내용영역 규범 | 문항 유형 분석

[정답 풀이]

③ 위헌 법률 심사가 갖게 되는 정치적 성격과 당시의 현실을 고려한 ㉢에 반해 ㉡은 위헌 법률 심사가 법리적 관점에서 객관적으로 이루어져야 한다고 보았다. 따라서 ㉡이 위헌 법률 심사가 엄격한 법리적 적용이어야 한다고 생각한 점에서 ㉢과 입장이 달랐다는 선택지의 진술은 옳은 설명이다.

[오답 풀이]

① ㉠은 사법권의 범위를 민사 · 형사 재판에 한정하는 데 반해, ㉡은 모든 법의 적용이 사법권에 해당한다고 보고 헌법 또한 사법권의 범위 안에 포함시키고자 하였다. ㉡이 ㉠보다 법원의

권한 범위를 넓게 보는 입장을 취한 것이다. 따라서 ㉠이 ㉡보다 법원의 권한 범위를 넓게 보는 입장을 취했다는 선택지의 내용은 옳지 않은 설명이다.

② ㉠은 법률의 위헌 여부에 대한 판단을 의회의 자율에 맡겨야 한다고 생각한 반면 ㉢은 법률의 위헌 여부 판단을 위해 비상설 기구인 헌법위원회를 별도로 창설해야 한다고 생각하였다. 따라서 ㉠과 ㉢이 법률 위헌 판정을 누구에게 맡길 것인지에 대한 입장이 동일했다는 선택지의 내용은 옳지 않은 설명이다.

④ ㉡과 ㉢은 모두 국회가 만든 법률이 헌법의 통제를 받는 것이 당연하며, 헌법에 위반되는지 그렇지 않은지를 판단하는 위헌 법률 심사가 필요하다고 보았다. 따라서 ㉡이 국회가 제정한 법률의 효력이 검증되어야 한다고 생각한 데 반해 ㉢은 그렇지 않았다는 선택지의 내용은 옳지 않은 설명이다. 국회가 제정한 법률의 효력이 검증되어야 한다고 생각한 점에서는 ㉡과 ㉢의 입장이 같았다.

⑤ ㉢은 국가 과제의 시급한 해결을 위해 국가 권력이 개입해야 하는 당시의 현실을 더 중요시하였으며, 개인의 자유와 권리를 확보하기 위해 국가 기관이 상호 견제해야 한다는 ㉡의 입장이 현실적으로 적합하지 않다고 보았다. 따라서 ㉢이 ㉡에 비해 국가 과제의 시급한 추진보다 개인의 권리 보호를 더 중요시하는 입장을 취했다는 선택지의 진술은 옳지 않은 설명이다. ㉢은 개인의 권리 보호보다 국가 과제의 시급한 추진을 더 중요시했다. 따라서 국가 과제의 시급한 추진보다 개인의 권리 보호를 더 중요시하는 입장을 취한 것은 ㉢이 아니라 ㉡이다.

8. 정답 ④

난이도 ★☆☆ | 정답률 81%

내용영역 규범 | 문항 유형 창의

[정답 풀이]

(나) 헌법위원회 구성은 유진오의 구상에 수정을 가해 입법부와 사법부 양 기관에서 동등한 인원이 참여하게 하였다. 대법관과 국회의원의 수를 동일하게 구성한 ⓑ의 내용 역시 사법부와 입법부가 균형을 이루도록 의도한 것이라 할 수 있다.

(라) 국회의원들이 후속 법률의 제정을 미루었기 때문에 헌법위원회는 많은 시간이 지난 후에야 비로소 제도적으로 완비될 수 있었다. 이러한 내용으로 미루어볼 때 헌법위원회의 조직과 절차를 입법부에서 법률로 정한다는 규정인 ⓓ는 제도가 빠른 시일 내에 시행되지 못한 사실과 관련이 있음을 알 수 있다.

[오답 풀이]

(가) 헌법위원회에 의해 법률 위헌 여부를 재판한다는 내용의 ⓐ는 유진오의 구상에 따른 것인데, 헌법기초위원회가 채택한 심의의 기준안은 사법 심사제였다. 따라서 ⓐ가 헌법기초위원회의 심의 기준안을 반영한 것이라는 설명은 잘못된 것이다.

(다) 입법부와 사법부가 균형을 이루도록 헌법위원회의 위원 수를 구성한 상태에서는 의결 정족수에 관한 규정이 어떠하든 그것이 어느 한 쪽의 입장을 더 반영할 수 있도록 한 것이라고 볼 수는 없다. 따라서 ⓒ의 의결 정족수 규정이 국회보다 법원의 입장을 더 반영한 것이라는 설명은 잘못된 것이다.

[9~11] 제재 | 유권자 선택 이론
난이도 | ★★★

9. 정답 ②

난이도 ★★☆ | 정답률 67%

내용영역 사회 | 문항 유형 분석

[정답 풀이]

② 유권자를 정당이 제시한 이념이 자신의 정치적 요구에 얼마나 부응하는지 그 효용을 계산하는 합리적인 존재로 보는 공간 이론은 이념 공간을 일차원 공간인 선으로 표시하고 유권자와 정당들의 이념적 위치를 그 선에 표시한다. 그 선에 표시된 유권자와 정당 간의 이념 거리와 방향에 따라 유권자의 투표 선택이 달라진다는 것이다. 따라서 공간 이론이 유권자와 정당 간의 이념 거리를 통해 효용을 계산하여 유권자의 투표 선택을 설명하였다는 선택지의 내용은 지문의 내용과 일치한다.

[오답 풀이]

① 초기 사회심리학 이론은 유권자 대부분이 일관된 이념 체계를 지니고 있지 않음에도 특정 정당에 대한 심리적 일체감으로 인해 그 정당에 대해 지속적인 지지를 보낸다고 보았다. 따라서 초기 사회심리학 이론에서 유권자가 심리적 요인으로 일관성이 없는 투표 선택을 한다고 보았다고 설명한 선택지의 내용은 지문의 내용과 일치하지 않는다.

③ 공간 이론의 두 이론은 유권자의 효용 계산과 정당의 득표 최대화 예측에서 이론적 경쟁 관계를 계속 유지했을 뿐만 아니라 현실 설명력에서도 두드러진 차이를 보였다. 따라서 후기 공간 이론의 등장으로 득표 최대화에 대한 초기의 근접 이론과 방향 이론 간의 이견이 해소되었다는 선택지의 내용은 지문의 내용과 대립된다.

④ 후기 공간 이론은 투표 최대화 지점을 이념적 중위나 극단으로 보았던 초기 이론의 문제점을 보완하는 과정에서 정당 일체감과 같은 초기 사회심리학 이론의 개념들을 그대로 수용했다. 그러면서도 후기 공간 이론은 유권자들의 투표 선택이 이념에 기초하고 있음을 실례를 통해 입증하였으므로 후기 공간 이론에서 유권자의 투표 선택을 설명하는 데 차지하는 이념의 비중은 큰 변화가 없었다고 할 수 있다. 따라서 후기 공간 이론에서 이념의 비중이 커졌다는 선택지의 내용은 지문의 내용과 일치하지 않는다.

⑤ 후기 공간 이론이 정당 일체감과 같은 심리학적 개념을 수용함으로써 초기 공간 이론의 문제점을 극복한 것은 맞지만, 이것이 세련된 유권자 가설을 입증하는 계기가 되었던 것은 아니다. 후기 공간 이론이 어리석은 유권자 가설을 지지하는 초기 사회심리학 이론과 달리 세련된 유권자 가설을 무리 없이 입증할 수 있었던 것은, 정당 일체감을 합리적인 것으로 인정했기 때문이 아니라 다양한 국가의 유권자들이 이념에 기초해 후보자나 정당을 선택한다는 것을 실증적으로 보여 주었기 때문이다. 따라서 후기 공간 이론이 정당 일체감을 합리적인 것으로 인정하여 세련된 유권자 가설을 입증했다는 선택지의 내용은 지문의 내용과 일치하지 않는다.

10. 정답 ③

난이도 ★★☆ | 정답률 61%

내용영역 사회 | 문항 유형 추론

[정답 풀이]

③ 후기 방향 이론은 유권자들이 심리적으로 허용할 수 있는 이념 범위인 관용 경계라는 개념을 도입하여 정당이 관용 경계 밖에 위치하면 오히려 유권자의 효용이 감소한다고 본다. 이렇게 볼 때 ㉡에서 여당이 정당 일체자의 이탈을 우려한다면 자신들을 지지하는 정당 일체자들을 놓치지 않기 위해서 그들의 관용 경계 내에서 벗어나지 않으려고 할 것이다. 즉 후기 방향 이론의 관점에서 볼 때 ㉡에서는 여당이 정당 일체자의 이탈을 우려해 중위 유권자의 위치로 이동하지 않는다. 따라서 후기 방향 이론은 ㉡에서 정당 일체자의 이탈을 우려한 여당이 중위 유권자의 위치로 이동함을 설명할 수 없다.

[오답 풀이]

① 초기 근접 이론은 유권자 분포의 중간 지점인 중위 유권자의 위치가 양당의 선거 경쟁에서 득표 최대화 지점을 의미한다고 본다. 따라서 만약 ㉠에서 여당의 지지율이 하락했다면 여당이 지지율을 높이기 위해 중위 유권자의 위치로 이동할 것이라고 설명할 수 있다.

② 후기 근접 이론은 정당이 정당 일체감을 지닌 유권자들로부터 멀어질 경우 지지가 감소할 수 있다는 점을 고려하여 실제로는 중위로부터 다소 벗어난 지점에 위치하게 된다고 본다. 따라서 ㉠에서 여당이 정당 일체자의 이탈을 우려한다면 자신들을 지지하는 정당 일체자의 지지를 유지하기 위해서 쉽사리 중위 유권자의 위치로 이동하지 못하는 현상을 설명할 수 있다.

④ 초기 근접 이론은 유권자가 자신의 위치와 가까운 위치에 있는 정당에 투표할 것이라고 보기 때문에 중위 유권자의 위치가 득표 최대화 지점이 된다. 만약 ㉢에서 여당이 특정 당에 치우치지 않은 중도적 유권자를 포섭하고자 초기 근접 이론을 수용한다면 당연히 중위 유권자의 위치로 이동하여 가장 많은 득표를 하고자 할 것이다. 따라서 초기 근접 이론은 ㉢에서 중도적 유권자의 이탈을 우려한 여당이 중위 유권자의 위치로 이동함을 설명할 수 있다.

⑤ 초기 방향 이론에 따르면 정당에 대한 유권자의 효용은 그 정당이 유권자와 같은 이념 방향의 극단에 있을 때 최대화되지만, 후기 방향 이론에서는 관용 경계를 벗어날 경우 유권자의 효용이 도리어 감소하므로 ㉢에서 야당이 유권자의 관용 경계를 의식한다면 이념 방향의 극단 위치로 쉽사리 이동하지 못하게 된다. 따라서 후기 방향 이론은 ㉢에서 야당이 득표 최대화 전략을 짜는 과정에서 중도적 유권자의 관용 경계를 벗어나지 않기 위해 이념적 극단 위치로 이동하지 못하는 현상을 설명할 수 있다.

11. 정답 ⑤

난이도 ★★☆ | 정답률 52%

내용영역 사회 | 문항 유형 창의

[정답 풀이]

⑤ 후기 방향 이론에서 정당이나 후보자는 관용 경계 밖에 위치할 경우 오히려 유권자의 효용이 감소한다. <보기>의 ㄹ에 제시된 관용 경계는 ±2로 이를 초과할 경우 유권자는 기권한다고 하였다. 그러므로 후기 방향 이론을 따를 경우, A당의 중위 유권자 위치 3에서 −2를 초과하는 0에 위치한 A1은 2를 초과하는 위치에 있는 유권자들의 표를 얻을 수 없다. 2에서 6 사이에 위치한 유권자의 관용 경계 내에 있는 A2에 비해 득표 가능한 범위와 표수가 적은 A1은 A당 예선을 통과하지 못하므로 본선에 나갈 수 없다. 따라서 후기 방향 이론이 A1이 최종 대표자가 될 것으로 예측할 것이라는 선택지의 내용은 지문의 이론을 잘못 적용한 것이다.

[오답 풀이]

① 초기 근접 이론에 따라 각 당의 후보를 결정하는 예선 투표를 하면 A당에서는 A당의 중위 유권자 위치 3에 가까운 A2가 본선의 후보가 되고, B당에서는 B당의 중위 유권자 위치 7과 일치하는 B1이 본선에 나갈 후보가 될 것이다. 즉 초기 근접 이론은 A2와 B1이 예선을 통과할 것으로 예측할 것이다. 따라서 초기 근접 이론은 B1이 예선을 통과할 것으로 예측할 것이라는 선택지의 내용은 옳다.

② 초기 근접 이론에 따라 예선을 통과한 A2와 B1을 후보로 본선 투표를 진행하면, 전체 유권자 중 중위 중권자의 위치인 5에 보다 더 가까운 A2가 최종 대표자로 선출될 것이다. 따라서 초기 근접 이론은 A2가 본선에서 승리할 것으로 예측할 것이라는 선택지의 내용은 옳다.

③ 초기 방향 이론에 따르면 정당의 이념이 유권자의 이념과 같은 방향일 때 유권자의 효용은 각 당의 중위 유권자 위치보다 이념 방향의 극단에 가까울수록 증가하므로 N국의 예선 투표를 이에 따라 예상해 보면 A당에서는 진보의 극단에 있는 A1이, B당에서는 보수의 극단에 가까운 B2가 본선 투표의 후보로 결정될 것이다. 또한 초기 방향 이론에서는 정당의 이념이 유권자의 이념과 다른 방향일 때 이념 원점에서 더 먼 쪽에 위치할수록 효용이 감소하게 된다고 본다. 이렇게 이념 원점을 기준으로 양 극단에 있는 A1과 B2가 본선에서 경쟁하게 되면 A당을 지지하는 유권자는 모두 A당의 후보를, B당을 지지하는 유권자는 B당의 후보를 찍게 된다. 그런데 이때 A당과 B당의 정당 일체자 분포의 규모가 같다는 진술(ㅁ)이 제시되어 있으므로, A당과 B당의 득표율은 동일할 것이라고 추론할 수 있다. 이에 따라 투표 결과를 실질적으로 좌우하는 중위 유권자의 위치를 기준으로 지문에 제시된 공식에 따라 두 후보자에 대한 효용을 계산하면 다음과 같다.

- A1 후보자에 대한 중위 유권자의 효용 : $|5-5|\times|5-0|=0\times5=0$
- B2 후보자에 대한 중위 유권자의 효용 : $|5-5|\times|5-9|=0\times4=0$

A1과 B2 두 후보자의 효용이 같으므로 이념 원점에 위치한 유권자는 기권하게 될 것이고, 따라서 초기 방향 이론은 본선에서 승자가 없을 것으로 예측할 것이다.

④ 후기 근접 이론은 정당이 정당 일체감을 지닌 유권자들로부터 멀어질 경우 지지가 감소할 수 있다는 점을 고려했을 뿐 유권자가 자신의 이념 위치와 가까운 위치에 있는 후보자에게 투표한다는 점에서는 초기 근접 이론과 동일한 이론적 기반을 가지고 있다. N국의 예선 투표 결과에 후기 근접 이론을 적용하면 A당에서는 중위 유권자 위치에서 먼 A1보다 약간 벗어난 A2가 본선의 후보로 결정될 것이고, B당에서도 역시 중위 유권자 위치에서 먼 B2보다는 중위 유권자 위치와 일치하는 B1이 후보로 결정될 것이다. 후기 근접 이론에 따라 A2와 B1이 본선 투표의 후보가 되었을 때 최종 대표자는 전체 유권자의 중위자 위치인 5에서 보다 가까운 A2가 될 것이다. 따라서 후기 근접 이론은 A2가 본선에서 승리할 것으로 예측할 것이다.

[12~14] 제재 | 도덕 철학의 과제와 상위선
난이도 | ★☆☆

12. 정답 ① 난이도 ★☆☆ | 정답률 92%

(내용영역) 규범 (문항 유형) 분석

[정답 풀이]

① 진정한 자아실현은 무엇인가 하는 문제는 단지 개인의 결단에만 맡겨서는 안 되며, 개인이 속한 사회의 상위선을 고려하여 다루어야 한다(6문단). 따라서 참된 자아실현의 문제는 보편 가치인 상위선과 독립적일 수 없다.

[오답 풀이]

② 상위선은 우리 자신의 욕구나 성향, 선택에 의해 형성되는 것이 아니라, 어떤 사회나 문화권에서 역사적으로 형성되어 자리 잡은 것이다(2문단). 따라서 상위선은 개인이 자의적으로 선택할 수 있는 것이 아니다.

③ 지문의 4문단에서는 절차주의적 도덕 이론 역시 이성적 주체의 자율성과 같은 상위선을 배경으로 형성된 것임을 명시적으로 지적하고 있다. 따라서 절차주의적 도덕 이론도 상위선을 배경으로 한 것이라 할 수 있다.

④ 도덕적 판단들의 근거가 되는 상위선은 역사적으로 형성되어 자리 잡은 것이므로 사회나 문화에 따라 다를 수 있다(4문단). 따라서 상위선이 서로 다르면 도덕적 가치 판단 또한 서로 다를 수 있는 것이다.

⑤ 의무론이나 절차주의적 도덕 이론은 좋은 삶의 문제를 다루는 것을 회피한다(3문단). 따라서 의무론에서는 좋은 삶을 판단하는 기준이 되는 상위선의 문제가 제대로 다루어지지 못하고 있음을 알 수 있다.

13. 정답 ④ 난이도 ★★☆ | 정답률 56%

(내용영역) 규범 (문항 유형) 추론

[정답 풀이]

ㄱ. 도덕 철학의 주요 과제 중 하나는 상위선을 탐구하여 밝히는 것이며, 상위선은 도덕적 판단들의 근거가 되는 도덕적 원천이다. 그러므로 한 사회의 상위선이 무엇인지 규명함으로써 그 사회에서 이루어지는 도덕적 판단이나 반응을 이해할 수 있게 되고, 이러한 과정의 수행이 바로 도덕 철학의 과제가 된다. 따라서 도덕 철학이 폴리스에서 중시되는 덕이 있는 삶이란 무엇이며 덕이 왜 삶에서 중요한 가치를 지니는지를 다루고 있다면 그것은 글쓴이가 제시하는 도덕 철학의 과제를 수행하는 예라 볼 수 있다.

ㄷ. 지문의 글쓴이는 도덕 철학의 주요 과제가 도덕적 판단들의 배후에 있는 가치를 탐구하고 밝히는 것이라 말한다(2문단). 글쓴이는 담론 윤리학을 비롯한 절차주의적 도덕 이론이 내포한 도덕 철학의 전통에서 갖는 한계와 문제점들을 지적하고 있지만, 이들이 옹호하는 도덕 규칙도 근대적 가치나 상위선을 배경으로 형성되었다고 본다(4, 5문단). 따라서 도덕 철학이 담론 윤리학을 대상으로 그것의 가치 판단이 어떤 도덕적 판단 근거에 바탕을 두고 있는지를 다루고 있다면 담론 윤리학이라는 도덕적 판단이 그 배경으로 삼고 있는 상위선이 무엇인지 탐구하고 밝히는 것이므로 역시 글쓴이가 말하는 도덕 철학의 과제를 수행하는 예라 할 수 있다.

[오답 풀이]

ㄴ. 지문의 글쓴이는 도덕 철학이 기본적이면서도 보편적인 도덕 규칙이나 정당한 절차 등에서만 다루는 것을 과제로 삼을 경우 도덕적 신념의 배경이 되고 있는 상위선을 포착할 수 없게 만든다고 지적한다. 따라서 도덕 철학이 시대를 초월하여 존재하는 보편타당한 도덕규범이 어떤 것인지를 다룬다면 그것은 상위선이 무엇인지 규명하기 어렵게 되고 글쓴이가 말하는 도덕 철학의 과제를 수행한다고 보기 어렵다.

14. 정답 ⑤ 난이도 ★★☆ | 정답률 52%

(내용영역) 규범 (문항 유형) 비판

[정답 풀이]

⑤ 글쓴이는 상위선은 여러 선들 가운데서 최고의 가치를 지닌 선으로서 여러 도덕적 가치 평가들의 근거가 된다고 주장하였다. 글쓴이의 주장과 같이 절대적이고 최상의 가치를 지닌 도덕적 기준을 상정하게 된다면 그 기준과 상이한 가치관이 한 사회 내에 동시에 존재하는 것을 수용하기 어려울 가능성이 있다. 따라서 최고의 가치 평가 기준을 근거로 도덕적 판단을 함으로써 상충하는 가치관이 한 사회에서 공존하는 것에 대해 부정적 태도를 취할 수 있다는 선택지는 글쓴이의 주장에 대한 비판으로 가장 적절하다고 볼 수 있다.

[오답 풀이]

① 글쓴이는 의무론이나 절차주의적 도덕 이론과 같은 근대의 도덕 철학이 도덕성 개념을 협소화하고 도덕 철학의 과제를 제한한다고 비판한다. 따라서 도덕적 문제의 의미를 협소하게 규정함으로써 도덕 철학의 전통을 계승하지 못할 수 있다는 한계는 글쓴이의 주장이 가진 문제점이 아니며, 글쓴이의 주장에 대한 적절한 비판이라 할 수 없다.

② 글쓴이의 주장에 따르면, 상위선은 여러 도덕적 가치 평가들의 근거가 되며 우리 자신의 욕구나 성향, 선택 등을 평가하는 기준이 된다. 따라서 글쓴이의 주장이 도덕규범의 실질적인 내용을 다루지 않음으로써 현실적인 행위 지침을 제시하지 못할 수 있다는 선택지의 내용은 글쓴이의 주장을 잘못 파악한 것이다.

③ 글쓴이는 어떤 삶이 좋은지를 판단하는 기준인 상위선을 최고의 도덕적 가치로 삼고 이 상위선이 역사적으로 형성되는 것이라 보며, 근대의 도덕 철학이 좋은 삶과 관련된 삶의 목적이나 의미 대신 옳음과 관련된 규칙과 절차만을 다룸으로써 상위선을 포착할 수 없게 만들었다고 지적한다. 즉 글쓴이는 좋음보다 옳음을 우선시하는 것이 아니라 옳음보다 좋음을 우선시한다. 따라서 좋음보다 옳음을 우선시함으로써 정의 개념의 형성 과정을 역사적 맥락 속에서 파악하지 못할 수 있다는 선택지의 내용은 근대 도덕 철학에 해당되는 것이며, 글쓴이의 주장에 대한 비판이라 볼 수 없다.

④ 좋은 삶의 모습은 사회나 문화에 따라 다르다는 것이 글쓴이의 주장은 맞지만, 이 주장으로부터 도덕 자체에 대한 회의에 빠진다는 결론을 끌어내기는 어렵다. 글쓴이는 좋은 삶의 모습이 강한 가치 평가와 관련된 도덕적 문제라고 보기 때문이다. 따라서 사회마다 좋은 삶의 모습이 다르면 도덕적 판단의 기준도 달라지기 때문에 도덕 자체에 대한 회의에 빠질 수 있다는 선택지의 내용을 글쓴이의 주장에 대한 적절한 비판이라 볼 수 없다.

[15~17] 제재 | 지방의 저장과 분해
난이도 | ★★☆

15. 정답 ①
난이도 ★★☆ | 정답률 80%

내용영역 과학기술 | 문항 유형 분석

[정답 풀이]

① '에스테르화'는 작은창자 세포 내의 지방산과 글리세롤을 다시 합쳐 중성지방으로 만드는 화학 반응이며, '카테콜아민'은 지방세포에 저장된 중성지방을 분해하는 신경 전달 물질이다. 따라서 카테콜아민이 지방세포 내에서 지방산과 글리세롤의 에스테르화 반응을 일으킨다고 볼 수 없다.

[오답 풀이]

② 지방세포에 저장된 중성지방은 다시 지방산과 글리세롤로 분해된 후 혈액으로 분비되어 신체 기관에 필요한 에너지를 만드는 데 중요한 에너지원이 된다. 따라서 중성지방이 에너지원으로 작용하기 위해서는 지방산과 글리세롤로 분해되어야 한다.

③ 여성의 경우에는 둔부와 대퇴부의 피부 조직 아래의 피하 지방세포에 지방이 더 많이 축적되는 데 비해 남성의 경우 복부 창자의 내장 지방세포에 더 많이 축적된다. 따라서 신체 내에 지방세포가 다른 부위보다 더 잘 축적되는 부위는 성별에 따라 다르다.

④ 음식물 형태로 섭취된 지방은 소화 과정에서 효소들의 작용에 의해 중성지방으로 전환되어 작은창자에 흡수된다. 따라서 음식물 형태의 지방은 작은창자에서 흡수되기 위해 효소의 작용이 필요하다.

⑤ 2문단에 따르면, 일반적으로 기초 지방 분해 과정에 의한 중성지방의 분해 속도는 지방세포의 크기가 클수록 빨라진다. 따라서 지방세포의 크기와 지방세포에서 일어나는 기초 지방 분해 속도는 비례한다.

16. 정답 ②
난이도 ★★☆ | 정답률 48%

내용영역 과학기술 | 문항 유형 분석

[정답 풀이]

② 지방 흡수를 위해 지방세포에서 분비된 리파아제는 모세혈관 세포의 세포막에 붙어서 중성지방을 지방산과 글리세롤로 분해한다. 따라서 지방세포에서 분비된 리파아제는 지방세포에서 지방산 분비를 감소시키지 않는다.

[오답 풀이]

① 성장 호르몬은 카테콜아민-자극에 대한 민감도를 증가시키고, 카테콜아민은 지방세포 내의 호르몬-민감 리파아제를 활성화시켜 카테콜아민-자극 지방 분해가 이루어지도록 한다. 따라서 성장 호르몬은 호르몬-민감 리파아제의 활성을 증가시킨다.

③ 중성지방은 췌장에서 분비된 지방 분해 효소인 리파아제에 의해 지방산과 글리세롤로 분해되어 흡수된다. 따라서 췌장에서 분비된 리파아제의 활성이 억제되면, 체내에 지방 축적이 감소된다.

④ 지방세포 내 호르몬-민감 리파아제의 활성화를 통해 일어나는 카테콜아민-자극 지방 분해는 격한 운동을 할 때와 같이 에너지가 많이 필요할 때 일어난다. 따라서 신체에서 많은 에너지가 요구되면, 지방세포 내 호르몬-민감 리파아제의 활성이 증가한다.

⑤ 모세혈관 세포의 세포막에 붙어있는 리파아제는 지방 흡수를 위해 지방세포에서 분비되어 옮겨진 것으로 이는 중성지방이 모세혈관에 도착했을 때 중성지방을 지방산과 글리세롤로 분해한다. 따라서 모세혈관 세포의 세포막에 붙어 있는 리파아제의 활성이 증가하게 되면, 지방세포 내에서 에스테르화되는 지방산과 글리세롤의 양은 증가한다.

17. 정답 ①
난이도 ★★☆ | 정답률 72%

내용영역 과학기술 | 문항 유형 창의

[정답 풀이]

ㄱ. 여성 성 호르몬은 대퇴부의 피하 지방세포에 지방을 축적시킨다. 따라서 정상 체중의 32세 남성에게 여성 성 호르몬을 투여하게

2012학년도

된다면 이 호르몬의 작용으로 대퇴부 피하의 지방이 증가할 것이다.

ㄴ. 남성 성 호르몬은 복부 창자의 내장 지방세포 축적에 관여한다. 따라서 70대 여성과 같이 혈중 여성 성 호르몬 농도가 매우 낮은 70대 여성 피험자에게 남성의 성 호르몬을 투여하게 되면 피험자의 혈중에 증가한 남성 성 호르몬이 피험자의 내장에 지방을 증가시킬 것이다.

[오답 풀이]

ㄷ. 성장 호르몬은 지방 분해를 촉진시키고 중성지방의 저장을 줄이는 작용을 한다. 따라서 성장 호르몬이 분비되지 않는 35세 남성에게 성장 호르몬을 투여하면 이 호르몬이 지방의 분해를 촉진시켜 내장 지방의 양이 감소할 것이다.

ㄹ. 여성 성 호르몬은 둔부와 대퇴부의 피하에 지방이 축적되도록 하고 내장 지방의 분해를 돕는다. 따라서 혈중 여성 성 호르몬 농도가 매우 낮은 35세 여성에게 여성 성 호르몬을 투여하면 이 호르몬의 영향으로 내장 지방의 양이 감소하고 대퇴부 피하지방의 양은 증가할 것이다.

[18~20] 제재 | 자본 구조와 기업 가치
난이도 | ★★☆

18. 정답 ④ 난이도 ★☆☆ | 정답률 90%

내용영역 사회 문항 유형 분석

[정답 풀이]

④ 상충 이론과 자본 조달 순서 이론은 기업들의 부채 비율 결정과 관련된 이론적 예측을 제공한다. 그런데 기업 규모와 관련하여 상충 이론은 기업 규모가 클 경우 부채 비율이 높을 것이라고 예측하는 반면, 자금 조달 순서 이론은 기업의 규모가 클 경우 부채 비율이 낮을 것이라고 예측한다. 따라서 상충 이론과 자본 조달 순서 이론은 기업 규모가 부채 비율에 미치는 효과와 관련하여 상반된 해석을 한다.

[오답 풀이]

① 경제 주체들 사이의 정보 비대칭 정도가 자본 조달 순서에 영향을 미친다고 보는 자본 조달 순서 이론은 불완전 자본 시장을 가정하는 자본 구조 이론 가운데 하나이다. 따라서 경제 주체들 사이의 정보 비대칭만으로는 자본 시장의 불완전성을 논할 수 없다는 선택지의 내용은 지문의 내용과 일치하지 않는다.

② 완전 자본 시장을 가정하는 자본 구조 이론인 모딜리아니-밀러 이론은 기업의 가치는 부채에 아무런 영향을 받지 않는다고 본다. 그리고 불완전 자본 시장을 가정하는 자본 구조 이론인 상충 이론과 자본 조달 순서 이론은 기업이 세금, 파산 비용, 정보 비대칭 정도 등을 감안하여 기업의 가치를 가장 크게 하는 최적의 부채 비율을 결정한다고 본다. 따라서 자본 구조 이론은 기업의 가치가 부채 비율에 미치는 영향을 연구하는 이론이라기보다 부채 비율이 기업의 가치에 미치는 영향을 연구하는 이론이라고 할 수 있다.

③ 자본 조달 순서 이론에 따르면 기업들은 정보 비대칭의 정도가 작은 순서에 따라 순차적으로 자본을 조달하므로 투자가 필요할 경우 제일 먼저 내부 여유 자금을 쓰고, 그 자금이 투자액에 미달되면 외부 자금을 조달하며, 외부 자금을 조달할 때는 주식의 발행보다 부채의 사용을 선호한다. 따라서 자본 조달 순서 이론에 의하면, 기업은 내부 여유 자금, 주식, 부채의 순으로 투자 자금을 조달하는 것이 아니라 내부 여유 자금, 부채, 주식의 순으로 투자 자금을 조달한다.

⑤ 불완전 자본 시장을 가정하는 자본 구조 이론들은 모딜리아니-밀러 이론이 가정하는 완전 자본 시장의 비현실성을 비판한다. 불완전 시장을 가정하는 자본 구조 이론들은 모딜리아니-밀러 이론의 결론을 부정하기에 앞서 이론적 전제 자체를 수용하지 않는다. 따라서 불완전 자본 시장을 가정하는 자본 구조 이론들이 모딜리아니-밀러 이론의 전제에 동의했다고 볼 수 없다.

19. 정답 ⑤ 난이도 ★★☆ | 정답률 72%

내용영역 사회 문항 유형 분석

[정답 풀이]

⑤ 모든 마찰 요인이 전혀 없다는 가정에 기초한 ㉠과 달리, ㉡은 ㉠에서 고려하지 않았던 세금과 같은 마찰 요인을 고려하였다. 그러나 ㉡ 역시 기업의 최적 자본 구조는 결정될 수 없고 자본 구조와 기업의 가치는 무관하다고 보았다. 결국 ㉡은 자본 구조는 기업의 가치와 무관하다는 ㉠의 명제를 재확인한 것이라 할 수 있다.

[오답 풀이]

① ㉠은 세금, 파산 비용 등의 마찰 요인을 배제한 완전 자본 시장을 가정한다. 이러한 가정은 이후 등장한 상충 이론이나 자본 조달 순서 이론의 비판 대상이 되었고 이후 ㉠을 수정 보완한 ㉡이 제시되었다. 그런데 ㉡은 자본 구조 결정에 있어서 세금이 미치는 효과에 대해서는 주목하면서도 파산 비용이 미치는 영향은 여전히 인정하지 않았다. 따라서 파산 비용이 없다고 가정한 ㉠의 한계를 극복하기 위해 ㉡이 파산 비용을 반영하였다는 선택지의 내용은 ㉠과 ㉡의 관계를 잘못 파악한 것이다.

② ㉠이 완전 자본 시장 내에서의 개별 기업을 분석의 대상으로 삼은 반면, ㉡은 경제 전체의 자본 구조를 분석 대상으로 삼았다. ㉠과 ㉡은 모두 개별 기업의 자본 구조가 해당 기업의 가치에 미치는 영향력을 인정하지 않으므로, 기업의 최적 자본 구조는 결정될 수 없다고 본다. 따라서 ㉡이 ㉠과 같은 입장에서 개별 기업을 분석 단위로 삼아 기업의 최적 자본 구조를 분석하였다는 선택지의 내용은 ㉠과 ㉡의 관계에 대한 바른 설명이라고 할 수 없다.

③ ㉡은 ㉠을 수정 보완하기 위해 기업의 가치에 세금이 미치는 효과를 재정립하였고, 이 과정에서 법인세와 소득세를 고려하였다. 따라서 ㉡이 ㉠의 한계를 극복하기 위해 법인세 외에 소득세도 고려하였다는 선택지의 일부 내용은 옳다. 그러나 ㉠은 기업의 영업 이익에 대한 법인세를 포함한 모든 마찰 요인을 배제하였으므로, ㉠의 한계가 기업의 가치 산정에 법인세만을 고려한 데

있었던 것이 아니다.

④ ㉡은 현실 설명력이 제한적이었던 ㉠의 한계를 수정 보완한 것이지만, 타인 자본 즉 부채가 기업의 가치 산정에 영향을 미치지 못한다고 본 점에서는 ㉠의 결론과 다르지 않다. 따라서 ㉠의 한계를 극복하기 위해 ㉡이 기업의 가치 산정에 타인 자본의 영향이 크다고 보았다는 선택지의 내용은 지문의 내용과 어긋난다.

20. 정답 ③

난이도 ★★☆ | 정답률 46%

내용영역 사회 / 문항 유형 창의

[정답 풀이]

③ 상충 이론은 부채의 사용이 증가함에 따라 법인세 감세 효과에 의해 기업의 가치가 증가할 수도 있고, 기대 파산 비용이 증가하여 기업의 가치가 감소할 수도 있다고 본다. 따라서 A씨는 B 기업의 높은 부채 비율이 B 기업의 가치에 어떤 식으로든 영향을 미칠 것이라고 평가할 것이다.

[오답 풀이]

① 상충 이론은 기업 규모가 클 경우 부채 비율이 높을 것이라고 예측한다. 그런데 B 기업은 규모가 크지 않은데도 부채 비율이 높다. 따라서 상충 이론에 따라서는 규모가 작은 B 기업의 부채 비율이 낮을 것이라고 평가할 수 없다. 기업의 규모가 작을수록 기업의 부채 비율이 높을 것이라고 평가하는 이론은 자본 조달 순서 이론이다.

② 상충 이론에 따르면 기업의 부채는 그 이자가 비용으로 처리됨으로써 법인세가 감면되는 편익으로 돌아온다. 따라서 A씨는 부채 비율이 높은 B 기업이 부채 이자 비용에 따른 법인세 감세 효과를 볼 수 있을 것이라고 평가할 것이다.

④ 상충 이론에 의하면 규모가 큰 기업은 사업 다각화의 정도가 높아 소규모 기업에 비해 기대 파산 비용이 낮다. 한편 성장성이 높은 기업들은 법인세 감세 효과보다 기대 파산 비용이 더 크다. 따라서 A씨는 규모가 작고 성장성이 높은 B 기업의 파산 비용이 낮다고 평가하지 않을 것이다.

⑤ 상충 이론은 기업 규모가 클 경우 부채 수용 능력이 높을 뿐 아니라, 법인세 감세 효과의 극대화를 위해 더 많은 부채를 차입하려는 경향이 있기 때문에 대기업일수록 부채 비용이 높을 것이라고 예측한다. 반대로 성장성이 높은 기업들은 법인세 감세 효과보다 기대 파산 비용이 더 크기 때문에 부채 비율이 낮을 것이라고 예측한다. 따라서 상충 이론의 관점에서 본다면 규모가 작으면서 성장성이 높은 B 기업은 부채 비율이 높지 않는 편이 바람직하다. 더구나 이미 B 기업은 내부 자금보다 부채 비율이 높은 편이므로, A씨는 B 기업의 생산 시설 확충을 위한 투자 자금은 부채 비율을 더 높이는 것, 즉 타인 자본으로 조달하는 것보다 내부 여유 자금으로 조달하는 편이 더 낫다고 평가할 것이다.

[21~23] 제재 | 분석법학에서 규범 양상 간의 관계

난이도 | ★★★

21. 정답 ④

난이도 ★★☆ | 정답률 53%

내용영역 규범 / 문항 유형 분석

[정답 풀이]

④ 마지막 문단에 따르면, 글쓴이는 '결과의 합당성을 고려해야 한다는 이유를 들어 명시적인 규정에 반하는 자의적 판결을 내리려는 시도에 대하여, 판결은 법률의 문언에 충실해야 한다는 점을 일깨우고' 있다는 측면에서 분석법학이 사법 통제 차원에서의 의의를 지닌다고 하였다. 또한 분석법학이 '자칫 부당한 법 상태를 옹호하게 될 수 있다는 한계도 있지만', 엄밀성을 추구함으로써 전통적인 법에 내재해 있는 모순과 은폐된 흠결을 간파하고 이를 적극 제거하거나 보완할 수 있다고 하였다. 즉, 글쓴이는 분석법학이 결과의 합당성을 보장하지 못한다는 한계를 지니지만, 분석적 엄밀성을 추구함으로써 의의를 지닌다고 보았다. 따라서 분석적 엄밀성을 추구하는 것이 결과의 합당성을 보장하는 것은 아니라는 것은 글쓴이의 견해로 옳다고 할 수 있다.

[오답 풀이]

① 3문단에 따르면, 분석법학이 '법을 명확하고 체계적으로 정립하기 위해 준수해야 하거나, 법의 과잉을 방지하기 위해 고려해야 할 원칙들을 제공해 준다.'고 하였다. 또한 마지막 문단에 따르면, 글쓴이는 19세기 분석법학이 '비록 일도양단의 논리적인 선택만을 인정함으로써 현실의 변화에 유연하게 대처하지 못하고, 자칫 부당한 법 상태를 옹호하게 될 수 있다는 한계'를 지녔다고 하였지만, 그럼에도 분석법학이 추구한 엄밀성은 '자유의 영역을 선제적으로 확보하는 데 기여해 왔다'고 평가하였다. 즉 글쓴이는 분석법학이 유연성을 지니지는 못하였지만, 명확성을 지님으로써 법의 과잉을 방지하기 위한 원칙들을 제공하고, 자유의 영역을 선제적으로 확보하는 데 기여하였다고 보는 것이다. 따라서 명확한 법을 갖는 것보다 유연한 법을 갖는 것이 중요하다는 것은 글쓴이의 견해라 할 수 없다.

② 글쓴이는 자유에 관하여, 개방적 법체계에서는 '법 그 자체로부터 자유로운 인간 활동의 고유한 영역이 존재할 수 있다'고 하였으며, 폐쇄적 법체계에서는 인간의 자유가 '소극적 허용과 적극적 허용이 동시에 주어져 있는 상태, 즉 명령도 금지도 존재하지 않는 상태에 놓여' 있다고 하였다. 또한 마지막 문단에서는 분석법학이 추구한 엄밀성이 '자유의 영역을 선제적으로 확보하는 데 기여해 온 것으로 평가할 수 있다'고 하였다. 이러한 언급을 통하여, 법 이전에 존재하는 권리로서의 자유가 실정법에 의하여 승인되었다는 내용을 도출할 수는 없다. 따라서 자유는 법 이전에 존재하는 권리가 실정법에 의해 승인된 것이라는 것은 글쓴이의 견해라 할 수 없다.

③ 마지막 문단에 따르면, 글쓴이는 19세기 분석법학이 '일도양단의 논리적인 선택만을 인정함으로써 현실의 변화에 유연하게 대처하지' 못한다는 한계를 지니고 있지만, 분석법학이 추구하는 엄밀성은 명시적인 규정에 반하는 자의적 판결을 내리려는 시도에 대하여 판결이 법률의 문언에 충실해야 한다는 점을 일깨움으로써 사법 통제의 차원에서도 의의를 지닐 수 있다고 하였다. 즉,

2012학년도

글쓴이는 법을 형식 논리적으로 적용하는 분석법학의 엄밀성이 사법 통제의 차원에서도 법의 과잉을 방지하기 위하여 고려해야 할 원칙들을 제공해 준다는 의의를 지닌다고 보았다. 따라서 법의 지배를 강화하려면 법을 형식 논리적으로 적용해서는 안 된다는 것은 글쓴이의 견해라 할 수 없다.

⑤ 5문단에서는 자유에 관하여, '개방적 법체계에서는 법 그 자체로부터 자유로운 인간 활동의 고유한 영역이 존재할 수 있지만, 폐쇄적 법체계 내에서 인간의 자유란 명령도 금지도 존재하지 않는 상태에 놓여 있음을 뜻할 뿐'이라고 하였다. 이에 대하여 글쓴이는, 개방적 법체계를 인정하면 인간이 누리게 되는 자유의 질은 현저히 저하될 수밖에 없을 것이라고 하며, 폐쇄적 법체계를 전제하고 있는 분석법학이 자유의 영역을 선제적으로 확보하는 데 기여해왔다는 점에서 의의를 지닌다고 하였다. 따라서 법으로부터 자유로운 영역을 인정하는 입장이 자유의 확보에 기여한다는 것은 글쓴이의 견해라 할 수 없다. 또한 이때 법으로부터 자유로운 영역을 인정하는 입장은 개방적 법체계를 인정하는 입장이며, 자유의 확보에 기여하는 것은 폐쇄적 법체계가 지니는 의의이므로, 이는 글쓴이의 견해와 무관하게 옳지 않은 서술이다.

22. 정답 ②

난이도 ★★★ | 정답률 27%

내용영역 규범 | 문항 유형 추론

[정답 풀이]

<보기>의 법 조항은 '금지'의 규범 양상에 해당한다. 폐쇄적인 법체계를 전제하는 분석법학에서는, 행위를 하지 않도록 하는 '금지'가 적극적 허용의 부정이지만 소극적 허용을 함축한다고 본다. 이와 달리, 개방적 법체계에서는 금지되지 않은 것이 곧 허용된 것이라고 말할 수 없기 때문에, 적극적 허용이 금지를 부정한다는 명제는 성립하지 않는다고 본다. 즉, 개방적 법체계에 따르면, 금지는 적극적 허용의 부정이 아니다.

② 이 선택지의 해석에 따르면, 타인의 자살을 돕는 것은 타인의 생명을 침해하는 것이므로 금지된 행위이며, 이는 곧 허용되지 않은 행위이다. 폐쇄적 법체계에서는 금지가 적극적 허용의 부정이라고 보며, 개방적 법체계에서는 금지가 적극적 허용의 부정이 아니라고 본다. 따라서 금지된 것은 허용되지 않은 것이라는 해석이 가능하기 위해서는 폐쇄적 법체계가 전제되어야 한다.

[오답 풀이]

① 이 선택지의 해석에 따르면, 출생한 이후부터 사람이라고 보기 때문에 태아를 죽게 하는 것은 타인의 생명을 침해하는 것이 아니므로 금지되지 않은 행위이며, 이는 곧 허용되지 않은 행위이다. 폐쇄적 법체계에서는 금지가 적극적 허용의 부정이므로, 금지되지 않은 것은 적극적 허용을 의미한다고 보며, 개방적 법체계에서는 금지되지 않은 것이 곧 허용된 것이라고 말할 수 없다고 본다. 따라서 금지되지 않은 것은 허용되지 않은 것이라는 해석이 가능하기 위해서는 개방적 법체계가 전제되어야 한다.

③ 이 선택지의 해석에 따르면, 말기 암 환자의 생명 유지 장치를 제거하는 행위는 생명을 침해하는 행위이므로 금지된 행위이지만, 환자의 존엄성을 지켜주기 위해서라면 이는 허용된 행위이다. 폐쇄적 법체계에서는 금지가 적극적 허용의 부정이라고 보며, 개방적 법체계에서는 금지가 적극적 허용의 부정이 아니라고 본다. 따라서 금지된 것이 허용된 것이라는 해석이 가능하기 위해서는 개방적 법체계가 전제되어야 한다.

④ 이 선택지의 해석에 따르면, 무관한 타인의 생명이 침해되는 것을 보고만 있는 것은 금지된 행위는 아니지만, 허용되지 않는 행위이다. 폐쇄적 법체계에서는 금지되지 않은 것은 적극적 허용을 의미한다고 보며, 개방적 법체계에서는 금지되지 않은 것이 곧 허용된 것은 아니라고 본다. 따라서 금지된 것이 허용되지 않는 것이라는 해석이 가능하기 위해서는 개방적 법체계가 전제되어야 한다.

⑤ 이 선택지의 해석에 따르면, 두 사람 중 한 사람만을 살리는 행위는 나머지 한 사람의 생명을 침해하는 것이므로 금지된 행위이지만, 허용되는 행위이다. 폐쇄적 법체계에서는 금지가 적극적 허용의 부정이라고 보며, 개방적 법체계에서는 금지가 적극적 허용의 부정이 아니라고 본다. 따라서 금지된 것이 허용된 것이라는 해석이 가능하기 위해서는 개방적 법체계가 전제되어야 한다.

23. 정답 ④

난이도 ★★★ | 정답률 17%

내용영역 규범 | 문항 유형 추론

[정답 풀이]

[A]를 도식화하면 다음 그림과 같다.

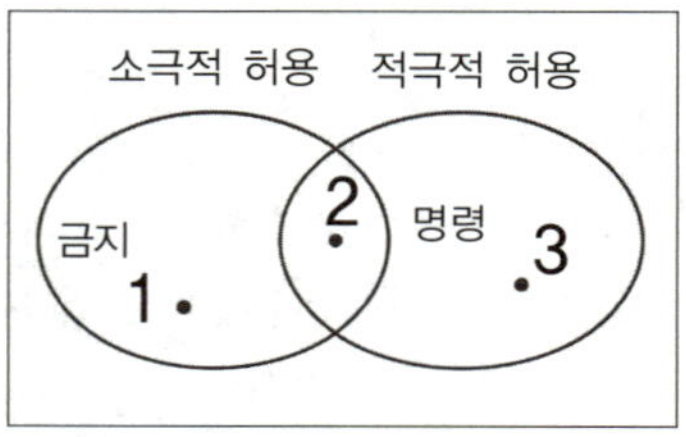

- 명령 → 소극적 허용의 부정, 적극적 허용 함축
- 금지 → 적극적 허용의 부정, 소극적 허용 함축
- 소극적 허용 ⊃ 금지
- 적극적 허용 ⊃ 명령

1, 2, 3은 19세기 분석법학에서 본 네 가지 규범 양상에 따른 행위 지도이다. 분석법학에서는 이 네 가지 규범 양상이 행위 지도의 모든 경우를 포괄한다고 보았다. 또한 소극적 허용과 적극적 허용은 서로 배제하거나 함축하지 않는다. 그리하여 소극적 허용과 적극적 허용이 동시에 주어져 있는 상태, 즉 금지도 명령도 존재하지 않는 상태가 있을 수 있다.

④ 명령은 소극적 허용의 부정이지만, 명령되지 않은 것은 소극적 허용과 적극적 허용이 동시에 주어져 있는 상태에 놓여 있거나 소극적 허용을 함축하는 금지의 상태에 놓인 것이다. 즉, 어떤 행위가 명령의 대상이 된다면 절대로 소극적 허용의 대상이 되지 않으며, 명령의 대상이 되지 않으면 반드시 소극적 허용의 대상이 된다. 따라서 명령의 대상이 되지 않는다고 해서 반드시 소극적 허용의 대상이 되는 것은 아니라는 것은 [A]와 일치하지 않는 내용이다.

[오답 풀이]

① 명령은 적극적 허용을 함축하고, 금지는 소극적 허용을 함축한다. 따라서 어떤 행위가 명령의 대상이 된다면 반드시 적극적 허용의 대상이 되고, 금지의 대상이 된다면 반드시 소극적 허용의 대상이 된다는 것은 [A]와 일치하는 내용이다.

② 금지는 적극적 허용의 부정이고, 이러한 분석법학은 폐쇄적 법체계를 전제하므로 금지되지 않은 것은 허용된 것이라 할 수 있다. 따라서 어떤 행위가 금지의 대상이 된다면 절대로 적극적 허용의 대상이 되지 않지만, 금지의 대상이 되지 않는다면 반드시 적극적 허용의 대상이 된다는 것은 [A]와 일치하는 내용이다.

③ 명령은 소극적 허용의 부정이지만 적극적 허용을 함축하고, 명령되지 않은 것은 소극적 허용과 적극적 허용이 동시에 주어져 있는 상태, 즉 명령도 금지도 존재하지 않는 상태에 놓여 있거나 금지된 것이다. 따라서 어떤 행위가 명령의 대상이 된다면 절대로 소극적 허용을 함축하는 금지의 대상이 될 수 없지만, 명령의 대상이 되지 않는다고 해서 반드시 금지의 대상이 되는 것은 아니라는 것은 [A]와 일치하는 내용이다.

⑤ 적극적 허용과 소극적 허용은 서로 배제하거나 함축하지 않기 때문에, 소극적 허용과 적극적 허용이 동시에 주어진 상태가 있을 수 있다. 또한 적극적 허용의 대상이 되지 않는다면 소극적 허용을 함축하는 금지의 대상이 될 수 있고, 소극적 허용의 대상이 되지 않는다면 적극적 허용을 함축하는 명령의 대상이 될 수 있다. 즉, 어떤 행위가 적극적 허용의 대상이 되어도 소극적 허용과 적극적 허용이 동시에 주어진 상태에 놓일 수 있으며, 적극적 허용의 대상이 되지 않는다면 소극적 허용을 함축하는 금지의 대상이 되거나 소극적 허용과 적극적 허용이 모두 주어진 상태에 놓인다. 따라서 어떤 행위가 적극적 허용의 대상이 된다고 해서 소극적 허용의 대상이 되지 않는 것은 아니지만, 적극적 허용의 대상이 되지 않는다면 반드시 소극적 허용의 대상이 된다는 것은 [A]와 일치하는 내용이다.

[24~26] 제재 | 비고츠키의 근접 발달 이론
난이도 | ★☆☆

24. 정답 ② 난이도 ★★☆ | 정답률 66%

내용영역 사회 문항 유형 분석

[정답 풀이]

② 1문단에서 표상의 대상은 개인이 인식하기 이전에 이미 사회적으로 존재한 것이라고 하였다. 따라서 표상의 대상은 학습 이전에 이미 개인의 내면에 존재하던 것이라는 진술은 지문의 내용과 상반되는 것이다.

[오답 풀이]

① 1문단에 따르면, 개인은 심리적 도구인 기호의 매개를 통해 사회적 관계 속에 존재하는 고등 정신 기능을 내면화한다고 했다. 따라서 기호를 매개로 한 심리적 활동이 사고 발달을 견인한다는 진술은 지문의 내용에 부합하는 것이다.

③ 1문단의 내용에 따르면, 개인은 기호의 매개를 통해 사회적 관계 속에 존재하는 고등 정신 기능을 내면화하며, 고등 정신 기능은 심리 간 범주인 사회적 국면과 심리 내 범주인 심리적 범주의 두 국면에서 나타난다. 따라서 교수·학습의 과정은 심리 간 범주와 심리 내 범주에서 일어난다는 진술은 지문의 내용에 부합하는 것이다.

④ 3문단에 따르면, 실제적 발달 수준은 이미 이루어진 정신 발달 수준을 나타내고, 잠재적 발달 수준은 앞으로 기대되는 정신 발달 수준을 나타내며, 두 발달 수준 사이의 간격에서 성인이나 더 유능한 동료가 교수·학습적인 도움을 제공함으로써 발달을 촉진할 수 있다. 따라서 단계적인 교수·학습을 통해 현재의 잠재적 발달 수준은 미래의 실제적 발달 수준이 될 수 있다는 진술은 지문의 내용에 부합하는 것이다.

⑤ 1문단에서 고등 정신 기능은 먼저 사회적 국면에서 나타나고 자기 조절 과정을 거쳐 다음으로 심리적 국면에서 나타난다고 하였다. 따라서 인지 발달에서 사회적 국면의 활동은 심리적 국면의 활동으로 전환된다는 진술은 지문의 내용에 부합하는 것이다.

25. 정답 ④ 난이도 ★☆☆ | 정답률 83%

내용영역 사회 문항 유형 추론

[정답&오답 풀이]

비고츠키는 성취해야 할 학습 목표에 대한 이해가 거의 없는 학습자가 교수자의 도움을 받아 학습 과제를 수행하고, 학습 과제를 이해하게 됨에 따라 교수자에게 받는 도움의 양을 점차 줄여 가다가 나중에는 교수자의 도움 없이 스스로 학습 과제를 수행하게 된다고 하였다. 즉, 비고츠키의 인지 발달 이론에 기초한 학습 원리는 학습자가 교수자와 소통하며 스스로 개념을 형성하게 되는 것이라 할 수 있다. 다섯 개의 선택지 가운데서 이를 가장 잘 드러낸 것은 ④이다.

26. 정답 ③ 난이도 ★★☆ | 정답률 81%

내용영역 사회 문항 유형 창의

[정답 풀이]

③ 비고츠키의 이론에 의하면, 학습자는 근접 발달 영역에서 교수자와의 상호 작용에 따라 인지 발달에 차이를 보인다. ㄱ과 ㄴ에서 A, B 집단을 모두 동일한 수준의 학생들로 구성하고 두 집단에 동일한 과제를 부여하였으므로, 교수자와의 상호 작용에 따른 인지 발달의 차이를 검증하기 위해서는 학습 과정에서 상호 작용의 정도, 즉 도움의 양을 달리하여야 한다. A, B 집단 모두 협동적 상호 작용을 통해 학습 과제를 수행하게 하면 교수자와의 상호 작용을 통해서 문제를 해결할 수 있는 능력에 의해 결정되는 잠재적 발달 수준의 차이를 확인할 수 없으므로, ㄷ은 잘못 설계된 항목이다. 그러므로 비고츠키의 이론을 지지하는 가설을 검증하기 위해서는 A 집단에만 교수자의 역할을 할 수 있는 상위 수준 학생을 투입하여 협동적으로 과제를 수행하도록 하고, B 집단은 개별적으로 학습 과제를 수행하게 하는 방식으로 ㄷ을 수정해야 한다.

[오답 풀이]

① 비고츠키의 이론에서 핵심이 되는 것은 학습자와 교수자의 소통, 즉, 교수자와의 상호 작용을 통한 학습자의 인지 발달 변화이다. 이를 검증하기 위해서는 구성원들의 수준이 동질한 두 집단을 대상으로 하여, 각 집단에서 교수자의 역할이나 도움의 양을 달리한 결과를 측정해야 한다. 그러므로 비고츠키의 이론을 지지하는 가설을 검증하기 위해서 A, B 집단에 속하는 학생들을 동질한 수준으로 구성하는 ㄱ은 잘못된 항목이라 할 수 없다.

② 비고츠키의 이론에 기초한 교수 · 학습 과정에 의하면, 학습자는 성취해야 할 학습 목표에 대한 이해가 거의 없는 상태에서 교수자의 도움을 받아 학습 과제를 수행하는 단계에서 학습을 시작한다. 학습 집단을 설계한 ㄱ에 따르면, A와 B 집단을 구성하는 학생들의 수준은 낮은 편이므로, A, B 집단의 학습자들에게 굳이 고난도 학습 과제를 부여할 필요는 없다. 그러므로 비고츠키의 이론을 지지하는 가설을 검증하기 위해서 A, B 집단 모두에게 해당 학년에서 성취해야 할 학습 목표에 부합하는 학습지 형식의 학습 과제를 부여하는 ㄴ은 잘못된 항목이라 할 수 없다.

④ 비고츠키 이론에서 핵심이 되는 내용은, 성인의 안내 혹은 더 유능한 동료와의 협동을 통해서 문제를 해결하는 능력에 의해 결정되는 잠재적 발달 수준이 아동이 혼자서 문제를 해결하는 능력에 의해 결정되는 실제적 발달 수준보다 학습자의 발달 수준을 더 잘 보여준다는 것이다. 이를 지지하는 가설을 검증하기 위한 실험에서는 성인의 안내 혹은 더 유능한 동료와의 협동에 대한 조건을 제외한 다른 학습 조건은 동일하게 설계되어야 한다. 만일 A, B 두 집단의 학습 시간을 다르게 설정한다면, 학습 시간에 따라 학습자의 발달 수준, 즉 학습 효과가 달라질 수 있다. 그러므로 비고츠키의 이론을 지지하는 가설을 검증하기 위해서 A, B 집단 모두 총 20시간 동안 학습을 수행하게 하는 ㄹ은 잘못된 항목이라 할 수 없다.

⑤ 비고츠키의 이론은 근접 발달 영역에서 성인이나 더 유능한 동료의 교수 · 학습적 도움이 제공되는 것에 따라 학습자의 인지 발달 수준에 차이가 생긴다고 본다. 실험을 통하여 이 이론을 검증하기 위해서는 동일한 수준의 학생들로 구성된 A, B 집단에 동일한 학습 시간과 학습 과제를 부여해야 하고, 두 집단 간에는 오직 더 유능한 동료와의 협동 유무에 따른 학습 방법의 차이만을 두어야 한다. 그리고 학습 방법의 차이에 따라 학습 목표 성취 정도가 다르게 나타나는지를 확인하기 위해서는 A, B 집단의 학습 결과를 평가하는 방식 역시 동일해야 한다. 두 집단에 부여되는 학습 평가 문제의 수준이 다르다면, 평가 방식에 따라 두 집단의 학습 목표 성취 정도가 달라질 수 있기 때문이다. 그러므로 비고츠키의 이론을 지지하는 가설을 검증하기 위해서 학습 수행 후, A, B 집단의 학습 목표 도달 여부를 판단할 수 있는 평가 문제를 풀게 한 다음, 집단 간 점수를 비교하는 ㅁ은 잘못된 항목이라 할 수 없다.

[27~29] 제재 | 박영한, 「지상의 방 한 칸」
난이도 | ★☆☆

27. 정답 ⑤

난이도 ★★☆ | 정답률 79%

내용영역 인문 | 문항 유형 분석

[정답 풀이]

⑤ 어떠한 이유로 지금과 같은 상황에 처하게 되었는지를 지적하면서, 어떤 역경이 닥쳐와도 이 고비를 이겨 나가야 한다고 이야기하는 '아내'의 말을 듣고, '나'는 지금 처한 상황에서 벗어나기 위해 자신이 무엇을 견뎌내야 하는지, 어떠한 일념에서 이러한 결심들을 했었는지를 상기하고 있다. 즉, ㉤은 '나'가 '아내'의 지적에 동의하며, 자신이 처한 상황과 문제를 다시금 직시하고 있음을 드러내는 것이다. 따라서 ㉤에 당면한 문제에 대해 가져야 할 태도의 인정이 반영되어 있다고 볼 수 있다.

[오답 풀이]

① '아내'는 ㉠에 뒤이어 "그걸 명심하고 있기 때문에 더더욱 여길 떠날 수 없다는 거예요."라고 말하고 있으므로, ㉠은 '나'가 지적하는 문제에 대해서 '아내'도 이미 지각하고 있음을 드러내는 것이다. 따라서 ㉠에 상대방에 대한 태도의 변화가 반영되어 있다고 볼 수 없다.

② "이사하는 데 따르는 문제가 한두 가지겠어요?"라는 '아내'의 말에 뒤이어 '나'는 "한두 가지가 아닐 거야."라고 반응하고 있으므로, ㉡은 아내가 제기한 문제에 대한 '나'의 동의를 드러내는 것이다. 따라서 ㉡에 생각하지 못한 것에 대한 자각이 반영되어 있다고 볼 수 없다.

③ '아내'가 "그런 건 문제도 안돼요……."라고 하며 진짜 문제는 따로 있다는 듯 이야기하자, '나'는 "수리비 얘기겠지?"라고 하며 그 문제가 무엇인지를 짐작한다. 이에 '아내'가 "뼈아프게 밤잠 안 자고 글 써서 번 돈이에요."라고 반응하는 것을 보아, '나'가 짐작한 것이 옳았음을 알 수 있다. 즉, ㉢은 '아내'가 말하고자 하는 문제가 무엇인지를 '나' 역시 파악하고 있음을 드러내는 것이다. 따라서 ㉢에 난관을 타개할 수 없음에 대한 안타까움이 반영되어 있다고 볼 수 없다.

④ 집주인 아주머니가 계약서를 들먹일 거라는 '아내'의 걱정에 대해서 '나'는 "그렇지, 계약서"라고 반응한다. 그리고 그 이후에도 '아내'는 '나'가 잠시 잊고 있었던 중대한 문제들을 연이어 제시한다. 즉, ㉣은 '나'가 '아내'의 말을 듣고 잠시 잊고 있었던 문제를 떠올리게 되었음을 드러내는 것이다. 따라서 ㉣에 자신의 상황 인식에 대한 확신이 반영되어 있다고 볼 수 없다.

28. 정답 ②

난이도 ★★☆ | 정답률 52%

내용영역 인문 | 문항 유형 추론

[정답 풀이]

② [A]에서 주인공이 겪고 있는 사건이라 할 수 있을 만한 것은, 우리네 장닭의 당당한 울음소리를 들을 수 없게 된 지 오래되었다는 것, 붙들 아비가 장닭을 잡아먹겠다고 고함을 치며 돌아다니는

광경을 목격한 것 등이 있다. 하지만 이러한 상황들은 빠르게 장면이 전환되면서 서술되어 있지 않고, 구체적으로 장면이 묘사되거나 상세하게 그 과정을 제시하는 방식으로 서술되어 있기 때문에 긴박함이 느껴진다고 볼 수는 없다. 따라서 [A]를 통해 주인공이 겪고 있는 사건의 긴박함을 미루어 짐작할 수는 없다.

[오답 풀이]

① [A]에서는 '술이 억병으로 취한 붙들 아비가 우리네 장닭 모가지를 탁 틀어쥐고 꽁지며 날갯죽지의 깃털을 몽땅몽땅 쥐어뜯으면서, 그걸 잡아먹겠다고 동네방네 고함을 치며 돌아다니는 광경을 보게 되었을 때 그때 이미 내 마음에는 작정이 서 있었던 것이다.'라고 서술함으로써 '나'가 왜 이사를 결심하게 되었는지를 짐작할 수 있게 하였다. 따라서 [A]를 통해 주인공이 이사를 하려는 배경을 미루어 짐작할 수 있다.

③ [A]에서 '나'는 붙들 아비가 '나'의 장닭을 잡아먹겠다고 그 모가지를 틀어쥐고 고함을 치는 광경을 목격한 뒤에, '아내'에게 '저게 소위 한 작가를 대접하는 이 사회의 한 가지 방식'이라고 이야기하며 그 동네가 끔찍하다고 표현한다. 즉, [A]에서는 '나'가 이웃들로 인하여 고통스러워하는 모습이 드러나고 있다. 따라서 [A]를 통해 동네 사람들과 주인공의 소원한 인간관계를 미루어 짐작할 수 있다.

④ [A]에서 '나'는 뒤란 꽃사과나무 아래 평장을 두고 장닭과 꿩을 키우는 농촌 생활에서 이웃의 개들이 자신의 장끼와 까투리를 물어 죽이는 상황, 이웃인 붙들 아비가 자신의 장닭을 잡아먹겠다고 모가지를 틀어쥐고 고함을 치는 상황 등을 경험하면서 이 동네를 '끔찍한 동네'라고 표현한다. 따라서 [A]를 통해 주인공이 농촌 생활에서 받은 정서적 충격을 미루어 짐작할 수 있다.

⑤ [A]에서 '나'는 이웃들로 인하여 자신이 키우는 장닭과 꿩들이 모두 죽어 나가는 상황에 처하고, 너저분하게 엉겨 흐트러져 버린 평장을 보며 자신의 내면 풍경을 들여다보는 것처럼 끔찍하게 느낀다. 하지만 이러한 상황에서 '나'의 반응은 이웃에게 직접적으로 불만을 표현하는 것보다는, 자신이 이 끔찍한 동네를 떠나야겠다는 작정을 하는 것으로 드러나고 있다. 따라서 [A]를 통해 현실에 적극적으로 대응하지 못하는 주인공의 성격을 미루어 짐작할 수 있다.

29. 정답 ①

난이도 ★★☆ | 정답률 55%

내용영역 **인문** 문항 유형 **추론**

[정답 풀이]

① 이사 문제와 관련하여 '나'는 이사를 가야 한다고 주장하고, '아내'는 이사를 갈 수 없다고 주장하고 있으므로, 이사에 대한 '나'와 '아내'의 생각은 다르다고 할 수 있다. 하지만 이러한 생각의 차이가 작가로서의 정체성에 대한 견해차로 이어진다고 보기는 어렵다. '나'는 글을 써서 밥을 먹고 사는 사람으로서 현재의 주거 상황이 글쓰기에 방해가 될 뿐 아니라 작가로서 모욕을 느끼게 하기 때문에 이사를 가고 싶어 한다. 그러나 아내가 이사를 가고 싶어 하지 않는 것은 '나'의 직업에 대한 이해가 부족하거나 그것을 대수롭지 않게 여기기 때문이 아니다. "넌 지금껏 내가 어떤 일을 해 왔고, 앞으로 어떤 일을 해 내지 않으면 안 된다는 걸 알고 있겠지?"라는 '나'의 말에 '아내'는 "알고 말고요. 그걸 명심하고 있기 때문에 더더욱 여길 떠날 수 없다는 거예요."라고 말한다. '아내'가 이사를 가기 꺼려하는 것은 여러 가지 현실적인 문제들 때문이다. 따라서 작가로서의 '나'가 이사에 대해 아내와 생각이 다른 것은 작가로서의 정체성에 대한 아내와의 견해차를 보여 주는 것이라고 할 수 없다.

[오답 풀이]

② '나'가 이사를 가고자 하는 가장 큰 이유는 현재 자신이 처한 상황에서는 글 한 줄 제대로 쓸 수 없기 때문이다. '나'는 자신의 형편과 사정이 나아져서 잡문이나 여성지에 연재되는 글 따위가 아니라 진정한 글을 쓰고 싶어 한다. 이는 '나'가 가진 작가로서의 자존심이며 사명감이다. '나'가 가진 작가로서의 사명감은 "저게 소위 한 작가를 대접하는 이 사회의 한 가지 방식이야.", "에미야, 넌 지금껏 내가 어떤 일을 해 왔고, 앞으로 어떤 일을 해 내지 않으면 안 된다는 걸 알고 있겠지?" 등 '나'가 아내를 향해 했던 말들에서도 드러난다. 따라서 '나'가 진정한 글쓰기를 원하는 것은 창작에 대한 작가적 사명감을 잃지 않으려는 내면을 보여 주는 것이라 할 수 있다.

③ '나'는 아내를 향해 자신이 처한 상황을 견디지 못하겠으니 이사를 가자고 말한다. 이에 '아내'가 이사를 가지 않겠다고 하자, '나'는 "이제 어쩔 도리가 없다는 걸 잘 알지 않아? 날더러 죽으란 소리나 마찬가지야.", "에미, 넌 내가 글 한 줄 제대로 못 쓰고 이 집에서 정신병자가 되어 미쳐 나가도 좋단 말이지?", "정말 내가 두려워하는 것은 저네들이 아니야. 에미야, 넌 지금껏 내가 어떤 일을 해 왔고, 앞으로 어떤 일을 해 내지 않으면 안 된다는 걸 알고 있겠지?" 등의 말로 자신이 왜 이사를 가고자 하는지를 전달한다. '나'가 이사를 가고자 하는 것은 글쓰기에 방해가 되기 때문이며, 작품 활동을 가능하게 할 조건을 찾는 작가의 바람을 보여 주는 것이라 할 수 있다.

④ '나'가 동네 사람들과 가까이 지내지 못하고 갈등을 겪는 것은 '나'의 글쓰기를 위해 동네 사람들이 어떠한 배려도 해 주지 않기 때문이다. '나'는 동네 사람들이 하는 행동들을 '더티 플레이'라고 표현하며, "저게 소위 한 작가를 대접하는 이 사회의 한 가지 방식이야."라고 말한다. 동네 사람들과 갈등을 겪는 것은 작가의 사회적 지위에 대한 관점을 차이를 보여 주는 것이라 할 수 있다.

⑤ '나'가 송아지를 키워 여성지 연재를 하지 않아도 되는 때가 오기를 바라고 있다는 것을 통하여, '나'는 생계를 이어가야 한다는 것 때문에 '말라빠진 여성지 연재 따위'라고 표현하면서도 이 일을 그만두지 못한다는 것을 알 수 있다. 즉, '나'가 여성지 연재를 해야 하는 것은 생활인으로 살아갈 수밖에 없는 작가의 현실을 보여 주는 것이다.

[30~32] 제재 | 자기 냉각 기술과 자기 냉장고
난이도 | ★★☆

30. 정답 ① 난이도 ★★★ | 정답률 36%
내용영역 과학기술 문항 유형 추론

[정답 풀이]

① ㉠의 작용물질인 가스 냉매는 압축과 팽창이라는 부피 변화를 통해 냉장고의 온도를 변화시킨다. 즉 냉매의 부피 변화는 열역학적 순환을 일으켜 냉장고의 온도를 변화시키는 것이다. 3문단에 의하면 ㉡에서 이 작용을 하는 것은 외부 자기장을 가해 엔트로피 변화를 일으키는 것이다. 따라서 ㉡의 작용물질은 자기 물질이며 ㉠의 부피 변화와 같이 온도 변화를 유도해 내는 것은 엔트로피 변화이다. 1회 순환 과정에서 빠져 나가는 열량은 외부 자기장을 가하기 전과 후의 엔트로피 변화에 달려있기 때문이다. 따라서 ㉠에서 작용물질의 부피 변화는 ㉡에서 작용물질의 온도 변화와 같은 작용을 하지 않는다.

[오답 풀이]

② ㉠에서 가스 냉매의 압력 변화가 부피를 변화시켜 온도 변화를 가져 온다. ㉡에서 자기 물질의 자기장의 변화가 엔트로피를 변화시켜 온도 변화를 가져 온다. 따라서 ㉠에서 압력 변화는 ㉡에서 자기장 변화에 대응한다.

③ ㉠에서 냉매는 냉장고 내부의 열을 외부로 방출하는 작용물질이다. ㉡에서 냉장고 내부의 열을 외부로 방출하는 작용물질은 자기 물질이다. 따라서 ㉠에서 냉매가 하는 역할을 ㉡에서는 자기 물질이 한다.

④ ㉠은 가스 냉매가 압축될 때 열을 방출하고, 팽창될 때 열을 흡수하는 열역학적 순환 과정을 이용한다. ㉡은 자기 물질에 외부 자기장을 가하였을 때 그 물질이 열을 발산하는 열역학적 순환 과정을 이용한다. 따라서 ㉠과 ㉡은 모두 열역학적 순환 과정을 이용한다.

⑤ 작용물질은 냉장고의 내부에서 외부로 열을 퍼내는 열펌프 역할을 한다. ㉠에서는 냉매가 이 역할을 하며, ㉡에서는 자기 물질이 이 역할을 한다. 따라서 ㉠과 ㉡에는 모두 열펌프의 기능이 존재한다.

31. 정답 ③ 난이도 ★★☆ | 정답률 58%
내용영역 과학기술 문항 유형 분석

[정답 풀이]

③ 3문단에 의하면 열 출입이 없는 열역학적 과정에서는 엔트로피 변화가 없다고 하였다. 과정 Ⅲ은 작용물질과 외부와의 열 출입을 차단한 상태에서 외부의 자기장을 제거하는 것이므로, 과정 Ⅲ에서는 작용물질의 엔트로피가 증가하지 않는다.

[오답 풀이]

① 자화는 외부에서 가하는 자기장의 세기 및 자기 단위 부피당 쌍극자의 수에 비례한다. 그런데 과정 Ⅰ은 작용물질인 자기 물질에 자기장을 가하여 무질서하게 배열되어 있던 자기 쌍극자들이 자기장의 방향으로 정렬하게 하는 것이다. 따라서 과정 Ⅰ에서 작용물질인 자기 물질의 자화는 증가하게 된다.

② 과정 Ⅱ에서는 외부 자기장을 그대로 유지한 상태로 열 출입을 허용하므로 작용물질이 열을 방출하고 차가워진다. 따라서 과정 Ⅱ에서는 작용물질의 온도가 내려간다.

④ 과정 Ⅳ에서는 작용물질과 외부와의 열 출입을 허용하여 작용물질이 열을 흡수하도록 한다. 과정 Ⅰ~Ⅳ까지의 1회 순환 과정에서 작용물질이 열을 흡수할 때는 작용물질을 냉장고 내부와 접촉시키므로, 과정 Ⅳ에서는 작용물질을 냉장고 내부와 접촉시킨다.

⑤ 과정 Ⅰ에 의하면 자기장이 강할수록 작용물질에서 더 많은 열이 발생한다. 과정 Ⅱ에서 작용물질과 외부와의 열 출입을 허용하면 이 작용물질은 열을 방출하고 차가워진다. 즉 자기장의 변화 폭이 클수록 작용물질에서 더 많은 열이 발생하고 방출되는 열량도 커짐을 알 수 있다. 과정 Ⅲ에서는 작용물질에 가해 준 외부의 자기장을 제거하고, 과정 Ⅳ에서는 작용물질의 온도를 초기 온도 T로 복귀시킨다. 따라서 자기 냉장고에서 1회의 순환 과정(Ⅰ~Ⅳ)에서 자기장의 변화 폭이 클수록 방출되는 열량이 큼을 알 수 있다.

32. 정답 ③ 난이도 ★★☆ | 정답률 55%
내용영역 과학기술 문항 유형 창의

[정답&오답 풀이]

효율이 좋은 자기 냉장고를 만들기 위해서는 특정 온도에서 외부에서 가하는 자기장의 변화에 따른 엔트로피 변화량이 큰 자기 물질을 작용물질로 사용해야 한다. 엔트로피는 물질의 자기 상태가 변하는 임계온도에서 가장 큰 폭으로 변하며, 작용물질이 상전이하는 임계온도가 냉장고의 작동 온도 근처에 있을 때 냉각 효과 또한 커진다. 따라서 실온 자기 냉장고를 만들기 위해서는 작용물질의 임계온도가 실온에 가까워야 하고 자기장의 변화에 따른 엔트로피 변화량이 커야 한다. <보기>의 A~E 중에서 임계온도가 실온에 가까운 물질은 C와 D이며, C와 D 중 걸어 준 자기장에 따른 엔트로피 변화량이 큰 것은 C이므로 실온 자기 냉장고에 사용될 작용물질로 가장 적합한 것은 C이다.

[33~35] 제재 | 멜로드라마의 흐름
난이도 | ★☆☆

33. 정답 ② 난이도 ★★☆ | 정답률 68%
내용영역 인문 문항 유형 분석

[정답 풀이]

② 멜로드라마는 처음부터 통속적 이야기를 화려한 볼거리와 음악을 통해 보여 주는 대중 연극에서 시작하였으며 영화로 그 중심을 옮기고 난 뒤에도 대중들과 끊임없이 교감하였으므로 멜로드라마의 통속성은 변함없이 유지되었다. 또한 멜로드라마는 약자가 겪는 고통과 슬픔을 과장되게 보여 주면서 감성을 자극하는 특징을 가지고 있다. 멜로드라마가 가지고 있는 파토스의 과잉은 현실에

대한 사실적 묘사보다는 정서 표출에 치중할 수밖에 없었다.

[오답 풀이]

① 멜로드라마는 사회적 모순을 적극적으로 타개하는 데에는 이르지 못했다. 사회적 모순 아래 억압 받는 약자들을 주인공으로 삼아 그들의 고통과 슬픔을 부각함으로써 어디에도 말할 수 없던 약자의 슬픔을 표출하는 의의를 지니기는 했지만 근본적인 해결책을 제시하지는 않았던 것이다. 따라서 갈등을 낳은 사회적 모순 자체를 적극적으로 극복하려는 내용은 없었다고 할 수 있다.

③ 멜로드라마는 약자, 특히 여성들을 주인공으로 삼았으며 이들은 가부장제나 계층적 차이와 같은 사회적 모순에 따른 억압적 상황에서 고통 받는 존재들이다. 따라서 멜로드라마 영화에 나타난 가정이나 개인의 문제는 결국 사회적 문제가 전환되어 표현된 것이라 할 수 있다.

④ 멜로드라마는 비약이나 우연 같은 의외성에 기대어 주인공이 승리하도록 만들고자 하였다. 거듭된 우연 끝에 병상의 정원사와 재회하게 되는 멜로드라마 영화의 사례를 보더라도 작위적인 서사를 통해 인물이 처한 문제를 해소하려는 방향으로 이야기가 전개되었음을 알 수 있다.

⑤ 초기의 멜로드라마는 악한 이와 선하되 약한 이의 대립을 중심으로 이야기가 전개되었으나 자본주의가 발달하면서 선악의 대립보다는 약자가 겪게 되는 파토스의 조성이 부각되었다. 따라서 인물들의 선악 대립이 차츰 약해지고 사회적 상황으로 인한 고통과 희생의 파토스가 형상화되었다고 할 수 있다.

34. 정답 ⑤

난이도 ★★☆ | 정답률 76%

내용영역 인문 | 문항 유형 추론

[정답 풀이]

⑤ ㉠은 한 하층민 여성이 상류층의 남편과 이별하고 딸의 행복을 위해 딸과도 헤어져야 하는 계층 간의 장벽을 다루고 있다. 중산층의 지배적 가치와 규범으로 인한 억압과 소외를 다룬 것은 ㉡뿐이다.

[오답 풀이]

① 멜로드라마 영화는 음악을 통해 과잉된 정서를 효과적으로 표현하였다. 따라서 멜로드라마 영화인 ㉠과 ㉡은 모두 음악을 사용하여 인물의 고통과 슬픔을 극적으로 표현했을 것이다.

② 관객들은 자식들의 반대에 부딪혀 사랑을 포기하는 ㉡의 유복한 과부보다 자식의 미래를 위해 자신을 희생하는 ㉠의 여성의 모성에 공감의 눈물을 흘리게 된다. 따라서 관객들은 ㉡에 비해 ㉠의 여성 인물과 자신을 동일시하는 정도가 더 강할 것이다.

③ 희생적 모성이라는 이데올로기와 타협한 결말을 보여 주는 ㉠과 달리, ㉡은 기존의 '행복한 결말'과는 구별되는 의미심장한 결말을 보여 줌으로써 관객들이 주목하도록 하였다. 따라서 관객들로 하여금 행복한 결말은 인위적인 허구 안에서만 가능하다는 것을 생각하게 하고자 의도한 ㉡이 ㉠에 비해 관객들에게 더 능동적인 감상을 끌어내려 했을 것이다.

④ 사회적 모순에 따른 억압적 상황에서 고통 받는 약자, 특히 여성들로부터 파토스를 이끌어 낸 멜로드라마 영화는 가부장제나 계층적인 차이로 고통을 받으면서도 허락되지 않은 삶의 지평을 갈망하는 존재들을 주인공으로 내세웠다. 상류 계급과의 계층적 차이로 인해 고통을 받으면서 딸의 행복을 바라는 ㉠의 여주인공과, 개인의 삶을 관리하는 가부장제 아래서 사랑에 시련을 겪다 재회하는 ㉡의 여주인공 역시 현실의 고통 속에서 희망을 꿈꾸는 약자이다. 따라서 ㉠과 ㉡ 모두 현실적 억압에도 불구하고 소망을 성취하고자 하는 약자를 그렸다고 볼 수 있다.

35. 정답 ③

난이도 ★★☆ | 정답률 79%

내용영역 인문 | 문항 유형 창의

[정답&오답 풀이]

ⓐ는 사회적 모순에 대한 아이러니한 반응이라는 멜로드라마의 성격을 드러내는 것으로, 이에 따른 적절한 감상이 이루어지기 위해서는 모순된 현실을 극복하고자 하는 주인공의 요구를 읽어낼 수 있어야 한다. 즉 사회의 모순만을 사실적으로 제시하거나, 그 모순된 현실 아래 침몰하는 약자만 제시되어서는 문제의 요구를 충족시킬 수 없다. 다섯 개의 선택지 가운데 현실의 모순과 그 모순에 대항하는 주인공의 행동을 언급하고 있는 선택지는 ③번뿐이다.

2011학년도 [홀수형]

[4~5] 제재 | 국가 채무 상환 가설
난이도 | ★☆☆

4. 정답 ③ 난이도 ★★☆ | 정답률 76%

내용영역 사회 / 문항 유형 분석

[정답 풀이]

③ 고전적 가설의 내용은 '채무불이행이 신용시장에서의 영구적인 배제를 의미한다면, 채무국이 채무를 이행하지 않을 경우 신용시장에 다시 접근할 수 없게 된다는 위협을 느껴 채무를 상환하게 된다'는 것이다. 이는 신용시장 배제가 채무국에 끼치는 영향과 관계되는 것으로 채권국에 끼치는 영향과는 무관하다. 고전적 가설은 채무국의 영향 관계에 상관없이 채무국이 받게 되는 위협에 대해서만 언급하고 있고, 채무국의 신용시장 배제로 채권국이 입게 되는 영향에 대해서는 어떠한 가정도 하고 있지 않다.

[오답 풀이]

① 지문에 언급된 모든 가설들은 국가가 채무를 이행할 수밖에 없는 원인을 신용시장에서의 영구적 배제와 이로 인한 해외 차입 불가, 채권국의 제재로 인한 무역량 감소, 신용시장의 평판으로 인한 차입 비용의 상승, GDP 증가율 감소로 인한 자국 경제의 어려움 등으로 설명하고 있다. 이는 모든 가설이 채무불이행으로 인한 국가의 경제적 손실을 고려하고 있음을 보여 준다.

② 이튼의 고전적 가설과 세 가지의 새로운 가설들은 국가가 채무를 이행하지 않는 데 대한 법적 제재나 구제 절차가 제한적임에도 불구하고 국가가 채무를 상환하도록 하는 메커니즘을 무엇으로 보느냐에 따라 나뉜다. 결국 모든 가설의 내용은 국가 채무의 이행이 법적으로 강제되기 어렵다는 전제를 바탕으로 하고 있는 것이다.

④ 이튼의 고전적 가설 이후 등장한 새로운 가설 가운데 첫째 가설은 채무국이 채무를 상환하는 이유가 무역 제재나 자산 동결 등과 같은 채권국의 직접적인 제재에 있다고 본다. 채무국의 채무불이행이 채권국의 직접적인 제재로 이어지기 때문에 채무국이 채무를 상환한다는 것이다. 이때의 직접적인 제재란 무역 제재나 자산 동결과 같은 채무국의 경제적 피해를 일컫는다. 첫째 가설의 입장에서는 채무국으로 하여금 채무 이행을 압박할 수 있는 직접적인 제재 수단이 존재한다. 만약 채무국의 경제에 위협이 될 만한 채권국의 제재 수단이 존재하지 않는다면 첫째 가설이 성립할 수 없다. 따라서 가설 중 일부가 채무불이행에 대한 경제적인 직접 제재 수단이 존재한다고 가정한다는 선택지의 설명은 옳다.

⑤ 채무국이 채무를 상환하지 않을 경우, 고전적 가설은 채무국이 신용시장에서 영구적으로 배제되어 다시는 접근할 수 없게 될 것이라 가정하며, 새로운 가설 중 둘째 가설은 신용시장에서의 평판에 따른 차입 비용의 상승이 채무국에 위협으로 작용할 것이라 본다. 이는 모두 채무국의 신용을 평가하여 채무국에 위협을 줄 수 있는 시장 메커니즘이 있음을 전제한다. 따라서 몇몇 가설들은 채무국의 신용 상태가 반영될 수 있는 시장 메커니즘이 존재한다고 가정한다.

5. 정답 ④ 난이도 ★★☆ | 정답률 72%

내용영역 사회 / 문항 유형 추론

[정답 풀이]

ㄱ. 고전적 가설에 따르면 채무를 이행하지 못한 국가는 신용시장에서 영구 배제되어 해외 차입이 어려워야 한다. 그러나 (가)는 채무불이행을 선언한 국가가 빠른 기간 내에 국제자본시장에 재접근했음을 보여 준다. 이는 고전적 가설을 비판하는 입장에서 내세우는 실증적 근거와 일치하는 것으로, 고전적 가설의 타당성을 약화하는 증거라 할 수 있다.

ㄴ. 채무불이행으로 인해 무역 제재를 받게 될 것이라는 첫째 가설이 옳다면 채무불이행 선언 이후 무역량이 감소해야 한다. 그러나 (나)는 오히려 수출이 증가하고 있음을 보여 주고 있으므로 첫째 가설의 타당성을 약화하는 증거라 할 수 있다. 지문에서는 첫째 가설을 확인하기 위한 실증 작업을 행했을 때 채무불이행으로 인한 무역량 감소 기간은 그다지 길지 않은 것으로 나타나 첫째 가설의 설명력이 그리 크지 않음을 언급하고 있다.

ㄹ. 셋째 가설은 채무불이행으로 인해 GDP 증가율이 감소될 것이며, 이러한 국내 경제의 손실이 채무 상환을 이끄는 것이라는 입장이다. (라)는 GDP 증가율이 채무불이행 이후 1년 정도 떨어졌다가 점차 회복하고 있음을 보여 주는데, 지문에서는 이러한 현상에 대해 일시적 GDP 증가율 하락도 영구적 손실이므로 GDP 증가율이 지속적으로 떨어지지 않더라도 이것이 셋째 가설의 설명력을 약화시키지는 않는다고 본다.

[오답 풀이]

ㄷ. 채무불이행 이후 가산 금리가 1년도 되지 않아 다시 원상태로 회복되었음을 보여 주는 (다)는, 채무불이행 시 신용시장에서의 평판 하락에 따라 가산 금리가 상승하는 압박이 뒤따를 것이라 전망하는 둘째 가설의 타당성을 약화시키는 자료로 작용할 것이다.

[6~8] 제재 | 철학적 근대의 전개 과정
난이도 | ★★☆

6. 정답 ② 난이도 ★☆☆ | 정답률 95%

내용영역 인문 / 문항 유형 분석

[정답 풀이]

② 데카르트에서 출발하여 독일 관념론에 이르는 철학적 근대의 흐름은 이성지상주의의 단선적 질주로 일반화시킬 수 없다. 이는 이성의 독주에 맞서는 유의미한 반대 노선 또한 존재했기 때문이다. 그 가운데 대표적인 것이 실러의 정치 미학을 계승한 새로운 신화학이라 할 수 있다. 그러나 이는 신화적 세계의 당대의 국가적 삶의 양식에 대한 새로운 해석을 통해 오히려 이전보다 강화된 이성지상주의의 출현을 불러오게 되었다. 따라서 이러한 과정을

요약하면, 선택지의 내용과 같이 "이성지상주의에 대해 그 반대 노선이 도전했지만, 도전의 근거로 제시된 현상에 대한 재해석을 통해 더 강화된 이성지상주의가 등장하였다."가 될 것이다.

[오답 풀이]

① 이성지상주의에 맞서 감성에 적극적인 의미와 가치를 부여하고자 한 다양한 사조들이 반대 노선으로 등장했지만, 이 사조들이 이성지상주의와 병존하는 양상을 띠지는 않았다. 철학적 근대는 데카르트에서 출발하여 다른 노선이 개진되었다가 독일 관념론으로 완결되는 식으로 이성지상주의와 그 반대 노선이 번갈아 나타났기 때문이다. 따라서 각 이론들로부터 부분적으로 타당한 내용들을 서로 용인하면서 다수의 이론들이 공존하도록 하는 합리주의가 강화되었다는 요약은 철학적 근대의 전개 과정과 거리가 멀다.

③ 이성의 독주에 반대하며 감성이 지닌 의미와 가치에 주목하는 노선이 등장했다는 것을 통해 이성지상주의의 부적절성이 입증되었다고 판단할 수는 없다. 뿐만 아니라 철학적 근대는 이성지상주의의 반대 노선 이후 오히려 보다 강화된 이성지상주의로 전환되어 독일관념론으로 귀결되었다. 따라서 "이성지상주의의 부적절성이 반대 노선에 의해 입증되자, 애초의 전제에 내재한 오류의 인식을 통해 사상의 방향이 근본적으로 전환되었다"는 선택지의 내용은 철학적 근대의 전개 과정을 잘못 요약한 것이다.

④ 이성지상주의에 맞서 나타난 반대 노선은 ①번 선택지가 언급하고 있는 것처럼 양자가 부분적 타당성을 지닌다는 인식을 바탕으로 이론의 공존을 용인하지도 않았지만, 그렇다고 두 입장 모두 불완전하다는 인식을 토대로 각각의 이론을 수정하고 절충하는 방향으로 나아가지도 않았다. 따라서 이성지상주의와 그 반대 노선이 충돌하자, 두 입장 모두의 불완전함을 인식하고 양자의 매개를 추구하는 중립적 이론이 형성되었다는 설명은 철학적 근대의 전개 과정을 요약한 것이라 보기 어렵다.

⑤ 철학적 근대가 감성의 영역으로부터 완전히 벗어난 이성적 자아를 정초한 데카르트에서 출발하여 주체뿐 아니라 객체의 세계까지도 선험적 이성의 현상태로 규정한 독일 관념론에 이르러 완결된다고 해서, 철학적 근대 전체를 이성지상주의의 단선적 질주로 일반화할 수는 없다. 철학적 근대의 전개 과정에는 새로운 신화학을 바탕으로 미적 절대주의로까지 극단화된 반대 노선 또한 일정 시기를 차지하고 있었기 때문이다. 따라서 "이성지상주의가 반대 노선의 도전에 직면했지만, 이를 물리치고 처음의 입장을 그대로 고수하는 확고한 노선이 유지되었다"는 선택지의 내용은 철학적 근대의 전개 과정을 잘못 요약한 것이다.

7. 정답 ①

난이도 ★★☆ | 정답률 76%

내용영역 인문 　 문항 유형 분석

[정답 풀이]

① ㉠은 현실 정치 영역에서 참된 인륜적 공동체를 구현하기 위해서는 미적 차원의 문화 건설이 선행 조건이라고 보고 인간 심성 자체의 미적 교육을 전략으로 제시했으며, ㉡은 ㉠의 노선을 무정부주의적 방향으로 극단화하여 신화학이라는 미적 차원의 문화를 국가 종식을 통해 이르러야 할 궁극적인 목표 지점으로 구상하였다.

[오답 풀이]

② 계몽주의는 ㉠의 비판 대상이었으므로 ㉠의 영향을 받은 ㉡이 ㉠ 이전의 계몽주의를 위한 철학적 기초를 마련하였다는 선택지의 내용은 타당하지 못하다. 지문의 내용에 따르면, 이성지상주의의 결정판인 독일 관념론의 출발점에 놓이는 것은 ㉠이 아닌 ㉡이며, 독일 관념론의 입장과는 상당히 다른 입장을 보인다는 내용에 비추어 ㉠이 독일 관념론을 위한 철학적 기초가 되었다는 설명은 옳지 않다.

③ ㉠은 근본적으로 계몽주의에 대한 강한 비판 의식을 갖고 있었으며, ㉡은 계몽의 원천 무효화가 아니라 변용된 계몽을 지향했으므로 선택지의 내용은 적절하지 않다.

④ ㉡은 미적 차원의 문화 건설을 노선의 궁극적 목표로 설정했으나, ㉠은 미적 차원의 문화 건설을 현실 정치 영역에서 참된 인륜적 공동체를 구현하기 위해 선행되어야 할 조건이라 보았다.

⑤ ㉠은 참된 인륜적 공동체의 건설을 추구했으나 미적 절대주의로까지 나아가지는 않았으며, ㉡은 국가 종식을 통해 미적 차원의 문화에 이르러야 한다는 미적 절대주의로 극단화되었다.

8. 정답 ⑤

난이도 ★★☆ | 정답률 76%

내용영역 인문 　 문항 유형 비판

[정답 풀이]

⑤ ⓐ의 입장에서 볼 때, 신화를 비롯한 미적 차원에 속하는 것들이 인간 심성을 도야하는 매개로 가치를 가질 수 있는 것은 정신사가 발전되지 않는 초기에나 가능하며, 이성의 전진을 통해 도달한 시대에 다시 미적 이상향을 꿈꾸는 것은 이성의 실현이라는 거대한 흐름을 거스르는 것이다.

[오답 풀이]

① ⓐ는 시민 사회를 거쳐 형성된 근대의 입헌적 질서로 인해 만인의 보편적 자유가 구현되는 것으로 보고 있으므로, 근대 사회가 만인에 대한 억압을 초래했다는 내용은 ⓐ 입장에서의 '새로운 신화학'에 대한 비판으로 적절하지 않다.

② ⓐ는 절대 소수의 이익을 위한 절대 다수의 억압이 자행되었던 고대에서 근대로 올수록 다수의 자유가 구현되었다고 보고 있으며, 감성 중심의 신화적 세계가 지양되고 이성 중심의 시민 사회와 국가 체제가 출현하는 것은 정당하고 필연적인 역사라고 주장하고 있다. 따라서 이 선택지 내용은 ⓐ 입장에서의 '새로운 신화학'에 대한 비판으로 적절하지 않다.

③ ⓐ는 근대초기보다 훨씬 강화된 이성지상주의적 입장을 드러내며 이성으로 인한 근대적 변화를 긍정한다. 따라서 ⓐ가 '새로운 신화학'을 비판하기 위해 근대적 삶의 양상이 이성의 부정적 영향으로 비롯된 것이라는 주장을 할 것이라 추론할 수 없다. '삶의 근대적 양상을 정치적 차원에서만 고찰하는 것은 그 양상이 이성의 전횡에서 비롯된 결과'라는 주장은 오히려 '새로운 신화학'이 ⓐ를 비판할 때 할 수 있는 언급이다.

④ 이성과 감성의 화해 내지 조화를 중요시하는 '새로운 신화학'도, 이성지상주의적 입장의 ⓐ도 감성주의적 이상 실현을 목표로 삼고 있지 않다. 따라서 이 선택지 내용은 ⓐ 입장에서의 '새로운 신화학'에 대한 비판으로 적절하지 않다.

[9~11] 제재 | 호펠드의 권리 문법
난이도 | ★★☆

9. 정답 ③

난이도 ★★☆ | 정답률 78%

내용영역 규범 | 문항 유형 분석

[정답 풀이]

③ 호펠드는 모든 권리 문장을 재구성하고 권리자와 그 상대방의 지위를 나타내는 네 쌍의 근본 개념을 확정하였다. 이로써 호펠드는 권리 개념들 사이에 존재하는 관계적 특성을 분명히 하였으나, 이를 두고 권리들 사이에 우선순위가 발생하는 근거를 해명했다고 볼 수는 없다. 따라서 권리 문장의 분석을 통하여 권리들 간에 우선순위가 발생하는 근거를 해명했다는 선택지의 내용은 호펠드 법철학의 역할을 잘못 이해한 것이다.

[오답 풀이]

① 호펠드는 법률가들이 다의적인 법적 개념을 사용함으로써 발생하는 폐해들을 지적하였을 뿐 아니라 이를 해결하기 위해 권리 문장을 분석하고 권리 개념을 명확히 할 것을 제안하였다. 따라서 권리 문장에 사용되는 권리 개념의 다의성 문제를 해소할 수 있는 방안을 제시하였다는 선택지의 내용은 호펠드 법철학의 역할이라 할 수 있다.

② 호펠드는 법률가들의 권리 개념에 대한 기존의 구별과 쓰임이 잘못된 논증으로 이어지고 있으며, 이로 인해 급기야는 법적 판단을 그르치기도 한다고 지적하였다. 나아가 호펠드는 개념의 혼동과 논증의 오류가 정의와 올바른 정책 방향에 대한 법률가들의 성찰을 방해하지 않기를 바랐다. 따라서 권리에 대한 법률가들의 통념적 구별이 가질 수 있는 개념적 오류를 비판했다는 선택지의 내용은 호펠드 법철학의 역할로 볼 수 있다.

④ 호펠드는 권리의 문법에 의거하여 '퀸 대 리덤' 사건 판결문을 분석하고 그 오류를 지적한 바 있다. 호펠드의 분석은 판사가 전제로부터 결론을 도출하는 과정에서 중요한 고려 사항을 놓침으로써 논증의 오류가 발생했음을 밝혀내었다. 따라서 권리 문장을 사용한 법률가들의 추론에 논리의 비약이 내재해 있음을 규명하였다는 선택지의 내용은 호펠드 법철학의 역할이라 볼 수 있다.

⑤ 호펠드는 모든 법적인 권리 분쟁이 권리에 관한 근본 개념을 이용하여 진술될 수 있을 것이라 보았으므로, 네 쌍의 근본 개념들 간에 존재하는 미묘한 차이와 관계적 특성을 분명히 하여 권리 문장이 지켜야 할 기초적인 문법을 완성하였다. 따라서 권리 개념들 간의 관계적 특성을 반영한 권리의 일반 이론을 모색했다는 선택지의 내용은 호펠드 법철학의 역할이라 볼 수 있다.

10. 정답 ②

난이도 ★★☆ | 정답률 61%

내용영역 규범 | 문항 유형 추론

[정답 풀이]

② 자유권은 특정한 행위에 대한 상대방의 요구를 따르지 않아도 되는 권리이고, 면제권은 상대방의 처분에 따라 자신의 지위 변동을 겪지 않을 권리이다. 두 사람 사이의 단일한 권리 관계 내에서 자유권자의 상대방은 동시에 청구권을 가질 수 없고 면제권자의 상대방은 동시에 형성권을 가질 수 없으므로, 자유권자의 상대방은 행위를 요구할 수 없고 면제권자의 상대방은 지위를 처분할 수 없다. 다시 말해 누가 자유권이나 면제권을 가지면 그 상대방은 청구권이나 형성권을 가질 수 없으며, 자유권자와 면제권자는 상대방의 요구와 처분으로부터 자유롭다. 따라서 누가 어떤 권리를 가지면 동시에 그는 일정한 의무를 가진다는 판단을 내릴 경우가 있다는 선택지의 내용은 권리의 문법에 대한 올바른 이해라고 볼 수 없다. 누가 어떤 권리를 가지는 경우, 그는 동시에 일정한 의무를 가지지 않는다.

[오답 풀이]

① 청구권은 상대방에게 특정한 행위를 요구할 수 있는 권리이므로 상대방은 그 행위에 대한 의무를 가지게 되고, 형성권은 상대방의 법적 지위를 변동시킬 수 있는 권리이므로 상대방은 그 처분에 따라 지위 변동을 겪게 된다. 즉 누가 청구권이나 형성권을 가지고 있다면 그 상대방은 청구권자의 요구나 형성권자의 처분에 따라야 하는 의무를 가진다. 따라서 누가 어떤 권리를 가지면 상대방이 일정한 의무를 가진다는 판단을 내릴 경우가 있다.

③ 두 사람 사이의 단일한 권리 관계 내에서, 청구권이나 형성권을 가진다는 것은 그 상대방으로 하여금 특정한 행위에 대해 요구하거나 지위의 이동에 대해 처분할 수 있다는 것을 의미하고, 이는 또한 그 상대방이 권리자들의 요구나 처분에 대한 의무를 가진다는 것을 의미한다. 즉 청구권자의 상대방은 동시에 자유권을 가질 수 없고, 형성권자의 상대방은 동시에 면제권을 가질 수 없다. 따라서 누가 어떤 권리를 가지면 상대방이 일정한 권리를 갖지 않는다는 판단을 내릴 경우가 있다.

④ 두 사람 사이의 단일한 권리 관계 내에서 만약 누군가가 자유권을 갖고 있지 않다면 청구권자의 요구에 따를 의무를 지닐 수 있고, 면제권을 갖고 있지 않다면 형성권자의 처분에 따를 의무를 지닐 수 있다. 누가 자유권이나 면제권을 갖지 않을 경우 청구권자나 형성권자의 요구나 처분으로부터 해방될 수 없으므로 그는 동시에 일정한 의무를 갖게 된다. 따라서 누가 어떤 권리를 갖지 않으면 동시에 그는 일정한 의무를 가진다는 판단을 내릴 경우가 있다.

⑤ 두 사람 사이의 단일한 권리 관계에서 누군가 청구권을 가지고 있다면 그 상대방은 동시에 자유권을 가질 수 없고, 형성권을 가지고 있다면 그 상대방은 동시에 면제권을 가질 수 없다. 따라서 누군가가 청구권을 갖고 있지 않다면 상대방은 자유권을 가질 수 있고, 형성권을 갖고 있지 않다면 상대방이 면제권을 가질 수 있다. 이 경우, 상대방인 자유권자나 면제권자는 일정한 요구나 처분으로부터 자유로우므로 청구권이나 형성권에 대한 의무

를 지지 않는다. 결과적으로 누가 어떤 권리를 갖지 않으면 상대방이 일정한 의무를 갖지 않는다는 판단을 내릴 경우가 있다.

11. 정답 ④ 난이도 ★☆☆ | 정답률 81%

내용영역 규범 문항 유형 창의

[정답 풀이]

④ 심판은 판정 과정에서 어떠한 영향도 받지 않아야 하는 지위에 있기 때문에 어떤 이도 경기 도중 C를 상대로 지위 변동에 관한 처분을 내릴 수 없다. 따라서 감독인 D 또한 C의 지위를 변동시킬 수 있는 형성권을 가질 수 없고, 이는 곧 C가 D에 의해 판정의 자율성을 침해 받지 않을 면제권을 가지고 있음을 의미한다.

[오답 풀이]

① 경기에 임하는 선수 A와 B는 서로 대등한 지위에 있으므로 선수들 사이에서는 어느 누구도 상대로 하여금 특정한 행위와 관련한 요구를 할 수 없다. A와 B가 서로 몸싸움을 하다 A가 넘어지기는 했으나 이는 규칙에 위배되지 않는 범위에서 이루어진 정당한 몸싸움이었으며, A가 넘어진 결정적인 사유는 경기장 바닥이 미끄러웠기 때문이므로 A는 자신이 넘어진 것에 대한 책임을 B에게 물릴 수 없다. 설령 B가 경기 규칙을 위반하여 A를 넘어지게 했다 하더라도 B의 그러한 행위와 관련하여 특정한 요구나 처분을 할 수 있는 사람은 A가 아니라 심판 C이다. 따라서 A는 B에게 몸싸움을 걸지 말라고 요구할 청구권을 가지고 있지 않다.

② 심판 C는 판정 과정에서 어떠한 영향도 받지 않아야 하는 지위에 있기 때문에 선수들을 상대로 자신의 판정에 따를 것을 요구할 수 있는 청구권을 가지며, 이로써 모든 선수는 C의 판결에 따를 의무를 가진다. 즉 A와 B는 C의 판정에 대한 자유권이 없다. A가 C에 대해 갖게 되는 의무란 자신에게 퇴장이라는 행위를 요구한 C의 판정에 복종하는 것이지 그 판정의 잘잘못에 대한 견해를 C에게 알리는 것이 아니다. 따라서 A는 C에게 그의 판정이 잘못되었는지 여부를 알려 줄 의무가 없으며, 결과적으로 이를 위반하고 있지도 않다.

③ 경기장 내에서 심판과 권리 관계에 놓이는 상대는 선수들이며, 심판은 상대방인 선수들로 하여금 특정한 행위를 요청할 수 있을 뿐 아니라 선수들의 지위와 관련한 처분을 내릴 수도 있다. 즉 C는 선수들에 대한 형성권을 지니며, 동시에 선수들은 이에 대한 면제권을 가질 수 없다. B는 C의 퇴장 판정에 따라야만 하며, 이에 불복할 수 없다. 따라서 B는 C의 판정만으로 퇴장해야 하는 피형성적 지위에 있다.

⑤ 뛰고 있던 공격수와 대기 중인 선수를 교체하는 것은 팀을 통솔하고 팀의 경기 운영을 지휘하는 감독 D가 선수들에 대하여 가지는 청구권에 해당하며, D가 청구권을 가지고 선수들에게 특정한 행위를 요구하면, 선수들은 감독이 요구한 행위에 대한 의무를 가지며 동시에 자유권을 가질 수 없다. E 또한 D에 대한 자유권을 가질 수 없으므로, D는 E가 시합에 나가지 않을 자유권을 침해하고 있다는 진술은 적절하지 않다.

[12~14] 제재 | 혁신 주도형 지역 발전 모델
난이도 | ★☆☆

12. 정답 ④ 난이도 ★☆☆ | 정답률 95%

내용영역 사회 문항 유형 분석

[정답 풀이]

④ 클러스터, 지역혁신체계, 사회자본 개념에서 공통적으로 강조하고 있는 '네트워크'는 지역의 부가가치나 혁신성을 제고하는 원동력이 된다. 그리고 사회자본은 이들 네트워크들 간 관계를 활성화하는 촉매 역할을 한다.

[오답 풀이]

① 클러스터는 지리적으로 인접한 기업과 기관 등이 유사성이나 보완성 등으로 서로 연결된 집단이다. 그리고 클러스터를 구성하는 산업과 기업, 기관 등의 '강한 연대'가 클러스터를 성공으로 이끌 수 있다. 따라서 클러스터의 주요 목적은 기업이나 산업의 보완적인 상호 연관성을 높이는 데 있다고 할 수 있다.

② 지역혁신체계 모델은 혁신 주도형 지역 발전 모델 중 하나로, 상부구조, 물리적 하부구조, 사회적 하부구조로 구성되어 새로운 기술과 지식을 생산하고 이를 상품화하는 네트워크 체제를 일컫는다. 새로운 기술과 지식을 생산하고 이를 상품화할 수 있기 위해서는 혁신 주체들로 구성된 사회적 하부구조와 상부구조가 긴밀한 네트워크를 바탕으로 연계되어야 한다. 곧 지역혁신체계란 기술과 지식의 창출과 응용을 위한 혁신 지향적 연결망이라고 할 수 있다.

③ 사회자본은 공동체가 지향하는 목적의 달성이 사회자본의 내용과 질에 달려 있다는 인식에서 비롯된 개념이다. 그리고 사회자본의 네트워크는 네트워크 자체도 중요하지만 구성 요소들의 질적 수준이 더욱 중요하다고 할 수 있다.

⑤ 혁신 주도형 지역 발전 모델의 중심 개념으로 제시되고 있는 클러스터, 지역혁신체계, 사회자본은 모두 지역 혁신을 위하여 네트워크를 강조한다. 클러스터와 지역혁신체계에서 네트워크는 구성 요소들 간의 연계를 통해 지역의 부가가치나 혁신성을 제고하며, 사회자본은 이를 활성화하는 촉매 역할을 한다. 따라서 클러스터, 지역혁신체계, 사회자본은 지역 공동체의 네트워크를 강화하고 효율화함으로써 지역 혁신을 촉진하려는 목적을 갖는다고 할 수 있다.

13. 정답 ④ 난이도 ★☆☆ | 정답률 89%

내용영역 사회 문항 유형 분석

[정답 풀이]

④ <보기>의 소피아 앙티폴리스가 상 · 하부구조 간 네트워크 체계를 이루게 된 것은 1980년대 중반 이후였다. 이는 중앙 정부의 지방 분권법 제정과 교통 · 통신망 확충, 첨단 산업 단지 조성이라는 적극적 지원이 뒷받침된 결과였다. 따라서 1980년대 이후의 지역혁신체계 구축에는 정부의 적극적인 지원이 작용하였다.

[오답 풀이]

① '물리적 하부구조'는 교통망이나 통신망 같은 기초 시설을 뜻한다. <보기>에 제시된 1960년의 최초 구상은 산 · 학 · 연의 혁신 주체들이 모여 상호 작용을 할 수 있는 네트워크에 대한 것이었다. 그런데 이는 교통과 통신 네트워크를 중심으로 한 물리적 하부구조가 아니기 때문에, 1960년의 최초 구상은 물리적 하부구조의 구축에 초점을 맞춘 것이 아니라고 할 수 있다.

② <보기>에 진술된 소피아 앙티폴리스는 1960년 이전에는 산업이나 지식 자산이 거의 전무한 낙후된 도시였으므로, 당시의 사회자본이 기술 혁신을 촉진했다고 볼 수 없다. 사회자본으로 인한 기술 혁신 촉진은 1980년대에 접어들어서야 가능해졌다.

③ 소피아 앙티폴리스에 클러스터 기반이 형성된 것은 1960년대 이전이 아니라, 1960년의 구상이 실현되기 시작한 1960년대 중반 이후이다.

⑤ 소피아 앙티폴리스에 조성된 사회자본은 산 · 학 · 연의 협력적 관계 조성을 촉진한 지방 정부와, 정보통신 분야의 선도 기업 유치 및 연관 기업 입지를 유도한 민 · 관 협력 기구에 의한 것이었다. 따라서 기업이 중심이 되어 소피아 앙티폴리스의 발전을 위한 사회자본을 조성한 것이라고 할 수 없다.

14. 정답 ⑤

난이도 ★★☆ | 정답률 52%

내용영역 사회 | 문항 유형 추론

[정답 풀이]

⑤ ㉢은 사회자본을 바탕으로 공동체를 형성한 지역의 영세 기업들이 대기업 못지않은 성과를 거둔 사례이다. 이들이 영세성의 한계를 극복할 수 있었던 것은 그물망처럼 조직적이고 긴밀하게 연결된 기업 간 네트워크, 즉 기업체 '외부'와의 소통 네트워크를 강화하였기 때문이다.

[오답 풀이]

① ㉠의 경우 포도 재배는 농업 클러스터, 와인 양조는 식품업 및 관광업 클러스터와 강한 연대를 맺고 있다. 이는 하나의 클러스터가 기능에 따라 분화된 여러 클러스터의 복합 구조를 이룰 수 있다는 것을 보여 준다.

② ㉠은 전통적인 포도 재배 지역에 형성된 클러스터인데, 이곳은 전통 산업을 활용하여 성공적인 클러스터를 형성한 사례로 제시되고 있다. 따라서 ㉠은 전통 산업과의 연계를 통해서도 혁신 주도형 지역 발전을 성공적으로 이룰 수 있음을 보여 준다.

③ 물리적 하부구조는 혁신 주체들을 유인할 수 있어야 하며 성과물에 대한 접근성을 높일 수 있어야 한다. ㉡에서 이러한 물리적 하부구조를 조성하는 데 기여한 주체는 지방 정부이다. 따라서 ㉡은 지역혁신체계 구축에 있어서 물리적 하부구조를 강화하는 지방 정부의 활동이 중요함을 보여 준다고 할 수 있다.

④ ㉡에는 경쟁 기업 간의 공동 연구가 활성화되어 있는 문화 내지 분위기가 조성되어 있다. 이를 통해 ㉡에는 새로운 지식의 창출과 응용을 용이하게 하는 상 · 하부구조 간 네트워크가 긴밀하게 연계되어 있음을 알 수 있다.

[15~17] 제재 | 고전물리학과 현대물리학의 관계

난이도 | ★★☆

15. 정답 ⑤

난이도 ★★☆ | 정답률 71%

내용영역 과학기술 | 문항 유형 분석

[정답 풀이]

⑤ 음속을 넘는 시속 1,500km 정도에서는 고전물리학과 특수상대성이론의 계산 결과가 유사하다. 두 계산의 결과가 거의 비슷하게 나타난다는 것은 곧 음속과 비슷한 속력의 운동에 대해서는 고전물리학과 특수상대성이론 중 어느 이론을 적용하든 설명에는 거의 차이가 없다는 것을 뜻한다.

[오답 풀이]

① 양자역학으로는 혼돈이론이 다루는 '미세하게 다른 두 초기 상태'라는 개념을 명확히 규정할 수 없는데, 이는 혼돈이론이 고전물리학의 토대 위에서만 성립할 수 있음을 의미한다. 따라서 혼돈 현상을 설명하는 데에 양자역학이 적용되는 것은 아니다.

② 원자에 구속되지 않은 자유로운 전자의 운동은 고전물리학으로 설명할 수 있으나, 원자 안의 전자를 설명하는 데는 양자역학이 적용된다.

③ 특수상대성이론은 고전물리학의 설명력을 고스란히 포섭하지만, 고전물리학은 특수상대성이론이 설명할 수 있는 영역 중 '속도가 그다지 크지 않다면'이라는 조건하에서만 유효하다. 따라서 고전물리학이 특수상대성이론에서도 설명력을 유지하는 것은 '속도가 그다지 크지 않은 경우'에 제한된다.

④ 특수상대성이론은 기존의 물리학에 등장하는 여러 공식을 고쳐 쓰게 만들었고, 고전물리학의 속도의 덧셈 법칙도 특수상대성이론에 따르면 정확하지 않다. 따라서 특수상대성이론에서 속도의 덧셈 법칙은 고전물리학에서와 동일한 식으로 표현되지 않는다.

16. 정답 ④

난이도 ★★☆ | 정답률 77%

내용영역 과학기술 | 문항 유형 분석

[정답 풀이]

④ 물리학자들은 고전물리학과 양립 불가능한 전제들을 토대로 삼아 양자역학의 체계를 구축하였다. 하지만 극한 조건 아래에서 두 영역은 경계에서 만나 매끄러운 이음매를 만들며 연결된다. 따라서 두 이론이 기초하고 있는 전제가 서로 양립 불가능하다고 해서 두 이론이 연결되지 않는 것은 아니다.

[오답 풀이]

① 글쓴이는 글의 말미에서 양자역학의 등장이 물리학의 진보로 귀결되는 것은 고전물리학과 더불어 다채로우면서도 하나로 연결된 물리학을 이뤄냈기 때문이라고 말하고 있다. 따라서 지문은 한계를 드러낸 옛 이론도 과학의 진보를 평가할 때 고려되어야 한다고 본다.

② 글쓴이는 특수상대성이론이 고전물리학을 포섭하면서 설명과 예측의 영역을 확장시켰다는 점에서 물리학의 진보를 이루었다고 말한다. 이는 이 글이 물리학으로 설명할 수 있는 현상의

범위 확장을 물리학의 진보로 보고 있다는 것을 뜻한다.

③ 서로 다른 현상 영역을 담당하던 고전물리학과 양자역학은 극한 조건이라는 상황 아래서 유사값을 보이면서 연결된다. 양자역학은 고전물리학과의 매끄러운 연결로 인해 마지막 문단에서 언급하고 있는 물리학의 진보로 귀결될 수 있었다고 할 수 있다. 따라서 두 이론이 이론 간의 경계에서 하나의 식으로 연결된다는 선택지의 내용은 ㉠의 판단을 가능하게 하는 지문의 시각과 같은 맥락에 놓여 있다.

⑤ 양자역학은 고전물리학으로는 설명이 불가능했던, 원자에 속한 전자들의 동역학적 상태에 대한 설명을 가능하게 했다. 그런데 양자역학만으로는 설명할 수 없는 당구공의 충돌 같은 현상이 여전히 고전물리학 고유의 영역에 존재한다. 따라서 양자역학이 고전물리학이 풀 수 없었던 문제를 해결하였다고 하여 물리학이 진보한 것은 아니다.

17. 정답 ① 난이도 ★★☆ | 정답률 68%

내용영역 과학기술 문항 유형 추론

[정답 풀이]

① 특수상대성이론의 관점에서 고전물리학은 어떤 조건하에서는 충분한 설명력을 갖기 때문에, 특수상대성이론은 고전물리학을 포섭한다고 말할 수 있다. 이처럼 <보기>의 뉴턴 역학의 관점에서 갈릴레오의 법칙은 우리가 경험할 수 있는 운동 영역 내에서는 유효한 설명력을 지니므로 뉴턴 역학은 갈릴레오의 법칙을 포섭한다고 볼 수 있다. 따라서 특수상대성이론이 고전물리학의 식들을 포섭하는 것처럼 뉴턴 역학은 근사를 통해 충분히 갈릴레오의 법칙을 포섭한다.

[오답 풀이]

② 고전물리학과 특수상대성이론의 관계는 고전물리학과 양자역학의 관계와는 '상이한 특징'을 드러낸다. 고전물리학과 특수상대성이론은 포섭 관계이지만, 고전물리학과 양자역학은 '극한 조건'을 가정할 때 매끄럽게 이어지는 관계이다. <보기>에서 갈릴레오의 법칙과 뉴턴 역학은 잇닿아 있는 것이 아니라 갈릴레오의 법칙이 뉴턴 역학에 포섭되는 양상을 보인다. 따라서 갈릴레오의 법칙이 유효한 범위는 뉴턴 역학의 영토와 잇닿아 있는 것이 아니다.

③ 갈릴레오의 법칙은 뉴턴 역학의 관점에서 상수가 될 수 없는 g를 상수로 간주한다. 그러나 우리가 경험하는 범위 내에서의 낙하 운동에서는 g를 상수로 간주해도 큰 무리가 없어, 뉴턴 역학은 갈릴레오의 법칙을 포섭할 수 있다. 따라서 갈릴레오의 법칙과 뉴턴 역학은 '하나로 연결된 물리학'을 형성할 수 있다.

④ 혼돈이론은 고전물리학의 토대 위에서만 성립하는 것으로 양자역학만으로는 모든 물리적 현상이 해결되는 것이 아님을 보여준다. 즉 혼돈이론은 고전물리학과 양자역학을 연결하는 역할을 하지 않는다. 또한 갈릴레오의 법칙은 뉴턴 역학이 고전 이론을 포섭할 수 있음을 보여줄 뿐이므로 이는 뉴턴 역학 이전과 이후를 연결하는 이음매 역할을 한다고 보기 어렵다.

⑤ 특정 범위 내에서는 뉴턴 역학이 갈릴레오의 법칙을 근사적으로 설명할 수 있다. 그러나 특정 범위 내에서만 설명력을 가지는 갈릴레오의 법칙으로는 뉴턴 역학을 설명할 수 없으므로, 설명의 포섭력을 지니는 것은 갈릴레오의 법칙이 아니라 뉴턴 역학이다. 따라서 갈릴레오의 법칙으로 뉴턴 역학을 근사적으로 설명할 수 없다.

[18~20] 제재 | 루쉰, 「비공」
난이도 | ★★☆

18. 정답 ③ 난이도 ★★☆ | 정답률 76%

내용영역 인문 문항 유형 분석

[정답 풀이]

③ 묵자는 공수반의 집에 도착하자 공수반에게 자신을 모욕한 자를 살해할 것을 의뢰한다. 그러나 묵자가 공수반을 찾아온 목적은 자신을 모욕한 자를 죽여 달라고 부탁하기 위해서가 아니라 공수반이 송나라를 치지 않도록 설득하기 위한 것이다. 묵자는 공수반이 '의'를 명분으로 자신의 부탁을 거절할 것임을 예상하고 있었을 것이므로, 묵자가 공수반에게 한 부탁은 설득을 위해 의도적으로 마련한 것이라 볼 수 있다. 이어 묵자는 자신의 부탁을 거절한 공수반을 의롭다고 칭찬함으로써 의로운 자가 전쟁을 일으키는 것은 분별에 어긋나는 것임을 지적한다. 이는 묵자가 자신이 의도한 대로 대화를 이끌며 공수반을 설득하는 데 유리한 상황을 만든 것이라 할 수 있다.

[오답 풀이]

① 묵자는 공수반에게 초나라가 송나라를 공격하는 것은 지혜롭거나 의롭지 못한 일이라 지적하고 초나라가 송나라를 공격하지 않도록 공수반을 설득하였다. 따라서 묵자가 공수반에게 초나라가 어떻게 하면 전쟁의 대의명분을 얻을 수 있는가에 대해 알려주고 있다는 선택지의 내용은 지문의 내용을 바르게 이해한 것으로 보기 어렵다.

② 묵자가 공수반에게 말하기를, 알고 있는 바를 간하지 않으면 충성스럽지 않다고 하였다. 묵자가 말하는 충성은 개인의 이익을 따지는 일과 거리가 멀기 때문에, 묵자가 공수반에게 개인의 이익이 나라의 이익에 부합될 때 진정한 충성이 가능하다고 주장한다고 볼 수 없다.

④ 묵자는 공수반에게 사람을 이롭게 하는 것이 '의(義)'이며, 이 '의'를 변함없이 행해야 한다고 주장한다. 이때 '사람'이란 백성을 의미하는 것이므로 묵자의 주장에는 위민 의식이 내포되어 있다고 볼 수 있다. 이러한 묵자의 충고는 동향 친구로서의 우정에 흔들리거나 연연해서는 안 된다는 것과는 무관하다.

⑤ "나는 정말로 당신에게 송나라를 드리겠소, 당신이 언제나 의만 행하신다면 나는 또 당신께 천하를 드리겠소."라는 묵자의 발언은 변함없이 의를 행하여 사람을 이롭게 하면 공수반이 사람의 마음을 얻게 되리라는 뜻에서 비롯된 것이다. 송나라 국경에서 두 번씩 검문을 당하고 의연금을 모집하는 구국대에게 낡은 보따리를 빼앗기는 등 묵자가 돌아가는 길에 겪은 고초로 보아, 묵자가

송나라를 통치할 수 있는 권력을 양보할 수 있는 위치에 있다고 보기 어렵다.

19. 정답 ① 난이도 ★★☆ | 정답률 75%

내용영역 인문 문항 유형 추론

[정답 풀이]

① 공수반은 묵자에게 시종일관 예를 갖추어 대한다. 그가 묵자를 향해 "당신이 의를 행하면, 정말로 나의 밥그릇을 부숴 버리는 것이 됩니다!"라고 한 것은 묵자가 일컫는 의가 자신이 현재 추진하고 있는 일과 상충되고 있다는 것을 언급한 것이다. 하지만 이를 '공수반이 자신의 입지가 흔들릴까 염려되어 묵자의 체류를 문제시하고 있다'고 해석하는 것은 문맥상 올바르지 않다. 공수반은 묵자가 옷을 돌려주기 위해 다시 자신의 집에 방문했을 때 하룻밤을 묵고 가라고 권하였으나, 묵자가 당일 떠나지 않으면 안 된다고 말했기 때문에 그를 가게 하는 수밖에 없었던 것이기 때문이다.

[오답 풀이]

② 공수반은 몸과 마음을 괴롭혀 가며 위급한 일을 구제하는 것은 천한 사람이 할 일이지, 대인이 취할 일이 아니라고 말한다. 사람의 귀천이 다르고 그 귀천에 따라 해야 할 일도 달라진다고 본다는 점에서 공수반은 이상적 평등주의보다 귀천에 따른 신분 의식을 지니고 있는 인물이라고 할 수 있다.

③ 공수반은 자신이 사람을 죽이지 않는 의로운 사람이라 여기면서도 송나라를 치기 위해 전쟁을 준비하는 것이 의롭지 못하다는 생각은 하지 못했다. 의롭기 때문에 한 사람도 죽일 수 없다고 생각하면서도 많을 사람을 죽이게 할 전쟁의 위험성에 대해서는 심각하게 고려하지 않은 것이다.

④ 공수반은 송나라와의 전쟁에 쓰일 운제를 만드는가 하면 나무토막과 대나무로 까치 장난감을 만들기도 한다. 이로 미루어 볼 때 공수만은 나라를 위해 무기를 만드는 한편 다른 물건의 제작에도 관심을 갖고 있다고 할 수 있다.

⑤ 공수반은 송을 치려는 초의 계획이 의에 어긋난다는 묵자의 의견에 동의한다. 그럼에도 그 내용이 왕에게 이미 보고되었기 때문에 계획을 그만둘 수 없다고 본다. 이는 곧 공수반이 묵자의 주장에 수긍하면서도 현실 정치에 대해서는 다른 입장을 보이는 것이라 할 수 있다.

20. 정답 ② 난이도 ★☆☆ | 정답률 91%

내용영역 인문 문항 유형 추론

[정답&오답 풀이]

묵자는 의를 행하는 데는 천한 사람과 대인의 구별이 없으며 사랑과 공경을 통해 서로에게 이익을 될 수 있어야 한다고 주장한다. 또한 묵자는 개인의 이익에만 머무는 일은 사람을 널리 이롭게 하지 못하므로 졸렬하며, 많은 이들을 이롭게 하는 일이 훌륭하다고 주장한다. <보기>의 내용 가운데서 이러한 묵자의 주장과 가장 가까운 것은 도덕은 누구나 따르고 행할 수 있는 보편적인 가치여야 하며, 자기뿐 아니라 타인 모두에게 이로워야 존재의 가치가 있다는 내용의 ㄴ이다. 그 외 ㄱ, ㄷ, ㄹ, ㅁ의 내용들은 묵자가 언급한 바 없는 것들이므로 묵자의 주장과 거리가 멀다.

[21~23] 제재 | 선법 음악과 조성 음악
난이도 | ★★★

21. 정답 ⑤ 난이도 ★★☆ | 정답률 74%

내용영역 인문 문항 유형 분석

[정답 풀이]

⑤ 화음의 개념에 근거해 발달한 조성 음악에서는 선율과 화성으로 구성된 구조가 등장한다. 이 구조에서는 선율이 화음에 근거하여 만들어지기 때문에, 수평적인 선율 안에 화음의 구성음들이 내재한다. 조성 음악에서는 5도 관계에 놓인 주요 3화음이 조화롭게 연결되어 화성적 맥락을 형성한다. 화음의 개념에 근거한 선율이란 조성 음악을 가리키며 조성 음악에서는 화성적 맥락을 통해 선율 안에 내재된 주요 3화음을 알 수 있다.

[오답 풀이]

① 음정은 두 음이 어울리는 정도에 따라 완전음정, 불완전음정, 불협화음정으로 나뉘며, 완전음정 내에서는 완전1도, 완전8도, 완전5도, 완전4도의 순으로 협화적이다. <도-솔>은 완전5도이며, <도-도>는 한 음의 중복이라면 완전1도, 한 옥타브가 차이 난다면 완전8도이다. 완전5도는 완전1도나 완전8도보다 덜 협화적이므로, 완전음정 <도-솔>은 완전음정 <도-도>보다 덜 협화적이다.

② 중세의 선법 음악에서는 완전음정을 즐겨 사용하며 불완전음정과 불협화음정은 장식적으로만 사용하였다. 그러나 르네상스 시대에 이르러서는 불완전음정을 보다 적극적으로 사용하기 시작했다. 완전음정이 불완전음정보다 협화적이므로, 르네상스 시대보다 중세 시대에 협화적인 음정을 더 많이 사용하였다고 할 수 있다.

③ 16세기 대위법의 음정 규칙은 음정의 성질에 따라 그 진행이 단계적으로 이루어지도록 했다. 즉 불협화적인 음향이 매우 협화적인 음향으로 진행하기 전에 적당히 협화적인 음향을 거치도록 하여 자연스러운 음향을 표현할 수 있도록 한 것이다. 2도-3도-1도의 진행 역시 불협화음정인 2도에서 완전음정인 1도로 진행하기 전에 불완전음정인 3도를 거치도록 한 단계적 진행이라 할 수 있다.

④ 근음 위에 쌓는 3도 음정이 장3도인지 단3도인지에 따라 화음의 성격을 각각 장3화음, 단3화음으로 구별한다. 따라서 장3화음과 단3화음은 근음 위에 쌓은 3도 음정의 성질에 따라 구별된다.

22. 정답 ② 난이도 ★★★ | 정답률 35%

내용영역 인문 문항 유형 분석

[정답 풀이]

② 선법 음악은 두 개 이상의 선율이 각각 서로 독립성을 유지하면서도 선율과 선율 사이의 조화가 음정에 따라 이루어지는 대위적 개념에 근거한 다성부 짜임새를 사용하였다. 그런데 조성 음악에서는 복합층으로 노래하던 선법 음악의 다성부 구조가 쇠퇴하는 대신 선율과 화성으로 구성된 구조를 사용하였다. 따라서 선법 음악에서 조성 음악으로의 변화는 대위적 양식에서 추구하던 선율들의 개별적인 독립성이 쇠퇴한 것이라 할 수 있다.

[오답 풀이]

① 선법 음악이 두 음을 결합하는 음정에 기반한 것이라면 조성 음악은 세 음을 결합하는 화음에 기반한 것이다. 따라서 선법 음악에서 조성 음악으로의 변화는 음의 재료가 두 음에서 세 음으로 바뀐 것이라고 할 수 있다.

③ 선법 음악에서는 수평적인 선율을 중시하였고, 조성 음악에서는 수직적인 화음을 중시하였다. 따라서 선법 음악에서 조성 음악으로의 변화를 수직적 음향의 강조에서 수평적 선율의 중시로의 변화라고 한 선택지의 내용은 변화의 방향을 잘못 설명한 것이다.

④ 선법 음악에서 조성 음악으로 변화하면서 불완전음정 3도가 완전 5도를 분할하는 음정으로 사용되면서 화음의 개념이 출현하게 되었다. 근음 위에 쌓는 3도 음정이 그 화음의 성격과 이름을 결정하지만, 화음과 화음이 화성적 맥락을 형성하기 위해서는 하나의 화음만으로 부족하다. 조성 음악에서 화성적 맥락의 근본을 형성하는 것은 '도'음과 '도'음을 중심으로 위아래로 5도 관계에 놓인 음을 근음으로 한, 세 개 화음의 연결이다. 따라서 선법 음악에서 조성 음악으로 변화하면서 화성 진행을 만든 것은 5도 관계에 놓인 주요 3화음이라 할 수 있다.

⑤ 조성 음악은 선법 음악의 다성부 구조 대신 선율과 화성의 구조를 사용하였다. 이러한 구조에서는 선율이 화음에 근거하여 만들어지기 때문에 수평적 선율 안에 화음의 구성음들이 내재한다. 그리고 화성은 화음들이 조화롭게 연결되어 만들어 내는 맥락이라는 점에서 조성 음악의 구조를 이루는 선율과 화성은 모두 화음의 결과라 할 수 있다. 따라서 선율의 결과로 화성이 만들어진다는 사고가 발달했기 때문에 조성 음악이 선율과 화성을 구조로 삼게 된 것이라 할 수 없다.

23. 정답 ⑤ 난이도 ★★☆ | 정답률 57%

내용영역 인문 문항 유형 창의

[정답 풀이]

<조건>에 따라 <보기>의 곡이 선율이 '도'를 으뜸음으로 하고, 각 마디에는 하나의 화음이 사용되었다고 할 때, <보기>는 화성적 맥락이 형성되어 있는 조성 음악에 바탕한 곡이라 할 수 있다. 으뜸음인 '도'를 중심으로 위로 5도 관계에 있는 '솔'은 딸림음, 아래로 5도 관계에 있는 '파'는 버금딸림음이 된다. 이 '도', '솔', '파'를 각각 근음으로 화음을 만들면 '으뜸화음', '딸림화음', '버금딸림화음'이 된다. 화음은 5도 음정을 3도로 분할한 것이므로 한 화음을 이루는 세 개의 음은 3도씩의 거리를 지닌다. 으뜸음 '도'를 근음으로 3도씩 쌓은 세 개의 음으로 화음을 만들면 '도-미-솔'의 으뜸화음, 딸림음 '솔'을 근음으로 화음을 만들면 '솔-시-레'의 딸림화음, 버금딸림음 '파'를 근음으로 화음을 만들면 '파-라-도'의 버금딸림화음이 된다.

⑤ 각 마디의 첫 음은 '솔', '도', '레', '미'이지만, ㉠ 마디와 마지막 마디에 사용된 화음의 근음은 '도', ㉡ 마디에 사용된 화음의 근음은 '파', ㉢ 마디에 사용된 화음의 근음은 '솔'이다. 따라서 각 마디의 첫 음이 그 마디에 사용된 화음의 근음이라 할 수 없다.

[오답 풀이]

① 수평적인 선율 안에는 화음의 구성음들이 내재한다. ㉠의 선율 '솔도도'에서 '도'와 '솔'이 사용된 것으로 보아 ㉠의 화음은 <도-미-솔>의 으뜸화음이다. 따라서 ㉠의 화음 안에는 '미'가 내재되어 있다.

② ㉡의 마디를 이루는 선율 '도라도파미'로 보아 ㉡에 사용된 화음은 버금딸림화음 <파-라-도> 위에 3도 거리에 있는 음을 한 번 더 쌓아 7화음을 만든 것이다. 따라서 ㉡에는 <파-라-도-미>의 버금딸림 7화음이 사용되었다.

③ ㉢의 선율 '레솔파'에서 '솔'과 '레'가 사용된 것으로 보아 ㉢에 사용된 화음은 딸림화음 <솔-시-레> 위에 3도 거리에 있는 음을 한 번 더 쌓아 7화음을 만든 것이다. 따라서 ㉢에는 <솔-시-레-파>의 딸림 7화음이 사용되었다.

④ 기호가 붙지 않은 마지막 마디의 선율이 '미솔솔미도'인 것으로 보아 이 마디에도 첫 마디인 ㉠과 마찬가지로 으뜸화음 <도-미-솔>이 사용되었다. 따라서 <보기>의 곡은 으뜸화음에서 시작하여 으뜸화음으로 끝난다.

[24~26] 제재 | 노동자 정당의 등장과 프랑스 민주주의
난이도 | ★★☆

24. 정답 ⑤ 난이도 ★★☆ | 정답률 79%

내용영역 사회 문항 유형 분석

[정답 풀이]

⑤ 제3공화국 초기에 사회 문제에 대한 정부의 대책은 생활 능력이 없는 자에 대한 시혜적 성격의 부조에 머물렀다. 그러나 노동자 정당이 세력화한 후 국가는 사회 문제에 대한 보다 근본적이고 적극적인 해결을 위해 복지 국가를 개념화한 연대주의를 제시하였다. 사회 문제를 국가적 차원에서 체계적으로 관리하고자 한 것이다. 복지 국가의 개념이 확립된 이후 사회 문제를 해결하는 국가의 기본 대책은 부조가 아닌 연대를 바탕으로 한 복지 정책이었다.

[오답 풀이]

① 행정부는 다양한 위원회의 설치를 통해 대의적 기관으로서의 정당성을 확보하고 사회의 거의 모든 영역을 포괄하는 대표로서 기능하였다.

2011학년도

② 노동자 정당의 세력화는 기존의 대의제 개념에 균열을 가져왔다. 개인뿐 아니라 직업 집단이나 조합까지도 대표의 단위로 설정해야 할 필요성이 제기되었기 때문이다. 이에 정부 내에 노동자 대표가 참여하는 노동 위원회가 설치되었고, 행정부는 이익들을 대표하는 기능을 수행하면서 역할과 권한을 확대하였다.

③ 국가는 사회의 다양한 특수 이익들을 파악하고 그것들의 조정과 소통을 통해 일반 이익을 형성하며 이 일반 이익의 형성을 통해 권력의 정당성을 확보해 나갔다. 즉 행정부는 권력의 정당성을 공적 기능의 확대를 통해 획득하고자 한 것이다.

④ 제3공화국 초기에 정부는 노동자와 사용자 간의 공정한 중재자 역할을 하는 것으로 스스로를 국한하여 사회 문제에 적극적으로 개입하지 않았다.

25. 정답 ③

난이도 ★★☆ | 정답률 78%

내용영역 사회 | 문항 유형 추론

[정답 풀이]

③ 노동자 정당이 세력화하면서 특수 이익들을 어떻게 설정하고 이해할 것인가에 대한 논의가 시작되었고, 국가는 사회의 다양한 특수 이익들을 파악하게 되었다. 그러나 이는 특수 이익의 대표 체계를 강화하기 위한 것이라기보다 일반 이익을 형성하여 권력의 정당성을 확보하기 위한 작업이었다고 할 수 있다. 제3공화국이 민주주의의 새로운 틀을 마련하는 데 바탕이 된 것은 일반 이익의 형성을 통한 국가 권력의 정당성 확보였으므로, 제3공화국에서 민주주의의 변동 과정은 의회주의를 통하여 특수 이익 대표 체계가 강화되는 과정이라기보다는 행정부를 통하여 일반 이익이 강화되는 과정이라고 할 수 있다.

[오답 풀이]

① 국가는 사회적 연대를 통해 시민의 권리를 확장하면서 노동자 계급을 자신의 구성원으로 포섭하였다. 이러한 시민 권리의 확장은 새로운 민주주의의 원환을 형성하는 하나의 요소이다. 따라서 사회적 연대를 통한 국가 구성원으로서의 소속감 강화는 제3공화국에서 민주주의 변동 과정을 보여 준다고 할 수 있다.

② 노동자 정당의 세력화 이후 국가는 사회 문제에 대해 적극적으로 개입하기 시작하였다. 사회 문제를 국가적 차원에서 체계적으로 관리하기 위해 제도를 도입하고 복지 정책을 마련하는 등 사회 문제를 인식하기 위한 국가의 기능이 확대되었고, 이를 통한 시민의 권리 확장은 새로운 민주주의를 형성하는 데 영향을 미쳤다. 따라서 사회 문제를 인식하기 위한 국가의 기능 확대는 제3공화국에서의 민주주의 변동 과정을 보여 준다고 할 수 있다.

④ 제3공화국의 민주주의 변동의 두 요소 중 하나는 연대를 통한 시민의 권리 확장이다. 연대주의는 사회 문제에 대한 근본적이고 적극적인 해결책으로 사회 정의를 위한 정치를 지향한다. 따라서 제3공화국에서의 민주주의의 변동 과정에서는 사회 정의를 위한 국가의 적극적인 역할이 요구되었다고 할 수 있다.

⑤ 노동자 정당의 출현과 세력화는 기왕의 의회주의적 대의제 개념에 균열을 가져왔고, 행정부의 역할과 권한을 확대하는 계기가 되었다. 확장된 대의제라는 프랑스 민주주의의 새 틀을 형성하는 과정에서 국가의 역할은 지속적으로 확대되었고 노동자 정당은 국가 권력 속에 포섭되었다. 따라서 노동자 정당의 성장과 체제 내 포섭은 제3공화국에서 민주주의의 변동 과정을 보여 준다고 할 수 있다.

26. 정답 ③

난이도 ★☆☆ | 정답률 89%

내용영역 사회 | 문항 유형 추론

[정답&오답 풀이]

프랑스 민주주의의 새로운 틀을 마련하는 과정에서 국가의 역할은 지속적으로 확대되어 국가는 시민들의 삶 자체를 관리하는 거대 권력이 되었다. 이 과정에서 국가 권력에 대한 가장 강력한 비판자로 등장하며 위협 세력이 될 수 있었던 노동자 정당마저도 체제 내로 포섭되고 말았다. 이후 오늘날의 민주주의에는 국가의 민주적 제어에 관한 과제가 부여되었다. 선택지 가운데서 거대한 국가 권력을 제어할 수 있는 방안이 될 수 있는 것으로는 ③번의 "정책 감시와 같은 시민의 정치 참여 통로의 다양화"가 있다. ③번을 제외한 나머지 선택지의 내용들은 국가의 역할을 확대하고 권력을 강화하는 데 기여할 가능성이 큰 것들이므로, 국가 권력을 제어할 수 있는 방안으로 적절하지 않다.

[27~29] 제재 | 잡학직에 대한 논의

난이도 | ★☆☆

27. 정답 ②

난이도 ★☆☆ | 정답률 81%

내용영역 인문 | 문항 유형 추론

[정답 풀이]

② 성현은 제조들이 거의 다 한어를 해득하지 못하여 역관을 취재하여 선발할 때 그 무리에게 맡기므로 인정을 쓰고 사사로움을 따르는 폐단이 있다는 점을 지적한다. 역관을 취재하여 선발하는 과정에 폐단이 있다는 것을 통하여, 당시 사역원에서 역관 선발이 엄정하게 관리되고 있지 않았음을 알 수 있다.

[오답 풀이]

① 성현은 역관을 취재할 때 경서와 역사서를 강론하는데 먼저 깊은 뜻을 물으면서도 한어의 음과 뜻은 묻지 않는다는 점을 지적하면서, 역사서는 한어로 음을 읽은 뒤에 주소의 깊은 뜻을 물어야 한다고 주장한다. 역관을 취재할 때 역사서를 강론하여 먼저 깊은 뜻을 물었다는 것은 역관의 역사 지식을 중시하였다는 것으로 볼 수 있다. 그러므로 당시 사역원의 역관에게는 역사 지식도 중시되었다고 할 수 있다.

③ 성현은 '잡학 중에서 역어가 더욱 정밀하지 못하여 매매할 때 쓰는 일상어도 능히 통달하지 못하니', '중국 사신을 접대할 때에 전하는 말이 어긋나지 않는 자가 몇 사람 되지 않는다'는 점을 지적한다. 역관 중에, 매매할 때 쓰는 일상어 능력이나 사신을 접대할 때 필요한 회화 능력을 갖춘 이가 많지 않다는 것이다.

그러므로 당시 사역원에는 회화 능력이 뛰어난 역관이 부족하였다고 할 수 있다.

④ 역관은 통역, 번역 등을 담당하는 관리이므로 왜어, 여진어, 한어 등의 말을 아는 것은 역관의 기본적인 실무 능력에 해당한다. 그런데 성현은 '왜학과 여진학을 취재함에 있어서는 다만 글자만 쓰게 하므로, 과거를 보는 자는 한갓 글자 획만 익히며 제조는 다만 글자 획만 참고하고 말의 음은 전혀 묻지 아니하니, 합격자는 말 한 마디도 알지 못하고 국록을 받게' 된다는 점을 지적한다. 그러므로 당시 사역원의 역관 선발 과정에서 실무 능력이 간과되고 있었다고 할 수 있다.

⑤ 성현은 '역어가 더욱 정밀하지 못하여 매매할 때 쓰는 일상어도 능히 통달하지 못하니, 하물며 중국 사신을 접대할 때에 전하는 말이 어긋나지 않는 자가 몇 사람이나 되겠습니까?'라고 하였다. 이를 통하여 역관은 중국 사신을 접대할 때에 말을 전하는 등 외교를 위하여 통역을 담당하는 일을 하였다는 것을 알 수 있다. 그러므로 당시 사역원에서는 외교를 위해 중국어 · 일본어 · 여진어 역관을 양성하였다고 할 수 있다.

28. 정답 ① 난이도 ★★☆ | 정답률 74%

내용영역 **인문** 문항 유형 **분석**

[정답 풀이]

① 성현을 비롯한 신하들은 관상감 · 사역원 · 전의감 · 혜민서 등의 관원을 문반과 무관의 예로 논하는 것이 타당한지 아닌지에 대하여 논의하고 있다. 이와 관련하여, 성현은 역관 선발 제도의 문제점을 지적하고 이를 개선하기 위하여 권장할 만한 방도를 제시하고 있으나, 과거 제도 확대에 관한 내용은 언급하지 않는다. 따라서 신하들이 잡과 과거 제도 확대의 당위성을 근거로 제시하여 ㉠과 같은 결정을 이끌어 냈다고 볼 수 없다.

[오답 풀이]

② 허종은 관상감 등의 관원을 잡학직이라고 논하여 문관과 무관의 반열에 참여하지 못하도록 하면 잡학직에 즐겨 입속하여 직무를 힘써 익힐 사람이 없을 것이라고 하며, 이 법을 시행해서는 안 된다고 주장한다. 성현 역시 지금 잡학으로 이름이 있는 자는 모두 이미 늙어서 장차 채용할 만한 사람이 없고, 이들을 문관과 무관의 예로 논하지 않는다면 즐기어 소속되기를 바라는 자가 없을 것이라고 본다. 따라서 신하들이 지속적 인재 충원의 필요성을 근거로 제시하여 ㉠과 같은 결정을 이끌어 냈다고 볼 수 있다.

③ 이극배는 전의감, 혜민서, 관상감, 사역원과 율학, 산학 등의 임무는 모두 빼놓을 수 없는 임무이기 때문에 조종조로부터 중히 여겨 문반과 무반에 넣었다고 주장한다. 성현 역시 '천문, 지리, 복서, 의약, 통역 등 일체의 잡학은 나라를 다스리는 데 도움이 되지 아니하는 것이 없으므로 그중에서 하나도 빼놓을 수가 없는 것'이기 때문에, 조종조로부터 잡학을 문반의 직임으로 삼고 잡과 과거 제도까지 설치한 것이라고 주장한다. 따라서 신하들이 전문적 잡학직의 중요성을 근거로 제시하여 ㉠과 같은 결정을 이끌어 냈다고 볼 수 있다.

④ 성종이 '관상감 · 사역원 · 전의감 · 혜민서는 본래 사족이 아니니 문반과 무반에 넣지 말고 내의원만 넣어라'라고 내린 전지에 대하여, 성현은 '일체의 잡학은 나라를 다스리는 데 도움이 되지 아니하는 것이 없으므로 그중에서 하나도 빼놓을 수가 없는 것이라고' 주장한다. 또한 이극배는 내의원과 내시부 등만 문관과 무관의 반열에 참여하게 하였기 때문에 잡학인이 통분해 한다고 지적한다. 따라서 신하들이 잡학 기관 간의 형평을 근거로 제시하여 ㉠과 같은 결정을 이끌어 냈다고 볼 수 있다.

⑤ 이철견은 '조종의 법은 가볍게 고칠 수 없는 것인데, 지금 이유 없이 잡학직으로 강등하여 옛법을 어지럽히고 인망을 잃는다면 지극히 편하지 않을 것'이라고 하며, 잡학직에 대한 예를 예전 그대로 두자고 주장한다. 따라서 신하들은 조종의 법의 권위를 근거로 제시하여 ㉠과 같은 결정을 이끌어 냈다고 볼 수 있다.

29. 정답 ③ 난이도 ★☆☆ | 정답률 88%

내용영역 **인문** 문항 유형 **분석**

[정답 풀이]

③ [A]에서는 관상감, 사역원, 전의감, 혜민서 등의 관원을 문반과 무반에 넣지 말라는 전지에 대하여 예전 그대로 둘 것을 주장한다. 반면, <보기>에서는 군자와 소인을 같이 거처하게 하고 귀천을 섞이게 할 수는 없다고 하며, 잡학인이 청류에 섞이지 않게 해야 한다고 주장한다. 따라서 [A]와 <보기>는 잡학인의 처우 개선에 대한 견해가 서로 일치하고 있다고 할 수 없다.

[오답 풀이]

① [A]에서는 '천문, 지리, 복서, 의약, 통역 등 일체의 잡학은 나라를 다스리는 데 도움이 되지 아니하는 것이 없다'고 보며, <보기>에서도 역관과 의관 등의 잡학인은 나라에 없을 수 없다고 본다. 따라서 [A]와 <보기>는 모두 잡학의 필요성을 인정하고 있다고 할 수 있다.

② [A]에서는 '세종께서는 문교를 중요하게 생각하시고 또 잡학에도 뜻을 두셨기 때문에 당시 인재가 많이 나왔으며, 혹 그중에 뛰어난 사람이 있으면 발탁하여 등용하기도' 하였다는 사실을 언급한다. 또한 <보기>에서는 옛날의 성왕이 재덕이 탁월하거나 공로가 중대하거나 다스린 성과가 제일인 자를 발탁한 일은 있어도, 환관과 역관, 의관을 중용하지는 않았다는 사실을 언급한다. 따라서 [A]와 <보기>는 모두 잡학인에 관련된 과거의 사실을 언급하고 있다고 할 수 있다.

④ [A]에서는 지금 잡학으로 이름이 있는 자는 모두 이미 늙어서 장차 채용할 만한 사람이 없으며, 지방의 한미한 무리로서 문관이나 무관의 벼슬을 얻지 못한 자가 다만 삼사에 소속되어 이름을 걸어 놓고 그 음덕이 자손에게 끼쳐지기를 바라고 있을 뿐인데, 논밭과 하인도 없이 오랫동안 서울에 머물고 있어서 고생이 막심하다는 점을 언급한다. 하지만 <보기>에서는 잡학인의 현실적 상황에 대한 구체적인 언급 없이, 사민의 구별에 따라 각각의 분수와 그에 마땅한 직임이 있음을 주장하고 있다. 따라서 [A]는 <보기>와 달리, 잡학인의 현실적 상황을 구체적으로 언급하고 있다고 할 수 있다.

2011학년도

⑤ [A]에서는 관상감 · 사역원 · 전의감 · 혜민서는 본래 사족이 아니더라도, 일체의 잡학은 나라를 다스리는 데 도움이 되지 아니하는 것이 없으므로 잡학직에 대한 예와 법을 예전 그대로 두어 문반과 무반의 직임으로 삼아야 한다고 주장한다. 하지만 <보기>에서는 사 · 농 · 공 · 상 등의 사민은 각각 자기의 분수가 있고 분수에 마땅한 직임이 있으므로, 서로 뒤섞여서는 안 된다고 주장한다. 따라서 <보기>는 [A]와 달리, 직분에 따른 신분제의 불가변성을 주장의 전제로 제시하고 있다고 할 수 있다.

[30~32] 제재 | 중세 시대의 동물 재판
난이도 | ★★☆

30. 정답 ④
난이도 ★★☆ | 정답률 71%

내용영역 규범 | 문항 유형 분석

[정답 풀이]

④ 지문에서는 기독교적 자연법론이 동물이 사물의 자연적 질서를 위반하면 범죄로 보아 처벌할 수 있다는 논리를 성립하게 하여, 동물 재판을 정당화하기 위한 이론적 근거를 제공하였다고 보았다. 하지만 기독교적 자연법론이 동물 재판의 정당성을 확보하는 데 기여하였다는 것을 통하여, 기독교적 자연법론에 재판 절차에 관한 규칙이 있었다는 내용을 이끌어낼 수는 없다. 동물 재판은 합리적인 소송 규칙에 따르는 새로운 재판 제도에서 이루어지게 되었으며, 이는 고대 로마법학의 성과를 바탕으로 법학이 발전하는 사회적 상황과 맞물려 있었기 때문에, 오히려 고대 로마법학의 성과 혹은 이 시기에 발전한 법학 등에 재판 절차에 관한 규칙이 있었을 것이라고 추론할 수 있다. 따라서 기독교적 자연법에 재판 절차에 관한 규칙이 있었다고 볼 수 없다.

[오답 풀이]

① 지문에서는 동물을 피고로 하는 재판에서 '유죄가 증명되면 세속 법원은 관습법에 따라 사형을, 교회 법원은 교회법에 근거하여 저주와 파문을 선고했다'고 하였다. 따라서 동물 재판에서 교회 법원과 세속 법원이 다른 종류의 형벌을 선고하였다고 볼 수 있다.

② 지문에서는 동물 재판의 관행이 동물과의 충돌이 빈번할 수밖에 없는 생활 조건과 동물을 의인화하는 민중 문화, 그리고 성 · 속의 엘리트들의 이론적 · 실무적 뒷받침을 통하여 존재할 수 있었다고 하였다. 이때 엘리트들의 뒷받침이란, 13세기 이후 등장한 인간 중심적 법 개념에 의한 자연의 영유를 의미한다. 따라서 동물 재판의 관행은 엘리트의 법 관념과 민중 문화 모두에 기초하고 있었다고 볼 수 있다.

③ 지문에서는 중세 초기의 재판 제도가 '사실상 개인들의 자력 구제를 재판의 형식에 집어넣은 수준'이었으며, '민사와 형사 재판의 구별도 모호했고, 공적인 형벌 제도도 없었다'고 하였다. 하지만 13세기 이후 공권력이 강화되면서 합리적인 소송 규칙에 따라 법원이 사건의 실체를 규명하고 판결을 내리게 되었으며, 이러한 재판 제도하에서 동물 재판이 이루어진 것이다. 이를 통하여, 공권력의 역할과 권한이 강화되지 않았다면 공권력이 동물을 상대로 하는 소송을 다룰 수 없었을 것임을 알 수 있다. 즉, 공권력의 성장은 동물 재판을 가능하게 하는 요소로 작용하였음을 알 수 있다. 따라서 공권력의 성장이 재판 관행에 중요한 영향을 미쳤다고 볼 수 있다.

⑤ 지문에 의하면, 성 · 속의 엘리트들은 동물 재판을 정당화하기 위해서 성서의 사례, 모세의 율법 등을 원용하고, 기독교적 자연법론을 이론적 근거로 삼았다. 이는 인간을 포함한 만물이 신이 부여한 본성에 따라 살아간다고 보고, 신의 섭리로 간주되는 영원법에 동물을 복종시키기 위한 절차였으므로, 성서적 권위에 기반한 것이라 할 수 있다. 따라서 성서적 권위를 통해 동물 재판의 정당성을 확보하였다고 볼 수 있다.

31. 정답 ⑤
난이도 ★☆☆ | 정답률 82%

내용영역 규범 | 문항 유형 추론

[정답 풀이]

⑤ 동물 재판은 합리적인 소송 규칙에 따르는 새로운 재판 제도하에서 법과 정의의 개념을 인간 사회뿐만 아니라 자연계에까지 확장시켜 적용하는 것이었다. 즉, 동물 재판은 인간의 규범을 통해 사태를 설명하는 서사를 구성함으로써 통합적 해석을 얻고, 이에 따라 '본성을 벗어난' 동물을 처벌함으로써 사람들에게 그들의 세계와 질서가 안전하며 정당하다는 것을 확인시켜 주는 기능을 하였다고 볼 수 있다. 따라서 인간의 규범을 통해 사태에 대한 통합적 해석을 얻고 질서 회복에 대한 믿음을 공유하게 하였다는 것은 동물 재판의 문화적 퍼포먼스로서의 기능을 가장 잘 설명한 것이라 할 수 있다.

[오답 풀이]

① 동물 재판은 합리적인 소송 규칙에 따라 법원이 사건의 실체를 규명하고 판결을 내리는 새로운 재판 제도에서 가능하게 되었다. 즉, 사실 관계와 죄책을 규명하여 응보의 근거를 확보하는 것은 동물 재판을 가능하게 하는 요소로 작용할 수 있으나, 사람들로 하여금 혼란을 극복하고 평상으로 돌아갈 수 있게 해 주는 기능을 할 수는 없다. 따라서 사실 관계와 죄책을 규명하여 응보의 근거를 확보하였다는 것은 동물 재판의 문화적 퍼포먼스로서의 기능을 가장 잘 설명한 것이라 할 수 없다.

② 엘리트들에게 동물 재판은 동물을 영원법과 자연법에 복종시키기 위한 엄숙한 절차였으며, 자신들의 법과 정의의 개념을 인간 사회뿐만 아니라 자연계에까지 적용하기 위한 수단으로 기능하였다. 그리하여 그들은 성서의 사례, 모세의 율법, 그리고 기독교적 자연법론을 근거로 제시하여 동물 재판을 정당화하였다. 하지만 이를 통해 동물 재판이 신의 징벌을 대행하는 의례를 통해 교회법의 신성함을 수호하는 기능을 하였다는 내용을 이끌어낼 수는 없다. 동물 재판의 문화적 퍼포먼스로서의 기능은 교회법의 신성함을 수호하는 것이 아니라 사람들로 하여금 혼란을 극복하고 평상으로 돌아갈 수 있게 해 주어 그들의 세계와 질서가 안전하며 정당하다는 것을 확신시켜 주기 위한 것이기 때문이다. 따라서 신의 징벌을 대행하는 의례를 통해 교회법의 신성함을 수호하였다는 것은 동물 재판의 문화적 퍼포먼스로서의 기능을

가장 잘 설명한 것이라 할 수 없다.

③ 동물 재판을 옹호한 엘리트들은 동물이 사물의 자연적 질서를 위반하면 범죄로 보아 처벌할 수 있다는 논리가 성립되도록 하였다. 즉, 동물 재판은 동물을 인격화하여 소송의 대상으로 삼은 것이 아니라, 법과 정의의 개념을 인간 사회뿐만 아니라 자연계에까지 확장시켜 적용한 것이라 할 수 있다. 또한 지문에서 동물 재판이 인간의 속죄 의식을 고양하는 기능을 하였다는 언급은 확인할 수 없다. 따라서 인격화된 동물에 대한 재판과 처형을 통해 인간의 속죄 의식을 고양하였다는 것은 동물 재판의 문화적 퍼포먼스로서의 기능을 가장 잘 설명한 것이라 할 수 없다.

④ 엘리트들은 인간과 자연은 자연법에 구속되며, 자연법에 반하는 인정법은 법적 효력이 없다는 이론에 근거하여 동물도 사물의 자연적 질서를 위반하면 범죄로 보아 처벌할 수 있다는 논리가 성립하도록 하였다. 즉, 엘리트들은 동물 재판을 통하여 동물의 경우에도 자연적 질서를 위반하면 예외 없이 범죄가 처벌된다는 것을 보여주었다. 하지만 이것이 지배 질서의 권위를 과시하는 기능을 하였다고 볼 수는 없다. 동물 재판의 문화적 퍼포먼스로서의 기능은 사람들로 하여금 혼란을 극복하고 평상으로 돌아갈 수 있게 해 주어 그들의 세계와 질서가 안전하며 정당하다는 것을 확신시켜 주기 위함이지 동물 재판을 함으로써 기존 지배 질서의 권위를 과시하고자 한 것은 아니었다. 따라서 범죄가 예외 없이 처벌됨을 증명하여 지배 질서의 권위를 과시하였다는 것은 동물 재판의 문화적 퍼포먼스로서의 기능을 가장 잘 설명한 것이라 할 수 없다.

32. 정답 ③ 난이도 ★★☆ | 정답률 77%

내용영역 규범 문항 유형 분석

[정답 풀이]

③ <보기>의 (나)가 언급하는 법은 성문법과 관습법이므로, 인간이 정한 인정법이라 할 수 있다. 지문의 ㉠은 동물 재판을 인정하는 사람으로, 성서를 인용하여 인간 중심적 법 개념에 의한 자연의 영유를 보여 준다는 점에서 동물 재판을 옹호한 엘리트들과 유사한 관점을 지니고 있음을 알 수 있다. 즉, ㉠은 인간과 자연은 자연법에 구속되며 자연법에 반하는 인정법은 법적 효력이 없다고 볼 것이다. 따라서 <보기>의 (나)가 언급하는 인정법에 대해서 ㉠은 자신이 근거로 삼은 자연법이 상위의 것이라고 볼 것이다.

[오답 풀이]

① <보기>에서 자연에 대한 인간의 지위를 보는 (가)의 관점은, 자연과 인간은 하나이고 인간은 자연에 대하여 특별한 지위를 갖고 있지 않다는 것이다. 하지만 지문의 ㉠은 인간이 자연을 지배할 권리를 가지며 자연은 인간에게 봉사하고 복종하는 데 유일한 존재 이유가 있다고 보는, 자연에 대한 인간 우위의 관점을 지닌다. 따라서 (가)의 관점에 대해서 ㉠은 동의하지 않을 것이다.

② <보기>의 (가)는 자연물에 대해 법적 주체성을 인정하는 법해석이 논리적으로 가능하다고 봄으로써 도롱뇽이 소송 당사자가 될 수 있다고 본다. 즉, (가)는 동물이 권리의 주체가 되기 위하여 법을 변경할 필요가 없다고 본다. 또한 지문의 ㉡은 바구미가 자연법이 인정하는 권리를 행사한 것이라고 보았으므로, 동물이 권리의 주체가 되기 위하여 법을 변경할 필요가 없다고 볼 것임을 알 수 있다. 즉 (가)와 ㉡의 입장은 동물이 권리의 주체가 되는 것에 대해 법의 변경이 필요하지 않다고 본다는 점에서 일치한다.

④ <보기>의 (나)는 자연의 권리가 현행 성문법률과 관습법 등 인정법에 의해 인정되지 않는 한 자연물의 권리를 인정할 수 없다고 본다는 점에서 모든 권리가 인정법에 근거한다고 보고 있음을 알 수 있다. 반면, 지문의 ㉡은 바구미의 권리가 신의 명령과 자연법에 따른 것이라고 본다는 점에서 자연물의 권리가 인정법이 아니라 영원법과 자연법에 근거한다고 보고 있음을 알 수 있다. 따라서 모든 권리가 인정법에 근거하는가에 대해서 (나)와 ㉡의 입장은 일치하지 않는다.

⑤ 자연의 권리라는 주제와 관련하여, 지문의 ㉠은 성서를 인용하여 주장의 근거를 제시하고 있으며, ㉡은 신의 명령이었다는 점을 주장의 근거로 제시하고 있다. 따라서 (가)와 (나)의 논의에 등장하는 자연의 권리라는 주제에 대해 ㉠과 ㉡은 그것을 신의 섭리 밖의 문제라고 보지 않을 것이다.

[33~35] 제재 | 원격탐사에 사용되는 에너지와 물체 간의 상호 작용

난이도 | ★★☆

33. 정답 ③ 난이도 ★★☆ | 정답률 77%

내용영역 과학기술 문항 유형 분석

[정답 풀이]

③ 중적외선을 이용한 원격탐사로는 고령토가 특정한 파장의 중적외선을 흡수하는 성질을 이용하여 어떤 물체가 고령토인지를 판단할 수 있다(5문단). 따라서 광물이나 암석의 전자기파 흡수는 지표 관측 원격탐사의 방해 요소라 할 수 없으며, 오히려 지표 관측 원격탐사를 가능하게 하는 요소라 할 수 있다.

[오답 풀이]

① 원격탐사에서는 초기에 가시광선만을 이용했지만, 근래에는 근적외선, 중적외선, 열적외선 등 다양한 파장 대역을 이용한다(3문단). 따라서 원격탐사는 다양한 파장의 전자기파를 사용한다고 할 수 있다.

② 근적외선을 이용한 원격탐사로 똑같이 녹색으로 보이는 천연 잔디와 인공 잔디를 구별할 수 있고, 중적외선을 이용하면 작물의 생육 상태와 관련된 중요한 정보를 얻을 수 있다(4~5문단). 따라서 원격탐사를 통해 식물의 분포뿐 아니라 생육 상태도 알아낼 수 있다고 할 수 있다.

④ 지문의 7문단에 의하면, 레일리 산란은 위성 영상의 밝기와 대비를 감쇠하므로, 레일리 산란의 영향이 큰 청색을 배제하고 녹색, 적색, 근적외선 센서들로만 원격탐사 시스템을 구성하기도 한다. 따라서 대기에 의한 전자기파의 산란과 흡수로 인해 지표 관측 원격탐사에서 보정의 필요성이 생긴다고 할 수 있다.

⑤ 태양으로부터 방출된 복사 에너지는 전자기파의 형태로 우주 공간을 빛의 속도로 진행한 후 지구 대기를 통과하여 지표면에서 반사된 다음 다시 대기를 거쳐 위성 센서에 도달하는 방식으로 측정된다(2문단). 따라서 지표 관측에 사용되는 태양 복사 에너지는 대기를 두 번 통과하여 인공위성 원격탐사 센서에 도달한다고 할 수 있다.

34. 정답 ⑤

난이도 ★★★ | 정답률 36%

내용영역 과학기술 | 문항 유형 추론

[정답 풀이]

⑤ 그래프를 보면, 1.4μm 파장 대역에서 대기 흡수율은 100%이므로, 이 파장 대역에 맞추어 위성 센서를 설계하면, 위성 영상에서 A와 B는 모두 분광 반사율 차이와 상관없이 거의 보이지 않을 것이다. 반면, 대기 흡수율이 0%인 2.2μm 파장 대역에서 A의 분광 반사율은 50%이고, B의 분광 반사율은 10%이다. 이 대역의 대기 흡수율은 0%이고, A와 B의 분광 반사율 차이 역시 큰 편이므로, 2.2μm 파장에서 A와 B는 잘 구별될 수 있을 것이다. 따라서 A와 B는 1.4μm보다는 2.2μm에서 더 효과적으로 구별된다고 할 수 있다.

[오답 풀이]

① 중적외선의 센서는 대기 수분에 의한 강한 흡수 파장인 1.4, 1.9, 2.7μm를 제외하고 설계한다. 그래프에서도 1.4, 1.9μm 파장의 중적외선은 대기 흡수율이 100%이므로, 전자기파가 대기에 100% 흡수되어 영상에서 거의 보이지 않을 것이다. 따라서 A는 중적외선 대역 중에서는 약 1.4μm에서 가장 밝게 보인다고 할 수 없다.

② 어떤 물체의 분광 반사율이 높을수록 그 물체는 위성 영상에서 더 밝게 보인다. 그래프를 보면, B의 분광 반사율은 가시광선 대역에서 높고 상대적으로 중적외선 대역에서는 낮다. 대기 흡수율이 0%인 0.4μm 파장의 가시광선과 2.2μm 파장의 중적외선을 비교하더라도 가시광선의 분광 반사율은 80%에 가까운 반면, 중적외선의 반사율은 10%에 그친다. 따라서 B는 가시광선보다 중적외선에서 밝게 보인다고 할 수 없다.

③ '대기의 창'은 에너지가 대기에 의해 흡수되지 않고 효율적으로 통과되는 전자기파 대역이다. 그래프를 보면, 1.4μm와 1.9μm 파장 대역은 대기 흡수율이 100%이므로 '대기의 창'이 아니다. A와 B를 모두 관측할 수 있는 '대기의 창'은 대기 흡수율이 0%에 가까운 0.3~0.4, 1.6~1.7, 2.1~2.3μm 파장 대역이라 할 수 있다. 따라서 A와 B를 모두 관측할 수 있는 '대기의 창'은 1.9μm라고 할 수 없다.

④ 두 물체의 분광 반사율 차이가 클수록 위성 영상에서 두 물체는 더 확연히 구별될 수 있다. 가시광선과 근적외선 대역에서 A와 B의 분광 반사율 차이는 크지 않은 반면, 중적외선에서 A와 B의 분광 반사율 차이는 크다. 따라서 A와 B를 구별하려면 중적외선보다 가시광선 대역이 유리하다고 할 수 없다.

35. 정답 ②

난이도 ★★☆ | 정답률 48%

내용영역 과학기술 | 문항 유형 추론

[정답 풀이]

ㄷ. 대기 중 전자기파의 흡수는 물질의 고유 주파수에 따라 특정 파장 대역에서 발생하는데, 수증기 등 여러 대기 물질의 흡수 효과가 중첩되어 맑은 날에도 지구 대기를 거의 통과하지 못하는 전자기파 대역이 있다(8문단). 반면 에너지가 효율적으로 통과하는 전자기파 대역을 '대기의 창'이라고 한다. <보기>의 <기초 정보>에 따르면 행성의 수증기량은 지구보다 적다. 따라서 행성에서는 수증기 등 여러 대기 물질의 흡수 효과가 중첩되어 전자기파가 대기를 거의 통과하지 못하는 대역의 범위가 줄어들 것이다. 그렇다면 행성에서는 에너지가 효율적으로 통과할 수 있는 대기의 창 대역이 지구보다 더 확대될 수 있기 때문에, 그곳에서는 보다 다양한 파장의 중적외선을 사용하는 것이 가능할 것이다. 따라서 대기의 창이 지구보다 더 확대될 것으로 보이므로, 보다 다양한 파장의 중적외선을 사용한다는 <계획>은 <기초 정보>와 바르게 짝지어진 것이라 볼 수 있다.

[오답 풀이]

ㄱ. 물체가 방출하는 복사 에너지의 최대 에너지 파장은 물체의 절대 온도에 반비례한다(6문단). <보기>의 <기초 정보>에 따르면, 행성 표면의 평균 온도는 지구보다 낮다. 그렇다면 행성 복사 에너지의 최대 에너지 파장이 지구의 최대 에너지 파장보다 길 것이므로, <계획>에서는 열적외선 센서에 사용되는 파장을 더 길게 하도록 해야 한다. 따라서 행성 복사 에너지의 최대 에너지 파장이 지구보다 짧아서 열적외선 센서에 사용되는 파장을 더 짧게 한다는 <계획>은 <기초 정보>와 바르게 짝지어진 것이라 볼 수 없다.

ㄴ. 레일리 산란은 전자기파가 산소나 질소 입자와 같은 대기 입자에 의해 일어나는 것이다(7문단). 레일리 산란은 영상 밝기와 대비를 감쇠시키므로 레일리 산란 영향이 큰 청색을 배제하여 원격탐사 시스템을 구성하기도 한다. <보기>의 <기초 정보>에 의하면 행성의 대기 밀도는 지구보다 낮다. 대기의 밀도가 낮을수록 레일리 산란은 약하게 발생할 것이므로, 행성에서의 레일리 산란의 영향은 지구에서보다 약하게 나타날 것이다. 그렇다면 행성 탐사에 있어서는 레일리 산란의 영향이 큰 청색 센서를 제외하지 않아도 된다. 따라서 레일리 산란이 지구보다 더 강할 것이므로 청색 센서는 제외한다는 <계획>은 <기초 정보>와 바르게 짝지어진 것이라 볼 수 없다.

2010학년도(홀수형)

[4~6] 제재 | 기업의 가치와 주가의 상관관계에 대한 법적 판단
난이도 | ★★☆

4. 정답 ⑤ 난이도 ★☆☆

내용영역 사회 문항 유형 분석

[정답 풀이]

⑤ 연방 대법원에서는 기업이 잘못된 정보를 공시할 경우, 기업의 진정한 가치와 주가가 일치하지 않게 되어, 주가만 가지고도 투자 결정을 내리는 투자자들은 재산상의 손실을 입게 된다고 보고 ㉠과 같은 결정을 내렸다. 이는 공시 자료 등 기업의 가치에 관한 모든 정보가 주가에 반영되고, 투자자들은 이를 근거로 하여 투자 결정을 내린다고 보는 경제학의 전통적 이론이 전제되어 있는 판결이었다. 즉 ㉠은 주식 투자자들이 그동안 공시 자료를 근거로 주식 투자를 해 왔다는 사실을 전제하여 내린 판결이므로, 이러한 사실이 입증되어야 한다는 판단을 포함하고 있지 않을 것임을 알 수 있다. 따라서 ㉠에는 인수합병을 부인한 공시를 보았던 주식 투자자들이 그동안 공시 자료를 근거로 주식 투자를 해 왔다는 사실이 입증되어야 한다는 판단 내용이 담겨 있지 않을 것이다.

[오답 풀이]

① ㉠은 '사람들은 기업의 진정한 가치를 염두에 두고 주식 투자를 하며, 해당 기업의 진정한 가치에 관한 모든 정보는 주가에 반영되므로, 기업의 진정한 가치와 주가는 일치한다.'고 보는 경제학의 전통적 이론이 적용된 법적 판단이다. 이에 따르면, 사람들은 주가만 가지고도 투자 결정을 내린다고 볼 수 있으므로, ㉠은 베이식 사가 컴버스천 사와의 인수합병 과정에서 합병을 부인함으로써 기업의 진정한 가치가 주가에 반영되지 않아 투자자들이 잘못된 투자 결정을 하였다고 볼 것임을 알 수 있다. 따라서 ㉠에는 인수합병을 부인한 공시로 인해 주가가 기업의 진정한 가치를 반영하지 못했다는 판단 내용이 담겨 있을 것이다.

② ㉠은 기업의 진정한 가치와 주가가 일치하기 때문에 사람들은 주가만 가지고도 투자 결정을 내린다고 보는 경제학의 전통적 이론을 법적 판단에 적용한 결과이다. 이러한 관점에서는, 인수합병을 부인한 베이식 사의 부정 공시로 인해 주주들이 공식적인 합병 발표 이전에 주식을 처분하는 잘못된 결정을 하였고, 이는 재산상의 손실로 이어졌다는 주장을 타당하다고 여길 것임을 알 수 있다. 따라서 ㉠에는 인수합병을 부인한 공시로 인해 주식 투자자들에게 재산상의 손실이 발생했다는 판단 내용이 담겨 있을 것이다.

③ 지문에서는 '베이식 사가 컴버스천 사와의 인수합병을 진행하는 과정에서 이를 공개적으로 부인하다가 결국 컴버스천 사에 합병이 되었다. 그 후, 합병 발표 이전에 주식을 처분했던 일부 주주들은 베이식 사의 부인으로 인해 재산상의 큰 손실을 입었다며 집단소송을 제기했다.'고 하였다. 즉, 원고 측에서는 합병을 부인하는 부정 공시로 인하여 합병이 발표되기 전에 주식을 처분하였고 이는 곧 재산상의 손실이었다고 주장하는 것이다. 이에 대하여 연방 대법원은 '베이식 사가 합병 과정을 공개하지 않음으로써 투자자들로 하여금 잘못된 결정을 하게 하여 재산상의 손실을 입게 했다고 추정할 만한 충분한 합리적 근거가 있다'고 판단하여 ㉠과 같은 결정을 내렸다. 이를 통하여 연방 대법원은 베이식 사가 합병 과정을 공개하였다면, 베이식 사의 주가가 상승했을 것이므로, 일부 주주들은 주식을 처분하지 않고 재산상의 이익을 보았을 것이라고 판단한 것임을 알 수 있다. 따라서 ㉠에는 인수합병이 진행 중이라는 정보가 주식시장에 유포되었다면 주가가 상승했을 것이라는 판단 내용이 담겨 있을 것이다.

④ ㉠은 기업의 진정한 가치와 주가는 일치하므로, 사람들은 주가만 가지고도 투자 결정을 내린다고 보는 경제학의 전통적 이론이 적용된 법적 판단이다. 연방 대법원은 베이식 사가 합병 과정을 공개하지 않음으로써 기업의 가치에 대한 잘못된 정보가 주가에 반영되어, 주가만 가지고도 투자 결정을 내리는 투자자들이 재산상의 손실을 볼 수밖에 없었다고 보아, ㉠과 같은 결정을 내린 것이다. 이는 곧, 투자자들이 주가만 가지고도 투자 결정을 내리기 때문에, 합병에 대한 올바른 정보가 주가에 반영되었다면 투자자들은 이를 근거로 현재와 다른 투자 결정을 하였을 것이라고 보는 것임을 알 수 있다. 따라서 ㉠에는 인수합병 진행이 공시되었다면 주식 투자자들은 이것이 반영된 주가를 근거로 투자 결정을 했을 것이라는 판단 내용이 담겨 있을 것이다.

5. 정답 ⑤ 난이도 ★★☆

내용영역 사회 문항 유형 추론

[정답 풀이]

⑤ 전통적 이론이 성립하기 위해서 기업의 진정한 가치에 관심을 가지는 사람과 그렇지 않은 사람들 사이의 매수와 매도가 지속되어야 하며, 이를 가능하게 하려면 전문적인 주식 투자자들이 정보가 부족한 투자자들을 상대로 미래 주가의 향방에 대한 상반되는 예상 위에서 매매 차익을 얻을 여지가 있어야 한다. 이때 전문적인 주식 투자자가 그렇지 않은 주식 투자자에 비해 기업의 진정한 가치에 대한 더 많은 정보를 가지고 시장에 참여한다면, 미래 주가의 향방에 대한 상반되는 예상 위에서 매매 차익을 얻을 여지가 생긴다. 즉, 전문적인 주식 투자자가 그렇지 않은 투자자들에 비해 기업의 진정한 가치에 대한 정보를 더 많이 가지고 있다는 것은, 전통적 이론의 정당성을 지지하거나 강화해 주는 내용이라 할 수 있다. 따라서 ㉡에는 전문적인 주식 투자자가 그렇지 않은 주식 투자자에 비해 기업의 진정한 가치에 대한 더 많은 정보를 가지고 시장에 참여한다는 내용이 포함되어 있다고 볼 수 없다.

[오답 풀이]

① 전통적 이론은 주식 투자자들이 기업의 진정한 가치를 염두에 두고 주식 투자를 하며, 기업의 진정한 가치와 주가는 일치한다고 보았다. 그리하여 주식시장이 모든 이에게 열려 있는 상황에서는 사람들이 주가만 가지고도 투자 결정을 내린다고 본 것이다. 즉, 전통적 이론은 주식 투자자들이 기업의 진정한 가치에 관한

모든 정보가 반영된 주가를 근거로 투자 결정을 내린다고 보는 것이므로, 주식 투자자들이 기업의 가치에 대한 정보의 진위 여부를 판단하기 쉽지 않다는 내용은 전통적 이론의 전제를 약화시키는 것이라 할 수 있다. 따라서 ㉡에는 주식 투자자들은 기업에 대한 정보의 진위 여부를 판단하기 쉽지 않다는 내용이 포함되어 있다고 볼 수 있다.

② 전통적 이론은 해당 기업의 진정한 가치에 관한 모든 정보가 주가에 반영되므로, 사람들은 주가만 가지고도 투자 결정을 내린다고 보았다. 하지만 기업의 진정한 가치에 대한 정보가 끊임없이 변화하고 주가가 이를 신속하게 반영하지 못한다면, 기업의 진정한 가치에 대한 정보가 해당 시점의 주가에 모두 반영된다고 볼 수 없다. 이러한 상황에서는 기업의 진정한 가치와 주가가 일치한다는 전통적 이론의 내용과 상반된 결론이 도출된다. 따라서 ㉡에는 주가가 기업의 진정한 가치에 대한 정보를 신속하게 반영하지 못하고 있다는 내용이 포함되어 있다고 볼 수 있다.

③ 전통적 이론의 문제점을 비판하는 행동경제학자들의 견해에 의하면, 사람들은 자신이 다른 사람보다 뒤처지는 것을 지나치게 두려워하는 존재이며, 이러한 특성으로 인하여 주식시장에서는 전문적인 투자자들마저 주가와 진정한 가치의 괴리를 키우는 역설적인 행동을 하게 된다. 즉, 주식 투자자들은 주가와 기업의 진정한 가치가 언제 일치할지를 정확히 알 수 없기 때문에 대세에 편승하는 선택을 하는 경향을 보이는 것이다. 이러한 주식 투자자들의 행동은 기업의 진정한 가치보다 타인의 선택에 더 큰 영향을 받는 것이기 때문에, 투자자들이 주가만 가지고도 투자 결정을 내린다고 보는 전통적 이론을 약화시킨다. 따라서 ㉡에는 주식 투자자들은 기업의 진정한 가치보다는 타인의 선택에 더 큰 영향을 받는다는 내용이 포함되어 있다고 볼 수 있다.

④ 전통적 이론이 성립하기 위해서는 '진정한 가치에 관심을 갖는 전문적인 주식 투자자들이 정보가 부족한 투자자들을 상대로 미래 주가의 향방에 대한 상반되는 예상 위에서 매매 차익을 얻을 여지가 있어야만' 하며, 이를 통하여 그들 사이에 끊임없는 매수와 매도의 상호 작용이 있어야 한다. 하지만 전통적 이론을 비판하는 행동경제학에 의하면, 주식 투자자들은 '주가가 진정한 가치와 괴리되어 있다고 확신하더라도, 주가가 어느 시점에서 진정한 가치와 일치할지를 정확하게 알 수 없으므로', 대세에 편승하는 선택을 한다. 즉, 대부분의 주식 투자자들은 주가 등락 추세에 대하여 같은 방향으로 예상할 것이며, 이렇게 될 경우 매매 차익을 얻을 여지가 없어지게 되므로 전통적 이론은 성립할 수 없는 것이다. 따라서 ㉡에는 주식 투자자들은 대부분 미래의 주가 등락 추세에 대해 같은 방향으로 예상한다는 내용이 포함되어 있다고 볼 수 있다.

6. 정답 ② 난이도 ★☆☆

내용영역 사회 문항 유형 추론

[정답 풀이]

② 행동경제학에서는 인간이 자신의 미래를 통제할 수 있다고 과신하며, 주식 매매에 있어서도 자신의 의도대로 행동할 수 있으리라 자신한다고 본다. 그리하여 투자자들은 투자 여부를 결정할 당시 주가와 가치가 괴리되어 있음을 인식하고 있더라도, 현재의 추세가 반전되기 직전에 빠져나갈 수 있다고 자신하며 대세에 편승하는 선택을 한다. 이때 현재의 추세가 반전된다는 것은 주가와 기업의 진정한 가치 간의 관계가 상반되게 달라진다는 것을 의미한다. 즉, 투자자들이 스스로의 능력을 과신하는 선택을 하는 것은 기업의 진정한 가치에 관한 정보와 주가 간의 관계를 인식하고, 이를 바탕으로 미래를 통제할 수 있다고 과신하는 것이다. 따라서 행동경제학은, 주식 투자자들은 스스로의 능력을 과신하므로 기업의 진정한 가치에 관한 어떠한 정보에도 관심을 기울이지 않는다는 진술에 동의하지 않을 것임을 알 수 있다.

[오답 풀이]

① 행동경제학에 의하면 인간은 '남들이 성공할 때 자신만 뒤처지는 것을 지나치게 두려워하는 존재'이며, 전문적인 투자자들 역시 주가가 진정한 가치와 괴리되어 있다고 확신하더라도 어느 시점에서 진정한 가치와 주가가 일치할지를 정확하게 알 수 없으므로 다수의 편에 서서 대세에 편승하는 선택을 한다. 따라서 행동경제학은, 주식 투자자들이 남들이 돈을 벌 때 자신만 돈을 벌지 못하는 상황을 두려워하여 주식 매매에서 다수의 편에 선다는 진술에 동의할 것임을 알 수 있다.

③ 행동경제학에 의하면 인간은 자신의 미래를 통제할 수 있다고 과신하는 반면, 남들이 성공할 때 자신만 뒤처지는 것을 지나치게 두려워하는 비합리적 특성을 지닌 존재이다. 즉, 주식 투자자들은 '기업의 진정한 가치에 관한 정보'보다 '어떠한 기업에 더 많은 투자자가 몰리고 있는지'에 따라 투자를 결정하므로, 주식시장에 더 많은 정보가 제공되더라도 주가에 그 정보가 그대로 반영되기는 어렵다고 할 수 있다. 따라서 행동경제학은, 주식 투자자들이 비합리적인 특성을 띠기 때문에 주식시장에 더 많은 정보가 제공되더라도 주가가 이를 반영하기는 쉽지 않다는 진술에 동의할 것임을 알 수 있다.

④ 행동경제학에 의하면 인간은 자신의 미래를 통제할 수 있다고 과신하고 남들이 성공할 때 자신만 뒤처지는 것을 두려워하는 비합리적 특성을 지니고 있어, 주식시장에서 주가와 진정한 가치의 괴리를 키우는 역설적인 행동을 한다. 즉, 전문적인 투자자들조차 주가가 진정한 가치와 괴리되어 있다고 확신하더라도 대세에 편승하는 선택을 하여 그 주가와 진정한 가치 간의 괴리를 더욱 커지게 하는 것이다. 따라서 행동경제학은, 전문적인 주식 투자자가 주식시장의 정보 전달 메커니즘 내에서 주요한 행위자로 참여한다는 진술에 동의할 것임을 알 수 있다.

⑤ 행동경제학에 의하면 전문적인 투자자들도 주가가 진정한 가치와 괴리되어 있다고 확신하더라도, 주가가 어느 시점에서 진정한 가치와 일치할지를 정확하게 알 수 없으므로 대세에 편승하는 선택, 즉 주가와 진정한 가치의 괴리를 키우는 역설적인 행동을 하게 된다. 따라서 행동경제학은, 미래 주가의 불확실성으로 인해 전문적인 주식 투자자도 기업의 진정한 가치에 근거한 주식 매매를 하기 어렵다는 진술에 동의할 것임을 알 수 있다.

이의제기에 대한 평가원 답변

"본 문항의 목적은 지문에 주어진 정보를 종합하여, 답지들의 타당성을 판단할 수 있는지를 평가하는 것입니다. 이에 대해 정답 ②번(홀수형) 외에 ④ '전문적인 주식 투자자는 주식시장의 정보 전달 머커니즘 내에서 주요한 행위자로 참여한다.'도 정답이 될 수 있다는 이의 제기가 있었습니다. 전문적인 주식 투자자가 주요한 행위자로 참여한다는 것은 행위의 합리성 여부와는 무관하게 정보 전달 메커니즘 내에서 이들이 주가에 적지 않은 영향을 끼치는 행위를 수행한다는 것을 의미합니다. 지문에는 전문적인 주식 투자자가 정보 전달 과정에 참여하지 않는다는 내용이 없으며, '심지어 전문적인 주식 투자자들까지도 주가와 진정한 가치의 괴리를 키우는 역설적인 행동을 하게 된다.'는 행동경제학의 설명은 전문적인 주식 투자자에 대한 관심과 이들의 영향력을 부각하고 있습니다. 따라서 ④는 정답이 될 수 없으며, 6번 문항의 정답에 이상이 없습니다."

[7~9] 제재 | 조선의 전율 체제 형성 과정
난이도 | ★★☆

7. 정답 ④ 난이도 ★★☆

내용영역 규범 문항 유형 분석

[정답 풀이]

④ <경국대전>은 <경제육전>, <속육전>, <등록> 등의 전대 국전들을 모아서 수정하고 산삭하여 편찬한 법전이므로, 전대의 국전에 수록되어 있는 내용들 중에 <경국대전>에 수록되지 않은 내용이 있을 수 있다. 그러므로 <경국대전>에 수록되지 않은 수교가 '등록'에 수록되어 있기도 하였다고 할 수 있다.

[오답 풀이]

① 최초의 국전인 <경제육전>이 편찬된 이후에, 새롭게 쌓인 수교를 모아 편찬한 것이 <속육전>이다. 그런데 <경제육전>과 <속육전>의 충돌 문제가 완전하게 해결되지 않자, 전대의 국전들을 모아 수정하고 산삭하여 이들을 대체하는 법전으로 <경국대전>을 편찬하게 된 것이다. 즉, 시기적으로 앞서 편찬된 <경제육전>과 <속육전>을 대체하고자 전대의 국전들을 모아 수정하여 새롭게 편찬된 법전이 <경국대전>이다. 그러므로 <경제육전>과 <속육전>은 <경국대전>을 보완하였다고 할 수 없다.

② 앞서 편찬된 <경제육전>과 <속육전>의 충돌 문제를 해결하기 위해, 일시 시행되는 수교를 따로 수록하여 발간한 국전이 '등록'이다. 그런데 <속육전>의 증보와 등록의 발간만으로는 수교 간의 충돌 문제가 완전히 해결되지 않자, 전대의 국전을 모아서 수정하고 산삭하여 이들을 대체하는 법전으로 <경국대전>을 편찬하였다. 즉, 전대의 국전인 <경제육전>, <속육전>, <등록> 등을 모아 그 내용을 수정하고 산삭하여 편찬한 것이 <경국대전>이므로, 여기에는 '등록'에 수록된 수교의 내용도 포함되어 있을 것이다. 그러므로 '등록'에 수록된 수교는 <경국대전>에 포함되지 않았다고 할 수 없다.

③ 지문에서는 <경국대전> 이후의 법전 편찬에 대하여 언급하고 있지 않으므로, 그 이후에 수교와 법전 편찬 간의 관계가 어떠했는지는 확인할 수 없다. 다만, 조선시대 제정법의 원천은 '수교'였으며, 새로운 법전을 편찬할 때 고법의 내용과 모순되는 내용을 삭제하는 것과 일시 시행되는 수교를 따로 수록한 국전인 '등록'을 별도로 발간하는 것을 원칙으로 삼았다는 지문의 내용을 통하여, <경국대전>을 편찬한 이후에도 법전 편찬에 수교가 사용되었을 것이라 짐작할 수 있다. 그러므로 <경국대전>의 편찬 이후에 수교는 법전 편찬에 사용되지 않았다고 할 수 없다.

⑤ <속육전>은 <경제육전>이 편찬된 이후에 새롭게 쌓인 수교들을 모아서 편찬한 법전이므로, <속육전>에 수록된 수교는 <경제육전>에 수록된 수교보다 더 늦은 시기에 유효한 입법으로 성립된 것임을 알 수 있다. 그러므로 <경제육전>에 수록된 수교는 <속육전>에 수록된 수교와 입법 시기가 겹치기도 하였다고 할 수 없다.

8. 정답 ② 난이도 ★★☆

내용영역 규범 문항 유형 추론

[정답 풀이]

② 조선시대의 실정법 체계는 명나라의 형사법인 <대명률>과 <경국대전>, <속대전> 등의 국전이 양대 지주로 편성되어 있는 전율 체제였다. 이러한 체제는 명나라에서 만든 <대명률>을 수용하여 사용하다가, 최초의 국전인 <경제육전>이 편찬됨으로써 이루어진 것이라고 할 수 있다. 즉, 최초의 국전이 편찬됨과 동시에 조선의 전율 체제가 출현했으며, 국전들 간의 충돌 문제는 최초의 국전 편찬 이후, 새롭게 쌓인 수교들을 모아 새로운 국전을 편찬하면서 발생한 것이다. 전율 체제의 출현과 성문 법전의 완비에 시일이 걸린 것은 조선의 독특한 법전 편찬 과정, 즉 제정법의 원천이 되는 수교의 특성상 전후의 수교와 각 관청의 수교가 충돌하는 문제를 해결할 수 있도록 계속적으로 적용할 수교를 선택하고 수정하여 편찬하는 과정에 시일이 걸렸기 때문이다. 그러므로 조선시대의 법 제도와 관련하여 국전들 간의 충돌 문제로 전율 체제의 출현이 지연되었다는 내용을 추론할 수는 없다.

[오답 풀이]

① '조선의 건국자들은 조선을 성문법에 의하여 전일적으로 통치'하려고 하였으나, 성문 법전이 완비되는 데까지는 시일이 걸리므로 가장 시급한 과제, 즉 형사 사법 체계의 혼란을 극복하기 위하여 외국의 기성 형법인 <대명률>을 그대로 가져와 썼다. 그러므로 조선시대의 법 제도와 관련하여, 중앙집권화를 위한 한 방편으로 외국 형법의 도입이 이루어졌다는 내용을 추론할 수 있다.

③ '각 관청에 내려진 수교 중에 계속하여 적용할 것을 선택하고 수정하여 육조의 행정 체계에 따라 이를 편찬'하였으며, 이러한 작업의 최초 결과물이 <경제육전>이다. 하지만 이와 달리 '등록'은 '일시 시행되는 수교를 따로 수록'하여 별도로 발간한 국전이라 하였다. 그러므로 조선시대의 법 제도와 관련하여, 법 적용 기간을 고려해 법전 종류를 달리하여 편찬하였다는 내용을 추론할 수 있다.

④ '조선의 건국자들은 조선을 성문법에 의하여 전일적으로 통치하고자' 하였으며, 이를 위하여 명나라의 형사법인 <대명률>을 수용하였다. 그러나 <대명률>은 외국의 형법이었기 때문에 국전의 편찬과 맞물려 다양한 수용 양태를 보였으며, <대명률>의 규정이 조선의 실정에 맞추어 적용되는 경우도 있었다. 그러므로

조선시대의 법 제도와 관련하여, 성문법주의를 취하였으나 관습이 고려되기도 하였다는 내용을 추론할 수 있다.

⑤ 최초의 국전인 〈경제육전〉이 편찬된 이후 〈속육전〉이 편찬되자 이들의 충돌 문제가 발생하였다. 그리고 이 문제를 해결하는 방식 중 하나는, 고법인 〈경제육전〉과 모순되는 내용을 〈속육전〉에서 삭제하는 것이라고 하였다. 또한 〈경국대전〉을 편찬할 때 전대의 국전들을 모아서 수정하고 산삭하여 이들을 대체할 수 있도록 하였다. 그러므로 조선시대의 법 제도와 관련하여, 법전을 편찬할 때 고법이 존중되고 있었다는 내용을 추론할 수 있다.

이의제기에 대한 평가원 답변

"본 문항의 목적은 지문에 제시된 정보를 종합하여 조선시대의 법 제도에 대해 추론할 수 있는지를 평가하는 것입니다. 이에 대해 정답으로 제시한 ② '국전들 간의 충돌 문제로 전율 체제의 출현이 지연되었다.'가 정답이 아니라는 이의 제기가 있었습니다.
지문 첫 문단에 따르면 <대명률>과 국전의 양대 지주로 구성된 것이 전율 체제입니다. 그런데 첫 문단에서 <대명률>의 도입은 태조의 즉위 교서에서 언급되고 있음을 밝히고 있고, 세 번째 문단에서 '…… <경제육전(經濟六典)>으로 이것이 최초의 국전'이라고 밝히고 있습니다. 이를 종합하면, 전율 체제의 출현 시기는 <대명률> 도입 후 최초의 국전인 <경제육전>이 등장한 때입니다. <경제육전>과 <속육전>이 충돌하는 것은 전율 체제 출현 이후의 일이므로 '국전들 간의 충돌 문제로 전율 체제의 출현이 지연되었다.'고 볼 수 없습니다. 따라서 정답에 이상이 없습니다."

9. 정답 ① 난이도 ★★☆

내용영역 규범 / 문항 유형 창의

[정답 풀이]

ㄱ. 지문의 마지막 문단에서 전율의 관계는 〈경국대전〉에 의하여 〈대명률〉을 쓰되, 〈경국대전〉, 〈속대전〉에 해당하는 규정이 있는 경우에는 〈경국대전〉, 〈속대전〉에 따르는 것이라고 하였다. 즉, 관련 규정이 〈대명률〉과 국전에 모두 있을 경우에는, 국전의 규정을 적용하여야 한다. 또한 2문단에서는 〈대명률〉에는 없지만 형사 사법 운영을 위해 필요한 규정을 국전에 두기도 하였다고 하며, '지방의 관찰사가 사형 판결을 직접 내릴 수 없게 한 규정'을 그 사례로 제시하였다. 그러므로 〈보기〉의 ㄱ에서 상민(常民)의 살인 사건은 국전의 규정을 적용해야 하나, 지방의 관찰사가 직접 사형 판결을 내리지는 못한다.

ㄴ. 지문의 마지막 문단에 의하면, 〈경국대전〉, 〈속대전〉에 해당하는 규정이 있을 경우에는 〈대명률〉을 따르지 않고 국전의 규정을 따라야 한다. 그러므로 〈보기〉의 ㄴ에서 자식이 아버지를 폭행으로 고발한 사건은 〈경국대전〉의 관련 규정을 적용해야 한다.

[오답 풀이]

ㄷ. 지문의 마지막 문단에 의하면, 사건과 관련된 규정이 〈대명률〉과 〈경국대전〉, 〈속대전〉 등의 국전에 모두 있을 경우에는 국전의 규정을 따라야 한다. 그러므로 〈보기〉의 ㄷ에서 처가 남편의 원수를 살해한 사건은 〈대명률〉이 아니라, 〈속대전〉의 관련 규정을 적용해야 한다.

ㄹ. 지문의 마지막 문단에서는 '일반적인 범죄의 처벌은 〈대명률〉에 따르고, 조선의 특별한 사정에 관련된 규정은 따로 만들어 〈경국대전〉의 형전에 수록'하였는데, 이때 전율의 관계는 〈경국대전〉에 의하여 〈대명률〉을 쓰되, 국전에 해당하는 규정이 있는 경우에는 〈대명률〉이 아니라 국전의 규정을 적용한다고 하였다. 그러므로 〈보기〉의 ㄹ에서 국전에는 관련 규정이 없고 〈대명률〉에는 관련 규정이 있는 양반의 절도 사건은 〈대명률〉의 규정을 적용하여 처벌할 수 있다.

[10~12] 제재 | 새로운 계통수 작성법
난이도 | ★★☆

10. 정답 ③ 난이도 ★☆☆

내용영역 과학기술 / 문항 유형 분석

[정답 풀이]

③ 오늘날 사용되는 계통수 작성법들 가운데 수리분류학자들이 주로 사용하는 방법은 거리 행렬에 기반을 둔 것이다. 거리 행렬을 이용한 계통수 작성법은 분류군 간의 형질 차이를 객관적인 수치로 나타내는 방법으로, 개별 형질의 특성을 드러내지는 못한다(3문단).

[오답 풀이]

① 다윈 이전의 시대에는 조류의 외형상 특징이 파충류와 극명한 차이를 보이므로 계통상 거리가 먼 것으로 여겨졌다. 그러나 최근의 계통분류학적 연구 결과들은 조류가 파충류로부터 진화했다는 파충류 기원설을 지지하고 있어 조류의 새로운 계통적 위치가 제시되었다(1문단).

② 생물의 계통·유연관계가 변화하는 까닭은 이용 자료의 종류와 계통수 작성법이 과거와 달라졌기 때문이라 할 수 있다. 이 중 자료 종류의 변화는 계통분류학뿐 아니라 인접 학문의 발전에서도 힘입은 것으로, 분자 정보나 초미세 구조와 같은 새로운 정보들이 더해지면서 계통수 작성에 이용할 수 있는 자료들이 양적으로 풍부하고 다양해졌다(2문단).

④ 분기론자들은 두 분류군 이상에서 나타나는 파생형질만을 이용하는 최대 단순성 원리에 근거해 계통수를 작성한다. 이때 어떤 형질이 파생형질인지 확인하기 위해서는 계통진화학적 정보가 필요하다. 즉 분기론자는 이전의 계통진화학적 정보에 근거해 얻은 정보를 바탕으로 계통수를 작성한다(4문단).

⑤ 확률 기반의 계통수 작성법은 신뢰성 면에서는 상대적 우위에 있으면서도 상당한 계산 시간이 소요되어 대량의 자료 분석 시에는 그 이용에 한계를 가지고 있었다. 그러나 컴퓨터의 계산 능력이 그 한계를 극복함으로써 대량의 자료를 이용한 계통수 작성법이 용이해지고 있다(5문단).

11. 정답 ⑤ 난이도 ★☆☆

내용영역 과학기술 문항 유형 추론

[정답 풀이]

〈표 1〉 세 분류군 간 형질 비교표

분류군 \ 형질	1	2	3	4	5
A	−	−	−	−	−
B	−	+	+	−	−
C	+	−	+	+	+

(− : 해당 형질 없음, + : 해당 형질 있음)

ㄴ. 2번 형질에 대한 비교표를 보면 A는 '−', B는 '+', C는 '−'로, 2번 형질은 분류군 B만이 가지고 있는 형질임을 알 수 있다. '자가파생형질'은 단 하나의 분류군에서만 나타나는 것이므로, 분류군 B에만 나타나는 2번 형질은 분류군 B의 자가파생형질이라고 할 수 있다.

ㄷ. B와 C가 공유하고 있는 파생형질은 B와 C가 모두 '+'로 나타나 있는 3번 형질이므로 3번 형질은 분류군 B와 C를 묶어 주는 공유파생형질로 볼 수 있다.

ㄹ. 분기론자들은 여러 종류의 계통수가 가능한 경우, 최대 단순성의 원리에 근거하여 가장 단순한 것을 가장 신뢰할 만한 최선으로 선택한다.

[오답 풀이]

ㄱ. 분기론자들은 최대 단순성 원리에 근거하여 계통수 작성 시 공유파생형질만을 이용한다. 이때 분류군 A와 B에서 1, 4, 5번 형질은 '−'로, 문제의 가정에 따르면 원시형질이다. 그런데 원시형질이나 자가파생형질은 분류군의 유연관계를 규명하는 데 도움을 주지 못한다. 따라서 원시형질을 공유하는 것만으로는 A와 B를 동일한 분류군으로 묶을 수 없다.

12. 정답 ④ 난이도 ★★☆

내용영역 과학기술 문항 유형 창의

[정답&오답 풀이]

분류군 \ 형질	1	2	3	4	5	6	7	8
A	-	-	+	-	-	+	-	-
B	+	+	+	-	+	+	+	-
C	-	-	+	+	-	-	-	+
D	-	-	-	-	-	-	-	-

(− : 해당 형질 없음, + : 해당 형질 있음)

수리분류학자가 계통·유연관계를 파악하기 위해 사용하는 방법은 거리 행렬에 기반을 둔 것이다. 〈보기〉에 제시된 분류군 간 형질 차이를 바탕으로 각각의 거리 값을 구하면 다음과 같다.

- A와 B : 8개 형질 중 1, 2, 5, 7번 형질이 다르므로 4/8, 0.5이다.
- A와 C : 8개 형질 중 4, 6, 7번 형질이 다르므로 3/8, 약 0.37이다.
- A와 D : 8개의 형질 중 3, 6번 형질이 다르므로 2/8, 0.25이다.
- B와 C : 8개의 형질 중 3번 형질을 제외한 1, 2, 4, 5, 6, 7, 8번 형질이 모두 다르므로 7/8, 약 0.87이다.
- B와 D : 8개의 형질 중 1, 2, 3, 5, 6, 7번 형질이 다르므로 6/8, 0.75이다.
- C와 D : 8개의 형질 중 3, 4, 8번 형질이 다르므로 3/8, 약 0.37이다.

이 가운데 가장 작은 거리 값을 갖는 것은 분류군 A와 D이므로 이들을 먼저 묶어 주어야 한다. 그리고 A와 D를 하나의 분류군 A−D로 간주하고 각 분류군과의 거리를 다시 계산한다. 이때 먼저 묶인 A−D 분류군과 나머지 분류군과의 거리 값은 나머지 분류군이 분류군 A와 분류군 D에 대해 가지는 거리 값의 산술 평균값이다. 이는 다음과 같다.

- A−D와 B : A와 B 사이의 거리 값은 0.5이고, D와 B 사이의 거리 값은 0.75이므로, 이들의 산술 평균값은 1.25/2, 즉 0.625이다.
- A−D와 C : A와 C 사이의 거리 값은 약 0.37이고, D와 C 사이의 거리 값도 약 0.37이므로 이들의 산술 평균값 또한 약 0.37이다.

분류군 B와 C 중 분류군 A−D와 더 작은 거리 값을 가지는 것은 C이므로 C를 A−D에 묶어 주고 A−D−C에 B를 묶어 주면 된다. 이를 바르게 나타낸 것은 ④번이다.

[13~15] 제재 | 미술사학과 신미술사학
난이도 | ★★☆

13. 정답 ① 난이도 ★★☆

내용영역 인문 문항 유형 비판

[정답 풀이]

① 기존의 미술사학이 다양한 방법론을 수용하기 어려웠던 까닭은 특정 주제와 형식 분석에 치우쳐 있었던 데다, 미적 보편성에 전념해야 한다고 믿었기 때문이다. 즉 미적 가치의 기준이 상대적이라고 전제한 것이 아니다. 따라서 선택지의 내용은 기존의 미술사학에 대한 신미술사학의 비판으로 적절하지 않다.

[오답 풀이]

② 선대부터 대가로 평가된 작가들의 배타적 지위를 공고히 하는 데 기여했던 기존의 미술사학은 예술적 천재에 대한 찬양과 믿음에 근거하고 있다. 신미술사학은 이에 대한 비판과 반성을 바탕으로 주체와 방법론의 측면에서 기존의 미술사학이 지니고 있었던 한계를 뛰어 넘고자 하였고, 이를 위해 신미술사학은 다층적 정체성에 대한 관심을 표명하고 다양한 방법론을 수용하였다.

③ 신미술사학은 마르크스주의, 페미니즘, 정신분석학 등 다양한 방법론을 바탕으로 동시대와 과거의 미술에 대한 새로운 해석과 가치 평가를 시도한다. 이러한 신미술사학의 입장에서 볼 때, 관례적인 상징 체계와 도상해석학만으로 작품을 풀이하려는 기존의 미술사학은 자유로운 상상력과 자신의 의지에 따라 그림을 그리는 현대 미술가들의 작품을 해석하는 데 방법론적 한계를 지닐 수밖에 없다. 따라서 작품의 해석에서 상징을 고정된 의미로

풀이함으로써, 전통적 상징 체계를 따르지 않는 현대 미술 작품의 해석에 어려움이 많다는 선택지의 내용은 기존의 미술사학에 대해 신미술사학이 가할 만한 비판이다.

④ 미술을 역사와 사회 상황 같은 다양한 맥락과 굳게 연대시킴으로써 풍부하고 다양한 작품 해석의 가능성을 열어놓은 신미술사학의 관점에서는 도상해석학과 형식 분석에 한정되어 있던 기존의 미술사학이 화가의 내면 세계나 작품의 사회적 맥락 등을 고려해야 하는 작품들에 대한 접근과 이해에 한계가 있을 수밖에 없다고 지적한다. 따라서 작품 생산의 다양한 외적 요인들을 고려하지 않음으로써, 화가의 내면 세계나 작품의 사회적 맥락 등에 대한 고려가 필요한 작품의 이해와 해석이 어려울 것이라는 선택지의 내용은 기존의 미술사학에 대한 신미술사학이 지니는 비판적 관점이라 할 수 있다.

⑤ 현대 미술가들은 더 이상 과거의 전통적 주제나 상징 체계에 의거해 그림을 그리지 않으므로, 작품의 형식적 완벽함을 밝혀 작가와 작품의 미술사적 의의를 평가하는 기존의 도상해석학적 관점으로는 다양해진 현대 미술가의 작품 세계를 평가하기 어렵다. 따라서 주제를 담아내는 형식의 완벽성을 중요한 평가 기준으로 삼음으로써, 자유로운 상상력 등 형식 이외의 가치 역시 중시하는 현대 미술가를 평가하기 어렵다는 선택지의 내용은 신미술사학의 입장에서 기존의 미술사학을 향해 할 수 있는 적절한 비판이다.

14. 정답 ③ 난이도 ★☆☆

내용영역 인문 문항 유형 분석

[정답 풀이]

③ 지문에서는 ㉡이 초현실주의적인 기이한 분위기와 생경한 색채로 당시의 주목을 받았다고 언급하고 있다. 그러나 ㉠이 발표된 16세기 당시의 반응에 대해서는 언급하고 있지 않다.

[오답 풀이]

① 지문에서는 기존의 미술사학이 ㉠을 성모와 아기 예수, 세례자 요한을 기독교적 도상에 따라 이해했다고 서술하고 있다. 따라서 ㉠에 대한 서술에는 종교적 도상이 언급되어 있다고 볼 수 있다.

② 지문에서는 ㉡에 대한 신미술사학의 해석을 다루고 있다. 신미술사학에서는 ㉡에 그려진 소년이 작가의 남편 모습이라는 점을 근거로 무의식적으로 남편을 아버지로 대체하고자 하는 작가의 심리적 과정과 연결하고 있다. 따라서 ㉡에 대한 서술에는 작가의 사적인 삶이 언급되어 있다고 볼 수 있다.

④ ㉡에는 소년이, ㉢에는 죽음에 저항하는 성인 남성이 등장한다. 작품의 이해를 위해 지문에서는 각각 작가 칼로의 남편인 리베라와 아시리아 장수 홀로페르네스를 언급하고 있다. 따라서 ㉡, ㉢에 대한 서술에는 해석이 필요한 남성의 존재가 언급되어 있다고 할 수 있다.

⑤ ㉠에 대한 서술에는 삼원색의 대비와 적록의 보색 대비가 그림에 활력을 더하고 있음을, ㉡에 대한 서술에는 색채가 초현실주의적인 생경함을 느끼게 함을, ㉢에 대한 서술에는 색채의 대비가 그림을 사실적으로 표현하는 데 기여하고 있음을 언급하고 있다. 따라서 ㉠, ㉡, ㉢에 대한 서술에는 색채 사용으로 인한 효과가 언급되어 있다고 볼 수 있다.

15. 정답 ② 난이도 ★★☆

내용영역 인문 문항 유형 추론

[정답 풀이]

② 젠틸레스키가 카라바조의 <유디트>에 등장하는 인물들의 자세와 구도가 비현실적이라고 비판하며 보다 사실적이고 현장감 넘치는 그림을 그렸다는 점으로 미루어 볼 때, 젠틸레스키가 홀로페르네스의 신체 표현에 서툴렀을 것이라 생각하기 어렵다. 따라서 젠틸레스키의 그림이 홀로페르네스의 신체를 표현하는 데 서툴렀다는 이유로 저평가되었으리라는 추론은 타당하지 않다.

[오답 풀이]

① '유디트'는 남성 미술 애호가들이 즐겨 주문한 주제였으며, 수많은 화가들이 그린 '유디트' 가운데 많은 주목을 받았던 카라바조의 <유디트>는 유디트를 아름다운 소녀로 묘사하고 있다. 이 점을 고려할 때, 남자의 목을 베려는 여인의 동작과 표정이 사실적으로 그려진 젠틸레스키의 그림은 당시의 미술 애호가들로부터 여성 이미지가 이상화되지 않았다는 점에서 저평가되었으리라는 추론이 가능하다.

③ 남성 애호가들이 좋아했던 주제인 유디트를 아름다운 소녀로 묘사한 카라바조의 그림은 많은 주목을 받았다. 이는 카라바조가 당시의 회화적 요구에 부합하는 그림을 그렸기 때문이었을 것이라 추론할 수 있다. 반면 젠틸레스키는 오히려 이를 비판하며 카라바조와는 다른 느낌과 방식으로 유디트를 그려냈다. 여성의 미술 교육조차 제한되어 있었던 당시의 분위기 속에서 카라바조와는 다른 방식으로 유디트를 그린 여성 화가의 그림은 저평가될 수밖에 없었을 것이다. 따라서 정규 미술 교육도 받지 못한 여성인 젠틸레스키가 주목받던 선배 화가 카라바조의 방식을 따르지 않았기 때문에 당시 미술계가 젠틸레스키의 그림을 저평가했을 것이라고 추론할 수 있다.

④ 젠틸레스키의 <유디트>에는 나라를 지키려는 목적을 위해 장수의 목을 베는 여인의 동작과 표정이 생생하고 현장감 넘치게 표현되어 있다. 이 작품은 페미니즘의 관점을 통해 폭넓게 이해되었고 그러한 관점에 따라 새로운 평가를 받게 되었는데, 페미니스트 연구자들은 이 그림에 그려진 능동적이고 적극적인 여성상을 발견하고 이 점을 높이 평가했으리라 짐작할 수 있다.

⑤ 젠틸레스키가 화가 자신과 그녀를 겁탈한 개인교사를 각각 유디트와 홀로페르네스로 그렸다는 <보기>의 설명에 미루어보아 여성으로서 지니게 된 개인적 상처가 <유디트>의 창작 동인이 되었음을 추론해 볼 수 있다. 즉 젠틸레스키의 <유디트>가 화가의 자화상이라는 배경이 페미니즘의 비평적 관점에서 의미 있게 작용하였고, 이에 따라 새로운 가치 평가를 받게 된 것이다. 따라서 창작 당시 저평가되었던 젠틸레스키의 <유디트>가 신미술사학의 방법론 중 하나인 페미니즘의 관점을 통해 새롭게 평가되었을 것이라고 추론할 수 있다.

[16~18] 제재 | 루소의 일반의지와 국가 권력
난이도 | ★★☆

16. 정답 ② 난이도 ★★☆

(내용영역) 사회 (문항 유형) 분석

[정답 풀이]

② 2문단에 의하면, 혁명이 급진화되기 이전에 자유주의자들은 공적인 결정을 합리화하고 민주주의라는 '수'가 갖는 위험을 제거하기 위한 방안이라는 점에서 선거권의 제한을 정당화하였다. 또한 그들은 선거가 '자신들의 이해를 대변하는 대표자를 뽑는 것이 아니라 시민들의 의지를 해석하고 일반 이익을 잘 인식할 수 있는 능력 있는 사람들을 지명하는 행위'라고 여겼다. 이를 통하여 혁명이 급진화되기 이전에 자유주의자들은 대의제가 민주주의가 지닌 위험을 제거하고, 자유주의를 실현하게 하는 방안이라고 여겼음을 알 수 있다. 따라서 혁명 초기 자유주의자들은 대의제를 민주주의 실현을 위한 장치로 간주하였다고 할 수 없다.

[오답 풀이]

① 1문단에서는 중간집단 금지에 관한 법들이 개인의 활동에 장애가 된다고 판단되는 동업조합, 상인조합을 금지함으로써 합리적이고 이성적인 주체로서의 개인만을 사회에 남겼으며, '루소는 이미 국가에서 특수의지를 표명하는 부분 집단의 존재를 제거하고 각개의 시민들이 자신의 의견만을 말하게 함으로써 일반의지가 자연스럽게 형성될 것으로 기대했다'고 하였다. 이를 통하여 루소는 동업조합, 상인조합 등의 중간집단이 개인의 일반의지 형성에 장애가 된다고 여겨 이를 제거해야 한다고 보았을 것임을 알 수 있다. 따라서 루소는 일반의지 형성에 방해가 되는 중간집단의 제거를 원하였다고 할 수 있다.

③ 3문단에 의하면, 그간 공적 영역에서 배제되었다가 혁명이 급진화되면서 국민방위대에 들어가게 된 상퀼로트들은 자신들의 대표자를 선출하여 그들에게 권한을 위임하는 것에 만족하지 않고, 자신들이 승인하지 않은 법을 거부하고 주권을 직접 행사하기를 원하였다. 따라서 상퀼로트들은 혁명이 급진화된 시기에 등장하여 정치적 권리를 요구하였다고 할 수 있다.

④ 4문단에 의하면, 로베스피에르는 '덕성'을 필요조건으로 제시함으로써 인민의 민주주의적 실천이 공화국의 제도 안에서만 이루어지도록 한정하였다. 따라서 로베스피에르는 민주주의적 실천을 공화국의 제도 내에 한정하였다고 할 수 있다.

⑤ 6문단에서는 뒤르켕이 '분업이 급속하게 진행된 당시 사회에서 직업적 도덕을 형성하고 나아가 국가와 개인 사이의 의사소통을 위한 대표의 기능을 수행하는 독자적인 직업 집단이 필요함을 강조하였다.'고 하였다. 따라서 뒤르켕은 직업 집단이 국가와 개인 사이의 의사소통을 매개하는 역할을 할 것이라고 기대하였다고 할 수 있다.

17. 정답 ③ 난이도 ★★☆

(내용영역) 사회 (문항 유형) 추론

[정답 풀이]

③ 지문에 따르면, '이성'과 '수'는 긴장 관계에 놓여 있으며, 그 긴장은 혁명 시기와 이후 프랑스 정치사에서 '이성'에 의해 표상되는 자유주의와 '수'에 의해 표상되는 민주주의의 갈등으로 표현되었다. '수'로 표상되는 인민의 민주주의적 실천에서는 대표자를 선출하여 그들에게 권한을 위임하는 것에 만족하지 않고 자신들의 주권을 직접 행사하기를 원했다. 하지만 로베스피에르는 이를 '덕성'의 이름으로 제한하여 민주주의의 제한과 대표의 절대화를 정당화하였다. 또한 '수'에 대해 '이성'이 우위에 있을 경우 '수'의 정치적 권리(선거권)가 제한된 예를 보더라도 '이성'과 '덕성'을 갖추게 되면 '수'에 의해 표상되는 민주주의가 제한되고, 이에 따라 그들은 대표 없이 직접적으로 주권을 행사하지 못하게 됨을 알 수 있다. 따라서 '이성'과 '덕성'을 갖추게 됨으로써 '수'는 대표 없이 주권의 직접 행사를 통한 자신들의 민주주의를 실현하였다고 볼 수 없다.

[오답 풀이]

① 지문에 의하면, 토크빌은 '이성'과 '덕성'이 약화되어 전제정으로 귀결된 민주주의 체제에서 중간집단이 정치적 자유가 실현될 공간을 제공함으로써 시민적 덕성을 함양하고 권력에 대한 견제 역할을 할 것으로 기대했다. 또한 '자유주의와 민주주의의 갈등을 해소하면서 프랑스 혁명을 종결지었던 자유민주주의 체제로서 제3공화국은 새로운 사회적 필요에서 중간집단을 다시 허용하였다.'고 하였다. 이를 통하여 민주주의가 전제정으로 귀결된 시대에 중간집단이 '이성'으로서 권력을 견제하고 시민적 '덕성'을 함양하게 하는 역할을 함으로써 자유민주주의 체제가 성립될 수 있었음을 알 수 있다. 따라서 '이성'과 '덕성'이 '수'를 통제할 장치를 마련하면서 자유민주주의 체제가 성립되었다고 볼 수 있다.

② 지문에 의하면, 혁명을 통해 절대 왕정을 무너뜨린 민주주의는 중앙집권화에 기반한 거대 권력에 의존함으로써 '이성'과 '덕성'이 약화된 전제정으로 귀결되었다. 이에 대하여 토크빌은 중간집단이 사라지면서 개인들은 시민적 덕성을 함양할 기회를 박탈당했고, 국가는 그 권력을 제어할 견제 세력을 잃어버렸기 때문에 민주주의가 전제정으로 귀결된 것이라고 보았다. 따라서 '이성', '덕성'의 견제 능력이 위축되면서 '수'의 민주주의는 전제정으로 귀결되었다고 볼 수 있다.

④ 지문에 의하면, 혁명이 급진화되기 전에 자유주의자들은 공적인 결정을 합리화하고 민주주의라는 '수'가 갖는 위험을 제거하기 위하여 선거권을 제한하였는데, 이는 곧 '이성'을 우위로 하여 '수'의 정치적 권리를 제한한 것이었다. 또한 로베스피에르는 '덕성'을 필요조건으로 제시함으로써 공화국의 제도 안에서만 인민의 정치적 실천이 이루어지도록 한정하였는데, 이는 곧 '덕성'을 제시함으로써 '수'의 민주주의를 제한한 것이었다. 따라서 '이성'이나 '덕성'은 '수'의 공적 영역으로의 진입 여부를 결정함으로써 '수'의 민주주의를 제한하는 역할을 하였다고 볼 수 있다.

⑤ 지문에 의하면, 로베스피에르가 필요조건으로 제시한 '덕성'은 개인적 이익인 '수'를 일반 이익인 '이성'에 종속시키는 숭고한 자기희생을 의미하였으며, 이를 강조한 것은 대표와 국민의 일치를 통한 대표의 절대 권력을 정당화하기 위한 것이었다. 따라서 '덕성'을 매개로 하여 '수'와 '이성'을 일치시키려는 시도는 국민과 대표의 동일시를 가져와 절대 권력이 출현하기도 하였다고 볼 수 있다.

18. 정답 ④ 난이도 ★☆☆

(내용영역) 사회 (문항 유형) 추론

[정답&오답 풀이]

토크빌은 민주주의 시대의 중간집단이 정치적 자유가 실현될 공간을 제공함으로써 시민적 덕성을 함양하고 국가 권력을 견제하는 역할을 할 것으로 기대하였다. 교육 정책을 비판하고 대안을 제시하는 학부모 단체(①)나 사회 문제에 대한 의미 있는 견해들을 수렴하고 정부에 압력을 행사하는 시민 사회 단체(②), 노동자 정당과의 연계 속에서 국가 권력에 대한 견제 역할을 수행하는 노동조합(③), 그리고 시민 의식을 함양하며 권력에 대해 비판하는 지식인 · 학자들의 독자적 집단(⑤) 등은 모두 국가와 시민 사이에 있는 중간집단들로서 시민적 덕성 함양과 권력 견제의 역할을 수행할 것이라 기대할 수 있다. 하지만 경제 현안의 해결과 사회 갈등 해소를 위해 담당 공무원과 관련 전문가로 구성된 경제 문제 대책 위원회(④)는 국가 인력인 공무원이 구성원에 포함되어 있으므로 토크빌의 기대를 실현시킬 수 있는 중간집단으로 보기 어렵다.

[19~21] 제재 | 이강백, 「영월행 일기」
난이도 | ★★☆

19. 정답 ⑤ 난이도 ★★☆

(내용영역) 인문 (문항 유형) 추론

[정답 풀이]

⑤ <영월행 일기>는 봇짐장수들이 유배 가 있는 노산군을 살핀 후 이를 중신들에게 전한 내용을 담고 있으며, <해안지록>은 그 보고를 들은 세조와 신하들이 노산군에 대하여 논의하는 어전회의의 내용을 담고 있다. <영월행 일기>에는 유배 간 노산군의 사정과 그의 심경이 담겨 있는 것이므로, 이에 대한 보고를 들은 세조가 어떠한 처결을 내렸는지 드러나 있지 않다. 또한 <해안지록>에는 노산군을 처형하는 것에 대하여 상반된 관점을 제시하는 한명회와 신숙주의 주장, 그리고 이에 대한 세조의 처결만이 드러나 있을 뿐, 세조의 처결에 대한 평가가 드러나고 있지는 않다. 그러므로 제시된 작품의 전개에서 <영월행 일기>와 <해안지록>은 세조의 처결에 대한 상반된 평가를 드러내는 기능을 하고 있지 않음을 알 수 있다.

[오답 풀이]

① <영월행 일기>에는 노산군을 살피러 간 봇짐장수가 관찰한 노산군의 언사와 행위가 기록되어 있다. 등장인물들은 <영월행 일기>에 따라 인형들을 움직이며 역할놀이를 하는데, 염문지가 노산군의 역할을 맡아 소년 형상을 움직이고 대사를 읊는다. 이 중 '내 몸은 비록 왕관을 빼앗기고 곤룡포 벗김을 당하였으나, 내 마음은 헝겊으로 만든 만조백관들을 바라보며 흡족하도다!', '내 마음이 진정 왕과 같거늘, 어찌 구차한 왕관을 쓰기 바라고, 구태여 곤룡포를 입기 바라겠느뇨? 나는 나를 왕좌에 복위시키려는 그 어떤 짓도 관심이 없고 그 어떤 사람과도 관련이 없으니' 등과 같은 대사를 통하여 유배된 노산군의 사정과 이에 대한 생각을 확인할 수 있다. 그러므로 제시된 작품의 전개에서 <영월행 일기>는 유배 당한 노산군의 사정을 보여 주는 기능을 하고 있음을 알 수 있다.

② <세조실록>과 <해안지록>에 따라 행해진 원탁 독회에서는 세조가 영월에 다녀온 자들로부터 노산군의 상황과 심경을 전해 듣고 이에 대하여 논의하는 어전회의의 내용이 제시된다. 이동기가 <해안지록>의 내용에 따라 '노산군은 방자하게 자신이 왕의 마음을 가졌다 하였으니 이는 전하와 동격이라는 주장인바 결코 용납해선 안 될 것이옵니다.'라고 하자, 염문지는 <세조실록>의 기록을 확인하며 '여기 실록에는…… 세조가 노기충천하여 그 말이 사실인지를 재차 물었어.'라고 하였다. 그러므로 제시된 작품의 전개에서 <세조실록>은 노산군의 행위에 대한 세조의 심리적 반응을 보여 주는 기능을 하고 있음을 알 수 있다.

③ <해안지록>의 내용을 읽는 이동기와 부천필은 각각 한명회와 신숙주의 역할을 맡고 있다. 이동기가 맡은 한명회는 '날이 갈수록 그가 오만불손해지고 있음이니, 전하께선 더 이상 지체 마옵시고 그를 처형하소서!'라고 하며 노산군의 처형을 주장하고 있는 한편, 부천필이 맡은 신숙주는 '노산군의 기쁨은 무욕에서 우러나오는 것, 그의 웃는 얼굴은 욕망을 버린 증거이온데, 어찌 죄가 되오리까? 전하께선 부디 그를 살려 주옵소서.'라고 하며 노산군을 살려줄 것을 주장하고 있다. 그러므로 제시된 작품의 전개에서 <해안지록>은 노산군의 행위에 대한 중신들의 관점 차이를 드러내는 기능을 하고 있음을 알 수 있다.

④ <영월행 일기>에 따른 역할놀이가 끝난 후, 염문지는 원탁 위에 놓인 자료들을 살펴봄으로써 영월에 다녀온 뒤의 결과가 어떠했는지를 알 수 있다고 하였다. 이때 원탁 위에 놓인 자료들은 <세조실록>과 <해안지록>으로, 등장인물들은 두 자료를 통하여 어전회의의 상황을 재구성하고 있다. 이동기와 부천필은 <해안지록>에서 각각 한명회와 신숙주의 역할을 맡아 그들의 주장을 읽어나가고 있으며, 염문지는 <해안지록>에 있는 내용과 관련된 정보를 <세종실록>에서 찾아 그 내용을 보충하고 있다. 그러므로 제시된 작품의 전개에서 <세조실록>과 <해안지록>은 함께 어전회의의 상황을 구체화하는 기능을 하고 있음을 알 수 있다.

20. 정답 ③ 난이도 ★☆☆

내용영역 인문 문항 유형 분석

[정답 풀이]

③ 원탁 독회에서 이동기와 부천필이 각각 한명회와 신숙주의 역할을 맡아 어전회의에서의 발언을 읽고 있을 때, 부천필이 이동기에게 <해안지록>을 건네며 '좀 부드럽게 읽어.'라고 하자, 이동기는 '부드럽게 안 되는 걸 어떻게 해?'라고 한다. 그리고 이에 옆에서 <세조실록>으로 어전회의에 관한 기록을 찾고 있던 염문지는 '그래, 자네 성질대로 해.'라고 말한다. 즉, 부천필은 이동기에게 독회에서 배역을 수행하는 태도에 대하여 문제를 제기하였으나, 이동기와 염문지는 부천필에게 이와 관련된 문제를 제기하지 않았다. 따라서 염문지와 부천필은 독회에서 배역을 수행하는 태도에 대해 서로에게 문제를 제기하고 있다고 할 수 없다.

[오답 풀이]

① 등장인물들은 <해안지록>과 <세조실록>의 내용을 바탕으로 어전회의의 상황을 재구성하는 원탁 독회를 하고 있다. 이때 어전회의에서의 배역을 맡은 사람은 이동기, 부천필, 염문지로 이들은 각각 한명회, 신숙주, 그리고 세조의 역할을 담당하였다. 이들을 제외한 나머지 사람들은 배역을 맡지 않은 채 재구성되고 있는 어전회의의 상황을 지켜보고 있으며, 김시향은 그 상황에 대한 질문을 던지고, 조당전은 상황에 대한 설명을 덧붙이고 있다. 따라서 김시향과 조당전은 독회에서 다루고 있는 사건 속 배역을 맡고 있지 않다고 할 수 있다.

② 원탁 독회를 진행할 때, 조당전은 <영월행 일기>를 집어 들고 영월에서 돌아온 날짜가 언제였는지를 확인하고 있으며, 염문지는 <세조실록>을 펼쳐서 어전회의에 대한 기록들을 찾아 읽고 있다. 따라서 조당전과 염문지는 독회에서 다루고 있는 사건에 대한 정보들을 확인하고 있다고 할 수 있다.

④ 원탁 독회에서 <해안지록>의 내용에 따라 등장인물의 배역을 맡을 때 이동기는 한명회를, 부천필은 신숙주를 담당하였다. 한명회는 노산군이 기쁨의 표정을 지은 것은 날로 오만불손해지는 것을 보여주는 것이므로 더 이상 지체하지 말고 노산군을 처형해야 한다고 주장하는 반면, 신숙주는 노산군이 기쁨의 표정을 지은 것은 욕망을 버린 증거이므로 그를 살려 주어야 한다고 주장한다. 따라서 부천필과 이동기는 독회에서 다루고 있는 사건 속에서 대립하는 배역을 맡고 있다고 할 수 있다.

⑤ 원탁 독회에서는 <해안지록>과 <세조실록>의 내용에 따라 어전회의에서 노산군의 기쁜 표정에 대한 논의를 펼치는 부분을 구체화하고 있다. 이때 이동기는 노산군이 기쁜 표정을 지은 것은 그가 오만불손해졌음을 보여주는 것이므로 노산군을 처형해야 한다고 주장하는 한명회의 역할을 맡는다. 그리고 염문지는 세조의 역할을 맡아 이 세상에는 오직 하나의 태양만이 빛을 내야 하므로 영월로 사약을 보내 노산군을 처결하겠다고 하는 대목을 읽는다. 따라서 이동기와 염문지는 독회에서 다루고 있는 사건 속에서 의견 일치에 이르는 배역을 맡고 있다고 할 수 있다.

21. 정답 ③ 난이도 ★☆☆

내용영역 인문 문항 유형 추론

[정답 풀이]

③ 세조가 ㉠과 같이 말하기에 앞서, 한명회는 노산군의 기쁜 표정이 그의 오만불손함을 보여주는 것이라고 하며, 땅에 두 명의 제왕이 있지 않음에도 노산군은 방자하게 자신이 왕의 마음을 가졌다 하였으니 이를 결코 용납해서는 안 된다고 주장한다. 반면에 신숙주는 노산군의 기쁜 표정이 무욕에서 우러나온 것으로 욕망을 버린 증거이며, 한낱 필부도 마음이 흔쾌할 때는 제왕을 부러워하지 않는다는 점에서 노산군의 말을 곡해하지 말고 살려 주어야 한다고 주장한다. 이와 같은 의견을 듣고 세조는 노산군의 기쁜 표정을 그대로 두면 온갖 시정잡배마저 제왕과 다름없다 뽐낼 것이라고 하며, 노산군에게 사약을 보내어 땅에는 오직 자신만이 웃는 얼굴임을 보여주라고 명령한다. 이를 통하여 세조는 노산군이 기쁨의 표정을 지은 것은 스스로를 제왕과 다름없다 뽐내는 오만불손함과 자유로움을 드러낸 행동이라 판단하였으며, 이는 곧 왕권에 대한 도전이라 여겼기에 노산군을 처형함으로써 이 땅에는 왕이 오직 하나만 존재할 수 있음을 보여주고자 한 것임을 알 수 있다. 이러한 세조의 생각에 가장 가까운 것은 노산군의 웃음이 왕권에 포섭되지 않는 정신적 자유의 표징이므로, 왕권에 대한 도전이라고 본 ③이다.

[오답 풀이]

왕권에 대한 두려움으로 인한 정신적 회피나 왕권으로부터의 도피(①), 왕권을 상실한 슬픔을 감추려는 가식의 표정(②), 왕권의 지배를 내면화한 피지배자의 웃음(④), 왕권의 부조리함에 대한 자기반성의 표정(⑤) 등은 세조가 노산군에게 사약을 내린 이유인 왕권에 도전하는 오만불손함과는 거리가 멀다. 따라서 세조가 이와 같은 생각을 가졌다면, 하늘에는 오직 한 태양만이 빛을 내고 땅에는 오직 자신만이 웃는 얼굴임을 보여주기 위하여 노산군을 처형하라 명하지 않았을 것이다.

[22~24] 제재 | 권위의 역설

난이도 | ★★☆

22. 정답 ③ 난이도 ★☆☆

내용영역 규범 문항 유형 분석

[정답 풀이]

③ 권위의 역설에 따르면 권위와 합리성은 양립 불가능하다. 따라서 몇몇 학자들은 합리성 개념과 양립할 수 없는 권위 개념을 포기할 수밖에 없다고 한다. 즉 권위 개념에 기초하여 합리적 행위에 대해 기술하는 것은 포기해야 한다. 따라서 권위의 역설은 합리성 개념과 양립할 수 없는 권위 개념에 기초해서도 합리적 행위에 대한 기술이 가능하다는 것을 함축하지 않는다.

[오답 풀이]

① 권위의 역설에 따르면 권위와 합리성은 양립할 수 없는 개념들이다. 어떤 두 가지의 것이 양립 불가능하다면 동시에 성립할 수

없다. 권위와 합리성이 양립 불가능하다면 권위에 따른 것은 합리적이지 않고 합리적인 것은 권위에 따른 것이 아니다. 따라서 권위의 역설은 누구도 합리적이면서 동시에 권위에 따를 수는 없다는 것을 함축한다.

② 권위의 역설에 따르면 권위 개념이 전제하는 실천적 추론의 구조(A)는 합리성 개념이 전제하는 실천적 추론의 구조(B)와는 결코 화해될 수 없다. 권위가 실천적 추론의 과정에 개입하는 행위는 곧 권위에 따른 행위이다. 그리고 권위에 따른 행위는 합리적이지 않다. 따라서 권위가 실천적 추론의 과정에 개입하는 것은 합리적일 수 없다.

④ 합리적 행위자라면 행위의 근거로 반드시 권위를 필요로 하지도 않으므로 합리적인 행위자는 권위에 따라 행위할 수 없다. 이는 만일 권위가 옳은 행위를 명하는 것이라면 행위자가 굳이 옳은 행위를 하기 위한 근거로서 명령이 필요하지 않으며, 만약 권위가 그른 행위를 명하는 것이라면 명령에 따르는 행위를 합당하게 근거 지을 수 없기 때문이다. 그렇다고 하여 권위가 옳은 행위를 명한다고 할 때, 합리적 행위자가 권위에 반하는 판단을 하는 것은 아니다. 다만 옳은 행위를 할 때 권위를 행위의 근거로 삼지 않는다는 것일 뿐이다. 따라서 권위의 역설은 '합리적인 행위자는 권위에 따라 행위할 수 없지만, 그렇다고 해서 반드시 권위에 반하는 판단을 해야 하는 것은 아니다.'는 것을 함축한다.

⑤ 권위의 역설에 따르면 합리적인 행위란 행위 자체의 가치에 대한 판단의 결과를 행위의 근거로 삼는 것이며, 권위에 따른 행위는 행위 자체의 가치와 무관하게 '단지 명령이 있었기 때문에' 행위로 나아가는 것이다. 명령된 행위를 숙고하는 것은 합리적인 행위이다. 따라서 권위의 역설은 '명령된 행위를 숙고한 끝에 그것을 하는 것이 좋겠다고 보고 그 행위를 하는 것은 명령자의 권위에 따르는 것이 아니다.'는 것을 함축한다.

23. 정답 ④ 난이도 ★★☆

내용영역 규범 | 문항 유형 추론

[정답 풀이]

④ '배제적 근거'란, 옳고 그름을 판단하는 합리적 행위 근거에 의하여 행위 여부를 결정하지 않도록 영향력을 행사하는 상위의 행위 근거를 말한다. 옳지 않은 행위는 양심에 비추어 절대로 하지 않는다는 입장에서 행동하는 경우, 행동의 근거인 양심은 자신의 합리적 행위 근거에 해당한다. 즉 이 경우에는 영향력을 행사하는 상위의 행위 근거가 나타나 있지 않다. 따라서 이는 배제적 근거에 따르는 것으로 볼 수 없다.

[오답 풀이]

① 약속한 일이 큰 손해가 예상된다고 합리적으로 판단하였지만, '약속은 지킨다'는 상위의 근거에 따라 행위 여부를 결정하였다. 따라서 이는 배제적 근거에 따른 행위이다.

② 법이 금지하는 것은 도덕에 반하더라도 하지 말아야 한다는 입장에서 행동하는 경우는 도덕이라는 자신의 합리적 근거 대신 법을 지켜야 한다는 상위의 근거로 행위한 경우이다. 따라서 배제적 근거에 따른 행위이다.

③ 오심이라는 합리적 판단을 하였지만, 판사의 판결에는 구속되어야 한다는 입장에서 행동한 경우는 판사의 판결에 구속되어야 한다는 상위의 근거에 따라 행위 여부를 결정한 경우이다.

⑤ 행위의 이유를 판단하는 것은 합리적 판단에 따라 행위 여부를 결정하는 행위 근거가 될 수 있다. 상관이 지시한 일은 이유 불문하고 수행해야 한다는 입장에서 행동하는 경우는 상관의 지시를 수행해야 한다는 근거가 옳고 그름을 판단하는 근거보다 상위에 있음을 뜻한다. 따라서 상위의 근거에 따라 행위 여부를 결정한 경우이므로 배제적 근거에 따른 행위이다.

24. 정답 ③ 난이도 ★☆☆

내용영역 규범 | 문항 유형 추론

[정답 풀이]

③ 라즈의 논증은 권위의 역설을 반박하는 논증이다. 권위의 역설에 따르면 권위와 합리성은 개념적으로 양립이 불가능하므로 권위적인 것은 합리적일 수 없다. 라즈의 논증은 배제적 근거에 따른 행위 수행 사례가 호소력을 갖는 한, 권위 개념이 전제하는 실천적 추론의 구조를 들어 권위와 합리성이 개념적으로 양립 불가능함을 주장할 수는 없다는 것이다. 따라서 행위의 실천적 구조를 분석한 라즈의 논증에 따를 경우 권위에 따른 행위가 합리적일 수 있는 가능성을 확보할 수 있다.

[오답 풀이]

① 라즈의 논증은 합리적으로 보이는 배제적 근거에 따른 행위 수행이 권위에 따른 행위에서의 실천적 추론의 구조라는 것을 보인 것이지 권위의 개념을 수정한 것이 아니다.

② 라즈의 논증은 권위의 역설을 인정할 경우 모순된 결과에 이른다는 점을 사례로 들어 보임으로써 권위의 역설을 반박한다. 이러한 논증이 권위에 따른 행위를 유형화하는 것은 아니다.

④ 라즈의 논증은 사례에 나타난 앤의 행위의 실천적 추론 구조가 합리적이면서도 권위에 따른 행위에서의 실천적 추론 구조와 같다는 점을 보인다. 이는 실천적 추론 구조가 다른 사례를 권위 개념에 유추 적용하는 것이 아니다.

⑤ 라즈의 논증에서와 같이 권위의 역설에 대한 반례는 권위의 역설에 대한 반론의 근거가 될 수 있다. 그러나 권위의 역설에 대한 반론이 성립된다고 하더라도 권위에 따른 행위가 옳은 행위로 귀결된다는 것이 입증되지는 않는다.

[25~26] 제재 | 위험에 대한 과학기술 보도의 이론적 모델
난이도 | ★☆☆

25. 정답 ② 난이도 ★☆☆
내용영역 사회 문항 유형 분석

[정답 풀이]

② '위험 커뮤니케이션 증폭 모델' 중 렌 모델에 따르면 위험 사건은 과학자, 이해 당사자, 목격자 등의 정보원에게 우선 전달되며, 위험 사건이 전달되는 과정에서 정보원의 이해관계나 요구 사항이 개입되어 위험 인지가 증폭될 수 있다. 따라서 렌 모델에 의하면, 과학기술 보도에서 과학기술 전문가가 위험 인지를 증폭시키기도 한다고 할 수 있다.

[오답 풀이]

① 과학기술에 대한 대중의 인식 정도에 따라 대중의 보도 내용 수용이 달라진다. 대중이 과학기술 보도 내용을 다르게 수용한다면 언론의 과학기술 보도가 수용자들의 동일한 반응을 유도한다고 할 수 없다.

③ 기본적으로 연상 효과에 기초하는 '점화 효과'에 따르면, 매스미디어가 제공하는 소리 · 이미지는 두뇌 속에 저장된 관련 소리나 이미지의 연상을 촉발한다. 따라서 매스미디어가 위험과 관련된 소리나 이미지를 제공하면 위험과 관련된 소리나 이미지가 연상되고 이를 연상하는 것은 위험을 인지하는 것이다. 위험 관련 이미지를 제공할 때마다 연상에 의해 위험을 인지하게 된다면 과학기술 보도에서 수용자의 과거 경험과 위험 인지는 낮은 상관관계를 갖는다고 할 수 없다.

④ '부정 편향성 가설'에 따르면, 뉴스에 내재된 위험성이 클수록 부정 편향성 효과가 확대된다. 하지만 지문에서 뉴스의 전문성이 부정 편향성 효과에 어떠한 영향을 미치는지, 뉴스의 위험성과 전문성은 어떠한 관계를 갖는지에 대해서는 언급하고 있지 않다. 따라서 보도의 내용이 전문적일수록 뉴스의 부정 편향성이 증폭된다고 할 수 없다.

⑤ '부정 편향성 가설'에 따르면, 보도 시 설정된 프레임이 긍정적일 때보다 부정적일 때 대중은 그 보도의 정보로서의 가치를 더 높게 인식하는 경향이 있다. 하지만 대중에게 긍정적 내용의 보도가 부정적 내용의 보도보다 정보로서 더 낮은 가치를 지닌 것으로 인식되는 경향이 있다는 것이, 긍정적 내용의 보도가 수용자에게 반드시 낮은 가치를 지닌 뉴스로 인식된다는 것을 의미하지는 않는다. 따라서 긍정적 내용의 보도는 수용자에게 낮은 가치를 지닌 뉴스로 인식될 것이라고 할 수 없다.

26. 정답 ② 난이도 ★☆☆
내용영역 사회 문항 유형 추론

[정답 풀이]

② 지문에서 제시된 이론들은 대중이 과학기술의 새로운 사실이나 사건을 주로 언론에 의존하여 접하며, 과학기술에 대한 언론의 프레임 설정과 대중의 인식 정도에 따라 대중의 보도 내용 수용이 달라진다는 것을 전제로 한다. 특히 이 이론들은 부정적인 보도에 의하여 수용자의 위험 인지가 증폭되는 것과 관련된 설명을 제시하고 있다. 따라서 신종 플루가 광범위하게 확산되었다는 언론 보도를 믿기 힘들기 때문에 정정 보도를 내도록 요구하겠다는 사람들이 생겨났다는 것은, 지문의 이론적 모델들로 설명할 수 없는 반응이다.

[오답 풀이]

① 슬로비치 모델에 따르면 언론의 집중 보도로 증폭된 수용자의 위험 인지는 위험의 크기와 위험 관리의 적절성을 판단하는 정보 해석의 단계에서 대상에 대한 신뢰 훼손과 부정적 이미지 강화로 이어진다. 〈보기〉에는 신종 플루에 대한 대응이 실효적이지 않다는 내용의 보도들이 포함되어 있으므로, 수용자의 위험 인지는 증폭하여 대상에 대한 신뢰 훼손과 부정적 이미지의 강화로 이어질 것임을 알 수 있다. 따라서 신종 플루에 대한 대응이 실효를 거두지 못한다는 인식이 신종 플루로 인한 대재앙의 공포로 이어지고 있다는 것은 슬로비치 모델로 설명할 수 있는 반응이다.

③ 슬로비치 모델에 따르면 과학기술 사건을 언론에서 집중 보도하면 수용자 개개인의 위험 인지는 증폭되고, 이로 인한 부정적 영향은 소송의 발생과 같은 사회적 파장을 일으킨다. 따라서 A사의 분뇨 배출이 신종 플루 발생의 원인이라는 의혹이 확산되면서 집단소송을 통해 A사의 책임을 묻겠다는 사람들이 늘어났다는 것은 슬로비치 모델로 설명할 수 있는 반응이다.

④ 점화 효과에 따르면 매스미디어가 제공하는 소리나 이미지는 두뇌 속에 저장된 관련 소리나 이미지의 연상을 촉발한다. 따라서 신종 플루의 인체 감염 건수가 늘고 있다는 보도에 2년간 100명 이상의 사망자를 낸 2005년 조류 독감의 공포를 떠올리는 사람들이 늘고 있다는 것은 점화 효과로 설명할 수 있는 반응이다.

⑤ 부정 편향성 가설에 따르면 대중은 긍정적인 프레임이 설정된 보도보다 부정적인 프레임이 설정된 보도를 주목할 가능성이 더 높으며, 정보로서의 가치도 더 높게 인식하는 경향이 있다. 따라서 신약이 개발되었다는 보도에도 불구하고 동물 실험에서 발생한 사고로 미루어 보아 그 효능과 안전성을 신뢰하기 어렵다는 반응이 확산되고 있다는 것은 부정 편향성 가설로 설명할 수 있는 반응이다.

[27~29] 제재 | 화학과 물리학의 관계
난이도 | ★★☆

27. 정답 ⑤ 난이도 ★★☆
내용영역 과학기술 문항 유형 분석

[정답 풀이]

⑤ 3문단에 의하면, 양자화학에서 순이론적 방법은 주어진 계의 퍼텐셜 에너지를 고려하여 슈뢰딩거 방정식을 세우고 그 방정식을 풀어 파동함수 ψ를 구하면 그것을 가지고 계의 상태에 대한 여러 가지 계산을 해낼 수 있게 하는 방법이다. 이때 계의 상태를 알려면 파동함수를 구해야 하고, 파동함수를 구하려면 슈뢰딩거

방정식을 세워 풀어야 하며, 슈뢰딩거 방정식을 세울 때는 계의 퍼텐셜 에너지를 고려한다. 즉, 계의 퍼텐셜 에너지를 파악하기 위하여 파동함수를 알아야 하는 것이 아니라, 계의 퍼텐셜 에너지를 고려해야 슈뢰딩거 방정식을 세워 파동함수를 구할 수 있는 것이다. 따라서 슈뢰딩거 방정식을 써서 계의 퍼텐셜 에너지를 파악하려면 파동함수를 알아야 한다고 할 수 없다.

[오답 풀이]

① 양자화학에서는 양자역학의 도구인 슈뢰딩거 방정식을 사용하여 그 해를 구한 뒤에 이를 화학적 문제에 적용하는 '순이론적 방법'을 사용한다. 그런데 슈뢰딩거 방정식을 풀어 해를 구할 수 있는 것은 수소 원자의 경우이며, 다른 경우에는 정확한 해를 구할 수 없다. 그리하여 양자화학에서는 '순이론적 방법'을 보완하기 위하여 근사와 보정의 기법을 적극 활용하는 '보정된 방법'을 사용한다. 이는 슈뢰딩거 방정식의 파동함수 ψ의 형태를 택하거나 근사의 세부 방식을 정할 때 이미 확보된 경험적 자료의 관점에서 가장 그럴 듯한 것을 택하고, 이러한 시도 끝에 얻은 화학 실험 결과를 처음에 놓았던 이론적 가정을 수정하는 데 쓰는 것이다. 따라서 '보정된 방법'에서도 양자역학의 이론적 도구, 즉 슈뢰딩거 방정식이 활용된다고 할 수 있다.

② 슈뢰딩거 방정식을 풀어 해를 구하는 '순이론적 방법'은 외부 자기장의 영향이 없는 수소 원자의 경우에만 정확한 해를 구할 수 있다는 한계를 갖고 있다. 이 때문에 양자화학에서는 근사와 보정의 기법을 적극 활용하는 '보정된 방법'이 많이 쓰인다고 하였으므로, '보정된 방법'은 '순이론적 방법'보다 더 많은 범위에 적용될 수 있음을 추론할 수 있다. 따라서 '순이론적 방법'은 '보정된 방법'보다 적용 가능한 범위가 좁다고 할 수 있다.

③ 2문단에서는 '한 분야가 필요로 하는 이론이나 방법론을 다른 분야가 제공할 때 두 분야 간에는 일종의 비대칭적 의존 관계가 형성되는데, 화학과 물리학 사이에는 광범위하게 이런 의존의 관계가 있는 것처럼 보인다. 이 때문에 적지 않은 이들이 화학은 물리학으로 환원 가능하다고 주장한다.'고 하였다. 이와 관련하여 양자화학은 '화학적 현상을 현대 물리학의 핵심 이론인 양자역학의 기반으로 환원시켜 다루는 프로그램을 실행'하고 있다고 제시된다. 따라서 양자화학의 방법론은 물리학과 화학의 비대칭적 의존 관계를 보여 준다고 할 수 있다.

④ 4문단에서는 헬륨 원자나 수소 분자까지 포함해서 화학자들이 관심을 갖는 사실상 모든 경우에 슈뢰딩거 방정식의 정확한 해를 구할 수 없기 때문에, 양자화학에서는 보정된 방법을 많이 쓴다고 하였다. '보정된 방법'은 실험에서 옳다고 판명된 해를 문제 상황의 이론적 접근에 활용하는 것, 즉 화학 실험의 결과가 다시 이론 쪽에 투입되어 처음에 놓았던 이론적 가정을 수정하는 데 쓰이는 것이다. 따라서 화학 실험의 정밀한 결과 없이는 이론적 예측의 정확도도 높이기 어렵다고 할 수 있다.

28. 정답 ② 난이도 ★★☆

내용영역 **과학기술** 문항 유형 **추론**

[정답 풀이]

지문에 따르면, 슈뢰딩거 방정식을 세우고 그 방정식을 푸는 과정에서, '순이론적 방법'으로는 사실상 모든 경우에 정확한 해를 구할 수 없다는 점 때문에 '보정된 방법'이 사용된다. 그러나 ㉠은, 이 방법을 사용했을 때도 환원하는 이론이 환원될 대상인 화학의 방식으로 산출된 자료에 의지할 수밖에 없으므로 결국 화학적 현상을 양자역학의 기반으로 환원시켜서 다루는 것은 어려운 일이라는 주장을 나타낸다.

ㄴ. 지문에서는, 양자화학에서 '순이론적 방법'이 지니는 환원의 한계 때문에 '보정된 방법'을 사용하는데, '보정된 방법'에서도 화학적 문제가 요구하는 설명과 예측을 물리학이 빠짐없이 제공할 수는 없다고 하며 ㉠과 같은 주장을 하였다. 이때 '순이론적 방법'이 지니는 환원의 한계란, 화학자들이 관심을 갖는 사실상 모든 경우에 슈뢰딩거 방정식의 정확한 해는 구할 수 없어 근사적 형태를 구하지만, 아주 비슷한 것이라도 진짜 그것은 아니라는 점이었다. 그런데 슈뢰딩거 방정식의 해의 근삿값이 그것의 참값에 못지않은 정확한 설명과 예측을 가능케 한다면 '순이론적 방법'만으로 화학적 현상을 물리학의 핵심 이론인 양자역학의 기반으로 환원시켜 다루는 것이 가능한 것이므로, '보정된 방법'을 사용할 필요가 없다. 따라서 슈뢰딩거 방정식의 해의 근삿값은 그것의 참값에 못지않은 정확한 설명과 예측을 가능케 한다는 진술은 ㉠의 주장을 약화하는 진술이다.

[오답 풀이]

ㄱ. 지문에서는, 환원하는 이론이 환원될 대상인 화학의 방식으로 산출된 자료에 의지할 수밖에 없다는 점을 근거로 들어 ㉠과 같은 주장을 하였다. 이는 곧, 실험 결과를 설명하는 이론적 가정이 화학 실험의 결과에 의지해서는 안 된다는 것을 암묵적으로 가정하고 있는 것이다. 따라서 이론으로 실험 결과를 설명했다고 하려면 이론이 실험 결과를 반영하여 조정된 것이어서는 안 된다는 진술은 ㉠을 지지하거나 강화하는 진술이다.

ㄷ. 지문에서는, 화학적 현상을 양자역학의 기반으로 환원시켜 다루는 양자화학 분야에서, '순이론적 방법'으로는 정확한 해를 구하지 못하고 해의 근삿값만을 구할 수 있다는 점, '보정된 방법'으로는 환원하는 이론이 환원될 대상에 의지할 수밖에 없다는 점을 근거로 들어 ㉠과 같은 주장을 하였다. 이때 동일한 외부 자기장의 영향이 있을 경우, 분자보다 수소 원자에서 근삿값을 구하기가 더 쉽다는 것은 ㉠의 근거로 제시된 내용들에 어떠한 영향도 미치지 못한다. 따라서 동일한 외부 자기장의 영향이 있을 경우, 둘 이상의 원자로 이루어진 분자보다 수소 원자에서 해의 근삿값 구하기가 더 쉽다는 진술은 ㉠에 영향을 미치지 않는 중립적 진술이다.

29. 정답 ② 난이도 ★★☆

내용영역 과학기술 문항 유형 추론

[정답 풀이]

'양자화학에서 물리학과 화학의 관계'는 지문의 마지막 문단에서 확인할 수 있다. 글쓴이는 화학적 문제가 요구하는 설명과 예측을 물리학이 빠짐없이 제공하여 화학을 물리학으로 환원하는 것이 가능한지의 여부보다, 불완전한 환원을 완성하려고 애쓰는 과정에서 두 이론이 모두 발전의 계기를 얻는다는 점이 더 유의미하고 중요하다고 하였다.

② 지문에서는 분야 간의 환원 가능성을 둘러싼 토론은 두 분야의 발전 방향을 지시하여 두 학문 모두 발전의 계기를 얻게 한다는 점에서 중요하다고 하였다. DNA 연구가 생물학적 현상을 모두 설명할 수는 없지만, DNA 기반의 일관성 있는 설명을 가능케 하는 한편, DNA 수준의 복잡한 분자 구조를 분석하는 화학적 기법의 발달을 촉진하고 있다고 보는 것은 화학과 생물학의 환원 가능성이 불안정하다 할지라도 두 분야가 모두 발전의 계기를 얻는다는 점에 중점을 두고 있는 것이다. 따라서 이는 지문에 나타난 두 학문 간의 관계에 대응시켜 화학과 생물학의 관계를 파악한 것이라 볼 수 있다.

[오답 풀이]

① 지문에서는 분야 간의 환원 가능성을 둘러싼 토론은 두 분야의 발전 방향을 지시한다는 역동성의 관점에서 중요하다고 하였다. 그런데 현재로서는 생물학을 화학적 탐구 대상인 DNA 수준으로 환원시켜 설명할 수 없지만, 결국 생물학은 DNA연구를 통해 화학으로 환원될 것이라고 보는 것은 환원이 성공하는가의 여부에 중점을 둔 것이다. 따라서 이는 지문에 나타난 두 학문 간의 관계에 대응시켜 화학과 생물학의 관계를 파악한 것이라 볼 수 없다.

③ 생물학의 탐구에서 화학적 방법론은 필수 불가결의 요소라고 보아야 한다는 것은, 두 분야 간에 비대칭적 의존 관계가 형성되어 있어 생물학을 화학으로 환원하는 것이 가능하다고 보는 것이라 할 수 있다. 이는 분야 간의 환원 가능성 자체를 주목하고 있는 것이지, 환원을 완성하는 과정에서 두 분야의 발전 방향이 제시될 수 있다는 점을 주목하고 있는 것이 아니다. 따라서 이는 지문에 나타난 두 학문 간의 관계에 대응시켜 화학과 생물학의 관계를 파악한 것이라 볼 수 없다.

④ DNA 구조를 화학적으로 아무리 면밀히 분석해도 생명 현상을 포괄적으로 설명할 수는 없다고 보는 것은 두 분야의 의존 관계를 부정하는 것이다. 지문에서는 두 분야의 비대칭적 의존 관계를 전제로 하여 그 환원 가능성을 논할 때 두 분야 모두 발전의 계기를 얻는다는 점을 주목하였다. 따라서 이는 지문에 나타난 두 학문 간의 관계에 대응시켜 화학과 생물학의 관계를 파악한 것이라 볼 수 없다.

⑤ 장차 생물학과 화학의 학문 융합을 통해 이들을 대체할 수 있는 새 분야가 탄생될 것이라고 보는 것은, 두 분야가 불완전한 환원을 완성하려고 애쓰는 과정에서 상호 간의 발전 방향을 지시받음으로써 각 학문이 모두 발전의 계기를 얻는다는 점을 중시한 지문의 관점에서 벗어난 논의이다. 따라서 이는 지문에 나타난 두 학문 간의 관계에 대응시켜 화학과 생물학의 관계를 파악한 것이라 볼 수 없다.

[30~32] 제재 | 토지 겸병의 폐단
난이도 | ★★☆

30. 정답 ④ 난이도 ★☆☆

내용영역 인문 문항 유형 분석

[정답 풀이]

④ 글쓴이가 임금에게 청하는 바는, 땅을 주고 땅을 거두는 법을 준수하고 사사로이 땅을 주고받지 못하도록 엄격한 한계를 세우라는 것이다. 이는 글쓴이가 문제 삼고 있는 상황이 토지의 겸병이기 때문이다. 따라서 잘못된 사전(私田)으로 인한 쟁의를 없애자는 글쓴이의 입장을 백성이 소유한 땅을 거두어 토지를 재분배하자는 주장을 함축하는 것으로까지 확대하기는 어렵다.

[오답 풀이]

① 글쓴이는 자식이 부모에게 원한을 품고 상이 끝나자마자 토지 문서를 찾는 것은 사전 때문에 인륜이 금수로 떨어진 것이라고 주장하며, 태조의 법을 준수하고 토지 제도를 바로 잡으면 예의와 염치의 기풍이 일어나고 인륜이 밝아질 것이라고 주장한다. 따라서 토지 문제를 해결하여 풍속을 바로잡아야 한다는 선택지의 내용은 글쓴이의 입장과 일치한다.

② 글쓴이는 땅 주고 땅 거두는 법이 해이해졌음을 지적하면서, 이미 역분전을 받았는데도 한인전을 받는다는 사실을 문제점으로 지적한다. 따라서 역분전을 받고서 또 한인전을 받게 해서는 안 된다는 선택지의 내용은 글쓴이의 입장과 일치한다.

③ 글쓴이는 두어 달 밀린 문건이 산같이 쌓이고 1묘의 다툼이 수십 년간 계속되어 지방수령은 침식을 잊고 판결하여도 끝이 없다는 점을 문제점으로 지적한다. 따라서 지방 수령으로 하여금 땅 송사에만 매달리게 해서는 안 된다는 선택지의 내용은 글쓴이의 입장과 일치한다.

⑤ 글쓴이는 아비가 분급 받은 땅을 몰래 가지고 있다가 사사로이 자식에게 물려주고 자식은 몰래 땅을 가로채어 나라에 돌려주지 않는다는 것을 문제점으로 지적하고 있다. 따라서 부자간에도 분급 받은 땅을 사사로이 주고받게 해서는 안 된다는 선택지의 내용은 글쓴이의 입장과 일치한다.

31. 정답 ⑤ 난이도 ★★☆

내용영역 인문 문항 유형 추론

[정답 풀이]

ㄴ. 태조가 삼국이 통일된 후 신민에게 수조지를 나누어 준 토지 제도는 백관, 부의 군사, 사대부, 부 · 위의 군인과 주 · 군 · 진 · 역의 아전을 대상으로 하였다. 따라서 태조가 세운 ㉠은 관인이나 군인 등 직역을 담당하는 자를 대상으로 삼은 것으로 볼 수 있다.

ㄷ. ㉠의 땅은 관인이나 군인 등 국가의 직역을 담당하는 자를 대상으로 삼은 것이었고 일정한 사유로 회수하는 것이었다. 이는 토지의 분배 권한이 국가에 있었음을 의미한다. '명칭이 대(代)마다 증가하여 토지를 관장하는 관리들이 번쇄함을 감당하지 못하였다'는 지문 내용을 통해서도 토지 관리의 주체가 국가였음을 짐작할 수 있다. 따라서 ㉠은 국가가 토지를 공적으로 관리하는 의미를 가지고 있었다고 볼 수 있다.

ㄹ. 1문단의 내용에 따르면, ㉠이 해이해짐으로써 간사하고 교활한 자들이 겸병을 하는 사례들이 생겨났음을 알 수 있다. 토지의 겸병이 ㉠의 해이로 말미암았다는 것은 ㉠이 제대로 지켜진다면 토지 겸병의 폐단도 방지할 수 있다는 것을 의미한다. 따라서 ㉠은 토지를 겸병할 수 없도록 수조권자의 중복을 방지하는 기능이 있었을 것이라 추론할 수 있다.

[오답 풀이]

ㄱ. 2문단에서는 간악하고 흉한 도당들이 여러 주와 군에 걸쳐 땅을 차지하고 산천으로 경계를 삼고서 모두 그 땅이 자기의 조업전이라고 핑계하면서 서로 훔치고 서로 빼앗는다고 하였다. 어떤 땅이 자신의 소유라는 주장을 하기 위해 내세우는 명분으로 조업전이 쓰일 수 있다는 것은, 조업전이 국가에서 주거나 거둘 수 있는 땅이 아니라는 것을 의미한다. 따라서 조업전에는 ㉠이 적용되지 않았음을 짐작할 수 있다.

32. 정답 ① 　　난이도 ★☆☆

(내용영역) 인문 　　(문항 유형) 추론

[정답 풀이]

① 왕은 각 부서로 하여금 사전 개혁의 장단점을 논하게 하였는데, <보기>로부터는 개혁에 찬성하는 자보다 반대하는 자가 많았다는 사실을 알 수 있다. 하지만 이로부터 왕이 이색의 의견을 좇아 조준의 주장을 받아들이지 않았는지를 추론할 수는 없다.

[오답 풀이]

② 조준은 태조의 '땅 주고 땅 거두는 법'을 명분으로 내세웠으며, <보기>의 이색은 옛 법을 경솔히 고쳐서는 안 된다는 점을 근거로 내세웠다는 점에서 양측 모두 옛 제도나 관습을 명분으로 내세웠다고 볼 수 있다.

③ 개혁파의 주장에 대하여 후덕부윤 권윤과 판내부시사 류백유가 이색의 반대 견해에 찬동하자 왕은 각 부서에 논의하게 하였고 각 부서의 53인 중 34, 35명이 반대하였다. 반대한 이들은 모두 대갓집의 자제였다. 분급된 땅이 백관이나 사대부 등의 관료를 대상으로 하였다는 점, 사전으로 말미암아 조정 사대부들이 서로 시기 중상하였다는 점, 조정 부서의 과반수가 개혁에 반대하였다는 점, <보기>에서 전제가 문란하여 토지를 겸병하는 권세가들의 폐해가 깊었다는 점 등으로부터 사전 개혁에 대해 기득권의 상실을 두려워하는 조정 관료들이 많았다고 볼 수 있다.

④ <보기>에서 이성계가 조준과 더불어 사전을 개혁하고자 하였고 이에 대하여 이색 등이 반대 의론을 고집하여 결정할 수 없자 왕은 사전 개혁의 장단점을 논하게 하였다는 점으로 보건대, 조준의 상서를 계기로 사전 개혁을 둘러싼 논쟁이 조정에서 본격화되었다고 볼 수 있다.

⑤ 조준은 토지 제도가 문란해진 까닭이 태조의 법이 준수되지 않고 사사로이 토지가 거래되기 때문인 것으로 보고 있다. <보기>에 의하면 윤소종은 조준의 의론에 찬동한다. 따라서 윤소종 또한 토지 제도 문란의 원인을 국가의 통제력을 벗어난 사전에서 찾았다고 볼 수 있다.

[33~35] 제재 | 철학적 글쓰기
난이도 | ★☆☆

33. 정답 ① 　　난이도 ★☆☆

(내용영역) 인문 　　(문항 유형) 분석

[정답 풀이]

① 일반적으로는 '객관성의 장르'에서 논증의 엄밀성이 잘 성취될 수 있다고 여겨지지만, 회슬레는 '간주관성의 장르'가 논증의 정당성을 강화하는 데 효과적이라 주장한다. 그러나 이것만으로는 철학적 텍스트의 양식 자체가 주장의 타당성 정도를 절대적으로 결정한다고 보기 어렵다. 철학적 텍스트는 철학적 주장을 정당화하는 방식에 따라 '객관성의 장르', '주관성의 장르', '간주관성의 장르'로 나뉜다. '객관성의 장르'는 주체 자체의 논리에 의해 진술이 이루어지며, '주관성의 장르'는 저자의 사유 전개 과정이 직접적으로 드러난다. '간주관성의 장르'는 저자와 타인이 명시적 발화 주체로 등장하여 대립과 친화 관계를 보여준다. 즉 철학적 텍스트의 양식이 결정할 수 있는 것은 주장을 정당화하는 방식이다.

[오답 풀이]

② ①번 해설에서 언급한 바대로, 철학적 텍스트의 양식은 주장을 정당화하는 방식에 따라 분류된 것이다. 철학적 글쓰기를 하려는 이는 진술의 진행이 저자의 자의적 구성이 아니라 주제 자체의 논리에 의해 이루어지도록 하려면 객관성의 장르를, 독자가 저자의 사유 과정을 생생하게 따라 가며 확인할 수 있도록 하려면 주관성의 장르를, 주장을 더 생생하게 전달하고 그것들 간의 대립 및 친화 관계를 잘 드러내려면 간주관성의 장르를 택하게 될 것이다. 즉 주장의 정당화 전략에 따라 양식이 선택되는 것이다.

③ 4문단에 따르면, 저자의 주장이 설득력을 지니기 위해서는 예상되는 반론들을 견뎌야 한다. 대화편이 정당성을 강화하는 데 상대적으로 유리한 이유도 다양한 관점의 반론과 재반론을 경합시키는 과정을 통해 논증의 폭과 반론에 대한 면역성을 높일 수 있기 때문이다. 따라서 반론을 견디는 힘이 주장의 정당성을 강화한다고 할 수 있다.

④ 텍스트가 '철학적'인지는 그것이 엄밀한 논증이어야 한다는 조건 충족 여부에 따라 결정되므로, 텍스트의 작성 양식은 단순한 사적 취향의 문제에 그치는 것이 아니라 그 양식이 철학의 학적 건강도를 얼마나 높일 수 있느냐 하는 문제와 연관된다. 따라서 양식에 대한 저자의 사적 취향은 부차적 문제이다.

⑤ 철학적 글쓰기 방식에 대한 규정은 철학의 학문적 성격에 대한 규정과 직결된다. 철학의 학문적 성격은 현상 너머의 메타 원리를 알고자 하는 것으로 현상에 대한 실증적 자료를 통해 그 타당성이 판정되는 경험과학과는 다르다. 따라서 철학적 글은 진술 내용에 대한 실증적인 자료를 제시하기 어렵다.

34. 정답 ④ 난이도 ★☆☆

내용영역 인문 문항 유형 추론

[정답 풀이]

ㄱ. '객관성', '주관성', '간주관성'이라는 세 범주는 각각 존재, 인식, 의사소통이라는 주제 영역을 포섭한다. '객관성의 장르', '주관성의 장르', '간주관성의 장르'는 철학적 텍스트의 세 양식이다. 세 범주에 포섭되는 세 주제 영역과 세 유형의 텍스트 양식 사이에 어떤 필연적인 일대일 대응이 요구되지는 않는다. 하나의 범주에 속하는 주제는 다른 범주에 속하는 글쓰기 양식으로도 기술될 수 있다. 따라서 ⓐ와 ⓑ도 '간주관성'을 주제로 다룰 수 있다.

ㄷ. 저자 개인이 텍스트에 직접 등장하는 일 없이 철저히 개념들의 논리적 규정 및 그것들 간의 이행 관계 등에 대한 기술로만 구성되는 ⓐ에서는 문체 정도를 제외하면 저자의 개성을 드러내기가 쉽지 않다. 반면 저자 개인 또는 주제와 관련된 그의 사유의 전개 과정이 직접적으로 드러나는 ⓑ나, 저자 개인이 명시적 발화 주체로 등장하고 심지어 저자 자신이 타인의 형태로 등장하기도 하는 ⓒ는 저자의 개성을 드러내기에 적합한 장르이다.

[오답 풀이]

ㄴ. ⓒ에서는 저자 개인뿐 아니라 타인 또한 명시적 발화 주체로 등장한다. 그러나 ⓐ에서는 주로 주제 그 자체가 주어로 등장하며, 문체상 저자의 개성이 확연히 드러나는 경우에도 저자 개인이 텍스트에 직접 등장하지는 않는다. 따라서 ⓒ는 저자를 '나'로 전면에 내세울 수 있으나, ⓐ는 저자를 '나'로 전면에 내세울 수 없다.

35. 정답 ① 난이도 ★☆☆

내용영역 인문 문항 유형 창의

[정답 풀이]

① 회슬레는 대화편이 엄밀한 논증이어야 한다는 철학적 글쓰기의 조건을 충족하는 데 적합하다고 본다. 따라서 회슬레가 심사위원이라면 대화편이라는 <보기>의 논문 양식이 철학 논문의 목적인 논증의 정당화에 기여한다면, 대화편이라는 방식의 논문 쓰기도 용인할 수 있을 것이다.

[오답 풀이]

② 회슬레는 대화편이 주장의 정당성을 확보하거나 논증하기 어려운 고급 문제들을 다루는 데 상대적으로 유리하다고 본다. 따라서 회슬레는 희곡 형식과 유사한 글쓰기를 용인할 수 있을 것이다.

③ 간주관성의 장르에 각별한 지위를 부여하고 대화편에 특별한 관심을 갖고 있는 회슬레가 <보기>의 양식 채택에 부정적이었을 것이라 보기는 어렵다. 또한 회슬레의 주장으로부터 필자가 학생이라는 이유만으로 엄밀한 논증을 전개할 수 있는 능력을 갖추지 못했다는 추론을 할 수도 없다.

④ <보기>의 학생이 학위논문의 형식을 대화편으로 선택한 이유가 철학적 상상력의 무제한적 실험을 감행하고자 했기 때문인지는 알 수 없다. 그리고 회슬레가 철학적 글쓰기로서 대화편을 선호하는 것은 대화편이라는 텍스트 양식이 철학적 텍스트로서의 조건인 엄밀한 논증에 상대적으로 유리하기 때문이다. 따라서 회슬레가 학생의 논문 채택을 용인했다 하더라도 그 이유가 철학적 상상력의 무제한적 실험을 감행하려는 시도가 지닌 용기를 높이 샀기 때문이라고는 볼 수 없다.

⑤ 대화편은 양식적 특성상 주장들의 대결 구도가 명확하게 드러나고, 갈등 관계가 박진감 있게 진행될 가능성이 높지만, 이러한 특성 자체가 대화편의 목적이 될 수는 없다. 회슬레가 대화편에 특별한 관심을 갖고 선호하는 까닭은 양식적 특성을 바탕으로 철학적 텍스트로서의 조건인 엄밀한 논증에 상대적으로 유리하기 때문이다. 따라서 회슬레가 <보기>의 논문 양식을 용인한다면 그 이유 역시 논문 양식이 가진 특성 때문이 아니라 그것으로 얻을 수 있는 주장의 정당성 때문일 것이다.

2009학년도 [홀수형]

[5~7] 제재 | 합의의 구속력에 대한 인식의 변화
난이도 | ★★☆

5. 정답 ③ 난이도 ★☆☆
내용영역 규범 문항 유형 분석

[정답 풀이]

③ 16세기 후반에는 합의의 형식적 측면보다는 실질적 측면이 더 강조되어, 영국 법원의 공식적 입장이 '내용적으로 문제가 없는 한 합의는 당사자를 구속하며 그 이행은 강제될 수 있는 것'으로 전환되었다. 그러나 16세기 후반의 영국 판사들이 소송을 통한 합의의 이행 강제를 당연하게 여긴 것은 아니었다. 과거의 전통을 지지하는 판사들은 여전히 형식법적 사고방식에 머물러 있었으므로 판사들 사이의 논란은 종식되지 않았다. 지문에는 합의의 구속력이 당연한 것으로 여겨지기까지 200년 이상의 시간이 더 소요되었다고 서술되어 있다.

[오답 풀이]

① 로마의 법률가들에게 구체적인 분쟁에 대한 해결책은 합의와 이행이 일관되어야 한다는 선험적인 전제에서가 아니라 지극히 현실적인 모색에서 비롯되는 것이었다. 즉 로마 시대의 법률가들은 원칙에 따른 일관성보다는 현실적인 고려를 중시하였다.

② 중세 영국의 판사들에게 소송은 합의의 불이행으로 인한 손해를 구제하기 위한 수단일 뿐 합의의 이행을 강제하는 것과는 별개의 문제였다. 그들에게 소송은 합의의 이행을 강제하기 위해서가 아니라 합의의 불이행으로 인한 손해를 구제하기 위해 존재하는 것이었다.

④ 교회의 윤리 신학자들은 해야 할 것과 하지 말아야 하는 것을 판단하는 기준을 양심이라는 윤리의 차원에 놓고 있었고, 이러한 사고방식은 '합의는 어떠한 형식의 것이든 준수되어야 한다'는 조항으로 규정되었다. 중세의 윤리 신학자들은 합의에 대하여도 윤리적인 관점에서 준수해야 할 의무가 있다고 생각한 것이다.

⑤ 19세기의 법률가들은 인간 중심적인 근대 철학에 기초하여 합의의 구속력에 대한 근거를 새로운 관점에서 설명하고자 하였다. 즉, 합의의 구속적 성격이 인간의 자율성에서 도출된다고 본 것이다. 이는 19세기의 법률가들이 근대 철학이 합의의 구속력을 설명하는 논리를 제공해 줄 수 있다고 보았음을 의미한다.

6. 정답 ① 난이도 ★☆☆
내용영역 규범 문항 유형 추론

[정답 풀이]

① ㉠은 로마법 이래의 형식법적 원칙으로서, 소권이 발생하기 위해서는 이를 법리적으로 정당화시킬 수 있는 일정한 형식이 갖춰져야 함을 의미한다. 즉, 이는 형식을 갖추지 않은 합의는 합의의 사실이나 합의의 내용만으로는 합의에 대한 구속력을 가질 수 없다는 것이다. 따라서 ㉠은 합의의 내용에 따라 합의의 구속력 여부가 결정됨을 뜻하지 않는다.

[오답 풀이]

② ㉠의 관점에서는 합의가 있었다고 하여 당사자가 합의의 내용에 구속된다고 보지는 않으므로 합의의 이행을 강제할 수 없고, 합의를 이행하지 않았다는 이유로 소권을 발생시킬 수 없다. 따라서 ㉠은 합의의 불이행만으로는 소권이 부여되기에 충분하지 않았음을 보여 준다.

③ ㉡은 13세기 교황의 훈령으로 규정된 실질법적 조항으로서 16세기 후반 영국 세속법의 변화에 법리적 정당성을 제공해 주었을 뿐 아니라, 합의 이행의 구속력이 합당한 것이라는 인식의 변화에 큰 영향을 끼쳤다. 이는 합의 당사자들은 스스로 합의한 내용에 구속되어야 한다고 여긴 19세기 법률가들의 법의식과도 상통하므로 ㉡은 19세기에도 통용된 법 원칙이라 할 수 있다.

④ ㉡의 규정은 형식법적 사고방식을 뛰어넘은 실질법적 사고방식에서 비롯된 것이므로, 이는 ㉡에 표현된 바대로 합의의 구속력 여부가 형식에 좌우되지 않음을 의미한다.

⑤ ㉠과 ㉡은 각각 형식적 측면과 실질적 측면에서 합의의 구속력에 접근하고자 한다는 점에서 차이를 보이지만, ㉠과 ㉡ 모두 합의의 구속력을 결정하는 것이 무엇인지에 대한 판단의 기준을 제시하고 있다는 점에서는 일치한다.

7. 정답 ② 난이도 ★☆☆
내용영역 규범 문항 유형 분석

[정답 풀이]

② 지문은 '합의의 구속력'의 개념에 대한 이해가 중세에서 오늘날에 이르기까지 어떤 과정을 거치며 변화해 왔는지를 통시적인 접근을 통해 보여주고 있다. 따라서 중심 개념에 대한 이해의 변화를 역사적 측면에서 기술하고 있다고 할 수 있다.

[오답 풀이]

① 지문에서는 경제 여건의 변화가 소송 제도의 변화에 영향을 미쳤을 것이라는 분석에 대해 언급하고 있지만, 경제 여건의 변화만으로 모든 것을 설명하는 것은 충분치 않다고 명시하고 있다. 그리하여 지문에서는 교회법을 바탕으로 한 실질법적 사고와 근대 철학도 제도 변화의 원인으로 들어 설명하고 있다.

③ 지문은 합의의 구속력에 관한 법제와 법의식의 변화를 객관적 거리에서 서술하고 있을 뿐, 중심 개념의 단점을 지적하거나 새로운 개념을 제안하지는 않았다.

④ 글쓴이는 합의 당사자들이 합의의 내용에 구속된다는 오늘날의 이해가 비교적 최근에 생겨난 것이라는 언급과 더불어, 오늘날 합의의 구속력에 관한 일반적 인식이 어떤 과정을 통해 형성되었는지를 보여주고 있다. 즉, 합의의 구속력에 대한 오늘날의 법의식을 문제 삼아 그것의 부당함을 논리적으로 증명하는 과정은 지문에서 찾아볼 수 없는 내용이다.

⑤ 지문에서는 합의의 구속력이 정당화되는 오늘날의 법제를 문제적 상황으로 인식하고 있지 않으며, 과거의 사례에서 그 해결책을 찾고 있지도 않다.

[8~10] 제재 | 한국계 이민 사회와 중간 상인 이론
난이도 | ★☆☆

8. 정답 ③ 난이도 ★☆☆

내용영역 사회 문항 유형 분석

[정답 풀이]

③ 한국에서 취득한 학력이나 자격증은 미국 사회에서 거의 인정받지 못하였으므로(2문단), 한국계 이민자들은 원하는 직업을 구하기 어려웠다는 것을 알 수 있다. 이로 인해 한국계 이민자들이 자영업을 선택하게 된 것이므로, 한국에서 취득한 자격증으로 원하는 직업을 얻기 쉬웠다는 선택지의 내용은 한국계 이민자들이 자영업을 많이 하게 된 요인으로 볼 수 없다.

[오답 풀이]

① 상당수의 한국계 이민자들은 특정 지역에 모여 살면서 종교적 연대를 바탕으로 조직화되어 있었으므로 사업에 관한 정보를 교류하기 좋은 환경적 기반을 마련할 수 있었다(4문단). 즉, 한국계 이민자들은 자영업에 도움이 될 만한 정보를 용이하게 획득할 수 있었으며, 이로 인해 자영업을 선택하게 되었다고 할 수 있다.

② 한국계 이민자들의 경우 대체로 가족 관계가 온전히 보전되어 있었기 때문에 이를 바탕으로 가족노동을 이용할 수 있었다(4문단). 이처럼 가족 관계를 이용한 인력 조달로 비용을 절감할 수 있었던 점 역시 한국계 이민자들이 자영업을 선택하게 된 요인이라 할 수 있다.

④ 한국계 이민자들이 지닌 영어 능력은 주류 사회에 진입할 수준에 이르지 못했으므로, 영어 능력의 한계로 인해 직업 선택에 제약이 있을 수밖에 없었다(2문단). 이 같은 제약 역시 한국계 이민자들로 하여금 자영업의 선택 비율을 높이는 이유가 되었을 것이다.

⑤ 한국계 이민자들은 비교적 교육 수준이 높은 편이었으나 이들이 한국에서 취득한 학력이나 자격증은 미국 사회에서 제대로 인정받지 못했으므로(2문단), 한국계 이민자들이 주류 사회의 선호 직업에 접근하기 쉽지 않았다는 것을 알 수 있다.

9. 정답 ⑤ 난이도 ★☆☆

내용영역 사회 문항 유형 분석

[정답 풀이]

⑤ 한국계 이민자들은 중간 상인 역할을 하는 과정에서 주류 사회와의 갈등에 대처하고 사업상의 필요를 충족하기 위하여 한국계 소매상 단체를 설립하고 수직적 계열화를 실시하는 등 민족적 결속을 강화하였다(6문단). 이를 통해 한국계 이민자들이 중간 상인 역할의 어려움에 대응할 때 민족적 자원을 많이 활용하였음을 알 수 있다.

[오답 풀이]

① 한국계 이민자들은 주로 빈민 지역에서 소규모 상점을 운영했으며, 상품 공급자와 소비자 사이에서 양측 모두와 갈등에 처해 있었다(5문단). 수직적 계열화 실시 이후 구매 협상력이 강화되고 경비가 절감되기는 했으나 한편으로 시장 포화 현상이 발생하기도 하였으므로(6문단), 중간 상인 역할이 반드시 높은 이익을 보장했다고 보기 어렵다.

② 한국계 이민자들은 주로 소득이 낮은 라틴계와 아프리카계 미국인이 거주하는 지역에서 자영업을 운영하였으므로(5문단), 이들이 상류 계층이 소비하는 상품을 거래하는 역할을 했다고 볼 수 없다.

③ 한국계 이민자들은 경제 구조 내의 중개자 역할을 하면서 사업을 할 수 있는 기회를 확보하게 되었으나, 소비자들과 갈등 관계에 놓이는 어려움을 겪기도 했다(5문단). 따라서 중간 상인 역할이 소비자들에게 호의적인 반응을 얻었다고 볼 수 없다.

④ 한국계 이민자들은 대체로 소규모 개인 사업에 집중했을 뿐만 아니라, 수직적 계열화를 통해 상품을 외상으로 공급받거나 창업 자금을 대출받는 등의 지원을 받을 수도 있었다(6문단). 그러므로 중간 상인들에게 사업을 해나가기 위한 큰 규모의 자본 조달이 요구되었다고 보기 어렵다.

10. 정답 ② 난이도 ★☆☆

내용영역 사회 문항 유형 분석

[정답 풀이]

② 주류 사회의 상품 공급자와의 갈등으로 어려움에 처해 있던 한국계 이민자들은 수직적 계열화를 실시하여 주문을 하나로 모음으로써 공급자와의 가격 협상에서 유리한 위치를 차지할 수 있었다. 따라서 수직적 계열화로 인해 주류 사회의 상품 공급자에 대한 협상력이 강화되었다고 할 수 있다.

[오답 풀이]

① 상품 시장의 규모에 비해 너무 많은 한국계 소매상이 참여함으로 인해 시장이 포화되는 현상이 발생하기도 하였으므로, 수직적 계열화로 인해 한국계 자영업자 간의 경쟁이 완화되고 조화가 이루어졌다고 볼 수 없다.

③ 한국계 자영업자들이 구축한 수직적 계열화에 끼지 못하는 이민족들은 네트워크를 통해 발생되는 이익과 혜택으로부터 배제되어 사업 기회를 얻지 못하는 등의 피해를 보기도 하였다. 따라서 타민족 자영업자를 포용하여 사회적 기여를 하였다는 선택지의 내용은 수직적 계열화의 결과로 볼 수 없다.

④ 수직적 계열화는 같은 지역에서 비슷한 사업을 하는 이들의 네트워크로 소수의 상품 시장에 집중되어 있었으므로, 업종의 다양화가 이루어지기는 어려웠다.

⑤ 한국계 자영업자들은 수직적 계열화를 통해 지속적으로 자본과 경험을 축적할 수는 있었지만, 소규모 사업체에서의 장시간 노동이라는 근본적 문제로부터 해방되지는 못하였다.

[11~13] 제재 | VOD 서비스 방식
난이도 | ★★★

11. 정답 ⑤ 난이도 ★★★

(내용영역) 과학기술 (문항 유형) 분석

[정답 풀이]

⑤ 데이터 분할 NVOD는 순서대로 할당된 블록의 전송을 동시에 시작하고, 각 블록의 크기에 따라 주기적으로 전송을 반복하면서 대기 시간을 조절한다. 이때 수신자가 콘텐츠를 연속적으로 감상할 수 있도록 하기 위해서는 첫 번째 블록을 적당한 크기로 만들고 이어지는 블록의 크기가 순차적으로 2배씩 증가하도록 해야 한다. 따라서 각 채널의 전송 반복 시간은 데이터 블록의 재생 순서에 따라 다음 채널로 넘어가면서 2배씩 증가하게 된다.

[오답 풀이]

① 동시 접속자 수에 상관없이 일정한 대역을 필요로 하는 서비스 방식은 RVOD가 아니라 NVOD이다. RVOD에서는 동시에 접속한 사용자 수에 비례하여 서버가 전송해야 하는 전체 데이터의 양이 증가한다.

② 데이터 분할 NVOD는 여러 개로 나뉘진 데이터 블록이 채널마다 따로 전송되므로 수신자가 블록을 차례로 전송받기 위해서는 채널 변경이 필요하다. 그러나 시간 분할 NVOD는 동일 콘텐츠가 여러 채널에서 시간 간격을 두고 반복 전송되므로 수신자는 대기 시간이 가장 짧은 채널에서 수신을 대기하면 된다. 따라서 시간 분할 NVOD는 시청 중에 채널 변경이 일어나지 않는다.

③ 5문단에 '각 채널에서는 순서대로 할당된 블록의 전송을 동시에 시작하고, 각 블록의 크기에 따라 주기적으로 전송을 반복한다.'고 언급된 내용을 통해서, 콘텐츠를 크기가 다른 여러 개의 데이터 블록으로 나눈 뒤 이를 각각의 채널에서 전송하는 방식은 시간 분할 NVOD가 아니라 데이터 분할 NVOD임을 알 수 있다.

④ 5문단에 '첫 번째 블록을 적당한 크기로 만들어, 이어지는 블록의 크기가 순차적으로 2배씩 증가하면서도 블록 수가 이용 가능한 채널 수만큼 되도록 콘텐츠를 나눈다.'고 언급된 내용을 통해서, 데이터 분할 NVOD는 하나의 비디오 콘텐츠를 여러 개의 데이터 블록으로 나누어 각 채널에 배당하는 방식임을 알 수 있다. 따라서 데이터 블록의 수와 채널의 수는 일치해야 하며, 채널의 수는 데이터 블록의 크기에도 영향을 미칠 수밖에 없다.

12. 정답 ④ 난이도 ★★★

(내용영역) 과학기술 (문항 유형) 추론

[정답 풀이]

④ NVOD 방식에서는 동시 접속 사용자 수에 상응하는 대역폭의 확보가 문제되는 RVOD와 달리 콘텐츠의 길이나 채널 수에 따른 대기 시간 단축이 문제될 수 있다. 만약 데이터 분할 NVOD와 시간 분할 NVOD가 동일한 대역폭을 점유하고 하나의 콘텐츠만 전송한다고 가정했을 때, 데이터 분할 NVOD는 시간 분할 NVOD에 비해 대기 시간을 현저하게 감소시킬 수 있고, 대기 시간 대비 사용 채널 수를 줄일 수 있다. 그런데 이때 채널 수는 재생할 콘텐츠의 데이터 양과 재생 시간 등을 고려하여 각 서비스 방식의 특징에 따라 달라질 수 있는 부분이므로, 두 서비스 방식 간 채널 수는 고정된 상관관계에 있다고 볼 수 없다. 콘텐츠를 재생하는 데 필요한 시간을 비롯하여 데이터 분할 NVOD의 첫 번째 블록 크기, 시간 분할 NVOD의 전송 시간 간격 등이 구체적으로 제시되지 않은 상황에서는 선택지에 주어진 조건만으로 두 서비스가 필요로 하는 채널 수를 알 수 없다. 따라서 동일한 대역폭을 가지는 서버가 한 개의 콘텐츠만 전송한다고 할 때 데이터 분할 NVOD는 시간 분할 NVOD의 절반에 해당하는 채널 수를 사용한다는 선택지의 내용은 바르지 못한 추론이다.

[오답 풀이]

① '허용 대기 시간'은 NVOD의 질을 결정하는 중요한 요소이다. 대기 시간은 서버의 채널 수나 콘텐츠의 길이에 따라 결정되므로 대기 시간을 줄이기 위해서는 많은 수의 채널이 필요하다. 채널의 수가 늘어나면 콘텐츠를 반복해서 전송하는 횟수는 늘어나고 전송 간격의 시간차나 전송 주기는 줄어들게 된다. 따라서 한 콘텐츠당 사용되는 채널의 수를 늘리면 사용자의 대기 시간을 줄일 수 있다.

② '일시 정지', '빨리 감기' 등의 기능은 사용자의 요청마다 각각의 채널을 생성하여 사용자의 편리성을 높이는 RVOD 방식에서 가능하므로, 각 전송 채널이 사용자별로 독립되어 있지 않은 NVOD 방식에서는 이러한 실시간 전송 제어가 어려울 것임을 추론할 수 있다.

③ 동시 접속 사용자의 수와 상관없이 일정한 대역을 필요로 하는 NVOD 방식은, 콘텐츠당 동시 접속 사용자가 적은 경우에는 그다지 효율적이지 못하다. 따라서 여러 채널에서 동일한 콘텐츠를 반복 전송하는 시간 분할 NVOD가 RVOD와 비교했을 때 네트워크 자원의 낭비 없이 전체 데이터양을 감소하는 효과를 내기 위해서는 동시 접속 사용자 수가 사용 채널의 수를 초과해야 한다. 만약 동시 접속 사용자 수가 사용 채널 수 이하라면 사용자별로 각각의 채널을 제공하는 RVOD만으로도 전체 데이터양의 증가 없이 만족스러운 서비스가 가능하기 때문이다.

⑤ 데이터 분할 NVOD는 전체 콘텐츠의 전송에 걸리는 시간이 콘텐츠의 전체 재생 시간의 절반 이하이므로, 콘텐츠의 절반에 해당하는 데이터를 저장할 수 있는 공간이 수신 측에 반드시 필요하다. 따라서 수신 측의 저장 공간이 이에 못 미칠 경우 이미 받은 분량이 재생되는 동안 이어질 블록의 수신을 보장할 수 없어 연속 재생에 어려움이 뒤따르게 된다.

13. 정답 ③ 난이도 ★☆☆

(내용영역) 과학기술 (문항 유형) 창의

[정답&오답 풀이]

'아침－낮'과 '저녁－밤' 시간대에는 서비스 요청자 수가 많기 때문에 동시 접속이 가능한 사용자 수에 한계가 있는 RVOD보다는, 동시 접속 사용자 수의 제한을 극복할 수 있는 NVOD 서비스를 공급하는 것이 바람직하다. 따라서 '아침－낮', '저녁－밤' 시간대는 NVOD

서비스 가운데 요청 콘텐츠의 수와 허용 대기 시간을 고려하여 상대적으로 나은 서비스를 선택해야 한다.

먼저 '아침-낮' 시간대의 경우, 허용 대기 시간이 하루 중 가장 길므로 '시간 분할 NVOD' 서비스를 제공하는 것이 좋다. 이 시간대에는 요청 콘텐츠의 수가 다른 시간대에 비해 가장 적어서 동일 콘텐츠를 여러 채널을 통해 반복 전송하는 '시간 분할 NVOD' 서비스가 가능하다. '저녁-밤' 시간대에는 요청 콘텐츠가 '아침-낮'에 비해 늘어나고 허용 대기 시간은 줄어들었으므로, 대기 시간 대비 사용 채널 수가 줄어들어 한 서버에서 동시에 서비스 가능한 콘텐츠의 종류를 늘릴 수 있고, '시간 분할 NVOD' 서비스에 비해 대기 시간을 90% 이상 줄일 수 있는 '데이터 분할 NVOD 서비스'를 제공하는 것이 효율적이다. '심야' 시간대에는 서비스 요청자 수가 적고 요청 콘텐츠의 수가 많으므로 사용자 채널이 독립되어 있고 다양한 콘텐츠의 동시 서비스가 가능한 RVOD 서비스가 적절하다. 또한 '심야' 시간대의 허용 대기 시간은 하루 중 가장 짧기 때문에, 서버의 채널 수나 콘텐츠의 길이에 따라 대기 시간이 발생할 수 있는 NVOD 서비스보다는 동시 접속과 실시간 전송 제어가 가능한 RVOD 서비스를 선택하는 것이 바람직하다.

따라서 '서비스 요청자 수', '요청 콘텐츠의 수', '허용 대기 시간'이라는 세 가지 항목을 고려했을 때, '아침-낮'에는 '시간 분할 NVOD', '저녁-밤'에는 '데이터 분할 NVOD', '심야'에는 'RVOD'가 가장 적절한 서비스 방식이라 할 수 있다. 이러한 결과와 일치하는 선택지는 ③번이다.

[14~16] 제재 | 절용과 저축
난이도 | ★☆☆

14. 정답 ② 난이도 ★☆☆

내용영역 인문 문항 유형 분석

[정답 풀이]

② 글쓴이가 상소를 올릴 당시 백성들의 삶은 추위와 배고픔에 시달리는 곤궁과 질고의 상태에 놓여 있었으나, 그것은 과도한 세납으로 인한 부담 때문이지 잦은 천재지변 탓은 아니다(2문단, 5문단). 글쓴이는 홍수나 가뭄 등 재해와 전쟁으로 인한 의외의 지출이 없었던 점을 그나마 다행이라고 인식하고 있으므로(3문단), 잦은 천재지변으로 인해 백성들의 삶이 피폐해 있다는 선택지의 내용은 글쓴이가 파악한 당시의 시대상이라고 보기 어렵다.

[오답 풀이]

① 글쓴이는 부세 수입은 줄기만 하고 늘지 않았으며, 경비 지출은 늘기만 하고 줄지 않았음을 지적하고 있다(3문단). 글쓴이의 이러한 지적은 글쓴이가 당시의 국가 재정 수입이 지출액에 미치지 못하고 있다고 파악하고 있음을 보여준다.

③ 글쓴이는 옛날에는 없던 의복과 음식의 제도가 사대부들 사이에서 생겨났으며, 이로 인해 풍속은 날로 사치스러워지고 재물의 씀씀이는 실속 없이 겉만 화려해진다고 지적하고 있다(2문단). 이 같은 글쓴이의 지적은 지배층 사이에서 새로운 유행이 퍼지고 있다는 선택지의 내용과 일치한다.

④ 글쓴이는, 우리나라가 가난하며 인구가 적은 나라인데도 무위도식하는 사람이 다수를 차지한다고 파악하고 있다(2문단). 이러한 글쓴이의 생각은 곧 생산 활동에 참여하지 않는 사람이 많다는 선택지의 내용과 일치한다.

⑤ 글쓴이가 보기에 우리나라는 국토의 절반이 산과 계곡이며(2문단), 조종 이래 수백 년 동안 농사지을 땅이 늘지 않고 있는 상태에 있다(3문단). 따라서 경작지가 늘어나지 않고 있다는 선택지의 내용은 글쓴이가 파악하고 있는 당시의 시대상과 일치한다.

15. 정답 ③ 난이도 ★☆☆

내용영역 인문 문항 유형 추론

[정답 풀이]

③ 글쓴이는 산릉 조성 공사 등 국가의 경비가 늘어나는 데 대해 근심을 표하고 있으며, 나라의 살림살이가 한 해의 수입으로 반년의 용도를 지탱하지 못하고 근근이 이어지고 있는 데 대해서도 염려하고 있다. 또한 글쓴이는 나라 회계가 상당한 곤란에 빠져 있다고 파악하고 재정을 함부로 낭비해서는 안 된다고 주장하고 있다. 이처럼 글쓴이는 조정에 재정이 확보되었다고 생각하지 않으므로, 이에 따라 국가사업을 일으키기 위한 경비 지출을 제안하지 않을 것이다.

[오답 풀이]

① 글쓴이는 검소를 숭상하는 교화 대신 사치를 경쟁하는 풍습이 성행하는 것을 염려하고 있으며, 이러한 사치 풍조가 백성들의 삶을 빈궁하고 곤란하게 하는 원인이라고 본다. 그리하여 글쓴이는 소비를 줄이지 않고 쓰는 것을 절약하지 않는다면 곤궁함에서 회생시켜 그 생계를 후하게 할 수가 없을 것이라 판단하고, 백성들이 저축하는 일을 법으로 삼아야 한다고 임금에게 청하고 있다. 따라서 왕이 교서를 내려 사치 풍속을 금하게 하는 것은 글쓴이가 제안했을 만한 내용으로 볼 수 있다.

② 글쓴이는 곤궁한 백성들이 수탈의 부담을 견디지 못해 유망하거나 사망하고, 남은 자들이 그들의 몫까지 감당해야 하는 고통에 빠져 있다고 이르고, 덧붙여 이러한 어려움을 백성들이 제대로 호소할 수 없다는 문제를 지적한다. 이러한 문맥으로 보면, 어사를 파견하여 곤궁과 질고에 시달리는 백성들의 실상을 헤아리고 살펴 달라는 것은 글쓴이가 제안했을 만한 내용으로 볼 수 있다.

④ 마지막 문단에서 글쓴이는 궁궐과 조정의 남용을 개혁해야 한다고 청하고 있다. 이로 미루어 볼 때, 왕실과 관부의 지나친 지출을 금하게 하는 것은 글쓴이가 제안했을 만한 내용으로 볼 수 있다.

⑤ 글쓴이는 조세와 관련된 업무를 보는 이로부터 나라 살림살이와 관련해 들은 바를 임금에게 아뢰면서, "항아리에 담아 둔 물은 모두 우물 속의 물이고 잔에 따라 놓은 술은 모두 병 속의 술인 것이기에, 우물이 마르면 항아리가 비게 되고 병이 기울어지면 잔이 마르게 될까 두렵"다고 한다. 따라서 국고의 곡식 비축량을 늘리자는 제안은 겨우 눈앞의 일만을 지탱해가는 현재의 상황이 얼마나 위태로운지를 인식하고 염려하는 글쓴이의 생각과 일치하는 것이라 할 수 있다.

16. 정답 ④ 난이도 ★☆☆

(내용영역) 인문 (문항 유형) 비판

[정답 풀이]

④ 지문의 글쓴이가 지출을 삼가고 오로지 절약함으로써 국가 회계의 곤란 상황을 타개할 수 있을 것이라 주장한 반면, <보기>의 글쓴이는 재물이 우물의 물과 같아서 이용하지 않으면 말라버린다고 보고 있다. 즉, 경제의 원활한 흐름을 위해서는 적당한 소비가 필요하며 지나친 절약과 검소는 오히려 국가 경제를 쇠약하게 만드는 것이라 역설하고 있는 것이다. 따라서 소비 억제를 비판하며 소비 증가를 주장하는 선택지의 내용은 <보기>의 글쓴이의 주장에 부합하면서 지문을 비판할 수 있는 내용이라고 할 수 있다.

[오답 풀이]

① <보기>의 글쓴이가 다른 산업보다 특별히 상업을 더 중시한다는 근거는 <보기>에 제시되어 있지 않으며, 농산물의 지역 간 유통을 억제하자는 것 또한 지문의 글쓴이가 주장하는 바가 아니다. 따라서 이는 위 지문에 대한 합당한 비판이라 할 수 없다.

② 지문의 글쓴이가 지적하고 있는 문제들은 지방 재정에 국한된 것이 아닐 뿐만 아니라, 주변 국가와의 경제 격차를 해소해야 한다는 것이 <보기>의 핵심 주장이라 볼 수도 없다. 따라서 이는 위 지문에 대한 합당한 비판이라 할 수 없다.

③ <보기>의 글쓴이가 국가 경제의 위기 원인 가운데 하나로 국보의 해외 유출을 지적하고 있기는 하지만, 백성의 궁핍 원인이 농업 기술의 퇴보에 있다고 보지는 않는다. 따라서 이는 위 지문에 대한 합당한 비판이라 할 수 없다.

⑤ <보기>의 글쓴이가 백성들이 서로 도울 수 없는 상황을 지적한 것은 적절한 소비를 통한 경제적 순환이 이루어지지 못함을 강조하기 위해서일 뿐, 국가의 개입 여부를 문제 삼아 백성들의 자발적 상호 부조를 주장하기 위해서는 아니다. 따라서 이는 위 지문에 대한 합당한 비판이라 할 수 없다.

[17~19] 제재 | 서영은, 「먼 그대」
난이도 | ★☆☆

17. 정답 ② 난이도 ★☆☆

(내용영역) 인문 (문항 유형) 분석

[정답 풀이]

② 문자는 눈을 퍼서 지붕 아래로 던지다가 흙탕물이 튀었다고 지나가던 행인이 화를 내면, 날듯 뛰어내려 그의 바짓가랑이를 털어주고 만족할 때까지 몇 번이나 사과하였으며, 주인집에 지붕, 방고래 등을 고쳐 달라고 요구하기는커녕 오히려 주인집이 그녀에게 물세, 불세까지도 터무니없이 물리면 달라는 대로 선선히 내주는 사람으로 묘사된다. 이를 통하여 문자를 소극적이고 유약한 인물로 파악할 수 있으나, 문자가 이렇게 긍정적으로 살아갈 수 있는 이유는 그녀가 무슨 일을 하든 사랑하는 사람을 생각하기 때문이라고 서술되어 있다. 그러므로 문자는 소극적이고 유약한 듯하지만 내면의 힘을 간직하고 있다고 할 수 있다.

[오답 풀이]

① 사랑하는 사람을 생각하며 늘 긍정적으로 생활하는 문자는, '내 인생이 남 보기에 그렇게 안되어 보일 만큼 실패한 걸까?'라고 자문한 뒤에 자기가 동료들과 세상 사람들을 멋지게 속여 넘기고 있는 듯한 기분이 들어 괜히 웃음이 터져 나올 것 같음을 느낀다. 이를 통하여 문자는 남들이 자신의 인생을 실패했다고 보더라도, 자신만큼은 남들과 같이 생각하고 있지 않음을 알 수 있다. 그러므로 문자가 주변의 평가에 좌우되면서 주체성을 상실해 가고 있다고 할 수 없다.

③ 문자는 무엇을 하든 사랑하는 사람을 생각하기 때문에 자기가 동료들과 세상 사람들을 멋지게 속여 넘기고 있는 듯한 기분을 느낀다. 하지만 사랑하는 그를 생각할 때 느끼는 '따스함과 밝은 빛이 몸 밖으로 스며나가 뺨을 물들이고, 살에 생기가 넘치게 하는 것을 그녀 자신은 오히려 깨닫지 못했다.'는 대목을 통해서도 알 수 있듯이, 문자는 남들이 눈치 채지 못하는 자기 마음속의 어떤 그윽하고 힘찬 상태를 무엇이라고 할 수 있을지 본인조차 알지 못한다. 그러므로 문자가 자신의 순수한 삶을 타인들이 알아주기를 기대하고 있다고는 할 수 없다.

④ 같은 마을에 사는 사람들이 가난한 자신들의 처지에서 부끄러움을 느끼고 벗어나고 싶어 할 때에도, 문자는 빈궁한 생활 속에서도 타인과는 다르게 즐거운 태도로 일상을 살아간다. 하지만 문자는 사랑하는 사람이 있다는 그 자체로 행복을 느끼는 인물로 묘사되고 있기 때문에, 지문에서는 문자가 세상으로부터 고립된 채 이웃들과의 소통을 갈망하고 있다는 진술의 근거를 찾아볼 수 없다.

⑤ 문자는 이전에 세든 사람들이 굴욕으로 느꼈던 일도 늘 긍정적으로 받아들인다. '문자가 새벽같이 층계참에 나와 매운 연기를 마셔 가면서도 연탄 화덕에다 신나게 부채질을 활락활락 해 대며 때로는 콧노래까지 흥얼거리는 광경을 종종 볼 수 있었다.'는 서술을 통하여서도, 문자가 자신의 처지를 비참하다고 여기고 있지 않음을 알 수 있다. 그러므로 문자가 비참한 현실을 극복하고자 하는 강력한 의지를 지니고 있다고 할 수 없다.

18. 정답 ③ 난이도 ★☆☆

(내용영역) 인문 (문항 유형) 추론

[정답 풀이]

③ '문자는 무슨 일을 하든 사랑하는 한수를 생각하면서 어딘가 높은 곳에 등불을 걸어 둔 것처럼 마음이 따뜻해지고 밝아 오는 것을 느꼈으며, 그 따스함과 밝은 힘이 몸 밖으로 스며나가 뺨을 물들이고, 살에 생기가 넘치게 하는 것을 그녀 자신은 오히려 깨닫지 못했다.'는 부분을 통하여, 문자의 뺨에 홍조가 서리고 둘이 함께 있는 방 안에 금빛이 가득 차는 것은 한수에 대한 문자의 사랑 때문임을 알 수 있다. 여기에서 ㉢은 이를 가능하게 하는 대상, 즉 한수를 의미한다고 볼 수 있다. 따라서 한수를 빗대어 표현한 '시렁 위에 걸려 있는 등불'은, '두 뺨에 서린 발그레한 홍조'와 '온 방 안에 가득 찬 금빛'의 공통적인 원인이 되는 대상인 '한수'를 비유한 구절이라 볼 수 있다.

[오답 풀이]

① 한집에 세 들어 사는 여인들은 문자를 보면서 그녀의 살림 형편이 겉보기보다 훨씬 좋을 것이라고 추측한다. 하지만 실상 문자는 남다른 무언가를 소유한 것이 아니라, 무슨 일을 하든 사랑하는 사람을 생각했기 때문에 남들과 다른 모습을 보일 수 있었던 것이다. 이때 '도포 속에 감춰 가지고 있던 마패(㉠)'는 세상 사람들이 문자에 대해 추측하는 '겉보기보다 훨씬 알심 있는 살림 형편'이나 '문자가 소유한 남다른 무언가' 등을 비유적으로 나타낸 구절이다. 따라서 '도포 속에 감춰 가지고 있던 마패(㉠)'는 '두 뺨에 서린 발그레한 홍조'와 '온 방 안에 가득 찬 금빛'의 공통적인 원인이 되는 대상을 비유한 구절이라 볼 수 없다.

② 이전의 세든 사람들은 물을 길어다 먹기 위해 안집 마당으로 통하는 높고 가파른 계단을 오르내리면서 굴욕감을 느끼지만, 문자는 이와 달리 생기 있게 그 계단을 오르내린다. 즉 '굴욕의 사다리(㉡)'는 이전의 세든 사람들이 굴욕감을 느끼며 오르내리는 높고 가파른 사다리를 나타내기 때문에, '두 뺨에 서린 발그레한 홍조'와 '온 방 안에 가득 찬 금빛'의 공통적인 원인이 되는 대상을 비유한 구절이라 볼 수 없다.

④ 문자는 '한수를 생각하면 시장의 물건 값을 깎다가도 그 일을 그만두었고, 남과 다툴 뻔하다가도 분노가 가라앉'을 정도로 한수를 사랑하는 인물이다. 그가 일주일에 한 번씩 그녀에게 오면 문자는 뜨거운 물이 담긴 대야에서 그의 발을 씻기고, 일주일 내내 번 돈으로 정성스럽게 한수의 저녁상을 마련한다. 이를 통하여 문자가 한수에게 지극한 사랑과 정성을 쏟고 있다는 것을 알 수 있다. 즉 '성전(聖殿) 앞에 켠 양초(㉣)'는 문자가 한수에게 쏟고 있는 사랑과 정성을 비유적으로 표현한 구절이기 때문에, '두 뺨에 서린 발그레한 홍조'와 '온 방 안에 가득 찬 금빛'의 공통적인 원인이 되는 대상을 비유한 구절이라 볼 수 없다.

⑤ 한집에 세 들어 사는 여인들은 문자가 수돗가에 나왔다가 떠나고 나면 '향기 좋은 꽃으로 가슴을 꾹 눌렀다가 뗀 것 같은' 느낌을 받는데, 이는 한수에 대한 문자의 사랑이 그녀 자신도 모르는 사이에 외부로 드러났기 때문이다. 즉 '잘 익은 과육에서 나는 것과 같은 향기(㉤)'는 한수를 사랑하는 마음 때문에 온 몸에서 생기가 넘치고 좋은 향기가 나는 듯한 문자를 비유적으로 표현한 구절이기 때문에, 이는 '두 뺨에 서린 발그레한 홍조'와 '온 방 안에 가득 찬 금빛'의 공통적인 원인이 되는 대상을 비유한 구절이라 볼 수 없다.

19. 정답 ④ 난이도 ★☆☆

내용영역 인문 문항 유형 추론

[정답 풀이]

④ 문자는 무슨 일을 하든 사랑하는 한수를 생각함으로써 남들은 힘들고 굴욕적이라고 느끼는 일도 생기 있고 발랄한 모습으로 즐기는 인물로 묘사되고 있다. 또한 한수가 일주일에 한 번씩 그녀에게 올 때면 문자는 정성스럽게 그를 대하여 모든 것을 금빛으로 물들인다고 하였다. 하지만 이와 달리 한수는 '그녀가 살코기를 집어 줄 때마다 입을 딱 벌려 받아먹기만 할 뿐, 자기도 그녀의 입에 그 고기를 먹여 주려는 생각은 한 번도 해 보지' 않은 이기적인 남자로 서술되고 있다. 이때 한수가 방 안에 가득 찬 금빛, 그녀의 몸에 휘감긴 듯한 노래, 그녀의 몸에서 나는 향기 등을 알지 못한다는 것은 그가 문자의 사랑을 가치 있게 여기고 있지 않다는 것을 드러낸다. 따라서 '한수'의 성격에 대한 부정적 서술을 통해 '문자'의 사랑에 내재된 시련이 암시되고 있다고 할 수 있다.

[오답 풀이]

① '발그레한 두 뺨', '발랄한 생기', '콧노래를 흥얼거리는 모습' 등 주변 인물들의 시선에서 묘사된 문자의 모습과 행동을 통하여, 제시된 부분에서는 처음부터 끝까지 문자가 사랑하는 사람을 생각하며 다른 사람들과 달리 어려운 상황에서도 생기 있고 발랄한 모습으로 생활하는 것이 묘사되고 있다. 즉 제시된 부분에서 문자는 심리 변화를 보이고 있지 않다. 따라서 주변 인물의 시선을 통해 '문자'의 심리 변화 양상이 드러나고 있다고 할 수 없다.

② 제시된 부분의 도입부에서는 문자의 심리에 대하여 서술하다가, 십 년 전 한수가 문자의 자취방으로 드나들기 시작했던 과거가 서술되며 시간이 교차적으로 제시되고 있다. 이때 과거의 시간은 문자가 한수를 사랑하는 마음으로 인하여 발랄하고 생기 있는 모습을 보이던 시간으로 회고되고 있으며, 그보다 앞서 서술된 문자의 심리 역시 남들이 눈치 채지 못하는 어떤 그윽하고 힘찬 상태가 있는 것으로 묘사되었다. 즉, 과거의 특정한 시간이 슬프거나 마음 아프게 회고되고 있는 것은 아니다. 따라서 현재와 과거의 교차를 통해 과거의 특정한 시간이 애상적으로 회고되고 있다고 할 수 없다.

③ 십 년 전 한수가 처음 문자의 자취방으로 드나들기 시작했던 때는 유난히도 눈이 잦았던 한겨울이었으며, 문자는 지붕 위에 쌓인 눈을 치우기 위하여 거의 지붕 위에서 살다시피 하였다. 그런데도 문자의 심리는 '콩나물을 다듬든, 연탄불을 피우든, 지붕 위의 눈을 치우든 그를 생각하노라면 어딘가 높은 곳에 등불을 걸어 둔 것처럼 마음 구석구석이 따스해지고, 밝아 오는' 것으로 묘사되고 있다. 이때 '눈'은 한수에 대한 문자의 사랑을 부각하는 소재이지만, 문자의 사랑을 환상적으로 미화하는 소재라고는 할 수 없다. 따라서 계절적 배경을 나타내는 눈을 통해 '문자'의 사랑이 환상적으로 미화되고 있다고 할 수 없다.

⑤ 지문에서 문자의 자취방은 매우 열악한 곳으로 묘사되고 있다. 하지만 문자는 사랑하는 사람을 생각하면서 이런 환경 속에서도 늘 생기 있고 발랄한 모습으로 생활한다. 따라서 사실적으로 묘사된 '문자'의 열악한 생활공간을 통해 사회에 대한 주인공의 좌절감이 표출되고 있다고 할 수 없다.

[20~22] 제재 | 에클로자이트와 한반도 내 대륙충돌대 존재 가능성
난이도 | ★★☆

20. 정답 ④ 난이도 ★☆☆

내용영역 과학기술 문항 유형 분석

[정답 풀이]

④ 특수 변성암인 에클로자이트는 대륙 충돌 이전 두 대륙 사이의 해양 밑 지각이 어느 한 대륙 아래로 섭입하면서 만들어지며, 대륙 충돌 이후에는 충돌 이전 이미 섭입된 해양 지각이 대륙을 지하로 끌고 들어가면서 만들어진다. 대륙 충돌 이전에는 해양 지각 내의 암석이 에클로자이트로 변성되고, 대륙 충돌 이후에는 대륙 지각 내의 암석이 에클로자이트로 변성된다. 따라서 에클로자이트는 대륙 충돌 이후뿐 아니라 이전에도 만들어질 수 있다.

[오답 풀이]

① 에클로자이트는 해양 지각 내의 현무암질 화성암과 대륙 지각 내의 현무암질 화성암이 높은 압력을 받아 변성되면서 만들어진다. 즉 에클로자이트가 형성되기 위해서는 암석의 성질을 변화시킬 만큼의 높은 압력이 지각 내에 존재해야 한다.

② 에클로자이트는 모든 대륙 충돌대에서 나타나는 변성암으로 남중국 판과 북중국 판 간의 충돌대인 다비-수루 벨트에서도 발견된다. 이 충돌대의 동쪽 부분에 자리한 산둥 반도 지역에서도 에클로자이트가 발견되었으며, 홍성 지역에서도 동일한 연대의 에클로자이트가 발견되었다.

③ 에클로자이트는 해양 지각 내의 현무암질 화성암이나 대륙 지각 내의 현무암질 화성암이 지하 깊은 곳에 도달했을 때 높은 압력에 의해 변성되어 생성된 것이다.

⑤ 대륙 충돌은 두 대륙의 사이에 있는 해양 아래 지각의 섭입이 지속적으로 진행됨에 따라 발생하며, 이러한 과정 속에서 에클로자이트가 형성된다. 따라서 에클로자이트가 발견된다는 것은 대륙 충돌이 있기 전에 두 대륙 사이에 해양이 존재했음을 의미한다.

21. 정답 ② 난이도 ★★☆

내용영역 과학기술 문항 유형 추론

[정답 풀이]

② 해양판 섭입이나 대륙 충돌에 의해 해양 지각이 맨틀로 들어가 소멸되는 수렴 경계에서는 높은 압력이 발생하며 이때 지각 내에 있던 현무암질 화성암이 에클로자이트로 변성된다. 따라서 해양판 섭입으로 해양 지각이 맨틀로 들어간 안데스 산맥 지역에서도 에클로자이트가 형성될 것이다.

[오답 풀이]

① 두 판이 수평 이동하는 유지 경계에서는 섭입이나 충돌로 인한 높은 압력이 존재하지 않으므로 높은 압력을 필요로 하는 에클로자이트가 형성되지 않을 것이다. 따라서 유지 경계에 속하는 산안드레아스 단층에서도 에클로자이트가 형성되지 않을 것이다.

③, ④ 모든 대륙 충돌대에는 해양 지각, 에클로자이트, 맨틀 물질들이 분포하게 된다. 따라서 수렴 경계의 대륙 충돌형 모델인 히말라야 조산대와 알프스 조산대에서는 해양 생물 화석이 발견되거나 맨틀 물질이 노출될 것이다.

⑤ 히말라야 조산대가 형성되는 과정에서 대륙의 충돌 부분이 습곡이 되어 히말라야 산맥이 만들어지기 시작했다는 점으로 미루어 보아, 히말라야 조산대와 같이 충돌형 수렴 경계의 한 예인 우랄 조산대에서도 히말라야 조산대처럼 습곡이 나타날 것이다.

22. 정답 ③ 난이도 ★☆☆

내용영역 과학기술 문항 유형 추론

[정답 풀이]

③ ㉠이 사실이라고 전제하면, 중국과 한반도는 동일한 대륙판에 속하며 중국의 충돌대 또한 한반도로 연결된다. 남중국 판의 앞부분이 북중국 판 밑으로 섭입되었으므로, 한반도 역시 홍성-오대산 충돌대를 중심으로 남부 지역이 북부 지역 밑으로 섭입되었을 것이다. 따라서 충돌 시 한반도 북부 지역의 일부가 한반도 남부 지역의 밑으로 섭입되었을 것이라고 추정할 수 없다.

[오답 풀이]

① 대륙판들의 충돌 증거라 할 수 있는 에클로자이트의 형성 시기를 발견 지역별로 살펴보면 다비-수루 벨트가 2억 2천만~2억 3천만 년 전, 홍성 지역이 2억 3천만 년 전, 오대산 지역이 2억 5천만 년 전이다. ㉠이 사실이라면 판의 충돌이 오대산 지역에서부터 홍성을 거쳐 다비-수루 벨트의 순으로 이어졌을 것이다. 따라서 대륙판의 충돌이 한반도 동쪽에서부터 일어났을 것이라 추정할 수 있다.

② ㉠이 사실이라면 홍성-오대산 충돌대는 다비-수루 벨트와 같은 대륙판의 충돌을 경험한 것이며, 다비-수루 벨트와 더불어 남중국과 북중국 대륙의 지질학적 증거를 공유할 것이다. 남중국과 북중국 두 대륙은 4~5억 년 전 곤드와나 초대륙의 일부로서 적도 근처에 위치해 있었고, 여기에는 한반도 또한 포함되었을 것이다. 따라서 한반도는 원래 적도 부근에 존재했던 대륙의 일부였을 것이라 추정할 수 있다.

④ 히말라야 조산대의 형성 과정을 바탕으로 한 에클로자이트의 지질학적 특성을 고려할 때, 에클로자이트가 발견되었다는 것은 대륙판들 사이에 해양이 있었음을 의미한다. 에클로자이트가 형성되는 과정은 모든 대륙 충돌대에서 동일한 방식으로 나타나므로, 다비-수루 벨트에서 에클로자이트가 발견되었다는 것은 충돌하기 전의 남중국과 북중국 사이에도 해양이 있었음을 의미하는 것이다. 따라서 ㉠이 사실이라면 홍성-오대산 충돌대를 중심으로 한 한반도의 북부와 남부 사이에 해양이 있었다고 추정할 수 있다.

⑤ 충돌대의 동쪽 부분인 산둥 반도 지역은, 대부분이 산악인 서쪽의 다비 지역과는 달리 높은 산맥이 나타나지 않는다. 이에 대해 지질학자들은 충돌 후 발생한 인장력에 의해 높은 산이 낮아졌기 때문인 것으로 추정하고 있다. ㉠이 사실이라고 전제하면, 홍성

지역이 높은 산맥 지역이 아닌 까닭도 산둥 반도 지역의 경우와 동일한 이유에서 비롯된 것으로 추정할 수 있다. 따라서 홍성-오대산 충돌대를 따라 존재했을 높은 산맥은 대륙 충돌 후 발생한 인장력에 의해 낮아졌을 것이다.

[23~25] 제재 | 철학적 회의주의의 역할
난이도 | ★★☆

23. 정답 ④
난이도 ★☆☆

내용영역 인문 / 문항 유형 분석

[정답 풀이]

④ 명제 p의 모순 명제 ~p가 언명되는 순간 ~p가 스스로를 부정할 수밖에 없음을 밝혀 p의 타당성을 증명하는 '귀류법적 증명'은, '가류주의'의 극단적 회의에 맞서면서 최종적 정당화가 가능하다는 것을 보여 준다. 따라서 '귀류법적 증명'이 '최종적 정당화'의 가능성을 보여준다는 선택지는 지문과 일치하는 내용이다.

[오답 풀이]

① '수행적 모순'은 알베르트의 '가류주의'가 내세운 트릴레마가 '명시적 주장'과 '함축적 행위' 사이에서 일으키는 오류를 가리킨다. 즉 '수행적 모순'은 '가류주의'가 안고 있는 도순으로 '가류주의'를 비판하고자 할 때 지적할 만한 내용이지, '가류주의'가 '수행적 모순'의 문제점을 비판한다고 볼 수는 없다. 따라서 '수행적 모순'의 문제점을 비판하는 것은 '가류주의'가 아니라 '귀류법적 증명'이다.

② 극단적 회의주의인 '가류주의'는, 최초의 확실한 명제를 설정하려는 시도는 궁극적으로 실패할 수밖에 없으며 '최종적 정당화'는 원칙적으로 불가능하다고 말함으로써 모든 철학적 명제의 생명을 좌우하는 '최종적 정당화'의 가능성을 원천 봉쇄한다. 따라서 '가류주의'가 '최종적 정당화'를 가능한 것이라 본다는 선택지의 내용은 지문의 내용과 상반된다.

③ '최종적 정당화'가 불가능하다는 것은 '가류주의'의 입장이며, '수행적 모순'은 '가류주의'의 트릴레마가 안고 있는 오류를 가리킨다. 따라서 '수행적 모순' 때문에 '최종적 정당화'가 어렵다는 선택지의 내용은 논리적으로 성립할 수 없다. '수행적 모순'은 오히려 트릴레마에 빠지지 않으면서 '최종적 정당화'가 가능함을 보여 줄 수 있는 열쇠가 된다.

⑤ '수행적 모순'을 범하고 있는 것은 '귀류법적 증명'이 아니라 '가류주의'이다. '귀류법적 증명'은 가류주의적 회의에 맞서 확실한 명제들을 설정할 수 있는 가능성을 확보하고 있다. 따라서 '귀류법적 증명'이 '수행적 모순'을 범하고 있다는 선택지 내용은 지문과 일치하지 않는다.

24. 정답 ⑤
난이도 ★☆☆

내용영역 인문 / 문항 유형 추론

[정답 풀이]

⑤ 글쓴이는 지문의 도입부에서 회의주의가 철학 내부에서 수행하는 역할은 무엇인지 물음으로써 지문의 내용이 나아갈 바와 주제를 암시한다. 글쓴이가 지문을 통해 하고자 하는 핵심 주장은 바로 글쓴이가 제기한 문제에 대한 답일 것이다. 글쓴이는 '가류주의'가 '수행적 모순'에 빠지는 등 극단적 회의주의는 오류를 보이기도 하지만, 철학은 회의주의의 도전에 맞서기 위해 논리의 정당성과 완결성을 높이므로 회의주의는 철학에 생산적 역할을 한다고 말한다. 바로 이것이 지문의 결론이자 주제이며, 핵심 주장 또한 이와 같다고 할 수 있다. 따라서 글쓴이의 핵심 주장은 '회의주의는 극단적일 경우 오류이지만, 철학 이론의 발전에 기여한 측면도 있다'는 것이라고 추론할 수 있다.

[오답 풀이]

① 지문에서 언급하고 있는 고르기아스의 고전적 회의주의나 알베르트의 극단적 회의주의는 그것들이 가지고 있는 모순과 오류로 인해 반박할 수 있었다. 그러나 이를 바탕으로 철학사에 등장한 모든 회의주의가 논박 가능하다고 단정할 수는 없다.

② 의심을 생명으로 하는 회의주의는 궁극적 진리의 인식이라는 철학의 소명에 도전하며, '최종적 정당화'를 바탕으로 하는 철학적 지식 체계를 무의미하게 만들고자 한다. 또한 회의주의는 극단적으로 치달을 경우 오히려 자기 파괴로 귀결되므로 그 자체가 철학의 궁극적 사조가 될 수는 없다. 따라서 회의주의가 철학의 이념을 잘 구현하고 있다고 말할 수 없다.

③ 지문의 글쓴이는 회의주의가 철학의 내부에서 철학을 향해 도전함으로써 자칫 독단론에 빠지기 쉬운 철학이 논리적으로 강화되는 효과가 있음을 역설한다. 따라서 회의주의가 기존의 철학적 질서와 체계를 혼란에 빠뜨린다는 이유로 부정되어야 한다는 것은 글쓴이의 주장이라 볼 수 없다.

④ 글쓴이가 말하고자 하는 바는 철학에 대한 도전의 중심에 놓인 회의주의가 역설적으로 '철학의 건강성을 높이는 데' 기여한다는 것이지, 회의주의가 역설적 진리를 담고 있기 때문에 수용하자는 것이 아니다. 글쓴이는 지문에서 회의주의가 자가당착에 빠질 수밖에 없는 치명적인 모순과 오류임을 밝히고 있다. 따라서 회의주의가 역설적 진리를 담고 있기 때문에 정당한 것으로 수용되어야 한다는 주장을 글쓴이의 핵심 주장으로 볼 수 없다.

25. 정답 ④
난이도 ★★☆

내용영역 인문 / 문항 유형 추론

[정답&오답 풀이]

ㄱ. 지문에서는 "'완전한 존재'인 신은 개념적으로만 존재하는 것이 아니라 실제로도 존재한다"는 주장을 정당화하기 위하여, "우리 마음에는 '완전한 존재'라는 확실한 개념이 있다. 그런데 '완전한 존재'가 개념적으로만 존재한다면 완전한 것이 아니다."라는 명제를 끌어다 근거로 삼는다. 그러나 근거가 되는 이 명제를

정당화하기 위해 주장하는 명제인 '신의 실존'을 다시 근거로 하고 있다. 즉 이 논증은 주장 명제를 정당화하기 위해 근거 명제를 끌어들이지만, 이 근거 명제를 정당화하기 위해 다시 주장 명제를 끌어들이고 있다. 따라서 ㄱ은 '한 주장을 정당화하는 근거로 제2의 명제를 끌어들이지만, 이 제2의 명제를 다시 제1의 명제를 통해 정당화하고자' 하는 순환 논증의 오류를 범하고 있다.

ㄴ. 지문에서 "식물이라도 함부로 죽여서는 안 된다."는 주장은 "식물도 생명체이며, 생명체는 '삶에의 의지'가 있기 때문"이라는 근거로 뒷받침된다. 또 이 주장을 정당화하기 위해 '삶에의 의지'를 가지는 존재는 소중하기 때문이라는 근거가 언급되고, '삶에의 의지'가 있는 존재를 왜 소중히 다루어야 하는가에 대한 근거는 그것이 '절대적인 자연의 이법'이기 때문이라고 제시되고 있다. '절대적인 자연의 이법'은 어떠한 근거로도 반박 가능한 명제가 아니므로, 이에 따라 ㄴ의 모든 논의는 중지된다. 절차 단절은 이처럼 '계속되는 정당화 요구의 충족이 불가능하므로, 정당화 과정의 한 특정 단계에서 모든 논의를 중지시키고 하나의 명제를 절대 도전할 수 없는 도그마로 설정'하는 것을 이른다. 따라서 ㄴ은 절차단절의 한 사례를 보여준다고 할 수 있다.

[26~28] 제재 | 괴테, 『파우스트』
난이도 | ★☆☆

26. 정답 ① 난이도 ★☆☆

내용영역 인문 | 문항 유형 추론

[정답 풀이]

① '결핍', '빚', '곤궁'의 이름을 한 회색의 여인들은 부자가 사는 문이 닫혀 안으로 들어갈 수 없지만, 오직 '근심'만은 열쇠 구멍으로 스며들어간다. 이는 조금의 틈입이라도 있으면 침투할 수 있는 '근심'의 속성을 비유적으로 나타낸 구절로, 이것은 파우스트 역시 '근심'으로부터 완전히 자유로울 수 없음을 짐작하게 한다.

[오답 풀이]

② '결핍', '빚', '곤궁'은 파우스트가 부유하다는 이유로 접근하지 못하고 물러나지만, '근심'만이 열쇠 구멍을 통해 들어가 파우스트와 대화하게 된다. 따라서 '근심'의 등장이 파우스트가 물질적 어려움으로 인해 고민하고 있음을 보여 주고 있다고는 볼 수 없다.

③ '근심'은 파우스트에게 자신이 어느 때나 나타나 어디를 가건 항상 붙어 다니며 시시각각 모습을 바꿔 가며 끔찍한 위력을 발휘한다고 말하며, 파우스트가 자신을 거부할 수 없다고 위협한다. 이에 파우스트는 "근심이여, 은근슬쩍 기어드는 자네의 위력을 나는 결코 허용하지 않을 것이다."라고 말하며, "밤이 점점 깊어 가는 모양이다. 그러나 마음속은 밝은 빛이 빛나고 있다. 내가 계획했던 일을 서둘러 완성해야겠다."고 굳은 의지를 표현한다. 따라서 '근심'이 자신을 거부할 수밖에 없는 이유를 암시함으로써 파우스트의 불안감을 증폭시키고 있다고 할 수 없다.

④ '근심'은 인간들이 자신에게 사로잡혀야 할 필요성을 이야기하고 있는 것이 아니라 자신에게 붙잡히면 인간들이 어떻게 되는지를 예를 들어 이야기한다. 그러나 파우스트는 이러한 '근심'의 말들에 흔들리지 않고, 파우스트는 끝까지 자신이 계획한 것들을 훌륭하게 성사시키리라 다짐한다. 따라서 '근심'이 자신에게 인간들이 사로잡히는 것이 어째서 필요한가를 파우스트에게 예를 들어가며 설득하고 있다고 볼 수 없다.

⑤ 파우스트는 '근심'이 저주를 내리고 난 뒤에도 자신이 살아온 삶에 대해 반성적으로 회고하기보다 자신이 해왔던 방식대로 과거에 계획했던 일들을 완성해야겠다고 스스로를 북돋운다. 따라서 '근심'이 파우스트로 하여금 지금까지의 삶을 반성적으로 회고하고 과거와는 다른 삶을 계획하는 계기를 제공했다고 할 수 없다.

27. 정답 ④ 난이도 ★☆☆

내용영역 인문 | 문항 유형 분석

[정답 풀이]

④ 원하는 것은 무엇이건 바로 낚아챘다는 것은 욕망의 대상을 주저 없이 쟁취했음을 의미한다. 한편 충분치 않은 것을 놓아 버렸다거나 쟁취한 것이 빠져나가는 것을 그냥 내버려 두었다는 것은 쟁취한 대상에 연연하거나 그것을 지속적으로 소유하고자 하는 욕심 또한 없었음을 뜻한다.

[오답 풀이]

① 사치에 젖은 사람이 '곤궁' 앞에서 고개를 돌린다는 것은 부자들에게 '곤궁'은 인식할 필요나 가치를 느끼게 하는 대상이 못 된다는 것을 의미한다. 이때 '곤궁'이란 물질적으로 궁핍한 상태를 가리키는 것이므로 정신적 빈곤과는 관련이 없다.

② ㉡은 낮에는 낙관적이고 이성적인 사유가 가능하지만, 밤이 되면 비관적이고 비이성적인 감정에 사로잡히기 쉬움을 의미한다. 이는 상황의 유리함과 불리함에 따라 낙관과 비관을 오가는 것과는 무관하다.

③ ㉢에 언급된 '저주'와 '아첨'은 '근심'에 대한 사람들의 입장과 태도를 가리키는 것으로, 문맥상 그 누구도 근심으로부터 벗어나기란 쉽지 않음을 의미한다. 따라서 과도하게 배격하는 태도를 취하거나 지나치게 전전긍긍하지만 않는다면 근심에서 벗어나는 것이 가능하다고 볼 수 없다.

⑤ ㉤이 의미하는 바는, 한 번 근심에 사로잡힌 사람은 겉으로 아무렇지 않아 보인다 하더라도 마음속에는 온통 괴로움과 우울함으로 가득 차 불행하다는 생각에서 벗어나기 어렵다는 것이다. 즉 ㉤이 언급한 '겉'과 '내면'은 인간이 바라보는 '세계'를 대상으로 하는 것이 아니라, 세계를 바라보는 인간을 대상으로 한다.

28. 정답 ⑤ 난이도 ★★☆

내용영역 인문 문항 유형 추론

[정답 풀이]

⑤ 파우스트는 자연 앞에서 인간으로 살기 위해 애쓰는 삶을 가치 있게 여기며, 지상이라는 현실 공간에 굳건히 서서 자신이 계획했던 일들을 훌륭하게 성사시키고자 한다. 파우스트가 자신의 위대한 사업을 완성하는 데 필요하다 여기는 것은 신도, 마술도 아닌 자기 자신의 위대한 정신이다. 이러한 파우스트의 모습은 바로 현실 세계 안에서 인간의 존재 의의를 추구하는 근대적 인간의 면모를 보여준다고 할 수 있다(ⓜ).

[오답 풀이]

① 파우스트는 "천상을 향한 전망은 인간으론 불가항력. 저 하늘을 향해 눈을 껌벅이며, 구름 위에는 자신과 닮은 존재가 있을 것이라고 꿈꾸는 자는 어리석다."고 말한다. 이로 미루어 볼 때 파우스트가 신과의 소통을 갈구한다고 보기는 어렵다(㉠).

② 파우스트가 "지상의 일이라면 알 만큼 안다.'라고 말했다고 하여 이를 근거로 파우스트가 다양한 학문에 몰두하였다고 보기는 어렵다(㉡).

③ 파우스트는 "세상은 유능한 자에게 침묵하지 않"으므로 영원을 찾아 헤맬 필요도 없다고 보며, "인식할 수 있는 것이라면 붙잡을 수도 있는 것"이라 여긴다. 파우스트는 인간이 천상의 세계에 대해 알지 못한다고 하여 절망하기보다 지상에서 인간 정신의 힘으로 위대한 사업을 완성할 수 있다고 긍정한다(㉢).

④ 파우스트는 주문과 마술을 사용할 수 있는 사람이지만 주문과 마술을 쓰지 않고 자연 앞에 완전한 인간으로 살기를 원한다. 따라서 파우스트가 마술과 과학 사이를 오가며 신학적 금기에 거리낌 없이 도전했다고 볼 수 없다(㉣).

[29~31] 제재 | 체계 이론 미학과 헤겔의 예술론
난이도 | ★★☆

29. 정답 ① 난이도 ★★☆

내용영역 인문 문항 유형 추론

[정답 풀이]

① '예술은 진리 매개가 그것의 과제이기 때문에 종말을 맞는다.'라는 명제는 헤겔의 예술관이 집약적으로 드러나는 표현으로, 근대 이후의 예술이 더 이상 진리를 매개할 수 없게 되었음을 의미한다. 헤겔의 관점에서 볼 때, 예술이 이념 즉 진리를 매개할 수 있었던 것은 인간 정신의 작동 방식이 근본적으로 감성적이었기 때문이다. 그리고 이는 이성적 사유 능력이 제대로 발휘될 수 없었던 역사적 유년기에 국한된 것이다. 따라서 예술이 진리 매개라는 목적을 달성하고자 하더라도 정신의 작동 방식이 감성적 단계를 넘어선 근대에는 그 실현 가능성이 없다.

[오답 풀이]

② 헤겔은 예술의 본질이 '이념의 감성적 현현', 즉 절대적 진리가 감성적으로 형상화되는 것에 있다고 보았다. 따라서 헤겔의 입장에서 볼 때, 예술의 본질은 순수한 심미적 가치의 구현이 아니며, 진리 매개는 예술의 과제이기 때문에 '이질적 목적'이 아니다.

③ 헤겔 미학에서는 절대적 진리가 구체화되는 것이 예술이라고 보며, 이때 예술의 내용은 '진리'로 설정된다. 하지만 헤겔이 말하는 예술의 종말은 예술의 진리 매개 가능성을 더 이상 기대할 수 없기 때문이지, 예술의 내용이 진리인 까닭에 그 주제가 다양화되지 못하기 때문이 아니다. 따라서 ㉠의 의미를, 예술이 진리 매개를 그것의 유일한 과제로 삼음으로써 주제의 다양화가 원천적으로 불가능하게 된다는 것으로 볼 수 없다.

④ 예술이 진리 매개를 추구한다고 해서 매우 난해한 행위로 변하는지의 여부는 지문을 통해 확인할 수 없다. 또한 예술이 대중과의 소통을 통해 그 존립 근거를 확보한다는 것은 헤겔의 관점과 무관하다. 따라서 ㉠의 의미를, 예술이 진리 매개를 추구하여 매우 난해한 행위로 변함으로써 대중과의 소통이 불가능해진다는 것으로 볼 수 없다.

⑤ 헤겔은 예술의 내용과 형식을 각각 '진리'와 '감성'으로 보아 예술의 본질은 '이념의 감성적 현현'이라고 설명한다. 하지만 헤겔이 내용과 형식 중 어느 것이 더 우월한 지위를 갖는 것이라고 판단했는지는 지문을 통해 확인할 수 없다. 또한 예술의 진리 매개 가능성은 인간 정신의 작동 방식이 근본적으로 감성적이었던 먼 과거의 역사적 유년기에만 국한되는 것이기 때문에 예술이 종말이라는 부정적 결과를 맞게 되는 것이라고 보았다. 따라서 ㉠의 의미를, 예술이 진리 매개를 지나치게 지향함으로써 양식적 쇠퇴라는 부정적 결과를 초래한다는 것으로 볼 수 없다.

30. 정답 ① 난이도 ★☆☆

내용영역 인문 문항 유형 추론

[정답 풀이]

① 예술의 고유한 자립성을 인정하면서도 여전히 진리와 예술의 긍정적 연관을 기대하는 ⓐ의 입장에서는 ⓑ가 헤겔 미학을 전거로 삼으면서도 그 원래의 핵심 주제, 즉 예술이 진리를 매개한다는 목적을 방기하고 있기 때문에 '절반의 성공'에 지나지 않는 것이라 평가한다. 즉, ⓐ의 입장에서 볼 때 ⓑ는 헤겔의 예술론으로부터 예술의 자율성은 획득하고 있지만, 진리와 예술의 관계에 대한 헤겔의 핵심적 논점은 놓치고 있다. 따라서 ⓐ는 ⓑ에 대하여 "고전적인 학설을 활용했지만, 그것의 핵심적 논점에서 벗어났다."는 평가를 할 것이다.

[오답 풀이]

② 체계 이론이란 체계적인 이론을 가리키는 것이 아니라 각 영역이 고유한 자립성을 지닌 하나의 '체계'로 분리되는 과정을 분석하는 이론이다. 그러므로 ⓐ의 입장에서 ⓑ가 체계적인 이론을 정립했다고 평가하지 않을 것이며, 예술과 진리의 긍정적 연관을 정당화해줄 담론을 기대하고 있는 ⓐ의 입장에서 체계 이론이 현실적으로 실용화되는 데 미흡했음을 지적했으리라 보기는 어렵다. 따라

서 ⓐ는 ⓑ에 대하여 "체계적인 이론을 정립했지만, 그것의 현실적 실용화는 미흡했다."는 평가를 하지 않을 것이다.

③ 체계 이론은 예술 외적 요구로부터 자유로운 자족적 체계로 분리 독립됨으로써 표현에 대한 선택권을 전적으로 예술에게 주었지만, ⓐ로부터 절반의 성공을 거두었다고 평가된다. 그 이유는 ⓑ가 헤겔 미학을 전거로 삼으면서 원래의 핵심 주제를 방기하였기 때문이다. 그러므로 ⓐ의 입장에서는 ⓑ가 유의미한 주제를 제시했다고 보지 않을 것이다. 또한 주제의 대중적 공론화 여부에 관한 내용은 지문을 통해 확인할 수 없으므로, 이에 대해 지적했으리라 보기도 어렵다. 따라서 ⓐ는 ⓑ에 대하여 "유의미한 주제를 제시했지만, 그것의 대중적 공론화가 어려웠다."는 평가를 하지 않을 것이다.

④ 지문에서 언급한 '흥미로운 현상'이란 체계 이론가들이 예술에 대한 호의적 결론을 도출하기 위해서 끌어들인 헤겔의 예술론이 오히려 예술에 대한 부정적 결론으로 요약되고 있다는 점을 지칭한다. 또한 ⓑ가 흥미로운 현상을 발견했는지의 여부는 지문을 통해서 확인할 수 없으므로, 그에 대한 인과적 규명이 있었는지에 대해서도 알 수 없다. 따라서 ⓐ는 ⓑ에 대하여 "흥미로운 현상을 발견했지만, 그것의 인과적 규명에는 실패했다."는 평가를 하지 않을 것이다.

⑤ 체계 이론가들에 의하면, 예술은 모든 예술 외적 요구로부터 자유로운 자족적 체계로 분리 독립됨으로써 그 대상과 표현 방식을 자유롭게 선택할 수 있게 되었다. 하지만 이러한 체계 이론 미학은 ⓐ로부터 절반의 성공을 거두었다고 평가된다. 그리하여 체계 이론을 미학에 적용하여 예술을 독자적 체계로 기술하고자 하는 체계 이론 미학은 이론적으로 도출된 결과가 어느 정도 검증을 받았기 때문에 가설이라 보기는 어려우며, 그렇다고 이론의 경험적 검증을 실패했다고 보기도 어렵다는 것을 알 수 있다. 따라서 ⓐ는 ⓑ에 대하여 "매력적인 가설을 수립했지만, 그것의 경험적 검증에는 실패했다."는 평가를 하지 않을 것이다.

31. 정답 ③ 난이도 ★★☆

내용영역 인문 문항 유형 추론

[정답 풀이]

③ 헤겔은 '이념의 감성적 현현'이 예술의 본질이라고 보았다. 이러한 관점에서 예술의 형식은 '감성'이며, 예술이 이념을 매개할 수 있는 가능성은 인간의 정신이 감성적으로 작동하여 이성적 사유 능력이 제대로 발휘될 수 없었던 먼 과거의 역사적 유년기에만 국한된다. 따라서 헤겔은 오페라의 완성도 높은 양식도 진리를 매개하지 않는다면 예술의 본래적 가치의 구현을 의미하지는 않는다고 평가할 수 있다.

[오답 풀이]

① 헤겔은 예술의 내용을 '진리'로, 형식은 '감성'으로 설정하였다. 이를 통하여 오페라의 양식적 장대함과 고대 그리스 비극이 지니는 상관성에 대해 헤겔이 어떠한 입장을 지녔는지를 확인할 수는 없다. 따라서 오페라의 양식적 장대함이 고대 그리스 비극의 현대적 재현이라는 것은 헤겔의 평가라고 볼 수 없다.

② 헤겔은 예술이 절대적 진리를 매개했던 것은 인간 정신의 작동 방식이 근본적으로 감성적이었던 역사적 유년기에 국한된다고 본다. 이러한 관점에서라면 근대에 새로이 출현한 장르로서의 오페라는 고대 그리스 비극에 견줄 수 있을 만큼의 완전성을 갖추었다 하더라도 절대적 진리를 구체적으로 형상화할 수는 없다고 보았을 것임을 알 수 있다. 따라서 오페라가 절대적 진리를 담으려면 종합적 기법의 완성도를 더 높여야 한다는 것은 헤겔의 평가라고 볼 수 없다.

④ 헤겔의 관점에서 예술이 종말을 맞는 것은 예술의 본질이 절대적 진리의 구체적 형상화에 있고, 진리 매개가 곧 예술의 과제이기 때문이다. 이를 통하여 오페라가 모든 예술적 요소를 하나의 장르로 통합한 것이 예술의 양식적 발전이 불가능함을 보여주는 것이라는 내용을 도출할 수는 없다. 또한 예술의 양식적 발전에 대한 헤겔의 견해는 지문에서 확인할 수 없다. 따라서 오페라의 통합적 성격이 오히려 예술에 더 이상의 양식적 발전이 불가능함을 보여 준다는 것은 헤겔의 평가라고 볼 수 없다.

⑤ 헤겔은 예술을 절대적 진리의 구체적 형상화라고 규정하였으며, 이는 인간 정신의 작동 방식이 감성적이어서 아직 이성적 사유 능력이 제대로 발휘될 수 없었던 먼 과거의 역사적 유년기에만 가능하였던 것이라고 보았다. 이에 따라 근대에는 예술이 담당했던 이성적 사유를 담아내야 할 과제가 철학으로 이관되었다고 하였다. 그러므로 헤겔은 근대 이후의 예술을 이성적 사유를 담아내야 할 중책에서 해방된 무의미한 잔여물로 인식했다. 즉 헤겔에 따르면 근대 예술은 이성적 사유를 담아낼 필요가 없는 것이다. 따라서 오페라가 가치 있는 장르가 되려면 앞으로 화려한 양식 속에 이성적 사유를 담아내야 한다는 것은 헤겔의 평가라고 볼 수 없다.

[32~34] 제재 | 정당 체계에서의 정당 수 산정 방식
난이도 | ★★☆

32. 정답 ② 난이도 ★☆☆

내용영역 사회 문항 유형 분석

[정답 풀이]

② 지문에 의하면, 민주 정치의 중요 요소인 정당 정치는 '개별 정당'과 '정당 체계'의 차원에서 접근하여 분석할 수 있는데, 정당이 수행하는 여러 기능 가운데서 시민 여론을 조직화하고 가치화하는 기능에 대한 평가를 중시하는 것은 개별 정당 분석에 해당한다. 즉 정당의 여론 전달 역할에 대한 평가는 개별 정당 분석과 관계된 것이므로, 정당 체계의 차원에서 접근하여 정당 수를 산정하는 일의 의의라고 할 수 없다.

[오답 풀이]

① 1문단에서는 '최근까지 정당 수 산정을 위한 다양한 방식이 제시되어 왔는데, 이는 정치 현상에 대한 우리의 이해를 높이고자 하는 것'이라고 하였으며, 5문단에서는 '다양한 정당 수 산정 방식이 제시된 것은 복잡한 정치 현상의 실체에 보다 가까이 접근하려는 노력의 결과'라고 하였다. 그러므로 정당 수 산정은

정치 현상에 대한 설명력을 높일 수 있게 한다는 의의가 있음을 알 수 있다.

③ 정당 체계에 대한 분석은 정당 간 상호 작용에 초점을 두고 있으며, 이때 핵심적 역할을 하는 것이 정당 수를 산정하는 것이다(1문단). 그러므로 정당 수 산정은 정당 간 상호 작용에 대한 이해를 가능하게 한다는 의의가 있음을 알 수 있다.

④ 정당 수가 많은가 적은가를 산정하는 것은 정치 상황의 안정도를 보여 주는 중요한 지표가 된다(1문단). 그러그로 정당 수 산정은 정치 상황의 안정성 정도를 파악할 수 있게 한다는 의의가 있음을 알 수 있다.

⑤ 지문에 의하면, 정당 수는 해당 국가의 이데올로기적 분포가 원심적인지 구심적인지를 보여 주고, 특히 지수화 방식에 의하여 산정된 정당 수는 정치 체계 간의 이데올로기적 분포를 객관적으로 비교할 수 있게 해 준다. 그러므로 정당 수 산정은 정치 체계의 이념적 분포의 정도를 이해할 수 있게 한다는 의의가 있음을 알 수 있다.

33. 정답 ③ 난이도 ★★☆

내용영역 사회 문항 유형 창의

[정답 풀이]

<보기>의 선거 유효 정당 지수와 의회 유효 정당 지수는 다음과 같다.

	A	B	C
득표율의 제곱의 합	0.16	0.09	0.04
선거 유효 정당 지수	1/(0.16+0.09+0.04)=3.448···		
의석 비율 제곱의 합	0.16	0.16	0.04
의회 유효 정당 지수	1/(0.16+0.16+0.04)=2.777···		

③ 지문에 의하면, 이항 분류 방식은 의회에 의석을 보유하고 내각 구성에 참여할 수 있는 정당만을 정당 체계 내 정당으로 인정하여 정당 수를 산정하므로, 이 방식에 따를 경우 <보기>에서 산정되는 정당 수는 총선 후 의석을 확보한 정당 수인 3이다. 한편, 지수화 방식에 따른 의회 유효 정당 지수는 각 정당이 차지한 의석 비율의 제곱의 합으로 1을 나눈 값인 2.777이다. 그러므로 <보기>에서는 이항 분류 방식에 따른 정당 수가 지수화 방식에 따른 의회 유효 정당 지수보다 크다고 할 수 있다.

[오답 풀이]

① 지문에 의하면, 한 정치 체계의 규정에 따른 정당을 모두 동일 자격을 갖춘 정당으로 간주하는 단순 방식은 득표수와 상관없이 실제 존재하는 정당 수를 산정한다. 이 방식에 따라 <보기>의 정당 수를 산정하면, 총선 이전에는 6개의 정당이 존재했으나 총선 후에는 의석을 획득하지 못한 3개의 정당이 해산하여 3개의 정당만이 존재하게 되었다. 그러므로 <보기>에서는 선거를 전후로 하여 유효한 정당의 수에 변화가 있다고 할 수 있다.

② 지문에 의하면, 단순 방식은 득표수와 관계없이 실제 존재하는 정당 수를 산정하므로, 이 방식에 따르면 <보기>의 선거 후 정당 수는 3이다. 또한 이항 분류 방식은 의회에 의석을 보유하고, 내각 구성에 참여할 가능성이 있는 정당의 수를 산정하므로, 이 방식에 따르면 <보기>의 선거 후 정당 수는 3이다. 그러므로 <보기>에서 선거 후 단순 방식에 따른 정당 수는 이항 분류 방식에 따른 정당 수와 동일하다고 할 수 있다.

④ 지문에 의하면, 지수화 방식에 따라 선거 유효 정당 지수를 산출하기 위해서는 각 정당의 득표율의 제곱 값을 모두 더한 값으로 1을 나누어야 한다. 이에 따르면, <보기>의 선거 유효 정당 지수는 3.448이며, 각 정당이 차지한 의석 비율의 제곱 값을 모두 더한 값으로 1을 나누어 산출한 의회 유효 정당 지수는 2.777이다. 그러므로 <보기>에서 지수화 방식에 따를 때, 의회 유효 정당 지수는 선거 유효 정당 지수보다 작다고 할 수 있다.

⑤ 지문의 내용에 따라 <보기>의 정당 수를 산정하면, 지수화 방식에 따른 의회 유효 정당 지수는 2.777이고, 선거 후 단순 방식에 따른 정당 수는 3이다. 그러므로 <보기>에서 지수화 방식에 따른 의회 유효 정당 지수는 선거 후 단순 방식에 따른 정당 수보다 작다고 할 수 있다.

34. 정답 ① 난이도 ★★☆

내용영역 사회 문항 유형 추론

[정답 풀이]

① 지문에 의하면, 정당 수 산정 방식은 '단순 방식'에서 '이항 분류 방식'으로, 다시 '지수화 방식'으로 변화하였다. 이러한 변화는 앞선 방식의 문제점을 해결하거나 단점을 보완하기 위하여 새로운 산정 방식이 제시됨으로써 생겨난 것이었다. 지문에서는 '이항 분류 방식이 의회에 의석을 보유하고, 내각 구성에 참여할 가능성이 있는 정당만을 정당 체계 내 정당으로 인정한다'고 하였으며, ㉠은 '내각 참여 여부를 막론하고 각 정당의 득표수 또는 의석수를 상대적 비율로 파악'한다고 하였다. 이때 ㉠은 내각 참여 여부와 관계없이 정당 지수를 산정하는 방식이며, 오히려 기존의 이항 분류 방식이 내각 구성에 참여할 가능성이 있는 정당만을 정당 수로 산정하는 방식이다. 그러므로 내각 구성에 참여하는 정당의 상대적 영향력을 비교해야 할 필요가 생겨서 이항 분류 방식 대신에 ㉠을 사용하게 되었다고 볼 수 없다.

[오답 풀이]

② 지문에 의하면, 다양한 정당 수 산정 방식 중에서도 ㉠은 국가 간 정당 체계를 비교하고, 어떤 정당 체계가 민주 정치의 안정적 운영에 적절한지를 판단하는 데 가장 효과적인 방식이다. 반면에, 이항 분류 방식은 '정부 형태 간 교차 분석을 위해 사용하기 어렵다.'고 하였다. 그러므로 대통령제와 내각 책임제의 정당 체계를 비교할 필요성이 증가하여 ㉠을 사용하게 되었다고 볼 수 있다.

③ 지문에 의하면, ㉠에는 각 정당의 득표수의 상대적 가치를 중시하여 산정한 선거 유효 정당 지수와 의석수의 상대적 가치를 중시하여 산정한 의회 유효 정당 지수가 있다. 이처럼 ㉠은 득표수와 의석수를 상대적 비율로 파악한 지수들을 산정할 수 있기 때문에, '대통령 선거와 총선의 정당 체계를 같은 기준으로 비교하기 위해 사용할 수 있다.'고 하였다. 반면에, 이항 분류 방식은 '대통령

제에서 대통령 선거 결과에 따른 정당 체계와 총선 결과에 따른 정당 체계가 서로 다른 경우에는' 사용하기 어렵다고 하였다. 그러므로 한 정치 체계의 선거 정당 체계와 의회 정당 체계를 비교해야 할 필요가 생겨서 ㉠을 사용하게 되었다고 볼 수 있다.

④ 지문에 의하면, 정당 수 산정 방식과 관련하여 중요한 것은 특정 정부 형태나 정치 상황에 국한되지 않는 산정 기준을 마련하는 것이며, 이러한 관점에서 지수화 방식은 국가 간 정당 체계 비교 연구나 정당 체계에 대한 일반 이론의 개발을 위해서 가장 효과적인 방식이다. 하지만 이항 분류 방식은 '정부 형태 간 교차 분석을 위해 사용하기 어렵다.'고 하였다. 그러므로 정치 상황이나 정부 형태와 관련 없이 사용할 수 있는 동일한 기준을 마련할 필요성이 증가하여 ㉠을 사용하게 되었다고 볼 수 있다.

⑤ 지문에 의하면, ㉠은 '대통령 선거와 총선의 정당 체계를 같은 기준으로 비교하기 위해 사용할 수' 있지만, 이항 분류 방식으로는 '대통령제에서 대통령 선거 결과에 따른 정당 체계와 총선 결과에 따른 정당 체계가 서로 다른 경우'를 비교하기가 어렵다. 그러므로 대통령제에서 대통령 선거 결과에 따른 정당 체계와 총선 결과에 따른 정당 체계를 비교할 필요성이 증가하여 ㉠을 사용하게 되었다고 볼 수 있다.

[35~37] 제재 | 포유동물의 정소 온도에 관한 이론들
난이도 | ★★☆

35. 정답 ④ 난이도 ★☆☆

내용영역 과학기술 문항 유형 분석

[정답 풀이]

④ 지문의 두 번째 문단에 의하면, 역류 열전달 이론은 정소 온도의 항상성이 유지되는 방법, 즉 정소 온도가 체온보다 낮은 상태로 유지되는 원리를 설명하는 이론이다. 하지만 지문에서 역류 열전달 이론과 관련하여 정소에 지속적으로 혈액이 공급되는 기제를 언급한 내용은 확인할 수 없다. 그러므로 역류 열전달 이론은 정소로 혈액이 지속적으로 공급되는 기제를 설명한다고 할 수 없다.

[오답 풀이]

① 지문의 네 번째 문단에서는 '정소 내 온도가 상승하거나 더운 기온에 노출되면 정낭의 피부 표면적이 커지고 정낭 근육에 의해 정소가 몸에서 멀어지게 되며, 정소의 온도가 하강하거나 낮은 기온에 노출되면 정낭 피부 표면적이 작아지고 정낭 근육에 의해 정소가 몸에 가까워진다'고 하였다. 그러므로 정낭 근육은 정낭 내에서 정소의 움직임에 관여한다고 할 수 있다.

② 지문의 세 번째 문단에서는 '정소의 온도가 높아지면 생산되는 정자의 수가 감소하고 심한 경우 정소가 손상될 것이 예상된다. 실제로 복부 밖에 정소가 있는 동물이 기온이 매우 높은 환경에 노출되었을 경우에는 일시적으로 배출 정자 수가 감소하며 반대의 경우에는 일시적으로 배출 정자 수가 증가하는 것을 볼 수 있다.'고 하였다. 그러므로 정소의 온도는 생산되는 정자의 수와 밀접한 관련이 있다고 할 수 있다.

③ 지문의 두 번째 문단에 의하면, 역류 열전달 이론은 정소 온도의 항상성을 유지하기 위한 방법을 설명해주는 이론이다. 이 이론의 핵심은 정낭 동맥을 감싸고 있는 망사 구조가 혈관의 표면적을 넓혀서 효율적으로 열을 전달하기 때문에 '정소에서 나온 정소 정맥의 혈액이 체내에서 들어오는 혈액으로부터 열을 흡수함으로써 정낭 동맥의 혈액 온도를 떨어뜨리고 이렇게 하여 차가워진 정소 동맥 혈액에 의해 정소 온도가 체온보다 낮은 상태로 유지된다.'는 것이다. 그러므로 열의 전도는 정소 온도의 항상성 유지에 핵심적인 역할을 한다고 할 수 있다.

⑤ 지문의 세 번째 문단에서는, '스칸단 연구진은 정낭이 열을 발산하기에 적합한 구조로 이루어져 있고 일반적으로 세포 분열 과정에서 열이 많이 발생한다는 사실에 착안하여 정소에서 발생한 많은 열이 정낭 표면을 통해 방출됨으로써 정소 온도가 체온보다 낮아진다'고 설명하였다. 그러므로 스칸단 연구진의 가설에 따르면 정소의 온도 조절에 가장 중요한 역할을 하는 것은 정낭이라고 할 수 있다.

36. 정답 ④ 난이도 ★★☆

내용영역 과학기술 문항 유형 추론

[정답 풀이]

㉠ 정낭 동맥에서의 혈액 온도(39℃) → ㉡ 정소 동맥에서의 혈액 온도(34℃) → ㉢ 정소 정맥에서의 혈액 온도(33℃) → ㉣ 정낭 정맥에서의 혈액 온도(38.6℃)

④ 지문의 세 번째 문단에서는 '역류 열전달 이론은 정소로 유입되는 혈액의 온도를 체온보다 낮춤으로써 정소의 온도를 체온보다 낮게 유지하는 방법은 제시하였으나 어떻게 정소 온도를 체온보다 낮추는지는 설명하지 못하였다.'고 하였다. ㉡에서 ㉢으로의 변화는 정소 동맥에서 34℃였던 혈액 온도가 정소를 통과한 후 정소 정맥에서 33℃로 낮아지는 것이며, 이는 스칸단 연구진의 가설을 통하여 설명될 수 있다. 스칸단 연구진은 '정소에서 발생한 열이 정낭으로 전도되고 이 열이 체외로 방출되면 정소의 온도가 내려가면서 정낭의 표면 온도가 올라갈 것이라고' 주장하였으며, 이러한 기제에 따라 정소를 통과하면서 혈액온도가 더 낮아지는 것임을 알 수 있다. 따라서 ㉡에서 ㉢으로의 변화는 역류 열전달 이론에 의해 설명되는 것이 아니라, 스칸단 연구진의 가설을 통하여 설명되는 것이다.

[오답 풀이]

① ㉠은 정낭 동맥에서의 혈액 온도이며, 이는 체내의 혈액이 바로 유입된 상태이므로 체내의 혈액 온도, 곧 체온과 비슷할 것이다. 따라서 ㉠은 양의 체온과 비슷할 것이라는 설명은 적절하다.

② 정낭 동맥에서 ㉠이었던 혈액 온도가 정소 동맥에서 ㉡으로 낮아진 것이며, 이는 정낭 동맥을 감싸고 있는 정소 정맥의 망사 구조가 체내에서 들어온 혈액으로부터 열을 흡수하여 정낭 동맥의 혈액 온도를 떨어뜨렸기 때문이다. 따라서 ㉠에서 ㉡으로의 변화는 정소 정맥이 정낭 동맥의 열을 흡수했기 때문이라는 설명은 적절하다.

③ 체내에서 들어온 혈액이 정낭 동맥에서 정소 동맥으로 흘러가면서 온도가 떨어지는 것도, 정소를 통과한 혈액이 정소 정맥에서 정낭 정맥을 거쳐 다시 체내로 들어가면서 그 온도가 다시 올라가는 것도 모두 정낭 동맥을 감싸고 있는 정소 정맥의 망사 구조 때문이다. 지문에서는 열이 '높은 온도의 물체에서 낮은 온도의 물체로 전도되는 성질'을 갖는다고 하였으며, '망사 구조는 혈관의 표면적을 넓혀서 효율적으로 열을 전달'한다고 하였다. 그리하여 망사 구조는 정낭 동맥의 혈액으로부터 열을 흡수하여 ㉠에서 ㉡으로의 변화를 가져오며, 정소 정맥에서 온도가 ㉢으로 낮아져 정낭 정맥으로 들어오는 혈액에 앞서 흡수하였던 열을 전달하여 그 온도가 ㉣로 변화하도록 한다. 따라서 ㉠에서 ㉡으로의 변화와 ㉢에서 ㉣로의 변화는 망사 구조의 기능 때문이라는 설명은 적절하다.

⑤ 정소를 막 통과한 정소 정맥에서 ㉢이었던 혈액 온도가 망사 구조를 통과한 후 정낭 정맥에서 ㉣로 상승하는 이유는, 정낭 동맥을 감싸고 있는 정소 정맥의 망사 구조가 체내에서 들어온 혈액으로부터 열을 흡수하였다가, 이때의 열을 정소를 통과하여 정낭 정맥으로 흘러가는 혈액에 전달하기 때문이다. 따라서 ㉢에서 ㉣로의 변화는 정소 정맥이 정낭 동맥의 열을 흡수했기 때문이라는 설명은 적절하다.

37. 정답 ⑤ 난이도 ★★☆

내용영역 과학기술 | 문항 유형 추론

[정답 풀이]

ㄱ. 4문단에서는 스칸단 연구진이 '정소에서 발생한 열이 정낭으로 전도되고 이 열이 체외로 방출되면 정소의 온도가 내려가면서 정낭의 표면 온도가 올라갈 것'이라고 주장하였으며, 이러한 가설은 '동물의 정소 위치와 번식 사이의 관계를 보여 주는 연구 결과를 통해 힘을 얻는다.'고 하였다. 그리고 그 사례로 '동면 포유동물의 경우 번식을 하지 않는 동면 기간 동안 정자 생산이 감소하는데 이때에는 정소가 정낭에서 복부로 이동하고 동면이 끝나면 다시 정낭으로 내려온다.'는 것이 제시되었다. 스칸단 연구진의 가설이 옳다면, 동면 포유동물의 동면 중 정낭 표면 온도는 동면 후 정낭 표면 온도보다 낮을 것이다. 그러므로 동면 포유동물의 동면 중과 동면 후의 정낭 표면 온도를 비교하는 것은 스칸단 연구진이 제안한 가설을 입증하기 위한 실험으로 적절하다.

ㄴ. 3문단에서는 '정소에서 발생한 많은 열이 정낭 표면을 통해 방출됨으로써 정소 온도가 체온보다 낮아진다'고 한 스칸단 연구진의 가설을 제시하며, '번식력을 갖춘 동물의 정소는 지속적인 세포 분열을 통해 매일 수억 개의 정자를 생산하므로 많은 열이 발생할 것인데, 정소의 온도가 높아지면 생산되는 정자의 수가 감소하고 심한 경우 정소가 손상될 것이 예상된다.'고 하였다. 그리고 4문단에서는 '정소에서 발생한 열이 정낭으로 전도되고 이 열이 체외로 방출되면 정소의 온도가 내려가면서 정낭의 표면 온도가 올라갈 것이라고 주장한다.'고 하였다. 만일 이러한 스칸단 연구진의 가설과 주장이 옳다면, 번식력을 갖춘 양의 정낭 표면 온도는 번식력을 갖추지 못한 새끼 양의 정낭 표면 온도보다 높을 것이다. 그러므로 번식력을 갖춘 양과 그렇지 못한 새끼 양의 정낭 표면 온도를 비교하는 것은 스칸단 연구진이 제안한 가설을 입증하기 위한 실험으로 적절하다.

ㄷ. 4문단에서는 '정소에서 발생한 열이 정낭으로 전도되고 이 열이 체외로 방출되면 정소의 온도가 내려가면서 정낭의 표면 온도가 올라갈 것'이라고 주장한 스칸단 연구진의 가설을 뒷받침하는 사례로 '박쥐의 정소는 평상시에는 복부 내에 존재하다가 짝짓기를 하는 계절이 되면 정낭으로 내려온다.'는 것을 제시한다. 이 가설이 옳다면, 박쥐의 짝짓기 계절 동안 정낭 표면 온도보다 짝짓기 계절 후의 정낭 표면 온도가 더 낮을 것이다. 그러므로 박쥐의 짝짓기 계절 동안과 짝짓기 계절 후의 정낭 표면 온도를 비교하는 것은 스칸단 연구진이 제안한 가설을 입증하기 위한 실험으로 적절하다.

[38~40] 제재 | 미국 언론의 파수견 기능

난이도 | ★☆☆

38. 정답 ⑤ 난이도 ★☆☆

내용영역 사회 | 문항 유형 분석

[정답 풀이]

⑤ 1문단에서는 '미국의 경우 언론의 감시 · 비판 기능을 파수견에 빗대어 표현하는데, 이를 헌법적으로 보장되는 것으로 인식하고 있다. 이러한 파수견 기능은 개인의 표현의 자유가 아닌 언론 기관의 표현의 자유를 의미한다.'고 하였다. 그러므로 미국 언론의 파수견 기능은 개인의 표현의 자유를 보장하기 위한 전제 조건이라 볼 수 없으며, 언론 기관에 부여되는 제도적 권리의 특성을 지닌다고 볼 수 있다.

[오답 풀이]

① 전통적 시각에 의하면, 언론 기관의 핵심적 기능은 견제 가치에 있으며, '보다 적극적인 파수견 기능을 위해서 국가 기관에 대한 접근권을 강화하는 것과 같은 정책적 배려가 요구된다고' 하였다. 따라서 국가 기관에 대한 언론 기관의 접근권을 확대해 줌으로써 미국 언론의 파수견 기능을 강화할 수 있다고 볼 수 있다.

② 전통적 시각에서는, 언론 기관의 핵심적 기능이 견제 가치에 있다고 보기 때문에 '비록 언론의 상업주의적 폐해가 있다고 하더라도 국가 권력의 남용보다는 폐해가 덜하기 때문에 파수견 기능은 보호되어야 한다.'고 주장한다. 따라서 미국 언론의 파수견 기능은 국가 권력의 남용을 견제하는 기능으로서 헌법상의 보호를 받는다고 볼 수 있다.

③ 지문의 첫 번째 문단에서는 '정치권력의 남용과 사회적 부정부패를 감시하고 비판하는 언론의 기능은 건전한 여론 형성 기능과 함께 국민의 알 권리 충족을 위한 필수 조건으로 인식되어 왔다.' 고 하였으며, 미국의 경우에는 '언론의 감시 · 비판 기능을 파수견에 빗대어 표현'한다고 하였다. 따라서 미국 언론의 파수견 기능을 보장함으로써 국민의 알 권리가 더 잘 실현될 수 있다고 볼 수 있다.

④ 전통적 시각에 의하면, '언론의 상업주의적 폐해가 있다고 하더라도 국가 권력의 남용보다는 폐해가 덜하기 때문에 파수견 기능', 즉, 언론 기관의 핵심적 기능인 견제 가치는 보호되어야 한다. 그러므로 미국 언론의 파수견 기능은 언론의 상업주의화에도 불구하고 원칙적으로 보호된다고 볼 수 있다.

39. 정답 ③ 난이도 ★☆☆

내용영역 사회 / 문항 유형 분석

[정답 풀이]

ㄴ. 3~4문단에 의하면, 19세기 말에는 '명예 훼손 소송의 건수도 급증하게 되는데, 진실 보도를 요건으로 하는 명예 훼손법의 적용으로 인해 언론은 매우 불리한 입장에 놓여' 있었으며, '신문사들은 명예 훼손 소송을 신문 산업에 가장 위협적인 요소로 판단'하여 파수견 기능을 면책 특권으로 입법화하려고 노력하였다. 그러므로 언론사는 명예 훼손법이 자신들에게 불리하게 적용되고 있다고 주장했다는 것은 글리슨의 연구에 나타난 사회적 상황으로 볼 수 있다.

ㄷ. 4문단에서는 1896년 시 공무원을 비판한 기사로 인해 벌어진 명예 훼손 소송을 사례로 제시하며, '법원은 언론의 파수견 기능에 대해서는 긍정적인 태도를 보였으나, 여전히 진실 보도를 강조함으로써 취재 과정의 복잡성을 내세운 언론의 주장은 수용하지 않았다.'고 하였다. 그러므로 언론사가 취재 보도 과정의 구조적 특수성, 즉 복잡성을 법원이 인정해 줄 것을 요구했다는 것은 글리슨의 연구에 나타난 사회적 상황으로 볼 수 있다.

ㅁ. 지문에서는 '언론이 파수견 기능을 면책 특권으로 입법화하려는 다양한 노력을 기울였으나, 소송의 결과에는 영향을 주지 못했다.'고 하며, 1896년 명예 훼손 소송에서 '주 대법원은 신문의 파수견 역할이 진실을 밝히고 시민 정신을 고양할 수 있는 것으로 보았다. 다만, 이는 일관되고 합리적인 취재 및 편집을 통해서 달성될 수 있다고 피력했다.'고 하였다. 그러므로 법원은 보도의 진실성은 명예 훼손 소송에서 언론이 면책되기 위한 요건이라고 판단했다는 것은 글리슨의 연구에 나타난 사회적 상황으로 볼 수 있다.

[오답 풀이]

ㄱ. 4문단에서 '신문사들은 명예 훼손 소송을 신문 산업에 가장 위협적인 요소로 판단'하고, '명예 훼손 소송에 적극적으로 대처하는 한편 파수견 기능을 면책 특권으로 입법화하려는 다양한 노력을' 하였지만, '이러한 노력은 언론의 공적 기능에 대한 법원의 인식을 확대하였으나 소송의 결과에는 영향을 주지 못했다.'고 하였다. 그러므로 언론사가 파수견 기능을 내세워 명예 훼손 소송의 결과에 영향을 미쳤다는 것은 글리슨의 연구에 나타난 사회적 상황으로 볼 수 없다.

ㄹ. 4문단에서는, 1896년 명예 훼손 소송 당시 '주 대법원은 신문의 파수견 역할이 진실을 밝히고 시민 정신을 고양할 수 있는 것으로 보았다. 다만, 이는 일관되고 합리적인 취재 및 편집을 통해서 달성될 수 있다고 피력했다. 즉 법원은 언론의 파수견 기능에 대해서는 긍정적인 태도를 보였으나, 여전히 진실 보도를 강조하였다. 그러므로 법원은 언론이 공적 역할은 하지만 파수견 기능은 인정할 수 없다고 판단했다는 것은 글리슨의 연구에 나타난 사회적 상황으로 볼 수 없다.

40. 정답 ① 난이도 ★☆☆

내용영역 사회 / 문항 유형 추론

[정답 풀이]

① ㉠은 언론의 절대적인 자유를 옹호하는 입장이므로, 어떠한 법률로도 언론을 제약해서는 안 된다고 본다. 또한 이 시각은 언론 기관의 핵심적 기능을 정치권력의 남용과 사회적 비리에 대한 감시·비판에 두고 있으며, 이를 보호하기 위하여 공익을 위한 경우에는 보도로 인한 명예 훼손이 성립될 수 없다고까지 주장한다. 그러므로 <보기>처럼 공무원이 신문사를 상대로 하여 명예 훼손 소송을 제기한다면, ㉠은 S신문사의 취재 보도 과정이 공무원들의 부정부패를 감시하기 위한 목적에 의한 것이었으므로, 법원은 이것이 공익을 위한 경우에 해당한다고 보아 면책 요건을 넓게 해석하고 명예 훼손이 성립될 수 없다고 보아야 한다고 주장할 것임을 알 수 있다.

[오답 풀이]

② ㉠은 언론 기관의 핵심적 기능을 견제 가치에서 찾고, 이를 위하여 언론 관련 규제가 최소한도로 제한되어야 한다고 보며, 심지어 공익을 위한 경우에는 보도로 인한 명예 훼손이 성립될 수 없다고까지 본다. 즉, ㉠은 언론의 파수견 기능을 가장 중시하고 있으므로, 취재 보도 과정의 특수성을 인정할 것임을 알 수 있다. 그러므로 ㉠은 <보기>의 상황에서 S신문사의 위장 술집을 통한 취재 방식은 공무원들의 비리를 밝히기 위한 것, 즉 공익을 위한 취재 보도 과정이며, 이는 불가피한 경우에만 허용되어야 하는 것이 아니라, 오히려 이에 대한 규제가 최소한도로 제한되어야 한다고 볼 것임을 알 수 있다.

③ ㉠은 공익을 위한 경우에는 보도로 인한 명예 훼손이 성립될 수 없다고까지 주장한다. 이 관점에 의하면, <보기>처럼 S신문사가 비리와 연루된 공무원을 취재한 것은 공익을 위하여 언론의 역할에 충실히 임한 것이다. 그러므로 ㉠은 <보기>의 상황에서 비리와 연루된 공무원이라도 S신문사를 상대로 명예 훼손 소송을 제기할 수 있어야 한다고 보는 것이 아니라, 오히려 그러한 명예 훼손 소송이 성립할 수 없다고 볼 것임을 알 수 있다.

④ ㉠은 언론 기관의 핵심적 기능을 '견제 장치'에서 찾으며, 파수견 기능은 최우선으로 보호되어야 한다고 주장한다. 이 관점에 의하면, <보기>에서 S신문사는 사회 비리를 감시하고 고발한다는 언론의 핵심적 기능을 수행하기 위하여 공무원의 비리를 장기간 취재하여 이를 공개한 것이다. 그러므로 ㉠은 <보기>의 상황에서 S신문사가 공무원의 비리를 장기간 연속으로 신문에 게재한 것은 언론의 감시·비판 기능을 넘어서는 일이 아니라, 오히려 언론의 핵심적 기능인 감시·비판을 충실하게 수행한 것이라고 볼 것임을 알 수 있다.

⑤ ㉠은 언론의 최우선 가치인 견제 가치를 보장하기 위해서는 언론 관련 규제가 최소한도로 제한되어야 하고, 공익을 위한 보도일

경우에는 보도로 인한 명예 훼손이 성립하지 않으며, 이를 위해서 국가 기관에 대한 접근권을 강화하는 등의 정책적 배려가 요구된다고 제안하였다. 이 관점에 의하면, <보기>의 상황에서 S신문사의 보도는 공익을 위한 것이었으므로 그 취재 보도 방식은 최우선적으로 보장되어야 할 자유에 속한다. 그러므로 ㉠은 <보기>의 상황에서 공익을 위해 보도할 경우, 취재 대상이 누구인가에 따라서 S신문사의 취재 보도의 자유에 대한 허용 범위가 달라진다고 보는 것이 아니라, 취재 대상에 관계없이 취재 보도의 자유에 대한 허용 범위가 최대한 보장되어야 한다고 주장할 것임을 알 수 있다.

예비시험

[5~7] 제재 | 호르크하이머의 계몽사회 진단
난이도 | ★★☆

5. 정답 ② 난이도 ★★★

내용영역 인문 문항 유형 분석

[정답 풀이]

② '나'라는 한 인간의 내적 자연 바깥에 존재하는 자연은 모두 외적 자연이다. 외적 자연은 다시 인간적 자연과 비인간적 자연으로 나뉘므로 '나'의 외부에 있는 타인은 외적 자연 가운데서도 인간적 자연에 해당한다. 즉 모든 인간은 서로에게 인간적 자연인 외적 자연인 것이다. 따라서 나에게 다른 사람은 외적 자연이면서 인간적 자연이라고 할 수 있다.

[오답 풀이]

① 호르크하이머는 내적 자연과 외적 자연을 구별하고 외적 자연을 다시 인간적 자연과 비인간적 자연으로 나눈다. 이때 비인간적 자연은 인간이 자기 보존을 위해 가지는 '이성'이나 '자아'를 가질 수 없다. 또한 인간이 가지고 있는 '이성'이란 도구화된 것이며, 이성이 도구화될 때 인격적인 자기는 사라지고 비판 능력 없는 추상적 자아만 보존된다. 따라서 인간적 자연과 비인간적 자연을 모두 포함하는 외적 자연이 추상적 이성과 자아를 가지고 있다고 할 수 없다.

③ 이성이 도구화됨으로써 구체적이고 인격적인 자기는 사라지고 비판 능력 없는 추상적 자아만 보존된다. 도구적 이성으로 무장한 자아는 자신의 내적 자연을 억압하므로 '나'는 자기 자신도 기계처럼 다루게 된다. 즉, 도구적 이성으로 무장한 자신의 추상적 자아에 의하여 내적 자연이 지배됨에 따라 '나'가 기계화되는 것이다. 따라서 기계적으로 살아가는 '나'는 자아가 없는 내적 자연일 수 없다.

④ 오랫동안 자연의 지배를 받아 온 인간이 계몽된 현대 사회에서는 자연을 지배하게 된다. 하지만 계몽된 사회에서 인간과 자연의 관계가 그 이전과 달라졌다고 하여 과거에 자연이었던 것이 이제는 자연이 아닌 것이 되었다고 할 수는 없다. 현대 사회에서 자연이 목적 없는 단순 물질이자 자기 보존의 수단으로 전락한다고 한 것은 인간과의 관계가 역전된다는 의미이지 과거에 자연이었던 것이 인간이나 자아 등의 다른 것으로 바뀐다거나 없어진다는 의미는 아닌 것이다. 게다가 지문에 제시된 내용만으로는 '자연이 아니며 자아도 아닌 것'과 '과거에 자연이었던 것'이 무엇인지도 알 수 없다. 따라서 과거에 자연이었던 것이 이제는 자연이 아니며 자아도 아니라고 할 수 없다.

⑤ 인간은 외적 자연과의 싸움에서 승리하기 위해 도구적 이성의 지배를 내면화하면서 자신의 내적 자연을 억압해야 한다. 즉, 자아는 도구적 이성으로 외적 자연을 지배하고 그 과정에서 내적 자연을 억압한다. 따라서 내적 자연이 자아를 지배하지는 않으며 외적 자연이 이성을 억압한다고도 할 수 없다.

6. 정답 ② 난이도 ★☆☆

내용영역 인문 문항 유형 추론

[정답 풀이]

② 호르크하이머에 따르면 외적 자연을 지배하기 위해 인간의 내적 자연을 억압할수록 사람들은 억압의 주체인 이성과 자아에 대한 원한 감정을 키워간다. 특히 자신의 자연적 충동을 스스로 억압해야 하는 동시에 내적 자연을 성공적으로 통제한 사람들의 지배를 받아야 하는 다수의 대중이 품은 원한 감정은 폭동의 잠재력이 된다. 그런데 이때 외적 자연을 지배하는 사람 역시 내적 자연을 억압할수록 억압의 주체인 이성과 자아에 대한 원한 감정을 키워간다. 따라서 자연적 욕망을 억제함으로써 성공한 사람도 원한 감정을 갖게 된다고 할 수 있다.

[오답 풀이]

① 호르크하이머는 오랫동안 자연의 지배를 받아 왔던 이성의 힘으로 인간이 자연을 지배하게 되었으며, 이는 곧 인간에 의한 인간 지배로 귀결된다고 보았다. 인간은 외적 자연과의 싸움에서 승리하기 위해 도구적 이성의 지배를 내면화하는데, 도구적 이성으로 무장한 자아는 자신의 내적 자연을 철저하게 억압하게 되고 이를 통해 성공한 이는 그렇지 않은 자들을 지배하게 되는 것이다. 따라서 인간에 의한 자연 지배는 인간에 의한 인간 지배의 또 다른 형태임을 알 수 있다.

③ 호르크하이머에 따르면 도구적 이성은 대중을 억압하고 원한 감정에 사로잡히게 하며, 대중이 품은 원한 감정은 자연 폭동의 잠재력이 된다. 이때 자연적 인간들의 폭동은 도구적 이성의 전면화에 대항하는 것으로서 표면적으로는 이성을 비하하고 자연을 순수한 생명력으로 추앙하지만, 결과적으로는 이성의 도구화를 촉진하고 내적 자연을 잔혹한 폭력의 주체로 발전시켰다. 이는 결국 억압을 영속시키는 데 기여한 폭력이 도구적 이성으로부터의 인간 해방을 위한 투쟁으로 미화될 수 있음을 뜻한다.

④ 호르크하이머에 따르면 파시즘은 폭동의 잠재력을 이용하여 억압된 자연을 해방시킨 것이 아니라 오히려 억압을 영속화하는 데 기여하였다. 이성에 대한 대중들의 원한 감정을 유대인을 향한 자연 폭동으로 이끌어 내었던 나치의 사례에서도 알 수 있듯이 극단적인 전체주의적 이념인 파시즘은 자연을 추앙하면서 도구적 이성에 희생되지 않을 것을 표방하였으나, 실제로는 억압 주체가 대중들을 착취하여 자신들의 지배를 더욱 공고히 하는 데 이용된 것이다. 따라서 '자연 폭동'은 전체주의의 실체를 밝히기 보다는 오히려 전체주의에 이용되어 그 권력을 공고화한다고 할 수 있다.

⑤ 호르크하이머에 따르면 자연은 내적 자연과 외적 자연으로 구별되고 후자는 다시 인간적 자연과 비인간적 자연으로 나뉘는데, 인간이 외적 자연과의 싸움에서 승리하기 위해서는 도구적 이성의 지배를 내면화하면서 자신의 내적 자연을 억압해야 한다. 이때 내적 자연을 철저하게 억압함으로써 성공한 인간이 그렇지 못한 사람을 지배하게 되기 때문에 인간에 의한 자연 지배가 인간에 의한 인간 지배로 귀결되는 것이다. 이를 통해 도구적 이성의 지배를 내면화하면서 자신의 내적 자연을 통제하지 못한 사람은 다른 인간적 자연을 포함하는 외적 자연으로부터 지배를 받을 가능성이 높다는 것을 알 수 있다.

7. 정답 ① 난이도 ★★☆

내용영역 인문 문항 유형 비판

[정답 풀이]

① 호르크하이머는 인간이 자연을 지배하는 과정에서 이성 자체가 도구화됨으로써 비판 능력 없는 추상적 자아만 보존된다는 전제하에 인간에 의한 자연 지배는 인간에 의한 인간 지배로 귀결된다는 결론을 이끌어 낸다. 그리고 도구적 이성의 지배를 극복하고 자연을 해방시키기 위해서는 이성이 먼저 비판적 사유를 해야한다고 주장한다. 이는 이성이 비판능력을 상실했다고 진단하면서 이로 인해 발생한 문제를 이성의 비판적 활동을 통해 해결해야 한다고 주장하는 것으로서, 한 진술 속에서 서로 모순된 명제가 나타나는 자기모순이라 할 수 있다.

[오답 풀이]

② 호르크하이머는 계몽된 현대 사회에서 이성이 '자기 보존'을 최고의 목적으로 설정함에 따라 이성 자체가 도구화되고 인간에 의한 인간 지배가 진행된다고 보고, 내 · 외적 자연에 대한 인간의 억압을 통해 사회적 억압 구조를 설명한다. 이때 자연에 대한 인간의 억압은 인간의 본래적 특성보다 사회가 계몽됨에 따라 생겨난 인간 사이의 관계에서 비롯된 것이라 하였으므로, 호르크하이머가 개인적인 심리적 병리 현상으로부터 사회적 억압 구조를 설명한다고 볼 수는 없다. 따라서 호르크하이머가 일부 제한된 집단에서 관찰하거나 경험한 개인적이고 개별적인 심리 병리 현상으로부터 사회 전체에 대한 판단을 이끌어 내어 사회적 억압 구조라는 일반화된 결론을 도출하는 식의 오류를 범했다고 할 수 없다.

③ 호르크하이머는 계몽된 현대 사회에서 자연이 자기 보존의 수단으로 전락하게 됨에 따라 이성 자체가 도구화됨으로써 비판 능력이 없는 추상적 자아만 보존되며, 이로써 자연을 지배하게 된 인간은 결국 자연으로부터 인간을 해방시키기보다는 인간에 의하여 지배받게 된다고 비판한다. 그리고 억압된 자연을 해방시키기 위해서는 이성이 먼저 비판적 사유를 통해 인간과 자연의 관계를 자각해야 한다고 주장한다. 이를 통해 호르크하이머가 자연을 자기 보존의 수단으로 간주하는 도구적 이성을 비판하면서, 자연을 억압하는 주체인 이성의 비판적 사유를 그 해결책으로 제시하고 있다는 것을 알 수 있다. 따라서 호르크하이머가 자연 중심 사상을 가지고 이성을 격하하는 자기기만을 하였다고 할 수는 없다.

④ 호르크하이머는 인간이 자연을 기계처럼 다루듯이 자기 자신도 도구적 이성에 의해 작동되는 기계처럼 다룸으로써 내적 자연을 철저히 억압해야 하고, 그것에 성공하게 되면 그렇게 하지 못한 다른 사람을 지배한다고 본다. 그런데 이때 자연이 기계처럼 작동하지 않는다는 것을 가정하더라도, 인간이 도구적 이성으로 무장한 추상적 자아에 의해 자연을 기계처럼 다룸으로써 내 · 외적 자연을 억압하게 된다는 결론을 도출하는 데는 아무런 문제가

없다. 어떠한 명제를 부정하였음에도 논증의 결과가 문제없이 도출된다면, 그 명제가 가정되어 있지 않다는 것을 알 수 있다. 따라서 호르크하이머가 인간이 자연을 억압한다는 주장에 자연이 기계처럼 작용한다는 명제를 가정하였다고 할 수는 없다.

⑤ 지문에 따르면, 계몽이란 인간이 자기 보존을 위해 도구적 이성을 사용하여 자연으로부터 해방되는 과정이며, 호르크하이머는 계몽을 통해 자연으로부터 해방된 인간이 결국에는 인간을 억압하게 된다고 비판한다. 이때 호르크하이머의 비판은 계몽의 결과에 대한 비판이라 볼 수 있으므로, '계몽'이라는 논점에서 일탈하고 있다고 할 수는 없다.

[8~10] 제재 | 수동형 RFID 시스템
난이도 | ★★☆

8. 정답 ①　난이도 ★☆☆

내용영역 과학기술　문항 유형 분석

[정답 풀이]

① 4문단에서 '수동형 RFID 시스템'의 암호화 방법은 태그에 담긴 정보의 내용을 보호할 수는 있지만, 태그가 움직이는 경로를 노출시킬 수 있다고 하였다. 따라서 암호화 방식만으로는 태그의 이동 경로가 노출되는 것을 방지할 수 없다는 것은 시스템의 특징으로 적절하다.

[오답 풀이]

②,⑤ 1문단에서 '수동형 RFID 시스템'은 리더가 형성한 전자기장에 태그가 들어가면 코일에 전기가 유도되고 이 전력에 의해 칩에 담긴 데이터가 리더로 전송되는 방식을 사용하므로, 태그와 리더의 직접적인 접촉 없이도 태그에 담긴 정보를 읽을 수 있으며 배터리 교환 등 유지 보수 문제가 없고 소형으로 제작이 가능하다고 하였다. 따라서 태그에서 정보를 읽어 내기 위해서는 반드시 전자기장이 발생해야 하며(②), 비접촉 방식이기 때문에 사용하기가 편리하다(⑤)는 것은 시스템의 특징으로 적절하다.

③ 2문단에서는 여러 개의 태그가 동시에 리더의 통신 영역으로 들어오더라도 각 태그가 송신하는 정보가 얽히지 않도록 하는 '수동형 RFID 시스템'의 알고리즘이 개발되었으며, 이 방법을 적용하면 리더의 통신 영역 내에 있는 모든 태그의 정보를 거의 동시에 읽을 수 있다고 하였다. 따라서 하나의 리더로 여러 태그의 정보를 동시에 처리할 수 있다는 것은 시스템의 특징으로 적절하다.

④ 지문에 따르면, '수동형 RFID 시스템'에서 태그의 전원은 리더의 전자기장에 의존하기 때문에 허용 전력에 제한이 많은데(1문단), 많은 전력을 공급하기 위해 리더의 전자기장 세기를 증가시키면 이웃한 리더와 간섭이 생기는 문제점이 발생할 수 있다(5문단). 이를 통해 태그에 많은 전력을 공급하기 위해서는 리더의 전자기장 세기를 증가시켜야 한다는 것을 알 수 있다. 그리고 이는 곧 '수동형 RFID 시스템'에서 전자기장의 세기를 증가시키면 태그의 허용 전력이 커진다는 것을 의미한다.

9. 정답 ③　난이도 ★☆☆

내용영역 과학기술　문항 유형 추론

[정답 풀이]

㉡ 전자기장을 이용하기 때문에 통신 영역 내에 있는 모든 태그의 정보가 리더에게 전달되어 ⓐ와 같은 문제가 발생하는 것이다. 만약 정보가 전달되기를 원하지 않는 태그의 경우는 작동을 불능화하여 리더에 허용된 태그의 정보만 전달되게 함으로써 ⓐ를 막을 수 있을 것이다.

㉢ 신용 카드나 신분증에 RFID 시스템이 도입되면 상품 정보 확인뿐만 아니라 지불과 서명까지 동시에 진행될 수 있는데, 통신 영역 내에 있는 모든 태그 정보가 리더에게 전달되기 때문에 ⓐ와 같은 문제가 발생한다고 하였다. 그리하여 신분증이나 신용 카드 등의 용도로 태그가 사용될 때는 리더의 정보 접근을 차등화할 필요가 있다(3문단). 만약 리더의 종류에 따라 읽을 수 있도록 허용된 내용의 범위가 다르다면, 선별적으로 필요한 정보를 전달함으로써 ⓐ를 막을 수 있는 것이다. 이때 ㉢은 이러한 방법을 적용하기 위해 선행되어야 하는 것이라고 하였으므로, ⓐ를 막는 방안이라 할 수 있다.

[오답 풀이]

㉠ 2문단에 따르면, 두 개 이상의 태그가 동시에 리더의 통신 영역으로 들어오면 각 태그가 송신하는 정보가 얽히는 것을 해결하기 위하여 ㉠에서와 같은 알고리즘이 개발되었고, 이를 적용함으로써 통신 영역 내에 있는 모든 태그 정보가 리더에게 전달되어 ⓐ와 같은 문제가 발생한다. 즉, ㉠은 ⓐ의 발생 원인이 되기도 하므로 ⓐ를 막기 위한 방안이라 할 수 없다.

㉣ 4문단에 따르면, ㉡에서와 같이 태그를 초소형으로 만들어 사람의 몸에 이식하는 것은 태그의 물리적 분실이나 도난을 방지하기 위한 방법이다. 태그의 물리적 분실이나 도난을 막을 수 있게 되면, 칩에 들어 있는 공유키가 노출되어 타인이 그 암호를 읽음으로써 태그의 현재와 과거 행적을 알아내는 일은 거의 발생하지 않을 것이다. 하지만 태그의 이동 경로가 노출되는 것은 리더의 통신 영역 내에 있는 모든 태그 정보가 동시에 읽혀 자신도 모르는 사이에 정보가 노출되는 것과는 다른 문제이므로, ㉣은 ⓐ을 막기 위한 방안이라 할 수 없다.

10. 정답 ⑤　난이도 ★★☆

내용영역 과학기술　문항 유형 창의

[정답 풀이]

<보기>의 '가치 교환의 문제'는 특정 시스템 내에서 서로 다른 기술적 특성이 서로 충돌하여 각각의 기술적 가치를 동시에 추구할 수 없을 때 발생한다. 즉 기술 A를 통해 a라는 가치를 얻게 되면 이로 인해 b라는 가치가 훼손되고, 기술 B를 통해 b라는 가치를 추구하게 되면 a라는 가치를 포기해야 하는 것이다. 이때 가치 a와 가치 b는 서로 교환될 수밖에 없는 관계에 놓인다.

예비시험

⑤ 수동형 RFID 시스템에서 태그에 여러 기능을 넣기 위해서는 부가 회로가 필요하고 이에 따라 칩의 크기와 전력 소모가 커진다(5문단). 이는 전력 소모를 줄이고자 부가 회로를 줄이면 태그에 여러 기능을 넣을 수 없게 됨을 의미한다. 이때 '태그에 여러 기능을 넣는 것'과 '전력 소모를 줄이는 것'은 〈보기〉의 '화학 공정의 속도를 높이는 것'과 '불순물의 양을 줄이는 것'에 대응되며, 이는 시스템의 기술적 특성으로 인하여 발생하는 서로 다른 두 가지 가치를 동시에 이끌어내지는 못하는 '가치 교환의 문제'에 해당한다고 볼 수 있다.

[오답 풀이]

① '공유키의 노출'과 '암호의 노출'이 '가치 교환의 문제'에 해당하기 위해서는 암호화 방법이라는 시스템 내에서 '공유키의 노출 방지'와 '암호의 노출 방지'라는 두 가치를 동시에 추구할 수 없어야 한다. 즉 공유키의 노출을 방지하면 암호의 노출을 막을 수 없다든지, 암호의 노출을 방지하면 공유키가 노출될 수밖에 없다든지 해야 하는 것이다. 그런데 공유키가 노출되어 암호가 노출된다면(4문단), 이는 공유키의 노출을 막음으로써 암호의 노출도 막을 수 있음을 의미한다. 이 경우 '공유키의 노출 방지'와 '암호의 노출 방지'라는 두 가치를 동시에 추구할 수 있게 된다. 따라서 '공유키의 노출'과 '암호의 노출'은 서로 다른 기술적 특성이 충돌하는 사례에 해당한다고 볼 수 없다.

② 칩에 담겨 있는 데이터는 전자기장에 의해 리더로 전송되므로, 리더의 전자기장 세기를 증가시키면, 리더의 통신 가능 영역이 넓어질 수 있다(1문단). 따라서 '리더의 전자기장 세기 증가'와 '통신 가능 영역 확대'는 둘 가운데 하나의 가치를 취함으로써 나머지 하나의 가치를 포기해야 하는 '가치 교환의 문제'에 해당하지 않는다. 지문에 제시된 내용에 따르면 '전자기장 세기'와 상충 관계에 있는 것은 '이웃한 리더의 간섭도'가 될 것이다(5문단).

③ 수동형 RFID 시스템 내에서 '리더 설치'와 '태그 정보 노출'은 이 가운데 하나와 관련된 가치를 선택하는 순간, 자연히 나머지 하나와 관련된 가치를 놓칠 수밖에 없는 관계에 놓여 있지 않다. 악의적인 리더 설치가 없는 상황에서도 다른 여러 요인으로 인하여 태그 정보는 노출될 수 있으며, 태그 정보가 노출되지 않게 하여도 악의적으로 리더가 설치된 경우는 있을 수 있기 때문이다. 뿐만 아니라 리더가 악의적으로 설치된 것은 시스템의 기술적 특성으로 인해 필연적으로 발생하는 결과라고 보기 어렵다.

④ '보안성 강화'와 '윤리적 문제 발생'은 수동형 RFID 시스템 내에서 서로 다른 기술적 특성이 충돌한 결과라고 보기 어렵다. '윤리적 문제'는 시스템 내의 기술적 특성이 아니라 인체에 태그를 삽입한다는 기술적 특성으로 인하여 발생할 수 있는 시스템 외적 영역의 문제인 것이다.

[11~13] 제재 | 영화, <리버티 밸런스를 쏜 사나이>
난이도 | ★☆☆

11. 정답 ④ 난이도 ★☆☆

내용영역 인문 문항 유형 분석

[정답 풀이]

④ 변호사 사무실을 열어 리버티의 법적 기소를 꾀하려 했던 랜스는 리버티 일당에 의한 피바디 살인 미수 사건이 벌어지자 법의 무력함을 절감하고 결투를 통해 리버티를 쏘아 죽인다. 이는 랜스가 법이 아니라 힘의 논리에 따라 문제를 해결하려 한 것으로, 영웅 시대의 법칙을 따른 것이라 할 수 있다. 랜스는 인간의 시대를 대변하는 인물이지만 그가 인간의 시대의 법칙을 철저히 지켰다고 할 수는 없다.

[오답 풀이]

① 비코는 법제도가 이성적 · 객관적 실체로서 정의를 실현하는 근대적 단계와 개인의 감정과 물리적 힘이 최종심급이었던 야만의 단계를 각각 '인간의 시대'와 '영웅 시대'로 나누어 부른다. 마을에 나타나 온갖 행패를 부리는 무법자 리버티는 법이 아닌 힘의 논리에 바탕하고 있는 인물이라는 점에서 철저히 영웅시대의 법칙에 따라 사는 인물이라 할 수 있다.

② 피바디는 지식인으로서 '신본 스타'라는 신문사를 통해 근대적 이념을 전파하려 한다는 점에서 인간의 시대를 지향한다. 하지만 주민 대부분이 문맹인 그곳에서 무력감만 느낀다는 점에서 영웅 시대의 위력 앞에 한계를 느끼는 인물이다.

③ 보안관은 리버티의 무력을 통제하지 못하고 오히려 리버티의 질서에 이끌려 가는 소인배이다. 법의 수호자여야 함에도 리버티로부터 법을 수호하지 못하는 보안관은 인간의 시대를 형식적으로 대변하지만 영웅 시대에 순응하는 인물이라 할 수 있다.

⑤ 리버티를 이길 수 있는 것은 총뿐이라 믿었던 톰은 영웅의 시대 법칙을 따라 리버티를 쏘아 죽인다. 리버티의 사망이 영웅 시대의 종말과 인간의 시대의 도래를 상징적으로 나타낸다고 볼 때 톰은 영웅 시대의 법칙에 따름으로써 역설적으로 인간의 시대의 도래를 앞당긴 인물이라 할 수 있다.

12. 정답 ③ 난이도 ★★☆

내용영역 인문 문항 유형 분석

[정답&오답 풀이]

㉠은 갈등 관계에 있는 두 대립적 가치, 즉 톰과 랜스가 각기 상징하는 영웅 시대와 인간의 시대에 대한 포드 감독의 지향을 가리킨다. 상징적 가치가 다른 두 인물 모두에 투영된 감독의 애정은 대비되는 시대에 대한 감독의 이중적 지향을 보여준다. 이러한 내용을 담고 있는 선택지는 ③번으로, 성격이 전혀 다른 두 사람에 대한 동시적인 미련은 성격이 전혀 다른 두 시대의 삶의 방식에 대한 동시적 애정을 반영한 것이라 할 수 있다. 나머지 선택지에 언급된 것들은 감독이 지향하는 두 가지 가치와 대응하지 않는다.

13. 정답 ⑤ 난이도 ★★☆

내용영역 인문 문항 유형 창의

[정답 풀이]

⑤ [B]의 관점은 예술적 이미지는 피상적 접근만으로는 판독될 수 없는 심층적 내용을 담고 있다고 본다. 작품에는 작가의 심층 의식, 사상, 가치관, 세계관 등은 물론 예술 자체의 정체성에 대한 생각까지도 예술적 장치 안에 숨겨져 있는 경우가 있기 때문에, 예술적 이미지는 육안으로 보는 대상에 그치지 않는, 심안으로 읽어야 할 일종의 텍스트이다. 즉 작품과 직·간접적으로 연관된 선이해가 갖춰져야 한다는 것이다. <요셉과 멋진 색동옷>은 구약성서에서 소재를 빌려와 작품에 대한 선이해가 전혀 없는 것이 아님에도 다양한 음악 양식의 활용이 주는 감각적 판단에만 주목함으로써, 작품에 담겨 있는 심층 의식, 사상, 가치관, 세계관, 예술 자체의 정체성에 대한 작가의 생각 등을 파악하는 데까지 나아가지 못하고 있다. 따라서 [B]의 관점에 따라 감상한 것이라 할 수 없다.

[오답 풀이]

① 다빈치의 생애에 대한 선이해를 바탕으로 <성안나와 성모자>에 담겨 있는 다빈치의 심층 의식을 파악하고 있으므로 [B]의 관점에 따라 예술 작품을 감상한 것이라 할 수 있다.

② <마술 피리>가 함축하고 있는 정치 이념을 읽어냄으로써 모차르트의 세계관을 파악하고 있으므로 [B]의 관점에 따라 예술 작품을 감상한 것이라 할 수 있다.

③ <젊은 베르테르의 슬픔>의 통속적 줄거리에 담겨 있는 낭만주의적 인간학을 포착해냄으로써 작가의 가치관을 파악하고 있으므로 [B]의 관점에 따라 예술 작품을 감상한 것이라 할 수 있다.

④ <4분 33초>라는 작품이 시사하는 바와 의미를 발견해냄으로써 예술 자체의 정체성에 대한 존 케이지의 생각을 파악하고 있으므로 [B]의 관점에 따라 예술 작품을 감상한 것이라 할 수 있다.

[14~15] 제재 | 신제품 개발에서의 압축 전략과 경험 전략
난이도 | ★☆☆

14. 정답 ⑤ 난이도 ★☆☆

내용영역 사회 문항 유형 분석

[정답 풀이]

⑤ 경험 전략은 '확실성보다는 불확실성에 대한 대응이고, 선형적이기보다는 반복적이고, 기획적이기보다는 경험적'인 접근 방식이다. 제품 개발을 가속화하기 위하여 계획하기 과정에서 불필요한 단계를 제거하고, 활동을 효율적인 순서로 배열하여 의사소통과 업무 조정에 드는 시간을 줄이는 것은 압축 전략의 특징에 해당한다. 따라서 개발 활동 내용을 순차적으로 배열하여 효율성을 제고하는 것은 경험 전략의 특징이라 할 수 없다.

[오답 풀이]

① 경험 전략은 '명확하지 않고 변화하는 환경에 대처하기 위해서는 직관력을 키우고 유연한 선택 대안을 구사해야 한다'고 보기 때문에, 즉각적으로 결정하기, 유연성 등을 중시한다. 따라서 즉각적이고 유연한 판단으로 대안을 결정하는 것은 경험 전략의 특징이라 할 수 있다.

② 경험 전략은 '즉각적으로 결정하기, 실시간 교류와 경험, 유연성 등을 중요시'하며, '빈번한 이정표 관리, 강력한 리더 배치 등을 활용함으로써 제품 개발을 가속화'하고자 한다. 따라서 실시간적 교류 활동으로 제품 개발을 가속화하는 것은 경험 전략의 특징이라 할 수 있다.

③ 경험 전략은 '반복을 통해 신제품 개발 속도를 빠르게 할 수 있다고 보아 시제품 제작을 통해 제품 설계를 가속화시킬 것을 주장'하며, 이 전략에서 이정표 관리는 '변화하는 시장이나 기술에 대한 대응을 점검해서 반복과 시험으로 인해 무질서해질 수 있는 개발 활동들을 조정하는 기능'을 한다. 따라서 반복 설계와 시험을 통해 학습된 경험을 활용하는 것은 경험 전략의 특징이라 할 수 있다.

④ 경험 전략에서 이정표 관리는 사전에 계획되는 것은 아니나, 공식적인 평가로서 수시로 현재 진행 상황을 재평가하여 코스를 이탈하는 행동을 막는 기능을 한다. 따라서 진행 상황에 대한 공식적 점검을 수시로 실행하는 것은 경험 전략의 특징이라 할 수 있다.

15. 정답 ① 난이도 ★☆☆

내용영역 사회 문항 유형 분석

[정답 풀이]

① 압축 전략은 제품 개발의 각 단계에서 걸리는 시간을 단축하여 제품 개발을 가속화할 수 있다고 보며, 이와 달리 경험 전략은 반복을 통해 신제품 개발 속도를 빠르게 할 수 있다고 보아 시제품 제작을 통해 제품 설계를 가속화할 것을 주장한다. 즉, 두 전략은 모두 현실적으로 시장에 제품을 내놓는 속도를 빠르게 하는 방법을 제시하고 있다. 따라서 개발에 허용된 시간은 제품 개발 전략을 선택할 때 고려해야 할 조건이라 볼 수 없다.

[오답 풀이]

② 압축 전략에서는 제품을 개발하는 일련의 단계들을 명확히 확립하고 분석하며, 계획하기 과정에 많은 시간을 할애하여 불필요한 단계를 제거하고 활동을 효율적인 순서로 배열한다. 이와 달리 경험 전략은 불확실한 환경을 재빨리 학습하고 환경 변화에 따라 유연하게 대응하기 위하여 즉각적으로 결정하기, 실시간 교류와 경험, 유연성 등을 중요시한다. 즉, 두 전략은 제품을 개발할 때 계획을 수립하는 과정에 두는 비중이 다르다. 따라서 계획 수립의 용이성은 제품 개발 전략을 선택할 때 고려해야 할 조건이라 볼 수 있다.

③ 압축 전략은 예측이 가능한 단계들로 구성된 제품 개발 과정을 단축할 수 있다는 특성이 있다. 이와 달리 경험 전략은 많은 반복과 시험 활동을 통해 제품 설계를 가속화시킬 것을 주장하므

로, 시장 상황이 불투명하거나 첨단 기술을 적용해야 하는 불확실한 상황에서 선택된다. 따라서 진출하려는 시장의 상황은 제품 개발 전략을 선택할 때 고려해야 할 조건이라 볼 수 있다.

④ 압축 전략은 다부서 팀을 가동함으로써 여러 부서의 협력이 공고해질수록 개발 과정이 빨라질 수 있으나, 경험 전략은 팀 구성원들이 수없이 많은 반복과 시험 활동 때문에 큰 그림을 잃지 않도록 강력한 리더가 통제를 해야 개발 과정에 지연이 발생하지 않는다. 즉, 두 전략은 제품 개발을 가속화하기 위하여 필요로 하는 인적 역량이 각기 다르다. 따라서 기업이 보유한 인적 역량은 제품 개발 전략을 선택할 때 고려해야 할 조건이라 볼 수 있다.

⑤ 압축 전략은 협력 업체의 전문 기술을 활용하여 제품 개발 단계를 간소화하고 개발팀은 핵심적인 업무에 더욱 전념하게 한다. 이와 달리 경험 전략은 첨단 기술을 적용해야 하는 불확실한 상황에서 선택되며, 이정표 관리를 통하여 변화하는 시장이나 기술에 대한 대응을 점검해서 개발 활동들을 조정한다. 따라서 제품에 적용될 기술의 특성은 제품 개발 전략을 선택할 때 고려해야 할 조건이라 볼 수 있다.

[16~18] 제재 | 도스토예프스키, 「죄와 벌」
난이도 | ★☆☆

16. 정답 ④ 난이도 ★☆☆

내용영역 인문 | 문항 유형 분석

[정답 풀이]

④ 라스콜리니코프는 소냐에게 리자베타가 죽던 날의 정황을 이야기하고, 소냐에게 그 범인을 맞히게 함으로써 자신이 범인임을 암시한다. 그러자 소냐는 이내 라스콜리니코프가 리자베타를 죽인 범인임을 알아차리게 되고, 이후 그는 '이런 식으로 털어놓으리라고는 정말로 전혀 생각치 못했는데 결국은 그렇게 되어 버리고 말았다'고 생각한다. 이때 '결국은 그렇게 되어 버리고 말았다'는 것은 라스콜리니코프가 미처 생각하지 못했던 방식으로 소냐에게 자신이 리자베타를 죽인 범인임을 털어놓게 되었다는 것을 의미한다. 그러므로 ㉣은 '미처 생각하지 못했던 방식으로 소냐에게 자신이 범인이라는 사실을 털어놓게' 된 것을 의미한다고 볼 수 있으며, 이는 '리자베타를 죽인 범인과 그 사건의 정황'을 의미하는 ㉠, ㉡, ㉢, ㉤과는 다른 것이다.

[오답 풀이]

① 라스콜리니코프가 소냐에게 누가 리자베타를 죽였는지 알려주겠다고 하자, 소냐는 대체 어떻게 당신이 리자베타를 죽인 사람이 누구인지를 아느냐고 묻는다. 그리고 잠시 침묵이 흐른 뒤 소냐는 사람들이 그 남자를 찾아냈기 때문에 알게 된 것이냐고 묻는다. 이에 대해 라스콜리니코프가 찾아내지는 못했다고 대답하자 소냐는 거듭하여 '그럼 대체 당신은 어떻게 그것에 대해서 아신다는 거죠?'라고 묻는다. 문맥의 흐름을 통하여, 이는 앞에서 대체 당신은 어떻게 리자베타를 죽인 사람을 아느냐고 물었던 것과 같은 의미의 질문임을 알 수 있다. 그러므로 ㉠은 '리자베타를 죽인 범인과 그 사건의 정황'을 의미한다고 볼 수 있다.

② 라스콜리니코프는 리자베타가 죽임을 당한 사건의 윤곽을 말해주면서 소냐에게 범인을 맞혀볼 것을 요구한다. 라스콜리니코프가 '이래도 맞히지 못하겠어?'라고 하며 재촉을 하자, 소냐는 차츰 리자베타를 죽인 범인이 라스콜리니코프임을 알아차린다. 그럼에도 그녀는 절망적인 눈초리로 라스콜리니코프를 쳐다보며 그가 범인이 아니라는 희망을 가져보고자 하지만, 모든 게 그의 말 그대로였기 때문에 의심의 여지가 없었다. 이때 그의 말 그대로였다는 것은 '리자베타를 죽인 범인과 그 사건의 정황'에 대한 라스콜리니코프의 말이 모두 그대로 사실이었다는 것을 의미한다. 그러므로 ㉡은 ㉠과 같이 '리자베타를 죽인 범인과 그 사건의 정황'을 의미한다고 볼 수 있다.

③ 라스콜리니코프는 리자베타가 죽던 당시의 정황을 소냐에게 설명하며, 자신이 리자베타를 죽인 범인임을 암시한다. 그리고 소냐는 라스콜리니코프가 리자베타를 죽인 범인임을 예감하고 있었다고 말할 수는 없었음에도 마치 그랬던 것처럼 그 사실에 아무 의심의 여지도 없다는 사실을 대뜸 파악하게 된다. 이때 그가 그녀에게 말한 사실은 '자신이 리자베타를 죽인 범인임을 암시해주는 사건의 정황'이다. 그러므로 ㉢은 ㉠, ㉡과 같이 '리자베타를 죽인 범인과 그 사건의 정황'을 의미한다고 볼 수 있다.

⑤ 소냐는 라스콜리니코프가 리자베타를 죽인 범인임을 알게 된 후에도, 그의 목에 매달려 두 손으로 꼭 껴안았다. 그러자 라스콜리니코프는 '내가 그것에 대해 얘기했는데도 끌어안고 키스를 해주다니. 당신 아마 지금 제정신이 아닌가 보군.'이라고 한다. 하지만 소냐는 '이 순간 세상에서 당신보다 더 불행한 사람은 없어요!'라고 말하며 그의 마음을 부드럽게 해 준다. 이때 라스콜리니코프가 얘기한 '그것'은 '자신이 리자베타를 죽인 범인임을 암시해주는 사건의 정황'이다. 그러므로 ㉤은 ㉠, ㉡, ㉢과 같이 '리자베타를 죽인 범인과 그 사건의 정황'을 의미한다고 볼 수 있다.

17. 정답 ⑤ 난이도 ★★☆

내용영역 인문 | 문항 유형 분석

[정답 풀이]

⑤ 소냐가 라스콜리니코프의 목에 매달려 그를 두 손으로 꼭 껴안자, 그는 서글픈 웃음을 띠며 자신의 범행 사실을 알게 된 후에도 끌어안고 키스를 해주는 소냐에게 이상한 여자라고 이야기한다. 그러자 소냐는 '이 순간 세상에서 당신보다 더 불행한 사람은 없어요!'라고 외치며 흐느껴 울기 시작한다. 그리고 이러한 소냐의 행동으로 라스콜리니코프는 한 번도 경험하지 못했던 감정이 밀려와 마음을 부드럽게 해주는 것을 느끼고, 한 가닥 희망을 가진 채로 소냐에게 '그럼, 당신은 날 버리지 않을 거지, 소냐?'라고 묻는다. 이를 통하여 라스콜리니프가 소냐에게 감동한 것은 그녀가 자신의 범행 사실을 알게 된 후에도 오히려 자신을 불쌍히 여겨주며 자신의 곁을 떠나지 않을 것 같다는 느낌을 받았기 때문임을 알 수 있다. 소냐가 라스콜리니코프의 범행 동기를 이해하였는지, 혹은 라스콜리니코프가 범행 동기를 이해받았다는 점 때문에 소냐에게 감동했는지를 확인할 수 있는 내용은

제시되고 있지 않다. 따라서 '라스콜리니코프'는 '소냐'가 그를 불행하다고 말하며 울음을 터뜨리자 자신의 범행 동기가 이해되었다고 생각하고 감동을 느낀다고 할 수 없다.

[오답 풀이]

① 라스콜리니코프는 소냐에게 리자베타가 죽던 날의 상황을 말해주고, 그 범인이 누구인지를 맞혀보도록 함으로써 자신의 범행 사실을 소냐가 알도록 유도한다. 그 과정에서 그는 일그러지고 힘없는 미소를 띠며 '어디 맞혀 봐.'라고 말하고, 마치 종루에서 아래로 몸을 던지는 기분으로 '이래도 맞히지 못하겠어?'라고 묻는다. 이를 통하여 라스콜리니코프는 자신이 범인임을 밝히는 과정에서 그러한 자신의 행위에 대하여 자괴감과 절망감을 느끼고 있음을 알 수 있다. 따라서 '라스콜리니코프'는 그의 범행 사실을 '소냐'가 알도록 유도해 가면서도 그런 자신의 행위에 대해 자괴감과 절망감을 느낀다고 할 수 있다.

② 라스콜리니코프가 자신이 리자베타를 죽인 범인임을 암시함으로써 차츰 소냐는 그가 범인일지도 모른다고 생각하게 되고, 이로 인해 그녀가 느끼는 공포감이 그에게도 갑자기 전해졌다. 이를 통하여 소냐는 라스콜리니코프의 범행 사실을 알게 되면서 공포감을 갖게 된다는 것을 알 수 있다. 따라서 '소냐'는 '라스콜리니코프'의 암시에 따라 그가 범인일지도 모른다고 생각하게 되면서 공포를 느낀다고 할 수 있다.

③ 소냐는 리자베카를 죽인 범인이 라스콜리니코프임을 거의 확신한 후에도, 최후의 절망적인 눈초리로 그의 얼굴을 응시하며, 한 가닥 희망이나마 발견하여 그것을 잡아 브고자 한다. 그러자 라스콜리니코프는 '됐어, 소냐, 이제 됐다고! 날 괴롭히지 말아 줘!'라고 고통스럽게 부탁한다. 이를 통하여 자신의 범행 사실을 믿지 않으려 하는 소냐의 눈빛에 라스콜리니코프가 괴로워하고 있음을 알 수 있다. 따라서 '라스콜리니코프'는 '소냐'가 범행 사실을 안 다음에도 그것을 믿지 않으려 애쓰는 표정을 짓자 괴로움을 느낀다고 할 수 있다.

④ 소냐는 라스콜리니코프가 리자베카를 죽였다는 사실을 알게 된 후, '아 어쩌자고, 어쩌자고 당신은 그런 짓을 했어요!'라고 절망적으로 외치더니 훌쩍 일어나 그의 목에 매달려 두 손으로 꼭 껴안았다. 그리고는 라스콜리니코프에게 '이 순간 세상에서 당신보다 더 불행한 사람은 없어요!'라고 하며 흐느껴 울기 시작한다. 이를 통하여 소냐는 라스콜리니코프의 범행 사실을 알게 된 후에, 절망감을 느낌과 동시에 라스콜리니코프를 블쌍히 여기는 마음을 갖게 된다는 것을 알 수 있다. 따라서 '소냐'는 범행 사실을 확인한 상태에서 절망감과 함께 '라스콜리니코프'에 대한 강렬한 동정심을 느낀다고 할 수 있다.

18. 정답 ④ 난이도 ★☆☆

내용영역 인문 문항 유형 추론

[정답 풀이]

④ <보기>에 의하면, 제시된 작품의 작가는 살인 행위에 필연적으로 따르는 정신적 고통이 ⓓ를 통하여 해결 가능한 길로 들어설 수 있다고 보았다. 제시된 부분에서 라스콜리니코프는 소냐가 자신의 범죄 사실을 알도록 하는 과정을 거침으로써 양심적인 태도를 보였다. 또한 라스콜리니코프는 자신의 범죄 사실을 알게 된 후에도 그가 불행한 사람이라고 말하며 흐느껴 우는 소냐의 모습을 통하여 일찍이 한 번도 경험하지 못했던 감정을 느끼고 마음이 부드러워지는 경험을 한다. 그리고는 한 가닥 희망을 가지고 소냐에게 자신을 버리지 않을 것이냐고 묻는다. 이는 라스콜리니코프가 사랑과 양심의 차원에서 자신의 범죄 행위를 대함으로써 정신적 고통을 해결하는 길에 들어서게 되었음을 보여주는 것이다. 따라서 제시된 글에서는 '자신의 행위를 사랑과 양심의 차원에서 대하는 태도'가 드러난다고 할 수 있다.

[오답 풀이]

① <보기>에 의하면, 제시된 작품의 작가는 ⓐ와 같은 태도에 대해서 비판적 입장을 취했다. 하지만 제시된 부분에는 라스콜리니코프가 살해한 노파나 리자베타가 사회에 무익한 자였는지, 그리고 라스콜리니코프가 노파나 리자베타의 재물을 사회적으로 유용한 일에 사용하였는지 등에 관한 내용이 언급되지 않았다. 따라서 제시된 글에서 '사회에 무익한 자를 제거하고 그의 재물을 사회적으로 유용한 일에 사용하는 행위를 휴머니즘의 차원에서 판단하려는 태도'가 드러난다고 할 수는 없다.

② <보기>에 의하면, 제시된 작품의 작가는 ⓑ와 같은 생각에 대해서 비판적 입장을 취했다. 하지만 제시된 부분에는 라스콜리니코프가 비범한 인간이었는지, 그리고 그의 범죄 행위가 대의를 위해 한 행동이었는지 등에 관한 내용이 언급되지 않았다. 따라서 제시된 글에서 '비범한 인간들이 대의(大義)를 위해 한 행동은 평범한 인간들의 가치 판단에 구속되지 않는다는 생각'이 드러난다고 할 수는 없다.

③ <보기>에 의하면, 작가는 제시된 작품을 통하여 ⓒ와 같은 태도 자체가 모순임을 보여주고자 하였다. 제시된 부분에는 라스콜리니코프가 언니인 노파를 죽이려고 하였던 동기가 언급되어 있지 않으며, 리자베타를 죽이게 된 동기는 설명하고 있으나 그 내용이 논리적으로 제시되었다고 보기도 어렵다. 따라서 제시된 글에서 '사람을 죽이는 행위의 동기를 논리적으로 설명하려는 태도'가 드러난다고 할 수는 없다.

⑤ <보기>에 의하면, 제시된 작품의 작가는 살인 행위에 따르는 정신적 고통을 해결하는 것과 관련하여 ⓔ를 강조하였다. 하지만 제시된 부분에서는 라스콜리니코프가 사랑과 양심의 차원에서 자신의 살인 행위를 대함으로써 정신적 고통을 해결하는 길로 들어서는 내용만 드러나고 있으며, 신의 섭리에 의존하여 궁극적으로 그 고통을 해결하는 내용은 제시되어 있지 않다. 따라서 제시된 글에서 '궁극적인 해결은 신의 섭리에 의존함으로써만 가능하다는 점'이 드러난다고 할 수는 없다.

[19~21] 제재 | 지상과 상층에서의 오존 생성과 파괴
난이도 | ★★☆

19. 정답 ② 난이도 ★☆☆

(내용영역) 과학기술 (문항 유형) 분석

[정답 풀이]

② 오존층 파괴는 이산화탄소와 함께 주요 온실 기체로 분류되고 있는 프레온 가스에 주로 기인한다(3문단). 대기 중에 온실 기체 농도가 증가하면 대류권에서는 온실 기체가 기온 상승을 가져온다(5문단). 따라서 프레온 가스는 오존층을 파괴하고 지구 온난화를 유발한다.

[오답 풀이]

① 질소와 산소는 상층 대기의 오존 발생에 촉매로 작용한다(3문단). 지상 오존 발생에 촉매로 작용하는 것은 질소나 산소가 아니라 탄화수소이다(2문단).

③ 프레온 가스는 화학적으로 매우 안정하여 대류권 내에서는 햇빛에 노출되어도 분해되지 않는다. 장시간 대기 대순환 과정을 통해 지구 대기 전역으로 확산된 프레온 가스는 성층권까지 상승하여 자외선에 의해 분해되어 오존을 파괴한다. 따라서 프레온 가스가 방출된 지역의 상층에서 오존층을 파괴한다고 볼 수 없다(3문단).

④ 성층권에서는 산소 분자가 자외선을 받아 산소 원자로 분해되고 분해된 산소 원자가 다른 산소 분자와 결합하여 오존을 생성한다. 즉 성층권에서 오존을 만드는 산소 원자는 산화염소가 분해되어 생성되는 것이 아니라 산소 분자가 분해되어 생성된 것이다. 성층권에서 산화염소는 산소 원자와 화학 반응하여 염소 원자로 돌아감으로써 오존을 파괴하는 역할을 한다(3문단).

⑤ 성층권은 대류권과 달리 상층일수록 기온이 높다. 그런데 오존은 성층권의 최하층에 대부분 존재한다(3문단). 그러므로 성층권에서 오존 농도가 가장 높은 고도와 기온이 가장 높은 고도는 일치할 수 없다. 성층권에서 기온이 가장 높은 고도는 최상층이지만, 오존 농도가 가장 높은 고도는 최하층이다.

20. 정답 ① 난이도 ★★☆

(내용영역) 과학기술 (문항 유형) 추론

[정답&오답 풀이]

- 도시 지상 오존 농도 : 지상에서 오존은 연료의 연소 과정에서 배출된 질소 산화물이 강한 태양 광선을 받아 화학반응을 일으켜 생성되므로 태양 광선을 받는 정도에 따라 오존 농도가 변화할 것이다. 따라서 도시의 지상 오존 농도는 태양 광선이 가장 강한 낮 시간대에 가장 높고 태양 광선이 약한 아침과 저녁 시간대에는 낮을 것이다.
- 남극 상층 오존 농도 : 오존을 파괴하는 프레온 가스가 1920년대 말부터 사용되었음에도 남극의 오존층이 50년 가까이 파괴되지 않은 이유는 프레온 가스가 남극 상공에 축적되는 데 오랜 시간이 걸렸기 때문이다. 따라서 남극의 상층 오존 농도는 1970년대까지 별다른 변화를 보이지 않다가 1970년대 이후 지속적으로 떨어지는 변화를 보일 것이다.

21. 정답 ② 난이도 ★★★

(내용영역) 과학기술 (문항 유형) 추론

[정답 풀이]

② 지구 온난화가 진행될수록 성층권의 기온은 오히려 하강하게 되고 성층권의 기온이 하강하면 양극의 소용돌이가 모두 강해진다. 양극의 소용돌이가 모두 강해지면 성층권의 오존층 파괴 정도가 심화되어 성층권의 오존 농도가 감소될 것이다.

[오답 풀이]

① 겨울철 극지방 상공의 하부 성층권에서는 소용돌이가 형성되고, 이 소용돌이 내에는 프레온 가스를 포집한 얼음 결정이 겨울 내내 계속 적체된다. 이 얼음 결정은 봄이 되어 소용돌이가 와해되면서 녹게 되는데, 이때 포집되어 있던 프레온 가스로부터 염소 원자가 공기 중으로 빠르게 방출되어 오존을 집중적으로 파괴한다. 따라서 지구 온난화가 진행되어 극지방의 소용돌이 세력이 크고 강해지면 봄이 되었을 때 오존층이 파괴되는 정도가 더욱 심해질 것이라 예상할 수 있다. 그러나 지구 온난화로 인한 소용돌이 강도 변화가 소용돌이 와해 시기를 봄 이후로 늦출 것이라고 보기는 어렵다.

③ 소용돌이가 형성되면 프레온 가스와 수증기를 포함한 공기가 저위도로부터 소용돌이 내로 유입된다. 소용돌이가 강할수록 소용돌이 내의 공기와 주변 공기 간에 혼합이 많이 일어나게 되므로 지구 온난화에 수반되어 극지방 소용돌이의 강도가 강해진다면 소용돌이 내에 농축되는 프레온 가스 양은 증가하게 된다.

④ 남극의 소용돌이 크기가 북극의 소용돌이 크기보다 더 크기 때문에 오존층의 파괴 정도 또한 남극이 북극보다 크다. 즉 오존층의 파괴 정도는 소용돌이 크기에 비례한다. 상층 대기에서 자외선을 흡수하는 오존층이 파괴되면 자외선의 강도도 더 커질 것이므로 자외선의 강도 역시 소용돌이 크기에 비례할 것이다. 따라서 북극의 소용돌이 크기가 남극의 소용돌이 크기보다 커지지 않는 한 북반구의 자외선 강도가 남반구에 비해 더 커진다고 할 수 없다.

⑤ 남극의 소용돌이가 거대한 원형을 이루는 것과 달리 북극의 소용돌이 모양이 구불구불한 까닭은 소용돌이의 강도가 남극만큼 강하지 않기 때문이다. 따라서 지구 온난화가 진행되어 북극의 소용돌이가 더욱 강해지면 북극 소용돌이의 형태도 남극처럼 원형에 가까워질 것이다.

[22~25] 제재 | 밀스의 사회학적 상상력
난이도 | ★★☆

22. 정답 ① 난이도 ★☆☆

내용영역 사회 | 문항 유형 분석

[정답 풀이]

① 지문에서는 먼저, 사람들이 가치나 위협을 인식하는지의 여부에 따라 안녕, 위기, 무관심, 불안 등의 경험을 한다고 제시하며, 이러한 경험들의 의미를 밝혔다. 그리고 이러한 경험적 개념들을 적용하여 각 시대의 사회 현실을 분석하였다. 즉, 개인의 고민과 사회적 쟁점이 일치하며 모든 이들이 위협받고 있는 가치를 분명히 인식하고 있었던 1930년대는 위기의 시대로, 사회적 쟁점보다 개인의 문제만이 부각되며 사람들이 가치와 이에 대한 위협을 모두 인식하지 못하는 1950년대 이후의 시대는 불안과 무관심의 시대로 규정하였다. 그러므로 지문에서는 글쓴이가 제시한 기준에 따라 핵심 개념을 정의하고 그 개념을 사용하여 사회 현실을 분석하는 방식으로 논지를 전개하고 있다고 볼 수 있다.

[오답 풀이]

② 지문에서는 가치와 위협의 인식 여부에 따라 사람들이 다른 경험을 하게 된다고 설명한 후, 1930년대는 위기의 시기로, 1950년대 이후는 불안과 무관심의 시대로 보고 각 시대의 특징을 제시하였다. 하지만 사람들이 가치와 위협을 인식하는지의 여부에 따라 시대별 특징을 제시하였을 뿐, 사회를 보는 관점을 종류에 따라 나누어 제시하고 있지는 않다. 그러므로 지문에서 사회를 보는 관점을 분류하고, 각 관점들의 특징과 한계를 검토하는 방식으로 논지를 전개하고 있다고 볼 수 없다.

③ 지문에서는 1930년대에 '마르크스의 견해'가 '자본주의의 위기'에 관한 논의에서 주도적인 접근 방법으로 쓰였고, 제2차 대전 이후, 즉 1950년대부터 위기의 시대는 불안과 무관심의 시대로 변화하였다고 보았다. 즉, 각 시대의 대표적 사건, 혹은 상황 등을 언급하기는 하였지만, 이들을 분석하지는 않았으며, 이를 통하여 해당 시대의 경향을 탐구한 내용도 지문에서 확인할 수 없다. 그러므로 지문에서 시대의 대표적 사건들을 분석함으로써 해당 시대의 경향을 탐구하는 방식으로 논지를 전개하고 있다고 볼 수 없다.

④ 지문에서는 불안과 무관심의 시대가 되어버린 현대 사회의 문제점을 서술하고 있으며, 이에 대하여 정식화해야 할 문제 자체가 변화하여 문제나 위기가 개인적 삶의 질에 관련된 것으로 이전되었다고 보는 견해와 어떠한 것을 개인적 삶이라 부를 수 있는지 그 자체를 문제 삼는 견해를 제시하고 있다. 즉, 현대 사회 문제를 서술하는 대립되는 견해들을 비교하고 있다. 하지만 글쓴이는 후자의 견해에서 전자의 견해를 비판하고 있으므로, 대립되는 견해들의 조화를 꾀하고 있지 않다. 그러므로 지문에서 현대 사회 문제를 서술하는 대립되는 견해들을 비교하여 조화를 꾀하는 방식으로 논지를 전개하고 있다고 볼 수 없다.

⑤ 지문에서는 이 시대에서 위협받는 가치가 무엇이며, 그것을 위협하는 요인이 무엇인지 진술되고 있지 않기 때문에 이러한 것이 사회 과학의 문제로 정식화되지 못하고 있음을 지적한다. 그리고 이와 관련하여 각 시대에서 사회 과학의 문제로 정식화해야 하는 것이 무엇인지를 제시한 후에, 사회과학자에게 주어진 가장 중요한 과제가 이 시대의 불안과 무관심의 요소를 명백히 밝혀내는 것이라고 주장한다. 즉, 사회 과학에서 탐구해야 할 내용과 이에 대한 사회과학자의 태도에 대하여 언급하고 있는 것이다. 그러므로 사회 과학의 구체적인 탐구 방법을 비교하고 효과적인 탐구 전략을 제안하는 방식으로 논지를 전개하고 있다고 볼 수 없다.

23. 정답 ② 난이도 ★☆☆

내용영역 사회 | 문항 유형 분석

[정답 풀이]

② 글쓴이는 '1950년대의 문제나 위기가 경제라는 외적인 영역에서 개인적 삶의 질에 관련된 것으로 이전되었다'는 견해에 대하여 '개인적 삶이라고 부를 수 있는 어떤 것이 있는가 하는 것 자체가 문제'라고 반박하며, 이는 현대 사회의 중대한 쟁점과 고민을 회피하려는 애처로운 시도로 보인다고 하였다. 따라서 1950년대에는 개인적 삶의 질 문제가 쟁점이 되었다는 것은 글쓴이의 견해에 해당하지 않는다.

[오답 풀이]

① 글쓴이는 제2차 대전 이후, 공적인 불안과 구조적 중요성을 갖는 많은 결정들이 공적 쟁점이 되지 않고 있으며, 이성과 자유 등의 고유 가치를 받아들이는 사람들에게는 불안 그 자체가 고민이며 무관심 자체가 쟁점이라고 지적하였다. 따라서 시대의 특징인 불안과 무관심이 공적 쟁점이 되지 않는 것 자체가 고민이며 쟁점이라는 것은 글쓴이의 견해에 해당한다.

③ 글쓴이는 1930년대에는 당시의 경제 문제가 개인적 고민인 동시에 경제적 쟁점으로 존재했으며 '자본주의의 위기'에 관한 논의에서 마르크스의 견해와 마르크스의 작업에 대한 재정식화는 문제에 대한 주도적인 접근 방법으로 사용되었다고 보았다. 따라서 1930년대의 '자본주의의 위기'에 관한 논의에서 마르크스의 관점이 주도적인 접근 방법이었다는 것은 글쓴이의 견해에 해당한다.

④ 글쓴이는 사적 고민과 공적 쟁점이 '정신 병리학'에 입각하여 서술되는 것은 현대 사회의 중대한 쟁점과 고민을 회피하려는 애처로운 시도이며, 이는 '개인의 삶을, 그 속에서 삶이 영위되고 삶에 영향을 미치는 거대한 제도로부터 자의적으로 분리시킨다.'고 주장하였다. 따라서 쟁점과 고민을 정신 병리학에 입각하여 서술하는 것은 개인의 삶과 제도를 분리시킨다는 것은 글쓴이의 견해에 해당한다.

⑤ 글쓴이는 이 시대에 '위협받는 가치가 무엇이며 그것을 위협하는 요인은 무엇인가 하는 것'이 사회 과학의 문제로 정식화되지 못하고 있음을 지적하며, '사회과학자에게 주어진 가장 중요한 정치적 · 지적 과제는 이 시대의 불안과 무관심의 요소를 명백히 밝히는 것'이라고 주장하였다. 그가 제시한 내용에 의하면, 불안과 무관심의 요소는 가치에 대한 인식과 가치를 위협하는 것에 대한 인식이다. 결국 불안과 무관심의 요소를 밝히는 것은 시대의 가치를 인식하고 그 가치를 위협하는 요인을 인식하는 것이다. 따라서 사회 과학은 위협 받는 가치가 무엇이며 그것을 위협하는 것은 무엇인가를 밝혀야 한다는 것은 글쓴이의 견해에 해당한다.

24. 정답 ③ 난이도 ★★★

내용영역 사회 문항 유형 분석

[정답 풀이]

③ 지문에 의하면, 사람들은 일련의 가치를 소중히 여기지만 그것이 위협받는다고 느낄 때 개인적 고민이나 공적인 쟁점으로 '위기'를 경험한다. 따라서 소중한 가치가 위협받는 위기는 개인의 차원이나 공중의 차원에서 나타날 수 있다.

[오답 풀이]

① 지문에 의하면, 사람들은 일련의 가치를 소중히 여기지만 그것이 위협받는다고 느낄 때 개인적 고민이나 공적인 쟁점으로 '위기'를 경험한다. 따라서 존중하는 가치가 위협받을 때 사람들은 냉담함을 경험하는 것이 아니다.

② 지문에 의하면, 사람들이 소중한 가치들에 대해 전혀 인식조차 하지 않으면서 동시에 아무런 위협도 느끼지 않는 경우에는 '무관심'을 경험한다. 존중하는 가치를 의식하지 않거나 위협을 느끼지 않는 경우란 ㉠ 존중하는 가치를 의식하지 않으면서 위협을 느끼는 경우(불안), ㉡ 존중하는 가치를 의식하면서 위협을 느끼지 않는 경우(위기), ㉢ 존중하는 가치를 의식하지 않으면서 위협을 느끼지 않는 경우(무관심) 모두를 함축한다. 따라서 무관심은 존중하는 가치를 의식하지 않거나 위협을 느끼지 않는 경우에 생겨난다고 할 수 없다.

④ 지문에 의하면, 사람들은 일련의 가치를 소중히 여기지만 그것이 위협받는다고 느낄 때 '위기'를 경험하게 되고, 만일 모든 가치가 위협받는 것처럼 보이면 '공황'이라는 총체적 위협을 느끼게 된다. 즉, 가치를 소중히 여기는 것은 '공황'을 경험하는 조건이다. 따라서 존중하는 가치를 의식하지 않으면서도 총체적인 위협을 느끼는 경우에 사람들이 공황을 경험하게 되는 것이 아니다.

⑤ 지문에 의하면, 사람들은 일련의 가치를 소중히 여기면서 그것이 위협받지 않는다고 느낄 때 '안녕'을 경험한다. 즉, 가치를 소중히 여기는 것은 '안녕'을 경험하는 조건이다. 따라서 존중하는 가치에 대한 의식 여부와는 상관없이 위협을 느끼지 않는 경우에 사람들은 안녕을 경험하게 되는 것이 아니다.

25. 정답 ③ 난이도 ★☆☆

내용영역 사회 문항 유형 추론

[정답 풀이]

[A]는 '사적 고민들뿐 아니라 수많은 중대한 공적 쟁점이 정신 병리학에 입각하여 서술'되는 것은, '현대 사회의 중대한 쟁점들과 고민들을 회피하려는 애처로운 시도'이자, 개인의 삶을 사회제도와 분리시켜 이해하려는 시도라고 지적하며 이를 비판하고 있다.

③ 사적 고민을 이해하려면 사회 제도와, 그 사회의 불안과 무관심의 요소를 고려해야 한다는 진술은 개인의 삶을 사회제도와 분리시키지 않은 채 이해해야 한다고 주장하는 것이므로, [A]로부터 추론할 수 있는 진술이다.

[오답 풀이]

① 개인적 차원의 문제를 구조적 차원의 문제로 이전시켜 이해하려는 관점을 극복해야 한다는 진술은 [A]에 대한 반대 주장이다.

② 개인적 삶의 질과 관련해서는 공적 쟁점보다 사적 고민이 더 중요하게 고려되어야 한다는 진술은 [A]에서 글쓴이가 비판하는 견해이다.

④ [A]에 따르면 현대사회의 쟁점과 고민을 회피하려는 시도는 서방 사회에, 그중에서도 미국 사회에만 국한된 국지적이고 편협한 관심사에 근거하고 있는 것이다. [A]가 지적하는 문제는 서방 사회나 미국 사회 모두의 문제이다. 따라서 공적 쟁점은 서방 사회 전반의 문제이지만 사적 고민은 미국 사회에 국한된 문제라고 할 수 없다.

⑤ 제도적 차원의 중대한 쟁점들을 이해하기 위해서는 사적 고민을 통해 접근해야 한다는 진술은 개인의 삶을 사회제도와 결합하여 이해해야 한다는 [A]의 주장과 다르다.

[26~28] 제재 | 민주주의로의 이행과 민주주의 공고화

난이도 | ★★☆

26. 정답 ⑤ 난이도 ★★☆

내용영역 사회 문항 유형 분석

[정답 풀이]

⑤ 지문에 의하면, 정치적 책임성이란 선출된 대표를 국민이 통제하고 국민의 이익을 대변하지 않는 대표를 제도적으로 퇴출시키는 것을 말한다. 따라서 정치적 책임성은 대의제, 즉, 국민을 대표하는 자를 선출하여 국가 의사를 결정하는 간접민주주의 제도에서 정치 대표자에 대한 국민의 통제 행위와 관련된다고 설명할 수 있다.

[오답 풀이]

① 지문에 의하면, 민주주의로의 이행은 권위주의 정치 세력을 배제하고 선거를 통해 정부를 구성하여 민주적 절차를 마련해 가는 과정을 의미하지만, 선거 경쟁을 통해 대표와 정부가 구성되고 국민을 대변하는 절차가 확보되었다고 해서 반드시 경제적 균열과 사회적 갈등이 해소되지는 않으므로, 사회적으로 취약한 집단들이 정치 과정에 참여하고 대표될 수 있는 실질적인 장치를 확보하여 국민의 참여와 선택에서 연유하는 정치적 대표성이 보다 확고히 보장되도록 해야 한다. 즉, 민주주의로의 이행이 정치적 대표성을 일정 부분 보장하지만, 이것만으로 충분하지는 않으므로 정치적 대표성을 더 확고히 보장할 수 있는 실질적 장치가 필요하다는 것이다. 따라서 민주주의로의 이행이 정치적 대표성을 보장하지 못한다고 설명할 수는 없다.

② 지문에 의하면, 정치적 응답성은 정치 기구가 자원 배분을 위한 정책 결정 및 집행을 수행하여 실현된 성과와 실적이 국민의 요구에 효율적이고 효과적으로 부응하는 것이다. 즉, 정치적 응답성은 선거를 통해 탄생한 정치 기구의 활동에서 비롯되지만, 이 활동의 성과와 실적이 국민의 요구에 부응하는 것을 의미하는

것이다. 따라서 선거를 통하여 정치권력이 탄생하는 것만으로 그것이 정치적 응답성을 보장한다고 설명할 수 없다.

③ 지문에 의하면, 정치적 대표성은 선거 경쟁을 통해 대표와 정부가 구성되어 국민을 대변하는 것이고, 정치적 응답성은 정치 기구가 자원 배분을 위한 정책 결정 및 집행을 수행하여 실현된 성과와 실적이 국민의 요구에 부응하는 것이다. 그리고 책임성이란, 선출된 대표를 국민이 통제하고 국민의 이익을 대변하지 않는 대표는 제도적으로 퇴출시키는 것을 말한다. 그런데 지문에서는 정치적 대표성과 정치적 응답성이 각각 책임성 보장에 어느 정도 기여하는지에 관하여 언급하고 있지 않다. 따라서 정치적 대표성이 정치적 응답성보다 책임성 보장에 기여한다고 설명할 수 없다.

④ 지문에 의하면, 정치적 응답성은 정치 기구가 자원 배분을 위한 정책 결정 및 집행을 수행하여 실현된 성과와 실적이 국민의 요구에 부응하는 것이지, 국민이 정치기구의 행위에 대하여 반응하는 것이 아니다. 따라서 정치적 응답성은 정치 기구의 행위에 대한 국민의 반응을 의미한다고 설명할 수 없다.

27. 정답 ② 난이도 ★★☆

내용영역 사회 / 문항 유형 분석

[정답 풀이]

② 민주주의의 공고화를 위해서는 정치 사회가 사회적 · 경제적 균열로 인한 갈등을 정상적으로 해결할 수 있는 규범, 규칙 및 절차를 갖추어야 한다. 그러나 사회적 · 경제적 균열로 인한 갈등을 정상적으로 해결할 수 있는 규범이나 절차를 갖추는 것이 그러한 균열 구조를 반영하는 정치 세력화 자체를 억제하는 것을 의미하지는 않는다. 따라서 경제사회적 균열 구조를 반영하는 정치 세력화를 억제하는 것이 민주주의의 공고화를 위한 방안이라고 할 수 없다.

[오답 풀이]

① 민주주의의 공고화를 위해서는 시민 사회의 결사체가 협력하는 네트워크 및 사회적 신뢰를 구축하고 이익 갈등을 조정할 수 있어야 하므로, 시민 사회의 신뢰 구축과 조정 기제를 강화하는 것은 민주주의의 공고화를 위한 방안이 될 수 있다.

③ 민주주의의 공고화를 위해서는 시민 사회의 결사체가 협력하는 네트워크 및 사회적 신뢰를 구축하고 이익 갈등을 조정할 수 있어야 한다. 이는 개인이나 집단의 이해가 분산되지 않도록 하여, 시민 사회의 요구 사항을 취합하고 갈등 조정을 용이하게 하기 위함이다. 따라서 시민 사회의 활성화로 분산된 이익의 집약 통로를 확보하는 것은 민주주의의 공고화를 위한 방안이라고 할 수 있다.

④ 민주주의의 공고화를 위해서는 국가가 정책을 통해 갈등을 조정하는 능력과 경제적 세력의 압력이나 이익으로부터의 자율성을 갖추어야 한다. 따라서 경제와 사회 지도층의 이익 독점을 통제하는 제도를 확립하는 것은 민주주의 공고화를 위한 방안이라고 할 수 있다.

⑤ 민주주의의 공고화를 위해서는 경제 사회가 시장 경제의 비윤리성을 치유하는 복지 제도를 통해 사회적 · 경제적 불평등을 완화할 수 있는 사회 안전망을 경제 사회 내의 합의를 통해 제도화하여야 한다. 이때 시장 경제의 비윤리성은 시장 경제의 부작용이라고 할 수 있다. 따라서 시장 경제의 부작용을 치유하는 사회적 합의 장치를 확충하는 것은 민주주의의 공고화를 위한 방안이 될 수 있다.

28. 정답 ② 난이도 ★★☆

내용영역 사회 / 문항 유형 추론

[정답 풀이]

② 피선거권의 확대는 선거를 통하여 국가 권력을 획득하는 과정에 참여하는 것이다. 따라서 피선거권의 확대는 참여 기회의 확대에 해당한다. 실질적 참여가 확대되었다는 것은 민주주의가 공고화되었다는 것이고, 이는 곧 정치적 대표성이 강화되었음을 의미한다. 또한 정치적 대표성이 강화되었다는 것은 사회적으로 취약한 집단들이 정치 과정에 참여하고 대표될 수 있는 실질적인 장치가 확보되었다는 것이다. 그런데 국회의원 당선자 대부분이 재력가라는 사실은, 권력 및 자원 배분상의 불합리로 권력 남용과 사회적 · 경제적 불평등이 만연할 수 있다는 것을 의미하므로, 사회적으로 취약한 집단을 위한 실질적 장치가 확보된 것이라 볼 수 없다. 따라서 피선거권의 확대에도 불구하고 국회의원 당선자 대부분은 재력가였다는 사실은 참여 기회가 확대되었다고 실질적 참여가 확대되는 것은 아니라는 주장에 대한 적절한 사례이다.

[오답 풀이]

① 복수 노조의 허용은 선거를 통한 국가 권력의 획득과 무관하다. 복수 노조가 허용되었다고 해서 참여 기회가 확대되었다고 할 수 없다.

③ 보통 · 평등 선거가 도입된 것은 참여의 기회가 확대된 사례이다. 그러나 지역 투표 성향이 강화되었다는 것은 권력 및 자원 배분상의 불합리로 경제적 균열과 사회적 갈등이 해소되지 않은 사례에 해당하지 않는다. 따라서 ㉠에 대한 사례로 적절하지 않다.

④ 투표일을 공휴일로 지정한 것은 참여의 기회가 확대된 사례이다. 그러나 투표율이 저조하다는 것은 권력 및 자원 배분상의 불합리로 경제적 균열과 사회적 갈등이 해소되지 않은 사례에 해당하지 않는다. 따라서 ㉠에 대한 사례로 적절하지 않다.

⑤ 법정 선거 연령이 낮아진 것은 참여의 기회가 확대된 사례이다. 하지만 청년들의 선거에 대한 관심이 변화하지 않았다는 것은 권력 및 자원 배분상의 불합리로 경제적 균열과 사회적 갈등이 해소되지 않은 사례에 해당하지 않는다. 따라서 ㉠에 대한 사례로 적절하지 않다.

[29~31] 제재 | 서구 근대법과 자본주의의 관계에 대한 베버의 견해
난이도 | ★★★

29. 정답 ④ 난이도 ★★☆

내용영역 규범 / 문항 유형 분석

[정답 풀이]

④ 베버의 설명에 따르면, 서구 근대법이 자본주의 경제 활동을 촉진한 방법 중 하나는 법인과 같은 개념의 도입으로 개인의 책임의 한계를 명확히 규정하여 개인의 경제 활동 영역을 확장한 것이다. 법인 개념이 도입되어 기업가 개인이 자신의 책임의 한계를 예측할 수 있다면, 기업가 개인은 자신의 행위 결과를 예측할 수 있으므로 그 경제 활동 영역은 확장된다. 그리고 경제 활동 영역의 확장은 자본주의 확산의 기회를 제공한다. 따라서 기업 책임에 관한 법은 기업가의 행위 결과를 예측할 수 있게 하여 자본주의 확산의 기회를 제공하였다는 것은 베버의 설명으로 적절하다.

[오답 풀이]

① 베버의 설명에 따르면, 법적으로 예측 가능한 서구 근대법이 자본주의 경제를 촉진하였다. 그런데 영국 보통법은 불문법이고 불문법 체계의 유연성은 법적 예측 가능성과 거리가 있는 특성이므로 '영국 문제'가 대두되었다. 이에 대하여 베버는 영국의 보통법이 불문법이지만 그에 따른 판결은 예측 가능성을 가지고 있다고 설명한다. 따라서 영국의 자본주의 발전이 불문법 체계의 유연성에 비롯되었다는 것은 베버의 설명으로 적절하지 않다.

② 베버의 설명에 따르면, 근대 자본주의 기업은 확정적이고 일반적인 규범에 의하여 그 작용을 합리적으로 예측할 수 있는 법 체계와 행정 체계를 요구한다. 구체적이고 경험적인 정의에 입각한 법 체계는 추상적이고 일반적인 정의에 입각한 법 체계와 반대된다. 후자의 체계는 전자의 체계에 비하여 보다 더 합리적 예측이 가능한 법 체계다. 따라서 자본주의 기업은 구체적이고 경험적인 정의에 입각한 법 체계를 요구한다는 것은 베버의 설명으로 적절하지 않다.

③ 베버의 설명에 따르면, 절대주의 국가의 확대된 행정 업무를 처리하기 위한 관료 행정의 공리적 합리주의가 서구 근대법의 등장을 촉진하였고, 이는 특히 관료제가 내적인 필요성에서 행정의 합리적 수단을 창출한 결과이다. 즉, 행정 관료가 서구 근대법을 필요로 한 것은 관료제의 내적 필요성에 따른 결과이지 자본가의 이익에 봉사하기 위한 것이 아니다. 따라서 행정 관료는 자본가의 이익에 봉사하기 위해서 서구 근대법을 필요로 하였다는 것은 베버의 설명으로 적절하지 않다.

⑤ 베버의 설명에 따르면, 서구 근대법이 자본주의 경제 활동을 촉진한 방법 중 하나는 계약 당사자 간의 관계가 근대법에 규정되어 권리 실현을 보장함으로써 법적 안정성 위에서 활동할 수 있는 범위를 확장한 것이다. 이는 곧, 경제적 계약 관계가 법적 관계로 전환되는 것을 의미하므로, 경제적 계약 관계와 법적 관계를 분리시킨 것이라 할 수 없다. 따라서 서구 근대법은 경제적 계약 관계와 법적 권리·의무 관계를 분리시킴으로써 자본주의 성장에 기여하였다는 것은 베버의 설명으로 적절하지 않다.

30. 정답 ② 난이도 ★☆☆

내용영역 규범 / 문항 유형 추론

[정답 풀이]

② 서구 근대적 법학 교육에서의 법 이론은 종교적·윤리적 이해관계자의 요구 사항에서 벗어난 독자적 논리 체계로 구성되었다. 따라서 윤리 규범을 이용한 추론 체계는 베버가 말하는 서구 근대법의 특성이 아니다.

[오답 풀이]

① 베버는, 자본가가 합리적으로 예측할 수 있는 법 체계를 요구하였다는 점과 법적 추론에 대한 예측 가능성을 보장한 서구 대륙의 근대법이 자본주의를 촉진하였다는 점을 들어, 서구 근대법과 자본주의의 친화 관계를 설명한다. 따라서 법적 추론의 결과를 예상할 수 있게 한다는 것은 베버가 말하는 서구 근대법의 특성이다.

③ 서구 근대법의 특성을 갖추지 못한 영국의 보통법은 구체적 판례에 기초한 경험적 정의를 추구하는 체계였으므로, 전혀 추상적이지 않았다. 따라서 추상적인 법 개념 사용은 베버가 말하는 서구 근대법의 특성이다.

④ 서구 근대법의 발달을 촉진한 것은 로마법의 전통에 입각하여 유럽 대륙에서 수행된 근대적 법학 교육이었다. 따라서 로마법의 영향을 받았다는 것은 베버가 말하는 서구 근대법의 특성이다.

⑤ 근대적인 법학 교육에서 사용되는 법 개념들은 성문화되어 있는 일반 규칙에 대한 형식적 의미 해석을 통해 형성된 반면, 서구 근대법의 특성을 갖추지 못한 영국 보통법은 불문법이었다. 따라서 법전의 형태는 베버가 말하는 서구 근대법의 특성이다.

31. 정답 ③ 난이도 ★★★

내용영역 규범 / 문항 유형 분석

[정답 풀이]

베버는 자본주의가 법적 예측 가능성을 요구함에 따라 법이 체계화되었고, 이는 서구 근대법이 등장하는 데 큰 영향을 미쳤다고 보았다. 그런데 서구 자본주의가 가장 먼저 발달한 영국의 보통법은 베버가 말하는 서구 근대법의 특성을 갖추지 못하였으므로, 이는 베버의 논의에서 벗어난 것으로 보이는 사례였다. 하지만 이에 대하여 베버는 영국의 보통법이 불문법 체계였다 하더라도, 당시 영국의 법률가 계층이 자본가들의 이익에 봉사하고 있었으며, 특히 판사는 엄격히 선례에 구속되어 있었기 때문에 그의 판결 결과는 예측 가능성을 가지고 있었다고 보았다. 즉, 베버는 '법률가 계층과 자본가들의 관계'라는 새로운 요인을 제시함으로써 법적 예측 가능성은 법의 체계화뿐만 아니라 다른 방식에 의해서도 실현될 수 있다고 설명하였다.

③ 델브릭의 이론은 유전자가 형질을 결정하다는 인과적 메커니즘을 지녔다. 그런데 진핵 세포에 대한 연구 결과가 축적되면서 형질이 유전자가 아닌 다른 요인의 영향을 받는다는 점이 분명해졌으므로, 델브릭의 기존 이론만으로는 진핵 세포에 대한 연구

결과를 설명할 수 없었을 것임을 알 수 있다. 그러나 델브릭은 유전자 이외에 '환경'이라는 새로운 요인도 형질을 결정할 수 있다고 제시함으로써 자신의 기존 이론이 설명할 수 없는 사례를 설명하였다. 이는, 서구 근대법과 자본주의의 친화 관계는 변함없이 주장하면서도, 다만 이러한 관계가 '법의 체계화'뿐만 아니라 다른 방식에 의해서도 이루어질 수 있음을 제시한 베버의 설명 방식과 유사하다.

[오답 풀이]

① 어떠한 문제를 해결하는 과정에서 두 가지 방법이 경쟁하고 있었고, 멘델레예프는 두 방법의 장점을 절충하였다. 베버의 설명은 두 이론의 장점을 절충하는 것이 아니다.

② 다윈의 이론이 설득력을 얻기 위하여 필요했던 메커니즘은 멘델에 의하여 비로소 제시되었다. 하지만 베버는 새로운 요인을 제시함으로써 자신의 논의에서 벗어난 것처럼 보이는 사례를 스스로 설명하였으므로, 다른 사람에 의하여 자신이 제시한 이론의 부족한 부분을 설명할 수 있게 된 다윈의 경우와는 유사하지 않다.

④ 베게너의 대륙이동설은 다른 학자들의 지지를 얻지 못하다가, 판 구조론이 제시됨으로써 수용되었다. 베버의 이론이 다른 이들의 지지를 얻지 못하다가, 비로소 베버의 이론을 설명할 수 있는 다른 이론이 제시됨으로써 널리 인정받게 된 것은 아니다.

⑤ 하이젠베르크가 제안한 불확정성의 원리는 현재 다르게 해석되고 있지만, 그 수학적 형식의 타당성은 여전히 인정받고 있다. 베버의 이론이 후대에 이르러 다르게 해석되고 있는 것은 아니며, 어떤 부분적 요소의 타당성만을 인정받고 있는 것도 아니다.

[32~34] 제재 | 정한숙, 「전황당인보기」
난이도 | ★☆☆

32. 정답 ④ 난이도 ★☆☆

내용영역 인문 문항 유형 추론

[정답 풀이]

④ 도장방 주인(수하인의 제자)이 수하인이 석운에게 선물했던 전황석 도장을 챙겨 가져다 준 일을 두고 도장방 주인이 수하인에게 도움을 준 것이라 보기는 어렵다. 수하인이 마음을 달래려 술을 마시고 대금을 연주하는 것은 제자의 도움을 받고 있는 현실이 언짢아서가 아니라 친구에게 선물했던 도장이 되돌아 온 일이 친구로부터 버림을 받은 듯싶어 섭섭했기 때문이다.

[오답 풀이]

① 도장방 주인은 도장 재료가 전황석일 가능성을 오준에게 말하지 않으며 오준이 어차피 도장을 새길 것을 알고 값을 듬뿍이 불러놓고 수하인의 도장을 받아내기 위해 못 이기는 척 오준의 제안을 받아들인다. 따라서 '도장방 주인'은 자신의 뜻대로 거래를 이끌어 가는 수완을 발휘하고 있다고 할 수 있다.

② 오준이 도장을 새긴 이가 수하인이라는 데 대해 무덤덤하다는 점, 전황석 도장에 대하여 좋은 석재를 써서 선사한 것이 아니라고 하면서 수정과 상아보다 하치않은 재료로 평가한다는 점 등으로 미루어 볼 때 오준은 전각 재료나 전각 기술에 대한 식견을 갖추고 있지 않다.

③ 석운은 자신이 벼슬에 오른 것을 축하하기 위해 수하인이 직접 파서 선물한 도장을 오준에게 넘겨 거래를 맡긴다. 이는 석운이 친구의 정성을 대수롭지 않게 여겼음을 의미한다.

⑤ 수하인이 권하는 술잔을 두 손으로 받는 산홍의 모습은 예의바른 몸가짐으로 수하인을 공경하는 태도라고 할 수 있다.

33. 정답 ④ 난이도 ★☆☆

내용영역 인문 문항 유형 추론

[정답 풀이]

④ 도장방 주인은 서법과 도법은 물론, 돌을 다루는 법까지 수하인에게서 배운 수하인의 제자이다. 도장방 주인은 인면만 보고서도 수하인의 솜씨라는 것을 알아차리며, 홍정을 통해 구한 도장을 되돌려 주기 위해 일찌감치 가게 문을 닫고 수하인을 찾아간다. 도장방 주인은 오준이 들고 온 도장이 말로만 듣던 전황석일 수 있다는 생각을 하지만 아직 그 재료를 감별할 능력이 없었다. ㉢은 전황석을 처음 보는 도장방 주인이 자신의 전각 기술을 자신하여 하는 말이 아니라 스승의 작품을 자신이 함부로 건드릴 수 없다는 마음에서 비롯된 것이라 할 수 있다.

[오답 풀이]

① 오준이 가지고 온 도장을 보고 도장방 주인이 누가 새긴 것이냐고 물은 것은 수하인의 솜씨임을 몰라서가 아니라 어떤 연유로 장인의 손길이 닿은 귀한 물건이 제대로 된 대접을 받지 못하고 시중에 거래되도록 나오게 되었는지가 궁금해서였다고 할 수 있다.

② 오준은 자신이 하치않은 돌이라 여기는 도장을 넘겨주는 대가로 상아 도장을 하나 더 끼워 받을 수 있다는 말에 솔깃해한다. 자신이 제대로 된 홍정을 한 것이라 생각하는 것으로 보아 오준은 도장방에서의 거래가 자기에게 유리한 것이라 만족하고 있음을 알 수 있다.

③ 수하인은, 벼슬에 오른 친구에 걸맞도록 귀한 돌에 솜씨를 발휘해 선물한 도장이 다른 이의 손에 들어오게 된 일을 전해 듣고는 술상을 청한다. 친구에게 보낸 선물이 타인의 손에 들어간 것을 알고 술 생각이 난 것은 자신의 선물이 친구의 마음에 차지 않았다는 것을 확인하고 서운한 마음이 들었기 때문이라 할 수 있다.

⑤ 전황석을 알고 쓸 사람이 몇 없다는 것은 전황석의 가치를 알 만한 사람이 거의 없다는 뜻이다. 도장방 주인이 수하인에게 이런 말을 하는 이유는 전각의 가치를 알아주지 않는 현실을 구실로 석운이 도장의 가치를 알지 못하고 홀대한 일을 위로하고자 하기 때문이라고 할 수 있다.

34. 정답 ⑤ 난이도 ★★☆

내용영역 인문 / 문항 유형 추론

[정답 풀이]

⑤ 사라져 가는 것들에 대한 애틋한 마음은 작가의 주제 의식이라고 할 수 있다. 대금 가락에 눈물을 흘리는 주인공의 모습은 가치를 인정받지 못하는 도장 전각이라는 전통 예술에 대한 애틋한 심정을 드러내고 있기 때문이다.

[오답 풀이]

① 예술의 현실 비판적 기능이 작가의 주제 의식이라 할 수 없으며, 또한 그것을 강화하기 위하여 등장인물의 변함없는 태도와 쉽게 변해 버린 인심을 대조한 것이라고 볼 수도 없다. 작품에서 도장 전각이라는 예술은 가치를 인정받아야 할 애정의 대상이지 현실을 비판하는 적극적 기능을 하고 있지 않기 때문이다.

② 정신적인 방법에 의한 물질만능주의의 극복이 작가의 주제 의식이라고 할 수 없으며 대금 연주를 통해 세상에서 받은 아픔이 치유되고 있다고 할 수도 없다. 수하인의 대금 연주로 세태로 인한 아픔이 극복되었다고 볼 수 없기 때문이다.

③ 예술의 진정한 가치가 정서적 일체감에 있다는 것이 작가의 주제 의식이라고 할 수 없다. 수하인과 산홍의 정서적 일체감은 사라지는 예술적 가치에 대한 애정을 표현하기 위한 장치이지 정서적 일체감 자체가 예술의 진정한 가치라고 볼 수 없기 때문이다.

④ 인정미 넘치는 사회의 도래가 작가의 주제 의식이라고 할 수 없다. 작품 속에 인정미 넘치는 사회에 대한 어떤 기대도 표현되어 있지 않다.

[35~37] 제재 | 아악의 제정과 황종관 제작

난이도 | ★★★

35. 정답 ② 난이도 ★★☆

내용영역 인문 / 문항 유형 분석

[정답 풀이]

ㄱ. 지문에 따르면, 황종관과 황종척은 모두 1알을 1푼으로, 10알을 쌓아서 1치로 하는 법식을 따른다. 이 법식대로 하였을 때 황종관의 길이는 9치, 황종척의 길이는 10치이다. 따라서 10치인 황종척으로 황종관을 재었을 때, 황종관은 황종척의 9/10인 9치이다.

ㄷ. 박연은 "음률과 도 · 량 · 형의 제정은 곧 천자의 일이고 제후의 나라에서 마음대로 할 수 있는 일이 아니"라고 생각하며, 세종 또한 "황종은 반드시 중국의 관을 사용해야 될 것"이라고 생각한다. 이에 박연은 다양한 시도를 모색하던 끝에 해주산 검은 기장의 모양으로 밀랍을 녹여 그것보다 약간 큰 낱알을 만들어 황종관을 만들었으며 이 낱알 1,200개를 관에 넣음으로써 마침내 중국의 편종과 편경이 내는 황종음에 맞는 황종관을 만들게 된 것이다. 박연이 황종관을 만들 때 취한 형제가 중국에서 준 편경이라는 점까지 고려하면 박연이 중국에서 받아 온 편경의 황종음에 맞추어 황종관을 만들었음을 알 수 있다.

[오답 풀이]

ㄴ. "기장을 얻는 것이 가장 어려운 일"이라는 박연의 진술에서도 짐작할 수 있듯, 박연이 토로한 황종관 제작의 현실적 어려움은 바로 황종관에 쓰일 기장을 얻는 것이었다. 박연이 중국의 황종음에 합하는 황종관을 제작하기 위해 남방의 여러 고을에서 기른 기장과 해주산 기장 등을 활용했다는 지문의 내용은 황종관의 재료가 되는 기장의 산출지가 전적에 규정되어 있지 않았음을 의미한다. 기장과 관련하여 전적에 기재되어 있는 내용은 그 산출지가 아니라 기장을 쌓는 방법이다.

ㄹ. 박연이 해주산 검은 기장으로 만든 황종관은 중국의 편종과 편경이 내는 황종음보다 약간 높았으며, 밀랍 기장으로 만든 황종관은 중국의 편종과 편경이 내는 황종음과 서로 맞았다. 밀랍 기장은 해주산 검은 기장의 모양으로 밀랍을 녹여 그것보다 약간 크게 만든 것이므로 이를 재료로 한 황종관과 해주산 검은 기장으로 만든 황종관의 음이 같을 수 없다.

36. 정답 ① 난이도 ★☆☆

내용영역 인문 / 문항 유형 추론

[정답 풀이]

① 세종의 명을 받아 표준 음률을 정하고 아악을 제정하는 사업을 맡았던 박연은 세종에게 아뢰면서, 황종관을 만들어 중국의 음과 서로 합하는 것이 있으면 12율관을 만들고, 오성의 조화를 얻으면 이어서 도 · 량 · 형도 살필 수 있을 것이라 하였다. 이로 미루어 볼 때 도량형을 정비하는 사업이 아악을 제정하는 사업에 앞선다고 보기 어렵다. 따라서 아악의 제정에 앞서 도량형 정비 사업에 진행하였다는 선택지의 내용은 지문의 시대 배경을 제대로 이해한 것이라 할 수 없다.

[오답 풀이]

② 세종은 봉상시에서 악을 익히는 자들이 관습도감의 사람들만 못할 것이니 관습도감의 사람들로 하여금 익숙하게 익히도록 하는 것이 옳다고 하였다. 이러한 내용을 통해서 당시에 봉상시와 관습도감 모두 음악을 관장하는 부서였음을 알 수 있다.

③ 세종실록 15년 1월의 기록에 따르면, 세종은 을사년에 검은 기장이 나고 그 이듬해 경석이 산출되니 옛것을 개혁해 새로이 고치려는 뜻을 갖고 박연에게 편경을 만들 것을 명하였다. 따라서 검은 기장과 경석의 출현으로 말미암아 세종의 편경 제작 의욕이 고무되었다는 선택지의 내용은 당시의 시대 배경을 잘 이해한 것이라 할 수 있다.

④ 대언들은 황종관의 성음을 직접 만든 12율관으로 하였다는 박연의 대답에 중국의 음을 버리고 직접 율관을 만든 점에 대하여 터무니없고 망령되이 여겼다. 이러한 내용을 통해서 당시에 조정의 관료들은 박연의 독자적인 황종관 제작에 비판적이었음을 알 수 있다.

⑤ 세종은 신하들에게 중국 사람에게는 익숙하지만 우리나라 사람들은 생전에 듣지 않던 아악을 죽어서는 듣는 까닭을 물으며, 제사에 쓰이던 아악을 조회에서도 사용하고자 하였다. 이러한

내용을 통해서 당시 우리나라 사람들에게는 제사 때에 아악이 연주되는 것이 마땅한 것으로 인식되었음을 알 수 있다. 따라서 당시에 세종은 이러한 인식을 변화시키고자 조회 음악과 제사 음악을 아악으로 일치시키려 하였고, 이를 위한 합당한 제도를 정하기 위해서 고심하였다.

37. 정답 ③ 난이도 ★★★

내용영역 인문 문항 유형 추론

[정답 풀이]

③ 세종은 고제를 탐구한 뒤에 조선 사람들의 제사 때에 쓰이는 중국의 아악은 시대에 따라 만든 것이 다르고 황종의 소리 또한 일정하지 않으므로 이를 그대로 가져다 조회나 하례에 쓰는 것은 합당하지 않다고 생각하였다. 따라서 세종이 고제에 맞는 황종음을 구현할 수 있다는 확실한 믿음을 바탕으로 아악을 제정하고자 한 것이라 볼 수 없다.

[오답 풀이]

① 지문에 언급된 '나의 뜻'이란 조회의 아악을 창제하려는 세종의 의지를 가리킨다. 우리나라와 중국의 풍기가 다름에도 합당한 아악 제도를 정하기 위해서 황종관 제작 사업의 방향에 대하여 박연에게 지시하는 세종의 모습에서 조선과 중국의 풍기가 다르지만 합당한 아악제도를 정하면 음률의 조화가 가능하다는 자신감을 세종이 가지고 있었다고 볼 수 있다. 이러한 자신감은 조회의 아악을 창제하려는 뜻을 정하는 데 바탕이 되었을 것이다.

② 세종은 조회나 하례에 아악을 연주하려 함에 있어 합당한 제도를 정하지 못할까 염려하고 중국의 황종관으로는 후기함도 여의치 않을 것이라 생각한다. 정확한 후기를 보장받을 새로운 황종관의 필요성은 조회의 아악을 제정하는 바탕이 되었을 것이다.

④ 재래의 아악이란 중국의 아악을 가리킨다. 세종은 중국 사람들은 평소에도 아악에 익숙하므로 제사 때에 아악을 연주하는 것이 마땅하나 조선 사람들은 생전에 향악을 듣다가 제사 때에 아악을 연주하므로 이는 바르지 않다고 생각하였다. 그리하여 세종은 조회나 하례에도 모두 아악을 연주하고자 하였고 이에 제도에 합당하고 후기에 맞는 새로운 아악의 필요성을 느끼게 된 것이다. 따라서 재래의 아악을 정비할 필요성은 아악 창제 의지의 바탕이 되었다고 할 수 있다.

⑤ 세종은 중국의 아악도 시대에 따라 만든 것이 다르고 황종의 소리 또한 일정치 않음을 지적하였다. 이는 곧 조회나 하례에 맞는 아악을 제정하고자 하는 뜻으로 이어졌다. 따라서 중국의 아악도 불변하는 것은 아니라는 인식은 새로운 아악을 창제하고자 하는 의지의 바탕으로 작용했다고 볼 수 있다.

[38~40] 제재 | 베이즈주의
난이도 | ★★☆

38. 정답 ① 난이도 ★☆☆

내용영역 인문 문항 유형 분석

[정답 풀이]

① 베이즈주의에 따르면 경험적 증거의 힘은 사후 확률에서 사전 확률을 뺀 값이다. 또한 4문단에서는 '주어진 가설의 신뢰도에 변화를 주지 않는 경험적 증거의 힘은 0이 된다'고 하였다. 그러므로 베이즈주의에 따르면 사후 확률과 사전 확률이 같은 경우도 존재할 수 있다.

[오답 풀이]

② 베이즈주의에 따르면 증거의 힘은 '베이즈 정리'라는 명확한 계산 방식을 통해 산출되며, 이는 사후 확률에서 사전 확률을 뺀 값으로 정량적이다. 또한 5문단에서는 '베이즈주의는 증거와 가설 사이의 관계를 정확한 정량적 수치로 표현할 수 있어서 가설 선택의 엄밀성을 높일 수 있다'고 하였다. 즉, 증거의 힘을 정량적으로 나타낼 수 있다면, 경험적 증거들을 증거의 힘에 따라 순서대로 열거함으로써 가설 선택의 엄밀성을 높일 수 있다. 그러므로 베이즈주의는 증거의 힘에 따라 증거를 순서대로 열거할 수 있다.

③ 베이즈주의에 따르면 증거의 힘은 사후 확률에서 사전 확률을 뺀 값이다. 확률의 최고 값은 1이므로 사전 확률이 1에 가까울수록 사후 확률이 상승할 수 있는 폭은 줄어든다는 것을 알 수 있다. 그러므로 베이즈주의에서는 가설의 사전 확률이 높을수록 가설의 사후 확률이 상승할 수 있는 폭이 줄어든다.

④ 베이즈주의는 증거와 가설 사이의 관계를 정확한 정량적 수치로 표현할 수 있어 가설 선택의 엄밀성을 높일 수 있지만, 이러한 가설 평가 방법이 과학자들의 실제 연구 방법과 일치하지 않는다는 비판도 제기될 수 있다. 6문단에 의하면, 이에 대해서 일부 베이즈주의자들은 베이즈주의가 과학자들이 마땅히 따라야 할 규범을 제시한 이론이지, 과학자들이 실제로 가설을 평가하는 방식을 기술한 이론은 아니라고 대응한다. 이를 통하여 어떠한 이론이 규범을 제시하는 이론일 경우, 그 규범이 준수되고 있는지의 여부는 규범적 이론의 정당성에 영향을 미치지 않는다는 것을 알 수 있다. 그러므로 베이즈주의가 규범적 이론이라면, 과학자들이 베이즈 정리를 사용하지 않는다는 사실에 의해 그 정당성이 위협받지 않는다.

⑤ 고전적 귀납주의를 따를 경우, 가설의 신뢰도가 경험적 증거로 인하여 얼마나 높아지는지를 정량적으로 판단할 수 없다. 하지만 베이즈주의에 따르면 새로운 경험적 증거로 인하여 가설의 신뢰도가 높아지는 정도를 정량적으로 판단하는 것이 가능하다. 베이즈주의에서는 새로운 경험적 증거가 입수되기 전에 가설에 대해 가지고 있던 신뢰도를 사전 확률, 새로운 경험적 증거에 의해 바뀐 새로운 신뢰도를 사후 확률로 정의한 후, 사후 확률에서 사전 확률을 뺀 값의 크기가 클수록 그 증거가 가설의 신뢰도를 더 높아지게 하는 증거라고 본다. 그러므로 베이즈주의에 따르면, 참이라고 확신하지 못하는 가설의 사후 확률은 가설에 부합하는 새로운 증거가 발견될 때마다 높아진다.

39. 정답 ⑤ 난이도 ★★☆

내용영역 인문 | 문항 유형 추론

[정답 풀이]

⑤ 제거법을 따를 경우, 경험적 증거가 여러 가설에 부합하면 경쟁하는 가설 중 어떤 것도 배제되지 않으므로 가설 선택의 근거를 제공하지 못한다는 단점을 지닌다. 그리고 고전적 귀납주의는 이러한 제거법의 단점을 보완한다. 그러나 3문단에 의하면, 고전적 귀납주의는 경험적 증거가 배제하지 않는 가설들 사이에서 선택을 가능하게 해 주지만, 가설에 부합하지 않는 경험적 증거에 대해서는 제거법과 동일한 결론을 제시한다. 따라서 경험적 증거가 가설에 부합하지 않을 때, 제거법과 고전적 귀납주의는 가설 선택에 대해 다른 답을 내놓는다고 할 수 없다.

[오답 풀이]

① 1문단에서 '제거법은 여러 가설을 세우고 경험적 증거로 경쟁하는 가설들을 하나씩 제거해 감으로써 남는 가설을 선택하는 방법'이라고 하였다. 따라서 제거법은 둘 이상의 가설이 제기될 때 가설 선택의 방법으로서 유용성을 지닐 수 있음을 알 수 있다.

② 1문단과 2문단에 의하면, 제거법은 경쟁하는 가설 중에서 하나를 선택해야 할 때 경쟁하는 가설들을 경험적 증거로 하나씩 제거하여 남는 가설을 선택하는 방법이다. 이때 이미 확인된 경험적 증거가 여러 가설에 부합한다면, 경험적 증거에 의하여 경쟁하는 가설들을 하나씩 제거하여 나갈 수 없다. 따라서 둘 이상의 가설이 이미 확인된 경험적 증거와 부합할 때, 제거법은 가설 선택을 확정짓지 못할 것임을 알 수 있다.

③ 3문단에서는, '고전적 귀납주의는 특정 가설에 부합하는 경험적 증거가 많을수록 그 가설이 더욱 믿을 만하게 된다고 주장한다'고 하였다. 따라서 가설에 부합하는 증거가 계속 등장할 때, 고전적 귀납주의는 가설의 신뢰도가 높아진다고 말할 것임을 알 수 있다.

④ 고전적 귀납주의는 경험적 증거가 배제하지 않는 가설들 사이에서 선택을 가능하도록 하기 위하여, 관련된 경험적 증거 전체를 고려하여 가설을 선택할 수 있다고 본다. 즉, 고전적 귀납주의란 경쟁하는 가설들에 대한 다양한 경험적 증거를 종합적으로 고려하여, 긍정적 결과를 더 많이 얻은 가설을 선택하고 다른 가설은 제거하는 것이다. 그리하여 고전적 귀납주의는 특정 가설에 부합하는 경험적 증거가 많을수록 그 가설의 신뢰도가 높아진다고 본다. 따라서 고전적 귀납주의는 경험적 증거를 통해 경쟁하는 가설들에 대한 상대적 평가가 가능하다고 말할 것임을 알 수 있다.

40. 정답 ② 난이도 ★★☆

내용영역 인문 | 문항 유형 추론

[정답 풀이]

베이즈주의에 따르면 경험적 증거의 힘은 사후 확률에서 사전 확률을 뺀 값이며, 경험적 증거의 힘에 따라 가설에 대한 신뢰도가 변화한다. 이에 따라 <보기>를 해석할 때, 가설 A의 사전 확률을 a라 하고, (가)에 의한 사후 확률이 b, (나)에 의한 사후 확률은 c라 하면, (가)의 증거의 힘은 b−a, (나)의 증거의 힘은 c−a이다. 그리고 (다)는 증거의 힘이 0일 것이므로, (다)에 의한 사후 확률은 사전 확률과 같은 a임을 알 수 있다.

② <보기>에서 철수는 가설 A가 참이라고 거의 확신하다가 증거 (가), (나)를 본 후에 가설 A에 대해 더 확신하게 되었으므로, 증거 (가), (나), (다)에 의한 사후 확률인 a, b, c를 크기대로 나열하면 'b > a > c'가 되며, 이는 모두 0부터 1까지의 값으로 나타날 것이다. 이때 가설 A에 대해 (가)가 갖는 증거의 힘은 b−a, (나)가 갖는 증거의 힘은 c−a이며, 이 중 가설 A에 대해 더 강력한 증거로 작용하는 것은 (가)이므로, b−a > c−a가 된다. 그렇다면 b−a와 c−a, 그리고 a−a를 모두 더한 값은 0보다 클 것임을 알 수 있다. 그러므로 베이즈주의 입장에서는 (가)와 (나)와 (다)가 A에 대해 갖는 증거의 힘을 합하면 0보다 크다고 해석할 것이다.

[오답 풀이]

① 베이즈주의 입장에서는, <보기>의 사례에서 '철수는 (가)와 (나)를 함께 고려하여 가설 A에 대해 더 확신하게 되었다.'는 것을, 가설 A에 대한 확신이 커졌으므로 새로운 증거 (가), (나)에 의해 사후 확률이 증가한 것이라고 해석할 것이다. 그런데 이때 (가)는 가설 A의 신뢰도를 높이는 증거이고, (나)는 그 신뢰도를 낮추는 증거이다. (나)의 증거의 힘이 (가)의 증거의 힘보다 더 컸다면, 철수는 (가)와 (나)를 함께 고려한 후에 가설 A에 대해 더 확신하게 되지 않았을 것이다. 그러므로 베이즈주의 입장에서는 (가)와 (나) 중에서 A에 대해 갖는 증거의 힘은 (나)가 더 크다고 해석하지 않을 것이다.

③ <보기>에서 증거 (가), (나), (다)에 의한 가설 A의 사후 확률이 a, b, c라 하면, 이를 크기대로 나열할 때 '1 ≥ b > a > c ≥ 0'이 될 것이다. 이때 가설 A에 대해 (나)가 갖는 증거의 힘은 사후 확률에서 사전 확률을 뺀 값, 즉 c−a이며, 이는 0보다 작을 것임을 알 수 있다. 그러므로 베이즈주의 입장에서는 (나)가 A에 대해 갖는 증거의 힘은 0보다 크다고 해석하지 않을 것이다.

④ <보기>에서 (가), (나), (다)에 의한 가설 A의 사후 확률이 a, b, c라 할 때, 이를 크기대로 나열하면 '1 ≥ b > a > c ≥ 0'이 된다. 이때 가설 A에 대해 (나)가 갖는 증거의 힘은 c−a이므로 0보다 작을 것이며, (다)가 갖는 증거의 힘은 a−a이므로 0일 것임을 알 수 있다. 그러므로 베이즈주의 입장에서는 (나)와 (다)만 고려하면 A의 신뢰도는 변함이 없다고 해석하는 것이 아니라, A의 신뢰도가 더 떨어진다고 해석할 것이다.

⑤ <보기>에 의하면, 철수가 (가), (나), (다)의 증거를 접한 후 가설 A에 대해 더 확신하게 되는 과정에서 증거 (다)는 아무런 영향을 미치지 못하였다. 지문에서는 '주어진 가설의 신뢰도에 변화를 주지 않는 경험적 증거의 힘은 0이 된다.'고 하였으므로, <보기>에서 가설 A에 대해 (다)가 갖는 증거의 힘은 0임을 알 수 있다. 그러므로 베이즈주의 입장에서는 (다)가 A에 대해 갖는 증거의 힘은 0보다 크다고 해석하지 않을 것이다.

예시문항

[3~5] 제재 | 취미론과 미적 태도론
난이도 | ★★☆

3. 정답 ④ 난이도 ★★☆
내용영역 인문 문항 유형 분석

[정답 풀이]

④ '다양성 속의 통일성'이란 특수한 즐거움을 환기하는 대상들이 가질 만한 속성 가운데 하나이다. 그런데, 대상에 대한 미적 판단이 주관적인 즐거움에 달려 있는 취미론에서 이 같은 속성은 보편적 확실성이 아닌 개연성을 지닐 뿐이다. 따라서 '다양성 속의 통일성'이란 특수한 즐거움을 환기할 개연성이 높은 대상의 속성이다.

[오답 풀이]

① '제6감'이란 감각적인 성질로의 미를 파악하는 감관인 '취미'를 가리키는 말로, 외적 감관인 오감의 능력과는 구별되는 능력이다. '제6감'이 내적 감관이기는 하지만, 이것이 오감, 다섯 개의 감관을 매개하기 위해 상정되는 것은 아니다.

② '미의 관념'이란 대상의 어떤 특수한 성질을 지각할 때 그 지각으로부터 마음속에 환기되는 특수한 즐거움을 가리킨다. 따라서 '미의 관념'이 미적 판단이 이루어질 때 마음속에 떠오르는 대상의 이미지라는 선택지의 내용은 잘못된 설명이다.

③ '무관심성'이란 대상을 이해관계와 무관하게 그 자체로서 지각하는 것을 뜻한다. 미의 관념이 취미의 공식에 따라 생성되는지 여부를 판단하는 기준과는 거리가 멀다.

⑤ '미적 지각'이란 미적 태도론에서 다루는 개념 가운데 하나로, 대상에 대한 관조적이고 무관심적인 태도를 일컫는다. 미적 태도론에서는 대상이 무엇이든 간에 그것에 대해 미적 태도를 취하기만 하면 그것이 곧 아름다운 대상이라는 결론으로 귀결되며, 일상적 지각과 미적 지각이 구분된다. 따라서 '미적 지각'이란 특정 대상에 한정되어 있지 않으며, 일상적 지각이 미적 지각으로 전환되지도 않는다.

4. 정답 ⑤ 난이도 ★★★
내용영역 인문 문항 유형 비판

[정답 풀이]

⑤ <보기>는 비례, 균형 등의 형식적 속성들은 본질적으로 수학적인 것이므로, 우리가 가진 이성 능력이 그 형식적 속성들을 파악한다고 보는 것이 타당하다고 주장한다. 이와 대립되는 취미론자의 주장은 미를 파악하는 데는 미의 감관인 '취미'가 별도로 필요하다는 것이다. 따라서 <보기>의 내용이 논박할 수 있는 취미론자의 주장은 '미'의 속성을 파악하는 방법과 관련된 내용일 것이다. 이러한 내용을 다루고 있는 선택지는 ⑤번이다.

[오답 풀이]

① 취미론자는 '미적 관념'이란, 대상의 특수한 성질을 지각함으로써 환기하게 되는 특수하고도 주관적인 즐거움이라고 규정하되(3문단), 주관적 즐거움이 모두 다 미일 수는 없다고 주장한다(4문단). 따라서 주관적 즐거움의 일부만이 미적 즐거움이라는 선택지의 내용은 취미론자의 주장과 일치한다고 볼 수 있다. 그런데 <보기>의 진술은 미의 속성을 형식적이고 객관적인 것으로 간주하고, 미적 즐거움의 주관성에 대하여는 언급하고 있지 않다. 따라서 <보기>의 진술은 주관적 즐거움의 일부만이 미적 즐거움이라는 취미론자의 주장에 대하여 논박한 것이라 볼 수 없다.

② 취미론자는 '미의 감관'인 '취미'가 외적 감관과 더불어 작동한다고 보았다(2문단). 그런데, <보기>의 내용은 내적 감관과 외적 감관의 동시 작동 여부에 대하여는 언급하고 있지 않다. 따라서 <보기>의 진술은 취미가 여타 외적 감각 기관과 동시에 작동한다는 취미론자의 주장을 논박한 것이라 볼 수 없다.

③ 취미론자의 관점에서 미의 관념이란 대상의 속성을 지각함으로써 환기하게 되는 즐거움이다. 그런데 취미론자는 미의 감관인 '취미'를 결여한 사람들은 시각이나 청각 능력이 뛰어나더라도 미적 감흥을 느끼지 못한다고 주장한다(2문단). 이는 대상의 형식적 속성을 지각하더라도 미적 판단에는 도달하지 못할 수 있음을 의미한다. 따라서 취미론자에게 대상의 형식적 속성은 미적 판단을 위한 필요조건일 수 있다. 그러나 <보기>의 내용은 대상의 형식적 속성에 대한 판단이 이성 능력에 달려 있다고 주장하는 것이므로 이와 무관하다.

④ 취미론자들은 미적 판단의 보편적 기준을 확보함으로써 '취미론의 공식'을 완성하려 했으나, 대상에 대한 미적 판단이 주관적인 즐거움에서 비롯된다고 보는 취미론에서는 대상의 특수한 속성이 보편적 확실성을 획득하기 어렵다는 결론에 도달한다. 즉, 취미론을 따르는 한 미적 판단의 객관성과 보편성은 기대하기 어렵다(5문단). 따라서 미적 판단의 보편성은 경험적 관찰과 일반화로 확보될 수 있다는 선택지의 내용은 취미론자의 주장과 거리가 멀며, 이성의 힘으로 미의 형식적 속성을 판단해야 한다고 보는 <보기>의 진술에 의해 논박되는 내용이라 보기도 어렵다.

5. 정답 ④ 난이도 ★☆☆
내용영역 인문 문항 유형 추론

[정답 풀이]

④ '취미론자'에게 '미'는 취미에 의해 지각되는 주관적인 것으로, 대상의 성질을 지각할 때 그 지각으로부터 환기되는 특수한 즐거움을 뜻한다. '취미론'의 기본 정신을 계승한 '미적 태도론자'는 미를 정의하는 데 특수한 대상은 필요하지 않다고 보며, 미적 판단의 객관성은 논외로 한다. 이 같은 내용으로 미루어 볼 때, '취미론자'와 '미적 태도론자'는 모두 미는 대상의 성질이 아닌 주관적 즐거움을 가리키는 말이라고 생각할 것임을 알 수 있다.

[오답 풀이]

① '취미론자'는 '미'란 그것을 지각하는 마음과 어떠한 관계도 없이 그 자체로 아름다운 성질이 아니라고 주장하며, '미적 태도론자'는 대상이 무엇이든 그 대상에 대하여 미적 태도를 취하기만 하면 그것이 미적 대상이 된다고 주장한다. 이 같은 내용으로 미루어 볼 때, '취미론자'와 '미적 태도론자'는 언제나 그 자체로 아름다운 대상은 존재하지 않는다고 생각할 것이다.

② '취미론자'는 감각적인 성질로서의 미를 파악하는 감관, 즉 취미가 오감과 별도로 존재한다고 주장한다. 그러나 '미적 태도론자'는 특수한 감관으로서의 취미는 미를 정의하는 데 필요하지 않다고 본다. 따라서 '취미론자'는 미의 지각을 전담하는 내적 감각 기관이 존재한다고 생각하겠지만, '미적 태도론자'는 그렇게 생각하지 않을 것이다.

③ '취미론자'는 미의 관념이 대상의 어떤 특수한 성질을 지각함으로써 환기하게 되는 특수한 즐거움이라고 생각한다. 그런데 '미적 태도론자'는 취미에 반응을 일으키는 특수한 대상과 같은 요소들은 미를 정의하는 데 불필요하며, 대상의 본질적 성질보다 대상에 대한 태도가 미적 대상을 만드는 것이라 생각한다. 따라서 '미적 태도론자'는 대상의 성질이 미의 본질을 설명하는 데 불필요하다고 생각하겠지만, '취미론자'는 대상의 성질이 미적 관념을 환기하는 데 필요하다고 생각할 것이다.

⑤ '취미론자'에게 미는 마음속에서 일어난 하나의 관념으로서 미적 판단은 주관적인 것이다. '미적 태도론자'에게 미적 판단은 감상자의 태도에 달린 것으로 미적 대상은 감상자의 주관에 따라 달라지는 것이다. 따라서 '취미론자'와 '미적 태도론자'는 모두 대부분의 사람이 동의할 수 있는 보편적인 미적 판단이 존재하지 않는다고 생각할 것이다.

[6~8] 제재 | 와해성 혁신 이론
난이도 | ★★☆

6. 정답 ③ 난이도 ★☆☆

내용영역 사회 문항 유형 분석

[정답 풀이]

③ 적절하지 않다. 와해성 기술은 존속성 기술과 전혀 다른 가치를 가지고 있기는 하지만(1문단), 단순한 기술을 가지고 저가 시장을 공략하므로(4문단), 와해성 기술을 응용한 제품은 일반적으로 더 싸다(5문단). 따라서 새로운 시장에서 새로운 가치를 부여받기 때문에 높은 제품 가격을 형성한다는 선택지의 내용은 와해성 기술에 대한 설명이라 할 수 없다.

[오답 풀이]

① 와해성 기술은 존속성 기술에 비해 기술적 수준은 낮지만 색다른 가치의 측면을 높이 평가받는다(5문단). 그러나 선도 기업은 기존 제품의 성능을 향상시키라는 고객의 요구를 잠시도 외면할 수 없기 때문에 와해성 기술을 낮게 평가할 수밖에 없다(1문단). 즉, 와해성 기술은 시장적 이유 때문에 선도 기업에 의해 낮게 평가된다.

② 일정한 시간이 경과하여 와해성 기술이 자체적으로 성능이 향상되어 당초의 존속성 기술 시장이 요구하던 수준에 도달하면, 그때부터 소비자를 급속히 흡수함으로써 존속성 기술이 가졌던 시장을 '와해'시키게 된다(1문단, 5문단). 이처럼 와해성 기술은 초기에는 시장을 거의 갖고 있지 않다가 점차 기존의 시장을 점유하게 된다.

④ <그림 2>를 통해 확인할 수 있듯이, 와해성 기술은 초기 단계에 원래의 기술 발전 궤도보다 오른쪽에 위치하여 대중적 시장의 만족을 얻지 못한다. 그러나 시간의 경과에 따라 발전을 거듭하면 기존 기술보다 낮은 가격에 대중적 시장의 수요를 충족시킬 수 있게 된다. 이처럼 대다수 고객에게 충분한 만족을 주지 못하는 기술적 약점이 시간이 흐른 뒤에는 오히려 강점이 될 수 있는 것이다.

⑤ 와해성 기술은 존속성 기술에 비해 그 성능이 미흡하지만, 일정한 시간이 경과하면 자체적으로 성능이 향상되어 당초의 존속성 기술 시장이 요구하던 수준에 도달하게 된다. 즉 와해성 기술은 고도의 기술 수준을 나타내지는 않으나 시간에 따라 그 성능은 향상된다.

7. 정답 ④ 난이도 ★☆☆

내용영역 사회 문항 유형 추론

[정답&오답 풀이]

<보기>에서는 유전학자들이, 새로운 세대가 나타나기까지 너무 오랜 시간을 필요로 하는 인간 대신 생장에서 사망까지의 과정이 단기간 내에 종료되는 초파리를 연구 대상으로 삼는다는 내용이 제시되어 있다. 만약 발문의 내용대로 '크리스텐슨'이 <보기>의 내용에 착안하여 디스크 드라이브 산업을 연구했다면, <보기>에서 초파리가 지니는 특성은 ㉠'디스크 드라이브 산업'의 특성과 유사할 것이다. 2문단에 따르면, 소비자가 필요를 느껴 새로운 기술을 어떻게 사용하는지를 배우고 이를 자신들의 일과 생활방식에까지 받아들이는 데는 시간이 걸린다. 따라서 우수한 기업들이 선도적 지위를 어떻게 상실하게 되는지를 효율적으로 연구하기 위해서는, 그 대상이 <보기>에서 언급된 바대로 변화의 원인과 결과를 이해하는 데 지나치게 많은 시간을 소요하는 것이어서는 안 된다. 그러므로 ㉠의 특성은 ④번 선택지의 내용대로 그 대상이 기술 변화와 기업의 흥망이 빈번하게 진행되어 변화의 원인과 결과를 파악하는 데 많은 시간을 들이지 않아도 되는 산업이어야 할 것이다. 나머지 선택지의 내용은 <보기>에 제시된 초파리의 특징, 즉 변화 원인과 결과를 이해하는 데 소요되는 시간이 짧은 것과 무관(②)하거나 거리가 있는 것들(①, ③, ⑤)이어서 ㉠의 특징으로 적절하지 않다.

8. 정답 ② 난이도 ★★☆

내용영역 사회 문항 유형 창의

[정답 풀이]

② 선도 기업들은 기존 제품의 성능을 향상시키라는 고객의 요구를 잠시도 외면할 수 없기 때문에 자연히 존속성 기술을 중요시하는

반면, 와해성 기술을 낮게 평가할 수밖에 없게 된다(1문단). 그런데 선도 기업이 존속성 기술로 고가 시장만을 겨냥하다 보면 와해성 기술로 형성된 시장이 더 이상 외면해도 좋을 저가 시장이 아님을 뒤늦게 깨닫게 된다(4문단). 고객의 수요 신호가 전달된 후에 비로소 와해성 기술에 관심을 갖는다면 이미 실기한 것이며 종국에는 선도적 지위를 상실할 수 있다. 따라서 선도 기업들이 와해성 기술에서 성공을 거두고 선도적 지위를 유지하기 위해서는 와해성 기술을 중심으로 새로운 사업 단위를 설정하여 기존 고객의 압력으로부터 자유로운 조직을 가져야 한다(6문단). 기술의 성능을 지속적으로 개선하여 다양한 기능을 요구하는 소비자들의 수요에 신속히 대응하라는 선택지의 제안은 결국 와해성 기술이 아닌 존속성 기술을 중시하라는 것이므로, 존속성 기술을 고수하다 선도적 지위를 잃을 위험성이 있는 기업의 경영자에게 할 만한 적절한 제안이라 할 수 없다.

[오답 풀이]

① 지문에서는 선도 기업들이 와해성 기술에서 성공을 거두고 선도적 지위를 유지할 수 있는 유일한 방안으로, 와해성 기술을 중심으로 새로운 사업 단위를 설정하여 기존 고객의 압력으로부터 자유로운 조직을 갖는 것이라고 주장한다(6문단). 선도적 지위를 계속 유지하려면 신규 사업 추진 여부를 현재의 시장 수요로 판단하지 말라는 선택지 내용은 지문에 제시된 주장과 동일한 제안이라 할 수 있다.

③ 지문에 제시된 내용에 따르면, 기업들은 고객이 원하기 시작할 때 와해성 기술에 자원을 투자할 수 있으며, 그 이전에 투자하기에는 어려움이 크다는 것을 잘 알고 있다. 그러나 불행하게도 그러한 고객의 신호가 전달된 후에 비로소 와해성 기술에 관심을 갖는다면 이미 실기한 것이다(6문단). 이러한 내용을 근거로 선도 기업의 경영자에게 제안한다면, 사전에 예측할 수 없는 와해성 기술 시장을 겨냥하여 잠재적인 소비자를 발견하는 마케팅 전략을 구사하라는 선택지의 내용도 포함될 수 있을 것이다.

④ 선도 기업은 한 단계 높은 시장으로 진출하기 위해 소비자가 흡수할 수 있는 능력보다 더욱 빠르게 기술을 발전시킨다. 높은 기술 수준을 갖추고 디자인이 세련된 제품을 내 놓으면 제품당 이익률을 높일 수 있기 때문이다(2문단). 그런데 존속성 기술을 중심으로 고가 시장만을 겨냥하던 선도 기업들은 그들이 외면했던 저가 시장이 높은 매출을 올리는 시장으로 성장했을 때에서야 이미 기회를 놓쳤음을 깨닫게 된다(4문단, 6문단). 이 같은 내용으로 미루어볼 때, 기업의 경영자들은 자신이 자원의 흐름을 통제한다고 생각하지만, 실제로 이를 좌우하는 것은 고객이라는 사실을 잊지 말아야 한다고 제안할 수 있을 것이다.

⑤ 어떤 시점에서 어떤 기업이 원래의 기술 수준보다 낮은 수준에서 저가 시장을 공략하더라도 해당 기술이 소비자가 기대하는 정도보다 빠른 속도로 발전을 거듭하게 되면 마침내 기존 기술보다는 훨씬 낮은 가격에 대중적 시장의 수요를 충족시킬 수 있게 된다(4문단). 이 같은 내용을 근거로 할 때, 현재 낮은 성능의 제품도 미래에는 높은 경쟁력을 가질 수 있으므로 시장의 경쟁 기반이 변화하는 지점을 정확히 포착하라는 제안을 선도 기업의 경영자에게 할 수 있을 것이다.

예시문항

2027학년도
법학적성시험 답안지

①교시 언어이해 / ②교시 추리논증

성 명						
수 험 번 호						
0	0	0	0	0	0	0
1	1	1	1	1	1	1
2	2	2	2	2	2	2
3	3	3	3	3	3	3
4	4	4	4	4	4	4
5	5	5	5	5	5	5
6	6	6	6	6	6	6
7	7	7	7	7	7	7
8	8	8	8	8	8	8
9	9	9	9	9	9	9

문제유형 표기란
⬯ 홀수형
⬯ 짝수형

※ 수험번호 끝자리가 홀수인 응시자는 반드시 홀수형 문제지를, 짝수인 응시자는 반드시 짝수형 문제지를 풀어야 함.

※ 결시자 표기 및 감독관 날인란		
결시자 표기	컴퓨터용 사인펜으로 수험번호와 옆란 표기	⬯
감독관 날인	본인확인 및 수험번호의 정확한 표기 확인	
	수험번호 끝자리와 문제유형 동일 확인	

문번	답			란	
1	1	2	3	4	5
2	1	2	3	4	5
3	1	2	3	4	5
4	1	2	3	4	5
5	1	2	3	4	5
6	1	2	3	4	5
7	1	2	3	4	5
8	1	2	3	4	5
9	1	2	3	4	5
10	1	2	3	4	5
11	1	2	3	4	5
12	1	2	3	4	5
13	1	2	3	4	5
14	1	2	3	4	5
15	1	2	3	4	5

문번	답			란	
16	1	2	3	4	5
17	1	2	3	4	5
18	1	2	3	4	5
19	1	2	3	4	5
20	1	2	3	4	5
21	1	2	3	4	5
22	1	2	3	4	5
23	1	2	3	4	5
24	1	2	3	4	5
25	1	2	3	4	5
26	1	2	3	4	5
27	1	2	3	4	5
28	1	2	3	4	5
29	1	2	3	4	5
30	1	2	3	4	5

문번	답			란	
31	1	2	3	4	5
32	1	2	3	4	5
33	1	2	3	4	5
34	1	2	3	4	5
35	1	2	3	4	5
36	1	2	3	4	5
37	1	2	3	4	5
38	1	2	3	4	5
39	1	2	3	4	5
40	1	2	3	4	5

※ 아래 문구를 **'필적확인란'**의 빈칸에 정자로 기재하시오.

법학전문대학원은 여러분을 기다리고 있습니다.	
필 적 확인란	

답안 작성시 반드시 지켜야 하는 사항

아래 사항은 전 교시에 모두 해당되는 것입니다.

1. 답란은 반드시 컴퓨터용 사인펜만을 사용하여 "●"와 같이 검게 표기해야 합니다.

2. 수험번호란에는 아라비아숫자로 기록하고, 해당란에 "●"와 같이 검게 표기해야 합니다.

3. 수험번호 끝자리가 홀수인 응시자는 반드시 홀수형 문제지를, 짝수인 응시자는 반드시 짝수형 문제지를 배부받아 풀어야 합니다.

4. '필적확인란'을 반드시 기재해야 합니다.

5. 수정테이프를 이용하여 답란 수정은 가능하나, 수정테이프가 떨어지는 등 불완전한 수정처리로 인해 발생되는 모든 책임은 수험생에게 있으니 주의 바랍니다.

위 사항을 지키지 않아 발생하는 불이익은 응시자에게 있습니다.

2027학년도 법학적성시험 답안지

①교시 언어이해 / ②교시 추리논증

성 명						
수 험 번 호						
0	0	0	0	0	0	0
1	1	1	1	1	1	1
2	2	2	2	2	2	2
3	3	3	3	3	3	3
4	4	4	4	4	4	4
5	5	5	5	5	5	5
6	6	6	6	6	6	6
7	7	7	7	7	7	7
8	8	8	8	8	8	8
9	9	9	9	9	9	9

문제유형 표 기 란
○ 홀수형
○ 짝수형

※ 수험번호 끝자리가 홀수인 응시자는 반드시 홀수형 문제지를, 짝수인 응시자는 반드시 짝수형 문제지를 풀어야 함.

※ 결시자 표기 및 감독관 날인란		
결시자 표 기	컴퓨터용 사인펜으로 수험번호와 옆란 표기	○
감독관 날 인	본인확인 및 수험번호의 정확한 표기 확인	
	수험번호 끝자리와 문제유형 동일 확인	

문번	답 란				
1	①	②	③	④	⑤
2	①	②	③	④	⑤
3	①	②	③	④	⑤
4	①	②	③	④	⑤
5	①	②	③	④	⑤
6	①	②	③	④	⑤
7	①	②	③	④	⑤
8	①	②	③	④	⑤
9	①	②	③	④	⑤
10	①	②	③	④	⑤
11	①	②	③	④	⑤
12	①	②	③	④	⑤
13	①	②	③	④	⑤
14	①	②	③	④	⑤
15	①	②	③	④	⑤

문번	답 란				
16	①	②	③	④	⑤
17	①	②	③	④	⑤
18	①	②	③	④	⑤
19	①	②	③	④	⑤
20	①	②	③	④	⑤
21	①	②	③	④	⑤
22	①	②	③	④	⑤
23	①	②	③	④	⑤
24	①	②	③	④	⑤
25	①	②	③	④	⑤
26	①	②	③	④	⑤
27	①	②	③	④	⑤
28	①	②	③	④	⑤
29	①	②	③	④	⑤
30	①	②	③	④	⑤

문번	답 란				
31	①	②	③	④	⑤
32	①	②	③	④	⑤
33	①	②	③	④	⑤
34	①	②	③	④	⑤
35	①	②	③	④	⑤
36	①	②	③	④	⑤
37	①	②	③	④	⑤
38	①	②	③	④	⑤
39	①	②	③	④	⑤
40	①	②	③	④	⑤

※ 아래 문구를 **'필적확인란'**의 빈칸에 정자로 기재하시오.

법학전문대학원은 여러분을 기다리고 있습니다.	
필 적 확인란	

답안 작성시 반드시 지켜야 하는 사항

아래 사항은 전 교시에 모두 해당되는 것입니다.

1. 답란은 반드시 컴퓨터용 사인펜만을 사용하여 "■"와 같이 검게 표기해야 합니다.

2. 수험번호란에는 아라비아숫자로 기록하고, 해당란에 "■"와 같이 검게 표기해야 합니다.

3. 수험번호 끝자리가 홀수인 응시자는 반드시 홀수형 문제지를, 짝수인 응시자는 반드시 짝수형 문제지를 배부받아 풀어야 합니다.

4. '필적확인란'을 반드시 기재해야 합니다.

5. 수정테이프를 이용하여 답란 수정은 가능하나, 수정테이프가 떨어지는 등 불완전한 수정처리로 인해 발생되는 모든 책임은 수험생에게 있으니 주의 바랍니다.

위 사항을 지키지 않아 발생하는 불이익은 응시자에게 있습니다.

2027학년도
법학적성시험 답안지

①교시 **언어이해** / ②교시 **추리논증**

성 명						
수험번호						
0	0	0	0	0	0	0
1	1	1	1	1	1	1
2	2	2	2	2	2	2
3	3	3	3	3	3	3
4	4	4	4	4	4	4
5	5	5	5	5	5	5
6	6	6	6	6	6	6
7	7	7	7	7	7	7
8	8	8	8	8	8	8
9	9	9	9	9	9	9

문제유형 표기란
⬯ 홀수형
⬯ 짝수형

※ 수험번호 끝자리가 홀수인 응시자는 반드시 홀수형 문제지를, 짝수인 응시자는 반드시 짝수형 문제지를 풀어야 함.

※ 결시자 표기 및 감독관 날인란		
결시자 표기	컴퓨터용 사인펜으로 수험번호와 옆란 표기	⬯
감독관 날인	본인확인 및 수험번호의 정확한 표기 확인	
	수험번호 끝자리와 문제유형 동일 확인	

문번	답		란		
1	①	②	③	④	⑤
2	①	②	③	④	⑤
3	①	②	③	④	⑤
4	①	②	③	④	⑤
5	①	②	③	④	⑤
6	①	②	③	④	⑤
7	①	②	③	④	⑤
8	①	②	③	④	⑤
9	①	②	③	④	⑤
10	①	②	③	④	⑤
11	①	②	③	④	⑤
12	①	②	③	④	⑤
13	①	②	③	④	⑤
14	①	②	③	④	⑤
15	①	②	③	④	⑤

문번	답		란		
16	①	②	③	④	⑤
17	①	②	③	④	⑤
18	①	②	③	④	⑤
19	①	②	③	④	⑤
20	①	②	③	④	⑤
21	①	②	③	④	⑤
22	①	②	③	④	⑤
23	①	②	③	④	⑤
24	①	②	③	④	⑤
25	①	②	③	④	⑤
26	①	②	③	④	⑤
27	①	②	③	④	⑤
28	①	②	③	④	⑤
29	①	②	③	④	⑤
30	①	②	③	④	⑤

문번	답		란		
31	①	②	③	④	⑤
32	①	②	③	④	⑤
33	①	②	③	④	⑤
34	①	②	③	④	⑤
35	①	②	③	④	⑤
36	①	②	③	④	⑤
37	①	②	③	④	⑤
38	①	②	③	④	⑤
39	①	②	③	④	⑤
40	①	②	③	④	⑤

※ 아래 문구를 **'필적확인란'**의 빈칸에 정자로 기재하시오.

법학전문대학원은 여러분을 기다리고 있습니다.	
필 적 확인란	

답안 작성시 반드시 지켜야 하는 사항

아래 사항은 전 교시에 모두 해당되는 것입니다.

1. 답란은 반드시 컴퓨터용 사인펜만을 사용하여 "●"와 같이 검게 표기해야 합니다.

2. 수험번호란에는 아라비아숫자로 기록하고, 해당란에 "●"와 같이 검게 표기해야 합니다.

3. 수험번호 끝자리가 홀수인 응시자는 반드시 홀수형 문제지를, 짝수인 응시자는 반드시 짝수형 문제지를 배부받아 풀어야 합니다.

4. '필적확인란'을 반드시 기재해야 합니다.

5. 수정테이프를 이용하여 답란 수정은 가능하나, 수정테이프가 떨어지는 등 불완전한 수정처리로 인해 발생되는 모든 책임은 수험생에게 있으니 주의 바랍니다.

위 사항을 지키지 않아 발생하는 불이익은 응시자에게 있습니다.

메가로스쿨

2027학년도
법학적성시험 답안지

①교시 **언어이해** / ②교시 **추리논증**

성 명						
수 험 번 호						
0	0	0	0	0	0	0
1	1	1	1	1	1	1
2	2	2	2	2	2	2
3	3	3	3	3	3	3
4	4	4	4	4	4	4
5	5	5	5	5	5	5
6	6	6	6	6	6	6
7	7	7	7	7	7	7
8	8	8	8	8	8	8
9	9	9	9	9	9	9

문제유형 표 기 란
⬯ 홀수형
⬯ 짝수형

※ 수험번호 끝자리가 홀수인 응시자는 반드시 홀수형 문제지를, 짝수인 응시자는 반드시 짝수형 문제지를 풀어야 함.

※ 결시자 표기 및 감독관 날인란		
결시자 표 기	컴퓨터용 사인펜으로 수험번호와 옆란 표기	⬯
감독관 날 인	본인확인 및 수험번호의 정확한 표기 확인	
	수험번호 끝자리와 문제유형 동일 확인	

문번	답				란
1	①	②	③	④	⑤
2	①	②	③	④	⑤
3	①	②	③	④	⑤
4	①	②	③	④	⑤
5	①	②	③	④	⑤
6	①	②	③	④	⑤
7	①	②	③	④	⑤
8	①	②	③	④	⑤
9	①	②	③	④	⑤
10	①	②	③	④	⑤
11	①	②	③	④	⑤
12	①	②	③	④	⑤
13	①	②	③	④	⑤
14	①	②	③	④	⑤
15	①	②	③	④	⑤

문번	답				란
16	①	②	③	④	⑤
17	①	②	③	④	⑤
18	①	②	③	④	⑤
19	①	②	③	④	⑤
20	①	②	③	④	⑤
21	①	②	③	④	⑤
22	①	②	③	④	⑤
23	①	②	③	④	⑤
24	①	②	③	④	⑤
25	①	②	③	④	⑤
26	①	②	③	④	⑤
27	①	②	③	④	⑤
28	①	②	③	④	⑤
29	①	②	③	④	⑤
30	①	②	③	④	⑤

문번	답				란
31	①	②	③	④	⑤
32	①	②	③	④	⑤
33	①	②	③	④	⑤
34	①	②	③	④	⑤
35	①	②	③	④	⑤
36	①	②	③	④	⑤
37	①	②	③	④	⑤
38	①	②	③	④	⑤
39	①	②	③	④	⑤
40	①	②	③	④	⑤

※ 아래 문구를 **'필적확인란'**의 빈칸에 정자로 기재하시오.

법학전문대학원은 여러분을 기다리고 있습니다.	
필 적 확인란	

답안 작성시 반드시 지켜야 하는 사항

아래 사항은 전 교시에 모두 해당되는 것입니다.

1. 답란은 반드시 컴퓨터용 사인펜만을 사용하여 "▮"와 같이 검게 표기해야 합니다.

2. 수험번호란에는 아라비아숫자로 기록하고, 해당란에 "▮"와 같이 검게 표기해야 합니다.

3. 수험번호 끝자리가 홀수인 응시자는 반드시 홀수형 문제지를, 짝수인 응시자는 반드시 짝수형 문제지를 배부받아 풀어야 합니다.

4. '필적확인란'을 반드시 기재해야 합니다.

5. 수정테이프를 이용하여 답란 수정은 가능하나, 수정테이프가 떨어지는 등 불완전한 수정처리로 인해 발생되는 모든 책임은 수험생에게 있으니 주의 바랍니다.

위 사항을 지키지 않아 발생하는 불이익은 응시자에게 있습니다.

2027학년도
법학적성시험 답안지

①교시 **언어이해** / ②교시 **추리논증**

성 명						
수 험 번 호						
0	0	0	0	0	0	0
1	1	1	1	1	1	1
2	2	2	2	2	2	2
3	3	3	3	3	3	3
4	4	4	4	4	4	4
5	5	5	5	5	5	5
6	6	6	6	6	6	6
7	7	7	7	7	7	7
8	8	8	8	8	8	8
9	9	9	9	9	9	9

문제유형 표기란
⬯ 홀수형
⬯ 짝수형

※ 수험번호 끝자리가 홀수인 응시자는 반드시 홀수형 문제지를, 짝수인 응시자는 반드시 짝수형 문제지를 풀어야 함.

※ 결시자 표기 및 감독관 날인란		
결시자 표기	컴퓨터용 사인펜으로 수험번호와 옆란 표기	⬯
감독관 날인	본인확인 및 수험번호의 정확한 표기 확인	
	수험번호 끝자리와 문제유형 동일 확인	

문번	답				란
1	①	②	③	④	⑤
2	①	②	③	④	⑤
3	①	②	③	④	⑤
4	①	②	③	④	⑤
5	①	②	③	④	⑤
6	①	②	③	④	⑤
7	①	②	③	④	⑤
8	①	②	③	④	⑤
9	①	②	③	④	⑤
10	①	②	③	④	⑤
11	①	②	③	④	⑤
12	①	②	③	④	⑤
13	①	②	③	④	⑤
14	①	②	③	④	⑤
15	①	②	③	④	⑤

문번	답				란
16	①	②	③	④	⑤
17	①	②	③	④	⑤
18	①	②	③	④	⑤
19	①	②	③	④	⑤
20	①	②	③	④	⑤
21	①	②	③	④	⑤
22	①	②	③	④	⑤
23	①	②	③	④	⑤
24	①	②	③	④	⑤
25	①	②	③	④	⑤
26	①	②	③	④	⑤
27	①	②	③	④	⑤
28	①	②	③	④	⑤
29	①	②	③	④	⑤
30	①	②	③	④	⑤

문번	답				란
31	①	②	③	④	⑤
32	①	②	③	④	⑤
33	①	②	③	④	⑤
34	①	②	③	④	⑤
35	①	②	③	④	⑤
36	①	②	③	④	⑤
37	①	②	③	④	⑤
38	①	②	③	④	⑤
39	①	②	③	④	⑤
40	①	②	③	④	⑤

※ 아래 문구를 **'필적확인란'**의 빈칸에 정자로 기재하시오.

법학전문대학원은 여러분을 기다리고 있습니다.	
필 적 확인란	

답안 작성시 반드시 지켜야 하는 사항

아래 사항은 전 교시에 모두 해당되는 것입니다.

1. 답란은 반드시 컴퓨터용 사인펜만을 사용하여 "●"와 같이 검게 표기해야 합니다.

2. 수험번호란에는 아라비아숫자로 기록하고, 해당란에 "●"와 같이 검게 표기해야 합니다.

3. 수험번호 끝자리가 홀수인 응시자는 반드시 홀수형 문제지를, 짝수인 응시자는 반드시 짝수형 문제지를 배부받아 풀어야 합니다.

4. '필적확인란'을 반드시 기재해야 합니다.

5. 수정테이프를 이용하여 답란 수정은 가능하나, 수정테이프가 떨어지는 등 불완전한 수정처리로 인해 발생되는 모든 책임은 수험생에게 있으니 주의 바랍니다.

위 사항을 지키지 않아 발생하는 불이익은 응시자에게 있습니다.

2027학년도
법학적성시험 답안지

①교시 언어이해 / ②교시 추리논증

성 명						
수 험 번 호						
0	0	0	0	0	0	0
1	1	1	1	1	1	1
2	2	2	2	2	2	2
3	3	3	3	3	3	3
4	4	4	4	4	4	4
5	5	5	5	5	5	5
6	6	6	6	6	6	6
7	7	7	7	7	7	7
8	8	8	8	8	8	8
9	9	9	9	9	9	9

문제유형 표 기 란
⬯ 홀수형
⬯ 짝수형

※ 수험번호 끝자리가 홀수인 응시자는 반드시 홀수형 문제지를, 짝수인 응시자는 반드시 짝수형 문제지를 풀어야 함.

※ 결시자 표기 및 감독관 날인란		
결시자 표 기	컴퓨터용 사인펜으로 수험번호와 옆란 표기	⬯
감독관 날 인	본인확인 및 수험번호의 정확한 표기 확인	
	수험번호 끝자리와 문제유형 동일 확인	

문번	답		란		
1	1	2	3	4	5
2	1	2	3	4	5
3	1	2	3	4	5
4	1	2	3	4	5
5	1	2	3	4	5
6	1	2	3	4	5
7	1	2	3	4	5
8	1	2	3	4	5
9	1	2	3	4	5
10	1	2	3	4	5
11	1	2	3	4	5
12	1	2	3	4	5
13	1	2	3	4	5
14	1	2	3	4	5
15	1	2	3	4	5

문번	답		란		
16	1	2	3	4	5
17	1	2	3	4	5
18	1	2	3	4	5
19	1	2	3	4	5
20	1	2	3	4	5
21	1	2	3	4	5
22	1	2	3	4	5
23	1	2	3	4	5
24	1	2	3	4	5
25	1	2	3	4	5
26	1	2	3	4	5
27	1	2	3	4	5
28	1	2	3	4	5
29	1	2	3	4	5
30	1	2	3	4	5

문번	답		란		
31	1	2	3	4	5
32	1	2	3	4	5
33	1	2	3	4	5
34	1	2	3	4	5
35	1	2	3	4	5
36	1	2	3	4	5
37	1	2	3	4	5
38	1	2	3	4	5
39	1	2	3	4	5
40	1	2	3	4	5

※ 아래 문구를 **'필적확인란'**의 빈칸에 정자로 기재하시오.

법학전문대학원은 여러분을 기다리고 있습니다.	
필 적 확인란	

답안 작성시 반드시 지켜야 하는 사항

아래 사항은 전 교시에 모두 해당되는 것입니다.

1. 답란은 반드시 컴퓨터용 사인펜만을 사용하여 "⬮"와 같이 검게 표기해야 합니다.

2. 수험번호란에는 아라비아숫자로 기록하고, 해당란에 "⬮"와 같이 검게 표기해야 합니다.

3. 수험번호 끝자리가 홀수인 응시자는 반드시 홀수형 문제지를, 짝수인 응시자는 반드시 짝수형 문제지를 배부받아 풀어야 합니다.

4. '필적확인란'을 반드시 기재해야 합니다.

5. 수정테이프를 이용하여 답란 수정은 가능하나, 수정테이프가 떨어지는 등 불완전한 수정처리로 인해 발생되는 모든 책임은 수험생에게 있으니 주의 바랍니다.

위 사항을 지키지 않아 발생하는 불이익은 응시자에게 있습니다.

2027학년도
법학적성시험 답안지

①교시 언어이해 / ②교시 추리논증

성 명						
수 험 번 호						
0	0	0	0	0	0	0
1	1	1	1	1	1	1
2	2	2	2	2	2	2
3	3	3	3	3	3	3
4	4	4	4	4	4	4
5	5	5	5	5	5	5
6	6	6	6	6	6	6
7	7	7	7	7	7	7
8	8	8	8	8	8	8
9	9	9	9	9	9	9

문제유형 표 기 란
⬯ 홀수형
⬯ 짝수형

※ 수험번호 끝자리가 홀수인 응시자는 반드시 홀수형 문제지를, 짝수인 응시자는 반드시 짝수형 문제지를 풀어야 함.

※ 결시자 표기 및 감독관 날인란		
결시자 표 기	컴퓨터용 사인펜으로 수험번호와 옆란 표기	⬯
감독관 날 인	본인확인 및 수험번호의 정확한 표기 확인	
	수험번호 끝자리와 문제유형 동일 확인	

문번	답				란
1	①	②	③	④	⑤
2	①	②	③	④	⑤
3	①	②	③	④	⑤
4	①	②	③	④	⑤
5	①	②	③	④	⑤
6	①	②	③	④	⑤
7	①	②	③	④	⑤
8	①	②	③	④	⑤
9	①	②	③	④	⑤
10	①	②	③	④	⑤
11	①	②	③	④	⑤
12	①	②	③	④	⑤
13	①	②	③	④	⑤
14	①	②	③	④	⑤
15	①	②	③	④	⑤

문번	답				란
16	①	②	③	④	⑤
17	①	②	③	④	⑤
18	①	②	③	④	⑤
19	①	②	③	④	⑤
20	①	②	③	④	⑤
21	①	②	③	④	⑤
22	①	②	③	④	⑤
23	①	②	③	④	⑤
24	①	②	③	④	⑤
25	①	②	③	④	⑤
26	①	②	③	④	⑤
27	①	②	③	④	⑤
28	①	②	③	④	⑤
29	①	②	③	④	⑤
30	①	②	③	④	⑤

문번	답				란
31	①	②	③	④	⑤
32	①	②	③	④	⑤
33	①	②	③	④	⑤
34	①	②	③	④	⑤
35	①	②	③	④	⑤
36	①	②	③	④	⑤
37	①	②	③	④	⑤
38	①	②	③	④	⑤
39	①	②	③	④	⑤
40	①	②	③	④	⑤

※ 아래 문구를 **'필적확인란'**의 빈칸에 정자로 기재하시오.

법학전문대학원은 여러분을 기다리고 있습니다.	
필 적 확인란	

답안 작성시 반드시 지켜야 하는 사항

아래 사항은 전 교시에 모두 해당되는 것입니다.

1. 답란은 반드시 컴퓨터용 사인펜만을 사용하여 "⬮"와 같이 검게 표기해야 합니다.

2. 수험번호란에는 아라비아숫자로 기록하고, 해당란에 "⬮"와 같이 검게 표기해야 합니다.

3. 수험번호 끝자리가 홀수인 응시자는 반드시 홀수형 문제지를, 짝수인 응시자는 반드시 짝수형 문제지를 배부받아 풀어야 합니다.

4. '필적확인란'을 반드시 기재해야 합니다.

5. 수정테이프를 이용하여 답란 수정은 가능하나, 수정테이프가 떨어지는 등 불완전한 수정처리로 인해 발생되는 모든 책임은 수험생에게 있으니 주의 바랍니다.

위 사항을 지키지 않아 발생하는 불이익은 응시자에게 있습니다.

2027학년도
법학적성시험 답안지

①교시 **언어이해** / ②교시 **추리논증**

성 명						
수 험 번 호						
0	0	0	0	0	0	0
1	1	1	1	1	1	1
2	2	2	2	2	2	2
3	3	3	3	3	3	3
4	4	4	4	4	4	4
5	5	5	5	5	5	5
6	6	6	6	6	6	6
7	7	7	7	7	7	7
8	8	8	8	8	8	8
9	9	9	9	9	9	9

문제유형 표 기 란
⃝ 홀수형
⃝ 짝수형

※ 수험번호 끝자리가 홀수인 응시자는 반드시 홀수형 문제지를, 짝수인 응시자는 반드시 짝수형 문제지를 풀어야 함.

※ 결시자 표기 및 감독관 날인란		
결시자 표 기	컴퓨터용 사인펜으로 수험번호와 옆란 표기	⃝
감독관 날 인	본인확인 및 수험번호의 정확한 표기 확인	
	수험번호 끝자리와 문제유형 동일 확인	

문번	답				란
1	1	2	3	4	5
2	1	2	3	4	5
3	1	2	3	4	5
4	1	2	3	4	5
5	1	2	3	4	5
6	1	2	3	4	5
7	1	2	3	4	5
8	1	2	3	4	5
9	1	2	3	4	5
10	1	2	3	4	5
11	1	2	3	4	5
12	1	2	3	4	5
13	1	2	3	4	5
14	1	2	3	4	5
15	1	2	3	4	5

문번	답				란
16	1	2	3	4	5
17	1	2	3	4	5
18	1	2	3	4	5
19	1	2	3	4	5
20	1	2	3	4	5
21	1	2	3	4	5
22	1	2	3	4	5
23	1	2	3	4	5
24	1	2	3	4	5
25	1	2	3	4	5
26	1	2	3	4	5
27	1	2	3	4	5
28	1	2	3	4	5
29	1	2	3	4	5
30	1	2	3	4	5

문번	답				란
31	1	2	3	4	5
32	1	2	3	4	5
33	1	2	3	4	5
34	1	2	3	4	5
35	1	2	3	4	5
36	1	2	3	4	5
37	1	2	3	4	5
38	1	2	3	4	5
39	1	2	3	4	5
40	1	2	3	4	5

※ 아래 문구를 **'필적확인란'**의 빈칸에 정자로 기재하시오.

법학전문대학원은 여러분을 기다리고 있습니다.	
필 적 확인란	

답안 작성시 반드시 지켜야 하는 사항

아래 사항은 전 교시에 모두 해당되는 것입니다.

1. 답란은 반드시 컴퓨터용 사인펜만을 사용하여 "⬮"와 같이 검게 표기해야 합니다.

2. 수험번호란에는 아라비아숫자로 기록하고, 해당란에 "⬮"와 같이 검게 표기해야 합니다.

3. 수험번호 끝자리가 홀수인 응시자는 반드시 홀수형 문제지를, 짝수인 응시자는 반드시 짝수형 문제지를 배부받아 풀어야 합니다.

4. '필적확인란'을 반드시 기재해야 합니다.

5. 수정테이프를 이용하여 답란 수정은 가능하나, 수정테이프가 떨어지는 등 불완전한 수정처리로 인해 발생되는 모든 책임은 수험생에게 있으니 주의 바랍니다.

위 사항을 지키지 않아 발생하는 불이익은 응시자에게 있습니다.

2027학년도
법학적성시험 답안지

①교시 언어이해 / ②교시 추리논증

성 명						
수 험 번 호						
0	0	0	0	0	0	0
1	1	1	1	1	1	1
2	2	2	2	2	2	2
3	3	3	3	3	3	3
4	4	4	4	4	4	4
5	5	5	5	5	5	5
6	6	6	6	6	6	6
7	7	7	7	7	7	7
8	8	8	8	8	8	8
9	9	9	9	9	9	9

문제유형 표 기 란
⬯ 홀수형
⬯ 짝수형

※ 수험번호 끝자리가 홀수인 응시자는 반드시 홀수형 문제지를, 짝수인 응시자는 반드시 짝수형 문제지를 풀어야 함.

※ 결시자 표기 및 감독관 날인란		
결시자 표 기	컴퓨터용 사인펜으로 수험번호와 옆란 표기	⬯
감독관 날 인	본인확인 및 수험번호의 정확한 표기 확인	
	수험번호 끝자리와 문제유형 동일 확인	

문번	답				란
1	①	②	③	④	⑤
2	①	②	③	④	⑤
3	①	②	③	④	⑤
4	①	②	③	④	⑤
5	①	②	③	④	⑤
6	①	②	③	④	⑤
7	①	②	③	④	⑤
8	①	②	③	④	⑤
9	①	②	③	④	⑤
10	①	②	③	④	⑤
11	①	②	③	④	⑤
12	①	②	③	④	⑤
13	①	②	③	④	⑤
14	①	②	③	④	⑤
15	①	②	③	④	⑤

문번	답				란
16	①	②	③	④	⑤
17	①	②	③	④	⑤
18	①	②	③	④	⑤
19	①	②	③	④	⑤
20	①	②	③	④	⑤
21	①	②	③	④	⑤
22	①	②	③	④	⑤
23	①	②	③	④	⑤
24	①	②	③	④	⑤
25	①	②	③	④	⑤
26	①	②	③	④	⑤
27	①	②	③	④	⑤
28	①	②	③	④	⑤
29	①	②	③	④	⑤
30	①	②	③	④	⑤

문번	답				란
31	①	②	③	④	⑤
32	①	②	③	④	⑤
33	①	②	③	④	⑤
34	①	②	③	④	⑤
35	①	②	③	④	⑤
36	①	②	③	④	⑤
37	①	②	③	④	⑤
38	①	②	③	④	⑤
39	①	②	③	④	⑤
40	①	②	③	④	⑤

※ 아래 문구를 **'필적확인란'**의 빈칸에 정자로 기재하시오.

법학전문대학원은 여러분을 기다리고 있습니다.	
필 적 확인란	

답안 작성시 반드시 지켜야 하는 사항

아래 사항은 전 교시에 모두 해당되는 것입니다.

1. 답란은 반드시 컴퓨터용 사인펜만을 사용하여 "⬮"와 같이 검게 표기해야 합니다.

2. 수험번호란에는 아라비아숫자로 기록하고, 해당란에 "⬮"와 같이 검게 표기해야 합니다.

3. 수험번호 끝자리가 홀수인 응시자는 반드시 홀수형 문제지를, 짝수인 응시자는 반드시 짝수형 문제지를 배부받아 풀어야 합니다.

4. '필적확인란'을 반드시 기재해야 합니다.

5. 수정테이프를 이용하여 답란 수정은 가능하나, 수정테이프가 떨어지는 등 불완전한 수정처리로 인해 발생되는 모든 책임은 수험생에게 있으니 주의 바랍니다.

위 사항을 지키지 않아 발생하는 불이익은 응시자에게 있습니다.

2027학년도
법학적성시험 답안지

①교시 언어이해 / ②교시 추리논증

성 명						
수 험 번 호						
0	0	0	0	0	0	0
1	1	1	1	1	1	1
2	2	2	2	2	2	2
3	3	3	3	3	3	3
4	4	4	4	4	4	4
5	5	5	5	5	5	5
6	6	6	6	6	6	6
7	7	7	7	7	7	7
8	8	8	8	8	8	8
9	9	9	9	9	9	9

문제유형 표 기 란
○ 홀수형
○ 짝수형

※ 수험번호 끝자리가 홀수인 응시자는 반드시 홀수형 문제지를, 짝수인 응시자는 반드시 짝수형 문제지를 풀어야 함.

※ 결시자 표기 및 감독관 날인란		
결시자 표 기	컴퓨터용 사인펜으로 수험번호와 옆란 표기	○
감독관 날 인	본인확인 및 수험번호의 정확한 표기 확인	
	수험번호 끝자리와 문제유형 동일 확인	

문번	답 란				
1	①	②	③	④	⑤
2	①	②	③	④	⑤
3	①	②	③	④	⑤
4	①	②	③	④	⑤
5	①	②	③	④	⑤
6	①	②	③	④	⑤
7	①	②	③	④	⑤
8	①	②	③	④	⑤
9	①	②	③	④	⑤
10	①	②	③	④	⑤
11	①	②	③	④	⑤
12	①	②	③	④	⑤
13	①	②	③	④	⑤
14	①	②	③	④	⑤
15	①	②	③	④	⑤

문번	답 란				
16	①	②	③	④	⑤
17	①	②	③	④	⑤
18	①	②	③	④	⑤
19	①	②	③	④	⑤
20	①	②	③	④	⑤
21	①	②	③	④	⑤
22	①	②	③	④	⑤
23	①	②	③	④	⑤
24	①	②	③	④	⑤
25	①	②	③	④	⑤
26	①	②	③	④	⑤
27	①	②	③	④	⑤
28	①	②	③	④	⑤
29	①	②	③	④	⑤
30	①	②	③	④	⑤

문번	답 란				
31	①	②	③	④	⑤
32	①	②	③	④	⑤
33	①	②	③	④	⑤
34	①	②	③	④	⑤
35	①	②	③	④	⑤
36	①	②	③	④	⑤
37	①	②	③	④	⑤
38	①	②	③	④	⑤
39	①	②	③	④	⑤
40	①	②	③	④	⑤

※ 아래 문구를 **'필적확인란'**의 빈칸에 정자로 기재하시오.

법학전문대학원은 여러분을 기다리고 있습니다.	
필 적 확인란	

답안 작성시 반드시 지켜야 하는 사항

아래 사항은 전 교시에 모두 해당되는 것입니다.

1. 답란은 반드시 컴퓨터용 사인펜만을 사용하여 "▮"와 같이 검게 표기해야 합니다.

2. 수험번호란에는 아라비아숫자로 기록하고, 해당란에 "▮"와 같이 검게 표기해야 합니다.

3. 수험번호 끝자리가 홀수인 응시자는 반드시 홀수형 문제지를, 짝수인 응시자는 반드시 짝수형 문제지를 배부받아 풀어야 합니다.

4. '필적확인란'을 반드시 기재해야 합니다.

5. 수정테이프를 이용하여 답란 수정은 가능하나, 수정테이프가 떨어지는 등 불완전한 수정처리로 인해 발생되는 모든 책임은 수험생에게 있으니 주의 바랍니다.

위 사항을 지키지 않아 발생하는 불이익은 응시자에게 있습니다.

2027학년도 법학적성시험 답안지

①교시 언어이해 / ②교시 추리논증

성 명						
수 험 번 호						
0	0	0	0	0	0	0
1	1	1	1	1	1	1
2	2	2	2	2	2	2
3	3	3	3	3	3	3
4	4	4	4	4	4	4
5	5	5	5	5	5	5
6	6	6	6	6	6	6
7	7	7	7	7	7	7
8	8	8	8	8	8	8
9	9	9	9	9	9	9

문제유형 표기란
⬯ 홀수형
⬯ 짝수형

※ 수험번호 끝자리가 홀수인 응시자는 반드시 홀수형 문제지를, 짝수인 응시자는 반드시 짝수형 문제지를 풀어야 함.

※ 결시자 표기 및 감독관 날인란		
결시자 표기	컴퓨터용 사인펜으로 수험번호와 옆란 표기	⬯
감독관 날인	본인확인 및 수험번호의 정확한 표기 확인	
	수험번호 끝자리와 문제유형 동일 확인	

문번	답		란		
1	①	②	③	④	⑤
2	①	②	③	④	⑤
3	①	②	③	④	⑤
4	①	②	③	④	⑤
5	①	②	③	④	⑤
6	①	②	③	④	⑤
7	①	②	③	④	⑤
8	①	②	③	④	⑤
9	①	②	③	④	⑤
10	①	②	③	④	⑤
11	①	②	③	④	⑤
12	①	②	③	④	⑤
13	①	②	③	④	⑤
14	①	②	③	④	⑤
15	①	②	③	④	⑤

문번	답		란		
16	①	②	③	④	⑤
17	①	②	③	④	⑤
18	①	②	③	④	⑤
19	①	②	③	④	⑤
20	①	②	③	④	⑤
21	①	②	③	④	⑤
22	①	②	③	④	⑤
23	①	②	③	④	⑤
24	①	②	③	④	⑤
25	①	②	③	④	⑤
26	①	②	③	④	⑤
27	①	②	③	④	⑤
28	①	②	③	④	⑤
29	①	②	③	④	⑤
30	①	②	③	④	⑤

문번	답		란		
31	①	②	③	④	⑤
32	①	②	③	④	⑤
33	①	②	③	④	⑤
34	①	②	③	④	⑤
35	①	②	③	④	⑤
36	①	②	③	④	⑤
37	①	②	③	④	⑤
38	①	②	③	④	⑤
39	①	②	③	④	⑤
40	①	②	③	④	⑤

※ 아래 문구를 **'필적확인란'**의 빈칸에 정자로 기재하시오.

법학전문대학원은 여러분을 기다리고 있습니다.	
필 적 확인란	

답안 작성시 반드시 지켜야 하는 사항

아래 사항은 전 교시에 모두 해당되는 것입니다.

1. 답란은 반드시 컴퓨터용 사인펜만을 사용하여 "●"와 같이 검게 표기해야 합니다.

2. 수험번호란에는 아라비아숫자로 기록하고, 해당란에 "●"와 같이 검게 표기해야 합니다.

3. 수험번호 끝자리가 홀수인 응시자는 반드시 홀수형 문제지를, 짝수인 응시자는 반드시 짝수형 문제지를 배부받아 풀어야 합니다.

4. '필적확인란'을 반드시 기재해야 합니다.

5. 수정테이프를 이용하여 답란 수정은 가능하나, 수정테이프가 떨어지는 등 불완전한 수정처리로 인해 발생되는 모든 책임은 수험생에게 있으니 주의 바랍니다.

위 사항을 지키지 않아 발생하는 불이익은 응시자에게 있습니다.

2027학년도
법학적성시험 답안지

①교시 **언어이해** / ②교시 **추리논증**

성 명						
수 험 번 호						
⓪	⓪	⓪	⓪	⓪	⓪	⓪
①	①	①	①	①	①	①
②	②	②	②	②	②	②
③	③	③	③	③	③	③
④	④	④	④	④	④	④
⑤	⑤	⑤	⑤	⑤	⑤	⑤
⑥	⑥	⑥	⑥	⑥	⑥	⑥
⑦	⑦	⑦	⑦	⑦	⑦	⑦
⑧	⑧	⑧	⑧	⑧	⑧	⑧
⑨	⑨	⑨	⑨	⑨	⑨	⑨

문제유형 표기란
⬯ 홀수형
⬯ 짝수형

※ 수험번호 끝자리가 홀수인 응시자는 반드시 홀수형 문제지를, 짝수인 응시자는 반드시 짝수형 문제지를 풀어야 함.

※ 결시자 표기 및 감독관 날인란		
결시자 표기	컴퓨터용 사인펜으로 수험번호와 옆란 표기	⬯
감독관 날인	본인확인 및 수험번호의 정확한 표기 확인	
	수험번호 끝자리와 문제유형 동일 확인	

문번	답 란				
1	①	②	③	④	⑤
2	①	②	③	④	⑤
3	①	②	③	④	⑤
4	①	②	③	④	⑤
5	①	②	③	④	⑤
6	①	②	③	④	⑤
7	①	②	③	④	⑤
8	①	②	③	④	⑤
9	①	②	③	④	⑤
10	①	②	③	④	⑤
11	①	②	③	④	⑤
12	①	②	③	④	⑤
13	①	②	③	④	⑤
14	①	②	③	④	⑤
15	①	②	③	④	⑤

문번	답 란				
16	①	②	③	④	⑤
17	①	②	③	④	⑤
18	①	②	③	④	⑤
19	①	②	③	④	⑤
20	①	②	③	④	⑤
21	①	②	③	④	⑤
22	①	②	③	④	⑤
23	①	②	③	④	⑤
24	①	②	③	④	⑤
25	①	②	③	④	⑤
26	①	②	③	④	⑤
27	①	②	③	④	⑤
28	①	②	③	④	⑤
29	①	②	③	④	⑤
30	①	②	③	④	⑤

문번	답 란				
31	①	②	③	④	⑤
32	①	②	③	④	⑤
33	①	②	③	④	⑤
34	①	②	③	④	⑤
35	①	②	③	④	⑤
36	①	②	③	④	⑤
37	①	②	③	④	⑤
38	①	②	③	④	⑤
39	①	②	③	④	⑤
40	①	②	③	④	⑤

※ 아래 문구를 **'필적확인란'**의 빈칸에 정자로 기재하시오.

법학전문대학원은 여러분을 기다리고 있습니다.	
필 적 확인란	

답안 작성시 반드시 지켜야 하는 사항

아래 사항은 전 교시에 모두 해당되는 것입니다.

1. 답란은 반드시 컴퓨터용 사인펜만을 사용하여 "▮"와 같이 검게 표기해야 합니다.

2. 수험번호란에는 아라비아숫자로 기록하고, 해당란에 "▮"와 같이 검게 표기해야 합니다.

3. 수험번호 끝자리가 홀수인 응시자는 반드시 홀수형 문제지를, 짝수인 응시자는 반드시 짝수형 문제지를 배부받아 풀어야 합니다.

4. '필적확인란'을 반드시 기재해야 합니다.

5. 수정테이프를 이용하여 답란 수정은 가능하나, 수정테이프가 떨어지는 등 불완전한 수정처리로 인해 발생되는 모든 책임은 수험생에게 있으니 주의 바랍니다.

위 사항을 지키지 않아 발생하는 불이익은 응시자에게 있습니다.

2027학년도 법학적성시험 답안지

①교시 언어이해 / ②교시 추리논증

성 명						
수 험 번 호						
0	0	0	0	0	0	0
1	1	1	1	1	1	1
2	2	2	2	2	2	2
3	3	3	3	3	3	3
4	4	4	4	4	4	4
5	5	5	5	5	5	5
6	6	6	6	6	6	6
7	7	7	7	7	7	7
8	8	8	8	8	8	8
9	9	9	9	9	9	9

문제유형 표기란
▯ 홀수형
▯ 짝수형

※ 수험번호 끝자리가 홀수인 응시자는 반드시 홀수형 문제지를, 짝수인 응시자는 반드시 짝수형 문제지를 풀어야 함.

※ 결시자 표기 및 감독관 날인란		
결시자 표기	컴퓨터용 사인펜으로 수험번호와 옆란 표기	▯
감독관 날인	본인확인 및 수험번호의 정확한 표기 확인	
	수험번호 끝자리와 문제유형 동일 확인	

문번	답				란
1	1	2	3	4	5
2	1	2	3	4	5
3	1	2	3	4	5
4	1	2	3	4	5
5	1	2	3	4	5
6	1	2	3	4	5
7	1	2	3	4	5
8	1	2	3	4	5
9	1	2	3	4	5
10	1	2	3	4	5
11	1	2	3	4	5
12	1	2	3	4	5
13	1	2	3	4	5
14	1	2	3	4	5
15	1	2	3	4	5

문번	답				란
16	1	2	3	4	5
17	1	2	3	4	5
18	1	2	3	4	5
19	1	2	3	4	5
20	1	2	3	4	5
21	1	2	3	4	5
22	1	2	3	4	5
23	1	2	3	4	5
24	1	2	3	4	5
25	1	2	3	4	5
26	1	2	3	4	5
27	1	2	3	4	5
28	1	2	3	4	5
29	1	2	3	4	5
30	1	2	3	4	5

문번	답				란
31	1	2	3	4	5
32	1	2	3	4	5
33	1	2	3	4	5
34	1	2	3	4	5
35	1	2	3	4	5
36	1	2	3	4	5
37	1	2	3	4	5
38	1	2	3	4	5
39	1	2	3	4	5
40	1	2	3	4	5

※ 아래 문구를 **'필적확인란'**의 빈칸에 정자로 기재하시오.

법학전문대학원은 여러분을 기다리고 있습니다.	
필 적 확인란	

답안 작성시 반드시 지켜야 하는 사항

아래 사항은 전 교시에 모두 해당되는 것입니다.

1. 답란은 반드시 컴퓨터용 사인펜만을 사용하여 "▮"와 같이 검게 표기해야 합니다.

2. 수험번호란에는 아라비아숫자로 기록하고, 해당란에 "▮"와 같이 검게 표기해야 합니다.

3. 수험번호 끝자리가 홀수인 응시자는 반드시 홀수형 문제지를, 짝수인 응시자는 반드시 짝수형 문제지를 배부받아 풀어야 합니다.

4. '필적확인란'을 반드시 기재해야 합니다.

5. 수정테이프를 이용하여 답란 수정은 가능하나, 수정테이프가 떨어지는 등 불완전한 수정처리로 인해 발생되는 모든 책임은 수험생에게 있으니 주의 바랍니다.

위 사항을 지키지 않아 발생하는 불이익은 응시자에게 있습니다.

2027학년도
법학적성시험 답안지

①교시 언어이해 / ②교시 추리논증

성 명						
수 험 번 호						
0	0	0	0	0	0	0
1	1	1	1	1	1	1
2	2	2	2	2	2	2
3	3	3	3	3	3	3
4	4	4	4	4	4	4
5	5	5	5	5	5	5
6	6	6	6	6	6	6
7	7	7	7	7	7	7
8	8	8	8	8	8	8
9	9	9	9	9	9	9

문제유형 표기란
⬯ 홀수형
⬯ 짝수형

※ 수험번호 끝자리가 홀수인 응시자는 반드시 홀수형 문제지를, 짝수인 응시자는 반드시 짝수형 문제지를 풀어야 함.

※ 결시자 표기 및 감독관 날인란		
결시자 표기	컴퓨터용 사인펜으로 수험번호와 옆란 표기	⬯
감독관 날인	본인확인 및 수험번호의 정확한 표기 확인	
	수험번호 끝자리와 문제유형 동일 확인	

문번	답		란		
1	①	②	③	④	⑤
2	①	②	③	④	⑤
3	①	②	③	④	⑤
4	①	②	③	④	⑤
5	①	②	③	④	⑤
6	①	②	③	④	⑤
7	①	②	③	④	⑤
8	①	②	③	④	⑤
9	①	②	③	④	⑤
10	①	②	③	④	⑤
11	①	②	③	④	⑤
12	①	②	③	④	⑤
13	①	②	③	④	⑤
14	①	②	③	④	⑤
15	①	②	③	④	⑤

문번	답		란		
16	①	②	③	④	⑤
17	①	②	③	④	⑤
18	①	②	③	④	⑤
19	①	②	③	④	⑤
20	①	②	③	④	⑤
21	①	②	③	④	⑤
22	①	②	③	④	⑤
23	①	②	③	④	⑤
24	①	②	③	④	⑤
25	①	②	③	④	⑤
26	①	②	③	④	⑤
27	①	②	③	④	⑤
28	①	②	③	④	⑤
29	①	②	③	④	⑤
30	①	②	③	④	⑤

문번	답		란		
31	①	②	③	④	⑤
32	①	②	③	④	⑤
33	①	②	③	④	⑤
34	①	②	③	④	⑤
35	①	②	③	④	⑤
36	①	②	③	④	⑤
37	①	②	③	④	⑤
38	①	②	③	④	⑤
39	①	②	③	④	⑤
40	①	②	③	④	⑤

※ 아래 문구를 **'필적확인란'**의 빈칸에 정자로 기재하시오.

법학전문대학원은 여러분을 기다리고 있습니다.	
필 적 확인란	

답안 작성시 반드시 지켜야 하는 사항

아래 사항은 전 교시에 모두 해당되는 것입니다.

1. 답란은 반드시 컴퓨터용 사인펜만을 사용하여 "▮"와 같이 검게 표기해야 합니다.

2. 수험번호란에는 아라비아숫자로 기록하고, 해당란에 "▮"와 같이 검게 표기해야 합니다.

3. 수험번호 끝자리가 홀수인 응시자는 반드시 홀수형 문제지를, 짝수인 응시자는 반드시 짝수형 문제지를 배부받아 풀어야 합니다.

4. '필적확인란'을 반드시 기재해야 합니다.

5. 수정테이프를 이용하여 답란 수정은 가능하나, 수정테이프가 떨어지는 등 불완전한 수정처리로 인해 발생되는 모든 책임은 수험생에게 있으니 주의 바랍니다.

위 사항을 지키지 않아 발생하는 불이익은 응시자에게 있습니다.

2027학년도
법학적성시험 답안지

①교시 언어이해 / ②교시 추리논증

성 명						
수험번호						
0	0	0	0	0	0	0
1	1	1	1	1	1	1
2	2	2	2	2	2	2
3	3	3	3	3	3	3
4	4	4	4	4	4	4
5	5	5	5	5	5	5
6	6	6	6	6	6	6
7	7	7	7	7	7	7
8	8	8	8	8	8	8
9	9	9	9	9	9	9

문제유형 표기란
○ 홀수형
○ 짝수형

※ 수험번호 끝자리가 홀수인 응시자는 반드시 홀수형 문제지를, 짝수인 응시자는 반드시 짝수형 문제지를 풀어야 함.

※ 결시자 표기 및 감독관 날인란		
결시자 표기	컴퓨터용 사인펜으로 수험번호와 옆란 표기	○
감독관 날인	본인확인 및 수험번호의 정확한 표기 확인	
	수험번호 끝자리와 문제유형 동일 확인	

문번	답				란
1	①	②	③	④	⑤
2	①	②	③	④	⑤
3	①	②	③	④	⑤
4	①	②	③	④	⑤
5	①	②	③	④	⑤
6	①	②	③	④	⑤
7	①	②	③	④	⑤
8	①	②	③	④	⑤
9	①	②	③	④	⑤
10	①	②	③	④	⑤
11	①	②	③	④	⑤
12	①	②	③	④	⑤
13	①	②	③	④	⑤
14	①	②	③	④	⑤
15	①	②	③	④	⑤

문번	답				란
16	①	②	③	④	⑤
17	①	②	③	④	⑤
18	①	②	③	④	⑤
19	①	②	③	④	⑤
20	①	②	③	④	⑤
21	①	②	③	④	⑤
22	①	②	③	④	⑤
23	①	②	③	④	⑤
24	①	②	③	④	⑤
25	①	②	③	④	⑤
26	①	②	③	④	⑤
27	①	②	③	④	⑤
28	①	②	③	④	⑤
29	①	②	③	④	⑤
30	①	②	③	④	⑤

문번	답				란
31	①	②	③	④	⑤
32	①	②	③	④	⑤
33	①	②	③	④	⑤
34	①	②	③	④	⑤
35	①	②	③	④	⑤
36	①	②	③	④	⑤
37	①	②	③	④	⑤
38	①	②	③	④	⑤
39	①	②	③	④	⑤
40	①	②	③	④	⑤

※ 아래 문구를 **'필적확인란'**의 빈칸에 정자로 기재하시오.

법학전문대학원은 여러분을 기다리고 있습니다.	
필적 확인란	

답안 작성시 반드시 지켜야 하는 사항

아래 사항은 전 교시에 모두 해당되는 것입니다.

1. 답란은 반드시 컴퓨터용 사인펜만을 사용하여 "●"와 같이 검게 표기해야 합니다.

2. 수험번호란에는 아라비아숫자로 기록하고, 해당란에 "●"와 같이 검게 표기해야 합니다.

3. 수험번호 끝자리가 홀수인 응시자는 반드시 홀수형 문제지를, 짝수인 응시자는 반드시 짝수형 문제지를 배부받아 풀어야 합니다.

4. '필적확인란'을 반드시 기재해야 합니다.

5. 수정테이프를 이용하여 답란 수정은 가능하나, 수정테이프가 떨어지는 등 불완전한 수정처리로 인해 발생되는 모든 책임은 수험생에게 있으니 주의 바랍니다.

위 사항을 지키지 않아 발생하는 불이익은 응시자에게 있습니다.

2027학년도
법학적성시험 답안지

①교시 **언어이해** / ②교시 **추리논증**

성 명						
수험번호						
0	0	0	0	0	0	0
1	1	1	1	1	1	1
2	2	2	2	2	2	2
3	3	3	3	3	3	3
4	4	4	4	4	4	4
5	5	5	5	5	5	5
6	6	6	6	6	6	6
7	7	7	7	7	7	7
8	8	8	8	8	8	8
9	9	9	9	9	9	9

문제유형 표기란
⬯ 홀수형
⬯ 짝수형

※ 수험번호 끝자리가 홀수인 응시자는 반드시 홀수형 문제지를, 짝수인 응시자는 반드시 짝수형 문제지를 풀어야 함.

※ 결시자 표기 및 감독관 날인란		
결시자 표기	컴퓨터용 사인펜으로 수험번호와 옆란 표기	⬯
감독관 날인	본인확인 및 수험번호의 정확한 표기 확인	
	수험번호 끝자리와 문제유형 동일 확인	

문번	답				란
1	①	②	③	④	⑤
2	①	②	③	④	⑤
3	①	②	③	④	⑤
4	①	②	③	④	⑤
5	①	②	③	④	⑤
6	①	②	③	④	⑤
7	①	②	③	④	⑤
8	①	②	③	④	⑤
9	①	②	③	④	⑤
10	①	②	③	④	⑤
11	①	②	③	④	⑤
12	①	②	③	④	⑤
13	①	②	③	④	⑤
14	①	②	③	④	⑤
15	①	②	③	④	⑤

문번	답				란
16	①	②	③	④	⑤
17	①	②	③	④	⑤
18	①	②	③	④	⑤
19	①	②	③	④	⑤
20	①	②	③	④	⑤
21	①	②	③	④	⑤
22	①	②	③	④	⑤
23	①	②	③	④	⑤
24	①	②	③	④	⑤
25	①	②	③	④	⑤
26	①	②	③	④	⑤
27	①	②	③	④	⑤
28	①	②	③	④	⑤
29	①	②	③	④	⑤
30	①	②	③	④	⑤

문번	답				란
31	①	②	③	④	⑤
32	①	②	③	④	⑤
33	①	②	③	④	⑤
34	①	②	③	④	⑤
35	①	②	③	④	⑤
36	①	②	③	④	⑤
37	①	②	③	④	⑤
38	①	②	③	④	⑤
39	①	②	③	④	⑤
40	①	②	③	④	⑤

※ 아래 문구를 **'필적확인란'**의 빈칸에 정자로 기재하시오.

법학전문대학원은 여러분을 기다리고 있습니다.	
필 적 확인란	

답안 작성시 반드시 지켜야 하는 사항

아래 사항은 전 교시에 모두 해당되는 것입니다.

1. 답란은 반드시 컴퓨터용 사인펜만을 사용하여 "▮"와 같이 검게 표기해야 합니다.

2. 수험번호란에는 아라비아숫자로 기록하고, 해당란에 "▮"와 같이 검게 표기해야 합니다.

3. 수험번호 끝자리가 홀수인 응시자는 반드시 홀수형 문제지를, 짝수인 응시자는 반드시 짝수형 문제지를 배부받아 풀어야 합니다.

4. '필적확인란'을 반드시 기재해야 합니다.

5. 수정테이프를 이용하여 답란 수정은 가능하나, 수정테이프가 떨어지는 등 불완전한 수정처리로 인해 발생되는 모든 책임은 수험생에게 있으니 주의 바랍니다.

위 사항을 지키지 않아 발생하는 불이익은 응시자에게 있습니다.

2027학년도
법학적성시험 답안지

①교시 언어이해 / ②교시 추리논증

성 명						
수 험 번 호						
0	0	0	0	0	0	0
1	1	1	1	1	1	1
2	2	2	2	2	2	2
3	3	3	3	3	3	3
4	4	4	4	4	4	4
5	5	5	5	5	5	5
6	6	6	6	6	6	6
7	7	7	7	7	7	7
8	8	8	8	8	8	8
9	9	9	9	9	9	9

문제유형 표 기 란
⬯ 홀수형
⬯ 짝수형

※ 수험번호 끝자리가 홀수인 응시자는 반드시 홀수형 문제지를, 짝수인 응시자는 반드시 짝수형 문제지를 풀어야 함.

※ 결시자 표기 및 감독관 날인란		
결시자 표 기	컴퓨터용 사인펜으로 수험번호와 옆란 표기	⬯
감독관 날 인	본인확인 및 수험번호의 정확한 표기 확인	
	수험번호 끝자리와 문제유형 동일 확인	

문번	답				란
1	1	2	3	4	5
2	1	2	3	4	5
3	1	2	3	4	5
4	1	2	3	4	5
5	1	2	3	4	5
6	1	2	3	4	5
7	1	2	3	4	5
8	1	2	3	4	5
9	1	2	3	4	5
10	1	2	3	4	5
11	1	2	3	4	5
12	1	2	3	4	5
13	1	2	3	4	5
14	1	2	3	4	5
15	1	2	3	4	5

문번	답				란
16	1	2	3	4	5
17	1	2	3	4	5
18	1	2	3	4	5
19	1	2	3	4	5
20	1	2	3	4	5
21	1	2	3	4	5
22	1	2	3	4	5
23	1	2	3	4	5
24	1	2	3	4	5
25	1	2	3	4	5
26	1	2	3	4	5
27	1	2	3	4	5
28	1	2	3	4	5
29	1	2	3	4	5
30	1	2	3	4	5

문번	답				란
31	1	2	3	4	5
32	1	2	3	4	5
33	1	2	3	4	5
34	1	2	3	4	5
35	1	2	3	4	5
36	1	2	3	4	5
37	1	2	3	4	5
38	1	2	3	4	5
39	1	2	3	4	5
40	1	2	3	4	5

※ 아래 문구를 **'필적확인란'**의 빈칸에 정자로 기재하시오.

법학전문대학원은 여러분을 기다리고 있습니다.	
필 적 확인란	

답안 작성시 반드시 지켜야 하는 사항

아래 사항은 전 교시에 모두 해당되는 것입니다.

1. 답란은 반드시 컴퓨터용 사인펜만을 사용하여 "●"와 같이 검게 표기해야 합니다.

2. 수험번호란에는 아라비아숫자로 기록하고, 해당란에 "●"와 같이 검게 표기해야 합니다.

3. 수험번호 끝자리가 홀수인 응시자는 반드시 홀수형 문제지를, 짝수인 응시자는 반드시 짝수형 문제지를 배부받아 풀어야 합니다.

4. '필적확인란'을 반드시 기재해야 합니다.

5. 수정테이프를 이용하여 답란 수정은 가능하나, 수정테이프가 떨어지는 등 불완전한 수정처리로 인해 발생되는 모든 책임은 수험생에게 있으니 주의 바랍니다.

위 사항을 지키지 않아 발생하는 불이익은 응시자에게 있습니다.

2027학년도
법학적성시험 답안지

①교시 언어이해 / ②교시 추리논증

성 명						
수 험 번 호						
0	0	0	0	0	0	0
1	1	1	1	1	1	1
2	2	2	2	2	2	2
3	3	3	3	3	3	3
4	4	4	4	4	4	4
5	5	5	5	5	5	5
6	6	6	6	6	6	6
7	7	7	7	7	7	7
8	8	8	8	8	8	8
9	9	9	9	9	9	9

문제유형 표 기 란
⬯ 홀수형
⬯ 짝수형

※ 수험번호 끝자리가 홀수인 응시자는 반드시 홀수형 문제지를, 짝수인 응시자는 반드시 짝수형 문제지를 풀어야 함.

※ 결시자 표기 및 감독관 날인란		
결시자 표기	컴퓨터용 사인펜으로 수험번호와 옆란 표기	⬯
감독관 날인	본인확인 및 수험번호의 정확한 표기 확인	
	수험번호 끝자리와 문제유형 동일 확인	

문번	답				란
1	①	②	③	④	⑤
2	①	②	③	④	⑤
3	①	②	③	④	⑤
4	①	②	③	④	⑤
5	①	②	③	④	⑤
6	①	②	③	④	⑤
7	①	②	③	④	⑤
8	①	②	③	④	⑤
9	①	②	③	④	⑤
10	①	②	③	④	⑤
11	①	②	③	④	⑤
12	①	②	③	④	⑤
13	①	②	③	④	⑤
14	①	②	③	④	⑤
15	①	②	③	④	⑤

문번	답				란
16	①	②	③	④	⑤
17	①	②	③	④	⑤
18	①	②	③	④	⑤
19	①	②	③	④	⑤
20	①	②	③	④	⑤
21	①	②	③	④	⑤
22	①	②	③	④	⑤
23	①	②	③	④	⑤
24	①	②	③	④	⑤
25	①	②	③	④	⑤
26	①	②	③	④	⑤
27	①	②	③	④	⑤
28	①	②	③	④	⑤
29	①	②	③	④	⑤
30	①	②	③	④	⑤

문번	답				란
31	①	②	③	④	⑤
32	①	②	③	④	⑤
33	①	②	③	④	⑤
34	①	②	③	④	⑤
35	①	②	③	④	⑤
36	①	②	③	④	⑤
37	①	②	③	④	⑤
38	①	②	③	④	⑤
39	①	②	③	④	⑤
40	①	②	③	④	⑤

※ 아래 문구를 **'필적확인란'**의 빈칸에 정자로 기재하시오.

법학전문대학원은 여러분을 기다리고 있습니다.	
필 적 확인란	

답안 작성시 반드시 지켜야 하는 사항

아래 사항은 전 교시에 모두 해당되는 것입니다.

1. 답란은 반드시 컴퓨터용 사인펜만을 사용하여 "⬮"와 같이 검게 표기해야 합니다.

2. 수험번호란에는 아라비아숫자로 기록하고, 해당란에 "⬮"와 같이 검게 표기해야 합니다.

3. 수험번호 끝자리가 홀수인 응시자는 반드시 홀수형 문제지를, 짝수인 응시자는 반드시 짝수형 문제지를 배부받아 풀어야 합니다.

4. '필적확인란'을 반드시 기재해야 합니다.

5. 수정테이프를 이용하여 답란 수정은 가능하나, 수정테이프가 떨어지는 등 불완전한 수정처리로 인해 발생되는 모든 책임은 수험생에게 있으니 주의 바랍니다.

위 사항을 지키지 않아 발생하는 불이익은 응시자에게 있습니다.

2027학년도
법학적성시험 답안지

①교시 **언어이해** / ②교시 **추리논증**

성 명						
수 험 번 호						
0	0	0	0	0	0	0
1	1	1	1	1	1	1
2	2	2	2	2	2	2
3	3	3	3	3	3	3
4	4	4	4	4	4	4
5	5	5	5	5	5	5
6	6	6	6	6	6	6
7	7	7	7	7	7	7
8	8	8	8	8	8	8
9	9	9	9	9	9	9

문제유형 표기란
○ 홀수형
○ 짝수형

※ 수험번호 끝자리가 홀수인 응시자는 반드시 홀수형 문제지를, 짝수인 응시자는 반드시 짝수형 문제지를 풀어야 함.

※ 결시자 표기 및 감독관 날인란		
결시자 표기	컴퓨터용 사인펜으로 수험번호와 옆란 표기	○
감독관 날인	본인확인 및 수험번호의 정확한 표기 확인	
	수험번호 끝자리와 문제유형 동일 확인	

문번	답			란	
1	1	2	3	4	5
2	1	2	3	4	5
3	1	2	3	4	5
4	1	2	3	4	5
5	1	2	3	4	5
6	1	2	3	4	5
7	1	2	3	4	5
8	1	2	3	4	5
9	1	2	3	4	5
10	1	2	3	4	5
11	1	2	3	4	5
12	1	2	3	4	5
13	1	2	3	4	5
14	1	2	3	4	5
15	1	2	3	4	5

문번	답			란	
16	1	2	3	4	5
17	1	2	3	4	5
18	1	2	3	4	5
19	1	2	3	4	5
20	1	2	3	4	5
21	1	2	3	4	5
22	1	2	3	4	5
23	1	2	3	4	5
24	1	2	3	4	5
25	1	2	3	4	5
26	1	2	3	4	5
27	1	2	3	4	5
28	1	2	3	4	5
29	1	2	3	4	5
30	1	2	3	4	5

문번	답			란	
31	1	2	3	4	5
32	1	2	3	4	5
33	1	2	3	4	5
34	1	2	3	4	5
35	1	2	3	4	5
36	1	2	3	4	5
37	1	2	3	4	5
38	1	2	3	4	5
39	1	2	3	4	5
40	1	2	3	4	5

※ 아래 문구를 **'필적확인란'**의 빈칸에 정자로 기재하시오.

법학전문대학원은 여러분을 기다리고 있습니다.	
필 적 확인란	

답안 작성시 반드시 지켜야 하는 사항

아래 사항은 전 교시에 모두 해당되는 것입니다.

1. 답란은 반드시 컴퓨터용 사인펜만을 사용하여 "●"와 같이 검게 표기해야 합니다.

2. 수험번호란에는 아라비아숫자로 기록하고, 해당란에 "●"와 같이 검게 표기해야 합니다.

3. 수험번호 끝자리가 홀수인 응시자는 반드시 홀수형 문제지를, 짝수인 응시자는 반드시 짝수형 문제지를 배부받아 풀어야 합니다.

4. '필적확인란'을 반드시 기재해야 합니다.

5. 수정테이프를 이용하여 답란 수정은 가능하나, 수정테이프가 떨어지는 등 불완전한 수정처리로 인해 발생되는 모든 책임은 수험생에게 있으니 주의 바랍니다.

위 사항을 지키지 않아 발생하는 불이익은 응시자에게 있습니다.

2027학년도
법학적성시험 답안지

①교시 언어이해 / ②교시 추리논증

성 명						
수 험 번 호						
0	0	0	0	0	0	0
1	1	1	1	1	1	1
2	2	2	2	2	2	2
3	3	3	3	3	3	3
4	4	4	4	4	4	4
5	5	5	5	5	5	5
6	6	6	6	6	6	6
7	7	7	7	7	7	7
8	8	8	8	8	8	8
9	9	9	9	9	9	9

문제유형 표 기 란
○ 홀수형
○ 짝수형

※ 수험번호 끝자리가 홀수인 응시자는 반드시 홀수형 문제지를, 짝수인 응시자는 반드시 짝수형 문제지를 풀어야 함.

※ 결시자 표기 및 감독관 날인란		
결시자 표 기	컴퓨터용 사인펜으로 수험번호와 옆란 표기	○
감독관 날 인	본인확인 및 수험번호의 정확한 표기 확인	
	수험번호 끝자리와 문제유형 동일 확인	

문번	답				란
1	①	②	③	④	⑤
2	①	②	③	④	⑤
3	①	②	③	④	⑤
4	①	②	③	④	⑤
5	①	②	③	④	⑤
6	①	②	③	④	⑤
7	①	②	③	④	⑤
8	①	②	③	④	⑤
9	①	②	③	④	⑤
10	①	②	③	④	⑤
11	①	②	③	④	⑤
12	①	②	③	④	⑤
13	①	②	③	④	⑤
14	①	②	③	④	⑤
15	①	②	③	④	⑤

문번	답				란
16	①	②	③	④	⑤
17	①	②	③	④	⑤
18	①	②	③	④	⑤
19	①	②	③	④	⑤
20	①	②	③	④	⑤
21	①	②	③	④	⑤
22	①	②	③	④	⑤
23	①	②	③	④	⑤
24	①	②	③	④	⑤
25	①	②	③	④	⑤
26	①	②	③	④	⑤
27	①	②	③	④	⑤
28	①	②	③	④	⑤
29	①	②	③	④	⑤
30	①	②	③	④	⑤

문번	답				란
31	①	②	③	④	⑤
32	①	②	③	④	⑤
33	①	②	③	④	⑤
34	①	②	③	④	⑤
35	①	②	③	④	⑤
36	①	②	③	④	⑤
37	①	②	③	④	⑤
38	①	②	③	④	⑤
39	①	②	③	④	⑤
40	①	②	③	④	⑤

※ 아래 문구를 **'필적확인란'**의 빈칸에 정자로 기재하시오.

법학전문대학원은 여러분을 기다리고 있습니다.	
필 적 확인란	

답안 작성시 반드시 지켜야 하는 사항

아래 사항은 전 교시에 모두 해당되는 것입니다.

1. 답란은 반드시 컴퓨터용 사인펜만을 사용하여 "▮"와 같이 검게 표기해야 합니다.

2. 수험번호란에는 아라비아숫자로 기록하고, 해당란에 "▮"와 같이 검게 표기해야 합니다.

3. 수험번호 끝자리가 홀수인 응시자는 반드시 홀수형 문제지를, 짝수인 응시자는 반드시 짝수형 문제지를 배부받아 풀어야 합니다.

4. '필적확인란'을 반드시 기재해야 합니다.

5. 수정테이프를 이용하여 답란 수정은 가능하나, 수정테이프가 떨어지는 등 불완전한 수정처리로 인해 발생되는 모든 책임은 수험생에게 있으니 주의 바랍니다.

위 사항을 지키지 않아 발생하는 불이익은 응시자에게 있습니다.